GUERRE ET PASSION

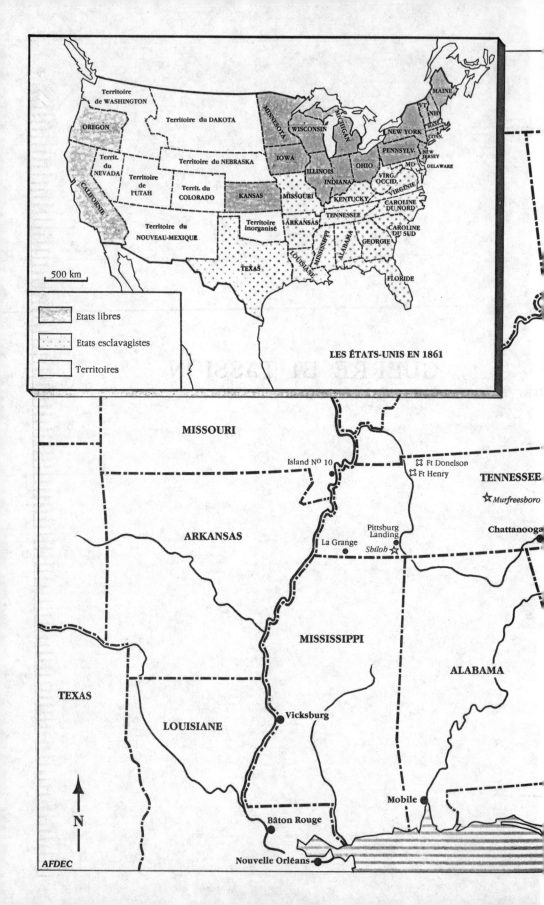

LES ÉTATS-UNIS EN 1861

500 km

Etats libres
Etats esclavagistes
Territoires

Territoire de WASHINGTON
OREGON
Territ. du NEVADA
CALIFORNIE
Territoire de l'UTAH
Territoire du NOUVEAU-MEXIQUE
Territoire du DAKOTA
Territoire du NEBRASKA
Territ. du COLORADO
Territoire inorganisé
KANSAS
MINNESOTA
WISCONSIN
IOWA
ILLINOIS
MICHIGAN
INDIANA
OHIO
MISSOURI
KENTUCKY
TENNESSEE
ARKANSAS
TEXAS
LOUISIANE
MISSISSIPPI
ALABAMA
GEORGIE
FLORIDE
NEW YORK
PENNSYLV.
MAINE
VT
N.H.
MASS.
CONN.
NEW JERSEY
MD
DELAWARE
VIRG. OCCID.
VIRGINIE
CAROLINE DU NORD
CAROLINE DU SUD

MISSOURI
Island N° 10
Ft Donelson
Ft Henry
TENNESSEE
Murfreesboro
ARKANSAS
La Grange
Pittsburg Landing
Shiloh
Chattanooga
MISSISSIPPI
ALABAMA
TEXAS
LOUISIANE
Vicksburg
Mobile
Bâton Rouge
Nouvelle Orléans

N

AFDEC

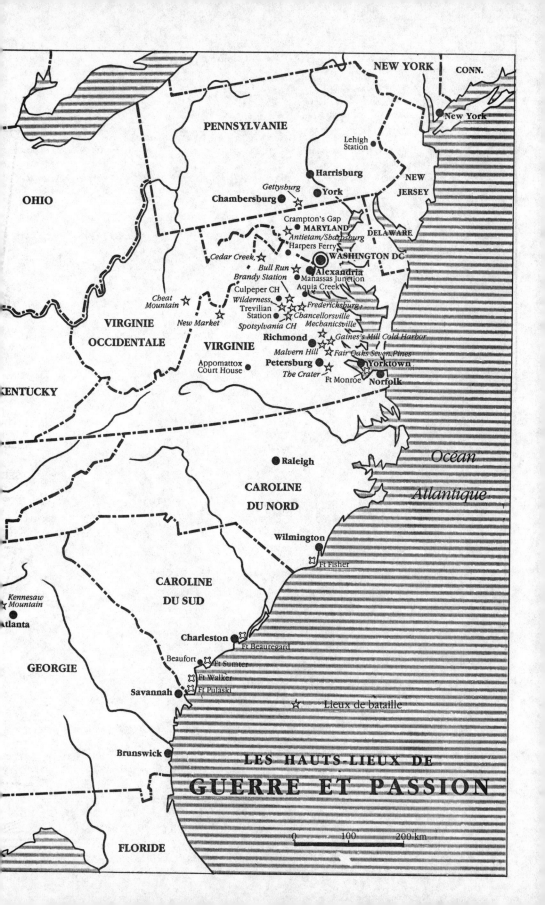

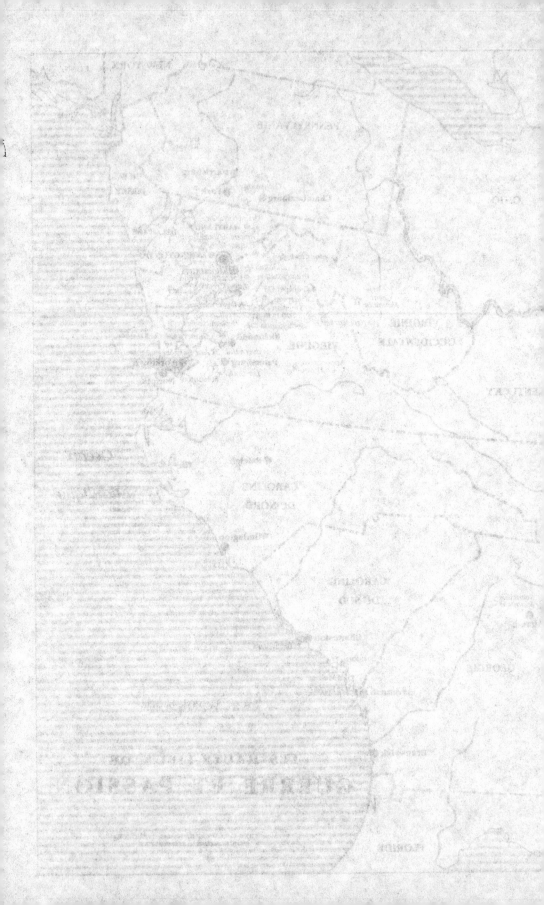

JOHN JAKES

GUERRE ET PASSION

FRANCE LOISIRS
123, boulevard de Grenelle, Paris

Titre original :
Love and War

Publié par
Harcourt BRACE JOVANOVICH, Publishers

Traduit par
Jacques MARTINACHE

Édition du Club France Loisirs, Paris,
avec l'autorisation des Presses de la Cité.

ISBN 2-7242-2873-1

PROLOGUE

LES CENDRES D'AVRIL

Le feu prit une heure avant minuit, le dernier jour d'avril, et le tocsin lointain des cloches d'incendie réveilla George Hazard. Il descendit en trébuchant le couloir obscur, monta à la tour de la grande maison, sortit sur le balcon étroit. Un vent chaud et fort attisait le brasier. De son perchoir, dominant la petite ville de Lehig Station, il reconnut la bâtisse en flammes — la dernière de quelque importance dans le quartier miteux proche du canal.

Il redescendit quatre à quatre à sa chambre faiblement éclairée, prit des vêtements au hasard en ne leur accordant qu'un vague coup d'œil. Il s'efforça de s'habiller en silence mais réveilla sa femme, Constance. Elle s'était endormie en lisant les Ecritures saintes — non dans sa propre bible mais dans une de celles de la famille Hazard. Depuis la chute de Fort Sumter et le début de la guerre, Constance passait plus de temps que d'habitude à lire la Bible.

— George, où cours-tu ?

— Il y a le feu en ville. Tu n'entends pas l'alarme ?

— Mais tu ne te précipites pas derrière les pompes chaque fois que sonne le tocsin.

— La maison appartient à Fenton, l'un de mes meilleurs contremaîtres. Il y a eu des problèmes chez lui, dernièrement. L'incendie n'est peut-être pas un accident.

George Hazard se pencha vers sa femme, embrassa sa joue chaude.

— Rendors-toi. Je reviendrai me coucher dans une heure.

Il éteignit la lampe à gaz, se rendit d'un pas vif à l'écurie, sella lui-même un cheval : c'était plus rapide que de réveiller un domestique et l'inquiétude accroissait sa hâte. Ce souci d'autrui l'intriguait car depuis la visite d'Orry Main, deux semaines plus tôt exactement, il avait sombré dans un étrange état de torpeur. Il se sentait à l'écart de la vie qui l'entourait, et plus particulièrement de celle du pays, dont une partie avait fait sécession et attaqué l'autre. L'Union était brisée, les troupes se rassemblaient. Comme si ces événements n'influaient aucunement sur son existence ou ses sentiments, George s'était volontairement retranché du monde.

Sur son cheval, il fila de l'arrière de la grande maison qu'il avait baptisée Belvedere et descendit la colline en direction de l'incendie. Les rafales de vent, fortes comme le souffle des hauts fourneaux des forges

Hazard, devaient avoir transformé en torche la maison du contre-maître.

La route serpentante et cahoteuse, exigeant du cavalier une grande maîtrise de sa monture, le conduisit le long des nombreux bâtiments des forges, d'où s'échappaient même à cette heure de la fumée, de la lumière et du bruit. L'entreprise Hazard tournait continuellement, produisant des rails et des tôles pour l'effort de guerre naissant de l'Union. Elle s'apprêtait à signer un contrat de production de canons mais, en cet instant précis, les affaires étaient la moindre préoccupation de l'homme qui passait devant les terrasses de maisons agréables, avant de s'engager dans les rues du quartier commercial.

Il connaissait depuis quelque temps les problèmes familiaux de Fenton. Lorsqu'un employé avait des ennuis, George en entendait généralement parler — il le voulait ainsi. Parfois, il fallait sévir mais il préférait discuter, comprendre, prodiguer des conseils, désirés ou non.

L'année précédente, Fenton avait pris chez lui un cousin célibataire, jeune gars énergique et robuste, de vingt ans son cadet. Temporaire-ment démuni, le cousin avait besoin d'un emploi. Le contremaître lui en avait trouvé un aux forges Hazard et, pendant un mois ou deux, le nouveau venu avait donné satisfaction.

Quoique marié, Fenton n'avait pas d'enfant. Sa femme, jolie mais fondamentalement bête, était plutôt de la génération du cousin que de celle de son mari. George ne tarda pas à remarquer que son contremaî-tre maigrissait et il apprit que les ouvriers montraient une nonchalance anormale quand Fenton était de service. Puis on l'informa d'une erreur coûteuse commise par Fenton. Suivie d'une autre huit jours plus tard.

Une semaine plus tôt, afin de prévenir de nouvelles fautes et d'aider Fenton s'il le pouvait, George l'avait convoqué pour lui parler. D'ordinaire d'un abord aisé, la parole facile même avec le patron, Fenton, une expression froide, renfermée, torturée dans le regard, n'avait fait qu'une seule déclaration importante : il avait des ennuis familiaux. George avait exprimé sa sympathie mais souligné que les erreurs devaient cesser. Le contremaître avait promis de régler le problème, le maître de forges lui avait demandé comment. « En faisant partir le cousin de la maison », avait répondu Fenton. Gêné, soupçon-nant la nature des « ennuis familiaux », George en était resté là.

Devant lui, il voyait maintenant des silhouettes courant autour du brasier, des jets d'eau arrosant vainement la maison déjà écroulée. La lueur rouge se reflétait sur le métal de la pompe désuète et sur le pelage noir des quatre chevaux qui l'avaient tirée sur les lieux. Les bêtes piaffaient et renâclaient comme de terrifiants animaux surgis de l'enfer.

En sautant de sa monture, George entendit un homme crier dans une rue sombre, à gauche de la maison en flammes. Il se fraya un chemin parmi les spectateurs.

— Reculez, sacré bon sang ! beugla le chef des pompiers bénévoles dans son porte-voix quand George émergea de la foule.

L'homme abaissa son porte-voix et ajouta sur un ton d'excuse :

— Oh ! Mr. Hazard. Vous avais pas reconnu.

Tout le monde connaissait pourtant George Hazard, l'homme le plus riche de la ville, peut-être de toute la vallée. Âgé de trente-six ans, solidement bâti, il avait les yeux couleur de glace communs à la famille Hazard.

— Que s'est-il passé ? demanda-t-il.

8

Le chef des bénévoles répondit par un résumé bredouillant tandis que ses hommes continuaient à actionner les leviers de la pompe. Arroser la maison démolie, c'eût été gaspiller l'eau ; tout ce qu'on pouvait faire, c'était empêcher l'incendie de s'étendre avec le vent aux appentis et baraques proches. Le chef avait donc le temps de parler à l'homme le plus important de la ville.

Apparemment, Fenton avait surpris sa femme au lit avec le cousin un peu plus tôt dans la soirée et les avait frappés avec un grand couteau de cuisine avant de mettre le feu à la maison. Le cousin, mortellement blessé, avait réussi à retourner l'arme contre son assaillant et l'avait poignardé quatre fois. Les yeux de George s'embuèrent. Fenton avait été le plus aimable des hommes ; instruit, travailleur, intelligent, bienveillant envers ceux qu'il commandait.

— C'est lui qu'on entend hurler, dit le chef. Mais il vivra plus longtemps. Les deux autres étaient morts quand on est arrivés. On les a tirés des flammes, ils sont là-bas si vous voulez les voir.

Pour une raison ou une autre, George s'y sentit obligé. Il s'avança vers les cadavres puants, gisant au milieu de la rue sous un carré de toile. Les cris continuaient. Le vent faisait ronfler le feu, projetait en l'air des cendres et des débris rougeoyants. Les bénévoles pompaient furieusement, deux rangées d'hommes sur chaque levier, une par terre, l'autre sur la plate-forme de la pompe. Les tuyaux de cuir rivetés, amenés dans deux chariots en forme de cercueil, couraient jusqu'à la rivière en traversant le canal désaffecté.

George s'arrêta à une vingtaine de centimètres de la bâche, la souleva. Des deux amants morts, c'était la femme la plus horrible à voir, avec sa peau noircie, fendillée, racornie en de nombreux endroits. Les vêtements calcinés du cousin révélaient des centaines d'ampoules d'où suintait un liquide jaune brillant reflétant la lumière. Le visage, le cou, la langue pendante des deux victimes s'étaient enflés pendant leur agonie, quand, cherchant de l'air, ils n'avaient empli leurs poumons que de fumée brûlante. Leur gorge aussi était gonflée, mais, pour la femme, on n'aurait su dire si c'étaient les flammes ou l'asphyxie qui l'avaient tuée. Le cas du cousin semblait moins douteux : il avait les yeux exorbités, gros comme des pommes.

George laissa retomber la bâche et maîtrisa la nausée montant en lui. Ce qu'il venait de voir avait fait se lever d'étranges spectres. Pas seulement le feu mais la mort, la souffrance, le deuil. Et surtout la guerre, à la présence écrasante.

Frissonnant, il revint au chef des pompiers.

— Je peux vous aider, Tom ?

— C'est bien aimable à vous, Mr. Hazard, mais il est trop tard pour faire quoi que ce soit à part arroser les maisons voisines.

Un bénévole accourut pour annoncer la mort de Fenton. George frissonna de nouveau : pourquoi continuait-il à l'entendre crier ?

— Il était déjà trop tard quand on est arrivés, reprit le chef.

George hocha la tête d'un air sombre et retourna à son cheval.

En rentrant, George Hazard laissa sa monture aller au pas. Sous l'effet de l'horreur dont il venait d'être témoin, la torpeur dans laquelle il s'était enfoncé dernièrement s'évanouit.

Il savait avant la tragédie qu'il y avait une guerre civile, qu'elle durerait des semaines, peut-être des mois. Mais savoir ne signifiait pas comprendre, même pour un homme ayant combattu au Mexique. En remontant lentement la colline, tandis que le vent chassait des cendres au-dessus de sa tête, il prit enfin réellement conscience de la situation. La nation était *en guerre*, son frère cadet Billy, officier dans le Génie, l'était aussi, tout comme son ami le plus cher, camarade de West Point et de la campagne mexicaine. « Nul homme n'est une île », se rappela George, sans se souvenir du nom de l'auteur de la phrase.

Il considéra les deux semaines écoulées et tenta de découvrir dans l'humeur du pays une explication à la sienne. Pour beaucoup de citoyens du Nord — la plupart, peut-être — le bombardement de Fort Sumter, le 12 de ce mois d'avril 1861, avait été un événement sinon heureux, du moins bien accueilli. George, quant à lui, avait eu une réaction de tristesse : la canonnade signifiait que les hommes de bonne volonté n'avaient pas réussi à résoudre un douloureux problème né le jour où des marchands blancs avaient vendu les premiers Noirs sur la côte du désert américain.

Tristesse parce que le problème avait été si longtemps jugé insoluble — et, vers la fin, pas même susceptible d'être examiné — tant les murailles de rhétorique entourant les camps opposés étaient épaisses. Pour d'autres, les éternels égoïstes occupés d'eux-mêmes, le problème n'était ni menaçant ni même sérieux — un simple désagrément qu'il valait mieux ignorer, comme on enjambe un mendiant dormant dans un caniveau.

Toutefois, pendant les années que le chaudron de la guerre mit pour parvenir à ébullition, l'Amérique ne se divisa pas seulement en deux classes, les fanatiques et les indifférents. Il y eut des femmes, des hommes animés d'intentions honorables, et George pensait en avoir fait partie. Auraient-ils pu renverser le chaudron, éteindre le feu et réunir un conseil de gens raisonnables ? Ou les divisions étaient-elles si profondes, si répandues, que les têtes chaudes des deux camps ne l'auraient jamais permis ? Quelle que fût la réponse, les hommes de bonne volonté ne l'avaient pas emporté et la nation divisée était *en guerre*.

Cette tristesse, Orry Main l'avait partagée quand il s'était rendu à Lehig Station, deux semaines plus tôt. Son voyage courageux de Caroline du Sud en Pennsylvanie l'avait exposé à maints dangers, et la visite elle-même avait tourné à la tragédie quand la sœur de George, Virgilia — abolitionniste à tout crin, vouant une haine obsessionnelle à tout ce qui venait du Sud, chose ou personne — avait révélé la présence d'Orry à une foule que George avait tenue en respect avec un fusil pour laisser le temps à son ami de quitter la ville.

Jusqu'à la nuit de l'incendie, Hazard avait édifié autour de lui un mur l'empêchant de saisir véritablement le sens du mot guerre. Le feu avait brûlé cette barrière, lui réapprenant une leçon fondamentale : au diable les sots prédisant allégrement un conflit de trois mois « seulement » ! Il suffisait de brefs moments pour apporter la mort et la destruction.

Par-dessus les décombres du mur, George apercevait la menace qu'il avait tenté de se dissimuler au cours des deux dernières semaines. Une menace pour la vie de ceux qu'il aimait le plus au monde et pour les liens lentement noués entre sa famille et celle des Main de Caroline du Sud. L'incendie lui avait montré que ces êtres et ces liens étaient dangereusement fragiles. Fragiles comme Fenton, sa femme, son cousin et la maison qui avait abrité leurs passions, leurs imperfections et leurs rêves. D'eux-mêmes, de leur demeure et de leurs émotions, il ne restait que ces cendres portées par le vent qui suivaient George, s'accrochaient à son col ou effleuraient son oreille.

Les Hazard, maîtres de forges de Pennsylvanie, et les Main, planteurs de riz de Caroline du Sud, avaient noué leurs premiers liens un après-midi d'été de 1842, lorsque George et Orry avaient fait connaissance à bord d'un bateau de l'Hudson River faisant route vers le nord. Aussitôt débarqués, ils étaient devenus cadets de première année à l'Académie militaire de West Point.

Ils avaient ensuite partagé beaucoup de choses qui avaient renforcé leur affinité naturelle. Les études à l'Académie, par exemple : faciles pour George, qui n'avait guère envie d'une carrière militaire ; ardues pour Orry, qui ne voulait rien d'autre. Ensemble, ils supportèrent les brimades d'un « ancien » nommé Elkanah Bent — fourbe pour certains, dément pour d'autres — et réussirent même à le faire renvoyer après qu'il eut commis une série d'actes particulièrement haineux. Mais ses relations à Washington avaient ramené Bent à l'Académie militaire où il avait obtenu son diplôme et promis aux deux amis de leur faire expier leurs péchés.

Les Main et les Hazard apprirent à se connaître comme le faisaient souvent alors des familles du Nord et du Sud, tandis que la longue mèche du sectionnalisme * se consumait, rapprochant la flamme du tonneau de poudre de la sécession. On avait échangé des visites, forgé des alliances — des haines, aussi. George et Orry eux-mêmes s'étaient gravement querellés. George se trouvait à Mont Royal, la plantation des Main, quand un esclave en fuite avait été repris et cruellement châtié par le père d'Orry. Une discussion opposa les deux jeunes gens qui ne furent jamais aussi près de voir leur amitié détruite par l'esprit de discorde s'insinuant comme un poison lent dans le sang du pays.

La guerre du Mexique, pendant laquelle les deux amis furent lieutenants dans le même régiment d'infanterie, les sépara finalement de manière inattendue. Une rencontre avec le capitaine Bent, surnommé le Boucher, valut à George et à Orry d'être envoyés au combat sur la route de Churubusco, où un éclat d'obus emporta le bras gauche d'Orry et ses rêves de carrière. Peu après, la nouvelle de la mort du père de George le rappela chez lui. Sa mère, qui avait un jugement sûr, ne faisait en effet pas confiance à Stanley, le frère aîné de George, pour diriger l'énorme entreprise familiale. George prit la direction des affaires Hazard et ne tarda pas à arracher le contrôle des forges à son frère ambitieux et irresponsable.

L'amputation de son bras gauche plongea Orry pour un temps dans un état de dépression. Mais, en s'efforçant de diriger la plantation et d'accomplir avec un seul bras des tâches qui en nécessitaient deux, il reprit le dessus, et l'amitié avec George renaquit. Orry fut témoin quand George épousa Constance, la jeune catholique qu'il avait connue au Texas en se rendant au Mexique. Billy, frère cadet de George, décida alors d'entrer à West Point tandis qu'Orry, cherchant désespérément à sauver Charles, son jeune cousin orphelin, d'une vie de mauvais sujet, le persuada d'essayer d'être admis à l'Académie. L'amitié de Charles Main et de Billy Hazard, qui se connaissaient déjà, fut bientôt la réplique de celle de leurs aînés.

Pendant la dernière décennie de paix, maints Nordistes et Sudistes

---

* Doctrine prônant le rapprochement de territoires et Etats en vastes « sections » (n.d.t.).

maintinrent leur amitié personnelle malgré les discours de plus en plus véhéments, les menaces de plus en plus fortes des dirigeants politiques et des personnalités des deux camps. Ce fut le cas pour ces deux familles. Les Main allèrent dans le Nord, les Hazard se rendirent dans le Sud — quoique non sans difficulté dans les deux cas.

La sœur de George, Virgilia, dont l'abolitionnisme fervent avait basculé dans l'extrémisme, faillit rompre cette amitié en aidant un esclave des Main à s'enfuir pendant une visite des Hazard à la plantation.

Ashton, sœur d'Orry, belle et dénuée de principes, séduisit un temps Billy, mais il finit par découvrir les qualités authentiques de Brett, la sœur cadette d'Ashton. Aussi entêtée et folle que Virgilia à certains égards, la sœur délaissée attendit le moment de se venger et tenta de faire assassiner Billy dans un duel truqué, moins de deux heures après son mariage avec Brett à Mont Royal. Le cousin Charles s'occupa de cette machination à la manière assez violente d'un officier de cavalerie. Orry chassa à jamais Ashton et son cracheur de feu * de mari, James Huntoon, de la propriété des Main.

L'amant noir de Virgilia, l'esclave qu'elle avait aidé à fuir, fut tué à Harper's Ferry avec d'autres membres de la bande d'assassins de John Brown. Virgilia, qui assista à la scène, fut prise de panique et se réfugia à Belvedere. Elle s'y trouvait donc le soir où Orry y rendit sa dangereuse visite. C'est à cette nuit et aux circonstances qui y conduisirent qu'un George Hazard, affligé et pensif, songeait en gravissant à cheval la route escarpée menant chez lui.

Le frère aîné d'Orry, l'iconoclaste Cooper, était généralement en désaccord avec la plupart des Sudistes à propos de leur « institution particulière » **. A une économie reposant sur la terre et son exploitation par des hommes considérés comme des biens, il opposait l'exemple du Nord, loin d'être parfait, mais adapté à l'ère industrielle. Dans le Nord, des travailleurs libres avançaient à grands pas vers un avenir prospère au son des machines, sans traîner le boulet de méthodes et d'idéologies poussiéreuses. Quant aux arguments traditionnels en faveur du Sud — les esclaves étaient plus en sécurité donc plus heureux que les ouvriers du Nord, attachés à leurs machines par des chaînes invisibles —, Cooper les balayait d'un rire. Un ouvrier pouvait effectivement crever de faim avec ce que son patron lui donnait, mais on ne pouvait ni l'acheter ni le vendre comme du bétail. Il était libre de partir sans qu'une troupe se lance à sa poursuite. Il ne risquait pas d'être repris, fouetté et pendu au volant de sa machine.

Cooper cherchait à implanter une industrie de construction navale à Charleston. Il avait conçu et même commencé à construire un énorme navire en fer inspiré du bâtiment dessiné par Brunel, ingénieur britannique de génie. George avait placé des capitaux dans l'entreprise, aussi bien au nom de l'amitié et de sa foi dans les principes de Cooper que dans la perspective — plutôt hasardeuse — d'en tirer rapidement profit.

Peu avant que Fort Sumter ne cesse d'être un bastion de l'Union, et alors que la guerre ne faisait plus aucun doute, Orry avait réuni autant d'argent liquide que possible en hypothéquant le domaine familial

* *Fire-eater* : nom donné aux extrémistes du Sud poussant à la sécession et à la guerre (n.d.t.).
** Euphémisme sudiste pour esclavage (n.d.t.).

— six cent cinquante mille dollars — pour rembourser une partie du million neuf cent mille que George avait investi à Charleston. Malgré son accent du Sud prononcé, Orry avait résolu de porter l'argent à Lehig Station dans une petite serviette. Bien que les risques fussent immenses, il fit le voyage. Parce qu'il s'agissait d'une dette d'honneur, parce que George était son ami.

La nuit de la rencontre, Virgilia avait essayé de faire lyncher le visiteur mais la tentative avait échoué et Orry avait réussi à reprendre le train. Où était-il, maintenant ? En Caroline du Sud ? Chez lui, où il aurait au moins une raison d'être heureux ? Madeline LaMotte, la femme qu'il aimait comme elle l'aimait, bien que mariée à un autre, était accourue à Mont Royal pour l'avertir du complot contre la vie de Billy. Défiant alors un mari qui l'avait délibérément et systématiquement maltraitée pendant des années, elle y était restée.

L'attaque de Fort Sumter avait entraîné d'autres décisions, prises toutefois dans le doute et sous le coup de l'émotion. Charles s'était engagé dans la cavalerie de Caroline du Sud après avoir démissionné de l'armée des Etats-Unis. Billy, son meilleur ami, était resté dans le Génie de l'Union et Brett, son épouse née dans le Sud, vivait à Lehig Station. Le monde personnel des Main et des Hasard était en équilibre instable tandis que des forces énormes, menaçantes, imprévisibles se rassemblaient.

C'était cette réalité que George avait voulu ignorer pendant deux semaines. La vie est fragile, l'amitié aussi. Avant de se séparer, Orry et lui avaient juré que la guerre ne briserait jamais les liens qui les unissaient. George se demandait à présent s'ils n'avaient pas été naïfs.

Après avoir mis son cheval à l'écurie, il se rendit directement à la bibliothèque de Belvedere, vaste pièce fleurant le cuir et le papier, aussi silencieuse que le reste de la maison. Comme il se dirigeait vers son bureau, son regard se porta sur l'objet conique, granuleux, haut d'une dizaine de centimètres de la base au sommet, qui y était posé. Sa couleur brune indiquait une forte teneur en fer.

George le prit et le soupesa en songeant à l'endroit où il l'avait découvert : les collines entourant West Point, à l'époque où il était cadet.

Il tenait dans sa main un fragment d'une météorite beaucoup plus grosse qui avait franchi, dans la nuit étoilée, des distances que l'esprit humain ne pouvait concevoir. Du fer d'étoile, disaient les anciens forgerons — ses ancêtres. Connu depuis le règne des pharaons sur les royaumes du Nil.

Le fer. La matière la plus puissante de l'univers, le matériau permettant de construire une civilisation ou de l'anéantir. C'était du fer que viendraient les armes de mort que George projetait de fondre pour toute une série de raisons : patriotisme, haine de l'esclavage, profits, responsabilité envers ceux qui travaillaient pour lui.

C'était la guerre, en un sens, qu'il tenait dans sa main.

Il reposa la météorite, alluma la lampe à gaz du bureau, ouvrit le tiroir du bas où il avait rangé la petite serviette — en souvenir. Il la regarda un moment puis, saisi d'une profonde émotion, il prit une plume et se mit à écrire très rapidement.

Mon cher Orry,

En me ramenant la serviette, tu as accompli un acte d'une honnêteté et d'un courage exemplaires. J'espère pouvoir te rendre la pareille un jour. Au cas où je ne le pourrais pas, je t'écris ces lignes pour que tu connaisses mes sentiments. Sache avant tout que je veux préserver les liens d'affection qui nous lient, nous et nos familles, depuis tant d'années ; que je le veux malgré Virgilia, malgré Ashton, malgré ce que j'ai appris au Mexique sur la nature de la guerre, et que j'avais oublié jusqu'à ce soir. Je sais que ces liens te sont aussi précieux qu'à moi mais ils sont fragiles comme un épi de blé sous le fer de la faux. Si nous échouons à préserver ce qui mérite tant de l'être — ou si l'un de nous meurt, comme beaucoup mourront sans doute si ce conflit dure — tu sauras que jusqu'au bout je serai resté fidèle à notre amitié, sans jamais l'abandonner. Comme, je le sais, tu lui es resté fidèle. Je prie pour que nous nous retrouvions après la guerre mais, si cela est impossible, je t'adresse, du fond du cœur, un adieu affectueux.

Ton ami

Il s'apprêtait à signer de son prénom mais eut un sourire triste et griffonna rapidement à la place son surnom à West Point : *Stump**.

George plia la feuille de papier, la glissa lentement dans la serviette, referma le tiroir plus lentement encore et se leva en faisant désagréablement craquer ses articulations. Du fait de la chaleur de la nuit, toutes les fenêtres de Belvedere étaient ouvertes et le vent poussa dans la pièce une odeur fétide de brûlé. George Hazard se sentit vieux et glacé en montant l'escalier d'un pas fatigué.

---

* Trapu (n.d.t.).

LIVRE PREMIER

UNE VISION DU MONDE
TIRÉE DE WALTER SCOTT

> *Le drapeau qui claque ici au vent flottera sur le dôme du Capitole, à Washington, avant le 1er mai.*
>
> Leroy P. WALKER, secrétaire à la Guerre de la Confédération, dans un discours prononcé à Montgomery, Alabama, en avril 1861.

1

LE SOLEIL MATINAL INON-
dait la pâture. Soudain, trois chevaux noirs surgirent au sommet d'une
colline basse, deux autres les suivirent et descendirent avec eux jusqu'à
l'herbe ondoyante. Pelage brillant, crinière et queue flottant au vent.
Juste derrière les cinq bêtes apparurent deux sergents à cheval vêtus de
vestes de hussard, lourdement ornées de galons. Au galop, un grand
sourire aux lèvres, ils criaient et agitaient leur képi en direction des
chevaux noirs.

Ce spectacle attira aussitôt l'attention de la troupe de jeunes
volontaires de Caroline du Sud qui menaient leurs montures baies au
pas sur une route serpentant entre les bois et les champs du comté du
Prince William. Trois jours d'exercice sur le terrain les avaient
entraînés bien loin au nord de leur camp, situé entre Richmond et
Ashland, mais le capitaine Charles Main, qui les commandait, avait
jugé qu'une longue chevauchée endurcissait ses hommes. C'étaient des
cavaliers-nés, des chasseurs — le colonel Hampton ne voulait pas
d'autres recrues dans les unités de cavalerie de la légion qu'il avait
levées à Columbia. Mais leur réaction à la *Tactique* de Poinsett, nom
officieux du manuel en vigueur dans la cavalerie depuis 1841, allait de
l'indifférence discrète au mépris étalé.

— Délivrez-moi des soldats gentilshommes, marmonna Charles,
tandis que plusieurs de ses hommes dirigeaient leur monture vers la
barrière séparant la pâture de la route.

Les chevaux noirs tournèrent, galopèrent le long de la clôture et les
sergents en sueur les poursuivirent, passant à toute vitesse devant la
longue ligne de cavaliers en veste grise à boutons dorés.

— Qui êtes-vous, les gars ? cria le lieutenant le plus ancien de
Charles, un jeune rouquin trapu et enjoué.

Le vent de juin porta la réponse par-dessus le bruit des sabots :

— Black Horse *. Comté de Fauquier.

— On les suit, Charlie, beugla le lieutenant Ambrose Pell à son
supérieur.

* Cheval noir (n.d.t.).

17

Pour éviter le chaos, le capitaine ordonna d'une voix forte :

— Colonne par deux... Au trot... *En avant !*

L'exécution de la manœuvre donna lieu à une incroyable pagaille. Les cavaliers réussirent finalement à se mettre sur deux files à l'allure indiquée puis répondirent en poussant des cris et en agitant leur képi quand Charles ordonna le galop. Mais il était trop tard pour rattraper les sergents, qui chassèrent les cinq chevaux noirs vers la gauche, traversèrent la pâture et disparurent derrière un bosquet.

Charles sentit la morsure de l'envie. Si les sous-officiers faisaient effectivement partie des Black Horse dont il avait tant entendu parler, ils avaient trouvé des bêtes splendides. Il était mécontent de sa propre monture, Fringante, achetée à Columbia. Bien que provenant d'un bon élevage de chevaux de selle de Caroline, elle se dérobait souvent et ne faisait pas honneur à son nom.

La route obliquait vers le nord-est, se séparant de la pâture. Charles réduisit l'allure au trot, ignora une autre question frivole d'Ambrose, qu'il avait le malheur d'avoir en sympathie, et se demanda comment diable il formerait une unité de combat avec cet assortiment d'aristocrates qui l'appelaient par son prénom, traitaient avec dédain tous les officiers de West Point et accueillaient à coups de poing les ordres qui ne leur convenaient pas. Deux fois depuis son arrivée au bivouac, dans le comté de Hanover, Main avait dû faire appel à ses muscles pour mater la désobéissance.

Dans la légion de Hampton, il avait hérité une troupe de laissés-pour-compte venus de tous les coins de Caroline du Sud. Presque toutes les autres unités commandées par Hampton avaient été levées dans un même comté, voire dans une même ville. En général, l'homme qui constituait une compagnie remportait l'élection par laquelle les volontaires choisissaient leur capitaine. L'unité de Charles rassemblait des soldats des montagnes, des collines et même de son propre plat pays. Cette troupe disparate avait besoin d'un chef, non seulement issu d'une bonne famille mais possédant aussi une solide expérience de l'organisation militaire. Ambrose Pell, qui avait été l'adversaire de Charles pour l'élection, remplissait la première condition mais non la seconde, et Wade Hampton avait clairement indiqué son choix avant le vote. Malgré cela, Main n'avait gagné qu'avec deux voix d'écart et il commençait à regretter de ne pas avoir fait campagne pour Ambrose.

Le visage caressé par la brise tiède, Charles se demanda toutefois s'il ne se préoccupait pas trop de discipline. Jusqu'à présent, la guerre était fraîche et joyeuse. Déjà un général yankee nommé Butler avait été taillé en pièces dans une rude bataille, à Bethel Church. On disait que la capitale nordiste, dirigée par un politicien de l'Ouest que nombre de Caroliniens du Sud avaient surnommé le Gorille, ressemblait à un village terrifié et désert. Le principal problème des quatre unités de cavalerie de Hampton, c'était apparemment l'épidémie de colique provoquée par les trop nombreuses fêtes données à Richmond.

Tous les volontaires avaient signé pour douze mois mais aucun d'eux ne pensait que l'empoignade entre les deux gouvernements durerait plus de quatre-vingt-dix jours. Respirant une odeur de cheval et d'herbe chauffée par le soleil, Charles avait peine à croire qu'il y avait vraiment la guerre. Âgé de vingt-cinq ans, grand, fortement hâlé, il avait un beau visage taillé à coups de serpe.

— *Oh ! young Lochinvar is come out of the west*, entonna Ambrose.

Aussitôt d'autres voix reprirent :

— ... through all the wide border his steed was the best.

Charles sourit en entendant les vers de Walter Scott. La sympathie qu'il éprouvait pour ces jeunes gens pleins de fougue tempérait ses réserves sur le plan militaire. Bien qu'il eût dû les empêcher de continuer à chanter, il n'en fit rien. Il n'avait qu'un an ou deux de plus que la plupart d'entre eux mais avait l'impression d'être leur père.

> *So faithful in love and so dauntless in war*
> *There never was a knight like young Lochinvar!*

Comme ils aimaient Walter Scott, ces garçons du Sud! Et les femmes n'étaient pas différentes. Tous adoraient sa vision chevaleresque du monde. Cette curieuse vénération du vieux sir Walter était peut-être l'une des explications de cette guerre décidément étrange qui n'avait pas encore commencé. Le cousin Cooper, considéré comme l'hérétique de la famille Main, aimait à répéter que le Sud se tournait trop vers le passé au lieu de se concentrer sur le présent — ou sur le Nord, où des usines comme les forges de la famille Hazard dominaient le paysage géographique et politique.

Soudain, devant, deux coups de feu. Un cri à l'arrière. Se retournant, Charles vit que le cavalier qui avait crié était toujours en selle, surpris mais indemne. Le capitaine regarda à nouveau devant lui et, maudissant intérieurement son inattention, porta les yeux sur un épais bosquet de châtaigniers bordant la route sur la droite. Les taches de bleu qu'il aperçut entre les arbres lui confirmèrent que les coups de feu étaient partis de là.

Ambrose et plusieurs autres cavaliers réagirent en souriant.

— Allons les prendre! lança gaiement un soldat.

Idiot! pensa Charles tandis que le milieu de la troupe se resserrait. Il entrevit des chevaux dans le petit bois et entendit d'autres mousquets, dont il couvrit les détonations du beuglement de sa propre voix ordonnant l'assaut.

2

La charge de la route au bosquet fut désordonnée mais efficace. Les taches bleues, brillantes comme un plumage d'oiseau, se révélèrent être les jambes de pantalon d'une demi-douzaine de cavaliers ennemis en patrouille. Les Yanks * s'enfuirent quand les hommes de Charles pénétrèrent au petit galop dans le bosquet, prêts à faire feu de leurs armes d'épaule disparates.

Le capitaine chevauchait en tête, son fusil de chasse à deux canons armé. West Point et la campagne du Texas lui avaient appris que les officiers qui gagnent les batailles mènent l'assaut et ne poussent pas leurs hommes devant eux. Nul n'en donnait un plus bel exemple que Hampton, le riche planteur à la stature puissante qui avait levé la légion.

Les fusils de chasse retentirent parmi les châtaigniers, les mousquets leur répondirent, la fumée s'épaissit. Les cavaliers de Main se dispersèrent, poursuivant un ennemi en retraite maintenant à peine visible.

— Où vous courez si vite, Yankees?

— Venez donc vous battre!

* Pour Yankees (n.d.t.).

— Ils n'en valent pas la peine, cria Ambrose Pell. Si nos nègres étaient là, ils se chargeraient de les poursuivre.

Un coup de mousquet tiré d'une partie sombre du bosquet ponctua la phrase. Instinctivement, Charles se baissa par-dessus l'encolure de Fringante. La jument baie semblait nerveuse bien que, comme tous les chevaux de la légion, elle eût été dressée au son du canon dans le camp de Columbia.

Une balle siffla, le sergent Peterkin Reynolds poussa un cri. Charles tira ses deux cartouches en direction des arbres, entendit un gémissement. Il se retourna. Le sergent, pâle mais souriant, lui montra un trou légèrement taché de sang au poignet de sa veste grise. Mais les camarades de Reynolds prirent la blessure plus au sérieux.

— Fichus cordonniers et épiciers à cheval ! cria l'un d'eux.

Il passa au galop devant le capitaine, qui le rappela vainement. Par une trouée entre les arbres, Charles vit le traînard de la patrouille yankee, un blond grassouillet qui ne maîtrisait pas sa monture — un de ces lourds chevaux de trait typiques de la cavalerie nordiste — constituée à la hâte. L'homme éperonna l'animal et jura. En allemand.

C'était un si piètre cavalier que le soldat lancé à sa poursuite n'eut aucun mal à le rattraper et à le désarçonner. Le Nordiste heurta le sol et gémit jusqu'à ce qu'il réussît à défaire son pied de son étrier gauche.

La jeune recrue de Caroline du Sud avait dégainé son sabre — quarante pouces, six livres, deux tranchants, lame droite — forgé spécialement à Columbia sur les indications du colonel. Hampton avait équipé sa légion d'armes non réglementaires en puisant dans sa propre bourse.

S'approchant de Charles, Ambrose lui fit remarquer :

— Regardez, Charlie. Il a peur comme un moricaud réfugié dans un arbre.

Le lieutenant n'exagérait pas. Le Yankee à genoux tremblait tandis que le Carolinien descendait de cheval et brandissait son arme :

— Manigault ! Non ! cria Charles.

Le soldat Manigault se retourna. Charles confia son fusil à Ambrose, sauta de sa monture, se précipita vers le jeune homme et saisit le bras tenant le sabre.

— J'ai dit non.

Manigault se débattit en criant :

— Lâchez-moi, sale connard de West Point !

Charles le lâcha et lui expédia son poing droit dans la figure. Saignant du nez, le jeune homme s'affala contre un arbre. Le capitaine lui arracha son sabre, se retourna pour affronter les autres cavaliers, qui le fixèrent d'un air menaçant. Charles soutint leur regard.

— Nous sommes des soldats, pas des bouchers, déclara-t-il. Le prochain qui désobéit à un ordre, m'injurie ou m'appelle par mon prénom passera en cour martiale. Après que je me serai occupé de lui personnellement.

Il promena les yeux sur quelques visages hostiles puis jeta le sabre et récupéra son fusil.

— Faites former les rangs, lieutenant Pell.

Ambrose évita le regard de son supérieur mais s'activa. Charles entendit des grognements : la joie du matin avait disparu. De toute façon, il avait été stupide d'y croire.

Découragé, il se demanda comment ses hommes pourraient survivre dans une vraie bataille s'ils considéraient une escarmouche avec moins de sérieux qu'une chasse au renard. Comment pourraient-ils vaincre s'ils refusaient d'apprendre à combattre comme une unité, ce qui impliquait avant tout d'apprendre à obéir ? Tous les officiers passés par West Point savaient qu'il fallait prendre la guerre au sérieux et cela expliquait peut-être le fossé qui séparait les militaires de carrière de l'armée régulière de ces amateurs au sang chaud. Même Wade Hampton se moquait parfois des anciens de West Point...

— Guère pire que des abeilles, non ? commenta un cavalier tandis que Pell reformait la troupe en deux files sur la route.

S'abstenant de répondre, Charles dirigea son cheval vers le prisonnier apeuré.

— Vous devrez marcher longtemps avec nous mais on ne vous fera pas de mal, promit-il. Compris ?

— *Ja, versteh'* — gompris.

Les hommes de Charles considéraient les Yankees comme un ramassis de maçons ou de mécaniciens et, en regardant le pauvre captif pansu, Charles comprenait leur point de vue. L'ennui, c'était que le Nord possédait des centaines de milliers de maçons et de mécaniciens de plus que le Sud.

Penser au Nord lui rappela son ami Billy. Où était-il ? Le reverrait-il un jour ? Leurs deux familles s'étaient rapprochées pendant les années précédant la guerre ; resteraient-elles unies ?

Trop de questions, trop de problèmes. Et, tandis que les deux colonnes s'ébranlaient en direction du sud, le soleil lui parut soudain manquer de chaleur. A huit cents mètres du lieu de l'escarmouche, Charles entendit et sentit Fringante tousser. Lorsqu'elle tourna la tête vers lui, il remarqua qu'elle avait les naseaux trop humides.

Prenait-elle le chemin de la réforme ? L'animal toussa à nouveau. Pas la gourme, quand même — c'était une maladie d'hiver !

Mais la bête était jeune, fragile. Charles prit conscience qu'il avait un nouveau problème, potentiellement désastreux cette fois.

3

Chacune des épaulettes du jeune homme portait une barre d'argent brodée. Le col de sa veste était orné d'un château à tourelles entouré d'une couronne de laurier, le tout brodé au fil d'or sur un petit ovale de velours noir. Très chic, cet uniforme bleu marine, redingote et pantalon en tuyau de poêle.

Le jeune homme s'essuya la bouche avec sa serviette. Il avait mangé un délicieux steak aux oignons, des huîtres frites, et venait de terminer par un blanc-manger — à dix heures dix du matin. A Washington, on pouvait prendre son petit déjeuner jusqu'à onze heures. C'était une ville bizarre. Apeurée aussi. De l'autre côté du Potomac, sur les hauteurs d'Arlington, le général de brigade McDowell échafaudait des plans de bataille dans la grande maison abandonnée par les Lee. En attendant de nouveaux ordres, le jeune homme avait loué un cheval et s'était rendu là-bas l'avant-veille. Il n'avait guère été réconforté en découvrant le quartier général de l'armée, un endroit bondé, bruyant, où régnait une certaine confusion. On y avait apparemment conscience que des sentinelles confédérées montaient la garde à quelques kilomètres de là.

A la fin du mois de mai, des troupes fédérales avaient traversé le

Potomac pour occuper la rive virginienne. La ville grouillait maintenant de troupes de la Nouvelle-Angleterre, dont la présence avait partiellement dissipé la terreur qui s'était emparée de la capitale juste après la chute de Fort Sumter. Les liaisons télégraphiques et même ferroviaires avec le Nord avaient été coupées ; on attendait une attaque d'un moment à l'autre et le Capitole avait été fortifié à la hâte. A présent, une partie des renforts y bivouaquaient et une boulangerie militaire fonctionnait au sous-sol. La tension était quelque peu retombée mais le jeune homme sentait encore dans la ville la même confusion qu'au quartier général de McDowell. Trop de nouvelles, trop d'événements alarmants.

La veille, il avait pris ses ordres au bureau du vieux général Totten, commandant du Génie : le lieutenant honoraire William Hazard était affecté au Département de Washington et devait se mettre temporairement à la disposition d'un certain capitaine Melancthon Elijah Farmer jusqu'au retour de son unité régulière, la Compagnie A — constituant à elle seule l'ensemble du Génie de l'armée des Etats-Unis. Billy avait manqué le départ de la Compagnie A parce qu'il se remettait d'une blessure, dans sa maison de Lehig Station, en Pennsylvanie, où il avait conduit Brett, sa jeune femme.

De temps à autre, Billy avait encore mal au bras gauche, là où avait pénétré la balle qui aurait pu le tuer. Cette douleur avait son utilité : elle lui rappelait qu'il serait éternellement reconnaissant à Charles Main, qui lui avait sauvé la vie.

A Washington, il souffrait de solitude, coupé qu'il était de ses camarades du Génie, de sa femme, qu'il aimait profondément et, par choix, d'un de ses frères aînés, qui vivait dans la capitale. Stanley Hazard s'y était en effet installé avec Isabel, son épouse acariâtre, et ses deux jumeaux, pour travailler au ministère de la Guerre auprès de son protecteur politique, Simon Cameron.

Billy aimait son frère George mais avait pour Stanley des sentiments ambigus et impossibles à qualifier, dépourvus de respect et d'affection. Il ne connaissait pas une seule personne à Washington mais ne pouvait pour autant se résoudre à voir Stanley. En fait, il avait précisément choisi de prendre son petit déjeuner au *National Hotel* parce qu'une grande partie de sa clientèle était encore prosudiste et qu'il ne risquait donc pas d'y rencontrer son frère.

Il régla l'addition, laissa un pourboire.

— Merci, monsieur, merci, dit le serveur avec effusion. J'en ai pas autant de ces fauchés de l'Ouest qui débarquent en ville pour obtenir du boulot de leur président ami des nègres. Heureusement, on n'en voit pas beaucoup ici. Ils boivent presque pas, ils doivent pas aimer la chose et ils portent eux-mêmes leurs bagages. Certains collègues d'autres hôtels...

Billy s'éloigna du geignard dont l'accent suggérait qu'il était originaire du Sud ou d'un *Border-State**. Apparemment, la capitale regorgeait de gens de son espèce. Yankees, mais seulement de nom. Si la ville tombait — ce qui était possible — ils descendraient dans la rue agiter le *Stars and Bars*** pour accueillir Jeff Davis.

Dehors, au coin de la 6ᵉ Rue et de Pennsylvania Avenue, il découvrit

---

* Les *Border-States*, situés entre Nord et Sud, comprenaient le Delaware, le Maryland, le Kentucky et le Missouri (n.d.t.).
** Drapeau sudiste (n.d.t.).

qu'un crachin tombait du ciel gris, coiffa son képi de feutre noir et se mit à marcher d'un pas rapide.

Un an plus âgé que son ami Charles, Billy était un jeune homme puissamment bâti avec des cheveux bruns et les yeux de glace de la famille Hazard. Son menton carré lui donnait une expression énergique et inspirait confiance. Il sacrifiait depuis peu à la mode des moustaches et les siennes, épaisses, plus sombres que ses cheveux, étaient presque noires.

Soupçonnant le capitaine Farmer d'être l'émanation de milieux politiques, il n'était pas pressé de se présenter à lui. Il décida donc de passer quelques heures à explorer la ville, les quartiers éloignés de la partie respectable et chic de Washington, située au nord de Pennsylvania Avenue.

Il ne tarda pas à regretter sa décision. La guerre avait porté la population de la capitale de quarante à cent vingt mille habitants. On ne pouvait traverser une artère importante sans prendre garde aux omnibus, aux soldats tapageurs, titubant d'ivresse, aux charretiers battant et injuriant leurs mules, aux chiens errants et aux troupeaux d'oies braillardes.

Pis, la ville empestait. Des odeurs pestilentielles s'élevaient des déchets dérivant en masses gluantes sur le City Canal, auquel Billy arriva en descendant la 3e Rue. Il s'arrêta sur l'une des passerelles menant à la partie sud-ouest de la capitale, appelée l'Ile, suivit des yeux le cadavre d'un terrier flottant entre des feuilles de salade et des excréments.

Ravalant quelques bribes de son petit déjeuner, il prit la direction du Capitole, encore dépourvu de son dôme. Soldats et politiciens avaient envahi les lieux ; des ouvriers se faufilaient à pas pressés entre des tas de bois de charpente, des piles de plaques de fer et d'énormes blocs de marbre. Au détour d'un de ces blocs, Billy se heurta à une vieille prostituée boulotte vêtue de velours et de plumes. Elle lui offrit le choix entre elle-même et sa fille blafarde, qui ne devait pas avoir plus de quatorze ans et se blottissait contre elle.

Billy s'efforça d'être poli :

— Madame, j'ai une femme en Pennsylvanie.

— Va te faire voir, gradé ! lui lança la putain avant de s'éloigner.

Billy se mit à rire mais sans conviction.

Quelques minutes plus tard, il contemplait par-delà le canal le monument élevé au président Washington, inachevé faute de souscripteurs. Quelques vaches broutaient l'herbe poussant autour de l'obélisque abandonné. Le crachin se transforma en pluie et Billy prit la direction du quartier surpeuplé où il avait retenu une chambre dans une pension. En chemin, il s'arrêta à une papeterie où il acheta un cahier avec des piécettes d'argent.

Dans sa chambre, à la tombée de la nuit, il tailla un crayon et se pencha sur la première page du cahier, éclairée par une lampe dont la flamme ne vacillait pas dans l'air lourd. Après avoir inscrit la date, il écrivit :

Ma chère femme,

Je commence ce journal que j'ai décidé de tenir pour que tu saches ce que je fais en pensant constamment à toi. Tu me manques terriblement.

Aujourd'hui, j'ai visité la capitale, expérience peu plaisante pour des raisons que la délicatesse m'empêche de confier à ce cahier...

En songeant à Brett — à son visage, à ses mains, à son ardeur dans l'intimité de leur lit — il éprouva un besoin physique de sa présence et ferma les yeux. Lorsqu'il eut recouvré son calme, il se remit à écrire.

... La ville est déjà puissamment fortifiée, ce que j'interpréterais comme le présage d'une longue guerre, n'était l'opinion générale qu'elle ne durera pas. Une guerre courte serait hautement souhaitable pour de nombreuses raisons — la plus évidente étant mon désir de te retrouver bientôt. Sur le plan politique, un conflit de courte durée faciliterait le retour à la situation antérieure. Aujourd'hui, j'ai croisé dans la rue un nègre, un affranchi ou une « marchandise de contrebande », expression par laquelle le général Butler désigne les Noirs ayant fui le Sud. L'homme ne s'est pas écarté pour me céder le passage, et le souvenir de cet incident m'a troublé toute la journée. Je désire avec autant de ferveur que quiconque mettre fin à cette honte qu'est l'esclavage mais liberté pour l'homme noir ne signifie pas licence. Ma sœur me contredirait sur ce point mais je ne me sens ni injuste ni immoral parce que je soutiens cette opinion. J'ai au contraire l'impression d'exprimer un point de vue majoritaire. Dans l'armée en tout cas, c'est l'avis général. On dit que le président lui-même souligne encore l'urgente nécessité d'installer les Noirs affranchis au Liberia. D'où mes craintes d'une guerre prolongée qui pourrait bien entraîner trop de changements rapides dans l'ordre social.

Billy s'arrêta, envahi par un sentiment inattendu de culpabilité. Il en était déjà à haïr la confusion idéologique engendrée par la guerre.

... Pardonne-moi de philosopher aussi curieusement. L'atmosphère de cette ville provoque des doutes, des réactions étranges, et je n'ai personne avec qui les partager, hormis celle avec qui je partage tout : toi, ma très chère femme. Bonne nuit et que Dieu te garde.

Billy tira un trait, referma le cahier. Peu de temps après, il se déshabilla, souffla la lampe, mais le sommeil ne vint pas. Le lit était dur et son envie de Brett le fit longtemps se retourner tandis que des vandales brisaient des vitres et tiraient des coups de pistolet dans les rues voisines.

— Lije Farmer ? Là-bas, mon gars.

Le caporal indiqua de la main l'une des nombreuses tentes blanches et coniques, donna à Billy une tape amicale sur l'épaule et s'éloigna en sifflant. Ce genre de manquement à la discipline était si courant chez les volontaires que le lieutenant n'y prêta pas attention. A l'entrée de la tente, il s'éclaircit la voix, glissa ses gants sous sa ceinture et s'avança, ses ordres à la main.

— Lieutenant Hazard au rapport, mon... capitaine.

Billy, étonné, murmura lentement le dernier mot. L'homme avait une cinquantaine d'années, des cheveux d'un blanc immaculé, l'air d'un patriarche. En sous-vêtements, les bretelles sur les hanches, il tenait une bible dans la main droite. Sur une table d'aspect fragile, Billy vit deux ou trois textes de Mahan sur le Génie — sa stupeur l'empêcha de remarquer autre chose.

— Soyez le bienvenu, lieutenant. Je vous attendais avec impatience. Vous me surprenez au moment où je m'apprêtais à remercier et à honorer le Tout-Puissant par la prière matinale. Vous joindrez-vous à moi, lieutenant ?

Il tomba à genoux et la stupeur de Billy redoubla lorsqu'il comprit que la question du capitaine Farmer était en fait un ordre.

4

Tandis que Billy se présentait au rapport à Alexandria, une des incessantes réunions gouvernementales se déroulait au ministère de la Guerre, dans la partie gauche de President's Park. Simon Cameron, ancien grand patron de la politique en Pennsylvanie, présidait derrière son bureau encombré d'un incroyable fatras. Ce n'était pourtant pas le ministre qui avait convoqué la réunion mais la vieille baudruche imbue d'elle-même qui prétendait commander l'armée. Du coin de la pièce où Cameron avait fait asseoir deux de ses assistants, Stanley Hazard examinait le général Winfield Scott avec un mépris qu'il avait peine à dissimuler.

Stanley approchait de la quarantaine. Pâle, ventripotent, il faisait toutefois figure de sylphe auprès du général, surnommé de longue date « le vieux chichiteux ». Âgé de soixante-quinze ans, le torse comme une barrique, Winfield Scott masquait de sa masse le plus large des fauteuils qu'on ait pu trouver dans le bâtiment.

Participaient aussi à la réunion Mr. Salmon Chase, ministre des Finances, bel homme au style pompeux, et un personnage vêtu d'un costume gris de coupe ordinaire, assis dans le coin opposé à celui de Stanley. Depuis le début de la discussion, l'homme n'avait guère parlé et s'était contenté d'écouter Scott d'un air poli et attentif. La première fois que Stanley avait rencontré le président, à une réception, il avait décidé qu'un seul mot convenait pour le décrire : répugnant. C'était affaire de style autant que d'aspect extérieur. Depuis, Stanley avait ajouté d'autres épithètes pouvant fournir une bonne description : clownesque, balourd, animal.

Pressé sur ses retranchements, Stanley eût avoué faire peu de cas de tous les participants, à l'exception peut-être de son supérieur. Son poste exigeait évidemment qu'il ait de l'admiration pour Cameron, qui l'avait fait venir à Washington en récompense de nombreuses et généreuses contributions à ses campagnes électorales.

Stanley n'avait pas tardé à découvrir les pires défauts du ministre. Il avait sous les yeux la preuve de l'un d'eux dans les piles de dossiers, de journaux de Richmond et Charleston — importantes sources d'informations — s'élevant sur le bureau et le dessus des classeurs. Le dieu qui gouvernait le ministère de la Guerre de Simon Cameron avait pour nom Chaos.

Le maître des lieux trônait derrière son bureau, les lèvres serrées, une expression indéchiffrable dans ses yeux gris. En Pennsylvanie, on l'appelait « Boss », surnom que plus personne n'utilisait maintenant, du moins en sa présence.

— ... trop peu de fusils, monsieur le ministre, plaidait Scott d'une voix sifflante. Nous manquons d'armes pour entraîner et équiper les milliers d'hommes qui ont répondu à l'appel du président.

Chase se pencha vers le bureau pour ajouter :

— Et l'on entend crier avec une insistance croissante : « A Richmond ! A Richmond ! » Vous comprenez certainement pourquoi.

— Le Congrès confédéré s'y réunit bientôt, répondit Cameron sèchement. (Il tira de sa poche un morceau de papier.) Le 20 juillet, pour être exact. C'est en juillet qu'expireront la plupart des engagements de quatre-vingt-dix jours.

— Alors McDowell doit bouger, répliqua Chase. Lui non plus n'a pas l'équipement adéquat.

Discrètement, Stanley écrivit sur une feuille : « Le vrai problème, ce sont les volontaires », et se leva pour porter son message au bureau. Cameron s'en saisit, le lut, le chiffonna et adressa un hochement de tête à Stanley. Il comprenait la principale préoccupation de McDowell, qui n'était pas l'équipement, mais la nécessité de s'appuyer sur des volontaires dont on ne pouvait prédire le comportement. On retrouvait cette attitude dédaigneuse chez la plupart des officiers de West Point — du moins ceux qui n'avaient pas déserté après avoir reçu gratuitement une excellente formation dans cette école de traîtres.

Cameron préféra cependant ne pas soulever cette question et répondit au commandant en chef avec une déférence poisseuse.

— Général, je continue à penser que le problème n'est pas d'avoir trop peu de fusils mais trop d'hommes. Nous disposons déjà de trois cent mille soldats en armes. Beaucoup plus que ce dont nous avons besoin pour le moment.

— J'espère que vous avez raison, intervint le président dans son coin.

Personne ne lui prêta attention. « Quel ramassis de bouffons ! » pensa Stanley en remuant son derrière rebondi sur sa chaise dure. Scott, que les stupides Sudistes traitaient de « souteneur », mais qu'il fallait en fait surveiller étroitement, c'était un Virginien, non ? Avant la guerre, il avait facilité l'avancement de quantités d'officiers de Virginie au détriment d'hommes du Nord tout aussi qualifiés. Chase, qui aimait les nègres, et le président, ce fermier rustaud. Malgré sa personnalité sinueuse, Cameron apportait au moins un peu de raffinement dans l'art de gouverner.

Chase fit un laïus au lieu d'une réponse :

— Il faut faire plus qu'espérer, monsieur le président. Nous devons acheter davantage en Europe. Nous disposons de trop peu d'usines de matériel depuis que nous avons perdu Harper's Fer...

— La question des achats en Europe est à l'étude, coupa Cameron. Mais, selon moi, ce serait une décision inutilement dispendieuse.

Scott tapa du pied par terre.

— Bon sang, Cameron, vous parlez de décision dispendieuse face à une rébellion ?

— N'oubliez pas le 20 du mois prochain, dit Chase.

— Mr. Greeley et certains autres me le laissent rarement oublier, répliqua le Boss.

Mais la pointe fut couverte par le ministre des Finances, qui continuait à rugir :

— Nous devons écraser Davis et sa clique avant qu'ils n'affirment leur légitimité face à la France et à la Grande-Bretagne. Nous devons les anéantir. Je suis d'accord avec Stevens, membre du Congrès de votre propre Etat. Si les rebelles ne capitulent pas et ne rentrent pas au bercail...

— Ils ne le feront pas, lâcha Scott. Je connais les Virginiens, je connais les hommes du Sud.

Chase poursuivit :

— ... nous devons suivre à la lettre le conseil de Thad Stevens. Réduire le Sud à néant.

Le chef de l'exécutif se gratta alors la gorge. Son toussotement, quoique faible, tomba dans un moment de silence, et nul n'aurait pu l'ignorer sans être grossier. Lincoln se leva, plongea les mains dans les poches de sa veste, ce qui accentua son allure dégingandée. Sans élever la voix mais avec une autorité indéniable, il déclara :

— Je ne dirai pas que je suis d'accord avec la riposte de Stevens à l'insurrection. Je me suis efforcé d'empêcher la politique de ce gouvernement de dégénérer en une lutte violente, acharnée. En une révolution sociale qui laisserait l'Union à jamais déchirée. Je veux au contraire la rétablir. C'est pour cette raison et nulle autre que je ne souhaite pas une capitulation rapide du gouvernement provisoire de Richmond. Non pas pour satisfaire Mr. Greeley, notez bien, mais pour en finir et trouver quelque arrangement mettant fin à l'esclavage.

Sauf dans les *Border-States*, pensa cyniquement Stanley. Là, le président ne touchera pas à « l'institution » de peur qu'ils ne passent dans le camp sudiste.

— Je vous laisse trancher la question des achats, Monsieur le ministre, dit Lincoln à Cameron, mais je veux assez d'armes pour équiper l'armée du général McDowell, et nos camps d'instruction et les forces protégeant nos frontières.

Tous saisirent l'allusion au Kentucky et à l'Ouest.

— Considérez avec un peu plus d'audace la question des achats en Europe, poursuivit le président. Et laissez Mr. Chase s'occuper des dollars.

Les joues parcheminées de Cameron se colorèrent.

— Très bien, monsieur le président.

Le ministre griffonna quelques mots sur un morceau de papier qu'il glissa dans une de ses poches. Dieu seul savait s'il l'y retrouverait un jour.

Cameron conclut la réunion en promettant de charger un adjoint de prendre immédiatement contact avec des fabricants d'armes étrangers.

— Et de discuter en temps voulu avec le colonel Ripley, ajouta Lincoln en quittant la pièce.

Le président faisait référence au chef du service du Matériel, vestige, comme Scott, de la guerre de 1812.

Chase et Scott sortirent à leur tour, de meilleure humeur l'un et l'autre du fait de l'apparente souplesse de Cameron. De plus, les dernières nouvelles de Virginie occidentale étaient bonnes : George McClellan en avait délogé Robert Lee au début du mois de juin.

Les hommes qui venaient de se réunir incarnaient deux théories différentes de la victoire. Scott, que les souffrances de la goutte due à sa gloutonnerie faisaient occasionnellement grimacer, avait proposé quelques semaines plus tôt un plan prévoyant le blocus total des côtes confédérées puis l'envoi de canonnières ainsi que d'une armée par le

Mississippi pour prendre La Nouvelle-Orléans et contrôler le golfe. Le général avait l'intention d'isoler le Sud du reste du monde, de lui couper le ravitaillement en produits essentiels qu'il ne pouvait produire lui-même. La reddition suivrait inévitablement, et Scott concluait son argumentation en promettant que sa stratégie assurerait la victoire avec un minimum de sang versé.

Certaines parties du plan ayant plu à Lincoln, le blocus était devenu réalité en avril. Mais l'ensemble du projet, que la presse avait fini par apprendre et qu'elle avait baptisé « l'Anaconda de Scott », suscita de vives attaques de la part d'ultras comme Chase — nombreux dans le parti républicain — qui prônaient un triomphe rapide. L'opinion de ces hommes se résumait dans le mot d'ordre, « A Richmond ! » qui retentissait partout, de la chaire des églises au bordel — ou, du moins, Stanley l'avait entendu dire. Bien qu'il mourût constamment d'envie de faire l'amour et que sa femme y consentît rarement, il était trop timide pour visiter les maisons closes.

L'Union marcherait-elle sur la capitale confédérée ? Stanley eut à peine le temps de supputer l'hypothèse que Cameron revenait après avoir reconduit ses visiteurs. Réunissant Stanley et quatre autres adjoints, le ministre commença à sortir de ses poches de petits morceaux de papier et à débiter des ordres.

— Stanley, nous avons une réunion sur les uniformes ce soir à...

Cameron explora ses poches à la recherche d'une feuille portant l'information qu'il cherchait.

— A six heures, dit Stanley. Au *Willard*.

— Oui, c'est ça. Je ne peux pas avoir tous ces détails en tête, répondit le ministre, avec un sourire indiquant que cela ne le préoccupait pas trop.

Peu avant six heures, Stanley et Cameron quittèrent le ministère de la Guerre et traversèrent l'avenue, que la pluie de la veille avait transformée en bourbier. Bien qu'il fît attention, Stanley éclaboussa son pantalon jaune, ce qui le contraria beaucoup. A Washington, les apparences comptaient plus que la réalité qu'elles recouvraient. C'était une des précieuses leçons que sa femme lui avait apprises. Stanley savait que, sans Isabel, il ne serait qu'un paillasson sur lequel son frère George s'essuierait les pieds quand cela lui chanterait.

Le ministre marchait en faisant tournoyer sa canne. Les ombres des passants s'étiraient dans la lumière ambrée de la fin d'après-midi. Trois zouaves braillards coiffés de fez et vêtus de pantalons bouffants traînaient dans leur sillage des relents de bière. L'un d'eux qui n'était qu'un enfant rappela à Stanley ses jumeaux, Laban et Levi. Il ne savait plus que faire avec ces deux diables de quatorze ans mais, Dieu merci ! Isabel était là.

— ... dicté un télégramme après notre réunion de ce matin, disait Cameron.

— A qui ?

— A votre frère George. Nous pourrions utiliser un homme de sa compétence au Matériel. J'aimerais qu'il vienne à Washington.

5

Stanley eut l'impression d'avoir reçu un coup de pied.

— Un télégramme ?... Mon frère George ?

— Pour travailler au ministère de la Guerre, répondit Cameron avec un soupçon de malice. Cela fait des semaines que j'y songe. Votre frère est l'un des pontes de notre Etat, un as dans sa partie — je connais la métallurgie, ne l'oubliez pas. Il sait faire avancer les choses, il aime les idées neuves. Il pourrait donner un peu d'air frais au Matériel. Ripley en est incapable, c'est une momie. Et son adjoint...

— Maynadier, murmura Stanley au prix d'un gros effort.

— Oui. C'est de leur faute si le président m'a critiqué. Ces deux fossiles répondent non à toute proposition. Lincoln est intéressé par les armes d'épaule à canon rayé mais Ripley prétend qu'elles ne valent rien. Vous savez pourquoi ? Parce qu'il n'a dans ses magasins que des canons lisses.

Cameron opposait aux idées nouvelles une résistance souvent aussi opiniâtre que celle du colonel Ripley, mais Stanley avait l'habitude de voir son protecteur rejeter habilement sur d'autres les responsabilités. Il était passé maître en cet art en Pennsylvanie.

— Monsieur le ministre, j'admets qu'il nous faut du sang neuf mais pourquoi avoir télégraphié avant que nous n'en discutions ? Je...

Un regard appuyé interrompit Stanley.

— Allons, mon garçon. Je n'ai pas besoin de votre permission. Et je savais comment vous réagiriez. Votre frère a pris le contrôle des forges Hazard, il vous l'a arraché — et vous ne l'avez pas digéré.

« Oui, par Dieu, c'est vrai. J'ai vécu dans l'ombre de George depuis notre enfance. Maintenant que je me tiens enfin seul debout, le revoilà. Non, je refuse. »

Quelques pas encore et les deux hommes franchirent l'entrée principale du *Willard*. Cameron rayonnait, Stanley avait l'air pitoyable. Le hall de l'hôtel et les salles voisines étaient bondés, comme à presque toutes les heures de la journée. Devant une partie de l'établissement condamnée par un cordon, l'un des frères Willard discutait avec un peintre à la mine renfrognée. L'endroit sentait la peinture, le plâtre et les parfums lourds. Sous les lustres, des hommes et des femmes au visage figé et au regard fixe parlaient à voix basse, éclataient de rire, se penchaient l'un vers l'autre à se toucher le front. Washington en miniature.

Stanley s'était suffisamment ressaisi pour dire :

— Bien entendu, c'est à vous de décider, monsieur le...

— Exactement.

— Mais je vous rappelle que mon frère ne fait pas partie de vos plus chauds partisans.

— Il est républicain, comme moi.

— Il doit se souvenir du temps où vous étiez avec les Démocrates.

Stanley savait que George avait été particulièrement furieux du déroulement de la convention de Chicago, qui avait désigné le président comme candidat. Les directeurs de la campagne de Lincoln avaient eu besoin des votes contrôlés par Cameron, mais le Boss avait réclamé en échange un poste ministériel. Aussi fut-ce avec assurance que Stanley déclara :

— Il travaillera contre vous.

— Il travaillera pour moi si je sais le prendre. Il ne m'aime pas mais nous sommes en guerre, et il a combattu au Mexique. Un homme tel que lui est incapable de tourner le dos au drapeau.

Une lueur rusée s'alluma dans les yeux gris du ministre quand il ajouta :

— En outre, il est plus facile de contrôler quelqu'un lorsqu'on l'a sous la main. Mis à part son expérience, je préfère voir votre frère ici qu'à Lehig Valley, où il pourrait me nuire.

Cameron pressa le pas pour signifier que la discussion était close, mais Stanley insista :

— Il ne viendra pas.

— Si. Ripley est une vieille chèvre stupide qui me fait tort. J'ai besoin de George Hazard et, ce que je veux, je l'obtiens.

De sa canne, le ministre poussa une des portes battantes et pénétra dans le bar.

L'homme d'affaires qui avait sollicité un rendez-vous était un ami d'un ami du Boss et s'appelait Huffsteder. Le trio s'installa à une table que des militaires venaient de libérer, Huffsteder commanda et paya une tournée. Un officier reconnut le ministre et le salua respectueusement. Cameron semblait tout à fait à l'aise car il arrivait souvent aux membres du gouvernement de tenir des réunions dans un bar. La fumée, le bruit protégeaient des oreilles et des regards indiscrets.

— Venons-en immédiatement au fait!..., commença Huffsteder.

— Vous voulez un contrat, coupa Cameron. Laissez-moi vous dire que vous n'êtes pas le seul. Mais je ne serais pas ici si vous ne méritiez pas... appelons cela un arrangement. En souvenir de services rendus. Qu'avez-vous à vendre ?

— Des uniformes. Livraison rapide à un bon prix.

— Fabriqués où ?

— Dans mon usine d'Albany.

— Oui, dans l'Etat de New York, je me souviens.

Huffsteder tira de sa poche un échantillon de tissu bleu marine qu'il posa sur la table. Stanley le prit à deux mains, le déchira facilement.

— Renaissance, commenta-t-il.

Ce n'était pas une allusion historique mais l'appellation technique des tissus faits avec des brins de laine pressés. Huffsteder garda le silence, Cameron palpa l'un des deux morceaux. Le ministre savait, comme Stanley, qu'un uniforme taillé dans une telle étoffe ne durerait que deux ou trois mois, moins s'il était exposé à de fortes pluies. Mais la guerre imposait certains compromis — ce que Cameron se hâta de souligner :

— En matière de fournitures, la loi est claire et mon ministère l'applique strictement. Nous procédons par un système de soumissions — soumissions sous scellés si le contrat est public. Par ailleurs, j'ai à ma disposition personnelle certains fonds que je peux verser à des agents autorisés du ministère afin de procéder à des achats discrétionnaires indépendants du système de soumissions. Vous voyez où je veux en venir ?

Huffsteder acquiesça de la tête.

— Quand nos courageux soldats ont besoin de manteaux ou de poudre, il ne faut pas se montrer trop tatillon. Les rebelles sont en Virginie, ils peuvent attaquer d'un moment à l'autre. Nous n'avons pas le temps d'attendre des soumissions sous scellés, n'est-ce pas ? Donc, conclut Cameron, agents spéciaux avec des fonds spéciaux.

« Versés à des amis spéciaux », pensa Stanley, qui, au bout de quelques mois, avait compris le système.

— Stanley, reprit le ministre, donnez à ce monsieur les noms et adresses de nos agents de New York. Voyez l'un d'eux, dit-il à Huffsteder, je suis sûr que vous conclurez l'affaire.

— Je ne sais comment vous remercier...

— C'est déjà fait, répondit le Boss en posant ses yeux gris sur le fabricant. Je me rappelle le montant exact de votre contribution. Une jolie somme. Je n'en attendais pas moins d'un homme désirant participer à l'effort de guerre.

— Il vaut mieux que j'écrive à nos agents, intervint Stanley.

— Oui, occupez-vous-en.

Cameron n'avait pas besoin de recommander à son élève d'utiliser des formules vagues : Stanley avait déjà rédigé une douzaine de lettres de ce genre. Le ministre se leva, prit congé de l'homme d'affaires et s'éloigna d'un pas vif, suivi par son collaborateur. « Si certaines pratiques du ministère éclataient au grand jour », songea Stanley. Enfin, il faisait de son mieux pour ne pas tremper dans les irrégularités les plus flagrantes. Pour rester à Washington, le centre du pouvoir, il était prêt à payer le prix, à se salir les mains. En outre, Isabel y tenait beaucoup.

Dans le hall, il fit une dernière tentative auprès de son supérieur :

— Vous devriez reconsidérer votre décision au sujet de George. N'oubliez pas que c'est un de ces prétentieux de West Point...

— Je ne les aime pas plus que vous, mon garçon, mais qui veut le bébé doit supporter ses cris.

— Monsieur, je vous en prie...

— Suffit !

Plusieurs têtes se tournèrent vers eux. Cameron, les joues écarlates, saisit Stanley par le bras et l'entraîna vers un sofa.

« Mon Dieu ! il va me congédier », pensa Stanley.

L'expression du ministre suggérait effectivement cette possibilité.

— Ecoutez-moi bien, dit le Boss en poussant son assistant vers les coussins. J'ai de la sympathie pour vous. Qui plus est, je vous fais confiance — et je ne peux en dire autant de beaucoup de mes collaborateurs. Cessez de vous tracasser à propos de votre frère, je saurai le manier. Vous feriez beaucoup mieux d'oublier le passé et de profiter des possibilités présentes.

— Que voulez-vous dire ? bougonna Stanley.

Calmé, le ministre s'assit.

— Prenez modèle sur le voleur que nous venons de rencontrer. Je dirige mon ministère en respectant strictement la loi, mais cela ne signifie pas que je m'oppose à voir prospérer des gens en qui j'ai confiance.

Stanley finit par comprendre :

— Vous pensez que je dois solliciter un contrat ?

— Exactement, dit Cameron en lui donnant une tape sur le genou.

— Un contrat de quoi ?

— N'importe quelle marchandise dont nos petits gars ont besoin, répondit le ministre. Ça, par exemple, ajouta-t-il en montrant l'une de ses bottes. La chaussure, c'est la seconde industrie du Nord mais elle a connu des difficultés dernièrement. Je parie qu'il y a des tas de petites usines à vendre en Nouvelle-Angleterre.

— Mais je n'y connais rien.

— Apprenez, mon garçon, dit Cameron en se penchant soudain vers Stanley. Apprenez.

— Je pense que je pourrai.

— J'en suis sûr, déclara le Boss en se levant. Nous manquons de chaussures, c'est une excellente occasion.

— J'apprécie la suggestion. Merci.

Le ministre eut un sourire radieux.

— Bonsoir, mon garçon.

— Bonsoir, monsieur.

Après le départ de Cameron, Stanley demeura un long moment à contempler ses pieds. Il avait toujours eu du mal à prendre une décision mais, cette fois, c'était encore plus difficile à cause de George. Il n'avait plus son mot à dire sur cette question. Saurait-il calmer la fureur d'Isabel lorsqu'elle apprendrait que l'homme qui les avait chassés de Lehig Station allait à nouveau devenir le rival de son mari ?

6

— Y aurait pas de guerre sans ces foutus nègres !

— Tu te goures. C'est les rebelles qui l'ont déclenchée en sortant de l'Union. On combat pour le drapeau, pas pour les négros.

— Là, je te suis. A mon avis, le meilleur moyen de régler le problème, c'est de tous les bousiller.

La proposition suscita de bruyantes approbations de la part de plusieurs autres civils du bar. Un officier solitaire partageait aussi cette opinion mais, étant en uniforme, il ne fit aucun commentaire.

L'homme pesait cent vingt kilos et sa bedaine tendait l'étoffe impeccable de sa veste. Son visage morne et pâle, que le soleil rendait rouge brique en une demi-heure, se tourna vers la table que deux hommes venaient de quitter, y laissant un troisième. Les traits du plus jeune lui avaient paru vaguement familiers et l'officier fouillait sa mémoire en buvant lentement son whisky. Il n'avait que trente-sept ans mais commençait depuis peu à grisonner et teignait régulièrement ses cheveux gris pour garder une apparence juvénile. « Si seulement la teinture pouvait aussi me les faire oublier », songeait le colonel honoraire Elkanah Bent.

Ces cheveux gris lui rappelaient qu'il était mortel et que sa carrière avait été une longue suite de frustrations. Le mois précédent, son sentiment de frustration s'était encore exacerbé dans cette maudite ville prosudiste. Bent haïssait les Sudistes presque autant que les Noirs, presque autant que George Hazard et son ami Orry Main. De plus, Washington abritait le seul être humain pour qui Bent eût quelque affection et qu'il lui était interdit de voir.

Comme le visage de l'inconnu du bar demeurait dans son esprit, il fit signe au serveur et lui demanda :

— Avez-vous vu l'homme qui vient de sortir ?

— Cameron, le ministre ?

— Non, celui qui l'accompagnait.

— Ah ! Stanley Hazard, un de ses larbins.

Bent serra les poings.

— De Pennsylvanie ?

— Je suppose. Cameron a fait venir pas mal de ses petits copains au ministère. Un autre ? dit le barman en désignant le verre de Bent.

— Oui. Un double.

Stanley Hazard... Sûrement le frère de George, ce qui expliquerait la familiarité des traits malgré la mollesse du visage. Ben fut envahi d'émotions si fortes qu'il en eut le vertige.

Orry Main et George Hazard avaient été de la promotion suivant celle de Bent à l'Académie militaire. Dès le début, ils l'avaient méprisé et s'étaient efforcés de monter les autres contre lui. Il les tenait pour responsables de ses échecs, aussi bien à West Point que pendant la guerre du Mexique. A la fin des années 1850, Bent avait été affecté au 2ᵉ de Cavalerie, au Texas, où Charles, jeune lieutenant du régiment et cousin d'Orry Main, avait achevé de le couvrir de boue.

Dans la guerre actuelle, les Main avaient naturellement pris fait et cause pour les traîtres sudistes. George Hazard avait quitté l'armée depuis des années mais son frère cadet, Billy, était dans le Génie nordiste. Bent ignorait ce que chacun d'eux était devenu mais il savait une chose avec certitude : une grande destinée attendait Elkanah Bent. Il serait le Bonaparte américain — même si un autre ancien de l'Académie, George McClellan, parvenu récemment réintégré dans l'armée, avait convaincu une presse crédule de lui décerner ce titre.

Aucune importance. Ce qui comptait, c'était le pouvoir lui-même. Un pouvoir qui récompenserait son génie militaire et lui fournirait l'occasion d'anéantir les Main et les Hazard.

Il vida son verre, sortit sa montre. Déjà plus de sept heures. Dans peu de temps il ferait nuit et les rues ne seraient plus sûres. Bien qu'il portât son sabre, il ne tenait pas à attirer l'attention des malandrins qui faisaient la chasse aux citoyens après la tombée de la nuit. Ces hommes le terrifiaient.

La main sur la poignée de son arme, il sortit du *Willard* et se hâta de rentrer à sa pension. Pantelant et encore apeuré, il monta le perron conduisant à la véranda éclairée et y demeura jusqu'à ce que sa frayeur soit totalement dissipée. Il passa ensuite au salon, où il trouva un autre client avec lequel il avait lié connaissance. Le colonel Elmsdale, homme du New Hampshire aux oreilles décollées, indiqua des papiers posés sur une table sans cesser de mâchonner son cigare.

— J'ai pris mes ordres aujourd'hui. Les vôtres aussi, les voilà. Les nouvelles ne sont pas très bonnes.

— Pas... très... bonnes ? bredouilla Bent.

Il prit les papiers, les lut. L'écriture, joliment calligraphiée, semblait serpenter sous ses yeux mais il parvint à déchiffrer chaque mot.

— Le... le Kentucky ?

— L'armée des Cumberland. Vous savez qui la commande ? Anderson, l'incapable qui a amené le drapeau à Sumter. Je veux bien être pendu si je le traite en héros — comme le font tant d'autres.

— Où se trouve ce camp Dick Robinson ?

— Près de Dabville. C'est un camp d'instruction de volontaires.

— J'ai été affecté à l'avant... en pays rebelle ?

— Oui, et moi aussi. Je ne suis pas mieux loti que vous, Bent. Nous aurons des bleus à commander, des francs-tireurs derrière chaque arbre. Personne pour combattre dans les règles.

— Il y a sûrement erreur, murmura Bent en se dirigeant vers l'escalier.

— Ça oui ! Le genre d'erreur que commet l'armée. Nous n'y pouvons absolument rien, dit le colonel.

Bent, qui montait les marches d'un pas mal assuré, ne l'entendit pas. Il traversa un couloir poussiéreux empestant le ragoût de mouton (le dîner qu'il se sentait trop malade pour manger) et entra dans sa chambre. Il claqua la porte, s'effondra sur son lit dans le noir. Affecté à l'avant. Commander des analphabètes dans un désert en risquant de se faire tuer par une balle sudiste. Loin de supérieurs qui oublieraient jusqu'à son existence.

Que s'était-il passé ? Où était son protecteur, l'homme qui l'aidait secrètement depuis des années, qui l'avait fait entrer à l'Académie ; qui, après les intrigues de Hazard et de Main ayant entraîné son renvoi, était intervenu auprès du ministre pour le faire réintégrer. Excepté l'inévitable épisode de la guerre du Mexique et une affectation au Texas, Bent avait toujours obtenu des postes de tout repos. On l'avait tenu hors de danger...

Jusqu'à maintenant.

Pourquoi son protecteur l'avait-il abandonné ? Il ignorait sans doute cette affectation, c'était sûrement l'explication...

Saisi de tremblements, Bent décida d'enfreindre la règle selon laquelle il ne devait jamais prendre directement contact avec l'homme qui le protégeait. La situation, catastrophique, prenait le pas sur cet accord.

Il se rua hors de la chambre, dévala l'escalier et fit sursauter Elmsdale, qui était en train de monter.

— Le brouillard est épais, dehors, dit le colonel. Si vous devez sortir, prenez votre revolver.

— Je n'ai pas besoin de vos conseils, répliqua Bent en le bousculant. Laissez-moi passer.

Il se précipita dehors, le fourreau de son sabre s'agitant furieusement. Elmsdale jura et se demanda comment un tel fou avait réussi à rester dans l'armée.

7

Le fiacre tourna dans la 19e Rue, où les constructions étaient peu nombreuses. Les riches bâtissaient dans cette partie éloignée de la ville pour échapper aux saletés et aux dangers du centre.

— Quel numéro entre K et L* ? demanda le cocher ?

— Il n'y en a qu'un. Il fait tout le pâté de maisons.

Bent s'agrippait à la courroie d'appui comme à une ligne de sauvetage dans l'océan. Il avait la bouche sèche et brûlante, le reste du corps glacé. Le brouillard montant du Potomac accrochait des lambeaux de gaze sale jusqu'aux fenêtres les mieux éclairées.

Bent se rendait chez un nommé Heyward Starkwether. Originaire de l'Ohio, l'homme n'avait ni métier — au sens traditionnel du terme —, ni fonctions, ni source de revenus apparente bien qu'il vécût dans la capitale depuis vingt-cinq ans. Les reporters nouvellement arrivés à Washington — de jeunes hommes ayant généralement beaucoup d'aplomb et peu de sagesse — le décrivaient parfois comme un *lobbyiste* et les plus hardis parlaient de trafic d'influence. Elkanah Bent connais-

---

* A Washington, les rues portent aussi des lettres (n.d.t.).

34

sait peu de chose sur les affaires de Starkwether mais il savait que le qualifier de *lobbyiste* équivalait a voir dans Alexandre de Macédoine un simple soldat.

Selon la rumeur, Starkwether représentait d'énormes groupes d'intérêts new-yorkais, des hommes dont la richesse et l'influence étaient quasi sans limites. Des hommes pouvant ignorer la loi si cela les arrangeait et modeler la politique gouvernementale à leurs fins personnelles. On disait que Starkwether avait cultivé pour eux des amitiés aux plus hauts niveaux gouvernementaux pendant plus de deux décennies, fait qui teintait de crainte l'affection que Bent lui portait.

— Tournez ici ! s'exclama-t-il.

Le cocher avait failli manquer la grande allée courbe conduisant à la résidence, qui ressemblait davantage à un temple grec qu'à une maison. Bent fut intrigué de voir l'allée déserte, les fenêtres obscures. Chaque fois qu'il était passé le soir devant la demeure, il l'avait trouvée brillamment éclairée.

— Attendez-moi, dit-il au cocher.

Il monta le grand perron de marbre, laissa retomber deux fois la tête de lion du heurtoir de la porte. Le bruit résonna longuement à l'intérieur de la bâtisse. Son protecteur était-il en voyage ?

Il frappa de nouveau et, cette fois, un vieux domestique aux yeux rougis vint ouvrir. Sans lui laisser prononcer un mot, le visiteur annonça :

— Je suis le colonel Elkanah Bent. Je dois voir Mr. Starkwether. C'est urgent.

— Désolé, colonel, mais c'est impossible. Cet après-midi, Monsieur a eu... une attaque.

— Une attaque de paralysie ?

— Oui, monsieur.

— Comment va-t-il maintenant ?

— L'attaque a été fatale, monsieur.

Sans plus rien voir ni entendre, Bent retourna au fiacre en se demandant comment il allait se tirer d'affaire à présent qu'il avait perdu son père.

8

— Il vient ici ? Avec cette garce de catholique qui nous traite de haut comme une princesse ? Stanley, pauvre imbécile ! Comment as-tu pu laisser faire cela ?

— Isabel, commença-t-il d'une voix faible tandis que sa femme se dirigeait brusquement vers les fenêtres du salon donnant sur la 6e Rue.

Elle lui montra le dos de la robe à panier d'un gris triste qu'elle portait tous les jours et gémit, si fort qu'on eût pu croire qu'on la violait. « Aucune chance qu'elle se laisse faire ça », pensa Stanley avec irritation.

Isabel fit tourner le panier de la robe pour se retrouver face à face avec Stanley.

— Pourquoi, au nom du ciel, ne t'es-tu pas opposé à cette idée ?

— Je l'ai fait ! Mais Cameron veut George.

— Pourquoi diable ?

Stanley répéta de son mieux certaines des explications du Boss. Rien que l'appréhension de cette querelle avec Isabel l'avait épuisé. Toute la journée, il avait préparé ce qu'il dirait et l'avait complètement oublié en arrivant chez lui. Affalé dans un fauteuil, il conclut d'un ton plaintif :

— Il y a de fortes chances pour qu'il ne vienne pas.

— Si seulement nous n'étions pas venus non plus ! Je déteste cette maudite ville.

En silence, il la regarda arpenter le salon. Il savait qu'elle ne pensait pas vraiment ce qu'elle venait de dire. Elle aimait être à Washington parce qu'elle aimait le pouvoir et fréquenter ceux qui le détenaient.

Les circonstances n'étaient pas idéales, bien sûr. La rareté des logements décents les avait contraints à louer une vieille suite poussié-reuse au *National Hotel*, sorte de caverne grouillant de sécessionnistes. Politique mise à part, un hôtel n'était guère indiqué pour élever deux adolescents turbulents. Parfois Laban et Levi disparaissaient pendant des heures dans le dédale des couloirs et Dieu seul savait quelles pernicieuses leçons ils apprenaient en écoutant aux portes. A son arrivée, Isabel lui avait raconté qu'elle avait surpris Laban gloussant de façon familière avec l'une des jeunes femmes de chambre. Stanley avait fait la leçon à son fils — une torture pour le père, un moment assommant pour le garçon indocile. Ce soir-là, il avait enfermé les jumeaux dans leur chambre en leur ordonnant d'apprendre leurs déclinaisons latines pendant une heure. Dieu merci ! on ne les entendait plus se battre à présent, ils devaient être endormis.

Isabel traversa une dernière fois le salon et s'arrêta, les bras croisés sur sa maigre poitrine. Agée de deux ans de plus que son mari, elle devenait de plus en plus acariâtre en vieillissant.

— Essaie de comprendre, plaida-t-il. J'ai soulevé des objections mais...

— Pas avec force. Tu ne fais jamais rien avec force.

Stanley se leva en protestant :

— C'est injuste. Je n'ai pas voulu compromettre mes bons rapports avec Cameron. J'avais cru comprendre que tu les considérais comme un atout important.

Experte en l'art de manipuler les gens, et surtout son mari, Isabel se rendit compte qu'elle était allée trop loin.

— C'est exact, dit-elle, radoucie. Je m'excuse mais je déteste telle-ment George et Constance à cause de toutes les humiliations qu'ils t'ont fait subir.

La trêve établie, il s'approcha de sa femme.

— Et à toi aussi, ajouta-t-il.

— J'aimerais le leur faire payer un jour. S'ils ne viennent pas ici, je trouverai un autre moyen. Nous connaissons des gens importants. Tu as de l'influence, maintenant.

— Nous essaierons.

Stanley espérait que son manque d'enthousiasme ne se voyait pas. Parfois, il haïssait vraiment son frère mais il en avait toujours eu peur. Il prit Isabel par les épaules, la guida vers le bar.

— Sers-moi un whisky pendant que je t'annonce une bonne nouvelle.

— Quoi ? De l'avancement ?

— Non, non. Une proposition de Simon — une faveur pour apaiser mon mécontentement à propos de George.

Stanley raconta l'entrevue avec l'homme d'affaires et la conversation qu'il avait eue ensuite avec Cameron. Voyant aussitôt les possibilités offertes, Isabel claqua des mains.

— Pour une idée pareille, je laisserais dix George Hazard venir ici ! s'écria-t-elle. Nous ne dépendrions plus de l'usine, ou du bon vouloir de ton frère. Imagine l'argent que nous pourrions gagner avec un contrat garanti...

— Simon n'a rien garanti, rappela Stanley. On ne parle pas de choses pareilles de façon explicite. Mais je crois que c'est ce qu'il a voulu dire. Le ministère fonctionne de cette manière. En ce moment, par exemple, je travaille sur un plan visant à réduire le coût des transports de troupes de New York à Washington. Le prix actuel est de six dollars par tête, nous pouvons le ramener à quatre en utilisant la ligne Northern Central qui passe par Harrisburg.

— Mais elle appartient à Cameron.

Détendu par le whisky, Stanley cligna de l'œil.

— Nous ne le crions pas sur les toits.

Isabel échafaudait déjà des plans :

— Nous devons nous rendre immédiatement en Nouvelle-Angleterre. Simon t'accordera un congé, non ?

— Oh ! oui. Mais, comme je le lui ai dit, je ne connais rien à l'industrie de la chaussure.

— Nous apprendrons. Ensemble.

« Rends-moi mon oreiller, salaud ! »

Le cri qui s'éleva derrière la porte de la plus petite des chambres fut suivi par des jurons et des bruits de lutte.

— Stanley, fais-les taire immédiatement.

Le général avait parlé, il valait mieux ne pas discuter. Posant son verre, Stanley alla à contrecœur mettre fin à la guerre des jumeaux.

9

Le lendemain, en Pennsylvanie, Brett, la femme de Billy, quitta Belvedere pour faire une emplette. Un domestique aurait pu s'en charger mais elle avait préféré se rendre elle-même à Lehig Station afin de s'échapper un moment de la salle de couture étouffante où les dames de la maison faisaient des travaux d'aiguille pour les volontaires. Tricoter pour les soldats de l'Union lui posait un problème de conscience.

Belvedere, grande maison en pierre à l'italienne en forme de L, se dressait au sommet d'une colline surplombant la rivière, la ville et les forges Hazard. Elle voisinait avec une autre résidence deux fois plus vaste — quarante pièces — appartenant à Stanley et à son horrible femme, qui y avaient laissé un gardien en partant pour Washington.

Brett attendit dans la véranda ombragée qu'un domestique apporte le buggy. Elle le remercia du bout des lèvres, lui prit quasiment le fouet des mains et partit dans un nuage de poussière, furieuse contre elle-même de cette manifestation d'humeur injustifiée.

Agée de vingt-trois ans, Brett avait hérité les yeux et les cheveux noirs de la famille Main. Elle était séduisante mais d'une joliesse plus fraîche, plus ordinaire que sa sœur aînée Ashton, que tout le monde, intéressée comprise, considérait comme une beauté. Le charme d'Ashton convenait au soir, aux parfums suaves, aux lueurs de chandelles sur des épaules nues. Brett était fille de la lumière du jour et du grand air, à l'aise dans un décor simple. Les gens qui la rencontraient pour la première fois le devinaient rapidement à ses manières et surtout à son sourire, dépourvu de toute coquetterie. Elle avait une gentillesse, une franchise qui faisaient souvent défaut aux jeunes femmes de son âge.

Les choses étaient différentes dans la ville natale de son mari, dont les habitants savaient que Brett venait de Caroline du Sud et la traitaient parfois comme une fleur exotique dépérissante. Elle supposait que, pour beaucoup d'entre eux, elle était finalement coupable de trahison. Cela l'ennuyait, comme la chaleur infernale de l'après-midi. Sa robe de mousseline blanche collait à sa peau, l'humidité semblait encore pire que dans sa région d'origine.

Plus l'absence de Billy se prolongeait, plus Brett se sentait solitaire et malheureuse. Elle s'efforçait de ne pas le montrer à George et à sa femme Constance, avec qui elle vivait depuis le départ de Billy. C'était le domestique qui avait fait les frais de son humeur, comme une des femmes de chambre, la veille.

La sueur mouilla rapidement les paumes de ses mitaines en crochet. Pourquoi les avait-elle mises ? Il fallait tirer ferme sur les rênes pour maintenir le cheval du buggy au milieu de la route cahoteuse. Devant elle, les trois hauts fourneaux des forges Hazard dominaient la colline la plus proche des deux résidences. Plus bas, la ville en expansion s'étendait sur trois niveaux : d'abord de solides maisons en brique ou en bois, puis les bâtiments commerciaux, enfin les cabanes proches de la voie ferrée et du canal désaffecté.

Brett s'arrêta devant le magasin Herbert, attacha le cheval à l'un des six poteaux en fer plantés devant l'établissement. En traversant le trottoir, elle remarqua deux hommes l'observant d'un banc installé à l'ombre devant le café, quelques mètres plus loin. Leurs bras musclés et leurs vêtements de grosse toile lui firent penser qu'ils travaillaient probablement aux forges Hazard.

L'un d'eux murmura quelques mots à son compagnon, qui faillit renverser sa cruche à bière en éclatant de rire. Malgré la chaleur, Brett frissonna.

L'épicerie-bazar sentait la réglisse, la farine de seigle et autres marchandises vendues par Mr. Pinckney Herbert, petit homme aux yeux brillants qui rappelait à Brett un rabbin qu'elle avait rencontré à Charleston. Herbert avait passé son enfance en Virginie, où sa famille s'était établie avant la guerre de l'Indépendance. A vingt ans, sa conscience l'avait poussé à venir en Pennsylvanie, avec pour tout bagage sa haine de l'esclavage et le prénom, Pinckney, qu'il avait adopté de préférence à Pincus, son vrai prénom.

— Bonjour, Mrs. Hazard. Qu'est-ce que ce sera aujourd'hui ?

— Du gros fil blanc, Pinckney. Constance, Patricia et moi fabriquons des couvre-nuques.

— Des couvre-nuques... Bien, bien.

Le commerçant évita le regard de sa cliente, ce qui était une façon de s'étonner de voir une jeune femme du Sud travailler pour les soldats de l'Union. Quand la femme et la fille de George s'étaient mises à la fabrication de couvre-nuques — d'après Constance, la plupart des femmes de la ville se livraient à des travaux semblables — Brett s'était jointe à elles parce qu'aider un autre être humain à se protéger de la pluie ou du soleil ne lui semblait pas un acte partisan. Pourquoi alors éprouvait-elle en cousant un sentiment persistant de déloyauté ?

Elle sortit du magasin après avoir réglé sa demi-douzaine de bobines. En entendant une planche craquer, elle se tourna vivement sur la gauche et le regretta aussitôt en découvrant les deux hommes paressant sur leur banc.

— Z'avez des nouvelles de Jeff Davis, m'dame ? demanda l'un d'eux.

Elle eut envie de le traiter d'idiot mais jugea plus prudent d'ignorer la question. Elle se dirigea vers le buggy, inquiète de ne voir qu'une seule autre personne dans la rue : une matrone coiffée d'un bonnet qui disparut dans un magasin. La chaleur de l'après-midi avait vidé les trottoirs.

Le cœur battant, Brett passa devant son cheval. Elle entendit derrière elle une respiration sifflante, un bruit de bottes sur la terre battue, et sentit la présence de l'homme une fraction de seconde avant qu'il la saisît par l'épaule et la fît tourner.

C'était celui qui l'avait importunée. Sa barbe rousse en broussaille retenait entre ses poils des particules de mousse de bière. Brett sentit la crasse de ses vêtements, les relents de son haleine.

— J'parie que vous priez pour que le Vieil Abe * tombe raide mort d'une attaque, hein ?

Le compagnon du barbu trouva cela si drôle qu'il hurla de rire. Le bruit attira l'attention de deux hommes marchant de l'autre côté de la rue. Quand ils virent qui était en butte aux plaisanteries du barbu, ils passèrent leur chemin.

— Z'avez toujours des nègres, là-bas, en Caroline ?

— Stupide ivrogne, riposta Brett. Ne me touchez pas.

L'homme resté sur le banc gloussa :

— Le bon vieil esprit rebelle, hein, Lute ?

Le visage tordu par une grimace, le barbu enfonça ses doigts dans la chair de Brett.

— Vous avez un problème avec vos yeux, ma p'tite dame. Je suis un homme blanc, vous pouvez pas me parler comme à vos esclaves. Mettez-vous ça dans la tête et ça aussi : on veut pas de traîtres qui se pavanent dans nos rues. Compris ?

— Fessenden, lâche-la immédiatement ! cria Pinckney Herbert, du seuil de son magasin.

Le deuxième pochard quitta son banc pour se ruer vers lui.

— Rentre à l'intérieur, sale juif !

Un coup de poing plia le commerçant en deux, le renvoya dans la boutique. Il tenta de se relever tandis que Fessenden, lâchant sa cruche, saisissait les deux épaules de Brett et la secouait violemment.

Herbert agrippa l'encadrement de la porte, se remit debout mais le second pochard le frappa au menton. Le commerçant s'effondra sur le dos en poussant un cri. Brett avait conscience qu'elle pouvait appeler à l'aide mais ce n'était pas dans son caractère. Semblant tout à coup submergée de frayeur, elle se laissa aller sous l'étreinte de Fessenden, les yeux mi-clos.

— Je vous en prie, lâchez-moi, s'il vous plaît. Je ne suis qu'une faible femme. Pas forte comme vous...

— Ah ! c'est comme ça que les petites bonnes femmes du Sud doivent parler ! triompha Fessenden. (Il glissa un bras autour de la taille de Brett, la poussa contre la roue du buggy et se pencha vers elle, lui grattant la joue de sa barbe.) Répète voir « s'il vous plaît », gentiment, et on verra ce qui se passe...

Son autre main descendit, se posa sur la cuisse de la jeune femme.

---

* Lincoln (n.d.t.).

Libérée, Brett leva brusquement la jambe que l'homme ne tenait pas et lui donna un coup de genou dans les parties génitales. Il gémit, devint écarlate et tomba sur la terre battue quand elle le poussa. Pinckney Herbert, qui venait de se relever, pâle et grimaçant, se mit à rire devant cette soudaine résurrection de la fleur languissante.

L'ami de Fessenden fonça vers Brett, qui saisit son fouet et lui cingla le visage. L'ivrogne sauta en arrière, s'effondra sur le barbu qui se tenait l'entrejambe.

Brett jeta ses bobines dans le buggy, détacha son cheval, monta dans la voiture avec l'agilité d'un garçon manqué. Comme elle prenait les rênes d'une main, la seconde brute se releva, revint à la charge. Elle lui fouetta une deuxième fois le visage.

Deux ou trois citoyens pris de remords étaient apparus et enjoignaient aux deux hommes de cesser de rudoyer la jeune femme. « Un peu trop tard, merci. » Elle lança le buggy à l'assaut de la colline en soulevant derrière elle un nuage de poussière jaune semblable à ceux qui annoncent l'orage. « Comme je hais cette ville et cette guerre ! » pensa-t-elle, sa fureur cédant la place au désespoir.

10

Sur la tribune temporairement installée au fond de la grande salle du *Station House,* le bon hôtel de la ville, George Hazard souffrait. La chaleur, la verbosité de l'orateur et la dureté de sa chaise le mettaient à la torture. Devant lui, des visages moites, des mains agitant des éventails, des drapeaux décorant tous les murs.

Derrière George et les autres notables était accrochée une grande lithographie du président. Blane, le maire, contremaître de nuit aux forges, avait écourté son sommeil de la journée pour présider le rassemblement patriotique.

— Notre bannière a été violée ! beuglait-il en arpentant l'estrade. Profanée ! Déchirée par Davis et sa bande de traîtres qui jouent aux aristocrates ! Un tel sacrilège ne mérite que deux réponses : le peloton d'exécution et la corde pour ceux qui osent fouler au pied l'unité du pays et son symbole !

« Dieu du ciel ! soupira intérieurement George. Il va continuer longtemps ? » En principe, le maire devait se contenter de présenter les deux principaux orateurs : George lui-même — qui avait accepté à contrecœur de prendre la parole — et un dirigeant républicain de Bethlehem levant un régiment de volontaires dans la vallée.

Blane poursuivit son discours, ne s'interrompant qu'afin de laisser les participants applaudir ou agiter le poing pour approuver une phrase particulièrement belliqueuse. Depuis que, dans tout le Sud, on avait amené, déchiré ou brûlé les drapeaux fédéraux, le Nord connaissait une épidémie de ce que les journalistes appelaient « la fièvre étoilée ».

George, qui n'avait pas contracté la maladie, aurait préféré être à son bureau, s'occupant des forges ou mettant au point sa demande d'ouvrir une banque à Lehig Station, qui n'en possédait pas. Utiliser celles de Bethlehem était devenu trop peu pratique pour les forges Hazard et la plupart de leurs employés. George croyait à l'utilité et, au bout du compte, à la rentabilité d'une banque locale. Un esprit conventionnel eût renoncé à une telle entreprise dans des circonstances hasardeuses

— mauvaises conditions économiques, confiance au plus bas — mais George était convaincu qu'on ne remporte jamais de grands succès sans prendre de grands risques.

La nouvelle banque serait constituée selon la loi bancaire de Pennsylvanie, révisée en 1824, avec une charte de vingt ans et treize membres du conseil d'administration, tous obligatoirement actionnaires et citoyens des Etats-Unis. Avec son avocat, Jupiter Smith, George avait beaucoup à faire pour préparer les papiers nécessaires.

Pourtant, il participait au rassemblement parce qu'il était le seul de la région à avoir fait la guerre du Mexique et que le public voulait entendre des propos exaltants sur la gloire des armes. Eh bien, il leur servirait le plat désiré en s'efforçant de ne pas trop se sentir coupable. Il ne dirait rien de ce qu'il avait vraiment appris au Mexique quand Orry Main et lui y faisaient campagne : la guerre n'est jamais glorieuse, jamais grande — excepté dans les discours des politiciens et autres non-combattants. Il avait gardé le souvenir d'une expérience confuse, ennuyeuse, solitaire et parfois terrifiante.

« A Richmond ! A Richmond ! A la potence les vils mécréants de la Confédération ! »

George mit une main devant ses yeux pour cacher sa réaction. Il lui était impossible de penser à son ami Orry en termes de « vil mécréant » ; il ne pouvait pas davantage appliquer ces mots à la plupart des autres Sudistes qu'il avait connus à West Point et avec qui il avait combattu au Mexique. Tom Jackson, par exemple, le drôle de type dont les remarquables aptitudes militaires avaient été très tôt reconnues et symbolisées par ce surnom de « Général » qu'il avait reçu étant cadet. Enseignait-il toujours à l'école militaire, en Virginie, ou avait-il rejoint les troupes ? Ou encore George Pickett, qui se trouvait dans une garnison fédérale la dernière fois que George avait entendu parler de lui. C'étaient de bons officiers, même s'ils n'avaient pas pu ou voulu résoudre une crise qui s'était à présent transformée en combat. A vrai dire, George se sentait aussi coupable qu'eux d'avoir abandonné le problème aux tâcherons politiques et aux braillards de bar.

Se remettant à écouter l'orateur, il entendit :

— ... ancien combattant au Mexique, industriel éminent, généreux employeur...

« Ce n'est pas comme cela que tu soulèveras la salle, Blane. »

A peine cette pensée l'avait-elle traversé que George en eut honte. « Je suis devenu un affreux cynique. » Il se pencha vers son voisin, lui murmura à l'oreille :

— J'ai mal suivi, je préparais mon intervention. Il a dit que j'ai fait West Point ?

L'homme secoua la tête. L'omission irrita George mais ne le surprit pas. L'école, qu'on avait toujours jugée à tort prosudiste, était encore plus impopulaire maintenant qu'un grand nombre de ses anciens avaient quitté l'armée régulière pour passer au Sud.

— ... Mr. George Hazard !

Il s'éclaircit la voix et s'avança sous les applaudissements, prêt, pour les besoins de la cause, à débiter de beaux mensonges sur les joies de la guerre.

11

A mi-hauteur de la colline, Brett ralentit le buggy. Le courage et la force qui l'avaient soutenue pendant l'incident avec les deux brutes l'abandonnaient. Elle souffrait à nouveau, et plus douloureusement encore, de l'absence du seul être capable de l'aider à traverser ces temps difficiles. Elle comprenait que Billy devait aller là où le devoir l'appelait, elle avait promis de le suivre. Mais sa détermination faiblissait, l'altercation avec les deux ivrognes avait en quelque sorte percé son armure.

Tandis qu'elle laissait le cheval marcher au pas, un sentiment de défaite, de solitude s'emparait d'elle. Tremblant un peu, elle ferma ses yeux embués de larmes, les rouvrit juste à temps pour empêcher la voiture de verser dans le fossé. Elle arrêta sa bête et demeura immobile dans la lumière aveuglante. L'air était si calme que les lauriers tant aimés des Hazard semblaient pétrifiés et un peu poussiéreux, là-haut au sommet de la colline. Brett aurait voulu être indifférente à l'animosité générale des gens de la ville mais n'y parvenait pas.

Se ressaisissant, elle agita les rênes et, lorsqu'elle arriva devant la grande écurie de Belvedere, elle avait totalement recouvré son calme. Résolue à ne pas souffler mot de l'incident, elle espérait que George n'en serait pas informé.

Lorsqu'il rentra chez lui, le reste de la famille était rassemblé pour le dîner. Il pénétra dans la salle à manger où Constance parlait à leur fille du ton amical mais ferme qu'elle réservait aux questions de discipline.

— Non, Patricia, tu ne peux pas dépenser ton argent de poche pour cela. Comme tu le sais, un œuf de marbre sert uniquement à rafraîchir les paumes d'une jeune fille trop excitée à un bal ou une réception. Il ne te serait donc d'aucune utilité avant plusieurs années.

— Carrie King en a un, fit Patricia, la lèvre boudeuse.

— Elle a treize ans — deux de plus que toi — et en paraît vingt.

— Elle se conduit comme si elle les avait, d'après ce que j'ai entendu dire, remarqua William avec un sourire salace.

Le commentaire amusa George mais il ne voulut pas le montrer et fronça les sourcils en regardant son fils, un beau et solide gaillard.

— Pardon d'être en retard, dit-il en s'arrêtant derrière la chaise de sa femme, je suis passé au bureau.

Explication familière en ces temps de production de guerre effrénée. Il la sentit remuer doucement sous la main affectueuse qu'il avait posée sur son épaule. Diable ! elle avait senti qu'il avait bu un verre.

— Ton discours a été applaudi ? demanda-t-elle tandis qu'il s'installait à l'autre bout de la longue table en bois.

— A tout rompre.

— Ne plaisante pas, je veux savoir.

Comme il répondait par un haussement d'épaules fatigué, elle ajouta :

— Parle-moi de la réunion, alors. Comment s'est-elle déroulée ?

— Comme on pouvait s'y attendre, soupira George tandis qu'une servante posait devant lui la soupe de tortue. On a voué les rebelles au désastre, agité le drapeau en paroles une bonne centaine de fois. Puis le politicien de Bethlehem a lu l'appel à s'engager et a récolté huit volontaires.

La soupe l'aida à se détendre, à réajuster son humeur à son univers domestique. Par-dessus sa cuillère, il regarda Constance à la dérobée et songea qu'il avait de la chance. Sa peau avait gardé le velouté du lait fraîchement écrémé, ses yeux bleus brillaient de ce même éclat qui l'avait charmé lorsqu'ils s'étaient rencontrés à Corpus Christi, à un bal donné aux officiers en route pour le Mexique.

Constance mesurait quelques centimètres de plus que son mari, ce qu'il considérait comme une incitation à se montrer digne d'elle. En dépit des prévisions méprisantes de Stanley, le fait qu'elle fût catholique pratiquante n'avait pas brisé leur couple. Les années passées à élever les enfants, à partager la même intimité, à supporter ensemble les ennuis avaient approfondi leur amour et maintenu vivace leur mutuelle attirance physique.

Patricia se trémoussait sur sa chaise, piquant son poisson de sa fourchette comme s'il était responsable du refus maternel.

— L'usine a produit beaucoup de couvre-nuques, aujourd'hui ? demanda George, adressant plus sa question à Brett qu'à quiconque.

Assise à sa gauche, les yeux baissés, les traits tirés, elle n'avait pas prononcé un mot depuis son arrivée.

— Pas mal, dit Constance.

En répondant, elle tendit le bras pour donner une chiquenaude à l'oreille de sa fille, qui cessa de martyriser son poisson.

A la fin du repas, George donna aux enfants la permission de quitter la table, adressa quelques mots à Constance puis suivit Brett dans la bibliothèque. Après avoir fermé les portes derrière lui, il annonça :

— J'ai appris l'incident.

— J'espérais que vous n'en sauriez rien, murmura sa belle-sœur avec lassitude.

— Notre ville est petite et, malheureusement, vous y attirez l'attention.

Brett soupira, feuilleta machinalement le journal posé sur ses genoux.

— C'était sans doute idiot de penser que personne n'en parlerait.

— D'autant que Fessenden et son cousin sont en état d'arrestation.

— Qui les a accusés ?

— Pinckney Herbert. Vous voyez, vous avez des amis à Lehig Station.

George alluma un cigare, informa Brett qu'il avait déjà ordonné le renvoi des forges de ses deux agresseurs et ajouta avec douceur :

— Je ne puis vous dire à quel point cette affaire me peine et suscite ma colère. Constance et moi nous soucions de vous autant que de n'importe quel autre membre de cette famille. Nous savons combien vous devez souffrir d'être loin de chez vous, séparée de votre mari...

Brett se leva d'un bond qui fit tomber le journal par terre et noua ses bras autour du cou de George comme une fille cherchant le réconfort paternel.

— Billy me manque tellement. J'ai honte de l'avouer...

— N'ayez pas honte, murmura George en lui tapotant le dos.

— Ma seule consolation, c'est de penser que je pourrai bientôt le rejoindre. Tout le monde dit que la guerre ne durera pas trois mois.

— Oui, tout le monde le dit, fit George. (Il la lâcha et tourna la tête pour lui masquer sa réaction.) Nous ferons de notre mieux pour que ces trois mois passent rapidement — sans autre incident. Je sais que ce n'était pas le premier. Vous êtes courageuse, Brett, mais ne livrez pas seule toutes les batailles.

— Tout ira bien, assura-t-elle en se forçant à sourire. Trois mois, ce n'est pas si long.

Que pouvait-il répondre ? Il s'excusa et quitta la pièce, laissant derrière lui un ruban de fumée bleue.

En haut, il trouva son fils marchant au pas dans le couloir en beuglant une chanson populaire où il était question de pendre Jeff Davis à un pommier. Il lui ordonna de se taire, le conduisit à sa chambre et lui fit faire des exercices de calcul pendant une demi-heure. Puis il passa le quart d'heure suivant avec Patricia, qu'il ne parvint pas à convaincre qu'elle n'était pas encore en âge d'avoir un œuf de marbre pour se rafraîchir les mains.

Au lit, vêtu de sa chemise de nuit, énervé par la chaleur malgré la brise pénétrant par les fenêtres, il tendit la main vers le renflement réconfortant des seins de sa femme et se serra contre son dos en lui racontant l'incident survenu devant le magasin Herbert.

— Elle compte sur la brièveté de la guerre pour voir rapidement cesser ce genre de choses, conclut-il.

— Moi aussi, George. Voilà des mois que je n'ai pas eu de nouvelles de père et je m'inquiète de le savoir au Texas. Tu sais qu'il n'a jamais caché sa haine pour l'esclavage et les propriétaires d'esclaves. Tout cela finira sûrement bientôt. Je ne puis croire que les Américains continueront longtemps à se battre entre eux. Il est déjà inconcevable qu'ils aient commencé.

— Comme dit Orry, nous avons eu trente ans pour empêcher la guerre et nous ne l'avons pas fait. Navré de décevoir les espoirs de Brett ou les tiens mais...

— Mais quoi ? Je t'en prie, finis ta phrase.

— Brett oublie que, en mai, Lincoln a réclamé quarante-deux mille hommes supplémentaires. Et pas pour une brève période. Les jeunes gens qui se sont portés volontaires au rassemblement se sont engagés pour trois ans.

— Je l'avais oublié moi aussi, murmura Constance. Tu ne crois pas à une guerre de courte durée ?

George hésita et finit par reconnaître :

— Si j'y croyais, j'aurais jeté le télégramme de Cameron dès sa réception.

12

Tandis que Brett connaissait des ennuis aux Etats-Unis, son frère Cooper, sa femme et ses enfants arrivaient au terme d'un voyage en train en Grande-Bretagne.

Fumée et escarbilles s'engouffraient dans le compartiment de première classe par la fenêtre baissée où se relayaient Judah et Marie-Louise, les enfants. Cooper leur avait donné la permission mais Judith, son épouse, qui trouvait cela dangereux, se penchait en avant, le dos raide, pour les tenir tour à tour par la taille.

Assis en face d'elle, Cooper Main annotait au crayon un plan étalé sur ses genoux. Comme d'habitude, il avait l'air débraillé dans ses vêtements chics. C'étaient sa haute taille, son aspect efflanqué et son air de savant préoccupé qui donnaient cette impression. Judith avait une poitrine plate, des bras maigres, un long nez et une masse de cheveux blonds bouclés, caractéristiques que son mari jugeait toutes d'une extraordinaire beauté.

— Pa, il y a une rivière ! s'exclama Judah, le torse hors du compartiment, ses cheveux blonds brillant au chaud soleil de juillet.

— Laisse-moi voir, laisse-moi voir ! s'égosillait Marie-Louise, en se glissant à côté de son frère.

— Asseyez-vous immédiatement, tous les deux ! ordonna la mère. Vous voulez être décapités par ce pont ?

Les enfants se laissèrent tomber sur la banquette en protestant tandis que les losanges des poutrelles entrecroisées commençaient à défiler devant le compartiment. L'express de Londres passa dans un fracas métallique au-dessus de la Mersey, scintillant comme un champ d'éclats de miroir. Judah se releva, alla s'asseoir près de son père et lui demanda :

— On arrive bientôt à Liverpool ?

— Dans une demi-heure, environ.

Cooper replia le plan et songea à lui trouver une cachette dans ses bagages.

— On restera longtemps, papa ? voulut savoir Marie-Louise.

— Plusieurs mois, de toute façon.

— Le capitaine Bulloch sera à la gare ? dit Judith.

— C'est ce que signifiait la petite annonce du *Times*. Naturellement, il est possible qu'un agent de l'Union l'ait éliminé au cours des trois derniers jours.

— Cooper, tu ne devrais pas plaisanter. Des messages secrets dans les journaux, des espions ennemis partout — il n'y a pas là matière à plaisanterie, si tu veux mon avis.

— Peut-être pas, répondit Cooper. Mais on ne peut pas faire grise mine tout le temps, et si je prends mon travail au sérieux — de même que les incitations à la prudence que Bulloch formule dans sa lettre — je ne veux pas qu'il gâche notre voyage en Angleterre.

Il se pencha en avant, sourit en pressant le bras de sa femme et ajouta :

— Et surtout pas ton plaisir.

— Tu es adorable. Excuse-moi, je dois être fatiguée.

— Cela se comprend.

Ils avaient quitté King's Cross au milieu de la nuit et vu le soleil se lever sur les canaux paisibles d'une campagne verdoyante, sans parler ni l'un ni l'autre de leurs inquiétudes ou de leur mal du pays.

La famille avait pris à Savannah le dernier bateau en partance avant que le blocus de l'Union ne se referme sur les côtes du Sud. Le navire avait fait escale à Hamilton, aux Bermudes, avant de cingler sur Southampton. Depuis leur arrivée à Londres, ils avaient vécu à Islington dans des chambres minuscules mais on leur avait promis plus de confort à Liverpool, où Cooper devait assister l'agent principal de la Marine confédérée, arrivé quelques semaines plus tôt. Leur mission consistait à accélérer la construction de bâtiments corsaires destinés à perturber les transports maritimes yankees. Ce programme découlait d'une stratégie sensée : si la Confédération coulait ou capturait un bon nombre de navires marchands, les taux d'assurance grimperaient, l'ennemi serait contraint de retirer des bateaux de l'escadre affectée au blocus pour protéger son commerce.

Cooper était familier des questions maritimes car la mer le passionnait de longue date. Ne supportant ni la plantation familiale ni les querelles répétées avec son défunt père à propos de l'esclavage et du droit des Etats, il s'était rendu à Charleston pour diriger une petite société de transports maritimes peu prospère dont Tillet Main était entré en possession presque par hasard. Par sa détermination et son travail, Cooper avait fait de la *Carolina Shipping Company* la plus moderne des lignes du Sud et lui avait assuré un taux de profit à peine moins élevé que celui de sa rivale, plus importante mais plus conservatrice : *John Fraser et Company*. Cette firme était à présent dirigée par George Trenholm, autre millionnaire *self-made man*, et son bureau de Liverpool, opérant sous le nom de *Fraser et Trenholm*, alimenterait secrètement en fonds les activités illégales que Cooper allait entreprendre.

Avant la guerre, sur un terrain dominant le port de Charleston, Cooper s'était attelé à son grand rêve : la construction d'un bateau conçu sur le modèle des immenses bâtiments en fer d'Isambard Kingdom Brunel, l'ingénieur britannique de génie que Cooper avait rencontré deux fois. Il voulait prouver que le Sud pouvait avoir des chantiers navals, que sa prospérité ne dépendait pas uniquement de la sueur coulant des peaux noires.

Tandis que les braillards réclamaient une sécession, il avait travaillé tranquillement. Trop tranquillement et trop lentement. La construction du *Star of Carolina* avait à peine commencé lorsque les batteries sudistes avaient ouvert le feu sur Sumter. Cooper s'était engagé dans la Marine confédérée et avait entendu dire récemment que son bateau avait été démonté pour utiliser ses plaques de fer à d'autres fins.

La fascination de Cooper pour la construction navale l'avait aidé à oublier les doutes que lui inspirait la cause sudiste. Longtemps il avait considéré que le Sud commettait une grossière erreur en ne reconnaissant pas l'essor industriel mondial et en s'accrochant à un système agraire reposant sur la servitude humaine. A présent, il admettait que, d'un point de vue réaliste, le problème ne pouvait se ramener à un énoncé aussi simple. Mais il n'en continuait pas moins à soutenir que quelques dirigeants riches et influents avaient poussé le Sud vers le désastre, d'abord en refusant un compromis sur l'esclavage, ensuite en prônant la sécession. Les abolitionnistes yankees avaient aussi fait leur part du travail en couvrant le Sud d'insultes pendant trente ans — et le fait que ces insultes eussent un fondement justifié ne les rendait pas plus supportables. Il en était résulté un affrontement que des hommes honnêtes comme son frère Orry et son vieux camarade George Hazard ne voulaient pas mais ne savaient comment empêcher. Cooper pensait que les hommes de bonne volonté des deux camps (il se comptait parmi eux) n'avaient pas eu le pouvoir d'intervenir mais avaient aussi manqué d'initiative.

Lorsque le conflit avait éclaté, un étrange changement s'était produit. Bien que détestant la guerre et ceux qui l'avaient provoquée, Cooper s'aperçut qu'il nourrissait un amour plus fort encore pour sa Caroline natale. Il remit donc sa compagnie de transports maritimes au nouveau gouvernement confédéré et prévint sa femme qu'il devait se rendre en Angleterre.

L'attitude de la Grande-Bretagne à l'égard de la Confédération était complexe, pour ne pas dire confuse. Aussi confuse, selon Cooper, que la politique étrangère du gouvernement Davis. Le Sud avait besoin d'importer des biens de consommation et du matériel de guerre qu'il pouvait acheter avec son coton mais le président avait décidé de retirer la production sudiste des marchés étrangers afin de provoquer une pénurie dont souffriraient les usines textiles d'Europe. Il espérait imposer ainsi la reconnaissance diplomatique de la nouvelle nation mais, pour l'instant, il n'avait obtenu qu'un demi-succès : tandis que Cooper traversait l'Océan, la Grande-Bretagne avait reconnu les Etats confédérés comme belligérants dans une guerre avec le Nord.

Si l'obtention d'une pleine reconnaissance dépendait de l'habileté des trois commissaires que Toombs, le secrétaire d'Etat, avait envoyés en Europe, Cooper doutait fort qu'elle pût être assurée. Rost et Mann étaient des médiocres et Yancey, l'un des premiers « cracheurs de feu », avait des positions si extrêmes que le gouvernement confédéré ne voulait plus de lui. Sa nomination en Grande-Bretagne équivalait à un exil. Un rustre coléreux n'était guère la personne indiquée pour discuter avec lord Russell, le ministre britannique des Affaires étrangères.

En outre, l'ambassadeur de Washington, Charles Francis Adams, passait pour un fin diplomate et exerçait des pressions sur le gouvernement de la reine pour l'empêcher de reconnaître la Confédération. Cooper avait été prévenu qu'Adams et ses consuls entretenaient un réseau d'espions pour contrecarrer le type même d'activités illégales qui l'amenaient à Liverpool.

— Lime Street ! Lime Street Station, annonça un employé dans le couloir avant de passer à un autre compartiment.

Par-dessus le mur de pierre le long duquel le train roulait en haletant, Cooper aperçut les cheminées et les toits très pentus de rangées de maisons noircies de poussière, d'un aspect solide rassurant. Cooper aimait la Grande-Bretagne et les Britanniques. Toute nation capable d'engendrer un Shakespeare et un Brunel, un Drake et un Nelson, méritait l'immortalité. Malgré les dangers possibles de cette affection à Liverpool, il se sentit tout joyeux lorsque le train s'arrêta enfin à la gare de Lime Street.

— Judith, les enfants, suivez-moi.

Descendu le premier du compartiment, il héla un porteur. Tandis que ce dernier s'occupait des bagages, un homme ayant plus de poils sur les joues et le menton que de cheveux sur son crâne rond fendit la foule en direction de Cooper. Il avait une allure aristocratique, une mise élégante mais discrète.

— Mr. Main ? fit-il à voix basse, bien que le brouhaha et le sifflement de la vapeur eussent empêché quiconque d'autre de l'entendre.

— Capitaine Bulloch ?

James D. Bulloch, de Georgie et de la Marine confédérée, souleva son chapeau.

— Mrs. Main, les enfants. Bienvenue à Liverpool. J'espère que le voyage n'a pas été trop éprouvant ?

— Les enfants ont regardé le paysage une fois le soleil levé, répondit Judith avec un sourire.

— J'ai passé une grande partie du trajet à étudier les dessins que vous m'avez envoyés à Islington, ajouta Cooper.

Ils lui avaient été remis par un homme prétendant apporter des échantillons de papier mural.

— Un fiacre nous attend pour nous emmener chez Mrs. Donley, dans Oxford Street, déclara le capitaine. Vous n'y resterez que le temps de trouver un logement plus vaste.

Bulloch avait adressé la remarque plus particulièrement à Judith sans pour autant cesser de jeter des coups d'œil autour de lui, scrutant les visages, les fenêtres des compartiments, les coins de la gare.

— Le quartier de Crosby vous plaira peut-être, dit-il en entraînant les Main vers la sortie.

De sa canne à pommeau d'or, il écarta trois gamins à la face triste proposant des plateaux de fruits gâtés. Puis les Main s'entassèrent dans le fiacre tandis que Bulloch, resté sur le trottoir, inspectait la foule. Il finit par monter à son tour, frappa de sa canne le toit de la voiture, qui démarra.

— Il y a beaucoup à faire ici, Main, mais je ne veux pas vous bousculer. Je sais qu'il vous faut du temps pour vous installer...

— Le pire, c'était d'attendre à Londres, assura Cooper. Je ne demande qu'à commencer.

— Très bien. Vous rencontrerez d'abord Prioleau, qui dirige *Fraser et Trenholm* à Rumford Place. Je veux aussi vous présenter John Laird et son frère mais il faudra prendre des précautions. Mrs. Main, vous comprenez les problèmes dont nous parlons, n'est-ce pas ?

— Je le pense. Les lois sur la neutralité interdisent la construction dans des chantiers britanniques de navires de guerre destinés à une quelconque autre puissance avec laquelle la Grande-Bretagne est en paix.

— Tout à fait exact. Cooper, mon vieux, vous avez épousé une femme intelligente. Ces lois s'appliquent aussi aux Yankees mais ils n'ont pas besoin comme nous des chantiers anglais. Le problème consiste donc pour nous à construire et à armer un bâtiment sans que le gouvernement anglais le sache ou intervienne. Par bonheur, la législation présente une faille dans laquelle nous pouvons nous glisser si nous en avons le courage. Un homme de loi d'ici dont j'ai loué les services me l'a exposée et je vous répéterai ses explications en temps utile.

— Les armateurs anglais enfreindront-ils les lois sur la neutralité ? demanda Judith.

— Les Anglais sont aussi des hommes, Mrs. Main. Certains d'entre eux le feront s'ils y trouvent leur compte. En fait, ils reçoivent plus d'offres qu'ils ne peuvent en satisfaire. Il y a en ville des messieurs qui n'ont rien à voir avec notre marine et veulent néanmoins faire construire des bateaux.

— Pour forcer le blocus ? dit Cooper.

— Oui. A propos, avez-vous rencontré l'homme pour qui nous travaillons ?

— Mallory, le ministre ? Pas encore. Tout s'est fait par lettre.

— Intelligent, cet homme, déclara Bulloch. Quelque peu défaitiste, toutefois.

Il n'était pas dans la nature de Cooper de permettre un malentendu sur une question aussi importante.

— Je l'étais aussi, capitaine.

Bulloch fronça les sourcils.

— Vous voudriez voir se reconstituer l'ancienne Union ?

— J'ai dit que je l'étais, capitaine. Mais, puisque nous devons collaborer étroitement, je dois être franc. Je déteste cette guerre, je déteste particulièrement les imbéciles des deux camps qui l'ont provoquée. Toutefois, j'ai décidé de demeurer fidèle au Sud et mes convictions personnelles n'interféreront en rien dans mon travail, je vous le promets.

— Je ne puis en demander davantage, dit Bulloch.

Désirant cependant quitter ce terrain glissant, il complimenta les Main sur la beauté de leur progéniture puis leur montra fièrement une petite photo d'un bébé, son neveu Theodore. Sa mère, la sœur de Bulloch, avait épousé l'héritier d'une vieille famille de New York, les Roosevelt.

— Je suppose qu'elle a des raisons de le regretter, maintenant, soupira le capitaine. Ah ! voici Mrs. Donley.

Bulloch descendit le premier pour déplier le marchepied du fiacre, Cooper aida Judith et les enfants tandis que le cocher s'occupait des malles attachées sur le toit. La voiture s'était arrêtée en face du numéro 6 d'une rangée de maisons en brique contiguës et toutes semblables. Une silhouette décrépite vêtue d'une jupe crasseuse et d'un chandail rapiécé s'avança.

Des cheveux gris en baguettes de tambour dépassaient du foulard de la femme, qui portait sur l'épaule un sac de chiffonnier. En passant, elle examina Cooper avec une insistance aussi étrange que son visage sans rides.

— Pardon, mon prince, marmonna-t-elle en s'éloignant.

Bulloch fit tournoyer sa canne et, de son autre main, saisit les cheveux de la chiffonnière. Le geste fut si soudain que Marie-Louise se précipita vers sa mère en criant. Bulloch tira ; cheveux gris et foulard tombèrent, révélant des boucles blondes.

— Ta perruque t'a trahie, Betsy. Dis à Dudley d'en acheter une meilleure la prochaine fois. File, maintenant !

Le capitaine brandit sa canne d'un air menaçant et la jeune femme recula, crachant des injures. En anglais, supposa Cooper, bien qu'il ne comprît pas un mot. Bulloch fit un pas vers la fausse pauvresse, qui déguerpit vers le coin de la rue et disparut.

— Qui diable était-ce ? s'exclama Cooper.

— Betsy Cockburn, une catin qui traîne dans un pub proche de Rumford Place. Elle fait partie des espions de Tom Dudley, je crois.

— Qui est Dudley ?

— Le consul yankee à Liverpool.

— En quel baragouin nous a-t-elle insultés ? voulut savoir Judith.

— En *scouse*. L'équivalent liverpoolien du *cockney*. J'espère que nul d'entre vous n'a compris.

D'un toussotement, le capitaine marqua son souci des sensibilités délicates.

— Pas un traître mot, assura Judith. Mais j'ai peine à croire que cette malheureuse créature soit une espionne.

— Dudley recrute ce qu'il peut — la lie des docks, essentiellement. Il ne choisit pas ses agents pour leur intelligence.

Bulloch épousseta sa manche, se tourna vers Cooper et poursuivit :

— Il se moque probablement que nous ayons percé à jour ce déguisement ridicule. Son but, c'était que cette femme s'approche suffisamment pour bien examiner votre visage. Dudley a eu vent de votre arrivée d'une manière ou d'une autre, un de mes informateurs me l'a appris hier. Mais je ne pensais pas que vous seriez repéré si vite...

La phrase s'acheva en un soupir de dépit.

— Enfin, reprit Bulloch, c'est une leçon sur la façon dont les choses se passent à Liverpool. Dudley n'est pas un ennemi à prendre à la légère. Cette souillon est inoffensive mais certains de ses autres sbires ne le sont pas.

Judith coula un regard inquiet à son mari.

— Si nous allions voir nos nouveaux quartiers ? proposa Cooper d'un ton enjoué.

Mais, en s'avançant vers le perron, il inspecta les deux bouts de la rue.

13

Les funérailles de Starkwether se déroulaient sous la pluie, dans un petit cimetière de la banlieue de Georgetown, loin des quémandeurs de poste et autres canailles du monde politique.

L'eau dégouttait de la visière du képi d'Elkanah Bent et mouillait son manteau bleu foncé à brandebourgs noirs. D'ordinaire, il aimait porter ce vêtement doublé extérieurement d'une courte cape, adopté par l'armée en 1851 d'après un modèle français. Il pensait qu'il masquait un peu son obésité et lui donnait de l'allure. Mais en ce jour sombre, déprimant, il n'éprouvait aucun plaisir.

Sous le vélum protégeant la tombe ouverte et la pelouse environnante, une quinzaine de personnes s'étaient rassemblées. Bent se trouvait trop loin pour identifier la plupart d'entre elles (il avait attaché son cheval à cinq cents mètres de là et était venu se poster derrière une grande croix en marbre) mais celles qu'il connaissait témoignaient de l'importance de son père. Ben Wade, puissant sénateur républicain de l'Ohio, était présent. Scott s'était fait représenter par un officier supérieur d'état-major, et Chase, l'ami des nègres, avait envoyé sa jolie fille. Le représentant du président était un moustachu à longs cheveux nommé Lamon.

Bent éprouvait plus de ressentiment que de chagrin. Même dans la mort, son père le tenait à distance.

Des croque-morts attendaient autour du cercueil lourdement orné, prêts à le descendre dans la fosse. Le prêtre parlait mais Bent ne pouvait l'entendre à cause de la pluie tambourinant sur les feuilles. Le cimetière, planté de nombreux arbres, était sombre comme une grotte. Comme lui.

Selon la presse, un service religieux avait eu lieu dans la matinée à Washington mais Bent n'avait pas davantage pu y assister. Sans aucun doute, tout avait été organisé par Dills, le petit avocat qui se tenait près de la tombe, entre deux civils d'allure fort prospère. Bent méprisait l'homme de loi mais n'avait pas voulu le mettre dans de mauvaises dispositions à son égard en se montrant. C'était par Dills que Heyward Starkwether avait communiqué avec son fils illégitime et lui avait donné de l'argent. C'était à Dills que Bent s'était adressé en cas d'urgence. Jamais en personne après leur première et unique rencontre ; toujours par écrit.

Le prêtre leva une main solennelle, le cercueil descendit dans la terre. De toute sa vie d'adulte, Bent n'avait vu son père qu'à deux reprises, chaque fois pour échanger avec gêne quelques banalités entre de longs silences. Il avait gardé le souvenir d'un homme séduisant, réservé, manifestement intelligent et qui ne souriait jamais.

Les yeux de Bent s'embuèrent lorsque le cercueil disparut. Pourquoi Starkwether ne l'avait-il pas reconnu ? Avoir un bâtard n'était plus maintenant considéré comme un péché grave. Alors pourquoi ? Il haïssait ce père — qu'il pleurait en même temps — parce qu'il avait laissé cette question et tant d'autres sans réponse.

D'abord, qui était la mère de Bent ? Pas la femme de Starkwether, morte depuis longtemps. Cela au moins Dills le lui avait dit, en le prévenant de ne plus jamais reposer la question. Comment l'avocat avait-il osé le traiter de cette façon ? Lors de leur seule entrevue, Dills avait daigné expliquer pourquoi Starkwether ne pouvait avoir de relations avec son fils. Ceux qui le payaient exigeaient qu'il eût une vie irréprochable et n'attirât jamais l'attention sur lui par ses propos ou ses actes. Bent, qui n'avait pas cru cette histoire, le soupçonnait d'avoir une raison plus simple et plus cruelle de l'abandonner. Starkwether n'avait pas eu d'enfant légitime ; c'était probablement un de ces carriéristes égoïstes trop occupés pour remplir un rôle de père.

Bent eut l'impression que Dills, qui parlait aux deux civils, regardait dans sa direction et il battit prudemment en retraite en s'efforçant de rester caché par la croix. Il heurta un piédestal soutenant un angelot, faillit tomber et poussa un cri en se rattrapant à la pierre humide.

L'avait-on entendu ?

Personne ne réagit. Lorsqu'il eut retrouvé son sang-froid, Bent retourna à l'endroit où il avait attaché son cheval et partit. Bientôt il remonta au petit trot une route boueuse longeant le campus du Georgetown College, où des sentinelles solitaires montaient la garde autour des tentes de la 69e milice de New York.

Il éprouvait encore de l'affliction mais ce sentiment cédait peu à peu la place à la colère. Fichu bonhomme ! Quelle idée de mourir maintenant ! Il fallait que quelqu'un intervienne pour empêcher son affectation dans le Kentucky.

Sa détresse le conduisit au *Willard*, où il commanda un solide dîner au milieu de l'après-midi : depuis son enfance, la nourriture lui tenait lieu de calmant. Cette fois, pourtant, elle ne l'apaisa pas et il continua à ruminer son ressentiment contre son père. Starkwether s'était même refusé à lui donner son nom et avait exigé que le petit garçon qu'il était prenne celui de la famille à laquelle il avait été confié.

Les Bent étaient des paysans sachant à peine lire et écrire qui exploitaient une ferme à Felicity, village perdu de l'Ohio. Le fils de Starkwether était trop jeune alors pour se rappeler son arrivée là-bas. Ou peut-être avait-il chassé ce souvenir de sa mémoire. Seules les scènes les plus douloureuses de cette époque étaient restées gravées en lui.

Mrs. Bent avait de nombreux parents dans le Kentucky, de l'autre côté du fleuve et lorsqu'elle ne traînait pas Elkanah en visite chez l'un d'eux, elle lui lisait la Bible à voix haute ou lui décrivait à voix basse la saleté du corps et de l'âme, de la plupart des actes et des désirs de l'homme. Lorsqu'il avait treize ans, elle l'avait surpris se livrant au plaisir solitaire et l'avait fouetté jusqu'au sang. Pas étonnant que Fulmer Bent, son mari, passât plus de temps dehors que chez lui. C'était un être renfermé que seul semblait amuser le spectacle de son bétail en train de s'accoupler.

Les années à Felicity avaient été les plus noires de la vie de Bent, non seulement parce qu'il exécrait ses parents adoptifs mais aussi parce qu'il avait appris, à quinze ans, que son vrai père était vivant et ne pouvait le reconnaître. Auparavant, il avait supposé que son père était un parent mort des Bent dont ils avaient honte pour une raison quelconque : ils se montraient toujours évasifs quand l'enfant leur posait des questions à ce sujet.

Ce fut Dills qui fit le long voyage de Washington à l'Ohio pour s'assurer que Bent était bien traité et lui révéler la vérité. L'avocat prit le garçon à part et lui parla longuement, avec tact, voire avec douceur, sans soupçonner un instant que ses propos blessaient profondément le jeune Elkanah. Plus tard, malgré l'aide et l'argent que Starkwether lui prodigua, Bent éprouva toujours de la rancœur à l'égard de son père.

Bien avant que Starkwether ne le fasse entrer à West Point, Bent rêvait de gloire militaire. Dans une librairie de Cincinnati où il traînait un jour tandis que Fulmer vendait ses bêtes, il avait acheté pour quelques sous une biographie sale et déchirée de Napoléon. Par la suite, avec l'argent que Dills lui envoyait deux fois par an, il acheta, lut et relut des livres sur Alexandre, César, Scipion l'Africain, mais Napoléon demeura son modèle.

Devenir le Bonaparte américain au Kentucky ? Il avait plus de chance d'y devenir un cadavre ! Le Kentucky était un Etat revendiqué par les deux camps ; la moitié de ses hommes avait rejoint l'Union, l'autre la Confédération. Et Lincoln se gardait d'importuner les propriétaires d'esclaves de l'Etat pour ne pas les inciter à faire sécession. Non, pas question d'aller dans un endroit pareil.

Les joues luisantes de sueur, il réclama au serveur un autre quartier de tarte, l'avala et se renversa sur sa chaise, les lèvres barbouillées de sucre. Gavé, il se sentit mieux, capable de réfléchir et de dresser des plans. Il croyait encore avoir un grand avenir dans l'armée — à condition de ne pas mourir au Kentucky. Un seul homme pouvait à présent intervenir en sa faveur. On avait formellement interdit à Bent de le rencontrer en personne mais à situation désespérée, mesures désespérées.

Le bureau de Jasper Dills donnait sur la 7e Rue, centre commercial de la ville. Tapissée de livres, la pièce était petite, étriquée, sans rapport avec la richesse et l'influence de celui qui l'occupait.

Bent eut quelque mal à glisser son gros derrière dans le fauteuil qu'un employé lui avait présenté. Il avait revêtu pour l'occasion son uniforme d'apparat mais l'expression de Dills indiquait que c'était en vain.

— Je croyais vous avoir fait comprendre que vous ne deviez en aucun cas venir ici, colonel.

— Il y a des circonstances atténuantes.

Dills haussa un sourcil, ce qui anéantit presque son visiteur affolé.

— J'ai besoin de votre aide de toute urgence.

L'avocat trempa une plume dans l'encre, se mit à dessiner sur la feuille de papier posée au milieu du bureau.

— Vous savez bien que votre père ne peut plus vous aider, dit-il en se concentrant sur l'étoile qu'il venait de faire apparaître. Vous avez rôdé autour du cimetière, aujourd'hui — ne niez pas, je vous ai vu. C'était une faute pardonnable...

Dills barra l'étoile d'un trait, leva la tête.

— Celle-ci ne l'est pas.

Bent rougit, effrayé et furieux à la fois. Comment cet homme osait-il le défier ? Jasper Dills avait soixante-dix ans, il ne mesurait pas plus d'un mètre soixante, il avait des mains et des pieds d'enfant.

— Je... je vous supplie de comprendre ma situation, commença Bent.

En quelques phrases confuses, il s'expliqua, tandis que l'avocat continuait à griffonner. Dans la lumière trouble tombant de la fenêtre aux vitres sales, Dills semblait avoir la jaunisse. A la fin de la plaidoirie de Bent, il fit attendre sa réponse une dizaine de secondes.

— Je ne comprends toujours pas pourquoi vous êtes venu me voir, colonel. Je n'ai aucune raison de vous aider. En ma qualité d'exécuteur testamentaire de votre père, j'ai pour seule obligation de suivre ses instructions verbales en continuant à vous verser de généreuses allocations annuelles.

— Cet argent ne me servira à rien si on m'envoie mourir au Kentucky !

— Qu'y puis-je ?

— Faites changer mon affectation. Vous l'avez déjà fait, vous ou mon père. Ou était-ce ses employeurs ?

La remarque porta : Dills se raidit perceptiblement. Le bluff, maintenant.

— Oui, je sais deux ou trois choses sur eux. J'ai entendu des noms. J'ai rencontré deux fois mon père, ne l'oubliez pas. Pendant plusieurs heures chaque fois.

— Colonel, vous mentez.

— Vraiment ? Alors mettez-moi à l'épreuve. Si vous refusez de m'aider, je parlerai à des gens que les noms des employeurs de mon père intéresseront...

L'avocat garda le silence et Bent fut sûr d'avoir gagné.

— Colonel Bent, dit enfin Dills, vous avez commis deux erreurs. La première, je le répète, fut de venir ici ; la seconde, c'est cet ultimatum. (Il posa sa plume sur ses gribouillis.) Si j'apprends que vous avez cherché à rendre publics vos liens avec mon regretté client, ou à ternir sa réputation en utilisant des noms que je doute fort que vous connaissiez, vous mourrez dans les vingt-quatre heures. Au revoir, cher monsieur, conclut l'homme de loi avec un sourire.

Il se leva, alla prendre un livre sur un des rayonnages. Bent bondit, fit le tour du bureau en s'écriant :

— Comment osez-vous menacer le propre fils de...

Dills se tourna, referma le livre avec un claquement sec.

— J'ai dit au revoir.

En descendant le long escalier menant à la rue, Bent entendit une voix intérieure crier en lui : « Il ne bluffait pas, il le ferait. »

Dans son bureau, Dills remit le livre à sa place et retourna s'asseoir. Il remarqua que ses mains tremblaient et s'irrita de cette réaction, totalement injustifiée. Certes, les employeurs de son ancien client tenaient à garder leurs noms secrets mais il était sûr que Bent les ignorait. En outre, l'homme était manifestement un couard, donc facile à intimider. Grâce à certaines des relations de Starkwether, Dills aurait pu aisément s'arranger pour que Bent reçoive une balle de fusil. Dans le Kentucky, on eût pu même faire croire à l'acte d'un rebelle. Cette opération aurait été au détriment financier de l'avocat mais cela, Bent l'ignorait.

Que deux êtres ayant une personnalité aussi forte aient pu engendrer un fils aussi faible et tortueux qu'Elkanah Bent le confondait. Né misérable dans une région de forêt de l'Ouest, Starkwether était doué de finesse et d'ambition. De son côté, la mère de Bent appartenait à une grande famille. Et regardez le résultat !

Incapable de chasser le visiteur de son esprit, Dills prit dans la poche de son gilet une petite clef en bronze, ouvrit un tiroir de son bureau, en sortit un trousseau de neuf grosses clefs et glissa l'une d'elles dans la serrure du placard. Dans la pénombre, il se servit d'une autre clef pour ouvrir une boîte métallique contenant une unique chemise.

Dills examina la lettre qu'il avait lue pour la première fois quatorze ans plus tôt. Starkweather, malade, la lui avait confiée définitivement en décembre dernier. L'avocat parcourut rapidement le recto puis le verso de la lettre, s'arrêta sur la signature et, une fois de plus, le nom célèbre lui fit le même effet. Dills était étonné, stupéfait, impressionné. Il relut un des passages du document :

Vous vous êtes servi de moi puis vous m'avez quittée, Heyward. Je dois avouer y avoir pris un certain plaisir et ne puis me résoudre à abandonner totalement le fruit de ma faute. Sachant quelle sorte d'homme vous êtes et ce qui vous intéresse vraiment, je suis prête à vous verser chaque année une somme substantielle à la condition que vous preniez la responsabilité de cet enfant, que vous l'aidiez — pas forcément par des prodigalités — mais surtout que vous le guidiez de manière à empêcher toute action, de sa part ou de quiconque d'autre, pouvant conduire à la découverte de ses liens avec nous. Dois-je ajouter que vous ne devez jamais lui révéler mon identité ? Si cela se produisait, quelle qu'en soit la raison, le paiement de l'allocation cesserait immédiatement...

Dills s'humecta les lèvres en songeant qu'il aurait voulu rencontrer cette femme, fût-ce une heure. Avoir un bâtard eût sali son nom, gâché toutes les possibilités qui lui étaient offertes. Elle avait eu l'intelligence de le comprendre à dix-huit ans. Pensant au mariage magnifique qu'elle avait fait, l'avocat tourna à nouveau la lettre pour regarder la signature. Ce pauvre Bent s'effondrerait probablement s'il apprenait ce nom.

Le paragraphe qui terminait le document concernait directement l'homme de loi :

... Enfin, si vous veniez à mourir, cette allocation serait versée à un avocat de votre choix tant que le garçon vivra et que les conditions exposées ci-dessus seront respectées.

L'air pensif, Dills retourna à son bureau et trempa à nouveau sa plume dans l'encrier. Vivant, le fils de Starkweather représentait pour lui une importante source de revenu ; mort, il ne valait pas un sou. Sans intervenir trop directement, il devrait peut-être s'arranger pour que Bent échappe à cette dangereuse affectation dans l'Ouest.

Oui, c'était décidé. Demain, il en parlerait à une de ses relations au ministère de la Guerre. Il griffonna quelques mots sur une feuille de papier, la plia et la glissa dans la poche de son gilet. Voilà qui était réglé pour Elkanah Bent. D'autres dossiers réclamaient son attention.

Les employeurs de Starkweather étaient devenus les siens et s'intéressaient à une éventuelle sécession de New York. C'était une idée époustouflante : une ville-Etat séparée, commerçant librement avec les deux camps dans une guerre dont ces messieurs contrôleraient dans une certaine mesure la durée. Des hommes politiques puissants, dont le maire Fernando Wood, avaient déjà prôné publiquement une sécession de la ville. Dills cherchait des précédents et préparait un rapport sur les conséquences possibles. Il rangea la lettre dans la boîte et, après avoir tourné les trois clefs dans les trois serrures, se remit au travail.

14

— Quelle erreur avons-nous donc commise ? maugréa George en expédiant son mégot de cigare devant le bâtiment du bureau situé au cœur de l'immense usine.

— Je n'en sais franchement rien, répondit Christopher Wotherspoon.

C'était l'heure du changement d'équipe et des centaines d'ouvriers se croisaient dans l'allée de terre battue. George Hazard ne cherchait pas à leur masquer sa colère : la plupart d'entre eux avaient de toute façon entendu exploser le prototype sur le terrain d'expérimentation ménagé à flanc de colline, dans un coin reculé du domaine. Le gros canon à âme lisse, coulé autour d'un noyau refroidi par eau selon la méthode de Rodman, avait fracassé son affût en bois et projeté des morceaux de fer longs comme des dagues contre l'épaisse palissade protégeant les observateurs.

— Je n'en sais rien, répéta le directeur des forges.

C'était le second échec de la semaine.

— Bon, nous essayerons à nouveau en changeant la température, décida George. Nous recommencerons autant de fois qu'il faudra. Le gouvernement réclame à cor et à cri de l'artillerie pour protéger la côte est, et l'une des plus anciennes fonderies d'Amérique n'est même pas capable de produire un seul canon en état de marche !

— Nous n'avons jamais fabriqué de canons, plaida Wotherspoon.

— Mais nous devrions maîtriser la...

— Nous la maîtriserons, assura le directeur. Nous livrerons à la date prévue des canons donnant satisfaction. Mr. Stanley nous a aidés à obtenir le contrat et je ne veux pas le mécontenter.

— Je me demande bien pourquoi, grogna son patron. Tu pourrais l'allonger d'un seul coup de poing.

— Ce serait une perte de temps et nous n'en avons pas à gaspiller.

La plaisanterie n'améliora pas l'humeur de George, qui sut cependant gré au jeune Ecossais de son effet. Wotherspoon connaissait les raisons de l'impatience de son employeur : impossible de quitter l'usine ou même de réfléchir sérieusement à la proposition de Cameron avant d'être sûr que la firme était en mesure de remplir le contrat.

George ne doutait pas que son entreprise en fût capable. Il avait vérifié plusieurs fois les calculs avec son directeur — et Wotherspoon était méticuleux. C'était une des raisons pour lesquelles George avait assuré un avancement aussi rapide au jeune célibataire.

Agé de trente ans, mince, la diction lente, Wotherspoon avait un regard triste, des cheveux châtains ondoyants et une ambition sans pitié cachée sous des manières irréprochables. Il avait fait son apprentissage dans une usine métallurgique agonisante appartenant aux successeurs de la grande famille Darby, à Coalbrookdale, dans la vallée de la Severn, la région même d'Angleterre que le fondateur de la famille Hazard avait fuie à la fin du XVIIe siècle. La métallurgie de la Severn perdant sa position dominante, Wotherspoon avait choisi d'émigrer en Amérique et était arrivé quatre ans plus tôt à Lehig Station, en quête d'un emploi, d'une femme et de la fortune. Il avait trouvé le premier, mais continuait à chercher le reste. Si l'Ecossais réussissait à résoudre l'énigme des coulées défectueuses, George pourrait lui confier l'usine sans inquiétude.

Il devait quitter Lehig Station pour servir son pays, cela ne faisait aucun doute. La seule question, c'était : Où ? En tirant quelques ficelles, il obtiendrait certainement le commandement d'un régiment. Cette idée ne le séduisait guère, non parce qu'il avait peur mais parce qu'il était convaincu que son expérience serait plus utile dans le Matériel — ce qui voulait dire Cameron, Stanley et Isabel. Un choix peu engageant.

— Pourquoi ne rentrez-vous pas, George ? suggéra Wotherspoon. (Pendant longtemps, l'Ecossais avait appelé son patron « monsieur » mais leur amitié grandissante et l'insistance de George l'avaient décidé à l'appeler par son prénom.) Je reverrai les notes de Rodman une fois de plus. Je crois sans trop savoir pourquoi que l'erreur vient de nous. L'inventeur du procédé est lui aussi un ancien de West Point...

— Exact. Promotion 41.

— Alors, il ne peut se tromper, n'est-ce pas ?

Cette fois, George sourit. Il alluma un autre cigare, le serra entre ses dents et dit :

— N'essaie pas d'en convaincre les politiciens de Washington. Une moitié d'entre eux pensent que c'est l'Académie qui a provoqué la guerre. Dans sa dernière lettre, Stanley écrit que Cameron a l'intention de démolir l'école dans un rapport qu'il va rendre public. Et j'envisage de travailler pour lui ! Je dois être toqué.

Wotherspoon pressa les lèvres, ce qui était sa façon de sourire.

— Songez donc que vous aiderez peut-être plus West Point là-bas qu'ici.

— Cette idée m'est venue à l'esprit. Bonsoir, Christopher.

En se faufilant dans le flot d'ouvriers, George repensa à la lettre de son frère qui, sous couvert de lui donner des informations, n'avait en fait cherché qu'à l'exaspérer. Qualifiant l'Académie de « berceau de la trahison », Stanley citait le ministre, selon qui le manque de discipline et « un penchant sudiste » expliquaient pourquoi tant d'officiers de l'armée régulière étaient passés dans l'autre camp. George ne devrait même pas envisager de travailler pour un tel minable.

Toutefois, Wotherspoon lui avait donné une bonne raison de le faire, et l'avocat de George à Washington en avançait une autre. Dans deux lettres récentes, l'homme de loi soulignait que le pays avait besoin d'hommes de talent et d'honneur pour contrebalancer les bandes d'incapables déjà installés par leurs protecteurs politiques. Dieu merci ! il ne devait pas prendre une décision tout de suite.

Monter à Belvedere était fatigant dans l'air lourd et moite de la fin d'après-midi. George ôta sa veste d'alpaga noire, desserra sa cravate et respira profondément en marchant. Sur le chemin poussiéreux, il s'arrêta un instant pour regarder les collines et se rappela les leçons que sa mère avait essayé de lui inculquer. Il vit sur les sommets le symbole de la plus importante d'entre elles : le laurier, agité par le vent.

Sa mère, Maude, à présent décédée, comparait la famille Hazard à cette plante vivace, capable de résister à tous les temps. Le laurier, c'est une force née de l'amour, disait-elle. Seul l'amour peut élever les hommes au-dessus de la petitesse inhérente à leur nature.

Elle lui avait parlé du laurier quand il s'était demandé s'il devait faire venir Constance à Lehig Station, où l'on méprisait les catholiques. Et George avait répété à son frère Billy les paroles de sa mère quand Orry Main s'était temporairement opposé à son mariage avec Brett.

Opiniâtreté et amour. Peut-être serait-ce suffisant ? Il l'espérait de tout son cœur.

La chemise trempée de sueur, il reprit haleine dans la vaste véranda de Belvedere. Rentré plus tôt que d'habitude, il aurait le temps de se détendre dans un bain tiède en fumant un cigare. Il monta l'escalier, passa prendre dans la bibliothèque le cahier contenant ses notes sur le procédé Rodman.

— George ? Tu es en avance. Quelle bonne surprise !

Il tourna la tête vers la porte.

— Il me semblait bien t'avoir entendu, poursuivit Constance en entrant. Tu as l'air soucieux, que se passe-t-il ?

— La chaleur. C'est infernal, là-bas.

— Non, il y a autre chose. Les essais, n'est-ce pas ?

Avec une désinvolture affectée, George répondit :

— Oui. Nous avons encore échoué.

— Oh ! je suis désolée.

Elle se pressa contre lui, l'embrassa et il se sentit beaucoup mieux. C'était elle, le laurier.

— J'ai enfin eu des nouvelles de père, annonça Constance.

— Une lettre ?

— Oui, cet après-midi.

— Je sais que tu t'inquiétais à son sujet. Il va bien ?

— Comment te répondre ? Viens, je t'expliquerai pendant que tu boiras un verre de cidre frais.

Elle le prit par la main et il se laissa conduire hors de la bibliothèque. Après avoir lu la lettre, il comprit l'hésitation de son épouse.

— Je vois qu'il est écœuré du Texas, dit-il. Il y a dans le Sud beaucoup de choses qu'il aime, mais l'esclavage n'en fait pas partie. Tu crois que la Californie est une solution ?

— Je ne le pense pas. Monter un nouveau cabinet d'avocat à son âge...

— Cela ne lui poserait pas de problème.

Assis sur la table de la vaste cuisine, les jambes ballantes, George songeait au juriste rubicond qui avait quitté le comté de Limerick pour le golfe du Mexique. La cuisinière et ses aides travaillaient en bavardant comme si les Hazard n'avaient pas été là. Constance s'efforçait de maintenir dans la maison un climat détendu et, hormis les questions d'argent, il y avait peu de secrets à Belvedere.

George but une gorgée de cidre, nota que sa remarque n'avait pas rassuré sa femme et ajouta :

— Ton père est un homme coriace, qui sait s'adapter.

— Mais il aura soixante ans cette année. Et la Californie n'est pas un endroit sûr. J'ai lu dans le journal de ce matin que les Sudistes manigancent l'établissement d'une seconde confédération sur la côte du Pacifique.

— C'est une rumeur courante de nos jours. Aujourd'hui, c'est la Californie, demain Chicago.

— Je maintiens que ce voyage serait trop pénible, trop dangereux. Père est âgé et seul.

— Pas tout à fait, dit George en souriant. Il voyage toujours avec un compagnon sûr : ce colt au canon long de trente centimètres. Il ne le quitte jamais, il le portait même le jour de notre mariage. Et il sait s'en servir.

Mais Constance n'était pas tranquillisée :

— Je ne sais que faire.

George vida son verre, plongea son regard dans les yeux bleus qu'il aimait tant.

— Pardonnez mon impertinence, Mrs. Hazard, mais je ne pense pas que vous puissiez faire quoi que ce soit. Dans sa lettre, ton père ne sollicite pas une permission, il t'informe de son départ — et il l'a écrite le 13 avril. Il doit être en pleine Sierra, maintenant.

— Mon Dieu ! la date. Je ne l'avais pas remarquée.

Il sauta par terre, serra sa femme dans ses bras pour lui apporter le réconfort qu'elle lui avait donné dans l'instant d'avant. Ils sortirent de la cuisine, remontèrent et George commença à se déshabiller.

— Je m'excuse de m'être énervée, en bas, dit Constance tandis que George enlevait son caleçon mouillé de sueur.

— Ton inquiétude est compréhensible, répondit-il en la prenant à nouveau dans ses bras. C'est moi qui me suis montré sarcastique.

— Alors, nous sommes à égalité.

Elle noua ses bras autour du cou de George, l'embrassa longuement.

— Si on continue comme ça, pas de bain, murmura-t-il.

Constance renifla.

— Et pourtant tu en as grand besoin.

Avec un rugissement, il la renversa sur le lit, la chatouilla jusqu'à ce qu'elle demande grâce. Puis il se dirigea vers la salle de bains, s'arrêta sur le seuil de la porte, se retourna.

— Nous avons d'autres problèmes pour lesquels nous pouvons faire quelque chose. L'invitation de Cameron, par exemple.

— A toi de décider, George. Je ne tiens pas à me rapprocher plus que nécessaire de Stanley et Isabel mais je sais qu'il y a pour toi des considérations plus importantes.

— Malheureusement, soupira-t-il. Thad Stevens, le parlementaire, prétend Cameron capable de voler un poêle chauffé à blanc.

— J'ai une suggestion à te faire. Pourquoi ne pas aller à Washington pour discuter avec certains responsables du Matériel ? Cela pourrait t'aider à prendre une décision.

— Excellente idée. Toutefois, je dois d'abord régler le problème des coulées, répondit George. (Il resta un moment silencieux.) Tu crois que je pourrai supporter de travailler avec Stanley ? Je lui ai pris la direction de l'usine, je lui ai condamné ma porte — je l'ai même frappé. Il ne l'a pas oublié. Et Isabel est vindicative.

— Je ne le sais que trop. Il faut prendre tout cela en considération. Mais, si tu acceptes, je te rejoindrai le plus vite possible avec les enfants.

Il passa dans la salle de bains avec un hochement de tête trahissant son état d'esprit hésitant.

La discussion sur la proposition de Cameron reprit au dîner. Rafraîchi, dans sa chemise blanche propre, George Hazard informa Brett d'une suggestion de Constance :

— Vous m'emmènerez ? s'exclama la jeune femme. Je pourrai voir Billy.

— Je n'irai pas tout de suite.

George donna l'explication de ce délai et vit la lueur d'espoir s'éteindre dans les yeux de Brett. Se sentant coupable, il réfléchit rapidement et ajouta :

— Mais il existe une autre possibilité. Je dois envoyer deux importants contrats à mon avocat de là-bas. Je pourrais charger un de mes

employés digne de confiance de les lui apporter. Vous l'accompagne-
riez.

— Vous vous refusez toujours à me laisser partir seule ?

— Brett, nous avons réglé cette question il y a des semaines.

— Pas comme je l'aurais souhaité.

— Ne vous fâchez pas. Vous êtes une jeune femme intelligente et
capable mais Washington est un cloaque. Vous ne pouvez y aller seule
— même en ne tenant pas compte de votre accent du Sud, qui vous
expose à toutes sortes de réactions hostiles. Non, je dénicherai un
homme de confiance et lui demanderai de se préparer à partir dans un
jour ou deux. Pendant ce temps, vous ferez vos valises.

— Oh ! merci, fit Brett en se levant pour prendre George dans ses
bras. Vous me pardonnez ma mauvaise humeur ? Vous êtes tellement
gentils, tous les deux, mais j'ai si peu vu Billy depuis notre mariage...

— Je comprends, déclara George en lui tapotant la main. Il n'y a rien
à pardonner.

Brett continua à le remercier, les larmes aux yeux, et ce fut une des
rares fois où Constance vit son mari montrer son émotion.

Plus tard, dans leur chambre, pendant les jeux préludant à l'amour,
elle lui demanda :

— Tu as vraiment des papiers à envoyer à Washington ?

— J'en trouverai.

Elle rit, l'embrassa et l'attira contre sa poitrine.

15

— Ce sac est plus lourd que le « vieux chichiteux », gémit Billy.

— Je t'ai apporté quelques affaires : des livres, trois couvre-nuques
que j'ai faits moi-même, des chaussettes, des caleçons, un poêlon, un
nécessaire à couture pour soldats...

— Dans l'armée, on appelle ça une ménagère.

Il posa le sac par terre, ôta son képi et referma la porte derrière
eux. Ils parlaient à voix basse comme s'ils avaient peur d'être entendus
des autres pensionnaires. Il était trois heures de l'après-midi et, bien
qu'ils fussent mariés, Brett avait la délicieuse impression de se mal
conduire.

Etouffante et mansardée, la petite pièce n'avait qu'une lucarne par
laquelle pénétraient les bruits de la rue. Mais Billy avait eu de la
chance de trouver une chambre après avoir reçu le message télégraphique de sa femme.

— Je voulais tant te voir, Brett. Te voir, t'aimer, murmura Billy
d'une voix étrange, empruntée, presque craintive. Je le désirais à en
avoir mal.

— Je sais, mon chéri. J'éprouve la même chose. Mais nous n'avons
jamais...

— Quoi ?

Ecarlate, elle détourna la tête. Il lui caressa le menton.

— Quoi, Brett ?

— Avant, dit-elle sans oser le regarder, nous avons toujours... fait
l'amour dans le noir.

— Je ne veux pas attendre.

— Non, moi non plus.

Il l'aida à se dévêtir, rapidement mais sans brusquerie. Un par un les vêtements tombèrent, jetés n'importe où, et vint le moment pétrifiant où plus rien ne fut caché.

Les craintes de Brett se dissipèrent quand Billy tendit les bras vers elle. Il posa les mains sur ses épaules, glissa lentement le long des bras en une caresse à la fois tendre et excitante pour lui comme pour elle. Le sourire plein d'amour de Billy fit place à une expression proche de l'exaltation. Brett partit d'un rire mêlé de larmes de joie. Quelques instants plus tard, elle l'aida à pénétrer en elle, dans une fusion d'autant plus douce qu'ils en éprouvaient un désir ardent.

Ayant obtenu une permission de vingt-quatre heures du capitaine Farmer, Billy emmena Brett visiter le quartier de President's Park en fin d'après-midi. Le nombre de soldats circulant dans les rues étonna la jeune femme. Ils étaient vêtus de bleu marine, de gris et certains portaient des uniformes rutilants dignes des troupes de quelque prince arabe. Elle remarqua aussi de nombreux Noirs.

Une heure environ avant le coucher du soleil, ils traversèrent un canal nauséabond pour se rendre dans un autre parc, près des tours rouges de la Smithsonian Institution*. Plusieurs dizaines de voitures magnifiques y avaient conduit des civils élégants pour assister à un exercice de retraite effectué par le 1er régiment de volontaires de Rhode Island. Billy montra à Brett son commandant, le colonel Burnside, un homme doté de splendides favoris. La fanfare jouait, les drapeaux claquaient, tout était merveilleusement excitant et rassurant. L'heure passée dans la chambre de la pension avait mis Brett dans un état euphorique.

Billy lui expliqua que les exercices, défilés, revues de troupes et autres manifestations publiques tenaient une place importante dans l'emploi du temps des troupes cantonnées à Washington ou aux environs.

— Mais il y aura sûrement bientôt une bataille, conclut-il. On dit que Lincoln le souhaite — et Davis aussi, semble-t-il. Il a confié le commandement du front d'Alexandria à son général le plus populaire.

— Tu veux dire Beauregard ?

Billy prit le bras de sa femme et l'entraîna plus loin.

— Oui. Il fut un temps où notre armée avait haute opinion du Vieux Bory**. A présent, tout le monde le traite de petit paon apeuré. Il faut dire qu'il n'a rien arrangé en déclarant que notre camp ne voulait obtenir du Sud que deux choses : butin et catins. Plutôt insultant.

« Notre camp. » C'était devenu celui de Brett par alliance. Chaque fois qu'elle y pensait, elle se sentait troublée, envahie de vagues sentiments de déloyauté.

— Le capitaine Farmer sait-il quand les combats commenceront ?

— Non. Et je me demande parfois si quelqu'un le sait — y compris parmi nos chefs les plus élevés en grade.

— Tu ne les trouves pas capables ?

— Pour la plupart des officiers de carrière, ça va. Ce sont des anciens de l'Académie. Mais certains généraux ont eu leurs épaulettes grâce à leurs relations politiques. Au risque de paraître prétentieux, je te dirai que je suis content d'avoir fait West Point et d'être dans le Génie. C'est la meilleure arme.

* Institut scientifique fondé en 1846 (n.d.t.).
** Surnom du général Beauregard (n.d.t.).

— C'est aussi la première au combat.

— Parfois.

— Cela me terrifie.

Billy aurait voulu avouer que cela lui faisait peur également mais il n'eût fait qu'augmenter les craintes de Brett.

Pour la jeune femme, la ville commença à perdre son attrait tandis qu'ils gagnaient à pied l'hôtel où ils avaient choisi de dîner. Lorsqu'ils croisèrent deux sous-officiers traînant dans les rues, l'un d'eux ricana puis déclara que tous les officiers étaient des merdeux.

Billy se raidit mais ne s'arrêta pas et ne tourna même pas la tête.

— Ne fais pas attention. Si je relevais chaque fois ce genre de remarque, je n'aurais plus une minute pour le service. La discipline de l'armée est lamentable mais pas dans la compagnie de Lije Farmer. J'ai hâte de te le présenter.

— Quand le feras-tu ?

— Demain. Je t'emmènerai au camp voir les fortifications que nous construisons. Les plans prévoient une ceinture entourant complètement la ville.

— Tu aimes ton capitaine ?

— Beaucoup. C'est un homme extrêmement croyant, il prie énormément. Et les officiers prient avec lui.

— Toi aussi ? Aurais-tu... ?

Brett ne savait comment formuler la question avec tact.

— Non, je suis toujours le sale mécréant que tu as épousé. Je prie parce qu'on ne désobéit pas à Lije Farmer. Je dois dire que les hommes ayant des convictions aussi profondes sont rares dans l'armée.

Soudain, il la fit descendre du trottoir, où deux Blancs frappaient un Noir en guenilles. Une fois de plus, Billy ne s'arrêta pas.

— Je vois qu'on ne maltraite pas les esclaves uniquement dans le Sud, murmura Brett.

— C'est probablement un affranchi. Esclaves ou libres, les nègres ne sont pas très bien vus, par ici.

— Alors pourquoi diable vous battre pour eux ?

— Brett, nous en avons déjà discuté. Nous sommes en guerre parce qu'une poignée de fous de ton Etat natal ont brisé ce pays en deux. Personne ne s'apprête à combattre pour les nègres. L'esclavage est condamnable, j'en suis convaincu. Mais, d'un point de vue pratique, on ne peut et on ne doit peut-être pas le supprimer trop vite. Le président partage cette opinion, paraît-il. Et la plupart des soldats aussi.

Billy ne déformait pas la réalité : seule une minorité d'abolitionnistes pensaient partir en guerre pour liquider « l'institution particulière ». Les autres voulaient châtier les imbéciles et les traîtres qui avaient cru pouvoir démanteler l'Union. Le front plissé de Brett suggérait qu'elle avait l'intention de discuter et Billy fut content de voir l'entrée du *Willard* à quelques mètres devant.

Dans le hall brillamment éclairé et animé, il remarqua qu'elle fronçait encore les sourcils.

— Bon, fini la politique, décida-t-il. Tu n'es ici que pour deux jours, je veux que nous en profitions.

— Devrons-nous rendre visite à Stanley et Isabel ?

— Pas à moins que tu ne m'enfonces un fusil dans le dos. Je dois avouer à ma grande honte que je ne suis pas encore allé les voir. Je préférerais affronter toute l'armée du Vieux Bory.

Brett sourit ; la soirée prenait un tour très agréable. Devant la porte du restaurant, Billy déclara :

— J'ai faim. Et toi ?

— Je suis affamée. Mais ne perdons pas trop de temps à table.

En lui adressant un sourire qu'il interpréta correctement, elle suivit le maître d'hôtel. Billy prit son sillage et répondit en se rengorgeant :

— Tout à fait de ton avis.

Dans la nuit, Brett s'éveilla, alarmée par un grondement lointain et menaçant. Billy s'agita dans le lit, se réveilla lui aussi et se retourna pour faire face à sa femme.

— Qu'as-tu ? demanda-t-il.

— Quel est ce bruit ?

— Des chariots de l'armée.

— Je ne l'avais pas entendu avant.

— Tu ne l'avais pas remarqué. Dans cette ville ou dans cette guerre, le bruit dominant, c'est celui des chariots. Ils roulent jour et nuit. Viens dans mes bras, cela t'aidera peut-être à te rendormir.

Il n'en fut rien. Pendant plus d'une heure, Brett écouta le martèlement des sabots, le crissement des essieux, le grincement des roues, annonciateurs comme le tonnerre d'un inévitable orage.

Le lendemain, elle se sentit fatiguée mais un copieux petit déjeuner la revigora quelque peu. Billy avait loué une jolie calèche pour aller de l'autre côté du Potomac et ils se mirent en route sous un ciel menaçant, le vrai tonnerre faisant écho aux chariots, que Brett entendait tout le temps maintenant.

En traversant Long Bridge, Billy parla un peu plus de son capitaine. Célibataire, originaire de l'Indiana, Farmer était sorti de West Point trente-cinq ans plus tôt.

— A l'époque, un vent de renouveau de la foi soufflait sur l'Académie. Avec son camarade Leonidas Polk, Farmer dirigea le mouvement chez les cadets. Trois ans après avoir obtenu son diplôme, il démissionna de l'armée pour devenir pasteur méthodiste itinérant. Je lui ai demandé où il avait vécu pendant toutes ces années et il m'a répondu : « Sur un cheval. » En fait, il avait sa maison dans une petite ville nommée Greencastle.

— Je crois avoir entendu parler de Polk. C'est un évêque épiscopalien du Sud, non ?

— Exactement.

— Farmer n'était pas trop vieux pour réintégrer l'armée ?

— Aucun homme ayant l'expérience du Génie n'est jugé trop vieux. En outre, le Vieux Moïse déteste l'esclavage.

— Comment l'appelles-tu ?

— Moïse. On lui a confié le commandement de cette compagnie de volontaires en attendant le retour des vrais sapeurs. Le considérant comme un bon chef, les hommes l'ont surnommé le Vieux Moïse. Cela lui va bien, on dirait qu'il sort tout droit de l'Ancien Testament. Moi, je continue à l'appeler Lije... Ah ! nous y sommes. Voici l'un des magnifiques projets dont je suis responsable.

— Ces tas de terre ?

— Ces travaux de terrassement, corrigea Billy, amusé. Là-bas, nous devons construire une poudrière en bois.

— L'endroit a un nom ?

— Fort Quelque Chose... je ne me souviens plus, répondit Billy en faisant repartir la calèche.

Alexandria, petite ville de maisons en brique et d'immeubles commerciaux, semblait aussi noire de monde que Washington. Billy montra à Brett la *Marshall House* où le colonel Ellsworth, ami de Lincoln, avait été tué.

— C'est arrivé le jour où l'armée a occupé la ville. Ellsworth était en train d'amener un drapeau rebelle.

Après Alexandria, ils arrivèrent à une vaste cité de tentes. Autour, des soldats faisaient l'exercice dans les champs, des officiers galopaient en tous sens, des hommes, torse nu, creusaient des tranchées ou tiraient des rondins avec des chaînes. Observant un peloton, Brett fit observer :

— Je n'ai jamais vu de soldats aussi maladroits. Il n'y en a pas deux au pas.

— Ce sont des volontaires, expliqua Billy. Leurs officiers ne valent guère mieux : ils passent la nuit à potasser le manuel pour pouvoir le réciter le lendemain.

— Je n'ai aucun mal à reconnaître en toi un ancien de West Point, dit Brett, taquine.

Ils poursuivirent leur promenade à travers un paysage changeant fait de tentes de mess d'où montait de la fumée, de pièces d'artillerie tirées par des chevaux, de drapeaux claquant au vent, de tambours. Pour Brett, tout était nouveau, étonnant, gai et un peu effrayant aussi.

Ils passèrent devant une redoute en construction, s'arrêtèrent devant une tente semblable à toutes les autres. Billy y fit entrer Brett, salua.

— Capitaine ? Si le moment n'est pas trop mal choisi, puis-je vous présenter mon épouse ? Mrs. William Hazard... Capitaine Farmer.

L'officier aux cheveux blancs se leva de la table couverte de plans de fortifications.

— Un honneur, Mrs. Hazard. Un honneur et un privilège.

Il prit la main de Brett, la serra avec une lenteur solennelle. « Billy a raison, pensa-t-elle. Une vraie tête de prophète. »

— Je suis ravi de faire votre connaissance et très heureux d'avoir votre mari sous mes ordres, assura Farmer. Mais je manque à mes devoirs d'hôte. Veuillez vous asseoir là, sur mon tabouret. Je crains que mon mobilier ne soit pas des plus adéquats.

En s'asseyant, Brett vérifia la justesse de cette affirmation. La tente ne contenait qu'une table, un lit de camp et cinq caisses portant toutes l'inscription Americain Bible Society. Sur l'une d'elles était posé un paquet de petites brochures intitulées « Pourquoi jurez-vous ? »

Farmer suivit la direction du regard de la jeune femme et dit :

— Jusqu'à présent, je n'ai pas eu le temps de m'occuper de l'école du dimanche ou de la prière du soir mais je suis prêt. Nous devons construire des ponts menant au ciel comme nous édifions des défenses contre les impies.

— Je regrette de devoir dire que je suis née parmi eux.

— Oui, je le sais. Soyez assurée qu'il n'y avait là aucune offense personnelle. Toutefois, je ne peux vous tromper. Je suis convaincu que le Tout-Puissant déteste ceux qui tiennent dans les fers nos frères noirs.

Les propos de Farmer irritèrent Brett — comme ils eussent irrité n'importe quel Carolinien du Sud. Et, cependant, elle trouvait dans la voix et l'éloquence du capitaine une force entraînante inattendue. Billy paraissait mal à l'aise, comme s'il pensait : « Ce ne sont pas *mes* frères noirs. »

— Je respecte votre franchise, capitaine, dit Brett. Je regrette seulement que le problème doive être résolu par la guerre. Billy et moi voulons vivre notre vie, fonder une famille. Et je ne vois devant nous qu'une période de dangers.

Lije Farmer croisa les mains derrière son dos.

— Vous avez raison, Mrs. Hazard. Nous l'affronterons parce que tel est notre lot — que la volonté de Dieu soit faite. Je suis toutefois persuadé que la guerre sera brève et que nous en sortirons vainqueurs. Comme nous l'enseignent les Saintes Ecritures, les pensées des justes sont justes, les conseils des méchants pernicieux. Les méchants seront terrassés et la maison du juste demeurera debout.

Billy vit sa femme frémir et l'exhorta silencieusement à la modération tandis que Farmer continuait :

— Le méchant est pris au piège de la transgression de ses lèvres, le juste voit la fin de ses ennuis.

Prête à répliquer, Brett fut surprise par le geste de Farmer, qui passa un bras paternel autour des épaules de Billy et sourit. La tension retomba.

— Si des temps périlleux nous attendent, le Seigneur veillera à ce que cet excellent jeune homme les traverse. Dieu est un soleil, un bouclier. Moi aussi je veillerai sur lui. En repartant, emportez dans votre cœur l'assurance que je ferai tout pour que William vous rejoigne bientôt sain et sauf.

A cet instant, Brett oublia tout le reste et tomba amoureuse de Lije Farmer.

16

A des kilomètres de Washington, en Caroline du Sud, vivait un homme au désir de vengeance aussi vif que celui d'Elkanah Bent.

Justin LaMotte, propriétaire de la plantation Resolute et rejeton appauvri d'une des plus anciennes familles de l'Etat, rêvait de punir sa femme Madeline, qui avait fui chez les Main pour dénoncer le complot visant à assassiner le Yankee ayant épousé la sœur d'Orry.

Mais la rancœur de Justin remontait à plus loin. Pendant des années, Madeline lui avait fait honte en foulant aux pieds toutes les règles de la bonne conduite féminine. A présent, elle vivait ouvertement avec son amant et tout le district savait qu'elle avait l'intention d'épouser Orry dès qu'elle aurait obtenu le divorce. Justin ne le lui accorderait jamais mais cela ne suffisait pas. Pendant des heures, il ruminait chaque jour des machinations pour ruiner Orry ou imaginait des scènes dans lesquelles il châtiait Madeline par le fer et le feu.

Assis dans l'eau tiède qu'un de ses nègres avait versée dans le lourd baquet en zinc de sa chambre, Justin essayait de se détendre. Il avait d'autres problèmes que sa femme Madeline, notamment avec les *Ashley Guards*, le régiment que son frère Francis et lui s'efforçaient de lever.

Un pansement de soie blanche maculé de taches brunes masquait son profil gauche. Lorsqu'il avait tenté d'empêcher Madeline de quitter Resolute, elle s'était défendue avec une épée décrochée du mur du salon. Un seul coup de la lame ébréchée avait creusé une tranchée rouge du front au menton. La blessure, qui tardait à guérir, lui causait une souffrance morale aussi bien que physique. Justin avait toutes les raisons de haïr cette garce de Madeline.

L'après-midi touchait à sa fin; il faisait étouffant. Les ombres des chênes moussus se dressant au-dehors se découpaient sur les lattes usées du plancher. En bas, Francis commandait l'exercice. Fatigué d'essayer de former les « petits Blancs » — tous les hommes du district exceptés ceux que ce gredin manchot de Main avait enrôlés dans d'autres unités —, Justin avait aujourd'hui confié l'instruction à son frère.

Francis avait dépensé sans compter pour équiper le régiment. Sur un valet proche du baquet pendaient un pantalon jaune canari et une élégante veste de chasseur verte soutachée, inspirée de l'habit-tunique des Français. Une paire de magnifiques bottes évasées au genou, à la mode européenne, complétait l'uniforme.

Justin était exaspéré de ne pouvoir trouver plus de Blancs appréciant la beauté de cette tenue ou le rare honneur d'être commandé par des LaMotte. Ce maudit Wade Hampton avait équipé sa légion d'uniformes aussi ternes que des nippes de vacher et on s'était cependant bousculé pour s'y enrôler.

Justin avait d'autres raisons de détester le planteur de Columbia. Bien que les LaMotte se fussent établis en Caroline bien avant les Hampton, le nom de ces derniers était aujourd'hui plus honoré que le sien. Justin voyait ses revenus fondre tandis que Hampton semblait accroître sa fortune sans effort. Aux yeux de tous, il passait pour l'homme le plus riche de l'Etat.

Hampton, qui avait refusé d'assister à la convention ayant décidé la sécession — qui s'était même publiquement prononcé contre — faisait à présent figure de héros. Il se trouvait déjà en Virginie, avec des fantassins, des artilleurs, des cavaliers qui le suivaient en pantelant comme des esclaves tandis que Justin se morfondait chez lui, cocufié par sa femme, incapable de lever plus de deux compagnies — des brutes qui buvaient, se battaient et tenaient leur vieux mousquet de façon fort peu réglementaire.

Comme cela le déprimait ! S'enfonçant plus profondément dans l'eau, il s'aperçut soudain qu'il n'entendait plus Francis aboyer ses ordres. Des cris, des exclamations hostiles montaient du dehors. « Ces lourdauds se chamaillent encore, se dit-il. Bon, que Francis se débrouille. »

Mais au lieu de cesser rapidement, les rires et les cris d'encouragement redoublèrent. La porte de la chambre s'ouvrit, un jeune Noir nommé Mem — diminutif d'Agamemnon — passa la tête dans la pièce.

— Mr. Justin ? Votre frère dit de venir, s'il vous plaît. Y a des ennuis.

Furieux, Justin sortit de son baquet en beuglant :

— Comment oses-tu entrer sans attendre ma permission ?

Il frappa Mem du poing. Le jeune Noir poussa un cri, ses yeux s'agrandirent et brillèrent un court instant d'une telle rage que Justin crut que l'esclave allait se jeter sur lui. Un esprit malsain agitait les nègres du district, maintenant que les Républicains yankees avaient lancé leur guerre pour dépouiller d'honnêtes gens de leurs biens. Dernièrement, les funérailles d'esclaves s'étaient multipliées de façon inexplicable et certains prétendaient que les cercueils enfouis sous terre contenaient des armes à feu destinées à une émeute. La vieille peur blanche de la peau noire soufflait sur le pays comme la brise nauséabonde de l'été.

— Sors d'ici ! tonna Justin.

Toute velléité de révolte évanouie, le Noir s'enfuit en claquant la porte. Au moment où Justin prenait sur son lit le corset destiné à lui comprimer le ventre, il entendit Francis l'appeler d'une voix effrayée.

Jurant, Justin reposa le corset, enfila son pantalon jaune sur lequel apparurent aussitôt des taches d'humidité. Il boutonna sa braguette en dévalant l'escalier, s'arrêta juste le temps de décrocher son vieux sabre et se précipita au-dehors.

La rixe se déroulait devant l'un des coins de la maison décrépite. Des *Ashley Guards* au bel uniforme déjà souillé entouraient deux hommes se disputant à coups de poing un vieux fusil Hall se chargeant par la culasse : les cousins Lemke, crétins hargneux exploitant une ferme prospère des environs.

Francis se précipita vers son frère.

— Pleins comme des outres, tous les deux. Il vaut mieux appeler les nègres — les autres s'amusent trop pour nous aider à arrêter la bagarre.

Cela ne faisait aucun doute. Deux des gardes ricanèrent en regardant le pantalon taché de Justin et le quart de globe qui s'arrondissait au-dessus.

— Bon Dieu, tu ne peux donc pas les discipliner ? murmura-t-il à son frère. Il faut toujours que ce soit moi ?

Pas cette fois. Chacun des Lemke tenait dans ses mains puissantes l'arme en litige et tirait avec force. L'un des cousins plongea, tête baissée, enfonça ses dents dans l'épaule de l'autre, assez profondément pour que du sang apparaisse sur l'uniforme. « Non, merci », pensa Justin. Il valait mieux envoyer quatre ou cinq nègres les séparer.

Comme il s'éloignait, l'un des Lemke changea la position de ses mains tandis que l'autre baissait le canon de l'arme. Les spectateurs les plus proches s'écartèrent juste avant que le coup ne parte.

Justin sentit une brûlure en tombant en avant. Il heurta le sol du menton, poussa un cri de douleur et de honte. Une grande fleur rouge s'épanouit sur le champ jaune canari de son fond de pantalon.

17

A Mont Royal, la grande plantation de riz située sur la rive gauche de la rivière Ashley, au-dessus de Charleston, le chef de la famille Main était confronté à une décision semblable à celle que devait prendre son ami George Hazard.

Depuis son enfance, Orry Main avait voulu être soldat. Diplômé de West Point en 1846, il avait pris part à quelques-uns des combats les plus acharnés de la guerre du Mexique. A Churubusco, devant Mexico, il avait perdu son bras gauche, en partie à cause de la couardise et de l'inimitié d'Elkanah Bent. Cette mutilation avait contraint Orry à abandonner son rêve chéri de carrière militaire.

Des années difficiles suivirent son retour en Caroline du Sud. Il s'était désespérément épris de la femme de Justin LaMotte mais son sens de l'honneur avait limité leur longue histoire d'amour à d'occasionnelles rencontres secrètes, sans la consommation physique que tous deux désiraient.

Si Madeline vivait maintenant sous son toit, l'épouser légalement était une autre affaire. La législation de l'Etat sur le divorce était complexe et LaMotte faisait tout pour empêcher sa femme de redevenir libre. La plupart des Blancs du Sud auraient pourtant agi tout à fait différemment puisque la mère de Madeline était une splendide quarte-ronne de La Nouvelle-Orléans. Madeline, octavonne, avait donc du sang noir, ce qui importait peu à Orry. Bien que la vérité eût constitué une arme puissante contre Justin, Madeline n'avait pas eu la cruauté de s'en servir, mais elle avait souvent imaginé la scène des révélations, en particulier la réaction de Justin.

Assis devant le vieux bureau encombré de papiers d'où son père et le père de son père avaient dirigé la plantation, Orry considérait un autre problème : le document qu'il devait signer s'il voulait montrer loyauté et soutien au nouveau gouvernement confédéré en lui versant une partie de ses profits.

Le soleil de l'après-midi inondait la pièce, l'air embaumait la violette et l'olive douce — une odeur qu'Orry pouvait toujours évoquer, aussi loin fût-il de Mont Royal. Il suivit des yeux un insecte trottinant le long d'une étagère, d'un endroit sombre à un autre. « Comme nous tous », pensa-t-il.

Irrité, il secoua la tête mais son humeur maussade refusa de se dissiper. Cessant de lire le document posé devant lui, il songea au poste qu'on lui avait proposé à l'état-major de Bob Lee, l'officier que sa loyauté à l'égard de sa Virginie natale avait contraint à quitter l'armée fédérale. A présent, Lee était conseiller militaire de Jefferson Davis à Richmond.

La perspective de travailler dans un bureau n'enchantait pas Orry, qui savait cependant qu'il ne pouvait raisonnablement espérer un commandement sur le terrain. Sauf si Richmond suivait l'exemple de l'ennemi : Phil Kearny, officier qui avait aussi perdu le bras gauche au Mexique, commandait maintenant une brigade de volontaires de l'Union.

Malgré son sens aigu du devoir, Orry hésitait à accepter la proposi-tion pour un certain nombre d'autres raisons. On disait Davis difficile. Officier courageux — ancien de West Point — il aimait commander les troupes ou, à défaut, maintenir sous un rigoureux contrôle ceux qui les commandaient effectivement.

En outre, Ashton, la sœur d'Orry, et son mari James Huntoon vivaient à Richmond, où ce dernier exerçait des fonctions gouverne-mentales. Lorsque Orry avait découvert le rôle qu'Ashton avait joué dans la tentative d'assassinat de Billy Hazard, il l'avait chassée de Mont Royal avec son mari. L'idée de se trouver en quelque endroit où ils fussent lui répugnait.

Ensuite, il n'avait pas de régisseur. Les hommes jeunes qu'il aurait pu engager s'étaient enrôlés et il ne parvenait pas à trouver d'homme plus âgé encore assez vert pour ce travail. Une annonce dans les journaux de Charleston et de Columbia avait suscité trois candidatures, toutes inacceptables.

De plus, sa mère était en mauvaise santé. Et il ne pouvait se résoudre à quitter Madeline. Ce n'était pas là uniquement de l'égoïsme : en son absence, Justin essaierait peut-être de se venger des dommages infligés à son visage et à sa réputation.

Les esclaves aussi pouvaient constituer un danger. Orry n'en avait pas discuté avec Madeline pour ne pas l'alarmer inutilement mais il avait décelé des changements subtils dans le comportement de certains hommes. Par le passé, il avait rarement été nécessaire de punir à Mont

Royal — exception faite d'un *cathaul** infligé par son père. Dans la situation présente, Cuffey, l'ami d'enfance du cousin Charles, se montrait parmi les plus enclins à l'indiscipline et devait être surveillé.

A contrecœur, Orry ramena son attention sur l'épais document agrémenté de sceaux en cire. En signant, il céderait une partie importante de ses bénéfices de l'année en échange de bons gouvernementaux d'égale valeur. Cet « emprunt sur production » visait à financer une guerre pour laquelle Orry, comme son ami George, avait peu d'enthousiasme. Le planteur avait conscience de la vanité de l'aventure militaire sudiste parce qu'il connaissait certaines données simples sur lesquelles son frère Cooper avait été le premier à attirer son attention.

Le Nord comptait environ vingt-deux millions d'habitants. C'était dans le Nord aussi que se trouvaient la plupart des usines, des voies ferrées, des lignes télégraphiques, des ressources minérales et financières de l'ancienne Union. Les onze Etats de la Confédération avaient une population de neuf millions d'habitants, dont un tiers — les esclaves — ne participeraient à l'effort de guerre que de manière subalterne.

Des opinions douteuses, pour ne pas dire dangereuses, sur la guerre étaient fort répandues. Des imbéciles comme les frères LaMotte rejetaient avec mépris l'idée que le Sud pût être envahi — ou, si une telle éventualité se produisait, qu'elle pût se terminer autrement que par une glorieuse victoire des Confédérés. Des aristocrates aux paysans, la plupart des Sudistes croyaient fièrement en leurs capacités, ce qui les incitait à penser qu'un seul bon soldat du Sud pouvait venir à bout n'importe où n'importe quand de dix boutiquiers yankees. Amen.

Dans ses très rares moments de chauvinisme, Orry Main partageait certaines de ces opinions. A ses yeux, son jeune cousin Charles valait n'importe quel autre officier, et Wade Hampton, le supérieur de Charles, était de la même trempe. Selon Orry, il y avait du vrai dans cette maxime de Bonaparte : « Dans la guerre, les hommes ne sont rien, un homme est tout. »

Toutefois, imaginer que le Nord n'avait pas de soldats valant ceux du Sud, c'était de la stupidité. Du suicide. Orry aurait pu citer en exemple un grand nombre de Yankees diplômés de West Point, notamment un homme qu'il avait connu personnellement et beaucoup estimé. Qu'était donc devenu Samuel Grant ?

Impossible de répondre à cette question — ou de prévoir où conduirait cette étrange guerre non désirée. Il se força à reprendre la lecture de l'ennuyeux document aux formules juridiques parfois déconcertantes. Plus vite il aurait terminé le travail de la journée, plus vite il rejoindrait Madeline.

Vers quatre heures, Orry rentra de son inspection des rizières. Il portait des bottes, une culotte et une ample chemise blanche dont la manche gauche, vide, était épinglée sur l'épaule. A trente-cinq ans, il était aussi mince qu'il l'avait été à quinze et se déplaçait avec grâce et assurance malgré son handicap. Il avait des yeux marron, des cheveux châtains, un visage allongé. Madeline prétendait qu'il embellissait en vieillissant mais il en doutait.

Orry avait signé le document et, aussitôt après, avait cessé de s'inquiéter du remboursement de son argent. Une décision prise par patriotisme ne devait pas être assortie de conditions.

---

* Punition consistant à pousser un chat furieux à lacérer le dos de l'esclave (n.d.t).

Il traversa l'extrémité du sentier menant à la rivière et que des chênes moussus cachaient à la lumière pendant la plus grande partie de la journée. Il tourna le coin de la grande maison devant laquelle s'étendaient un jardin et un débarcadère s'enfonçant dans les eaux lentes de l'Ashley. Des bruits de pas résonnèrent au-dessus de lui dans la véranda, s'arrêtèrent quand il s'avança pour se montrer. Une petite femme boulotte d'environ soixante-cinq ans contemplait avec ravissement le ciel sans nuages.

— Bonsoir, mère.

Clarissa Gault Main baissa les yeux, eut un sourire poli et intrigué.

— Bonsoir. Comment allez-vous?

— Très bien. Et toi?

Le sourire s'élargit, se fit bienveillant.

— Parfaitement bien. Merci.

Elle se retourna et disparut. Orry secoua la tête : sa mère ne l'avait pas reconnu, une fois de plus. Par bonheur, les Noirs de Mont Royal, à une ou deux exceptions près, adoraient Clarissa. Chacun de ceux qui l'approchaient la surveillait et la protégeait discrètement.

Où était Madeline? dans le jardin? Comme il inspectait les alentours, il l'entendit dans la maison. Il la trouva au salon, examinant un paquet cylindrique de près d'un mètre cinquante de long. Elle courut vers lui, noua ses bras autour de sa taille.

— Attention, dit-il en riant. Je suis couvert de sueur et de poussière.

— Sueur, poussière — je t'aime quand même.

Elle planta sur les lèvres sèches d'Orry un long baiser tendre, rafraîchissant comme une source de montagne. Puis elle noua les bras derrière son cou et il sentit contre lui ses formes pleines. Bien que le mariage légal leur fût encore interdit, ils partageaient l'intimité physique d'un couple uni depuis longtemps et toujours amoureux. Ils dormaient nus : le caractère franc et affectueux de Madeline avait rapidement débarrassé Orry de toute gêne sur l'aspect de son moignon.

— Comment s'est passée la journée? demanda-t-elle en se reculant.

— Bien. Guerre ou pas, ces dernières semaines ont été les plus heureuses de ma vie.

Elle murmura son accord en emprisonnant les doigts d'Orry entre les siens et ils demeurèrent un moment immobiles, front contre front. Madeline était une femme à la poitrine épanouie, aux yeux noirs et brillants comme sa chevelure, qui contrastait joliment avec son teint pâle.

— Justin a le moyen de me rendre un tout petit peu plus heureuse, je l'avoue.

— Je suis sûr que nous surmonterons cet obstacle.

A vrai dire, Orry n'en était pas sûr du tout mais ne le reconnaissait jamais. Par-dessus l'épaule de Madeline, il regarda le paquet.

— Qu'est-ce que c'est?

— Je ne sais pas. C'est à toi qu'il est adressé. Il est arrivé du dock il y a une heure.

— C'est vrai, le sloop devait passer aujourd'hui.

— Le capitaine Asnip a ajouté une note précisant que le paquet est venu par le dernier bateau ayant relié Charleston avant le blocus. J'avais effectivement remarqué qu'il porte le nom d'une compagnie de transports maritimes de Nassau. Tu sais ce qu'il y a dedans?

— Peut-être.

— C'est toi qui l'as commandé, alors. Ouvre-le.

Orry cessa de sourire en pensant que le contenu du paquet bouleverserait peut-être Madeline. Il le glissa sous son bras droit et dit :

— Plus tard. Pendant le dîner. Il faut un moment adéquat.

— Mystère, mystère, murmura Madeline tandis qu'Orry montait l'escalier.

Il remplaça sa tenue souillée par une autre semblable mais propre, versa deux cruches d'eau sur ses cheveux noirs puis les essuya avec une serviette. Il faisait nuit quand ils s'attablèrent pour dîner. Des cylindres aux contours flous, images renversées des bougies réelles, brillaient sur le plateau patiné de la table. Un petit Noir remuait l'air et chassait les mouches avec un éventail en plumes d'autruche. Comme à son habitude, Clarissa avait mangé dans sa chambre.

— Cela sent bon, dit Orry. (De sa fourchette, il toucha la croûte dorée recouvrant le mets délicat cuit dans une grande écaille d'huître.) C'est du crabe ?

— Pêché hier dans l'Atlantique. J'en ai commandé deux tonneaux, sur de la glace, et ils sont arrivés par bateau avec le paquet. Voilà pour la gastronomie. A présent, Mr. Main, je veux voir la surprise.

Orry avait posé le paquet par terre, près de lui. Une déchirure dans l'emballage de papier laissait voir de la toile huilée. Il piqua avec précaution un morceau de crabe, le porta à sa bouche.

— Délicieux.

— Orry Main, tu es insupportable ! Tu me le montres si je te donne des nouvelles de Justin ?

Redevenant sérieux, Orry posa sa fourchette.

— De bonnes nouvelles ?

— Oh ! rien à voir avec le divorce, j'en ai peur. Juste un événement drôle et un peu triste.

Madeline raconta ce qu'elle avait appris d'une des filles de cuisine qui avait fait des courses à Resolute dans la journée.

— Dans le derrière, fit Orry d'un air songeur. En plein dans le fondement du prestige de la famille LaMotte, hein ?

Madeline s'esclaffa.

— A toi, maintenant.

Il finit de déballer le paquet, dont le contenu arracha un cri d'admiration à Madeline.

— Magnifique. Cela vient d'où ?

— D'Allemagne. Je l'ai commandé pour Charles.

Il lui tendit l'arme rangée dans son fourreau. Madeline posa la main avec précaution sur la poignée en cuir entourée de fil de cuivre, tira de sa gaine la lame recourbée. Les yeux du petit Noir s'agrandirent lorsqu'il vit les bougies se refléter sur l'acier filigrané. Orry expliqua que c'était un sabre de cavalerie légère, modèle 1856 : quarante et un pouces de long.

Madeline inclina la lame pour lire l'inscription qui y était gravée. « A Charles Main, sa famille qui l'aime, 1861. » Elle la retourna, examina l'autre côté.

— Et là ? Je n'arrive pas à lire.

— Clauberg de Solingen. Le fabricant. L'un des meilleurs d'Europe.

Continuant à manipuler l'arme comme si elle était de verre, Madeline la remit dans son fourreau de fer bleu orné d'argent.

— Peut-être aurais-tu dû en commander un aussi pour toi, murmura-t-elle en évitant le regard d'Orry.

— Au cas où j'accepterais le poste ?

— Oui.

— Mais c'est un sabre de cavalerie. Je ne pourrais pas le porter même si je décidais de...

— Tu te dérobes, Orry. A ma question implicite et à la décision que tu dois prendre.

— Je plaide coupable pour le dernier chef d'accusation, dit le planteur. Je ne peux aller à Richmond maintenant, il y a trop de problèmes ici, à commencer par ta situation.

— Je peux me débrouiller seule, tu le sais très bien.

— Il y a aussi ma mère...

— Je peux également m'occuper d'elle.

— Tu ne peux pas diriger la plantation sans régisseur. Mon annonce est repassée dans le *Mercury*. Est-ce que le bateau a apporté des réponses ?

— Je crains que non.

— Alors je dois continuer à chercher. Il me faut une bonne récolte cette année si je veux aider le gouvernement — ce que j'ai accepté de faire en signant les papiers aujourd'hui. En tout cas, pas question d'envisager d'aller à Richmond avant d'avoir trouvé l'homme adéquat pour la plantation.

Après le dîner, ils se rendirent dans la bibliothèque et choisirent sur les rayons que Tillet Main avait couverts d'ouvrages de qualité un exemplaire magnifiquement relié du *Paradis perdu*. Durant les années où ils s'étaient rencontrés en secret, ils avaient souvent lu de la poésie ensemble, à voix haute, le rythme des vers leur offrant un pauvre substitut à celui de l'amour physique. A présent que Madeline vivait à Mont Royal, ils avaient découvert que ces lectures leur procuraient encore un vif plaisir.

Ils prirent place sur un sofa qu'Orry avait fait installer uniquement à cette fin. Il s'asseyait toujours à la gauche de Madeline afin de pouvoir tenir le livre avec elle. Dans un coin obscur de la pièce était accroché l'un des uniformes qu'il avait portés au Mexique. Les deux manches de la veste étaient intactes. Il n'arrivait plus très souvent à Orry de le regarder, ce dont Madeline était heureuse.

Il feuilleta le premier livre du poème jusqu'à ce qu'il trouve un morceau de papier glissé entre les pages.

— C'est le passage, dit-il.

Il s'éclaircit la voix, commença à réciter :

> *Tel le soleil nouvellement levé,*
> *Tondu de ses rayons, regarde à travers l'air*
> *Horizontal et brumeux...*

Madeline enchaîna, d'une voix qui était presque un murmure :

> *Tel, derrière la lune,*
> *Dans une pâle éclipse, il répand un crépuscule funeste*
> *Sur la moitié des peuples et par la crainte du changement*
> *Rend les rois perplexes.*

— Les gens de moindre importance aussi, fit Orry. Cooper prétend que nous avons la guerre parce que le Sud s'est refusé à accepter les changements se déroulant dans le pays. Je me rappelle en particulier l'avoir entendu dire que nous étions incapables d'affronter tant la nécessité du changement que son caractère inéluctable. Apparemment John Milton, lui, avait compris.

— Mais la guerre changera-t-elle quelque chose ? demanda Madeline en laissant tomber le livre sur ses genoux. Quand elle sera finie, les choses ne seront-elles pas comme avant, pour l'essentiel ?

— Certains de nos dirigeants aiment à le croire. Ce n'est pas mon avis.

Ne voulant pas gâter la soirée par de sombres considérations, Orry embrassa Madeline sur la joue et proposa de reprendre la lecture. Elle le surprit en prenant son visage entre ses mains fraîches et en le regardant avec des yeux brillant de larmes de bonheur.

— Rien ne changera mon amour. Je t'aime plus que ma vie.

Elle pressa ses lèvres contre les siennes, les entrouvrit pour un long baiser. Orry plongea sa main dans la chevelure de sa maîtresse, qui se laissa aller contre lui en murmurant :

— Je viens tout à coup de perdre tout intérêt pour les poètes anglais. Eteignons les lumières et montons.

Le lendemain, tandis qu'Orry se trouvait dans les rizières, Madeline chercha dans la penderie contiguë à la chambre de son amant un châle qu'elle voulait repriser.

Derrière une rangée d'habits de soirée accrochés à des cintres et qu'il ne portait jamais, elle remarqua un paquet à la forme familière. La dernière fois qu'elle avait vu le sabre d'apparat, c'était dans la bibliothèque. Pourquoi diable Orry l'avait-il monté et caché là ?

Retenant sa respiration, elle glissa la main derrière les vêtements, souleva le paquet et constata que son emballage était intact. Et dire qu'elle avait suggéré à Orry de commander un second sabre pour lui...

Elle remit le paquet en place, le dissimula à nouveau derrière les habits et décida de garder pour elle sa découverte. Orry lui en parlerait quand il le jugerait bon. En tout cas, elle ne pouvait plus douter de ses intentions, à présent.

Et par la crainte du changement rend les rois perplexes, récita-t-elle de mémoire. Debout devant l'unique fenêtre ovale de la penderie, elle se frottait les avant-bras comme pour les réchauffer.

18

Le lendemain soir, un soleil rouge sombrant à l'horizon répandait son sang par les fenêtres du bureau. Orry transpirait à sa table, las mais obligé de terminer la liste d'achats destinée à son agent de Charleston. Il avait été contraint de redonner sa clientèle à la compagnie Fraser — qui avait servi son père — puisque Cooper avait fait don à la Marine de sa société de transports maritimes. Comme il en détenait toutes les actions, il en avait parfaitement le droit mais cela posait à Orry des problèmes pratiques.

D'autres suivraient, à en juger par la dernière lettre de Fraser. Elle portait un cachet grossier avec l'inscription PAYE 5 Cts, excellent exemple de petites questions ennuyeuses se posant après une sécession, une fois les clameurs retombées. Les services fédéraux avaient continué à s'occuper du courrier du Sud jusqu'au 1er juillet. A présent, un ministre des Postes confédéré s'efforçait tant bien que mal de mettre sur pied une organisation et, probablement, d'imprimer des timbres. En attendant, les Etats et les municipalités utilisaient les leurs.

Fraser, qui devait un remboursement à la plantation, avait envoyé une partie de la somme en billets confédérés tout neufs, magnifiques et bucoliques avec leur déesse de l'agriculture, leurs nègres travaillant avec entrain dans un champ de coton. La lettre de Fraser précisait : « Ils sont imprimés à New York — ne nous demandez pas comment. » On aurait pu le déduire en examinant le billet de mille dollars, orné des portraits de John Calhoun et Andrew Jackson. Manifestement, les stupides Yankees qui avaient dessiné le billet ne connaissaient pas l'histoire et n'avaient jamais entendu parler de la « nullification * ».

Les villes imprimaient aussi leur monnaie. Le représentant d'Orry auprès de Fraser en avait joint un échantillon — un curieux billet de la société de Richmond, portrait de l'héroïque gouverneur sur papier rose d'une valeur de cinquante cents. Rares étaient les partisans de la sécession qui s'étaient souciés dans leur cervelle vide des conséquences pratiques de leur acte.

— Orry ! Orry ! Oh ! quelle nouvelle !

Madeline entra en trombe dans le bureau, souleva sa jupe à crinoline et se mit à danser autour de la pièce tandis qu'il se remettait de sa surprise. Elle gloussait en se trémoussant et des larmes coulaient sur sa joue.

— Je ne devrais pas être joyeuse — Dieu me foudroiera — mais je le suis ! Je le suis !

— Madeline, qu'est-ce...

— Qu'Il me pardonne, cette fois. (Elle mit l'index sous son nez mais continua à glousser, à pleurer.) Je le Lui demanderai si... si j'arrive à... m'arrêter.

— As-tu perdu la tête ?

— Oui !

Elle saisit Orry par la main, le fit se lever, l'entraîna dans une valse.

— Il est mort ! jubila-t-elle.

— Qui ?

— Justin ! Je sais, c'est... honteux de réagir comme cela. C'était... un être humain...

« Seulement au sens très large du terme », pensa le maître de Mont Royal.

— Tu en es sûre ?

— Oui, oui. Un des domestiques a rencontré le docteur Lonzo Sapp, qui revenait de Resolute. Mon mari... (Madeline essuya ses larmes, reprit sa respiration, se calma) a rendu ce matin son dernier soupir. Sa blessure avait provoqué une infection qui avait gagné tout l'organisme. Je suis libre.

Elle jeta les bras autour du cou d'Orry, se renversa en arrière en un grand arc de joie.

— Nous sommes libres, corrigea-t-elle. Je ressens un bonheur insoutenable, et j'ai honte.

— N'aie pas honte. Francis sera le seul à le pleurer, dit Orry, qui sentait monter en lui une grande allégresse, un énorme éclat de rire.

---

* Annulation. Droit pour un Etat de déclarer nulle et non avenue une loi fédérale. John Calhoun en fut l'un des théoriciens (n.d.t.).

Dieu aussi devra m'accorder son pardon. C'est trop drôle : le petit paon mort d'une balle dans le cul — excusez-moi — tirée par l'un de ses propres hommes !

— De son vivant, Justin n'avait rien de drôle, dit Madeline à voix basse.

Comme elle tournait le dos à la fenêtre et aux lueurs rouges, il discernait mal son visage mais n'avait aucune peine à imaginer son expression.

— C'était un homme vil, poursuivit-elle. Qu'on me jette en enfer, je n'assisterai pas à ses funérailles.

— Moi non plus. Quand pourrons-nous nous marier ?

— Le plus vite possible. Je refuse d'attendre en jouant les veuves éplorées. Après le mariage, nous prendrons des dispositions pour que tu puisses accepter le poste.

— Je veux toujours trouver un régisseur avant de prendre une décision, objecta Orry. La situation est trop incertaine, ici. Geoffrey Bull est passé me voir, cet après-midi. Il était bouleversé : deux des nègres en qui il avait le plus confiance se sont enfuis hier.

— Pour le Nord ?

— Il le suppose. Lis le *Mercury*, tu verras que cela se produit tous les jours. Pas chez nous, heureusement.

— Mais nous ne manquons quand même pas de problèmes. Je pense par exemple au jeune homme que tu as désigné comme contremaître après que Rambo fut mort de grippe, l'hiver dernier.

— Cuffey ?

Madeline acquiesça.

— Je ne suis ici que depuis peu mais j'ai constaté un changement. Il n'est pas seulement effronté, il est furieux. Et ne prend pas la peine de le cacher.

— Raison de plus pour ne rien décider avant d'avoir mis la main sur un régisseur, conclut Orry. Rentrons boire un verre de vin et préparer la noce.

Cette nuit-là, bien après que Madeline se fut endormie, Orry n'arrivait toujours pas à trouver le sommeil. Il avait sous-estimé les problèmes posés par les esclaves parce qu'il se refusait à admettre qu'une plantation dirigée de façon aussi humaine que Mont Royal puisse avoir des ennuis. Naturellement, Cooper se serait gaussé de sa naïveté et aurait rétorqué qu'aucun adepte de l'esclavage ne pouvait se prétendre juste, humain ou moralement irréprochable.

Quoi qu'il en soit, Orry avait senti un changement de climat sur son domaine. Cela avait commencé quelques jours après le déclenchement des hostilités. Inspectant les rizières à cheval, il avait entendu un nom et songé plus tard, en y réfléchissant, qu'on l'avait délibérément prononcé assez fort pour qu'il lui parvienne aux oreilles. Ce nom, c'était Linkum *.

Peu après l'arrivée de Madeline, il y avait eu un incident grave plongeant ses racines dans une tragédie antérieure. En novembre, Cuffey, qui avait vingt-cinq ans et n'avait pas encore été nommé contremaître, était devenu père de deux jumelles. Anne, sa femme, avait eu un accouchement difficile et l'un des bébés n'avait vécu qu'une demi-heure.

* Lincoln, pour les Noirs (n.d.t.).

L'autre, petite créature noire et frêle baptisée Clarissa en l'honneur de la mère d'Orry, avait été enterrée en mai. Orry avait appris sa mort en rentrant d'un voyage de trois jours avec Madeline à Charleston, où les habitants pavoisaient après la chute du fort commandant l'entrée du port. Arrivés à la tombée de la nuit, sous l'orage, ils avaient découvert la mère d'Orry errant dans la maison, le regard égaré.

Informé par une domestique, Orry s'était rendu à pied au village des esclaves. Trempé, il avait frappé à la porte de la case de Cuffey. La porte s'était ouverte, le jeune Noir avait regardé son maître en silence tandis qu'une femme gémissait doucement.

— Cuffey, on vient de me mettre au courant, pour ta fille. Je suis terriblement peiné. Puis-je entrer ?

Fait incroyable, Cuffey avait secoué la tête.

— Anne se sent pas bien.

Irrité, Orry s'était demandé si l'état d'Anne n'avait pas une autre raison. Il avait entendu dire que Cuffey maltraitait sa femme. Faisant preuve de modération, il avait répondu :

— J'en suis désolé. En tout cas, je tiens à t'exprimer...

— Rissa est morte à cause de vous. Parce que vous étiez pas là.

— Quoi ?

— Aucun de vos prétentieux domestiques a voulu aller chercher le docteur et votre maman comprenait pas qu'elle devait me faire un laissez-passer pour que je puisse y aller. Je l'ai suppliée pendant une heure mais elle a juste secoué la tête comme une folle. J'ai pris le risque de courir chez le docteur, sans laissez-passer ni rien. Quand je suis revenu, c'était trop tard, Rissa était morte. Le docteur l'a à peine regardée, il a dit « fièvre typhoïde » et il est reparti à toute vitesse. J'ai dû enterrer l'enfant moi-même... Si vous aviez été là, mon bébé serait vivant.

— Bon sang ! Cuffey, tu ne peux pas me reprocher de...

Le Noir avait claqué la porte. Des gouttes de pluie tombaient de l'auvent ; la nuit cernait Orry, pressante et noire. Quelque part, une voix de contralto avait entonné un chant à peine audible. Certain que de nombreux yeux l'observaient, Orry ne pouvait laisser passer l'insolence. Il avait à nouveau frappé à la porte.

Pas de réponse.

— Cuffey, ouvre !

La porte s'était entrouverte, Orry l'avait poussée de sa botte crottée de boue.

— Ecoute-moi, Cuffey. Je suis profondément désolé de la mort de ta fille mais cela ne te donne pas le droit de défier mon autorité. Oui, si j'avais été là, je t'aurais donné un laissez-passer tout de suite ou je serais allé chercher le docteur moi-même. Mais j'étais absent et je ne pouvais absolument pas savoir ce qui se passait. Alors, si tu veux rester contremaître chef, tiens ta langue et ne me claque plus jamais la porte au nez.

Comme l'esclave ne répondait toujours pas, Orry avait agrippé le chambranle de la porte.

— Tu m'as compris ?

— Oui, monsieur.

Deux mots sans vie. A la lueur de la lampe éclairant la case, Orry avait vu les yeux de Cuffey briller de rage et s'était dit que sa mise en garde avait été vaine.

— Présente mes condoléances à ta femme.

Il s'était éloigné d'un pas lourd, peiné de la mort de l'enfant, furieux de la réaction de Cuffey, gêné de s'être conduit comme il venait de le faire pour des spectateurs invisibles. Ce rôle ne lui convenait pas mais il devait le jouer pour maintenir l'ordre. Cooper lui avait fait remarquer un jour que maîtres et esclaves étaient également victimes de « l'institution particulière » et, cette nuit-là, Orry l'avait compris.

« Et ce fut le début, pensait-il, la cuisse de Madeline pressée contre la sienne. La première carte du château qui, en tombant, a entraîné les autres. »

Quatre jours après la confrontation, Anne, la femme de Cuffey, s'était présentée au bureau d'Orry à la tombée de la nuit. Elle avait un œil poché, autour duquel sa peau brune virait au noir. D'une voix hésitante, elle avait demandé :

— S'il vous plaît, maître. Vendez-moi.

— Anne, tu es née ici. Comme ton père et ta mère. Je sais que la mort de Rissa...

— Vendez-moi, Mr. Orry, avait-elle gémi en fondant en larmes. J'ai peur de Cuffey.

— Il te bat ? Il n'est plus lui-même depuis que Rissa...

— Il me battait déjà avant. Je vous l'ai caché mais les gens le savent. Hier soir, il m'a donné des coups de poing, des coups de bâton. Je me suis sauvée. Il m'aurait ouvert le crâne, il était fou furieux. J'ai essayé de tout supporter comme une bonne épouse mais, maintenant, j'ai trop peur. Je veux partir.

— Si c'est ce que tu désires...

— Vous m'enverrez au marché, à Charleston ?

— Pour te vendre ? Sûrement pas. Mais je connais en ville de braves gens qui ont perdu leur servante l'automne dernier et n'ont pas les moyens de s'en procurer une autre. Je te confierai simplement à eux dans une semaine ou deux.

— Demain. S'il vous plaît ?

La peur d'Anne avait consterné Orry.

— Très bien, j'écris une lettre tout de suite. Va chercher tes affaires.

L'esclave s'était jetée contre la poitrine d'Orry.

— Je peux pas retourner là-bas, il me tuerait. J'ai juste besoin de cette robe. Me forcez pas à retourner là-bas, Mr. Orry.

Il l'avait calmée de son mieux.

— Si tu as peur à ce point, cherche Aristote dans la maison. Dis-lui de te trouver un endroit où dormir cette nuit.

Le lendemain matin, Orry avait revu Anne pour la dernière fois lorsqu'il avait rédigé le laissez-passer de l'esclave devant accompagner la jeune Noire à Charleston. Elle l'avait remercié avec effusion avant de partir.

Dans l'après-midi, Orry s'était rendu aux parcelles que l'on préparait pour les semailles de juin. En entendant le cheval du maître, Cuffey avait levé la tête dans la lumière aveuglante et avait longuement regardé Orry avant de se mettre à frapper un Noir dont il jugeait le rythme trop lent.

— Assez, avait ordonné Orry.

Cuffey l'avait à nouveau longuement fixé des yeux et le Blanc avait soutenu son regard pendant une dizaine de secondes. Puis il avait tiré sur la bride de son cheval avec une telle force que la bête avait renâclé.

Orry n'avait pas parlé de l'incident à Madeline mais elle avait assisté à la chute de la carte suivante. Au début du mois de juin, Cuffey avait emmené les hommes sur les parcelles où l'on plantait chaque année à cette époque, au cas où les oiseaux ou la rivière auraient détruit la première récolte.

De hauts remblais séparaient chaque carré de terre cultivée de ceux qui l'entouraient. Des conduits en bois appelés troncs permettaient à l'eau de l'Ashley d'inonder les parcelles puis de s'écouler, à marée descendante, quand les vannes étaient ouvertes. Madeline, qui chevauchait le long des digues, s'était dirigée vers l'endroit où les esclaves travaillaient. Il faisait un temps clair, agréable, avec un léger vent et un ciel de cette couleur pure, intense, qui était pour elle le bleu de Caroline. Comme à son habitude, Madeline ne montait pas en amazone et portait un pantalon. Ce n'était certes pas convenable pour une dame mais sa réputation dans le district était déjà tellement mauvaise qu'elle n'en pâtirait pas.

Cuffey circulait entre les esclaves en agitant le bâton qui symbolisait son autorité. Comme Madeline s'approchait, un vieux Noir peinant près du remblai fit quelque chose qui déplut au chef.

— Sale moricaud ! grommela Cuffey.

Il frappa l'esclave aux cheveux gris, qui s'écroula. Sa femme, qui travaillait à ses côtés, poussa un cri et maudit Cuffey. Perdant son calme, le contremaître se rua vers elle en brandissant son gourdin. Le geste soudain effraya le cheval de Madeline qui hennit et fit un pas de côté sur la droite. L'animal serait tombé du remblai si un autre Noir, gravissant la pente, ne l'avait saisi par le licol. Madeline reprit aussitôt le contrôle de sa monture mais l'intervention de l'esclave avait irrité Cuffey.

— Redescends travailler, lança-t-il.

Ignorant l'ordre, le jeune Noir demanda à Madeline :

— Ça va, m'dame ?

— Oui, je...

— Tu entends, négro ? cria Cuffey.

Il avait déjà à moitié escaladé le remblai et menaçait l'autre esclave de son bâton.

— Tiens-toi tranquille pendant que je remercie cet homme, intervint Madeline. C'est toi qui as causé l'incident, pas lui.

Cuffey parut stupéfait puis fou de rage. Entendant ricaner derrière lui, il se retourna mais les visages noirs étaient impassibles. Il redescendit en beuglant de plus belle et les esclaves se remirent au travail tandis que Madeline disait au jeune Noir :

— Je t'ai déjà vu mais je ne connais pas ton nom.

— Andy, m'dame. Comme le président Jackson.

— Tu es né à Mont Royal ?

— Non, Mr. Tillet m'a acheté avant de mourir.

— Je te remercie de ta prompte intervention. Tu as évité un accident.

— Heureusement. Cuffey n'a pas le droit de...

Le Noir s'interrompit, soudain conscient de son audace. Madeline le remercia à nouveau et il sauta du remblai. Ivre de colère, Cuffey le fixait en se frappant la paume de son bâton. Andy soutint son regard et le contremaître finit par détourner les yeux en aboyant des ordres pour cacher son humiliation. « Mauvaise situation », pensa Madeline en poursuivant sa promenade — et ce furent les mots qu'elle employa lorsqu'elle rapporta l'incident à Orry. Le soir, celui-ci envoya un domestique au village des esclaves et, peu après, on frappa à la porte du bureau.

— Entre, Andy.

L'esclave franchit le seuil de la pièce. Pieds nus, il portait un pantalon en toile et une chemise reprisée décolorée par de trop nombreuses lessives. Orry l'avait toujours considéré comme un jeune gaillard de bon aloi, musclé et bien proportionné, sachant se montrer poli sans être servile.

— Assieds-toi, dit le planteur en montrant le vieux fauteuil à bascule placé près du bureau.

Ce traitement inattendu désarçonna le jeune Noir, qui s'assit avec précaution dans le fauteuil, sans le faire osciller.

— Tu as épargné à Miss Madeline un accident qui aurait pu être grave, je t'en remercie. Je vais te poser quelques questions sur les circonstances de l'événement et je veux des réponses franches. Tu n'as rien à craindre de personne.

— Le contremaître, vous voulez dire ? Je n'ai pas peur d'un nègre qui doit crier et bousculer les autres pour se faire obéir.

Le ton assuré confirma l'impression favorable d'Orry.

— Après qui Cuffey en avait-il ? D'après Miss Madeline, l'homme avait des cheveux gris.

— C'était Cicero.

— Cicero ! Il a près de soixante ans.

— Oui, m'sieur. Lui et Cuffey, ils se sont déjà accrochés. Aussitôt que la maîtresse est partie, Cuffey a juré qu'il ferait payer le vieux.

— Bon. Je voudrais te prouver ma reconnaissance de façon tangible...

Andy ne comprit pas le dernier mot mais n'en dit rien.

— Tu as un jardin ? poursuivit le maître. Tu fais pousser des légumes pour toi ?

— Oui, m'sieur. Cette année, j'aurai du gombo et des pois. J'élève aussi trois poules.

Orry ouvrit un tiroir du bureau, y prit quelques billets.

— Avec trois dollars, tu pourras t'acheter de bonnes semences et de nouveaux outils si tu en as besoin. Dis-moi ce que tu veux, je le ferai venir de Charleston.

— Merci, Mr. Orry. Je vais réfléchir.

— Tu sais lire et écrire, Andy ?

— Les nègres n'en ont pas le droit. Je risque le fouet si je vous dis oui.

— Pas ici. Alors ?

— Je ne sais ni lire ni écrire.

— Tu apprendrais si tu en avais la possibilité ?

Andy soupesa les dangers qui le menaçaient peut-être avant de répondre :

— Oui, m'sieur. Lire, compter, ça aide dans la vie... Si je suis affranchi un jour, j'en aurai besoin, ajouta l'esclave d'un ton hésitant.

Le planteur sourit pour calmer l'appréhension du Noir.

— C'est un point de vue fort sage. Je suis content de cette conversation. Je ne te connaissais pas bien et je pense que tu pourrais être utile à la plantation.

— Merci, dit Andy, les billets à la main. Pour ça aussi.

Orry hocha la tête, regarda le jeune homme musclé se diriger vers la porte. Certains planteurs auraient fait fouetter Andy pour cet aveu ; Orry, lui, eût voulu avoir une dizaine d'autres esclaves animés du même esprit d'initiative.

La nuit était tombée. Au loin, des crapauds poussaient des coassements semblables aux sons d'un tambour fêlé. En suivant des yeux l'esclave qui s'éloignait, le maître remarqua qu'il était de taille moyenne : c'était sa démarche — et son caractère — qui le faisaient paraître plus grand.

Le lendemain matin, Orry se rendit à cheval sur les lieux où travaillaient ses esclaves et n'y vit pas Cicero. Cuffey tempéra ses rodomontades pendant le passage du maître puis les reprit de plus belle. Orry poursuivit son chemin jusqu'aux cases, descendit de cheval devant celle de Cicero et de sa femme. Un enfant nu au visage rieur urinait contre un des montants de la porte. Entendant Orry le chasser, la femme de Cicero se précipita au-dehors.

— Où est ton mari, Missy ?

— A l'intérieur, Mr. Orry. Il, euh, il travaille pas aujourd'hui. Il est un peu malade.

— Je voudrais le voir.

La réponse de la vieille — chapelet de propos quasi incohérents se ramenant à un refus — lui confirma qu'il se passait quelque chose. Il écarta doucement Missy, entra dans la case propre et nue juste au moment où Cicero poussait un gémissement. Le vieux Noir était étendu sur un grabat, les bras sur le ventre, le visage grimaçant, du sang séché sur ses paupières baissées et décolorées, le front marbré de marques. Nul doute que Cuffey eût fait usage de son bâton.

— Je vais vous envoyer le docteur, Missy, dit le planteur en rejoignant l'esclave dehors. Je vais aussi régler cette affaire avant la fin de la journée.

Incapable de parler tant elle était secouée de sanglots, elle lui prit la main et la pressa.

Dans l'après-midi, bien qu'il fît étouffant, Orry alluma le poêle de son bureau avant de mander Cuffey. Le Noir entra, le bâton à la main — comme Orry l'avait prévu.

— C'est toi que j'aurais dû vendre au lieu de me séparer d'Anne. Donne-moi ça.

Il arracha le bâton de la main du Noir, ouvrit la porte du poêle et l'y jeta.

— Tu n'es plus contremaître, tu redeviens un esclave comme les autres. J'ai vu ce que tu as fait à Cicero sous je ne sais quel prétexte. Sors d'ici.

Le lendemain, une heure après le lever du soleil, Orry parla de nouveau à Andy dans son bureau.

— Je te nomme contremaître, déclara-t-il. C'est une grande marque de confiance : je te connais peu et les temps sont difficiles. Je sais que certains meurent d'envie de s'enfuir en territoire yankee. Il n'y aura pas de pardon pour quiconque essaiera de se sauver et sera repris. Je n'aime pas me montrer cruel mais je ne pardonnerai pas. Compris ?

Andy acquiesça d'un hochement de tête.

— Une dernière chose. Tu te rappelles que notre ancien régisseur, Salem Jones, que j'ai renvoyé pour vol, portait une badine. Cela avait sans doute impressionné Cuffey, qui a voulu l'imiter. J'aurais dû lui confisquer son bâton dès le premier jour. Porter un bâton est un signe de faiblesse, pas de force. Je ne veux pas en voir dans tes mains.

— Je n'en ai pas besoin, répondit Andy en regardant son maître dans les yeux.

C'est ainsi qu'Orry avait commencé à reconstruire son château en remplaçant la carte Cuffey par Andy. Il ne tarda pas à apprendre que la plupart des Noirs se réjouissaient du changement. Lui aussi était satisfait. Non seulement Andy avait l'esprit vif et assez de résistance pour travailler de longues heures, mais il avait l'art de mener les hommes. Ni faible ni brutal, il possédait une force intérieure qui lui donnait une totale assurance.

La confiance que le planteur avait placée en lui — sur une simple intuition — fit naître entre les deux hommes une estime mutuelle jamais exprimée mais bien réelle. Une ou deux fois, Orry avait entendu son père affirmer qu'il aimait certains de ses gens comme ses propres enfants et il commençait à comprendre ce que Tillet Main avait voulu dire.

Etendu à côté de Madeline, le maître de Mont Royal conclut que la situation était dans l'ensemble meilleure qu'une semaine plus tôt — même s'il fallait maintenant surveiller Cuffey de très près pour l'empêcher de répandre le mécontentement. Orry connaissait au moins une demi-douzaine d'esclaves qui prêteraient une oreille attentive aux propos de l'ancien contremaître. Toutefois, il pensait qu'Andy protégerait Madeline en cas d'ennuis s'il acceptait le poste de Richmond.

Une semaine plus tard, il reçut une lettre inattendue :

Chair Monsieur,

Ma couzine qui abite Charleston m'a montrait votre annonce demandant un régisseur. J'ai l'honeur de présenté ma candidature : Philemon Meek, âgé de soixante-quatre an mais en parfète santé et ayant une grande expérience...

— Expérience. Voilà un mot plutôt compliqué qu'il n'a pas estropié, dit Orry à Madeline en riant. A presque tous les autres il a fait une faute.

Ils se promenaient dans le jardin à la tombée de la nuit, en direction de la rivière.

— Prendrais-tu le risque d'engager un homme aussi peu instruit ? demanda Madeline.

— Oui, s'il avait l'expérience requise. Et la suite de la lettre semble l'indiquer. Il écrit que je recevrai des certificats signés de son ancien patron, un vieux veuf possédant une plantation de tabac près de Raleigh. Pas d'enfants, pas d'envie de maintenir le domaine. Meek aimerait l'acheter mais n'en a pas les moyens et la plantation sera divisée en petites fermes.

Ils atteignirent la jetée s'élançant dans les eaux lentes de la rivière. Sur l'autre rive, trois aigrettes se tenaient comme des statues dans l'eau peu profonde. Orry écrasa un moustique en se giflant le cou, les oiseaux s'enfuirent dans les ténèbres avec de grands battements d'ailes.

— Il y a un seul problème avec Mr. Meek, continua Orry en s'asseyant sur une vieille caisse. Il ne sera pas libre avant l'automne : il veut d'abord s'assurer que son employeur est bien installé chez la sœur qui doit l'accueillir.

— Ce genre d'attitude parle en sa faveur.

— Tout à fait, approuva le planteur. Je doute de pouvoir trouver quelqu'un de plus qualifié. Aussi vais-je lui écrire pour commencer à discuter de ses gages.

— Il a une femme, des enfants ?

— Ni l'un ni l'autre.

80

Madeline contempla en silence la surface lisse de l'eau, troublée de temps à autre par un insecte trop petit pour être vu.

— Je voulais justement connaître tes sentiments sur...

— Je veux des enfants, Madeline.

— Malgré ce que tu sais de ma mère?

— Ce que je sais de toi est plus important. Oui, je veux des enfants.

— J'en suis heureuse. Justin me croyait stérile mais j'ai toujours pensé que le problème venait de lui. Nous le saurons bientôt — j'ai peine à imaginer un couple s'attaquant à la question avec plus d'ardeur que nous ne l'avons fait.

Elle lui pressa le bras et ils éclatèrent de rire.

— Je suis très contente que ce Mr. Meek t'ait écrit, reprit Madeline. Même s'il t'est impossible de partir avant l'automne, tu peux toujours envoyer une lettre à Richmond pour accepter le poste.

— Je pense que oui.

— Alors, tu as pris une décision!

— Eh bien...

Sa façon même de laisser sa phrase en suspens constituait un aveu.

— Les moustiques deviennent féroces ici, se plaignit Madeline. Rentrons à la maison boire un verre de vin. Peut-être même trouverons-nous une autre manière de célébrer ta décision.

— Au lit?

— Oh! non, murmura Madeline en rougissant. Ce n'est pas ce que je voulais dire. Enfin, pas tout de suite.

— Comment, alors?

Incapable de retenir son sourire plus longtemps, elle suggéra:

— Je crois qu'il est temps de déballer le sabre que tu as si soigneusement caché en haut.

19

« Notre Rome », l'appelaient ses vieux habitants. Jeune fille, Mrs. James Huntoon avait préféré l'étude des garçons à celle des villes anciennes mais le peu de connaissances sur l'antiquité qu'on lui avait inculqué de force la mettait à même de ne voir dans cette comparaison qu'une preuve supplémentaire de la vanité virginienne. Cette arrogance imprégnait Richmond et dressait des barrières devant ceux qui venaient d'autres Etats. Au cours de la première réception privée à laquelle Ashton et son mari avaient été invités — afin d'examiner leurs personnes et leurs pedigrees, elle en était sûre — une femme aux cheveux blancs (« quelqu'un », de toute évidence) l'avait entendue déclarer avec irritation qu'elle ne comprenait tout simplement pas le caractère virginien.

La dame l'avait gratifiée d'un sourire au vitriol.

— C'est que nous ne sommes ni Yankees ni Sudistes — le Sud désignant ici des Etats ayant une forte population de planteurs de coton parvenus. Nous sommes Virginiens. Aucun autre adjectif ne suffit à nous définir, aucun autre mot n'en dit autant sur nous.

Ayant ainsi fustigé l'ignorance, la dame s'éloigna d'une démarche majestueuse. Ashton, qui bouillait de colère, se dit qu'elle venait de passer le moment le plus pénible de la soirée. Elle se trompait. Mary Chestnut, Sud-Carolinienne à la langue acérée occupant une place de choix dans l'entourage de Mrs. Davis, la salua vaguement sans s'arrêter pour lui parler. Ashton craignit que la rumeur de sa complicité dans la tentative d'assassinat de Billy Hazard ne les eût suivis, en Virginie, elle et son mari James Huntoon.

Elle avait donc connu deux échecs en une seule soirée, mais il y aurait d'autres réceptions, et elle était résolue à vaincre. Bien qu'elle n'eût que mépris pour les gentlemen bien nés qui dirigeaient la Confédération — et pour leurs épouses, qui régnaient sur la société de Richmond — ils détenaient le pouvoir. Pour Ashton, il n'y avait pas d'aphrodisiaque plus puissant.

Comme Rome, Richmond avait des collines mais, comparée à la cité antique, la ville était fort petite. Même avec les quémandeurs de poste, les fonctionnaires et la racaille qui y affluaient, la population ne dépassait pas quarante mille habitants. Richmond avait aussi son Tibre : le James, qui serpentait vers le sud puis vers l'est avant de se jeter dans l'Atlantique. Mais, sans aucun doute, l'air qu'on respirait sur le Capitolin avait une odeur plus raffinée que celle du tabac. Richmond empestait le tabac ; on se serait cru dans un entrepôt.

Pendant un mois et demi, la Confédération avait eu Montgomery pour capitale puis le Congrès avait voté un transfert en Virginie, non sans discussion. Richmond est trop près des lignes yankees, arguèrent les adversaires du changement. Mais le vote leur donna tort, comme la logique : Richmond, centre du Sud pour les transports et l'armement, devait être défendue, que le gouvernement s'y installe ou non.

Les vieux habitants de la ville vantaient ses belles maisons anciennes, ses églises, mais ne parlaient jamais des quartiers mal famés. Ils s'enorgueillissaient de ses familles de vieille souche mais ignoraient les créatures aviles des deux sexes qui déambulaient l'après-midi sur les trottoirs ombragés de Capitol Square pour s'y vendre. On disait que les femmes, coriaces et rarement jeunes, étaient venues de Baltimore et même de New York en quête des possibilités qu'une capitale offre en temps de guerre. Dieu seul savait de quel égout leurs homologues masculins étaient sortis.

« Notre Rome », avec les Goths de Caroline et les Vandales de l'Alabama déjà à l'intérieur des murailles. Même le président provisoire — qui attendait encore confirmation officielle de son mandat de six ans — était considéré comme un primitif du Mississippi. Davis avait en outre le malheur d'être né dans le Kentucky, l'Etat même qui avait donné au monde l'incarnation suprême de la vulgarité sur terre : Abe Lincoln.

Bien que satisfaite de vivre près du pouvoir, Ashton n'était pas heureuse. Bien qu'habile avocat et sécessionniste farouche, son mari n'avait pu trouver mieux qu'un poste de collaborateur d'un des premiers assistants du ministre des Finances. C'était en conformité avec le mépris que le nouveau gouvernement témoignait aux Sud-Caroliniens. Très peu d'hommes de l'Etat au palmier nain * occupaient de hautes fonctions car on les jugeait extrémistes. L'exception, le ministre des Finances Memminger, n'était pas né en Caroline. Fils de quelque obscur soldat allemand, il avait été élevé à Charleston dans un orphelinat. Il n'avait jamais passé pour un « cracheur de feu » et c'était le seul Carolinien que Jeff Davis considérait comme digne de confiance.

Ashton et James Huntoon vivaient à l'étroit dans une chambre d'une des pensions proliférant dans Main Street. Cela aussi déplaisait à la

* Le palmier nain est l'emblème de la Caroline du Sud (n.d.t.).

jeune femme. Ils finiraient bien par trouver un logement adéquat mais attendre l'exaspérait d'autant plus qu'elle était contrainte de dormir dans le même lit que son époux. Il la laissait toujours insatisfaite les rares fois où elle lui permettait de la tripoter, de la fourgonner avec son instrument flasque en soupirant.

Richmond était une vieille pièce de monnaie ternie mais rare et précieuse à certains égards. On y trouvait des gens importants à cultiver, des occasions lucratives à saisir — ainsi qu'un bon nombre d'hommes séduisants, avec ou sans uniforme. D'une façon ou d'une autre, Ashton tirerait parti de toutes ces possibilités — et peut-être ce soir même, pour notre première réception officielle, pensait-elle en finissant de s'habiller.

La sœur d'Orry Main était une belle jeune femme aux formes pleines possédant l'art inné d'utiliser ses avantages. Elle avait insisté pour qu'ils louent un attelage afin de faire bonne impression dès leur arrivée, mais James avait répondu en geignant qu'ils n'en avaient pas les moyens. Elle l'avait laissé faire usage trois minutes de ses droits maritaux et il avait changé d'avis. Quel plaisir elle éprouva quand il l'aida à descendre de voiture devant le *Spotswood Hotel* et qu'elle entendit les murmures approbateurs des badauds !

Bien qu'il fît très chaud en cette soirée de juillet, Ashton portait tout l'attirail que la mode imposait à une femme élégante, à commencer par les quatre cerceaux d'acier gainés de tissu. Tous, sauf celui du haut, avaient une ouverture sur le devant pour faciliter la marche.

Par-dessus les cerceaux, des jupons, puis sa plus belle robe en soie, d'une couleur pêche faisant ressortir les paillettes de jais du filet retenant sa chevelure et les rubans de velours noir enserrant ses poignets. Les femmes à la mode portaient des cascades de bijoux, mais les revenus de son mari limitaient Ashton à une paire de gouttes d'onyx noir pendant à ses oreilles au bout de petits anneaux d'or. Elle comptait sur la façon dont elle avait coiffé ses cheveux noirs et sur sa beauté sensuelle pour attirer l'attention.

— Maintenant, écoute-moi, chéri, dit-elle à son mari tandis qu'ils traversaient le hall de l'hôtel en cherchant le Salon 83. Laisse-moi aller et venir à ma guise et fais de même de ton côté. Nous rencontrerons deux fois plus de gens si tu ne t'accroches pas constamment à moi.

— Oh ! je n'en ai pas l'intention, répliqua Huntoon.

Il avait pris ce ton vertueux qui lui avait souvent fait perdre des amis et avait nui à sa carrière. De six ans plus âgé que sa femme, James était un homme ventru au teint pâle, imbu de ses opinions.

— Par là — ce couloir, continua-t-il. J'aimerais que tu cesses de me traiter comme un gamin faible d'esprit.

Le cœur d'Ashton se mit à battre plus vite lorsqu'elle vit les portes ouvertes du Salon 83, où le président Davis donnait régulièrement des réceptions — il n'avait pas encore de résidence officielle. Elle entrevit des femmes en robe du soir bavardant avec des hommes en uniforme ou en habit. Le sourire en place, elle murmura à James :

— Conduis-toi en homme et je le ferai peut-être. Si tu gâches cette soirée, je te tue... Ah ! Mrs. Johnston !

La femme qui se trouvait devant eux et s'apprêtait à entrer tourna la tête.

— Oui ? fit-elle avec une expression polie mais intriguée.

— Asthon Huntoon. Puis-je vous présenter mon mari, James ?

James, voici la femme d'un de nos éminents généraux commandant le front d'Alexandria. James est aux Finances, Mrs. Johnston.

— Un poste des plus importants. Ravie de vous avoir vus, assura la générale avant de passer dans la salle.

Ashton se félicita de lui avoir parlé dans le couloir : Joe Johnston était l'officier le plus élevé en grade sur le front d'Alexandria — celui qui captivait tout le monde — mais son épouse ne faisait pas partie des intimes de Mrs. Davis.

— Je ne pense pas qu'elle t'ait reconnue, chuchota Huntoon.

— Comment l'aurait-elle pu, nous ne nous sommes jamais rencontrées !

— Quel aplomb tu as ! dit-il d'un ton d'admiration et de reproche.

— Cela compense ton caractère timoré, susurra Ashton. Oh ! regarde, ils sont là tous les deux : Johnston et Bory.

Emportée par le plaisir inattendu qu'elle éprouvait, la jeune femme s'avança dans la foule, hochant la tête, souriant à des gens qu'elle ne connaissait absolument pas. Au fond de la salle bondée, elle repéra le président et Varina Davis, très entourés.

Memminger accueillit les Huntoon, conduisit Ashton au buffet puis la présenta sur sa demande à l'officier que tout le monde voulait rencontrer, petit homme sec et nerveux, au teint plombé et aux yeux mélancoliques, aux traits indiquant sans contredit des origines françaises. Le général Beauregard se pencha sur la main gantée, la baisa.

— Votre mari a trouvé un trésor, madame, déclara Bory. Vous êtes plus belle que le jour, ajouta-t-il en français. Enchanté !

Le regard d'Ashton parut désapprouver la flatterie tout en en reconnaissant le bien-fondé : les femmes de Caroline connaissaient sur le bout des ongles l'art de la coquetterie.

— Tout l'honneur est pour moi, général. Etre présentée à notre nouveau Napoléon, celui à qui la Confédération doit sa première victoire, c'est, je le sais, le point culminant de ma soirée.

Ravi, le général créole fit une courbette et s'éclipsa : d'autres admirateurs attendaient.

De son côté, Huntoon promenait sur l'assistance un regard anxieux en se demandant si quelqu'un avait entendu Ashton. Etait-elle donc stupide au point d'ignorer que le point culminant de la soirée, c'était être présenté au président et à Mrs. Davis ? James Huntoon passait le plus clair de son temps à plonger dans les affres de la terreur pour de telles vétilles.

Son examen de la foule des invités suscita bientôt en lui un nouveau sentiment : la colère.

— Rien que des petits paons de West Point et des étrangers, grommela-t-il. Diable ! le juif nous a repérés. Par ici, Ashton.

Il tira sa femme par le coude mais elle se dégagea et, d'un signe de tête, lui signifia d'aller frayer ailleurs. Ainsi libérée, elle salua le petit homme replet s'approchant avec un sourire jovial, la main tendue.

— Mrs. Huntoon, n'est-ce pas ? Judah Benjamin. Je vous ai vue une ou deux fois au ministère des Finances. Votre mari y travaille, je crois.

— En effet, Mr. Benjamin, mais je m'étonne que vous m'ayez remarquée.

— Je n'offenserai pas ma femme, actuellement à Paris, en disant qu'il faut ne pas vous voir pour ne pas vous remarquer.

— Quel compliment bien tourné ! Mais j'ai entendu dire que notre ministre de la Justice est connu pour savoir trousser le madrigal.

Benjamin se mit à rire et Ashton le trouva sympathique — en partie parce qu'il déplaisait à son mari. Déjà la politique du président suscitait une vive opposition et l'on reprochait en particulier à Davis de favoriser la présence au gouvernement de juifs ou d' « étrangers ». Le ministre Benjamin, qui dirigeait un système judiciaire non existant, était l'un et l'autre.

Né à St. Croix, il avait grandi à Charleston et avait été renvoyé de Yale pour un motif resté secret mais qu'on disait scandaleux. Juriste, il était passé aisément du Sénat des Etats-Unis, où il représentait la Louisiane, à la Confédération. Ses adversaires le traitaient de politicien d'appareil minable et opportuniste — entre autres choses.

Le ministre escorta Ashton jusqu'au buffet, disposa quelques friandises sur une assiette qu'il lui tendit. La jeune femme vit James, qui se rapprochait du président, lui lancer des regards furibonds. Elle en fut ravie.

— Un buffet copieux mais pas de première qualité, commenta Benjamin. Un de ces soirs, vous viendrez avec votre mari goûter mes canapés préférés : du pain blanc à la bonne farine de Richmond avec de la pâte d'anchois. Je les accompagne de xérès que j'importe par fût.

— Comment pouvez-vous le faire venir d'Espagne avec le blocus ?

— Oh ! je me débrouille, répondit Benjamin avec un sourire innocent. Vous viendrez ?

— Bien sûr, mentit-elle, sûre que James refuserait l'invitation.

Il lui demanda son adresse et elle la lui donna de mauvaise grâce. Il l'avait sans nul doute située dans le quartier des pensions de famille mais cela ne réduisit en rien son amabilité puisqu'il promit de lui envoyer bientôt un bristol. Le ministre alla ensuite faire sa cour au général et à Mrs Johnston, qui se tenaient seuls dans un coin, mécontents de leur solitude et de la foule se pressant autour du Vieux Bory.

Asthon songea à suivre Benjamin mais y renonça en voyant Mrs. Davis s'avancer vers le ministre de la Justice et les Johnston. Elle ne se sentait pas le culot de se joindre à un groupe aussi impressionnant. Pas encore.

Elle considéra la présidente. Deuxième épouse de Davis, Varina était une belle femme de trente-cinq ans environ qui attendait un nouvel enfant. On la disait franche, sans artifice, n'hésitant pas à donner son opinion sur des questions publiques. Ce n'était pas là une conduite habituelle pour une femme du Sud et Ashton savait que Mrs. Johnston avait traité la première dame de « beauté de l'Ouest » — ce qui, dans sa bouche, n'était pas un compliment. Pourtant, Ashton aurait donné n'importe quoi pour lui être présentée.

Elle eut l'agréable surprise de constater qu'elle avait une bien meilleure chance de rencontrer le président lui-même, avec qui James avait réussi à entrer en conversation. Ashton se lança au milieu des épaules chamarrées des hommes et de celles parfumées des femmes.

Elle passa près de trois officiers qui en accueillaient un quatrième, homme d'allure fougueuse, propriétaire de splendides moustaches et de cheveux bouclés enduits d'une pommade presque aussi forte que le parfum d'Ashton.

— La Californie est bien loin d'ici, colonel Pickett, lui dit un des militaires. Nous sommes heureux que vous ayez fait le voyage sans encombre. Bienvenue à Richmond et dans le camp des justes.

L'officier à qui s'adressaient ces paroles remarqua la jeune femme et la gratifia d'un sourire galant, légèrement flirteur. Puis il fronça les sourcils, comme s'il cherchait à se rappeler où il l'avait vue. L'un des camarades de promotion d'Orry s'appelait Pickett. Etait-ce le même homme ? Avait-il trouvé une ressemblance entre Ashton et son frère ? Elle s'éloigna rapidement : elle n'avait aucune envie de parler de celui qui l'avait chassée de la maison familiale.

La voyant approcher, James tourna le dos. Le salaud, il ne voulait pas la présenter, il la punissait d'avoir bavardé avec le petit juif. Il le lui paierait.

Ashton chercha un visage familier, finit par en trouver un et imposa sa compagnie à Mary Chestnut. Cette dernière se montra ce soir-là plus amicale et encline aux commérages.

— Tout le monde déplore l'absence inexpliquée du général et de Mrs. Lee. Une scène de ménage, à votre avis ? Je sais, c'est un couple modèle. On dit qu'il ne jure jamais et ne perd jamais son calme. Mais même un homme d'une aussi grande rigueur morale doit bien se laisser aller de temps en temps, non ? S'il était ici, nous aurions probablement une réunion d'anciens de West Point impromptu. Pauvre vieux Bob ! La presse yankee s'est déchaînée contre lui quand il a démissionné pour rejoindre notre camp.

— Oui, je sais, dit Ashton.

On racontait que Mrs. Chestnut tenait un journal et qu'il fallait parler prudemment en sa présence.

— On aurait pu croire que cela le rendrait populaire parmi nos soldats, reprit Mary Chestnut.

— Et ce n'est pas le cas ?

— Non. Les premières classes et les caporaux de bonne famille l'ont surnommé le Roi des piques parce qu'il les envoie creuser des trous et suer comme des valets de ferme.

Ecoutant avec un intérêt feint, Ashton n'avait pas manqué de remarquer un homme grand et bien fait vêtu de velours bleu qui l'observait du buffet. L'inconnu laissa son regard descendre jusqu'à la soie couleur pêche épousant ses seins. Ashton attendit que ses yeux croisent à nouveau les siens avant de tourner la tête puis abandonna Mary Chestnut pour se rapprocher de James et du président.

Jefferson Davis paraissait quelques années de moins que ses cinquante et un ans, impression que contribuaient à créer son port militaire, sa minceur et sa chevelure abondante. Portée longue sur la nuque, elle ne montrait presque aucun cheveu blanc, et les touffes de ses favoris pas davantage.

— Mais Mr. Huntoon, disait-il, je soutiens qu'un gouvernement central doit prendre certaines mesures dictées par la guerre. La conscription, par exemple.

Aux deux hommes s'était joint Toombs, le secrétaire d'Etat, qui passait pour insatisfait et semait déjà le mécontentement au sein du gouvernement. Il critiquait en particulier West Point parce que Davis, de la promotion 1828, plaçait une grande confiance en certains de ses diplômés.

— Vous voulez dire que vous la décréteriez, demanda Huntoon, qui avait des opinions tranchées sur la question et se réjouissait de cette occasion de les faire connaître.

— Si cela devenait nécessaire, je le recommanderais instamment, oui.

— Vous ordonneriez la levée des troupes dans les divers Etats, comme l'a fait ce babouin, ami des nègres ?

Davis prit une expression ennuyée en soupirant.

— Mr. Lincoln a demandé des volontaires, rien de plus. Nous avons fait de même. Dans les deux camps, la conscription demeure pour le moment une hypothèse purement théorique.

— Mais je déclare, monsieur le président, avec tout le respect dû à votre personne et à vos fonctions, que cette hypothèse ne doit jamais devenir réalité. Elle est contraire à la doctrine de suprématie des Etats. S'ils sont contraints d'abandonner cette suprématie à un pouvoir central, nous aurons le même cirque qu'à Washington.

Les yeux gris du président étincelèrent et le gauche, presque aveugle, parut aussi chargé de colère que le droit. Huntoon avait entendu parler de l'irascibilité de Davis, qui prenait tout désaccord pour une attaque personnelle et réagissait en conséquence.

— Quoi qu'il en soit, Mr. Huntoon, ma responsabilité est claire. J'ai le devoir de rendre cette nouvelle nation viable et d'assurer sa victoire.

Egalement prompt à s'enflammer, Huntoon répliqua :

— Jusqu'où irez-vous, alors ? J'ai entendu dire que certains membres de la clique de West Point suggèrent que nous enrôlions des nègres afin qu'ils se battent pour nous. Vous feriez cela ?

Davis balaya l'idée d'un éclat de rire et Toombs s'exclama :

— Jamais. Le jour où la Confédération permettra à un moricaud d'entrer dans les rangs de son armée, ce sera pour elle la dégradation, la ruine et la honte.

— Je suis de cet avis, approuva sèchement Huntoon. Quant à la conscription...

— Simple hypothèse, coupa Davis, j'ai l'espoir d'obtenir la reconnaissance de notre gouvernement sans trop d'effusion de sang. Constitutionnellement, nous étions parfaitement en droit d'agir comme nous l'avons fait. Je ne me conduirai pas et je ne conduirai pas la guerre comme si nous avions tort. Néanmoins, un gouvernement central doit être plus fort que les parties qui le constituent, sinon...

— Non, monsieur le président, interrompit Huntoon. Les Etats ne le toléreront jamais.

— En ce cas, Mr. Huntoon, la Confédération ne durera pas un an. Il faut choisir entre la doctrine du droit des Etats, intouchable et scrupuleusement appliquée, et un nouveau pays. On ne peut avoir les deux sans quelque compromis. A vous de choisir.

Etourdi de colère, Huntoon bredouilla :

— Je choisis de ne pas m'associer à des visées autocratiques, monsieur le président. En outre...

— Si vous voulez bien m'excuser.

Les joues empourprées, Davis tourna les talons et s'éloigna, suivi de Toombs.

Huntoon écumait de rage. Si le président était en désaccord avec des principes fondamentaux, qu'il aille au diable ! Ce n'était décidément pas l'homme qu'il fallait. Il se contentait d'approuver en paroles les idéaux de Calhoun et des autres grands hommes politiques qui avaient essuyé pendant une génération les calomnies du Nord et s'étaient usés à combattre pour le droit de chacun à posséder ce que bon lui semblait. Huntoon se félicitait d'avoir déclaré à Davis que...

— *Espèce d'imbécile, de gaffeur...*

— Ashton !

— Je n'arrive pas à y croire. Au lieu de le flatter, tu as débité des boniments politiques.

Ecarlate, il la saisit par le poignet, pressant de ses doigts moites le ruban de velours.

— On dit qu'il se comporte en dictateur et j'ai voulu le confirmer. J'ai exprimé ma conviction profonde que...

Elle se rapprocha de lui, son sourire le plus suave aux lèvres.

— Ta conviction profonde, je la conchie. Au lieu de me présenter pour que je puisse t'aider à te tirer d'une situation délicate, tu as péroré à tort et à travers, tu as sonné le glas de ta minable carrière.

Ashton se retourna brusquement et se dirigea vers le buffet, les larmes aux yeux. « L'idiot, il a tout gâché ! » Sa colère fit bientôt place à un sentiment de dépression. La soirée s'acheminait vers sa fin ; déjà de nombreux invités commençaient à partir. Les mains crispées sur son verre de punch, elle aurait voulu disparaître dans le parquet et mourir. Elle était venue à Richmond chercher le pouvoir dont elle avait toujours rêvé et, en quelques phrases, James s'était condamné à ne jamais le conquérir pour elle.

Très bien — elle trouverait quelqu'un d'autre. Quelqu'un qui l'aiderait à s'élever. Un allié intellectuel, ou mieux, un homme sur qui elle pourrait utiliser certains talents qu'elle savait avoir. Un homme plus intelligent et plus adroit que James, plus attaché à la réussite et capable de l'obtenir.

En moins d'une minute, Ashton prit une décision dans le Salon 83 du *Spotswood*. Huntoon n'avait jamais vraiment été un mari pour elle — sa boîte à souvenirs spéciaux en témoignait. Dorénavant, il ne serait plus son mari que de nom. Et peut-être encore moins si elle lui trouvait un remplaçant adéquat.

Ashton posa son verre et, de nouveau souriante, demanda au Noir officiant derrière le buffet :

— Pourrais-je avoir du champagne ? Je ne supporte pas le punch éventé.

L'homme en habit de velours bleu éteignit son long cigare dans une urne de sable. Après avoir posé quelques questions pour être sûr de son fait, il se dirigea avec nonchalance vers sa cible : le lourdaud à lunettes qui venait d'avoir une sombre dispute avec sa femme.

Il avait environ trente-cinq ans, un corps musclé, des mains délicates. Bien qu'il se déplaçât avec grâce et portât l'habit avec élégance, il émanait de lui une certaine grossièreté, due en partie aux marques de variole de son visage. Ses cheveux lisses, légèrement pommadés, mêlant le gris au châtain foncé, lui descendaient sur la nuque comme ceux du président Davis.

Il s'approcha de Huntoon qui, bouleversé, perdu, essuyait interminablement ses lunettes avec un mouchoir humide.

— Bonsoir, Mr. Huntoon.

La voix profonde fit sursauter l'avocat, qui bafouilla :

— Bonsoir. Vous avez un avantage sur moi...

— C'est exact. Quelqu'un m'a appris votre nom. Vous appartenez à une vieille famille bien connue dans notre partie du monde, si je puis dire.

Huntoon se demanda ce que voulait cet individu. Lui proposer un investissement, peut-être ? Là, il n'avait aucune chance : Ashton contrôlait le peu d'argent qu'ils possédaient, les quarante mille dollars de sa dot.

— Etes-vous de Caroline du Sud, Mr... ?

— Powell. Lamar Hugh Augustus Powell. Lamar pour les amis. Non, monsieur, je ne suis pas de votre Etat mais d'à côté. Ma mère est de Georgie, d'une famille de planteurs de coton, près de Valdosta. Mon père était anglais. Il a épousé ma mère à Nassau, où j'ai grandi et où il a exercé le métier d'avocat jusqu'à sa mort, survenue il y a quelques années.

— Les Bahamas. Voilà l'explication...

L'effort que fit Huntoon pour sourire et se montrer engageant parut tout à fait ridicule à Powell. Cet imbécile ne poserait aucun problème. Mais où donc était passée... ?

Ah !... Sans tourner la tête, Powell vit du coin de l'œil s'approcher une tache de couleur.

— L'explication de quoi ?

— De votre façon de parler. J'avais cru reconnaître l'accent de Charleston — mais pas tout à fait.

Pendant un moment, Huntoon ne trouva rien d'autre à dire puis, en désespoir de cause, finit par déclarer :

— Belle réception...

— Je ne me suis pas présenté à vous afin de discuter de la soirée, répondit Powell.

Huntoon se sentit piqué et son sourire se crispa.

— Pour être franc, reprit l'homme en bleu, je constitue un petit groupe en vue de financer un projet confidentiel qui pourrait se révéler extrêmement lucratif.

Le mari d'Asthon cligna des yeux.

— Vous parlez d'un investissement ?

— Dans les transports maritimes. Ce satané blocus offre des occasions fantastiques aux hommes qui ont la volonté et les moyens de les saisir.

Lamar Powell se pencha un peu plus vers Huntoon.

Après toutes les déceptions que la soirée avait apportées, Ashton prit enfin quelque plaisir à regarder le séduisant inconnu qui parlait à son mari. Comme James paraissait lamentable à côté de lui ! L'homme était-il aussi prospère que les apparences le suggéraient ? Aussi viril ?

Elle se dirigea vers eux et Huntoon, après l'avoir punie, était prêt maintenant à se montrer aimable.

— Ma chérie, puis-je te présenter Mr. Lamar Powell, de Valdosta et des Bahamas ? Mr. Powell, ma femme, Ashton.

En faisant ces présentations, Huntoon commit l'une des plus grandes erreurs de sa vie.

20

Charles attacha le bai d'Ambrose Pell en haut de la barrière. Une pluie fine mouillait son uniforme, le crâne chauve du fermier et la robe grise du cheval qu'il était venu voir.

— Un gris ? dit le capitaine. Seuls les musiciens montent des chevaux gris.

— C'est sûrement pour ça que j' l'ai encore, répondit le fermier. J'ai vendu toutes les aut' bêtes rapides que j'avais. Mais si vous voulez savoir, j'aime pas faire affaire avec vous aut', de la cavalerie. Il y en a deux qui sont passés ici la semaine dernière avec des papiers comme quoi ils étaient de l'intendance.

— Combien de poulets vous ont-ils volés ?

— Ah ! vous les connaissez ?

— Non, mais je sais comment certains d'entre eux opèrent.

Le vol, caché sous l'appellation officielle d' « aller au fourrage » contribuait à la mauvaise réputation que la cavalerie avait déjà acquise, tout comme l'opinion largement répandue que les soldats montés se serviraient de leur cheval pour fuir la bataille. Il y avait une chance sur deux pour que les hommes qui s'étaient présentés à la ferme aient fabriqué eux-mêmes les papiers qu'ils avaient présentés.

— Pour en revenir au cheval...

— J' vous ai dit le prix.

— C'est trop cher mais je suis prêt à l'acheter quand même s'il est bon.

Charles en doutait. Le hongre de deux ans était un animal quelconque, petit — une quinzaine de mains de haut — et ne pesant pas un millier de livres. Il avait les palerons et les paturons d'une bête rapide, mais les gris faisaient rarement de bons chevaux de selle.

— Faut que vous trouviez vous-même vot' remonte, hein ?

— Oui. Cela fait deux semaines que je n'ai plus de monture et que je cherche un cheval.

— On vous donne rien pour compenser que c'est vous qui fournissez vot' bête ?

— Quarante *cents* par jour, l'avoine, les fers et les services d'un maréchal-ferrant, si vous en trouvez un à jeun.

C'était une politique stupide, sans doute inventée par un fonctionnaire qui n'avait jamais monté rien de plus vif que le cheval à bascule de son enfance. Plus Charles se familiarisait avec la vie de camp, les nouvelles recrues, les règles militaires, plus il se demandait si l'armée de la Confédération relevait du comique ou du tragique. Des deux, probablement.

— Comment il est mort, vot' aut' cheval ?

Curieux, le vieux ronchon.

— Maladie.

Fringante avait succombé onze jours après que Charles eut décelé les premiers symptômes du mal. L'officier voyait encore le bai étendu par terre, les yeux tristes, sous toutes les couvertures qu'il avait pu acheter ou emprunter. Si elles masquaient les affreux abcès, elles ne pouvaient cacher les jambes gonflées ni la puanteur du pus crémeux coulant des lésions. Il aurait dû l'abattre mais n'avait pu s'y résoudre.

— La gourme, c'est une sale fin pour une bonne bête, marmonna le fermier.

— Je préfère ne pas en parler, dit Charles, pressé de conclure l'affaire. Pourquoi n'avez-vous pas déjà vendu le gris ? Il est trop cher ?

— Naan. Comme vous disiez, il y a que ceux de la fanfare qui veulent des gris.

— On ne trouve pas beaucoup de chevaux à vendre dans ce coin de Virginie, fit observer Charles. Qu'est-ce qu'il a ? Il est dressé, au moins ?

— Oh ! pour sûr. C'est mon cousin qui s'en est occupé. Je vais êt' franc avec vous, soldat...

— Capitaine.

— C'est une bonne petite bête, rapide, mais elle a quèque chose qui plaît pas. Deux aut' types avant vous l'ont regardée, ils en ont pas voulu. C'est p'têt parce qu'elle vient de Floride.

Aussitôt Charles dressa l'oreille.

— Il a du sang chickasaw ?

— J'ai rien pour le prouver, mais c'est ce que dit le cousin.

Alors le gris était peut-être une trouvaille. Les meilleurs chevaux de Caroline conjuguaient les qualités des pur-sang anglais et des mustangs de Floride. Charles se dit qu'il aurait dû deviner les origines chickasaw du hongre gris en le voyant folâtrer dans le pré.

— Il est difficile à monter ?

— Ça, y en a qui l'ont trouvé pas facile, répondit le fermier d'un ton impatient.

L'homme en avait assez des questions, et son air bougon invitait l'officier à se décider vite, dans un sens ou dans un autre.

— Il a un nom ?

— Le cousin l'appelait Joueur.

— Ça peut vouloir dire qu'il est vif — ou indocile...

— Je lui ai pas demandé, grogna le fermier. (Il se pencha en avant, cracha un jet de salive dans l'herbe.) Bon, vous le voulez ou pas ?

— Mettez-lui ce harnais et amenez-le ici, répondit Charles en ôtant ses éperons.

Le fermier entra dans le pré et Charles remarqua que Joueur avait essayé deux fois de mordre son propriétaire pendant qu'il le harnachait. Mais l'animal suivit ensuite docilement l'homme lorsqu'il le conduisit à la barrière.

Le capitaine Main s'approcha du bai d'Ambrose Pell, tira son fusil de la gaine de peau qu'il avait coupée et assemblée lui-même. Il vérifia rapidement l'arme sous le regard inquiet du fermier.

— Vous voulez faire quoi ?

— Le monter à ma manière.

— Sans selle, sans couverture ? Où vous avez appris ça ?

— Au Texas.

— Mais ce fusil...

— S'il a peur des détonations, il ne me servira à rien. Approchez-le encore.

Charles grimpa sur la barrière et se laissa retomber sur le hongre le plus doucement qu'il put. Il enroula la bride autour de sa main droite et sentit que l'animal commençait à résister. Il leva son arme, tira les deux coups en l'air. Le cheval ne se cabra pas mais se mit à galoper, droit vers l'autre barrière située au bout du pré.

Charles perdit son képi. Le visage giflé par la pluie, il voyait la barrière se précipiter vers lui. « S'il ne saute pas, je me brise le cou. » La crinière flottant au-dessus de son cou long et mince, Joueur passa l'obstacle sans même tutoyer le barreau supérieur. Avec un éclat de rire, le cavalier laissa aller la bête, qui partit dans un des galops les plus effrénés qu'il eût connus. Sur l'herbe. A travers un verger — et Charles baissa la tête plusieurs fois pour éviter des branches basses. En haut d'une colline puis dans l'eau froide d'un cours d'eau. Il vint à l'esprit de Charles que ce n'était pas lui qui essayait le hongre mais le hongre qui le mettait à l'épreuve.

Le capitaine Main rit à nouveau. Dans ce petit animal sans beauté, d'une couleur peu recherchée, il avait trouvé un remarquable cheval de guerre.

— Je le prends, annonça-t-il en retournant auprès du fermier. (Il tira de sa poche quelques billets.) Vous avez dit cent...

— Pendant que vous le faisiez gambader, j'ai décidé que je pouvais pas le laisser à moins de cent cinquante.

— Vous avez dit cent, c'est tout ce que vous aurez, répliqua Charles en relevant le canon de son fusil de chasse.

L'affaire fut conclue sans autre marchandage.

— Charlie, vous vous êtes fait avoir, déclara Ambrose Pell cinq minutes après le retour de Charles au camp avec le cheval gris. Le premier imbécile venu verrait que cette bête n'a rien qui la recommande.

— Les apparences sont parfois trompeuses, dit Charles en passant la main sur les naseaux légèrement incurvés de Joueur. En outre, je crois que je lui plais.

— Et cette couleur ! insista le lieutenant. Tout le monde vous prendra pour un joueur de cornet, pas pour un gentleman.

— Je ne suis pas un gentleman. J'ai cessé d'essayer d'en être un à sept ans. Merci de m'avoir prêté votre cheval. A présent, je vais donner à manger au mien.

— Laissez mon nègre s'en charger.

— Toby est votre domestique, pas le mien. De plus, depuis mon passage à West Point, j'ai cette idée curieuse qu'un soldat doit s'occuper lui-même de sa monture. C'est un autre lui-même, comme on dit.

— Je subodore une désapprobation. Quel mal y a-t-il à faire venir un esclave au camp ?

— Aucun — jusqu'à ce que le combat commence. Personne ne se battra à votre place.

Irrité par la remarque, Pell garda un moment le silence.

— A propos, Hampton veut vous voir, finit-il par marmonner.

— Pour quelle raison ?

— Sais pas. Le colonel ne me fait pas de confidences, peut-être parce qu'il trouve que je ne ressemble pas assez à un militaire de carrière. Oh ! je ne le nie pas. Je me suis engagé uniquement parce que j'aime monter à cheval et que je déteste les Yankees. Et aussi parce que je ne voulais pas qu'on dépose une nuit un jupon devant ma porte pour me traiter d'embusqué... Vous vous souvenez que nous dînons avec ce bon vieux prince, ce soir ?

— Merci de me le rappeler. Je l'avais oublié.

— Dites à Hampton de ne pas vous garder trop longtemps : Son Altesse compte sur notre exactitude.

Charles sourit en emmenant Joueur.

— C'est vrai que, dans cette armée, les dîners fins passent avant le service. Je ne manquerai pas de le rappeler au colonel.

Bien que le camp de Hampton fût le bivouac d'un régiment d'élite, il n'échappait pas aux maux affligeant habituellement ce genre d'endroit, comme Charles le constata trois quarts d'heure plus tard en se rendant au quartier général. Il vit des excréments humains laissés sur le sol et non dans les fosses creusées à cet effet. L'odeur en était d'autant plus pénétrante qu'il n'y avait pas de vent en cette fin d'après-midi.

Il vit tituber deux soldats ivres de l'abominable tord-boyaux vendu par l'inévitable cantinier dans son inévitable tente. Il vit trois femmes à la mise criarde qui n'étaient ni des lavandières ni des épouses d'officiers. Bien que n'ayant pas couché avec une femme depuis des mois, Charles ne se résolvait pas à s'adresser à ces beautés. Pas avec l'épidémie de chaude-pisse qui frappait le campement.

Contrairement au cantinier débordé, le colporteur à barbe grise n'avait aucun chaland et s'appuyait, solitaire, contre la roue de son chariot en lisant un des articles qu'il vendait. Une bible ? Non, une brochure. Peut-être *les Recommandations d'adieu d'une mère à son fils soldat*, huit pages de mise en garde moralisante présentées sous forme de lettre. Ce texte connaissait dans toute l'armée un gros succès, même si les légionnaires un peu instruits s'en moquaient.

Charles croisa deux jeunes gens dont le salut fut si bref qu'il frôla l'insolence. Avant même que l'officier ne leur eût répondu, les deux hommes recommencèrent à discuter du prix d'un remplaçant quand on ne voulait pas monter la garde. Le tarif habituel s'élevait à vingt-cinq cents par tour de garde.

Tableau déplaisant suivant, la grande tente dont on avait relevé les côtés à cause de la chaleur étouffante et de l'humidité. Elle accueillait les premières victimes de cette guerre sans coups de feu. La maladie était partout : l'eau contaminée donnait la diarrhée aux hommes, leur tordait les boyaux, et les boulettes de pâte d'opium ne soulageaient guère leurs souffrances. Survivre à la dysenterie au Texas n'avait pas empêché Charles de l'avoir à nouveau pendant une semaine en Virginie. A présent une nouvelle épidémie frappait l'armée : la rougeole.

S'il répugnait à appeler les combats de ses vœux, il ne pouvait nier que la vie de camp le rendait malade. Peut-être ses désirs seraient-ils exaucés avant longtemps. Un vieux routier de la politique, le général Patterson, avait chassé Johnston et ses hommes de Harper's Ferry et le bruit courait que McDowell enverrait bientôt trente mille soldats au moins à l'embranchement ferroviaire stratégique de Manassas.

Parvenu au quartier général, Charles dut attendre parce que le capitaine Barker finissait de s'entretenir avec le colonel. Soudain, il éprouva une furieuse envie de se gratter et songea : ça y est, j'en ai.

Vers six heures, Barker sortit et Charles se présenta à l'homme pour qui il avait une profonde admiration : Wade Hampton, millionnaire, bon chef et excellent cavalier malgré son âge.

— Repos, capitaine, dit le colonel après le salut de rigueur. Asseyez-vous si vous le voulez.

Charles s'installa sur le tabouret situé en face du bureau de Hampton, dont un coin était réservé à un petit coffret de velours rouge au couvercle ouvert. Dedans, un cadre en argent entourait une miniature de la seconde femme de Hampton, Mary.

Le colonel se leva, s'étira. Avec ses deux mètres, ses larges épaules et sa force manifeste, c'était un homme imposant. Quoiqu'il montât parfaitement à cheval, il ne s'adonnait pas aux parades équestres fréquentes dans le 1er régiment de Virginie commandé par Beauty Stuart, un officier que Charles avait connu et apprécié à West Point. Jeb avait de la fougue, Hampton une lenteur puissante. Personne ne mettait en doute le courage de l'un ou de l'autre mais leur style était aussi différent que leur âge, et Charles avait entendu dire que leurs rares rencontres avaient été peu chaleureuses.

— Désolé d'avoir été absent quand vous m'avez demandé, colonel. J'étais à la recherche d'une remonte.

— Vous en avez trouvé une ?

— Oui, heureusement.

— Parfait, dit Hampton en prenant un document sur son bureau. Je voulais vous voir pour un nouveau problème de discipline. Aujourd'hui, l'un de vos hommes s'est absenté sans permission. Il était présent à l'appel du matin mais disparu à celui du petit déjeuner une demi-heure plus tard. On l'a arrêté à quinze kilomètres d'ici, tout à fait par hasard, un officier a reconnu l'uniforme de la légion, l'a appelé pour lui demander où il se rendait. Et ce jeune imbécile lui a répondu la vérité : il allait participer à une course de chevaux.

— Avec des hommes du 1er de Virginie, peut-être ?

— Exactement, dit Hampton en frottant ses jointures contre ses favoris touffus, noirs comme sa moustache luxuriante et ses cheveux bouclés. L'épreuve doit avoir lieu demain, sous le nez des sentinelles ennemies, sans doute pour l'épicer d'une pointe de danger. On l'a ramené ici sous escorte et, quand le sergent Reynolds lui a demandé pourquoi il était parti comme cela, il a répondu (le colonel jeta un coup d'œil à son papier) : « Pour m'amuser. Les gars du 1er de Virginie sont des types gonflés. Ils ont de bons chefs qui savent que le premier devoir d'un soldat est de mourir en héros. » Fin de citation, soupira Hampton en posant sur Charles ses yeux gris-bleu.

— Je crois savoir de qui vous parlez, colonel Cramm, dit le capitaine Main en songeant au soldat qui avait voulu tuer le prisonnier yankee quelques semaines plus tôt.

— Lui-même. Soldat de 2e classe Custom Dawkins Cramm, troisième du nom. Héritier d'une riche et importante famille.

— Et un bel emmerdeur, si vous me passez l'expression.

— Nous en avons quelques-uns, reconnut Hampton. Des garçons courageux, je crois, mais incapables de faire des soldats. Pour le moment.

Les trois derniers mots indiquaient que le colonel avait l'intention de remédier à cet état de choses. Frappant la feuille de papier du dos de la main, il poursuivit :

— « Mourir en héros », quelle stupidité ! C'est peut-être la règle pour Stuart mais, moi, je préfère vivre et vaincre. Quant à Cramm, j'ai pouvoir de convoquer une cour martiale mais c'est votre homme. A vous de prendre une décision.

— Convoquez-la, répondit Charles sans hésiter. Avec votre permission, j'en ferai partie.

— Vous la présiderez.

— Où est Cramm, maintenant ?

— Consigné dans ses quartiers. Sous bonne garde.

— Je pense que je vais lui porter personnellement la nouvelle.

— Je vous en prie, dit Hampton, avec un regard démentant le ton neutre qu'il s'efforçait de garder. Cet homme se signale trop souvent à notre attention, il faut faire un exemple. McDowell bougera bientôt, et nous ne pourrons masser nos forces et écraser l'ennemi si chaque soldat fait exactement ce qu'il veut, quand il veut.

— Tout à fait exact, mon colonel.

Hampton, qui n'avait pas de véritable formation militaire, comprenait parfaitement cette règle du manuel. Charles salua, sortit, se rendit directement à la tente du soldat Cramm, devant laquelle un sous-officier montait la garde. Non loin, un vieux Noir au dos voûté — le valet de Cramm — astiquait les cornières en cuivre d'un coffre.

— Caporal, dit Charles, vous n'entendrez rien et vous ne verrez rien pendant les deux minutes qui suivront.

— Bien, mon capitaine !

A l'intérieur de la tente, le soldat Custom Dawkins Cramm III était mollement allongé parmi les nombreux livres qu'il avait fait venir au camp. Il portait une ample chemise en soie — non réglementaire — et ne se leva pas à l'entrée de son supérieur, qu'il gratifia d'un regard ennuyé.

— Debout.

— Pas question ! explosa Cramm en jetant par terre un livre de Coleridge magnifiquement relié. J'étais un gentleman avant de m'enrôler dans votre fichue troupe et je le suis toujours. Je refuse d'être traité comme un nègre !

Charles empoigna la belle chemise qui se déchira quand il força Cramm à se lever.

— Il y a cinq minutes, le colonel Hampton m'a chargé de présider la cour martiale devant laquelle vous comparaîtrez et je ferai tout pour que vous écopiez de la peine maximum : trente et un jours de travaux forcés. Vous les ferez intégralement, à moins que nous n'attaquions les Yankees avant, auquel cas ils vous puniront en vous faisant sauter la cervelle, parce que vous êtes trop bête pour faire un soldat. Mais, du moins, vous mourrez en héros.

Il poussa Cramm avec une telle violence que le soldat partit à la renverse, heurta le petit meuble en bois servant de bibliothèque, rebondit et se cogna contre le piquet arrière de la tente. Appuyé sur un genou, agrippant le piquet, Cramm jeta à Charles un regard noir.

— Nous aurions dû choisir un gentleman comme capitaine, dit-il. C'est ce que nous ferons la prochaine fois.

Le rouge aux joues, Charles sortit de la tente.

— Voici, messieurs. Des huîtres frites à la créole. Bien croustillantes, rien que pour vous.

Avec une politesse si marquée qu'elle confinait à la moquerie, Toby, l'esclave d'Ambrose Pell, se courba en présentant un plateau d'argent d'amuse-gueule. Le Noir avait été chargé d'aider les domestiques engagés par l'hôte offrant le festin, deux Belges d'allure interlope. Toby avait une quarantaine d'années et son attitude servile était démentie par l'éclat de ses yeux, où Charles croyait voir une lueur de rancœur.

Selon l'officier, plus un esclave se montrait expert dans ce rituel trompeur, plus il haïssait ses maîtres. D'ailleurs, Charles ne reprochait pas tellement aux Noirs ce sentiment. Quatre ans à West Point, le contact avec des gens et des idées différents de ceux du Sud avaient commencé à modifier sa façon de penser, et rien depuis n'avait arrêté ou renversé ce processus. Pour lui, tous les arguments en faveur de l'esclavage étaient aussi inutiles que cracher dans le vent, et par surcroît probablement erronés.

La grande tente rayée de leur hôte était inondée de lumière — bougies à profusion — et de musique : Ambrose jouait du Mozart sur la meilleure de ses deux flûtes. Un côté de la tente était relevé pour laisser pénétrer l'air et remplacé par une moustiquaire empêchant les insectes d'entrer. Lavé, vêtu d'habits propres, Charles se sentait mieux. L'affaire Cramm l'avait mis de mauvaise humeur mais l'arrivée d'un colis de Mont Royal avait contribué à le rasséréner. L'inscription gravée sur le sabre — dont le fourreau reposait maintenant sur sa jambe gauche — l'avait touché.

Avec une petite fourchette en argent, il porta à sa bouche une huître, l'avala puis but un peu de l'excellent whisky de son hôte et nouvel ami, Pierre Serbakovsky. Ambrose et Charles avaient fait la connaissance du jeune homme, courtaud et courtois, pendant une tournée des meilleurs bars de Richmond.

Serbakovsky avait le grade de capitaine mais préférait se faire appeler prince. Il était aide de camp du major Rob Wheat, commandant un régiment de zouaves louisianais surnommés les Tigres. Cette unité, qui avait recruté la lie des rues de La Nouvelle-Orléans, était notoirement connue en Virginie pour ses vols et ses violences.

— Je crois que nous allons passer au champagne, dit le prince à Toby. Demande à Jules si le Mumm est frappé, et, si oui, sers-nous immédiatement.

Serbakovsky avait des manières trop hautaines, même pour un esclave, et Charles vit Toby serrer les lèvres en s'éloignant.

Le capitaine Main reprit du whisky pour chasser son sentiment de culpabilité : au lieu de festoyer, Ambrose et lui auraient dû faire l'instruction à leurs sous-officiers — comme presque tous les soirs — pour que ces derniers puissent ensuite essayer de transmettre la leçon aux recrues sur le terrain d'exercice.

Ambrose Pell cessa soudain de jouer de la flûte pour se gratter furieusement sous l'aisselle.

— Bon sang, j'en ai à nouveau, grommela-t-il en rougissant.

D'une propreté méticuleuse, il se sentait humilié.

Amusé, Serbakovsky se renversa dans son fauteuil.

— Si vous me permettez un conseil, cher ami, prenez des bains aussi souvent que possible. Même si l'eau est froide et le savon détestable, même si l'on répugne à se montrer nu devant des subalternes.

— Je me baigne, mon prince, mais ils reviennent.

— A vrai dire, ils ne partent jamais, corrigea Charles tandis que Toby entrait avec le plus jeune des Belges.

Le domestique portait des flûtes et une bouteille sombre fraîchissant dans un seau à glace. Glace si difficile à se procurer dans le Sud qu'elle avait peut-être coûté plus cher que le champagne.

— Ils sont dans votre uniforme, continua Charles. Il faut se débarrasser totalement de cette vermine.

— En jetant mon uniforme ?

— Et tout ce que vous portez.

— Pour ensuite le remplacer à mes frais ? Sûrement pas.

Le capitaine Main haussa les épaules :

— Déboursez ou grattez-vous. A vous de choisir.

Le prince se mit à rire puis claqua des doigts. Le jeune Belge s'avança aussitôt, Toby suivit plus lentement. Charles se demanda s'il était le seul à remarquer l'hostilité du Noir.

— Délicieux, commenta-t-il après avoir goûté le champagne. Tous les officiers européens reçoivent avec une telle munificence ?

— Seulement si leurs ancêtres ont accumulé de grandes richesses par des moyens dont il vaut mieux ne pas parler.

Charles aimait beaucoup Serbakovsky, dont l'histoire le fascinait. Son grand-père paternel, un Français, était colonel dans l'armée que Napoléon mena en Russie. Pendant l'invasion, il fit la connaissance d'une jeune femme de l'aristocratie russe. L'attrait physique balaya temporairement l'inimitié politique et la jeune Russe mit au monde un enfant, tandis que le colonel trouvait la mort pendant la sinistre retraite. La grand-mère de Serbakovsky donna à son fils illégitime son propre nom de famille, symbole d'orgueil national, et ne se maria jamais. Serbakovsky, fils de ce fils, était soldat depuis l'âge de dix-huit ans ; il avait d'abord servi dans le pays de sa grand-mère puis à l'étranger.

Tandis qu'Ambrose tentait vainement de boire et de se gratter en même temps, on apporta le premier plat : de l'alose au four. Suivaient ensuite des poulets à la provençale, spécialité de l'autre domestique belge.

— J'aimerais quitter ce fichu campement pour aller voir ceux d'en face, marmonna Ambrose avant d'attaquer le poisson.

— Mon ami, ne souhaitez pas ce dont vous ne savez rien, dit le prince, dont l'expression s'assombrit soudain.

Blessé en Crimée, il avait raconté à Charles quelques-unes des horreurs dont il avait été témoin là-bas.

— Votre souhait est d'ailleurs inutile, continua Serbakovsky. Votre Confédération occupe la même position que ma patrie en 1812.

— Expliquez-nous cela, prince, demanda Charles.

— C'est assez simple. Le pays lui-même gagnera la guerre pour vous. Il est si vaste, si étendu, que l'ennemi désespérera vite de le conquérir et abandonnera la partie. Il ne sera guère nécessaire de combattre pour remporter la victoire. Je vous donne l'avis d'un officier de carrière.

— J'espère que vous vous trompez, déclara Charles. J'aimerais avoir l'occasion de porter ceci pour accepter la reddition de quelques Yanks, ajouta-t-il en portant la main à son sabre.

Chassant de son esprit ce qu'il savait de la nature de la guerre, l'alcool lui procurait un plaisant sentiment d'invulnérabilité.

— Ce sabre est un cadeau de votre cousin, m'avez-vous dit. Puis-je le voir ?

Charles dégaina l'arme ; des reflets de bougie coururent le long de la lame comme des éclairs quand il la passa à Serbakovsky.

— Solingen, dit le prince en examinant le sabre. Très beau. A votre place, j'y ferais très attention. En commandant cette racaille de Louisiane, j'ai découvert que les soldats d'Amérique sont pareils à ceux de n'importe quel autre pays. Ils volent tout ce sur quoi ils peuvent mettre la main.

21

De la valise, posée sur le plancher sale, Stanley tira des échantillons qu'il posa sur le bureau, propre et nu comme une feuille de papier. L'usine ne fonctionnait pas, elle était fermée. Un courtier y avait envoyé les Hazard peu après leur arrivée dans la ville de Lynn.

L'homme qui se trouvait derrière le bureau faisait temporairement office de gardien. C'était un personnage rougeaud, solide, au corps épaissi en son milieu. Après un coup d'œil à ses cheveux blancs, Stanley estima qu'il devait avoir environ cinquante-cinq ans. L'homme prit les modèles avec un empressement laissant supposer qu'il ne s'accommodait pas de son inactivité présente.

— Des Jefferson, dit-il en tapant du doigt sur le quartier de la chaussure. Utilisé dans la cavalerie comme dans l'infanterie.

— Vous connaissez votre métier, Mr. Pennyford, fit observer Stanley avec un sourire patelin. (Il ne faisait pas confiance aux habitants de la Nouvelle-Angleterre — des gens parlant avec un accent aussi étrange ne pouvaient être normaux — mais il avait besoin de cet homme.) Il y aurait un marché lucratif pour des bottines de ce genre.

— Pour l'amour du ciel, Stanley, intervint Isabel, appelle-les par leur nom. Ce sont des chaussures.

Elle se tenait près de la fenêtre, et le jour triste qui l'éclairait ne la flattait pas. Dehors, une averse de juin tombait sur les toits de Lynn.

Son mari prit plaisir à répliquer :

— Le gouvernement n'utilise pas ce terme.

Pennyford lui apporta son soutien :

— Dans les milieux militaires, Mrs. Hazard, le mot chaussure est réservé aux articles pour dames. Curieux, si vous voulez mon avis. D'ailleurs, il y a beaucoup de choses curieuses à Washington.

— Venons-en aux faits, Mr. Pennyford, dit Stanley. Les machines rouillées qui se trouvent en bas pourraient-elles fabriquer de grandes quantités de ce modèle, rapidement et à bas prix ?

— Rapidement ? Oui — une fois que j'aurai procédé aux réparations que les actuels propriétaires ne peuvent se permettre... Quant au prix, poursuivit Pennyford en palpant l'une des bottines, on ne peut pas faire moins cher que ce modèle : deux œillets, rien que des pointes entre la semelle et le haut...

D'une torsion de ses mains puissantes, il sépara les deux parties de la chaussure droite et reprit :

— C'est une honte pour la profession. Je n'aimerais pas être à la place du pauvre soldat qui les portera dans la boue ou la neige. Si Washington croit bon d'équiper nos braves garçons de pareilles saletés, ce n'est plus curieux, c'est méprisable.

— Epargnez-moi vos leçons de morale, je vous prie, rétorqua Stanley. La compagnie Lashbrook peut-elle produire ce genre de bottines ?

— Oui, acquiesça Pennyford de mauvaise grâce. Mais nous pouvons faire beaucoup mieux. Un type nommé Lyman Blake a inventé une machine qui constitue le plus grand progrès que j'ai vu dans le matériel — et je suis dans la partie depuis que j'ai commencé mon apprentissage, à l'âge de neuf ans. La machine de Blake coud semelles et dessus rapidement, proprement, en toute sécurité. Je parie qu'avant un an cette invention aura redonné vie à l'industrie de la chaussure et à cet Etat.

Isabel eut un sourire destiné à remettre l'homme à sa place.

— Ce qui rendra la prospérité au Massachusetts et à l'industrie de la chaussure, c'est une longue guerre, assortie de contrats que peuvent obtenir des gens bien introduits comme mon mari.

Les joues de Pennyford prirent la couleur de pommes mûres, et Stanley s'alarma.

— Monsieur essaie seulement de nous aider, Isabel. Dick, vous restez avec nous, n'est-ce pas ? Pour diriger l'usine comme vous le faisiez avant sa fermeture.

Pennyford demeura un moment silencieux.

— Mr. Hazard, j'ai neuf enfants à nourrir, soupira-t-il. Je resterai — à une condition : que vous me laissiez faire à ma façon, sans vous en mêler, du moment que je livre le produit demandé en temps voulu.

— Marché conclu ! déclara Stanley en frappant sur le bureau.

— Je crois qu'on peut avoir toute l'usine pour deux cent mille, ajouta Pennyford. La veuve de Lashbrook a désespérément besoin d'argent.

La vente se fit le lendemain à midi, quasiment sans marchandage, et Stanley se sentit euphorique lorsqu'il aida Isabel à monter dans le train pour le retour. Assis dans le wagon-restaurant où la chaleur était étouffante, il ne put contenir son enthousiasme en mangeant des œufs au bacon.

— Ce Dick Pennyford est une mine d'or ! Pourquoi ne pas acheter quelques-unes des nouvelles machines dont il nous a parlé ?

— Il faut y réfléchir, dit Isabel — ce qui signifiait qu'elle s'en chargerait. L'important, ce n'est pas de faire des chaussures solides mais de produire en grande quantité. Si ces nouvelles machines accélèrent la production — alors, peut-être.

Entre deux bouchées, Stanley demanda :

— Tu te rends compte que nous serons bientôt deux parfaits exemples de ce que le Boss appelle un patriote ?

— C'est-à-dire ?

— Quelqu'un pénétré de l'amour du drapeau et détenteur d'un contrat.

Il se remit à mastiquer avec énergie tandis que sa femme regardait pensivement le poisson poché auquel elle n'avait pas touché.

— Il ne faut pas voir petit, Stanley.

— Que veux-tu dire ?

— J'ai entendu des rumeurs extraordinaires avant notre départ. Il paraît que certains industriels cherchent un moyen de commercer avec la Confédération dans l'éventualité d'une longue guerre.

Stanley reposa bruyamment sa fourchette sur son assiette, sa mâchoire inférieure tomba devant la serviette qu'il avait fourrée dans son col.

— Tu ne suggères quand même pas...

— Imagine qu'on puisse échanger des chaussures militaires contre du coton, reprit Isabel à voix basse. Combien y a-t-il d'usines de chaussures dans le Sud ? Peu ou pas du tout, je parie. Imagine le prix que tu obtiendrais d'une balle de coton en la revendant ici, multiplie cela par des milliers et pense aux bénéfices. Enormes.

— Mais ce serait...

Sentant quelqu'un près de lui, Stanley s'interrompit, leva les yeux.

— Nous n'avons pas terminé, garçon.

Il accompagna sa remarque d'un regard furieux à l'adresse du serveur noir, qui s'éloigna aussitôt. Penché en avant, le bord de la table lui sciant le ventre, Stanley murmura :

— Ce serait dangereux, Isabel. Pis, ce serait de la trahison.

— Ce serait aussi le moyen de gagner non pas seulement de jolis profits mais une vraie fortune.

Isabel tapota la main grassouillette de son mari et dit, comme si elle s'adressait à un enfant peu éveillé :

— Penses-y, mon chéri. Et finis tes œufs avant qu'ils ne refroidissent.

Des bruits faibles. Et lointains, pensa-t-il dans les premières secondes qui suivirent son réveil. De l'autre côté de la tente, Ambrose Pell émettait ses ronflements caractéristiques, mélange pernicieux de sifflements et de vrombissements.

Charles était étendu sur le flanc droit, son caleçon de lin trempé de sueur. Au moment où il allait tendre la main vers Ambrose pour le faire taire, les bruits se séparèrent en éléments reconnaissables : un bourdonnement d'insecte... et quelque chose d'autre. Charles retint sa respiration, ne bougea pas.

Bien qu'il eût la joue pressée contre son lit de camp, il pouvait voir l'entrée de la tente. Une silhouette masqua temporairement la lueur de la lanterne du poste de garde. Charles entendit le souffle de l'homme qui venait d'entrer.

« C'est le sabre qu'il veut. »

L'arme était posée sur un petit coffre, au pied du lit. « J'aurais dû la mettre en lieu sûr. » Charles se redressa soudain et, en se mettant debout, poussa un grognement destiné à effrayer le voleur. Au lieu de cela, le bruit éveilla Ambrose, qui cria tandis que Charles se jetait vers l'ombre.

— Lâche ça !

Le voleur enfonça son coude dans le visage de Charles, qui se mit à saigner de la narine gauche. Le capitaine chancela et l'homme se rua au-dehors, dans l'allée séparant les tentes soigneusement alignées. En jurant, Charles se lança à sa poursuite.

A la lumière de la lanterne du poste de garde, il vit que le fuyard, lourdement bâti, portait des guêtres blanches. Un des Tigres de Rob Wheat, pensa Charles en se rappelant la mise en garde de Serbakovsky. Le soir où il avait dîné avec le prince, il s'était senti trop bien pour s'apercevoir ou même se soucier de la présence de quelqu'un dans les parages — quelqu'un qui avait dû les observer à travers la moustiquaire, voir le sabre...

Charles Main courait à toutes jambes en crachant le sang qui tombait sur ses lèvres. Les pieds nus écorchés par les cailloux, il gagnait cependant du terrain. Le voleur se retourna, montrant la tache ronde de son visage. Charles s'élança, ses mains saisirent la ceinture du pantalon bouffant du Tigre.

Les deux hommes s'effondrèrent, Charles sur le dos du voleur qui lâcha le sabre et se débattit en ruant. Une botte frappa le capitaine, le voleur se releva.

Etourdi, Charles lui empoigna la jambe gauche et le fit retomber. Le Tigre tira d'un fourreau glissé sous sa ceinture un long couteau, Charles rejeta la tête en arrière pour éviter d'avoir la joue tailladée. Il tomba à son tour, heurta une pierre et entendit Ambrose beugler :

— A la garde ! A la garde !

Le voleur s'assit sur la poitrine de Charles, qui ne put s'empêcher de remarquer son nez camus, ses moustaches recourbées, son haleine empestant l'oignon.

— Sale pédé de Carolinien, grogna l'homme en abaissant son arme.

Charles croisa les poings sous le poignet du voleur, poussa frénétiquement. Il avait de la force, le salaud. Le Tigre enfonça un genou dans le bas-ventre de l'officier qui, à demi aveuglé de souffrance, distinguait à peine la lame s'approchant de son menton.

Cinq centimètres, trois, deux...

— Bon Dieu ! gémit Charles.

Dans un instant, le couteau allait lui trancher la gorge. Risquant le tout pour le tout, il contint d'une seule main la poussée du voleur, glissa l'autre derrière le dos du Tigre, lui saisit les cheveux et tira. L'homme couina, ses doigts lâchèrent le couteau qui érafla en tombant le flanc gauche de Charles. Comme le voleur essayait de se relever, l'officier empoigna l'arme et l'enfonça dans une de ses cuisses.

Le Tigre cria plus fort, bascula en avant et s'affala dans l'herbe à quelques mètres de la dernière tente, le couteau fiché dans son beau pantalon de zouave.

— Ça va, mon capitaine ?

En se relevant, Charles adressa un signe de tête au sous-officier qui fut le premier à le rejoindre. D'autres soldats s'avancèrent dans l'allée, l'entourèrent.

— Emmenez-le à l'infirmerie se faire soigner la jambe, dit Charles en montrant le voleur gémissant dans l'herbe. Et attachez-lui une chaîne et un boulet à l'autre pour qu'il ne se sauve pas avant que son régiment le traduise en cour martiale.

— Qu'est-ce qu'il a fait, mon capitaine ? demanda le sous-officier.

Charles essuya de la main le sang coulant de son nez.

— Il a essayé de me voler mon sabre d'apparat.

« Aucun sens de l'honneur chez ces recrues, pensa-t-il. Peut-être suis-je idiot d'espérer une guerre dans les règles. »

Il prit l'arme là où elle était tombée et retourna d'un pas lent à sa tente. Ambrose, tout excité, voulut discuter de l'incident mais Charles insista pour se remettre tout de suite au lit. Il commençait à s'assoupir quand soudain, juste devant sa tente, des hommes entonnèrent *Camptown Races*, assez fort pour être entendus à Richmond.

— Ils vous donnent la sérénade, Charlie, murmura Ambrose. Vos propres soldats. Si vous ne sortez pas, ils se sentiront insultés.

Sceptique, à demi endormi, Charles releva la toile masquant l'entrée de la tente et éprouva une émotion inattendue : les hommes, qui avaient appris la capture du voleur, étaient venus rendre hommage à leur capitaine selon la tradition. Ou plutôt des hommes, corrigea mentalement Charles, qui en compta onze au total.

Ambrose sautillait sur place comme un gamin en accompagnant les chanteurs de sa flûte. Par-dessus son épaule, Charles lui lança :

— Ils s'attendent à recevoir la récompense habituelle pour une sérénade. Sortez donc notre réserve de whisky.

— Avec plaisir, Charlie. Oui, alors !

Les soldats lui témoignaient leur sympathie, pour changer. Autant en profiter tant que cela durait.

Le lundi 1er juillet, George arriva à Washington, passa à son hôtel puis prit un fiacre pour se rendre dans un quartier résidentiel. Le cocher lui montra la vaste demeure que le Petit Géant avait occupée pendant un temps très court. Stephen Douglas, mort en juin, avait fermement soutenu le président dont il avait été l'adversaire l'année précédente en tant que candidat.

Les logements étaient rares dans la capitale. Stanley et Isabel avaient eu la chance d'entendre parler d'une veuve de santé précaire, ne pouvant plus s'occuper de sa maison. Elle était partie vivre chez un parent après avoir signé avec Stanley un bail d'un an. Celui-ci avait récemment communiqué sa nouvelle adresse à son frère dans une note au ton si peu chaleureux que George soupçonnait Cameron d'avoir forcé Stanley à l'écrire. « Pourquoi ce vieux bandit est-il intervenu ? » pensait le maître de forges avec irritation. Il s'était résigné à répondre par cette visite de politesse, qui avait pour lui autant de charme qu'une promenade dans la charrette des condamnés.

— Une bien belle bicoque, commenta le cocher en s'arrêtant.

« Bicoque » n'était guère le mot approprié : la demeure de Stanley était, comme ses voisines, une splendide résidence.

Un maître d'hôtel l'informa avec condescendance (« Isabel doit lui donner des leçons », se dit George) que Mr. et Mrs. Hazard se trouvaient en Nouvelle-Angleterre. Il jeta un coup d'œil aux caisses non encore ouvertes, laissa sa carte et retourna au fiacre en souriant : pour cette fois, il échappait à la corvée.

Il mangea seul au restaurant de l'hôtel et entendit ses voisins discuter de rumeurs selon lesquelles le vieux général Patterson serait prêt à quitter Harper's Ferry pour marcher sur la Shenandoah. Dans sa chambre, il tenta de lire le *Scientific American* mais ne put se concentrer sur sa lecture tant il était préoccupé par les rencontres prévues pour le lendemain matin.

Il était neuf heures et demie lorsqu'il arriva devant un bâtiment de cinq étages, le Winder Building, situé en face de President's Park, au coin de la 17e Rue. George en examina la façade, le balcon en fer forgé courant le long du second étage et le trouva dépourvu de style.

Il passa devant les sentinelles protégeant les importantes personnalités gouvernementales ayant leurs bureaux dans l'immeuble, notamment le général Scott. Pénétrer dans le bâtiment lui fit l'impression de plonger dans la mer par une journée ensoleillée. En montant le sinistre escalier en fer, il remarqua le mauvais état des boiseries, la peinture qui s'écaillait partout.

Des civils, munis de dossiers ou de plans roulés, s'entassaient sur les bancs du couloir du premier étage. Des employés, des militaires passaient d'une pièce à l'autre pour remplir quelque tâche mystérieuse. George interrogea un capitaine qui l'aiguilla vers un bureau au sol dallé où régnait un désordre consternant. Des employés assis derrière leur table écrivaient ou remuaient de la paperasse ; deux lieutenants discutaient en examinant un modèle réduit de canon.

George et Wotherspoon avaient fini par trouver l'erreur dans le procédé de fonte, et les démarches nécessaires à la création d'une banque à Lehig Station progressaient. C'était donc la conscience tranquille qu'il effectuait cette visite — encore qu'il éprouvât en ce moment précis une puissante envie de déguerpir.

Un officier d'âge mûr s'approcha, rayonnant du sentiment de sa propre importance.

— Hazard ?

George acquiesça.

— Le chef du Matériel n'est pas encore là. Je suis le capitaine Maynadier. Vous pouvez vous installer pour l'attendre — ici, tenez, près du bureau du colonel Ripley. Désolé de ne pas avoir le temps de bavarder avec vous. Cela fait quinze ans que je suis dans ce service et je n'ai jamais réussi à mettre ma paperasse à jour. La paperasserie, c'est le fléau de Washington.

L'officier s'éloigna en se dandinant pour aller explorer plusieurs montagnes de dossiers. George s'assit. Au bout d'une vingtaine de minutes, il entendit dans le couloir :

— Colonel Ripley !

— Accordez-moi juste un moment...

— Laissez-moi vous montrer mon...

— Pas le temps.

La voix irritée appartenait à un lieutenant-colonel d'allure irascible, un vieil officier aux traits anguleux diplômé de West Point en 1814. Le chef du service du Matériel portait ses responsabilités et ses soixante-six ans avec un mécontentement manifeste.

— Hazard, hein ? aboya-t-il quand George se leva. Pas beaucoup de temps pour vous non plus. Vous voulez le poste ou non ? Comme Cameron tient à ce que vous soyez nommé ici, c'est d'ores et déjà réglé si vous dites oui, je suppose.

En débitant cette entrée en matière, le colonel avait claqué ses gants et son képi sur son bureau. Son accès d'humeur aurait semblé drôle à toute personne extérieure au service — ou n'envisageant pas d'en faire partie. La salle au haut plafond était devenue silencieuse lorsque Ripley y avait pénétré.

— Asseyez-vous, asseyez-vous, marmonna-t-il. La société Hazard a un contrat avec mon service, n'est-ce pas ?

— Oui, colonel. Il sera respecté.

— Bon. Beaucoup de nos fournisseurs ne peuvent en dire autant. Allez-y, posez-moi des questions. Nous devons être au parc dans une demi-heure. Le ministre veut vous voir et comme c'est lui qui m'a nommé ici il y a deux mois, je n'ai rien à lui refuser.

— J'ai une question importante, colonel Ripley. Vous le savez, je suis maître de forges. En quoi cela m'aiderait-il à trouver ma place ici ? Quel serait exactement ma tâche ?

— Superviser les contrats d'artillerie, pour commencer. Vous dirigez une grande entreprise, ce qui suppose des talents d'organisateur qui nous seraient utiles. Regardez ce fouillis que j'ai hérité !

Maynadier, qui occupait le bureau voisin, remonta à l'assaut des pics de paperasses avec une ardeur quasi frénétique.

— Je me réjouirai de votre présence, Hazard — tant que vous ne m'ennuierez pas avec des propositions modernistes. Pas de temps pour ça. Les armes déjà éprouvées sont les meilleures.

Un autre Stanley. Résolument opposé au changement.

Les deux hommes discutèrent ensuite du salaire, de la date d'entrée en fonction — détails que George jugeait secondaires. Il était d'aussi méchante humeur que Ripley quand celui-ci, consultant sa montre de gousset, annonça qu'ils avaient déjà deux minutes de retard pour leur rendez-vous avec Cameron.

Lorsqu'ils sortirent dans le couloir, plusieurs quémandeurs suivirent le colonel dans l'escalier en piaillant comme des mouettes derrière un bateau de pêche. L'un d'eux, qui vantait en s'égosillant son « remarquable canon centrifuge » lançant des projectiles « comme une fronde », fit tomber le chapeau de George avec le rouleau de plans qu'il brandissait.

— Les inventeurs, fulminait Ripley en traversant l'avenue. On devrait tous les renvoyer dans les asiles d'où ils sortent.

103

Une autre innovation irritant sans aucun doute le colonel flottait au-dessus des arbres de President's Park. Des cordes reliaient au sol la nacelle vide du ballon *Enterprise*, dont George avait vu la photo dans les magazines du mois précédent. Il avait fait l'objet d'essais quelques jours auparavant et l'on disait Lincoln intéressé par les possibilités d'observation aérienne des troupes ennemies qu'il offrait.

Fait de morceaux de pongé aux couleurs vives, *Enterprise* était gonflé à l'hydrogène. Derrière la foule des badauds et des fonctionnaires, George vit un chariot dont les cuves en bois contenaient l'acide sulfurique et la limaille de fer produisant le gaz en se mélangeant.

Ils trouvèrent Simon Cameron en conversation avec un homme d'une trentaine d'années vêtu d'une longue blouse en lin. Avant la fin des présentations, celui-ci serra la main de George avec effusion.

— Dr Thaddeus Sobieski Constantine Lowe. Très honoré ! Bien que je sois du New Hampshire, je connais votre nom et la haute position que vous occupez dans notre industrie. Puis-je vous exposer mon plan de création d'une unité d'observation aérienne ? J'espère que les citoyens intéressés soutiendront mon idée et que le général en chef...

— Le général Scott accordera au projet la considération qui lui est due, intervint Cameron. Inutile d'organiser d'autres démonstrations de ce genre.

Malgré le sourire, le ton du vieux politicien signifiait que le gouvernement ne les permettrait plus sur des emplacements publics.

— Si vous voulez bien m'excuser, docteur, poursuivit le ministre, je dois m'entretenir avec notre visiteur.

Et il entraîna George à l'écart comme s'ils avaient toujours été des alliés politiques et non des adversaires.

— Vous avez eu une conversation intéressante avec le colonel, George ?

— Certainement, monsieur le ministre.

— Simon, nous sommes de vieux amis. Ecoutez, je sais que vous ne vous entendez pas toujours très bien avec Stanley, mais c'est la guerre. Nous devons oublier les questions personnelles. Moi, je ne pense jamais au passé. Qui m'a soutenu, qui ne l'a pas fait, là-bas en Pennsylvanie...

Après ce coup de patte, Cameron débita son boniment :

— Ripley a besoin d'urgence d'un homme capable de s'occuper de l'acquisition de canons. Quelqu'un qui comprend les métallurgistes, qui parle leur langue... Si nous voulons empêcher ce pays d'échouer, nous devons tous prendre notre part du fardeau. « Ne me crache pas tes homélies au visage, espèce d'escroc », pensa George. En même temps, il se sentit curieusement touché par les mots du ministre. Ils étaient justes, même si l'homme ne l'était pas.

Ripley s'approcha en toussotant.

— Alors, Hazard ? Décidé ?

— J'aimerais avoir la journée pour réfléchir.

— C'est tout à fait normal, approuva Cameron. A bientôt, George.

Le Boss tapota à nouveau l'épaule du visiteur avant de s'éloigner d'un pas rapide.

En réalité, le maître de forges avait déjà pris sa décision : il viendrait à Washington — avec de nombreuses réserves pour bagage. Pour le moment, il n'avait pas l'impression d'avoir agi en âme noble mais plutôt comme un crétin et se sentait en conséquence un peu déprimé.

Ripley se retourna en entendant des éclats de voix : le Dr Lowe chassait des gamins jouant sous la nacelle du ballon.

— Pas le temps pour de pareilles sottises en temps de guerre, grommela l'officier.

George ne prit pas la peine de lui demander s'il parlait du ballon ou des enfants.

Plus tard dans la journée, il loua un cheval et traversa le Potomac en suivant les indications que Brett lui avait données. Il ne parvint pas à trouver la compagnie de sapeurs du capitaine Farmer et dut faire demi-tour pour prendre le train de 19 h. Tout autour des fortifications, il vit des champs de tentes, des soldats à l'exercice. Cela lui rappela le Mexique, à une différence près : les hommes qui marchaient maladroitement au pas avaient l'air si jeune.

24

Quelques jours plus tard, Isabel prenait le thé dans la pièce qu'elle avait revendiquée pour elle dès la première visite de la maison. Pendant une heure, elle interdisait à quiconque de la déranger tandis qu'elle buvait son thé à petites gorgées en lisant les journaux.

C'était un rite quotidien qu'elle jugeait indispensable pour réussir dans cette ville labyrinthique. Prompte à apprendre, Isabel connaissait déjà quelques règles fondamentales. Il valait mieux être tortueux que franc, il ne fallait jamais dévoiler le fond de sa pensée. Il importait aussi de sentir les changements de rapport de forces dans les allées du pouvoir. Stanley étant aussi sensible qu'un soliveau à ce genre de choses, elle devait donc s'en remettre aux journaux.

Ce jour-là, Isabel lut le texte du message que le président avait envoyé au Congrès à l'occasion de la fête nationale. Lincoln y exposait à nouveau les causes de la guerre, dont il attribuait évidemment l'entière responsabilité au Sud. Selon lui, aucune considération stratégique ne justifiait réellement la prise de Fort Sumter par la Confédération. Des têtes brûlées avaient créé un faux problème de fierté patriotique et le Sud essayait à présent de savoir « si une République constitutionnelle ou une démocratie — un gouvernement du peuple par le peuple — pouvait ou non maintenir son intégrité territoriale ».

Isabel haïssait cet homme de l'Ouest aux allures de singe mais le détesta plus encore quand elle lut qu'il cherchait des « moyens légaux de rendre l'affrontement court et décisif ».

Légaux ! Alors qu'il venait de demander à Scott de suspendre l'*habeas corpus* dans certaines régions militaires situées entre Washington et New York ? Ses discours étaient paroles en l'air, il commençait déjà à se conduire en empereur.

Toutefois, deux passages du message plurent à Isabel. Bien qu'espérant une guerre de courte durée, Lincoln demandait au Congrès de placer quatre cent mille hommes à sa disposition. Isabel voyait déjà à leurs pieds les huit cent mille bottines modèle Jefferson.

De plus, le président n'épargnait pas les écoles militaires :

« Il mérite d'être noté que, en ces heures d'épreuve pour le gouvernement, un grand nombre de ceux qui avaient l'honneur d'être officiers dans l'armée et la marine ont donné leur démission, révélant ainsi leur déloyauté envers ceux qui les avaient comblés. »

Splendide. Quand son égotiste de beau-frère arriverait, elle pourrait peut-être tirer profit de cette hostilité croissante à l'égard de West

Point. La nouvelle que George avait décidé de venir à Washington les avait attendus, Stanley et elle, à leur retour de Nouvelle-Angleterre. Isabel avait également appris que George était passé chez eux : feinte courtoisie faisant suite au mot que Stanley avait écrit sur l'insistance de Cameron. Tout cela l'agaçait.

Si George demeurait fidèle à West Point, beaucoup de personnes influentes réclamaient la suppression de l'école. La plupart d'entre elles appartenaient à une nouvelle clique en formation, alliance de sénateurs, de membres du Congrès et de hauts fonctionnaires de l'aile abolitionniste du parti républicain. On disait que le père de Kate Chase en faisait partie, de même que Thad Stevens, le parlementaire au pied-bot de l'Etat natal d'Isabel. Elle ne savait encore comment elle utiliserait ces informations contre George mais elle n'y manquerait pas.

Isabel avait vu cette nouvelle clique extrémiste prendre lentement corps. Elle connaissait déjà certains faits, notamment que le rusé Mr. Cameron n'avait aucun poids dans ce groupe. Ses membres préconisaient une guerre offensive et des conditions très dures après la victoire. Lincoln, quant à lui, avait des vues différentes sur la guerre et l'esclavage. Il ne voulait pas que les nègres soient libres de se livrer à toutes sortes de violence et de prendre leurs emplois aux Blancs. Isabel non plus. Mais cela ne l'empêcherait pas de cultiver les épouses des extrémistes s'il y avait quelque chose à y gagner.

Au dîner, ce soir-là, elle amena la conversation sur le message de Lincoln :

— Il dit exactement ce que nous avons entendu dans la bouche de certains parlementaires : West Point a formé des traîtres avec les deniers publics et devrait être fermée. Cette opinion pourrait nous servir contre ton frère.

La bonne humeur inhabituelle de Stanley — il souriait béatement depuis son retour à la maison — irritait Isabel, dont l'agacement crut encore quand il fit cette réponse obtuse :

— Et pourquoi voudrais-je nuire à George maintenant ?

— As-tu oublié ses insultes ? et celles de sa femme ?

— Non, bien sûr, mais...

— Suppose qu'il vienne ici et commence à s'imposer, avec ses manières arrogantes ?

— Et alors ? Le Matériel est placé sous l'autorité du ministère de la Guerre. Hiérarchiquement, j'ai une position supérieure à la sienne. Et j'ai l'oreille de Simon, ne l'oublie pas.

Cet imbécile se croyait-il vraiment en sécurité dans l'ombre du Boss ? Avant qu'Isabel ait pu le détromper, il poursuivit :

— Assez parlé de George. J'ai reçu aujourd'hui deux bonnes nouvelles. Les avocats que nous avons engagés à Lynn ont graissé les pattes qu'il fallait : les titres de propriété seront rapidement établis. J'ai aussi reçu une lettre de Pennyford, qui assure que l'usine sera prête à fonctionner dans un mois. Pas de problème de personnel, il y a deux ou trois candidats pour chaque emploi. Nous pourrons faire travailler des enfants, cela nous coûtera encore moins cher.

— Merveilleux, fit Isabel d'un ton sarcastique. Nous avons tout ce qu'il nous faut — excepté le contrat.

Plongeant la main dans sa poche, Stanley répondit :

— Cela aussi nous l'avons.

Isabel demeura bouche bée, ce qui lui arrivait rarement, et Stanley lui tendit le document fermé par un ruban comme s'il l'avait obtenu au prix d'une dure bataille.

— Comment... ? C'est très bien.

Elle prononça le compliment du bout des lèvres. Stanley avait réussi à obtenir seul le contrat, c'était inquiétant.

Son nouvel emploi avait-il fait de lui un homme véritable ? Cette perspective ne laissait pas de la troubler.

25

Serbakovsky était mort.

La première semaine de juillet, ses camarades officiers l'avaient étendu dans un cercueil de pin jaune. Deux barbus en uniforme accompagnés d'un cocher civil se présentèrent avec un chariot. C'étaient des Russes parlant à peine anglais et porteurs de sauf-conduits signés par les autorités de l'Union comme par celles de la Confédération. La facilité avec laquelle ils étaient venus de Washington confirma ce que Charles avait maintes fois entendu : traverser les lignes dans un sens ou un autre ne posait guère de problème.

Le joyeux prince, qui avait échappé à la mort sur tant de champs de bataille, avait succombé à une maladie infantile qui décimait la troupe. Ceux qui en étaient atteints ne la prenaient pas au sérieux, la rougeole ! se relevaient trop tôt et faisaient une rechute fatale. Les médecins semblaient impuissants.

Le chariot s'éloigna en grinçant dans la poussière chaude tandis que Charles emmenait Pell à la cantine pour se soûler. Après quatre tournées, Ambrose voulut à tout prix acheter deux exemplaires de *The Richmond Songster,* un recueil de chansons très populaire dans l'armée. Charles glissa le livre dans sa poche, remarqua des taches sombres sur ses doigts. De l'encre fraîche. Désormais, il n'y avait plus que précipitation et opportunisme.

Une surprise désagréable les attendait dans leur tente. Toby avait disparu en emportant les meilleures bottes de son maître et de nombreux habits. Furieux, Ambrose se rendit aussitôt au quartier général de la légion tandis que Charles, sur une intuition, allait au camp des Tigres. Comme il le soupçonnait, la tente du prince avait disparu ainsi que ses domestiques.

— Je vous parie ma solde que Toby et ces deux lascars sont partis ensemble, dit-il plus tard à Ambrose.

— Sûrement. Les Belges peuvent l'amener de l'autre côté du Potomac, chez le vieil Abe, en le faisant passer pour leur nègre. Le colonel m'a accordé la permission de quitter le camp pour essayer de récupérer mon bien. Mais il a ajouté que j'ai aussi besoin de votre autorisation.

Le regard du lieutenant signifiait au capitaine qu'il ferait bien de ne pas la refuser.

Charles se laissa tomber sur son lit en déboutonnant sa chemise. La mort du prince, les vols, l'attente — tout le déprimait. Il ne pensait pas qu'on pût retrouver Toby — ni même qu'il fallait essayer — mais il avait besoin de changement.

— J'irai avec vous si c'est possible.

— Charlie, vous vous conduisez en véritable homme blanc.

— Je parlerai demain matin au colonel, promit Charles, impatient de s'endormir et d'oublier.

— Je ne vois pas d'objection à ce que vous aidiez Pell, répondit Hampton le lendemain. À condition que vos autres subalternes puissent diriger l'exercice.

— Pas de problème, mon colonel. Mais je ne voudrais pas être absent si nous sommes appelés à nous battre.

— Je ne sais pas quand nous combattrons ni même si nous le ferons, dit Hampton avec un ton furieux inhabituel chez lui. On ne m'informe de rien. Si vous remontez vers le nord, vous serez plus près des Yankees que nous le sommes et vous verrez peut-être des combats. Demandez au capitaine Barker de vous établir un laissez-passer et revenez au plus vite.

Charles remarqua en quittant le colonel qu'il avait des cernes autour des yeux. Commander un régiment dans la journée et assister tous les soirs aux réceptions de Richmond devait beaucoup fatiguer.

Le lieutenant et le capitaine se mirent en route à huit heures. Coiffé du shako qu'il portait rarement, Charles emportait son fusil de chasse, son sabre et des rations pour deux jours. Joueur caracolait dans l'air frais du matin. Le hongre était reposé et en parfaite santé : la légion avait de l'avoine en abondance et disposait de nombreux pâturages autour du camp.

Charles ne se serait pas cru capable d'éprouver pour une personne ou un animal une affection aussi profonde mais il s'était pris d'un amour inattendu pour le curieux petit cheval gris. Il s'en apercevait lorsqu'il dépensait son argent de poche pour acheter de la mélasse qu'il mélangeait à la nourriture de Joueur. Il s'en rendait compte quand il passait une heure à bouchonner la bête avec le linge le plus doux qu'il avait pu trouver. Il en prit plus encore conscience lorsqu'un sous-officier négligent mit Joueur avec les juments baies de la troupe à l'heure du picotin. Une bagarre éclata, Charles se précipita parmi les bêtes renâclantes pour conduire le gris en lieu sûr.

Les deux hommes s'arrêtèrent dans les hameaux et les fermes pour poser des questions sur les fugitifs et trouvèrent la piste facile à suivre. Plusieurs patrouilles vérifièrent leurs laissez-passer et ils profitèrent de ces haltes pour faire boire les chevaux. Charles veillait à mettre Joueur à l'ombre, les sabots dans l'eau pour prévenir les avalures.

Ils chevauchaient, le Blue Ridge et le soleil couchant sur leur gauche. Quand Ambrose entonna sa propre version monocorde de *Young Lochinvar*, Charles se joignit à lui avec ardeur.

Le lendemain matin, ils passèrent dans le comté de Fairfax et s'approchèrent de la base du vieux Bory à Manassas, embranchement ferroviaire d'une importance stratégique considérable. La voie venant de la Shenandoah y croisait celle d'Orange et d'Alexandria. La piste des fugitifs s'arrêta là : personne n'avait vu deux hommes blancs et un Noir répondant aux signalements qu'ils donnèrent. Près de Linkumland, il y avait trop de ravins, de bois, de petites routes tortueuses et d'endroits où se cacher.

— Inutile de continuer, déclara Charles vers deux heures. Nous les avons perdus.

— Vous avez raison, soupira Ambrose, clignant des yeux dans le soleil. Si nous nous arrêtions à cette ferme, là-bas ? Ma gourde est vide.

— D'accord, mais ensuite nous ferons demi-tour. J'ai cru apercevoir une tache bleue sur la crête il y a une minute.

Charles ignorait à quelle distance des lignes yankees il se trouvait et n'aurait de toute façon pas pu marquer sa position si on la lui avait donnée : il n'y avait pas de bonnes cartes.

Ils parcoururent les dernières centaines de mètres les séparant de la pimpante maison blanche au toit vert. Au nord s'étendaient des champs magnifiques. Charles mit Joueur au pas, désigna de la tête l'orme auquel était attaché un cheval attelé à un buggy.

— Regardez. Un autre visiteur nous a précédés.

Se courbant sur l'encolure de Joueur, il le dirigea vers l'arbre ombrageant l'arrière de la ferme. En descendant de cheval dans la cour, Charles crut voir bouger le rideau d'une fenêtre et sentit des picotements dans la nuque.

Il attacha sa monture, prit son fusil, s'avança vers la porte en faisant tinter ses éperons dans le silence, frappa, attendit, entendit à l'intérieur des voix étouffées.

— Restez sur le côté, prêt à tirer, murmura-t-il à Ambrose.

Le lieutenant se colla contre le mur, les mains serrant son fusil, les joues luisantes de sueur. Charles frappa plus fort à la porte, un vieil homme pauvrement vêtu l'ouvrit et grommela :

— Pourquoi que vous faites un raffut pareil ?

Le fermier demeurait campé sur le seuil comme pour cacher ce qu'abritait la pénombre de sa maison.

— Je vous demande pardon, monsieur, dit Charles, gardant son calme. Capitaine Main, de la légion de Wade Hampton. Le lieutenant Pell et moi cherchons un nègre en fuite et deux Blancs, des Belges, qui sont peut-être passés par ici pour se rendre à Washington.

— Qu'est-ce qui vous fait penser ça ? C'te route va à Benning's Bridge mais y en a plein d'autres dans le coin.

De plus en plus méfiant, Charles répondit :

— Je ne comprends pas votre manque de courtoisie, monsieur. De quel côté êtes-vous ?

— Du vot'. Mais j'ai de l'ouvrage qui m'attend.

Comme le vieux reculait pour fermer la porte, Charles la bloqua de son épaule, donna une poussée. Le fermier tomba à la renverse en jurant. Une grosse femme émit un petit cri aigu surprenant pour une personne de sa corpulence et planta sa masse sur le seuil de l'autre pièce afin d'empêcher Charles de regarder à l'intérieur. Mais il était trop grand. Terrifiée, la vieille baleine bredouilla :

— On est pris, Miz Barclay.

— Nous n'aurions pas dû l'empêcher d'entrer. A moins d'être McDowell déguisé, il est des nôtres.

La voix douce et le ton mordant de l'autre femme déroutèrent un moment le capitaine Main. Elle avait l'accent de Virginie mais ce qu'il voyait de sa jeune personne était incontestablement suspect. Sa jupe relevée révélait un jupon tendu par une crinoline et divisé en petites poches légèrement gonflées. Sur une chaise, Charles vit quatre paquets de toile cirée reliés par une ficelle. Tout à coup il comprit et faillit éclater de rire. Il n'avait jamais rencontré de contrebandière — et rarement de femme — aussi séduisante.

— Capitaine Charles Main, madame. De...

— De la légion Hampton. Vous avez la voix qui porte, capitaine. Vous essayez de nous mettre les Yankees sur le dos ?

En parlant, elle avait souri mais sans cordialité, et Charles ne savait que penser d'elle. Elle devait avoir à peu près le même âge que lui et mesurait une dizaine de centimètres de moins, avec des hanches larges, une poitrine épanouie, des yeux bleus et des boucles blondes. C'était une jeune femme qui réussissait à paraître à la fois robuste et diablement jolie. Pendant quelques secondes, Charles se sentit un cœur léger de jeune garçon puis se rappela son devoir.

— Il vaut mieux que ce soit moi qui pose les questions, madame. Puis-je vous présenter le lieutenant Pell ?

Quand Ambrose s'avança, le fermier se réfugia auprès de sa femme.

— Je l'ai vu faire le beau devant le miroir de l'entrée, répliqua la contrebandière. J'avais deviné que vous étiez de Caroline du Sud avant que vous ne parliez de la légion Hampton.

— Et vous, qui êtes-vous ?

— Mrs. Augusta Barclay, du comté de Spotsylvania. J'ai une ferme près de Fredericksburg, si tant est que cela vous regarde.

— Mais nous sommes dans le comté de Fair..., commença Charles.

— Mon Dieu, mon Dieu ! Aussi féru de géographie que de mauvaises manières, coupa la blonde en détachant un autre paquet de son jupon. Je n'ai pas de temps à perdre avec vous, capitaine. Je crains fort d'avoir des cavaliers à mes trousses. Des Yankees.

Plop ! fit le paquet en atterrissant sur la chaise.

— La veuve Barclay revient de Washington, expliqua la fermière. Une mission secrète pour...

— Chut, lui intima son mari. N'en dis pas plus.

— Oh ! pourquoi pas ? lança la jeune femme en se défaisant des paquets. Peut-être que si nous le mettons au courant, il nous aidera au lieu de rester planté comme un piquet, attendant qu'on l'admire.

Les yeux bleus avaient une expression si méprisante que Charles en demeurait coi. S'adressant aux paysans, la jolie blonde poursuivit :

— J'ai eu tort de donner rendez-vous aussi près du Potomac. En passant le pont, j'ai bien cru que les Yankees avaient tout découvert tant ils mettaient de temps à examiner mes papiers. Un sergent fixait ma robe comme s'il voulait voir au travers — et je ne suis pas belle au point de susciter une telle ardeur.

— Je veux savoir ce qu'il y a dans les paquets, déclara Charles.

— De la quinine. Denrée rare à Richmond mais abondante à Washington. Nous en aurons désespérément besoin quand la vraie bataille aura commencé. Je ne suis pas la seule femme à faire ce travail, capitaine. Loin de là.

Charles traversa la pièce en faisant sonner ses éperons. La joliesse et le patriotisme de la veuve Barclay lui plaisaient mais pas sa langue acérée, qui lui rappelait Virgilia, la sœur de Billy Hazard. Jugeant qu'il avait été un peu dur avec le vieux couple, il dit à la femme :

— Vous pouvez l'aider si vous voulez.

La fermière passa devant lui d'un pas pesant, s'agenouilla derrière la blonde et entreprit de détacher les paquets.

— Comme c'est aimable à vous, persifla Mrs. Barclay. Vous savez, je ne plaisantais pas en parlant de poursuivants.

Ambrose, qui se tenait devant la fenêtre nord de la pièce, s'exclama :

— Elle a raison !

Regardant par-dessus son épaule, Charles vit de la poussière s'élever sur la route à deux ou trois kilomètres de la ferme.

— Des Yankees, sûrement, pour galoper aussi vite, dit-il.

Il se retourna et ajouta :

— Je regrette la vivacité de mes propos, mesdames. Je ne voudrais pas que des efforts aussi louables aient été faits en vain, mais ce sera le cas si nous ne réagissons pas rapidement.

— Encore quelques-uns, haleta la grosse fermière.

Charles fit signe au fermier de ramasser les paquets et demanda :

— Où est l'endroit le plus sûr pour les cacher ?

— Le grenier.

— Allez-y. Ambrose, cachez le buggy parmi les arbres. Si vous n'avez pas le temps de revenir avant que les cavaliers puissent vous voir, restez à couvert. Vous avez terminé, Mrs. Barclay ?

La veuve lissa le devant de sa jupe tandis que la fermière déposait les derniers paquets dans les bras de son mari.

— Il suffit de regarder pour connaître la réponse, capitaine.

— Epargnez-moi vos railleries et sortez par-derrière. Cachez-vous dans la remise et ne dites plus un mot. Si vous le pouvez.

Curieusement, la pointe de Charles fit sourire Augusta Barclay.

Le fermier monta l'escalier d'un pas mal assuré et la jolie blonde s'empressa de sortir. Dehors, les roues du buggy déplacé par Ambrose grincèrent.

Charles revint à la fenêtre, vit les cavaliers plus nettement cette fois. Ils étaient une demi-douzaine, tous vêtus de bleu foncé, et approchaient au galop. Sous sa veste grise de cadet, le capitaine se mit à transpirer.

Le fermier redescendit.

— Il y a de l'eau dans la cuisine ? demanda Charles.

— Un seau, avec une louche, répondit la fermière.

— Remplissez la louche et apportez-la-moi. Ensuite, taisez-vous tous les deux.

Il défit son shako, le jeta sur le côté et, quelques instants plus tard, sortit à pas lents, le fusil au creux du bras gauche, la louche dans la main droite. En le voyant, les cavaliers dégainèrent sabres et armes d'arçon, le lieutenant qui les commandait leva la main.

Le moment où Charles aurait pu se faire abattre passa avant qu'il en prît conscience. Il s'appuya sur l'un des piliers du porche, le cœur tambourinant dans ses oreilles.

26

Les cavaliers se ruèrent dans la cour, les canons de plusieurs revolvers militaires se braquèrent vers la poitrine de Charles.

Le lieutenant nordiste, que la chaleur rendait écarlate, approcha son cheval du porche. Charles but à la louche, laissa retomber sa main et la pressa contre son flanc pour cacher son tremblement. Il avait déjà vu quelque part le jeune officier de l'Union.

— Bonjour, capitaine, fit le lieutenant d'une voix étranglée.

Charles s'abstint de rire ou même de sourire : un homme nerveux — ou humilié — réagit souvent sans réfléchir.

— Bonjour, répondit-il aimablement en promenant les yeux sur les visages des Yankees.

Quatre des cavaliers avaient à peine l'âge de se servir d'un rasoir et deux d'entre eux ne purent soutenir son regard. Ils ne seraient pas dangereux. En restant silencieux, Charles contraignit l'officier nordiste à se présenter :

— Lieutenant Prevo, des Dragons de Georgetown.

— Capitaine Main, légion de Wade Hampton. Serviteur, monsieur.

— Puis-je vous demander, capitaine, ce qu'un officier rebelle fait si près du Potomac ?

— Quoique je n'apprécie pas le mot rebelle, je répondrai à votre question. Mon domestique noir, que j'avais pris la peine de faire venir de Caroline du Sud, s'est enfui avant-hier — en quête des libertés bénies du territoire yankee, je suppose. Je suis maintenant venu à la conclusion que je n'arriverai pas à le rattraper. J'ai perdu sa piste.

Montrant les deux chevaux à l'attache, le lieutenant déclara :

— Je vois que vous ne vous êtes pas lancé seul à sa poursuite.

— Mon lieutenant se repose à l'intérieur, répondit Charles.

Mais où diable avait-il déjà rencontré ce jeunot ?

— Vous dites que votre esclave s'est enfui...

— Ces rebelles se privent de rien, pas vrai, mon lieutenant ? marmonna un caporal aux dents saillantes armé d'un énorme pistolet de Dragon.

« De mauvais yeux, celui-là, pensa Charles. Et une arme à me fracasser le crâne. Il faut le tenir à l'œil. »

Adoptant comme tactique d'ignorer le caporal, Charles répondit au lieutenant :

— Oui, et j'en suis fort fâché.

Le caporal revint à la charge :

— C'est juste pour ça qu'on a la guerre, hein ? Vous autres du Sud, vous voulez pas perdre les nègres qui cirent vos bottes et les négresses que vous baisez chaque fois que...

Le lieutenant s'apprêtait à rabrouer le sous-officier mais avant qu'il n'ait eu le temps, Charles jeta la louche dans la poussière.

— Lieutenant Prevo, si vous voulez bien ordonner à cet homme de descendre de cheval, je lui répondrai d'une manière qu'il comprendra, lança sèchement le capitaine en saisissant la poignée de son sabre.

— Ce ne sera pas nécessaire, assura l'officier nordiste. Le caporal se taira.

Le sous-officier aux dents de lapin grogna en fusillant Charles du regard.

— Je dois avouer que je ne suis pas tout à fait insensible à vos arguments, reprit le lieutenant. Je suis originaire du Maryland. Mon frère y possédait sur sa ferme deux esclaves qui se sont enfuis eux aussi. Lorsqu'on a constitué cette unité, un tiers des membres de la milice ont refusé de prêter serment de fidélité et ont démissionné. Je fus tenté de les imiter mais, comme je n'en fis rien, je dois maintenant accomplir mon devoir... Dites-moi, je ne parviens pas à me défaire de l'impression que nous nous sommes déjà rencontrés.

— Pas dans le Maryland, dit Charles, à qui la réponse vint soudain à l'esprit. West Point ?

— Oui, par Dieu. Vous étiez...?

— De la promotion 57.

— J'étais de la suivante. Mais j'ai dû quitter l'école après la première année, je n'arrivais pas à suivre. J'aurais bien voulu continuer, pourtant. J'adorais l'Académie. Eh bien ! le mystère est éclairci. Si vous voulez bien nous excuser, nous allons poursuivre notre mission.

— Mais certainement.

— Nous recherchons une contrebandière qui est passée par cette route. Nous fouillons toutes les fermes.

Comme le lieutenant s'apprêtait à descendre de cheval, Charles partit d'un rire qu'il voulait convaincant :

— Une contrebandière ? Ménagez votre peine, lieutenant. Je suis ici depuis une heure et je vous donne ma parole qu'il n'y a pas de contrebandière dans cette maison.

Le Nordiste se rassit sur sa selle, l'air hésitant. Les pistolets demeuraient braqués sur Charles, qui ajouta :

— Ma parole d'officier et d'ancien de l'Académie.

Le capitaine avait pris un ton cavalier qui, espérait-il, rendrait crédible sa vérité tronquée. Plusieurs secondes s'écoulèrent, Prevo inspira une longue bouffée d'air. « Ça n'a pas marché, pensa Charles. Qu'est-ce qu'ils vont faire, maintenant ? »

— Capitaine Main, j'accepte votre parole et je vous remercie de votre coopération. Vous nous avez fait gagner du temps.

Le lieutenant rengaina son sabre, donna des ordres et le détachement reprit la route en direction du Sud. Le visage déçu du caporal disparut dans la poussière.

Charles ramassa la louche et, soulagé, s'appuya contre le pilier.

27

Après avoir attendu une dizaine de minutes, au cas où les Yankees reviendraient, le capitaine Main fit sortir Augusta Barclay et Pell de leur cachette.

— Laissez le buggy dans les fourrés, dit-il à Ambrose. Les Bleus pourraient repasser.

— Je suppose que votre éloquence les a convaincus, capitaine, dit la jeune femme en brossant les brindilles accrochées à sa robe.

— Je leur ai donné ma parole qu'il n'y avait pas de contrebandière dans la maison.

Estimant d'un coup d'œil la distance séparant le bâtiment blanc de la remise, Charles ajouta :

— A deux mètres près, c'était un fieffé mensonge.

— Très habile.

— Ce compliment embellit ma journée, madame.

Il n'avait pas cherché à être mordant mais la tension qu'il venait d'éprouver donna à la phrase un ton sarcastique. Se retournant, il se pencha au-dessus de l'abreuvoir pour s'asperger le visage. Pourquoi se préoccupait-il de ce que disait cette femme ? Il sentit une main sur son épaule.

— Capitaine ?

— Oui ?

— Vous avez le droit d'être irrité car j'ai tenu des propos inconsidérés. Vous vous êtes conduit avec courage. Je vous dois des remerciements et des excuses.

— Vous ne me devez rien, Mrs. Barclay. C'est aussi ma guerre. A présent, rentrez donc dans la maison et restez-y jusqu'à la tombée de la nuit.

Elle répondit d'un hochement de tête, laissa un moment ses yeux bleus dans les siens et Charles ressentit une émotion inaccoutumée, troublante.

Vers quatre heures, il donnait à boire à Joueur et au bai d'Ambrose quand un bruit de sabots et de la poussière annoncèrent la venue de cavaliers se dirigeant vers le nord. Lorsque le détachement de Prevo passa devant la ferme, le lieutenant fit un signe de la main, Charles lui répondit, puis les soldats disparurent derrière la maison.

Le fermier et sa femme invitèrent à dîner les deux officiers, qui acceptèrent d'autant plus volontiers qu'Augusta Barclay soutint la suggestion. Une brise rafraîchissante soufflait dans la maison quand ils s'attablèrent devant un plat simple mais succulent : jambon fumé, pommes de terre, haricots verts.

Charles ne cessait de regarder Augusta par-dessus le verre de la lampe posée sur la table. A présent, elle gardait les yeux baissés, comme il se devait pour une femme du Sud de bonne famille. Cette pudeur délicate était cultivée par les jeunes filles du Sud et hautement appréciée par ceux qui leur faisaient la cour. Pourtant, cette veuve aux cheveux blonds ne correspondait pas à l'idéal sudiste. Elle avait un parler trop franc, elle était trop robuste, même, quand on y songeait. Charles se demandait combien elle chaussait. Une femme aux grands pieds était condamnée, tant sur le plan des relations mondaines que sentimentales.

Essayant timidement d'entretenir la conversation, le vieux fermier dit à Ambrose :

— C't' une belle bête que vous montez.

— Certainement. Les chevaux de selle de Caroline du Sud sont les meilleurs du monde.

— Ne dites pas cela à un Virginien, répliqua Augusta.

— J'ai parfois l'impression que les Virginiens s'imaginent avoir inventé le cheval, intervint Charles.

— On est bien fiers d'hommes comme Turner Ashby et le colonel Stuart, déclara la fermière, dont ce furent les seules paroles pendant tout le repas.

— Je suis d'accord avec Charlie, reprit Ambrose en se servant de pommes de terre. Les Virginiens ont l'art de vous mettre plus bas que terre d'un seul mot ou d'un regard.

— Certains d'entre eux, reconnut la veuve en souriant. Mais comme dit le poète, lieutenant, l'erreur est humaine, le pardon appartient à Dieu.

— Vous aimez Shakespeare ? demanda Charles.

— Oui, mais c'était une citation d'Alexander Pope, l'écrivain satirique anglais. C'est mon poète préféré.

— Oh! marmonna Charles, honteux de sa stupidité. Je les confonds toujours, ces deux-là. Il faut dire que je ne suis pas grand lecteur de poésie.

— J'ai presque toutes ses œuvres. Un esprit brillant mais sombre, à de nombreux égards. L'homme lui-même était une sorte de nabot au dos déformé — voûté comme un arc, selon ses contemporains. Il ne se faisait pas d'illusions sur la vie mais savait chasser la souffrance par la raillerie.

— Je vois.

Charles avait appris quelque chose sur un poète anglais mais, surtout, il avait l'impression de mieux connaître Augusta Barclay. Quelle souffrance cachait-elle derrière ses moqueries ?

La fermière apporta de la tarte et du café tandis que son mari demandait à la veuve quand et comment la quinine serait transportée à Richmond.

— Un homme viendra la prendre demain, répondit-elle.

— Votre lit est fait dans l'aut' chambre, cria la fermière de la cuisine. Capitaine, vous et vot' lieutenant, vous pouvez aussi dormir ici. Je mettrai des paillasses par terre.

Augusta se tourna vers Charles et dans le visage partagé par le verre de la lampe, il crut voir une attente mêlée d'espoir. Ou n'était-ce qu'un effet de son imagination ? Charles se sentait tiraillé entre le devoir et le désir.

Ambrose attendait un signe de son supérieur et, n'en voyant aucun, il se risqua à dire :

— Je passerais bien une bonne nuit ici. Surtout si vous me laissez jouer de votre mélodion, ajouta-t-il à l'adresse du fermier.

— Sûrement, acquiesça le vieux paysan, ravi.

— Alors nous restons, décida Charles.

Augusta eut un sourire à peine esquissé mais bien réel. La fermière sortit un cruchon d'alcool de pomme, servit le capitaine et la veuve, qui s'installèrent face à face tandis que Pell essayait le vieil harmonium. Bientôt, il se lança dans un morceau au rythme enlevé.

— Vous jouez bien, le complimenta Augusta. J'aime l'air que vous interprétez mais je ne le reconnais pas.

— Cela s'appelle *Dixie's Land*. C'est un *minstrel song* *.

— On l'a joué aussi dans le Nord, à l'automne dernier, quand Abe s'est présenté aux élections, dit le fermier. Les Républicains défilaient au son de c'te musique.

— C'est possible, convint Ambrose. Mais les Yankees ont perdu ce chant comme ils perdront la guerre. Tout le monde le joue et le chante dans les camps qui entourent Richmond.

Tandis que le lieutenant continuait à jouer, Augusta demanda à Charles :

— Parlez-moi un peu de vous, capitaine Main.

Il choisit ses mots avec précaution de peur d'être de nouveau la cible d'un sarcasme débité avec le sourire. Il évoqua West Point, le Texas, l'amitié de Billy Hazard — et aussi les doutes qu'il avait au sujet de l'esclavage.

— Je n'ai jamais cru non plus à cette institution, dit Augusta. A la mort de mon mari, l'année dernière en décembre, j'ai affranchi ses deux esclaves. Dieu merci ! ils sont restés avec moi, sinon j'aurais été forcée de vendre la ferme.

— Que cultivez-vous ?

— De l'avoine, du tabac. Je cultive aussi mes relations avec mes voisins pour qu'ils ne s'offusquent pas trop de me voir travailler au champ. Mon mari me l'interdisait, il pensait que cela me ferait perdre ma féminité.

Elle renversa la tête sur le coussin brodé du vieux fauteuil à bascule. Comme elle était jolie et douce à la lumière de la lampe ! Perdre sa féminité ? Son mari devait être fou.

— Il était fermier, si j'ai bien compris ?

— Oui. Il a vécu toute sa vie dans la même ferme, comme son père avant lui. C'était un homme honorable, gentil avec moi — quoique montrant une profonde méfiance pour les livres, la poésie, la musique...

Elle tourna la tête vers Ambrose, perdu dans une douce mélodie classique que Charles ne reconnaissait pas.

— J'ai accepté de l'épouser sept mois après la mort de sa première femme, continua Augusta. Il est mort comme elle, d'une grippe. Il avait vingt-trois ans de plus que moi.

— Vous l'aimiez, pourtant.

— Je l'aimais bien.

---

* Les *minstrels* étaient des chanteurs blancs déguisés en Noirs parcourant les Etats du Sud au siècle dernier (n.d.t.).

— Alors pourquoi l'avoir épousé ?

— Ah ! Encore un disciple de ce romantique sir Walter ! Les Virginiens le vénèrent un tout petit peu moins que le Seigneur et George Washington.

Elle vida son verre et la lueur combative s'alluma à nouveau dans ses yeux.

— La réponse à votre question est prosaïque, poursuivit-elle. Sans une once de romantisme. J'avais perdu mes parents et mon frère, je n'avais plus de famille du tout dans le comté. Quand Barclay m'a demandée en mariage, je n'ai réfléchi qu'une heure avant de dire oui. Je pensais que personne d'autre ne voudrait de moi.

— Mais pourquoi ? Vous êtes belle, dit Charles.

Elle le regarda. Un courant d'émotion jaillit entre eux comme un éclair.

La petite moue, le sourire défensif disparurent quand elle détourna les yeux et se leva brusquement. Ses seins lourds gonflaient le corsage de la robe, sur lequel elle tira avec gêne.

— Vous êtes galant, capitaine, mais je sais que je ne suis pas belle. Je me sens fatiguée, maintenant, je vous prie de m'excuser. Merci encore et bonne nuit.

— Bonne nuit, murmura Charles en se levant à son tour.

Lorsqu'elle fut sortie, il lança à Ambrose :

— Fichue bonne femme !

Abandonnant l'harmonium, le lieutenant sourit.

— Ne tombez pas amoureux, Charlie. Le colonel a besoin de vous.

— Ne dites pas d'idioties, grommela Charles, d'un ton qu'il espérait convaincant.

Après une excellente nuit, il se réveilla à l'aube avec une envie inhabituelle de se lever et de bouger. Il laissa Ambrose continuer à ronfler et se coula au-dehors pour donner à manger aux chevaux. Sifflant doucement *Dixie's Land*, il regarda les fenêtres du premier étage et se demanda où était « l'aut' chambre ».

Un soleil rouge apparut au-dessus des collines et des bois situés à l'est de la route. Les oiseaux chantaient et Charles s'étira, tout joyeux. Il ne s'était pas senti aussi bien depuis des mois mais ne cherchait pas trop à savoir pourquoi.

Une fumée pâle et âcre s'éleva de la cheminée de la cuisine : quelqu'un préparait le petit déjeuner. Tant mieux, il mourait de faim. En rentrant, il se rappela qu'il devait sortir son pistolet personnel de son coffre, le nettoyer et le graisser. Charles ne l'avait pas porté depuis son retour du Texas. C'était un colt de l'armée à six coups, calibre 44, modèle 1848, auquel il avait fait ajouter quelques accessoires coûteux comme des plaquettes de crosse en châtaignier, une monture amovible permettant d'appuyer l'arme contre l'épaule, un barillet gravé représentant des dragons attaquant des Indiens. Avec ce revolver, son fusil et son sabre, il ne lui manquait rien pour écraser les Yankees — tâche qu'il brûlait d'entreprendre ce matin-là.

Dans la cuisine, Augusta aidait la fermière à préparer des œufs au jambon.

— Bonjour, capitaine Main, dit la jolie Mrs. Barclay avec un sourire cordial.

Bientôt, tout le monde se retrouva à table. Ambrose passait à Charles un pain encore chaud cuit à la ferme quand des bruits de sabots

116

résonnèrent dans la cour. Dans sa hâte à se lever, le capitaine Main renversa sa chaise, mais Augusta, qui était assise à sa droite, le retint par le poignet.

— C'est sans doute l'homme venu de Richmond. Il n'y a rien à craindre.

Les doigts de la jeune femme se retirèrent aussitôt, laissant Charles tout troublé. « Je me conduis comme un vrai gosse », pensa-t-il tandis que le fermier faisait entrer le visiteur. Les joues roses, Augusta fixait son assiette comme si elle avait peur qu'elle s'envole.

L'homme de Richmond appela la veuve par son nom mais ne révéla pas le sien. Mince, d'âge mûr, vêtu d'un costume marron et d'un chapeau à bord plat, il avait l'air d'un employé. Il accepta l'invitation du fermier, approcha une chaise de la table en disant :

— La quinine est là ? Pas de problème ?

— Dans le grenier, répondit Augusta. Il n'y a pas eu de problème grâce à l'intervention du capitaine Main et du lieutenant Pell.

Après le récit des événements de la veille, l'homme exprima sa gratitude puis se mit à manger. Il ne prononça plus un autre mot et dévora assez de nourriture pour six hommes de sa corpulence. Pendant ce temps, Charles et la veuve bavardaient, plus aisément que la veille. En réponse à ses questions sur Billy, il lui décrivit l'infortune des Main et des Hazard, qui se retrouvaient dans des camps opposés.

— Nos familles sont proches depuis longtemps. Unies par le mariage et par West Point, ainsi que par les sentiments que nous éprouvons les uns pour les autres. S'il y a une chose que nous espérons maintenant, c'est de demeurer unis quoi qu'il arrive.

— Ma famille aussi est divisée par la guerre.

— Je croyais que vous n'en aviez plus.

— Je n'en ai plus dans le comté de Spotsylvania mais mon oncle, le frère de ma mère, est général dans l'armée de l'Union. Il s'appelle Jack Duncan, il est sorti de West Point en 1840, si je me rappelle bien.

— George Thomas faisait partie de cette promotion ! s'exclama Charles. J'ai servi sous ses ordres au 2e de cavalerie. C'est un Virginien...

— Qui est resté dans le camp de l'Union, acheva Augusta.

— C'est exact. Voyons, qui d'autre encore ? Bill Sherman. Un bon ami de Thomas nommé Dick Ewell, qui vient de recevoir le commandement d'une des brigades de Manassas.

— Dites-moi, les anciens de West Point ne se perdent pas de vue.

— En effet. Et cela nous vaut de ne pas être très estimés. Parlez-moi de votre oncle. Où est-il ?

— Sa dernière lettre provenait d'un fort du Kansas, mais je suppose qu'il est de retour dans cette partie du pays, maintenant. Il s'attendait à être nommé ailleurs. Dans un journal de Washington, j'ai lu un article concernant les officiers supérieurs originaires de Virginie. Neuf ont rejoint la Confédération, onze sont restés avec l'Union. Mon oncle fait partie de ces derniers.

D'un geste preste, Ambrose s'empara du dernier morceau de jambon, battant le courrier de Richmond sur le poteau. Quand tout le monde eut terminé, le lieutenant amena le buggy devant la ferme tandis que Charles se chargeait du sac d'Augusta. Il mit le bagage dans la carriole, regarda la jeune femme nouer un foulard jaune sur ses cheveux.

— Vous ne risquez rien à faire seule le reste du trajet ?

— Il y a un pistolet dans le sac que vous venez de porter. Je ne voyage jamais sans cette arme.

Il lui prit la main pour l'aider à monter dans le buggy.

— Capitaine, je vous exprime à nouveau ma reconnaissance. Si votre devoir vous amène un jour à Fredericksburg, rendez-moi donc visite. La ferme Barclay n'est qu'à quelques kilomètres de la ville. N'importe qui vous indiquera le chemin...

Augusta s'interrompit puis ajouta précipitamment :

— Cette invitation s'adresse aussi à vous, bien sûr, lieutenant Pell.

— Certainement. C'est bien ainsi que je l'avais compris, dit Ambrose en glissant un regard malicieux à son ami.

— Au revoir, capitaine Main.

— Il est un peu tard pour vous prier de m'appeler Charles.

— Si vous m'appelez Augusta.

— Augusta, c'est un peu sévère. Pourquoi pas Gus ?

C'était une de ces choses qu'on dit sans réfléchir, parce qu'elles vous passent par la tête et semblent sans importance.

— Mon frère m'appelait toujours Gus. Je détestais ça.

— Pourquoi ? Cela vous va bien. Gus travaille au champ, je doute qu'Augusta en fasse autant.

— « J'admets votre règle générale... »

— Quoi ? dit Charles, avant de comprendre qu'elle devait à nouveau citer ce satané Pope.

— « ... qui veut que tout poète soit un sot. Mais vous pourriez vous-même illustrer celle selon laquelle tout sot n'est pas poète. » Au revoir, capitaine.

— Attendez ! s'écria Charles.

Mais l'occasion de s'excuser s'enfuit aussi vite que le buggy. Augusta fouetta son cheval, qui fila hors de la cour et prit la direction du sud. Ambrose s'approcha en s'efforçant de paraître catastrophé.

— Charlie, cette fois, vous avez commis une énorme bourde. Elle s'est enflammée, la petite veuve. Bah ! une femme ne peut pas être très féminine avec une langue de vipère ou un nom comme Gus...

— Fermez-la, Ambrose. De toute façon, je ne la reverrai jamais. Elle ne supporte pas la plaisanterie mais ne se prive pas d'en lancer aux autres. Qu'elle aille au diable, avec son Pope !

Charles sella Joueur, porta la main à son shako pour saluer le couple de fermiers et partit à toute allure vers le sud. Ambrose dut éperonner son cheval bai pour rester dans son sillage et ne pas le perdre de vue.

Au bout de quelques kilomètres, le capitaine se calma, ralentit et repensa en silence aux conversations qu'il avait eues avec cette fichue pimbêche de veuve, qu'il continuait à trouver diablement attirante malgré la façon dont ils s'étaient quittés. Elle n'aurait pas dû prendre la mouche aussi vite pour une gaffe innocente. Elle non plus n'était pas parfaite, après tout.

Charles aurait voulu la revoir, arranger les choses. C'était impossible pour le moment avec les combats qui s'annonçaient. L'attitude de Prevo, le lieutenant yankee, lui faisait à nouveau croire à la possibilité d'une guerre de gentlemen, menée selon des règles de gentlemen. Peut-être suffirait-il d'une grande bataille pour que tout soit terminé. Il se mettrait alors à la recherche de la jeune veuve que, malgré ses efforts, il continuait à appeler mentalement Gus.

28

Le 13 juillet tombant un samedi, Constance avait eu un jour de plus pour finir de faire ses bagages. George était parti quelques jours auparavant, manifestement à contrecœur. La veille de son départ, il avait mal dormi et s'était levé dans la nuit. Il était revenu dans la chambre une dizaine de minutes plus tard avec des brins de laurier poussant sur les collines entourant Belvedere. Il les avait glissés dans sa valise sans donner d'explication — mais Constance n'en avait pas eu besoin.

Brett s'occuperait de la maison, Wotherspoon des forges et Jupiter Smith, l'avocat de George à Lehig Station, de la constitution de la nouvelle banque. Tous télégraphieraient en cas d'urgence et Constance ne craignait donc pas de laisser des affaires importantes à l'abandon.

Elle était pourtant de mauvaise humeur, ce samedi. Il y avait trop de valises à faire et ses deux plus belles robes, qu'elle n'avait pas mises depuis un mois, la serraient un peu. Elle avait grossi. George ne lui avait fait aucune remarque mais, en s'examinant dans la glace, Constance se trouvait confrontée aux preuves indiscutables que constituaient le renflement de son ventre, l'épaisseur de ses cuisses.

Tard dans la matinée, Bridgit entra dans la chambre encombrée de bagages de sa maîtresse et dit d'une voix hésitante :

— Mrs. Hazard ? Il y a quelqu'un qui vous demande, dans la cuisine.

— Pour l'amour du ciel, ne viens pas m'importuner avec des commerçants alors que...

— Ce n'est pas un commerçant, madame, répondit la femme de chambre, étrangement pâle.

— Qui est-ce, alors ? On dirait que tu as vu Belzebuth en personne.

— C'est la sœur de Mr. Hazard.

Perdant son sang-froid coutumier, Constance se précipita en bas. Elle était stupéfaite, sidérée, outrée. Comment Virgilia osait-elle revenir à Belvedere après tout ce qu'elle avait fait pour créer des frictions entre les Hazard et les Main ?

Virgilia, qui gravitait autour de l'aile la plus extrémiste du mouvement abolitionniste, s'était montrée en public avec des Noirs connus pour être ses amants. Lors d'une visite à Mont Royal, elle avait trahi la confiance des Main en profitant de leur hospitalité pour aider un esclave à s'échapper. Elle avait ensuite vécu pauvrement avec ce Noir, nommé Grady, dans les taudis de Philadelphie. Elle l'avait aidé à prendre part au raid mené contre Harper's Ferry par l'infâme John Brown, qui avait et exprimait des vues aussi extrêmes qu'elle-même.

Virgilia haïssait tout ce qui venait du Sud et l'avait à nouveau montré lorsque Orry avait entrepris son dangereux voyage à Lehig Station pour rembourser une partie de l'emprunt fait aux Hazard. Elle avait ameuté autour de Belvedere une foule que George avait dû tenir en respect avec son fusil. Cette nuit-là, le maître de forges avait à jamais chassé sa sœur de chez lui. Et voilà qu'elle osait revenir ! Elle méritait...

« Stop, se dit Constance devant la porte fermée de la cuisine. Du calme, de la compassion. Fais un effort. » Elle remit en place une mèche de cheveux, contrôla sa respiration, pria silencieusement, se signa et entra.

Exceptée la visiteuse, il n'y avait personne dans la cuisine où cuisait le pain de la journée. Par la fenêtre du fond, Constance vit son fils William jouer dehors avec un arc et des flèches. L'atmosphère intime et familiale de la pièce semblait profanée par la créature qui se tenait près de la porte avec un sac de voyage crasseux, une robe sale, un châle troué.

Agée de trente-sept ans, Virgilia avait un visage carré portant des marques de variole. Naguère plantureuse, elle était maigre, presque émaciée, avec une peau jaunâtre, des yeux éteints enfoncés dans leurs orbites. Elle sentait la sueur et d'autres odeurs plus désagréables encore. Constance se félicita de ce que Brett fût partie faire des courses à Lehig Station avec la cuisinière. La jeune femme se serait peut-être jetée sur Virgilia — comme Constance elle-même en mourait d'envie.

— Que fais-tu ici ?

— Puis-je attendre George ? Je dois le voir.

La voix de Virgilia avait perdu sa perpétuelle arrogance, son regard paraissait blessé. Constance le remarqua et il s'alluma en elle une flamme de plaisir que la honte et sa bonté naturelle finirent par éteindre.

— Ton frère est à Washington. Il travaille pour le gouvernement.

— Ah ! murmura Virgilia en fermant les yeux un instant.

— Comment peux-tu venir ici ?

Elle inclina la tête comme pour accepter l'accusation et la colère que Constance n'avait pas réussi à chasser de sa voix.

— Puis-je m'asseoir sur ce tabouret ? Je ne me sens vraiment pas bien.

— Oui, répondit Constance après un temps d'hésitation. (Elle tendit le bras vers le sac de voyage.) C'est celui que tu as emporté en avril, avec l'argenterie ? Après nous avoir fait honte de mille manières, tu en as trouvé encore une autre : le vol.

Virgilia se laissa tomber sur le siège avec la lenteur d'une personne beaucoup plus vieille.

— Il fallait vivre.

— C'est une explication, pas une excuse. Et où as-tu vécu depuis ton départ ?

— Dans des endroits dont j'aurais honte de parler.

— Pourtant, tu as le toupet de revenir ici.

Des larmes apparurent dans les yeux de Virgilia, qui murmura :

— Je suis malade, je peux à peine me tenir debout. J'ai cru m'évanouir en montant la colline.

Après un long soupir, elle donna l'ultime raison :

— Je n'ai pas d'autre endroit où aller.

— Tes bons amis abolitionnistes ne veulent pas de toi ?

Constance, qui n'avait pu s'empêcher d'avoir un ton méprisant, eut à nouveau honte. « Arrête. »

— Non, finit par répondre la visiteuse. Plus maintenant.

— Qu'es-tu venue chercher ici ?

— Un endroit où me reposer. Me remettre. Je voulais supplier George de...

— Je te répète qu'il est à Washington.

— Alors c'est toi que je supplie, Constance, si c'est cela que tu veux.

— Tais-toi !

Constance se retourna brusquement, se couvrit les yeux. Une minute plus tard, elle fit de nouveau face à Virgilia, l'air sévère mais calme.

— Tu peux rester quelque temps seulement.

— Entendu.

— Pas plus de quelques mois.

— Entendu. Merci.

— Et George ne doit pas le savoir. William t'a vue ?

— Je ne crois pas. J'ai fait attention, il était occupé avec son arc...

— Je pars demain rejoindre George, j'emmène les enfants. Il ne faut pas qu'ils te voient. Tu resteras cachée dans une des chambres des domestiques jusqu'à notre départ. De cette façon, je serai la seule à devoir mentir.

Ce fut dit avec un mordant qui fit frissonner Virgilia. Malgré ses efforts, Constance ne pouvait se maîtriser totalement.

— Si George apprenait ta présence, il te chasserait de nouveau, ajouta-t-elle.

— Oui, je suppose.

— Brett vit ici aussi pendant l'absence de Billy. Il est dans l'armée.

— Oui, je m'en souviens. Je suis heureuse que Billy combatte et que George fasse également sa part. Il faut que le Sud soit complètement...

— Virgilia, coupa Constance, si tu profères un seul mot de ce fatras idéologique que tu as déversé sur nous pendant des années, je te jetterai moi-même dehors immédiatement. D'autres ont le droit moral de s'élever contre l'esclavage et les propriétaires d'esclaves, pas toi.

— Je suis désolée, j'ai parlé sans réfléchir. Plus jamais je ne...

— C'est exact : plus jamais. J'aurai déjà assez de mal à convaincre Brett de te laisser rester à Belvedere pendant que je serai partie et qu'elle s'occupera de la maison. Ne discute pas mes conditions.

— Non.

— Ou tu les acceptes toutes, ou tu repars comme tu es venue. Je me fais bien comprendre ?

— Oui, oui. Oui, murmura Virgilia en baissant la tête.

Encore troublée, encore furieuse, Constance se couvrit de nouveau les yeux. Les épaules de Virgilia commencèrent à s'agiter et elle pleura, presque sans bruit d'abord, puis plus bruyamment, avec une sorte de gémissement animal. Constance s'empressa de sortir par la porte de derrière et la referma aussitôt pour que William n'entende rien.

29

— Je vous demande et vous ordonne...

D'autres voix s'élevèrent soudain, couvrant partiellement celle du révérend Saxton, recteur de la paroisse épiscopalienne. Orry, qui portait son costume le plus élégant — et le plus chaud — coula prestement un regard en direction des fenêtres ouvertes.

Madeline se tenait à son côté, vêtue d'une robe d'été en lin blanc. Les esclaves, qui avaient un jour de repos, avaient été invités à écouter la cérémonie de la petite place et une quarantaine d'entre eux s'étaient rassemblés dehors, au soleil. Les domestiques, appartenant à une caste supérieure et attendant d'être traités comme tels, avaient été admis au salon, où une seule personne était présentement assise : Clarissa.

— ... si l'un de vous a connaissance d'un obstacle s'opposant à ce que vous soyez légalement unis par le mariage...

A l'extérieur, le bruit de la querelle redoubla. Quelqu'un cria.

— ... qu'il le dise maintenant. Car soyez assurés...

Le recteur bredouilla, perdit le fil de sa lecture, toussa deux fois et poussa un soupir parfumé par le sherry qu'il avait bu quelques instants auparavant avec les promis. Avant de conduire Madeline au salon, Orry avait dit en plaisantant que Francis LaMotte viendrait peut-être s'opposer à ce qu'ils se marient si peu de temps après les funérailles de Justin.

— Soyez assurés..., reprit Mr. Saxton.

Dehors, un homme se mit à jurer et Orry, reconnaissant sa voix, se pencha vers le recteur.

— Excusez-moi un instant.

Orry sortit à grands pas, s'avança vers le demi-cercle de Noirs masquant les combattants. Il entendit Andy s'écrier :

— Laisse-le, Cuffey. Il n'a rien...

— Me touche pas, négro. Il m'a poussé.

— C'est toi qui m'as poussé, répliqua une voix plus faible, appartenant à un esclave nommé Percival.

Orry, que personne n'avait remarqué, ordonna :

— Arrêtez.

Une petite fille à nattes poussa un cri aigu, la foule s'écarta, révélant Cuffey, assis à califourchon sur les cuisses de Percival. Andy, qui se tenait à un mètre de Cuffey, portait des vêtements propres, comme tous les autres esclaves. C'était jour de fête à Mont Royal.

— C'est mon mariage, je ne veux pas être dérangé, lança Orry. Que s'est-il passé ?

— C'est sa faute, gémit Percival en montrant Cuffey. Il est arrivé après tout le monde et il m'a poussé pour prendre ma place.

Cuffey baissa ses yeux pleins de haine et marmonna :

— Je l'ai pas poussé. J'ai glissé et je suis tombé sur lui, c'est tout. J'ai glissé.

Comme l'exigeait le protocole, Orry interrogea Andy du regard.

— Percival dit la vérité, déclara le contremaître.

— Cuffey, regarde-moi, reprit Orry. Double travail pendant une semaine.

L'esclave, furieux, n'osa pas répondre et le maître retourna dans la maison.

Peu après, Madeline et Orry joignirent leurs mains droites tandis que le recteur récitait :

— Vivez unis en cette vie pour avoir la vie éternelle dans l'autre monde. Amen.

Le soir, dans leur chambre, Madeline tendit une main vers Orry et le caressa dans le noir.

— Sapristi ! On dirait que le marié n'a jamais connu la mariée, gloussa-t-elle.

— Pas en qualité de mari.

Il était assis à côté d'elle, sa cuisse velue contre la douceur de la sienne. Madeline avait les pointes des seins aussi sombres que ses cheveux et ses yeux ; le reste de sa personne était du marbre. Elle posa les bras sur les épaules d'Orry, l'embrassa.

— Mon Dieu ! comme je t'aime !

— Je vous aime, Mrs. Main. Je suis navré de l'incident qui a troublé la cérémonie. Je devrais vendre Cuffey. Je ne veux pas qu'il crée des ennuis pendant que je serai à Richmond.

— Mr. Meek s'occupera de lui.

— Je l'espère, soupira Orry, qui n'avait pas encore reçu de nouvelles de Caroline du Nord.

Madeline lui caressa la joue.

— Dès que tu seras installé en Virginie, je te rejoindrai. D'ici là, tout ira bien. On peut faire confiance à Andy.

— Je sais, mais...

— Ne te tourmente pas, chéri.

Elle se retourna, fit craquer le lit en exposant la blancheur de son ventre et de sa poitrine à la faible lueur provenant du dehors. Lorsqu'il s'étendit à côté d'elle, elle approcha sa bouche de son visage et chuchota :

— Pas de soucis ce soir. Un mari a certains devoirs à remplir, tu sais.

Ils furent tous deux réveillés par un bruit rauque.

— Mon Dieu ! Qu'est-ce que c'est ? s'écria Madeline en se redressant.

Le cri s'éleva à nouveau, des oiseaux piaillèrent dans la nuit. En bas, une servante posa une question d'un ton angoissé.

— On aurait dit un cri d'animal sauvage, murmura Madeline avec un frisson.

— C'est un cri de panthère. Du moins, une imitation. Les nègres en poussent parfois pour effrayer les Blancs.

— Mais personne ici ne voudrait faire une chose par...

Madeline s'interrompit et, frissonnant à nouveau, se pressa contre le dos de son mari.

30

Ce soir-là, Washington en effervescence retentissait de bruits divers : grincement des roues de chariot, grondement des sabots et tintement des fers, chants de régiments marchant vers les ponts de Virginie. C'était le lundi 15 juillet.

George avait passé la journée à régler mille détails pour préparer l'arrivée de Constance et des enfants. A neuf heures trente, il entra au restaurant du *Willard* et son frère lui fit signe d'une table du centre de la salle.

Le maître de forges se sentait emprunté et ridicule avec le chapeau français porté par les officiers d'état-major : galon doré, aigle en cuivre, cocarde noire. Il avait acheté l'épée réglementaire la moins chère qu'il avait pu trouver, une arme en fer-blanc tout juste bonne à parader. Aucune importance, il la porterait le moins souvent possible — idem pour le fichu chapeau.

— Dieu nous vienne en aide — quelle élégance ! s'exclama Billy tandis que son frère s'asseyait. Et je vois que vous avez un grade supérieur au mien, mon capitaine.

— Arrête ou je te flanque un rapport, grogna George avec bonhomie. Je serai probablement nommé major dans un mois ou deux. Tout le monde dans le service doit avoir de l'avancement.

— Ça te plaît, le Matériel ?

— Pas du tout.

— Alors pourquoi... ?

— Nous devons tous faire parfois des choses qui ne nous plaisent pas. Si je ne pensais pas pouvoir me rendre utile, je ne serais pas ici.

George alluma un cigare dont la fumée fit tousser le serveur qui se tenait près de la table. Le capitaine composa son menu avec le ton sec d'un cadet de dernière année rudoyant un bizuth et le garçon avait peine à suivre avec son crayon.

— Moi aussi des côtelettes de veau, dit Billy.

Après le départ du serveur, il but une gorgée de whisky et reprit :

— Tu sais, George, tu n'auras peut-être pas l'occasion de te rendre utile. Une percée jusqu'à Richmond et tout pourrait être fini. McDowell fait mouvement ce soir.

— Il faudrait être sourd et aveugle pour ne pas le savoir. De toute façon, Stanley m'avait prévenu. Nous avons déjeuné ensemble ce midi.

— Tu crois que nous aurions dû l'inviter ce soir ? demanda Billy d'un air coupable.

— Oui, mais je suis heureux que nous n'en ayons rien fait. En outre, Isabel ne l'aurait probablement pas laissé sortir.

— Tu as trouvé à te loger ?

— Ici même. Une suite. Ruineux mais c'était cela ou rien

— Le *Willard* est bondé. Comment as-tu fait ?

— Cameron s'est débrouillé. J'ai l'impression qu'il peut obtenir n'importe quoi.

George tira une bouffée de son cigare.

— Es-tu aussi en forme que tu en as l'air ? demanda-t-il.

— Oui, je vais bien, mais Brett me manque beaucoup. J'ai un excellent commandant. Beaucoup plus porté que moi sur la religion mais expert en génie militaire.

— A tu et à toi avec Dieu, hein ? Qu'il cultive ses relations, cela pourrait nous être utile. J'ai observé des volontaires à l'exercice, cet après-midi.

— Mauvais ?

— Effroyable.

— Combien d'hommes McDowell conduit-il en Virginie ?

— Trente mille, à ce que j'ai entendu dire, répondit George. Je suis sûr que le nombre exact paraîtra demain dans la presse. L'information intéressera le Vieux Bory : il paraît qu'il se fait envoyer tous les jours par courrier spécial les journaux d'ici.

Billy sourit.

— Je n'ai pas ton expérience mais je n'aurais jamais cru qu'on pouvait faire la guerre de cette façon.

— Ce n'est pas la guerre, c'est... comment appeler ça ? Une mascarade. Un rassemblement d'amateurs pleins d'ardeur conduits par une kyrielle de politiciens à qui tout le monde fait confiance et quelques officiers de carrière dont on se méfie.

Le serveur apporta un bouillon laiteux et fumant où flottaient des huîtres grasses. George se débarrassa de son cigare, prit sa cuiller.

— Je vais te dire une chose, poursuivit-il. Pour hâter la fin de la guerre, il faudrait armer tous les Noirs qui affluent ici en provenance du Sud.

Remarquant l'air désapprobateur de son frère, il ajouta :

— Pourquoi pas ? Je parie qu'ils se battraient plus vaillamment que beaucoup des beaux messieurs que j'ai vus parader en ville.

— Mais ce ne sont pas des citoyens si l'on se fonde sur le jugement rendu dans l'affaire Dred Scott.

— Encore faut-il croire à la justesse de cette décision. Ce n'est pas mon cas. Billy, dit George en se penchant au-dessus de la table, la sécession est le tonneau de poudre qui a déclenché cette guerre mais, la mèche, c'était l'esclavage. C'est le fond du problème. Pourquoi ne pas laisser les Noirs se battre pour leur propre cause ?

— Peut-être as-tu raison sur le plan politique mais je connais l'armée. L'incorporation de nègres provoquerait de violentes réactions.

— Tu veux dire que les soldats blancs ne feraient pas confiance aux Noirs.

— Exactement.

— Toi non plus ?

124

Cachant son embarras derrière une attitude provocatrice, Billy répondit :

— Moi non plus. Je me trompe peut-être mais c'est ce que je pense.

— Alors il vaut mieux changer de conversation.

Ce qu'ils firent, et le reste du repas se déroula agréablement. Ils sortirent du restaurant juste au moment où un régiment d'infanterie passait dans l'avenue, baïonnettes pointant dans toutes les directions. Les tambours auraient tout aussi bien pu donner la cadence sur la lune.

— Sois prudent, Billy, dit George. Une grande bataille se prépare, ce sera peut-être pour cette semaine.

— Ne t'en fais pas. De toute façon, je ne pense pas que notre unité sera envoyée à Richmond avec les autres.

— Pourquoi tout le monde est-il si sûr que nous allons atteindre Richmond ? Les gens se comportent comme si les rebelles étaient tous de prétentieux imbéciles. Je connais certains des anciens de West Point passés au Sud. Ce sont les meilleurs officiers. Quant à la troupe, les jeunes gars du Sud ont l'habitude de vivre au-dehors, de travailler dans les champs. Leur mode de vie les avantage. Aussi ne les sous-estime pas et suis mon conseil : sois prudent. Ne serait-ce que pour Brett.

— Je serai prudent, promit Billy. Désolé de cette discussion sur les nèg... sur l'autre question.

— Je n'ai pas besoin de partager les opinions stupides de mon frère pour me soucier de son sort.

George ouvrit les bras, les deux hommes s'étreignirent et Billy s'éloigna dans le noir en suivant le miroitement des baïonnettes et le roulement de tambours invisibles.

Constance et les enfants arrivèrent le lendemain matin avec des tonnes de bagages, un paquet de nourriture et de livres que Brett avait préparé pour Billy. Patricia était tout excitée de voir la capitale, ravie par la perspective d'y aller à l'école à la rentrée. Son frère, plus vieux de dix mois, exprima le même enthousiasme pour la ville mais lorsqu'il entendit parler d'école, il tira la langue — dans le hall du *Willard*. Cette énergique manifestation lui valut une taloche et une réprimande de sa mère.

George déclara qu'ils seraient peut-être rentrés à la maison en automne et que, de toute façon, la bataille qui se préparait donnerait une indication sur la suite des événements. Le prix des chevaux et des voitures de louage avait grimpé vertigineusement en deux jours. Des centaines de personnes projetaient de se rendre en Virginie pour assister au spectacle, qui promettait d'être excitant. Bien que connaissant les réalités de la guerre, George avait succombé lui aussi et loué une calèche.

Le mercredi soir, il rentra à l'hôtel après avoir tenté pendant des heures de voir un peu clair dans le chaos du service de Ripley. Constance, l'air contrarié, lui tendit une carte de visite.

— On l'a déposée pendant que je faisais des courses, dit-elle.

George retourna la carte, lut avec consternation l'invitation à dîner pour le lendemain, écrite par Isabel.

— Allons-y cette fois pour être débarrassés, décida-t-il. Sinon elle ne cessera de nous relancer.

— Si tu peux les supporter, moi aussi, je suppose, soupira Constance. Nous savons tous deux ce que cache probablement cette démonstration d'amitié. Le vieux Simon veut que tu sois content.

— Possible, répondit George avec un haussement d'épaules. Mais Isabel tient peut-être vraiment à nous recevoir.

— Sois sérieux, voyons.

— Je le suis. Cela lui donnera l'occasion d'éblouir les nouveaux venus que nous sommes. Je me demande de quoi elle va faire étalage, cette fois, marmonna George en se grattant le menton.

Il s'avéra qu'Isabel disposait de tout un arsenal, à commencer par la vaste maison de la Rue I que les invités furent contraints d'admirer pendant un quart d'heure.

— Je vous plains, fit-elle avec commisération. Entassés comme ça au *Willard*... Nous avons eu de la chance de quitter le *National* pour nous installer ici, vous ne trouvez pas ?

— Oh ! si, répondit Constance avec une politesse impénétrable. C'est fort aimable à vous de nous avoir invités.

— Le passé est le passé — surtout dans des moments pareils.

Isabel avait adressé la remarque à George, qui eut toutes les peines du monde à la digérer. Il se sentit soudain las, maussade et mal à l'aise dans son uniforme de soldat de plomb. La poignée de son épée ridicule ne cessait de battre contre sa ceinture.

A table, on sortit les couteaux. Stanley et Isabel truffèrent leurs propos de noms de personnalités en laissant entendre qu'ils étaient au mieux avec chacune d'elles : Chase, Stevens, le général McDowell — et bien sûr Cameron.

— Tu as vu son dernier rapport mensuel, George ? demanda Stanley.

— Ma position ne me permet pas de le voir. J'ai lu ce qu'on a écrit à son sujet.

— Les remarques sur l'Académie... ?

— Oui, reconnut George en se contrôlant.

— Qu'a-t-il dit exactement, chéri ? fit Isabel.

George eut l'impression d'entendre se refermer le piège dans lequel on venait de le pousser.

— Simplement que la rébellion n'aurait pas été possible — du moins pas à une aussi grande échelle — sans la trahison des officiers formés à West Point avec les deniers publics. Simon conclut en demandant si cette trahison n'est pas directement due à quelque défaut fondamental de notre système national — à savoir l'existence même de cette institution élitiste.

Elitiste. Deniers publics. Trahison. C'était la même bande de chiffonniers auxquels leurs nouveaux habits bleu-blanc-rouge donnaient une respectabilité nouvelle.

— Balivernes, lâcha George, en pensant un mot plus fort.

— Permettez-moi de ne pas être de votre avis, objecta Isabel. J'ai entendu ces propos dans la bouche d'un grand nombre de femmes de parlementaires. Même le président les a repris dans son message du 4 juillet.

Stanley secoua la tête en prenant un air attristé :

— Je crains fort que ton ancienne école ne connaisse des temps difficiles.

Par-dessus la soupière de potage à la tortue, George posa sur sa femme un regard bouillonnant de colère, auquel elle répondit par une exhortation muette à la patience.

La seconde attaque fut lancée quand les domestiques présentèrent le poisson-tuile grillé et le rôti de chevreuil.

— Nous avons une autre bonne nouvelle, annonça Isabel avec un sourire. Parle-leur de l'usine, Stanley.

Il s'exécuta comme un écolier récitant sa leçon.

— Des bottines militaires ? fit George. Je suppose que tu as déjà un contrat ?

— En effet, acquiesça Isabel. Toutefois, ce n'est pas principalement pour gagner de l'argent que nous avons acheté Lashbrook. Nous voulions contribuer à l'effort de guerre.

George ne put s'empêcher de lever les yeux vers le plafond.

— Je reconnais que nous avons été aussi guidés par une considération quelque peu égoïste, continua Isabel. Si l'usine marche, Stanley ne dépendra plus de l'entreprise Hazard pour suppléer le maigre salaire versé par le ministère de la Guerre. Il sera indépendant.

« Ou plus probablement dans les pattes de Cameron », pensa George.

— Naturellement, nous présumons que Stanley continuera à toucher ses dividendes, poursuivit Isabel.

— Ne craignez rien, personne ne vous fera tort d'un *cent*.

Constance sentit le grognement sous la remarque et posa la main sur le poignet de son mari en disant :

— Nous ne pouvons rester tard. George a beaucoup à faire demain.

Le climat de politesse forcée se recréa et Isabel se montra d'excellente humeur pendant le reste du repas, comme si elle avait joué ses atouts et gagné la partie.

Dans la voiture les ramenant, Constance et lui, à l'hôtel, George éclata :

— Avec cette histoire de contrat, je me fais l'impression d'un profiteur, moi aussi. Nous vendons des plaques de fer à la marine, des canons au service dans lequel je travaille...

Constance lui tapota la main.

— Je crois qu'il y a une différence.

— Trop subtile pour moi.

— Que ferais-tu si l'Union avait désespérément besoin de canons mais pas d'argent pour payer ? Que dirais-tu si on te demandait de fabriquer des pièces d'artillerie dans ces conditions ?

— Je hurlerais. J'ai des obligations envers ceux qui travaillent pour moi. Ils attendent la paie chaque semaine.

— Mais si tu pouvais payer leurs salaires, tu accepterais. C'est la différence entre Stanley et toi.

L'air dubitatif, George secoua la tête.

— Je ne crois pas être aussi pur. Ce que je crois, c'est que nos canons sont probablement bien mieux faits que les bottines de Stanley.

— Voilà pourquoi Stanley finira peut-être dans la peau d'un profiteur. Toi, tu resteras toujours le même George Hazard, dit Constance. (Elle le prit dans ses bras, l'embrassa sur la joue.) Et j'en suis heureuse.

A l'hôtel, elle retrouva avec soulagement son fils, parti visiter les camps de Virginie. Elle l'avait jugé trop jeune pour une telle expédition mais George l'avait persuadée d'être moins protectrice avec son enfant. Le jeune garçon ne semblait pas avoir souffert de l'expérience.

— McDowell est en marche ! s'exclama-t-il avec enthousiasme. Oncle Billy dit que nous affronterons probablement les rebelles samedi ou dimanche.

Pendant le repas, Stanley avait fait part de son intention d'assister à la bataille. Dans leur chambre, en se déshabillant, George et Constance discutèrent des risques d'une telle entreprise. Elle était pour et, comptant sur le consentement de son mari, avait commandé un panier de victuailles chez Gautier. George s'étonnait en silence : en quelques jours, sa femme avait appris tout ce qu'il fallait savoir dans cette ville, notamment qu'on ne pouvait tout bonnement pas donner sa clientèle à un traiteur moins prestigieux.

— Entendu, capitula-t-il. Nous irons.

Ce soir-là, Billy écrivit dans son journal :

Aujourd'hui mon neveu, qui porte le même nom que moi, est venu de la ville. Avec la permission du capitaine, je l'ai emmené voir notre armée en marche. C'était un spectacle grandiose avec drapeaux claquant au vent, baïonnettes étincelant au soleil et roulements de tambour. Les volontaires, certains de se battre bientôt, montraient leur ardeur. Plusieurs unités ont déjà essuyé le feu de batteries invisibles en débarrassant les routes d'arbres abattus par les rebelles. Notre compagnie doit rester derrière avec les forces du district, ce qui me déçoit beaucoup. Je dois cependant avouer que je suis aussi soulagé dans une certaine mesure. La bataille ne sera peut-être pas une partie de plaisir, quoique les volontaires se comportent comme s'ils le pensaient. A Mont Royal, au printemps dernier, C. m'a raconté que, avant de combattre, les soldats, nerveux, ne cessent de plaisanter. J'ai pu le vérifier : jamais je n'avais entendu autant de rires et de blagues qu'aujourd'hui. Ils chantent aussi — toujours le même chant, J. Brown's Body et se soûlent de musique jusqu'à oublier tout le reste. Ils ne savent pas se tenir en rangs ou exécuter correctement un ordre. Pas étonnant que McDowell soit méfiant. En retournant au camp sur la haquenée d'un cordelier — nous n'avions pas trouvé de chariot allant dans notre direction — nous sommes passés William et moi devant la tente du capitaine F. et l'avons entendu prier à voix haute : « Voici le jour du Seigneur. Il brisera les pécheurs. » « Qu'est-ce que c'est que ça ? » s'exclama mon neveu, sidéré. A quoi je répondis : « Je crois que c'est d'Esaïe. » Lorsque je rectifiai mon erreur — il voulait savoir qui priait — il me dérouta en me demandant si Dieu s'était détourné de nos amis les Main. Je lui donnai la réponse la plus honnête possible : « Oui, selon ceux de notre camp. » Mais j'expliquai que l'ennemi comptait sur Son aide avec une confiance égale à la nôtre. Le jeune William a l'esprit vif de son père ; je crois qu'il a compris le paradoxe. Le cap. F. l'a invité au mess, l'a traité fort courtoisement et l'a félicité de l'intelligence de ses questions. William est resté jusqu'à ce que les feux de guet s'allument dans la campagne puis il est remonté sur son cheval de louage pour retourner à Washington où, m'a-t-on dit, règne aussi une grande agitation. Au moment où j'écris, j'entends encore l'armée au loin : les chariots, la cavalerie, le chant des volontaires. Bien que je n'aie jamais été au feu et que j'en serais effrayé, je regrette de ne pas être parti avec eux.

31

Constance manquait d'autant plus à Brett qu'une autre femme l'avait remplacée à Belvedere. Une femme que Brett n'aimait pas du tout.

Après le départ de Constance, Brett essaya à maintes reprises d'engager la conversation avec Virgilia, qui se contenta de répondre par monosyllabes. Elle ne prenait plus un ton outragé ou vertueux, comme avant, mais avait trouvé une nouvelle façon d'être grossière.

Pourtant la jeune femme estimait de son devoir d'être aimable car Virgilia était une créature blessée. Le lendemain du jour où Constance et George dînèrent chez Stanley, Brett décida de faire une nouvelle tentative.

Ne trouvant pas sa belle-sœur dans la maison, elle interrogea les femmes de chambre et l'une d'elles répondit :

— Je l'ai vue monter dans la tour avec le journal, m'dame.

Brett monta l'escalier de fer en colimaçon que George avait dessiné et fabriqué dans ses forges. Une fois dans le bureau tapissé de livres, elle ouvrit la porte menant à l'étroit balcon entourant la tour. En bas, les lumières de Lehig Station brillaient dans le soir, la rivière étirait son ruban sombre. Une lueur rouge salie de fumée recouvrait au nord la vaste et bruyante usine où le travail ne cessait jamais.

— Virgilia ?

— Oh ! Bonsoir.

La sœur de Billy ne se retourna pas. Avec ses mèches flottant au vent, on aurait pu la prendre pour la Méduse dans la lumière déclinante. Sous son bras, elle serrait un exemplaire du *Lehig Station Ledger*, qui avait récemment transféré son patriotisme dans son titre pour devenir le *Ledger-Union*.

— Des nouvelles importantes ?

— On dit qu'il y aura une bataille en Virginie dans quelques jours.

— Peut-être nous apportera-t-elle une paix rapide.

— Peut-être, dit Virgilia avec indifférence.

— Vous descendez dîner ?

— Je ne crois pas.

— Virgilia, ayez l'amabilité de me regarder.

Elle s'exécuta lentement. Ses yeux captèrent la lumière du ciel et Brett crut revoir un bref instant l'ancienne Virgilia : martyrisée, furieuse. Puis le regard s'éteignit et l'épouse de Billy s'efforça à une gentillesse qu'elle ne ressentait pas.

— Je sais que vous avez connu des moments terribles...

— J'aimais Grady. Tout le monde me hait parce qu'il était noir mais je l'aimais.

— Je comprends combien vous devez vous sentir perdue sans lui.

C'était un mensonge : Brett ne pouvait comprendre l'amour d'une Blanche pour un nègre.

Tombant dans l'apitoiement sur soi, Virgilia murmura :

— Personne ne veut de moi dans ma propre maison.

— Vous vous trompez. Constance vous a recueillie. Moi aussi j'aimerais vous aider. Je sais que... nous ne serons jamais de grandes amies mais ce n'est pas une raison pour nous ignorer. J'aimerais vous aider à vous sentir mieux...

Enfin l'ancienne Virgilia réapparut et lança, mordante :

— Comment ?

— Eh bien..., bredouilla Brett. D'abord, il faut changer de tenue. Cette robe ne vous va pas. En fait, elle est horrible.

— Quelle importance ? Aucun homme ne condescend à me regarder.

— Vous vous sentiriez peut-être mieux si vous jetiez cette robe, preniez un long bain et arrangiez votre coiffure. Pourquoi ne pas me laisser vous coiffer après le repas ?

— Parce que cela ne changerait rien.

— Venez, nous essaierons.

D'un geste maternel, Brett prit Virgilia par le poignet et, ne sentant aucune résistance, tira doucement.

— Je m'en moque, marmonna Virgilia avec un haussement d'épaules.

Mais elle se laissa conduire en bas.

Après le dîner, Brett fit remplir un baquet d'eau chaude et poussa dans la salle de bains une Virgilia apathique. Avant de fermer la porte, la jeune femme recommanda à sa belle-sœur :

— Passez-moi vos vêtements. Tous. Je vous trouverai autre chose.

Puis elle s'assit dans la chambre obscure dont Virgilia avait tiré les rideaux. Après avoir attendu une dizaine de minutes, Brett s'inquiéta, colla l'oreille à la porte et appela :

— Virgilia ?

Elle écouta, le cœur battant, finit par entendre du bruit et se recula. La porte s'ouvrit, une main tendit un paquet d'habits que Brett aurait préféré ne pas toucher. Elle descendit en les tenant à bout de bras, dit à une servante :

— Jette ça au feu et trouve une chemise de nuit pour Miss Virgilia. Les miennes sont trop petites.

Comme l'ordre semblait révolter la domestique, Brett ajouta :

— Je te donnerai le double de ce que cela vaut.

La servante s'empressa d'apporter une chemise de nuit et un peignoir que Brett monta à Virgilia. Celle-ci sortit quelques minutes plus tard de la salle de bains, s'avança presque timidement dans la chambre dont Brett avait allumé toutes les lampes.

— Asseyez-vous là, dit la jeune femme en montrant le pouf placé devant une grande glace ovale.

A l'aide d'une serviette, elle entreprit de sécher les cheveux de Virgilia et de les brosser longuement. Virgilia demeurait raide sur son siège, fixant le miroir. Après le brossage, Brett partagea la chevelure de sa belle-sœur en son milieu — comme le voulait la mode — tourna une mèche autour de son doigt et la fixa au-dessus de l'oreille gauche, répéta l'opération de l'autre côté.

— Cela vous fera de jolies boucles, assura-t-elle. Demain, nous vous mettrons un filet, vous serez magnifique.

Brett vit dans le miroir son propre visage souriant au-dessus de la face sans vie de sa belle-sœur. S'efforçant de ne pas montrer son découragement, elle poursuivit :

— Ensuite, nous irons en ville vous acheter des vêtements neufs.

— Je n'ai pas d'argent.

— Considérez cela comme un présent.

— Vous n'êtes pas obligée de...

— Je veux que vous vous sentiez mieux. Vous êtes une femme séduisante, vous savez.

Cette remarque amena enfin sur les lèvres de Virgilia un sourire — condescendant et plein de méfiance. Vexée, Brett détourna les yeux.

— Dormez bien. A demain.

Virgilia demeura immobile et Brett conclut qu'elle avait perdu son temps.

Longtemps après que la porte se fut refermée sur sa belle-sœur, Virgilia resta assise, les mains sur les genoux. Personne n'avait jamais utilisé le mot « séduisante » pour la décrire ; personne ne lui avait jamais dit qu'elle était jolie. Elle n'était ni l'un ni l'autre, elle le savait. Pourtant, en contemplant son reflet dans le miroir, elle voyait une femme nouvelle, qui n'avait rien de repoussant.

Lorsque Brett lui avait proposé son aide, Virgilia avait d'abord eu une réaction de méfiance puis d'indifférence lasse. A présent, elle sentait quelque chose s'éveiller en elle. Pas de la joie — elle était rarement capable d'être heureuse. Plutôt de l'intérêt, de la curiosité. Un petit bourgeon de vie qui venait d'éclore de façon inattendue.

Elle se leva, dénoua la ceinture du peignoir, l'ouvrit pour se regarder. Prise dans un corset, sa poitrine deviendrait attirante. Les privations endurées après qu'elle eut vendu les dernières pièces de l'argenterie volée l'avaient amincie. Elle laissa retomber les pans du vêtement et, soudain bouleversée, fit un petit pas en avant. Une main tremblante se tendit vers la glace, toucha l'étonnant reflet.

— Oh ! murmura Virgilia, les larmes aux yeux.

Le lendemain matin, vêtue de la chemise de nuit et du peignoir, elle attendait dans la salle à manger quand Brett descendit pour le petit déjeuner.

32

Le dimanche matin, George s'éveilla à cinq heures, se leva et ne tarda pas à tirer Constance et les enfants de leur sommeil par le bruit qu'il faisait.

— Tu es excité comme un gosse, dit-elle en bâillant tandis qu'il s'habillait à la hâte.

— Je veux voir la bataille. La moitié de la ville s'attend à ce que ce soit la première et la dernière de la guerre.

— Toi aussi, p'pa ? demanda William, aussi agité que son père.

— Je ne me risquerai pas à faire des prévisions.

Il passa sa ceinture militaire autour de sa taille, s'assura que son colt 1847 était dans l'étui. Constance, qui remarqua ces préparatifs, se borna à froncer les sourcils.

— William, reprit George, occupe-toi de ma gourde de whisky. Patricia, aide ta mère à porter le panier. Je vais chercher la voiture.

La petite fille fit la grimace :

— Je préférerais rester ici.

— Allons, allons, dit Constance tandis que George sortait. Ton père a tout organisé. Nous partons.

Il s'avéra qu'une importante partie de la population de Washington était dans les mêmes dispositions. Malgré l'heure matinale, une longue file de cavaliers et d'attelages attendaient à la sortie de la ville, devant Long Bridge, tandis que des sentinelles vérifiaient les laissez-passer. On échangeait des propos animés, on riait, on montrait les jumelles de théâtre et les télescopes achetés ou loués pour l'occasion. La journée s'annonçait chaude, agréable ; les odeurs de la terre et de l'air se mêlaient à celles des parfums et du crottin de cheval.

Lorsque vint enfin le tour des Hazard, George tendit son laissez-passer du ministère de la Guerre en disant :

— Il y a du monde, ce matin.

— Et autant devant vous, mon capitaine. Ça défile depuis des heures, répondit la sentinelle.

La calèche franchit le fleuve. George conduisait habilement les deux rosses faisant partie de l'attelage qui lui avait coûté la somme exorbitante de trente dollars pour la journée. Il avait payé sans protester et s'estimait encore heureux : parmi les phaétons, les fiacres et les cabriolets encombrant la route semée d'ornières, il avisa plus d'un véhicule insolite, notamment une charrette de laitier et un chariot portant le nom d'un photographe de la ville.

La distance à couvrir n'était pas courte puisqu'il fallait parcourir environ quarante kilomètres en direction du sud-ouest pour retrouver les armées. Deux heures, puis trois s'écoulèrent tandis qu'ils passaient devant les champs d'avoine, de petites fermes, des cases délabrées. Sur le bord de la route, Blancs et Noirs regardaient la cavalcade avec un égal étonnement.

L'armée de McDowell avait défoncé la route, dont les nids-de-poule faisaient rebondir Constance et les enfants sur leur siège. Patricia se plaignait de l'inconfort et de la durée du voyage.

Un arrêt près d'un bosquet se révéla nécessaire pour tous. Puis George baissa la capote de la calèche pour que les enfants puissent mieux profiter du paysage et du soleil. Cela amadoua quelque peu William mais Patricia continua à exprimer son ennui.

Un cavalier passa à gauche de la voiture et George reconnut en lui un sénateur important. Ils se trouvaient encore à deux ou trois kilomètres de Fairfax quand William tira la manche de son père et s'exclama :

— Papa ! Ecoute !

George n'avait pas remarqué le grondement lointain noyé dans les bruits de roues et de sabots.

— Oui, c'est le canon.

Des picotements lui parcoururent la nuque et il se rappela le Mexique. L'explosion des obus, les hommes s'effondrant, les cris des blessés, les râles des mourants. Il se rappela l'obus qui fit sauter la hutte de la route de Churubusco — et le bras de son ami Orry...

Il revint à la réalité, se concentra sur sa conduite. Le fracas de l'artillerie provoqua sur la route une vive excitation. On pressa l'allure mais quelque obstacle situé devant ralentit bientôt le mouvement. D'énormes nuages de poussière apparurent à l'horizon.

— Qu'est-ce que c'est ? se demanda George.

Il ne tarda pas à voir qu'il s'agissait de soldats de l'Union se dirigeant vers Washington et rejetant les voitures — dont la sienne — sur le bas-côté de la route.

— Qui êtes-vous ? lança-t-il à un caporal conduisant un chariot lourdement chargé.

— 4ᵉ de Pennsylvanie.

— La bataille est terminée ?

— Sais pas mais nous, on rentre. Notre engagement a fini hier.

Le chariot passa, suivi par de petits groupes de volontaires qui marchaient d'un pas tranquille en tenant leur fusil comme un jouet. Des taches violettes de mûres coloraient les lèvres de plus d'un jeune soldat ; des fleurs des champs dépassaient de plus d'un canon de mousquet. Les Pennsylvaniens s'égayèrent dans les prés bordant la route pour uriner, se reposer, faire ce que bon leur semblait tandis que les canons grondaient au sud.

Après Fairfax, les pique-niqueurs de Washington aperçurent une fine brume bleue flottant au-dessus de crêtes encore distantes de plusieurs kilomètres. Le roulement de l'artillerie se fit plus fort et, vers midi, George commença aussi à entendre des détonations d'armes légères.

Quoique vallonné et boisé, le paysage offrait aussi en cet endroit des espaces découverts. Ils traversèrent Centreville puis durent s'arrêter derrière un embouteillage de voitures et de chevaux entassés des deux côtés de la route sur une hauteur. Un courrier militaire galopant en direction de l'arrière leur cria qu'il valait mieux ne pas aller plus loin.

— Je ne vois rien, p'pa, protesta William.

Son père conduisit la calèche sur la gauche, derrière les pique-niqueurs installés dans l'herbe avec paniers et couvertures. Devant, une colline descendait jusqu'à un cours d'eau portant le nom de Cub Run. En cherchant un endroit où s'installer, George remarqua assez d'uniformes étrangers pour donner une réception diplomatique. Il vit aussi des hommes politiques, dont le sénateur Trumbull, de l'Illinois, accompagné d'un groupe nombreux. Un visage familier lui fit faire la grimace.

— Bonjour, Stanley, dit-il sans s'arrêter, en se félicitant qu'il n'y eût plus de place à côté du phaéton de son frère.

— Trois paniers et du champagne, murmura Constance. Quel luxe !

— Je vois toujours rien, gémit William.

— C'est possible mais, nous, nous n'irons pas plus loin, dit George. Voici une place.

Il était une heure dix quand il arrêta la calèche au bout de la file de voitures. Pour eux, le spectacle de la bataille se réduisait à des panaches lointains d'épaisse fumée.

— On ne tire plus, fit observer Constance.

L'air soulagé, elle déplia et étala leur couverture dans l'herbe. Etait-ce déjà fini ? George alla aux nouvelles.

La politesse le força à faire halte un moment auprès de son frère, dont les jumeaux se flanquaient des coups derrière un arbre. Stanley, en sueur, les yeux vitreux, avait bu trop de champagne. Isabel raconta qu'il y avait eu des tirs d'artillerie « terrifiants », que les rebelles s'enfuyaient probablement à toutes jambes vers Richmond. George toucha le bord de son chapeau et se mit en quête de sources plus sûres.

Il passa devant plusieurs groupes braillards dont la jovialité l'agaça — peut-être parce qu'il soupçonnait ce qui se cachait probablement derrière la fumée. Cherchant autour de lui quelqu'un qui lui parût digne de confiance, il vit un cabriolet franchir le pont suspendu enjambant le Cub Run.

Le véhicule s'arrêta de l'autre côté de la route et le civil corpulent, bien vêtu, qui s'y trouvait posa sur son nez des lorgnons retenus par une chaîne. De dessous son siège, il tira un bloc et un crayon.

— Vous êtes reporter ? lui demanda George en traversant.

— C'est exact, monsieur, répondit l'homme avec un accent anglais qui étonna le capitaine. Je m'appelle Russell...

Le journaliste s'attendait sans doute à une réaction et c'est plus fraîchement qu'il ajouta :

— Du *Times* de Londres.

— Bien sûr, j'ai lu vos dépêches. Vous êtes allé loin ?

— Autant que la prudence le permettait.

— Et quelle est la situation ?

— Difficile à dire mais les Fédéraux semblent l'emporter. Des deux côtés, les troupes font preuve de bravoure. Un général confédéré s'est distingué dans un combat acharné qui s'est déroulé autour d'une ferme proche de Suddley Road. Une vedette de l'Union m'a fourni les détails, notamment le nom de cet officier... (Le journaliste feuilleta ses notes.) Jackson.

— Thomas Jackson ? Un Virginien ?

— Je ne saurais vous le dire, mon vieux. A présent, on se repose et on se regroupe dans les deux camps, mais la bataille va reprendre, je n'en doute pas.

Le Britannique évita d'autres questions en se penchant sur son bloc et en se mettant à écrire.

George était certain que le héros de la ferme était son vieil ami et camarade de West Point, l'étrange Virginien emporté avec lequel il avait étudié, mangé et bavardé dans les *cantinas* ensoleillées après la chute de Mexico. Avant la guerre, Jackson enseignait dans une école militaire mais il était logique qu'il reprenne du service actif et se distingue. Déjà à l'Académie, on émettait sur Tom Jackson deux avis différents : il était brillant et il était fou.

George retourna auprès de sa famille et, vers deux heures, tandis qu'ils mangeaient, la trêve cessa. La canonnade reprit, excitant William et terrifiant Patricia. Des centaines de spectateurs regardaient à travers leur lunette d'approche mais ne voyaient guère que des flammes déchirant de temps à autre les nuages bleus tourbillonnants. Une heure s'écoula sans que le bruit des armes légères s'interrompît. Comme le meilleur des soldats ne pouvait tirer plus de quatre fois par minute avec un fusil se chargeant par la gueule, George en déduisit qu'un grand nombre d'hommes participaient à la fusillade.

Soudain des chevaux apparurent, suivis d'un chariot puis de deux autres. Tous se dirigèrent vers le pont du Cub Run — trop rapidement. Des blessés, qu'on ne pouvait voir, poussaient des cris à chaque secousse.

— George, il y a quelque chose de malsain dans tout ceci, dit Constance. Devons-nous rester ?

— Absolument pas. Nous en avons assez vu.

Ces propos furent confirmés par l'arrivée d'une charrette d'officiers dont les casques, ornés de queue de cheval, étaient posés de guingois. L'un d'eux se leva, tituba et tomba par terre. La charrette s'arrêta. Ses camarades, qui l'aidèrent à remonter, furent arrosés de vomi.

— Oui, décidément, nous...

Un brouhaha interrompit George, qui se retourna et suivit des yeux la direction que ses voisins indiquaient du doigt. Une douzaine d'hommes en uniforme bleu couraient vers le pont. Le premier d'entre eux poussait des cris inintelligibles, ceux qui se trouvaient derrière jetaient képis, sacs et même mousquets.

Le capitaine Hazard comprit alors ce que criait le jeune soldat :

— Nous sommes battus. Ecrasés !

— Constance, monte dans la calèche, dit aussitôt George. Vous aussi, les enfants. Ne vous occupez pas du panier. Vite.

Il ôta aux chevaux les sacs dans lesquels ils mangeaient et répéta à sa famille :

— Vite. Pressez-vous.

Son ton les alarma. Parmi les spectateurs, seuls deux cavaliers s'étaient mis en selle, les autres ne réagissaient pas. George dégagea la voiture et prit la direction de la route. Des soldats montaient la colline en courant, d'autres fuyards surgissaient des bois situés de l'autre côté du cours d'eau. Une jeune recrue se mit à hurler :

— Les *Black Horse* ! Les *Black Horse* juste derrière nous !

George avait entendu parler de ce redoutable régiment du comté de Fauquier. Il tira sur les rênes pour réveiller ses canassons, passa devant Stanley et Isabel, qui parurent intrigués par sa hâte.

— A votre place, je filerais, leur lança-t-il. Si vous ne voulez pas vous retrouver...

Le sifflement d'un obus couvrit le reste de sa mise en garde. Tendant le cou, George vit une ambulance arriver au pont suspendu juste avant que l'obus n'éclate. Les chevaux se cabrèrent, la voiture se renversa : le pont était bloqué.

D'autres véhicules, d'autres hommes à pied affluèrent. Les obus tirés par une artillerie lointaine touchaient la pente de la colline et les rives du cours d'eau, soulevant des geysers de fumée et de terre. Les volontaires de l'Union s'enfuyaient. Le pont étant impraticable, ambulances et chariots de ravitaillement se retrouvèrent bloqués sur l'autre rive. Rapide comme un feu de brousse, la terreur se répandit parmi les spectateurs.

Un civil sauta dans la calèche, essaya de prendre les rênes. Ses ongles s'enfoncèrent dans le dos de la main de George, qui se recula et lui expédia son pied dans le ventre. L'homme tomba par terre.

— *Black Horse! Black Horse!* criaient les soldats en fuite, de plus en plus nombreux.

La plupart d'entre eux ruisselaient après avoir traversé à gué le Cub Run. Un obus éclata dans un champ, à droite de la calèche; Constance laissa échapper un petit cri et serra ses enfants contre elle.

George dégaina son colt, le fit passer dans sa main gauche et, conduisant de sa seule main droite, s'efforça de faire tourner les chevaux. Ce n'était pas facile, les soldats battant en retraite l'empêchaient d'avancer. Dans la foule des fuyards, les uniformes bleus de l'armée régulière se mêlaient aux habits chatoyants des zouaves : toutes les forces de l'Union avaient dû s'effondrer.

— Accrochez-vous! cria-t-il.

Il lança la calèche dans un champ couvert de chaume situé au sud de la route, obliqua précipitamment pour éviter un tuba abandonné par un musicien. Quelques minutes plus tard, des centaines d'hommes les rattrapèrent et les dépassèrent. George était indigné par la déroute, par les soldats en fuite et les spectateurs. Au bout du champ, il vit deux civils jeter trois femmes à bas de leur buggy pour s'en emparer. Il braqua son colt vers eux puis prit conscience de la vanité de son geste et ne tira pas.

En traversant un autre petit cours d'eau, la calèche s'embourba près de la rive. George fit descendre tout le monde, demanda à William de venir l'aider à dégager les roues arrière. Le cabriolet de Stanley passa alors à toute allure et un soldat dut bondir sur le côté pour ne pas être écrasé. Isabel regarda la calèche au passage mais, à en juger par son expression de panique, elle ne dut reconnaître personne.

Voyant un sergent et deux hommes de troupe patauger dans l'eau en direction de son véhicule, George arma son colt et leur cria :

— Aidez-nous ou décampez!

Le sous-officier, qui avait le regard égaré, lui lança une insulte et fit signe aux soldats de continuer leur chemin. Planté dans la boue avec de l'eau jusqu'à mi-cuisse, George, presque aveuglé par la sueur, cala son épaule contre une roue et ordonna à son fils de l'imiter.

— Pousse !

Finalement, la calèche s'arracha à la vase. Furieux, couvert de boue et saisi de peur, George repartit en direction de Washington en se demandant s'il y arriverait.

Hommes et chariots, chariots et hommes. Les rayons du soleil d'été devenaient plus obliques, la fumée gênait la visibilité. La puanteur était insupportable : laine imprégnée d'urine, animaux perdant leur sang, entrailles d'un jeune homme mort dans un fossé, la bouche ouverte.

Devant, les bois paraissaient infranchissables et George ramena la voiture sur la route. Il entendit quelqu'un sangloter :

— Les *Black Horse* nous ont taillés en pièces.

Comme des fuyards ne cessaient d'essayer de monter dans le véhicule, il donna le colt à Constance et s'arma du fouet. A l'approche d'un bosquet, il dut ralentir puis s'arrêter : un cheval blessé, tombé en travers de la route, bloquait le passage d'une douzaine de zouaves aux uniformes souillés. Tous firent le tour de l'animal à l'agonie mais le dernier, un jeunot grassouillet à la joue profondément entaillée, s'arrêta et fixa la bête. Soudain il leva son mousquet et en abattit la crosse sur la tête du cheval.

Pleurant et jurant, il frappa à plusieurs reprises, avec une férocité croissante. Quand George sauta à terre, le soldat avait déjà fracassé le crâne de la bête, qui battait des jambes. Le cri révolté de George n'empêcha pas le soldat de lever son fusil pour un nouveau coup.

— Je vous ordonne de...

Les paroles de George furent couvertes par les obscénités entrecoupées de sanglots du jeune zouave et les hennissements du cheval. Le capitaine fit en courant le tour de l'animal, posa sans le vouloir les yeux sur le crâne éclaté, dont la vue lui donna la nausée. Il arracha l'arme des mains du soldat pris de folie et l'en menaça.

— Allez-vous-en ! Filez !

Indifférent à la colère de l'officier, le zouave le regarda avec des yeux vides puis descendit dans le fossé pour poursuivre son chemin, sans cesser de marmonner et de pleurer. George s'assura que le mousquet était chargé, tira pour mettre fin aux souffrances du cheval. Il arrêta ensuite trois soldats et, avec leur aide, traîna le cadavre de la bête sur le côté.

Haletant, un goût de vomi dans la bouche, il chercha des yeux la calèche et vit Constance debout au bord de la route, le colt pendant au bout de sa main droite. La voiture, chargée d'uniformes bleus, filait vers Centreville.

— Ils l'ont prise, George, dit Constance. Je ne pouvais pas tirer sur nos propres soldats...

— Non, bien sûr. C'est ma faute, je n'aurais pas dû te laisser seule. Patricia, ne pleure pas, cela ne sert à rien. Nous nous en sortirons, tout ira bien. Continuons à pied.

Au Mexique, il avait appris qu'un soldat ne perçoit jamais qu'une partie des combats, que même les généraux ont parfois toutes les peines à en avoir une vue d'ensemble. Pour George, la bataille du Bull Run resterait à jamais une route encombrée de chariots renversés et de matériel abandonné, un lit de cours d'eau envahi par un torrent bleu prenant sa source dans l'effondrement de quelque grand plan stratégique.

Constance le tira par la manche de son uniforme.

— George, regarde. Là-devant...

Il vit le cabriolet de Stanley couché sur le côté. Les chevaux avaient disparu — volés, probablement. Isabel et les jumeaux entouraient le frère de George qui était assis sur une borne, la cravate dénouée pendant entre les jambes, les mains pressées contre le visage.

— Bon Dieu ! il faut que je m'occupe encore de lui ? protesta George.

— Je sais ce que tu ressens, mais nous ne pouvons les laisser là, plaida sa femme.

— Pourquoi pas ? intervint Patricia. Laban et Levi sont de vraies pestes. On les laisse aux rebelles !

Constance gifla la petite fille mais la serra aussitôt dans ses bras en s'excusant.

George approcha de son frère.

— Debout, Stanley. (Il lui prit la main droite, la décolla de son visage.) Lève-toi, tes enfants ont besoin de toi.

— Il s'est... effondré quand la voiture a versé, expliqua Isabel.

Sans lui prêter attention, George secoua son frère jusqu'à ce qu'il se lève puis le tourna dans la bonne direction et le poussa. Stanley se mit à avancer.

Sous la conduite de George, le petit groupe se dirigeait vers Washington, dépassé régulièrement par des soldats noirs de poudre et de suie, souvent blessés. Ils rencontrèrent quelques officiers de volontaires s'efforçant courageusement de maintenir une petite escouade en formation mais c'était l'exception. La plupart des gradés n'avaient plus personne sous leurs ordres et s'enfuyaient plus vite que leurs subalternes.

L'effondrement de Stanley rendait Isabel furieuse mais, curieusement, elle rejetait sa colère sur George. Les jumeaux ne cessèrent de se plaindre et de grommeler des remarques désobligeantes pour leur oncle jusqu'à ce qu'ils s'égarent dans un champ à la tombée de la nuit. Après avoir poussé des cris frénétiques pendant cinq minutes, Laban et Levi retrouvèrent le groupe et marchèrent désormais juste derrière George, sans plus rien dire.

Partout gisaient les débris de la défaite : cantines, cornets et tambours, poires à poudre et baïonnettes. Dans l'obscurité, des voix s'élevaient par-dessus les cris des blessés et des mourants :

— ... ordure de capitaine s'est débiné. Il s'est débiné ! Pendant qu'on tenait bon...

— ... les pieds qui saignent. Je peux plus...

— Les *Black Horse*. Ils devaient être mille au moins...

— La brigade de Sherman a été enfoncée par les voltigeurs de Hampton...

Ce dernier nom accrocha l'oreille de George. Hampton ? N'était-ce pas le nom de la légion de Charles Main ? Avait-il combattu aujourd'hui ? Etait-il en vie ?

La lune, souvent masquée par de minces nuages, éclairait faiblement la campagne ; l'air sentait la pluie. Il devait être dix ou onze heures et George se sentait si fatigué qu'il aurait voulu se coucher dans un fossé pour dormir.

A Centreville, ils virent enfin des lumières — et des blessés partout. Des volontaires de New York montés sur un chariot de ravitaillement proposèrent d'emmener les enfants jusqu'à Fairfax Courthouse. Ils n'avaient pas de place pour les adultes. George fit des recommandations à William, à qui il savait pouvoir faire confiance et, lorsqu'il fut sûr que son fils connaissait le point de rendez-vous, il aida les enfants à monter dans le chariot. Isabel marmonna de vagues protestations, Stanley contemplait la lune striée de pluie.

Le chariot disparu, les adultes reprirent leur marche. Après Centreville, ils virent d'autres blessés dormant ou se reposant sur le bord de la route. Les visages meurtris, les membres déchiquetés, les yeux de garçons trop jeunes pour qu'on leur demande de regarder la mort rappelaient constamment à George le Mexique et la maison en flammes de Lehig Station.

Savoir qu'il n'avait pas alors imaginé les dangers qui les cernaient maintenant ne le consolait guère. La cloche d'alarme de Lehig Station avait annoncé une tragédie plus vaste dans laquelle ils étaient à présent pris au piège. Prisonniers de la bêtise et de la folie de la guerre. Ce gigantesque incendie était l'ennemi mortel de tout ce que les Main et les Hazard voulaient préserver. Il ne s'éteindrait pas rapidement, comme celui de Lehig Station. La journée et la nuit avaient montré à George que personne ne pouvait plus maîtriser le feu.

LIVRE DEUX

LA DESCENTE

Personne ne peut sauver le pays. Nos hommes ne sont pas de bons soldats. Ils fanfaronnent mais n'agissent pas, se plaignent s'ils n'obtiennent pas tout ce qu'ils désirent et sont épuisés par une marche de quelques kilomètres. Il faudra longtemps pour surmonter ces obstacles. Quant à ce qui nous attend maintenant, je n'en sais rien.

Colonel William T. Sherman, après la première bataille du Bull Run, 1861.

33

TOUTE LA NUIT, DES rumeurs de déroute coururent dans la ville. Incapable de dormir, Elkanah Bent traînait dans les bars ou dans les rues où une foule silencieuse attendait des nouvelles. Il priait pour qu'on annonçât une victoire — rien d'autre ne pouvait le sauver.

Vers trois heures, il finit quand même par retourner à la pension avec Elmsdale, le colonel du New Hampshire, et sommeilla quelques heures avant d'être réveillé par le bruit de la pluie, un peu avant l'aube. Entendant des voix dans la rue, il s'habilla à la hâte, descendit, sortit et vit dans un terrain vague situé à une centaine de mètres une dizaine de soldats allongés sur l'herbe. Trois autres, à l'uniforme sali, démontaient une palissade pour faire un feu.

Elmsdale le rejoignit en bâillant et marmonna, avec un signe de tête en direction du terrain vague :

— Mauvais, on dirait.

Les deux colonels marchèrent d'un pas vif vers Pennsylvania Avenue, croisèrent un officier endormi sur son cheval. Devant une autre pension, des zouaves mendiaient de la nourriture. Un civil en costume blanc portant plusieurs bidons et un mousquet zigzaguait dans le crachin. Des souvenirs du champ de bataille ? Bent, qui sentait monter en lui la panique, s'efforça de maîtriser ses tremblements.

Dans l'avenue, ils virent des ambulances, des hommes errant avec une expression hagarde. Des dizaines de soldats dormaient dans President's Park ou gisaient sur le gazon, le visage ou les membres ensanglantés. Bent se sépara d'Elmsdale pour le retrouver quelques minutes plus tard.

— Une déroute, je m'en doutais, dit le colonel du New Hampshire. Si McDowell avait gagné, le président aurait aussitôt fait connaître la nouvelle. Eh bien... (Il alluma un cigare en inclinant la tête pour protéger la flamme de la pluie.) Voilà un avant-goût de ce qui nous attend dans l'Ouest.

Quoique peu croyant, Bent avait la veille imploré Dieu de donner la victoire à l'Union. A présent, la guerre durerait peut-être des mois et il lui faudrait utiliser le billet de train pour le Kentucky qu'Elmsdale et lui avaient déjà reçu. Là-bas, il risquait de mourir, sans que son génie soit mis à profit...

Il n'osait à nouveau faire appel à Dills, qui mettrait peut-être sa menace à exécution. A moins de déserter — ce qui anéantirait définitivement ses rêves de gloire militaire — il ne voyait d'autre solution que de prendre le train pour le Kentucky.

Le lendemain de Manassas, Charles et ses hommes installèrent leur campement non loin du quartier général confédéré, à moins de deux kilomètres du Bull Run, dont les eaux rougies charriaient encore des cadavres des deux camps.

Au crépuscule, le capitaine entreprit de bouchonner Joueur. Ravi de la victoire, il était en même temps furieux de n'avoir pu y prendre part. Le vendredi, après son retour du comté de Fairfax, la légion avait reçu l'ordre de quitter Ashland pour renforcer Beauregard. Mais le train de la ligne Richmond-Fredericksburg-Potomac n'avait pu prendre dans ses wagons que les six cents fantassins de Hampton, laissant ses quatre unités de cavalerie et sa batterie d'artillerie volante.

Hampton avait atteint Manassas le matin de la bataille, alors que sa cavalerie cheminait encore le long d'une route tortueuse de deux cents kilomètres, traversant à gué le South Anna, le North Anna, le Matta-pony, le Rappahannock, l'Aquia, l'Occoquan et autres cours d'eau de moindre importance. Malgré des ralentissements exaspérants dus à deux orages violents, Charles avait ressenti pendant le voyage une confiance inattendue. Il croyait que, une fois dans le feu de l'action, ses hommes se comporteraient bien. En dépit de la répugnance qu'ils montraient pour la discipline, ils constituaient une unité de cavalerie convenable.

Le capitaine Main n'eut pas l'occasion de vérifier son impression puisque ses hommes arrivèrent le lendemain de la victoire. Ils apprirent que leur colonel s'était distingué et avait été légèrement blessé à la tête en conduisant ses fantassins à l'assaut des régiments fédéraux en perdition. La nouvelle ne contribua pas à apaiser certains des jeunes fils de famille de Charles, qui se plaignirent d'avoir manqué non seulement la bagarre mais aussi l'occasion de récupérer les armes et équipements abandonnés par les Yankees en fuite. Charles comprenait cette réaction et se préparait mentalement pour la prochaine bataille car il était déjà clair que la première n'avait rien réglé.

Le président était venu en personne de Richmond féliciter les divers commandants, dont Hampton, que Davis et le Vieux Bory avaient rencontrés dans sa tente. Lundi soir, toutefois, Charles entendit dire que certains membres du gouvernement reprochaient déjà à Beaure-gard de ne pas avoir exploité son avantage en marchant sur Washington et en s'en emparant.

Le capitaine Main se garda bien de faire la leçon aux autres. Les fonctionnaires gras à lard qui émettaient des critiques derrière leurs bureaux ne comprenaient pas la guerre ni les limites qu'elle imposait aux hommes et aux bêtes. Ils ignoraient combien de temps on peut exiger d'un soldat qu'il se batte ou d'un cheval qu'il galope. Un temps relativement court, en fait. Se battre épuise et finit par saper le courage le plus grand, la volonté la mieux trempée.

Ces récriminations mises à part, Manassas avait été un triomphe, la preuve — comme on le pensait depuis longtemps — que des gentlemen pouvaient écraser la racaille quand ils le voulaient. Charles se laissa aller, lui aussi, à l'euphorie qui suit le combat et s'efforça de ne pas remarquer indûment certaines odeurs portées par le vent ou la procession des ambulances se dessinant sur un coucher de soleil rouge.

La légion avait subi des pertes. Le lieutenant-colonel Johnson, son commandant en second, avait été tué par la première salve que ses hommes et lui avaient essuyée. Barnard Bee, un des camarades du cousin Orry à West Point, avait été mortellement blessé juste après être venu épauler Tom Jackson, ce professeur de l'école militaire de Virginie qui passait pour fou. Avant de mourir, Bee avait fait l'éloge de Jackson, qui avait tenu comme un mur, et « Tom le Dingue » avait ainsi hérité un surnom plus élogieux *.

Tous les membres de la famille Hampton étaient indemnes : Wade, le fils aîné, de l'état-major de Joe Johnston, dont l'armée avait été transportée de la vallée au Bull Run par chemin de fer ; et Preston, frère cadet de Wade, jeune gandin de vingt ans célèbre pour ses gants jaunes, aide de camp de son père. Frank, frère de Hampton servant dans la cavalerie, s'en était lui aussi tiré sain et sauf.

Tandis que Charles nettoyait les sabots de Joueur, Calbraith Butler, autre commandant, passa devant lui. C'était un homme courtois et plein de prestance marié à la fille du gouverneur Pickens. Du même âge que Charles, il avait quitté un cabinet juridique fort lucratif pour lever les hussards d'Edgefield. Bien que Butler n'eût aucune expérience militaire, Charles était persuadé qu'il ferait un excellent combattant. Il avait de la sympathie pour lui.

— Vous devriez confier ce travail à un nègre, lui conseilla Butler.

— Je le ferais si j'avais autant d'argent que les avocats.

Le commandant s'esclaffa :

— Comment va le colonel ? reprit Charles.

— Son moral est bon, si l'on tient compte des pertes que nous avons subies.

— Elles sont élevées ?

— On ne sait encore. Vingt pour cent, peut-être.

— Vingt pour cent, répéta Charles en hochant la tête.

Il valait mieux penser en chiffres plutôt qu'en personnes, cela aidait à dormir la nuit.

Butler s'accroupit à côté du capitaine.

— Il paraît que le seul nom de nos *Black Horse* a fait fuir les Yankees, dit le commandant. Même devant des bais, des gris ou des rouans, ils déguerpissaient en criant : « *Black Horse !* » Je regrette vraiment que nous ayons manqué cela. Mais que nous ayons combattu ou non, nous goûterons les fruits de la victoire à Richmond dans une semaine environ. Tout au moins ceux d'entre nous qui pourront retourner là-bas.

Butler expliqua que des citoyens reconnaissants avaient déjà annoncé un grand bal auquel seraient invités des officiers de Manassas.

— Et vous savez, Charlie, qu'on apprécie par-dessus tout les officiers de cavalerie. Nous n'aurons pas besoin de dire aux dames que nous nous trouvions à des kilomètres de la bataille. Enfin, je parle pour vous parce que je n'y assisterai certainement pas par égard pour ma femme.

— Pourquoi ? Beauty Stuart est marié et je parie qu'il sera de la fête.

— Ces Virginiens ! Il faut qu'ils soient partout en première ligne.

Pendant le combat, Stuart avait mené une charge fort discutée qui

---

* « Stonewall » Jackson, Jackson le Mur (n.d.t.).

avait encore accru sa réputation de bravoure — ou de témérité, selon les points de vue.

— Un bal — l'idée est attrayante.

— On y invitera de charmantes personnes à des kilomètres à la ronde. Les organisateurs ne veulent pas que nos braves manquent de danseuses.

— J'irai peut-être si je parviens à chiper une invitation, dit Charles d'un air pensif.

— A la bonne heure ! Un signe de vie chez le cavalier épuisé.

Butler s'éloigna et Charles se remit à s'occuper de Joueur en sifflotant. Il songeait qu'avec de la chance il retrouverait peut-être Augusta Barclay...

34

Ils étaient arrivés dans la capitale à sept heures du matin, trempés, au bord de l'épuisement. George, Constance et les enfants se rendirent tout droit au *Willard* ; Stanley, Isabel et les jumeaux regagnèrent leur maison sans qu'il y eût un seul au revoir d'échangé.

George se lava, se rasa — en se coupant deux fois — but un doigt de whisky et se rendit au Winder Building, l'esprit engourdi. La défaite avait provoqué un désespoir si profond que rien ne fut fait de toute la matinée. A onze heures et demie, Ripley ferma les bureaux. George entendit dire que le président avait sombré dans une de ses phases dépressives. Pas étonnant, pensait-il en rentrant à l'hôtel, croisant çà et là des groupes de soldats à la dérive.

Il tomba dans un sommeil léthargique dont Constance le tira doucement vers neuf heures du soir afin qu'il prenne quelque nourriture. Au restaurant de l'hôtel, bondé mais étrangement silencieux, George posa des questions à ses voisins de table et obtint des réponses qui lui firent faire la grimace. Le lendemain, il posa d'autres questions ; l'ampleur de la tragédie du Bull Run et de ses conséquences devint plus claire.

Tout le monde parlait de la conduite honteuse des volontaires et de leurs officiers, de la férocité des troupes ennemies, notamment de la cavalerie des *Black Horse*. C'était à croire que les rebelles ne montaient que des chevaux noirs, ce dont George doutait fort.

Si les pertes n'avaient pas encore été évaluées avec précision, on connaissait avec certitude le nom de certaines victimes : le frère de Simon Cameron, par exemple, était mort à la tête d'un régiment de Highlanders, le 69ᵉ de New York. D'une façon générale, on rejetait sur Scott et McDowell la responsabilité de la défaite. Pendant que George dormait, McDowell avait été relevé de son poste et on avait confié le commandement de l'armée à McClellan (vieux camarade de George à West Point), sans doute pour qu'il l'organise, l'entraîne et en fasse une troupe plus digne de ce nom.

Mardi, le travail reprit au service du Matériel. George reçut l'ordre de se rendre à West Point pour se familiariser avec les activités de la fonderie de Cold Spring, qui se trouvait juste en face de l'Académie, de l'autre côté de l'Hudson. Cette entreprise fabriquait de grosses pièces d'artillerie frettées, conçues par Robert Parker Parrott. Le capitaine Stephen Benet y représentait le service du Matériel.

Le soir, une fois les valises faites, George et Constance parlèrent

.avant de s'endormir des changements affectant le haut commandement.

— Lincoln, le gouvernement, le Congrès — tout le monde a poussé
McDowell en avant, rappelait George. On l'a forcé à envoyer au combat
des amateurs mal préparés. Les volontaires ne se sont pas conduits
comme des soldats de l'armée régulière et c'est McDowell qui en est
accusé — par Lincoln, le gouvernement, le Congrès.

— La première danseuse du président s'est révélée maladroite, il
change de partenaire, commenta Constance.

— Oui, tu as parfaitement résumé la chose. Je me demande combien
de fois il changera de partenaire avant la fin du bal, soupira George en
relevant sa chemise de nuit pour se gratter la cuisse.

George fut heureux de quitter l'atmosphère désespérée de Washington pour la splendeur de la vallée de l'Hudson, plus éclatante encore
que d'ordinaire sous un soleil radieux. Le vieux Parrott (de la promotion 1824) qui dirigeait la fonderie, insista pour en montrer personnellement les moindres recoins au visiteur. Pour George, baigner dans la
chaleur et la lumière constitua une sorte de joyeux retour en arrière. Il
fut fasciné par la précision avec laquelle les ouvriers alésaient un canon
puis chauffaient, enroulaient et martelaient les barres de fer de dix
centimètres d'épaisseur pour former les bandes qui étaient la marque
de fabrique de l'usine.

Parrott semblait apprécier la présence au service du Matériel d'un
homme connaissant ses problèmes de fabricant et de directeur. George
avait de l'estime pour le vieil homme mais la vraie trouvaille, tant sur
le plan personnel que professionnel, c'était le capitaine Stephen
V. Benet, de la promotion 1849.

Natif de Floride, assez noir de cheveux pour être espagnol, Benet
partageait son temps entre la fonderie et West Point, où il enseignait la
théorie du matériel et la balistique. Ensemble, les deux hommes
traversèrent le fleuve un après-midi pour retourner sur les lieux qu'ils
avaient fréquentés dans leur jeunesse.

Le soir, pendant le dîner à l'auberge, ils discutèrent de leurs
promotions respectives et des attaques récemment lancées contre
l'école.

— J'admire le patriotisme qui vous a incité à accepter vos fonctions,
dit Benet. Quant à être sous les ordres de Ripley — toutes mes
condoléances.

— Ce service est un capharnaüm infernal, convint George. Des
inventeurs fous dans tous les coins, des piles de paperasses vieilles d'un
an, aucune standardisation. Je m'efforce d'établir la liste de tous les
types de munitions que nous utilisons et c'est un travail de Romain.

— Je l'imagine. Il doit bien y en avoir cinq cents.

— Nous finirons par nous battre nous-mêmes, ce qui épargnera la
tâche aux rebelles.

— Travailler pour Ripley découragerait n'importe qui. Il cherche
des raisons de rejeter les idées nouvelles...

Benet s'interrompit, fit tourner son verre de porto, regarda le visiteur
et décida de lui faire confiance.

— C'est peut-être la raison pour laquelle le président envoie désormais les prototypes directement ici pour les faire étudier. Vous saviez
qu'on passe par-dessus Ripley?

— Non, mais cela ne me surprend pas. D'un autre côté, je dois vous dire que Lincoln n'est guère aimé au ministère de la Guerre du fait de ses ingérences incessantes.

— C'est compréhensible, mais comment nous débarrasser autrement des Ripley ?

George rapporta à Washington la question demeurée sans réponse.

Tout au long du mois de juillet, il fit une chaleur étouffante et George travailla tard le soir au bureau. Il vit rarement Stanley, fréquemment Lincoln. Le chef de l'exécutif aux allures d'échassier vaguement grotesque ne cessait de se précipiter d'un service à un autre avec des piles de plans, de dossiers, de rapports, et quelque plaisanterie nouvelle, souvent salace. Selon la rumeur, la petite femme boulotte qu'il avait épousée lui refusait la permission de les raconter en sa présence.

De temps à autre, le président se présentait au Winder Building en fin d'après-midi pour inviter un des officiers à s'exercer au tir avec lui dans Treasury Park. George eut un jour envie de se porter volontaire mais s'en abstint, non parce que Lincoln l'intimidait — le chef de l'Etat se montrait généralement très cordial — mais parce qu'il craignait de laisser s'épancher son mécontentement devant lui. Tant qu'il travaillait au Matériel, il devait se taire par loyauté envers Ripley.

Si la paperasserie comptait plus que l'efficacité dans les méthodes de travail du service, le bilan de Ripley n'était pas entièrement négatif. George découvrit que le vieil homme avait réclamé trois mois plus tôt l'achat de cent mille armes d'épaule en Europe pour suppléer les vieux stocks des magasins fédéraux. Mais Cameron avait exigé que l'armée utilise exclusivement des armes de fabrication américaine — ce qui laissait supposer que certains des amis du ministre devaient avoir des contrats de fourniture d'armes. La débâcle de Manassas assombrit les nuages menaçant Cameron et l'on se mit à dénoncer sa décision sur les achats d'armes. La guerre ne finirait pas avec l'été ; il n'y aurait pas assez de fusils pour entraîner et armer les recrues qui s'étaient déjà présentées aux camps d'instruction, de la côte est au Mississippi.

On chargea George de rédiger une nouvelle proposition d'achat, qui fut transmise au ministère de la Guerre. Après avoir vainement attendu une réponse pendant trois jours, George se rendit en personne au ministère pour s'enquérir du sort de sa proposition.

— Je l'ai trouvée sur un bureau, rapporta-t-il à son retour. Avec la mention « Refusé ».

Sans cesser de brasser de la paperasse, Maynadier demanda :

— Pour quelle raison ?

— Le ministre veut qu'on la soumette à nouveau en réduisant la quantité de moitié.

— Quoi ? fit Ripley. Seulement cinquante mille ?

Et l'explosion de fureur du colonel rendit tout travail impossible pendant près d'une heure.

Le soir, George raconta l'incident à Constance :

— C'est Cameron qui a pris la décision mais c'est Stanley qui a porté la mention « Refusé ». Je suis sûr qu'il y a pris grand plaisir.

— Ne sombre donc pas dans la manie de la persécution.

— Je sombre plutôt dans le regret d'avoir accepté ce poste.

Le lendemain, Ripley informa George et certains autres collaborateurs qu'ils obtiendraient de l'avancement en août, le colonel lui-même devenant général de brigade. George aurait droit à trois galons de soie

noire et à l'étoile d'or de major. Mais les erreurs commises quotidienne-
ment par le service — omissions ou commissions — l'abattaient trop
pour qu'il s'en réjouît.

Ripley confiait des contrats à tout intermédiaire prétendant pouvoir
se procurer des armes étrangères. Cette seule allégation suffisait à
obtenir la confiance et les fonds du service.

— Tu devrais voir les escrocs qui se font passer pour des marchands
d'armes ! s'exclama George un soir qu'il épanchait sa bile devant
Constance. Des maquignons, des apothicaires, des parents de parlementaires — tous jurent sur la Bible de livrer en vingt-quatre heures
des armes européennes. Ripley ne les interroge même pas sur leurs
sources d'approvisionnement.

— Tu as les mêmes problèmes avec l'artillerie ?

— Non. Je reçois au moins un postulant par jour et j'élimine les
charlatans en leur posant quelques questions. Ripley est en proie à une
telle panique qu'il ne prend même pas cette peine.

Pour les besoins du service, George se rendait fréquemment à
l'arsenal de Washington situé à Greenleaf's Point, pointe de terre
marécageuse au confluent du Potomac et de l'Anacostia. Sous les arbres
entourant les vieux bâtiments s'alignaient des pièces d'artillerie de
tous types et de toutes dimensions. George y découvrit un jour un
curieux engin muni d'une manivelle sur le côté et d'un auget sur le
dessus. Il interrogea à son sujet le colonel Ramsay, commandant de
l'arsenal.

— Trois inventeurs nous l'ont apporté au début de l'année. Dans nos
dossiers, il porte le nom officiel de fusil à répétition de l'Union
calibre 58 mais le président l'a baptisé le moulin à café. Après les
premiers essais, Mr. Lincoln fut d'avis de l'adopter et je crois savoir
qu'il envoya une note dans ce sens à votre commandant.

— Avec quel résultat ?

— Aucun.

— A-t-on procédé à d'autres essais ?

— Pas à ma connaissance.

— Pourquoi ?

George devinait déjà la réponse, que Ramsay lui fournit en imitant la
voix du nouveau général de brigade :

— Pas le temps !

Un après-midi du mois d'août, alors que George était déjà en retard
pour assister à des essais de mortier à l'arsenal, Maynadier tint à tout
prix à lui faire rencontrer le cousin de quelque parlementaire de l'Iowa.
L'homme proposait un gilet pare-balles dont le prototype n'était
malheureusement pas encore arrivé à cause d'un retard de livraison.

— Mais je devrais l'avoir demain, assura-t-il. Je sais que vous serez
impressionné, général.

— Major. Parlez-moi de cette veste, demanda George d'un ton sec.

— Faite avec l'acier le plus fin, elle arrête tout projectile lancé par
une arme d'épaule ou de poing.

George lissa sa moustache avec un sourire de félin.

— Oh ! vous êtes métallurgiste. Ravi de l'apprendre. C'est aussi ma
partie. Vous avez donc une usine dans l'Iowa ?

— Eh bien... c'est-à-dire que le prototype a été fabriqué par une
firme de Dubuque. Moi, je suis... chapelier de mon état.

— Chapelier. Je vois.

— Mais le modèle a été fait selon mes indications très précises. Je vous garantis l'efficacité de ce gilet. D'ailleurs, un seul essai suffira à en apporter la preuve.

— Voudriez-vous rester à Washington jusqu'à ce que nous puissions y procéder ? proposa George.

Encouragé, le chapelier eut un sourire radieux.

— Si les chances d'obtenir un contrat paraissent bonnes.

— Et, naturellement, comme vous ne doutez pas de l'efficacité de votre invention, vous seriez prêt à la porter vous-même pendant cet essai ? Nous ferions tirer sur vous plusieurs salves afin de vérifier...

Le chapelier s'enfuit, avec chapeau et plans.

La décision de Cameron donna aux agents de la Confédération trois mois pendant lesquels ils raflèrent les meilleures armes en vente sur le continent européen. Lorsque les échantillons de ce qui restait parvinrent au Winder Building, le climat devint aussitôt fort maussade.

Un jour, en fin d'après-midi, George emmena à l'arsenal un fusil à percussion calibre 54 équipant les bataillons autrichiens. Conçue d'après le modèle Lorenz de 1854, c'était une arme hideuse, lourde, avec un recul violent. Après avoir tiré trois coups sur les cibles normalement utilisées pour les essais d'artillerie — cinq gros pilotis plantés à trois mètres l'un de l'autre au milieu du Potomac — il eut l'impression d'avoir reçu une ruade de mule dans l'épaule.

Entendant une voiture, il quitta le bout de la jetée sur laquelle il se trouvait pour voir qui arrivait. L'attelage passa sous les arbres bordant le pénitencier qui partageait la pointe de terre avec l'arsenal puis, sous un ciel d'un rose brumeux, s'arrêta devant la jetée. George reconnut l'homme qui tenait les rênes : William Stoddard, l'un des secrétaires de Lincoln. Il entassait dans son bureau les prototypes d'armes que des inventeurs envoyaient directement au président dans l'espoir de court-circuiter Ripley.

Le chef de l'Etat descendit du véhicule, une arme à la main, tandis que Stoddard attachait les chevaux. Dans la lumière crépusculaire, Lincoln paraissait plus pâle encore que de coutume mais semblait de bonne humeur. Il adressa un signe de tête à George, qui salua.

— Bonsoir, monsieur le président.

— Bonsoir, major... Excusez-moi, je ne connais pas votre nom.

— Moi si, intervint Stoddard. Major George Hazard, dont le frère Stanley travaille avec Mr. Cameron.

Lincoln se raidit légèrement, ce qui suggérait que les liens de George avec l'un de ces hommes, voire les deux, ne parlaient pas en sa faveur. Toutefois, le président garda un ton aimable pour expliquer :

— Je ne peux pas m'entraîner au tir ce soir dans Treasury Park, il y a un match de base-ball. (Il examina l'arme avec laquelle George venait de tirer.) Qu'avons-nous là ?

— Un des fusils que nous pourrions acheter au gouvernement autrichien, monsieur le président.

— Satisfaisant ?

— Quoique je ne sois pas expert en armes légères, je répondrai non. Je crains pourtant que nous ne puissions en obtenir de meilleurs.

— Oui, Mr. Cameron a quelque peu tardé à entrer dans le quadrille, n'est-ce pas ? dit Lincoln. (Sa main osseuse souleva le fusil qu'il portait comme s'il ne pesait rien.) Nous pourrions plutôt utiliser ce type d'arme mais votre chef n'aime pas les modèles qui se chargent par la culasse...

George examina l'arme du président, distingua sur la plaque droite le nom du fabricant : C. Sharps.

— J'ai cru aussi comprendre que les mots *récent* et *nouveau* ne font pas partie du vocabulaire de votre général, poursuivit Lincoln avec un sourire. Mais je sais de source sûre qu'on connaissait déjà le chargement par la culasse à l'époque du roi Henri VIII. Alors, il ne s'agit pas exactement d'un machin flambant neuf, non ? Je suis pour les fusils à un coup se chargeant par la culasse et l'armée en aura, nom d'un petit bonhomme !

— En a-t-on commandé en Europe ? demanda Stoddard au major Hazard.

— Je ne pense pas...

— Non, répondit Lincoln, l'air plus attristé qu'irrité. Voilà pourquoi j'y ai récemment envoyé mon propre commissaire d'achat avec deux millions de dollars et carte blanche. Si je ne peux obtenir satisfaction par Cameron et compagnie, je dois me débrouiller autrement.

Dans le silence gêné qui suivit, Stoddard toussota.

— Monsieur le président, il fera bientôt noir.

— Oui. Il vaut mieux que je commence à tirer.

— Si vous voulez bien m'excuser, monsieur le président..., dit George.

— Certainement, major. Content de vous avoir vu ici. J'admire les hommes qui cherchent toujours à apprendre. C'est ce que j'essaie moi-même de faire.

George s'éloigna avec l'impression d'avoir reçu un coup sur la tête. Cameron et compagnie étaient dans une situation bien plus mauvaise qu'il ne l'avait imaginé. Et il travaillait pour eux.

Stanley avait effectivement pris plaisir à rejeter la proposition préparée par son frère. S'il ne gardait pas un souvenir très clair du long et horrible retour de Manassas, il se rappelait que George l'avait bousculé et rudoyé comme un nègre de plantation. Aussi avait-il maintenant une raison supplémentaire de rabaisser son frère ou de lui compliquer la tâche.

Par ailleurs, il s'inquiétait pour son propre sort car, à en croire les ragots de salon, l'étoile du Boss commençait à pâlir. Pourtant, rien ne changeait apparemment au ministère. Cameron s'était absenté quelques jours pour enterrer son frère puis le travail et le désordre avaient repris comme d'habitude.

Des parlementaires influents avaient cependant commencé à poser des questions, oralement ou par voie de presse, sur les méthodes d'achat du ministère de la Guerre. Les camps d'instruction continuaient à se plaindre du manque de vêtements, d'armes légères et d'équipement. On déclarait de plus en plus ouvertement que Cameron était coupable de mauvaise gestion, que l'armée n'avait pas la moitié de ce qui lui était nécessaire.

Bottines mises à part, pouvait se dire Stanley en s'adressant des félicitations. Pennyford produisait en grandes quantités, à la date convenue. Les prévisions de bénéfice pour l'année donnaient le vertige à Stanley et ravissaient Isabel, qui prétendait s'être attendue à ce pactole.

Malheureusement, la réussite personnelle de Stanley ne pouvait l'aider à résoudre la crise que traversait le ministère. Les demandes orales et écrites d'information s'assortissaient désormais d'épines comme *pénurie scandaleuse, irrégularités constatées.* Lorsqu'on faisait état de ces irrégularités, Cameron ne niait pas, il ne répondait rien du tout. Un jour, Stanley entendit deux employés discuter de cette technique.

— Le ministère a eu droit à un nouveau savon, ce matin, dit le premier. Cette fois, ça venait des Finances. J'admire la façon dont le Boss réagit : il se tait et il tient bon, comme ce fou de Jackson à la bataille du Bull Run.

— Je croyais que c'était à Manassas, fit observer le deuxième.

— Pour les rebelles. Pour nous, c'est le Bull Run.

— Comment les écoliers s'y retrouveront-ils dans cinquante ans ?

— On s'en fout. Ce qui me tracasse, c'est maintenant. Même le Boss ne peut pas se déguiser éternellement en mur. Si tu veux mon avis, empoche ton salaire et...

Remarquant Stanley, l'employé donna un coup de coude à son collègue et l'entraîna plus loin.

L'attitude des deux hommes illustrait le climat qui commençait à régner dans le ministère. La situation précaire de Cameron n'était plus un secret connu seulement de quelques personnes. Le Boss avait de graves ennuis — et ses protégés aussi, par voie de conséquence.

En retournant à son bureau, Stanley songeait qu'il devait mettre de la distance entre lui et son vieux mentor. Comment ? Aucune réponse ne lui vint à l'esprit. Il fallait en discuter avec Isabel, elle saurait le conseiller.

Mais, ce soir-là, Isabel n'était pas d'humeur à discuter de ce problème. Stanley la trouva tremblante de rage, un journal à la main.

— Qu'est-ce qui te met dans cet état, ma chérie ?

— Notre chère belle-sœur. Par ses manigances, elle s'insinue dans les bonnes grâces de ceux-là mêmes que nous devrions cultiver.

— Stevens et sa clique ?

Isabel acquiesça d'un véhément hochement de tête.

— Qu'a-t-elle fait, Constance ? demanda Stanley.

— Elle a repris ses activités abolitionnistes. Elle et Kate Chase seront les hôtesses d'une réception donnée en l'honneur de Martin Delany.

Ce nom ne signifiait rien pour Stanley — ce qui redoubla la fureur de son épouse.

— Ne sois donc pas si obtus ! Delany, c'est ce docteur nègre qui a écrit un roman dont tout le monde parlait, il y a deux ans. *Blake*, cela s'appelait. Il se promène en boubou, donne des conférences.

Stanley se souvint. Avant la guerre, Delany avait lancé l'idée d'un nouvel État africain où les Noirs américains pourraient — et selon lui devraient — émigrer. Le projet de Delany prévoyait que les Noirs cultiveraient le coton en Afrique et ruineraient le Sud par le système de la libre concurrence.

Stanley prit le journal, trouva l'annonce de la réception et lut la liste partielle des invités.

— Je sais que tu ne supportes pas les nègres et ceux qui les défendent, dit-il prudemment. Mais tu as raison. Nous devons, pour reprendre ton expression, « cultiver » les personnalités abolition-nistes qui assisteront à cette soirée. Simon est sur le déclin. Si nous n'y prenons garde, il nous entraînera dans sa chute. Il entachera notre réputation et tarira le flot d'argent que Lashbrook nous apporte.

Avec dans la voix une fermeté inaccoutumée, Stanley conclut :

— Il faut faire quelque chose, et vite.

35

Les brumes de chaleur du mois d'août enveloppaient le front d'Alexandria. Bivouaquant au nord de Centreville, la légion attendait des renforts et les Enfield que le colonel avait payés de ses propres deniers. Ces fusils, achetés en Angleterre, devaient être transportés par un navire qui forcerait le blocus.

Hampton réorganisa ses troupes pour compenser les pertes de Manassas et Calbraith Butler, promu major, prit le commandement des quatre unités de cavalerie. Dans un premier temps, ce changement suscita chez Charles un ressentiment qu'il eut la sagesse de taire. A la réflexion, toutefois, ce choix ne lui paraissait pas tellement surprenant. Butler était un volontaire, un gentleman — et son mariage avec la fille du gouverneur avait sans doute aussi facilité les choses.

Charles savait qu'en se montrant strict sur les questions de discipline, il n'avait pas servi sa propre cause. Aucune importance. Il s'était engagé pour gagner la guerre, pas des galons. D'ailleurs, Butler était un excellent cavalier, un bon officier palliant par l'instinct son manque de formation. Il menait les hommes comme il le fallait : en montrant l'exemple. Aussi Charles félicita-t-il son nouveau supérieur avec une sincérité non feinte.

— C'est très aimable à vous, répondit le nouveau major. Sur le plan de l'expérience, vous le méritiez plus que moi. Ecoutez, puisque j'ai ces nouvelles responsabilités — et que je suis marié, par surcroît — courez donc à Richmond pour me représenter au bal. Emmenez Pell avec vous, si vous voulez.

Charles ne se le fit pas dire deux fois. Il mit son plus bel uniforme, se hâta de remplir les tâches les plus urgentes et termina juste à temps pour l'appel du soir. Il y eut une brève cérémonie pendant laquelle le colonel reçut officiellement le nouveau drapeau de bataille du régiment, cousu par des dames de Virginie. Des feuilles de palmier nain et les mots « Légion de Hampton » en décoraient la soie écarlate.

Charles s'occupait des derniers préparatifs du voyage quand il fut interrompu par un soldat nommé Nelson Gervais, qui venait de recevoir une longue lettre d'une jeune fille de Rock Hill, son pays. Le jeune paysan de dix-neuf ans se balançait d'un pied sur l'autre en expliquant :

— J'ai fait ma cour à Miss Sally Mills pendant trois ans, mon capitaine. Sans résultat. Maintenant, elle dit que mon départ à l'armée lui a montré à quel point elle tient à moi. Elle dit qu'elle accueillerait favorablement une demande en mariage.

— Félicitations, Gervais. Je ne pense pas qu'on vous accordera une permission de sitôt mais que cela ne vous empêche pas de demander sa main.

— Oui, mon capitaine. C'est ce que je veux faire.

— Vous n'avez pas besoin de mon consentement.

— Mais j'ai besoin de votre aide, répondit le soldat avec un regard implorant. Miss Sally Mills écrit vraiment bien mais moi... (Il devint aussi rouge que le nouveau drapeau.) Je sais pas.

— Pas du tout ?

— Non, mon capitaine. Je sais pas lire non plus. C'est un camarade qui m'a lu la lettre. Là où Sally dit qu'elle m'aime et tout...

Charles avait compris.

— Dès mon retour de Richmond, j'écrirai une lettre de demande en mariage et nous la reverrons ensemble.

— Merci, mon capitaine ! Merci, vraiment. Je vous remercierai jamais assez...

Le voyage de nuit dans un wagon de l'Orange et Alexandria se révéla épuisant du fait de retards imprévus et inexpliqués. Sommeillant sur son siège dur, Charles se déroba de son mieux aux tentatives d'Ambrose Pell pour alimenter la conversation. Le lieutenant n'appréciait pas d'être séparé de Hampton et autres officiers supérieurs voyageant dans la voiture précédente.

Charles était fourbu et sale lorsque le train arriva à Richmond, tard dans la matinée du lendemain. Comme une unité du Mississippi leur offrait l'hospitalité, il put se plonger dans un baquet d'eau puis s'étendre sur une couchette pour tenter de dormir une heure. Impossible, il était trop énervé.

La salle de bal du *Spotswood* étincelait de galons dorés, de bijoux et de lumières. Sous les nombreuses bannières confédérées, des centaines d'invités se pressaient dans la salle même, les salons voisins et les couloirs. Peu après son arrivée, Charles aperçut au bout de la piste de danse sa cousine Ashton et sa larve de mari évoluant à proximité du président Davis. Il ferait de son mieux pour les éviter.

De jeunes femmes élégamment mises, souvent jolies et pleines de vivacité, dansaient avec les officiers, trois fois plus nombreux qu'elles. Charles ne tenait pas tellement à avoir de la compagnie — à moins de trouver celle qu'il cherchait. Ne la voyant nulle part, il se dit qu'il avait été trop optimiste en espérant la rencontrer : Fredericksburg était bien loin.

Un lieutenant trapu portant un embryon de barbe quitta le groupe qui entourait Joe Johnston pour se précipiter vers Charles et le serrer contre lui.

— Bison ! Je me doutais que tu serais ici.

— Fitz, tu as l'air en pleine forme. J'ai appris que tu fais partie de l'état-major du général Johnston.

Fitzhugh Lee, neveu de Robert E. Lee, avait été l'ami de Charles à West Point et au Texas.

— Pas autant que toi, capitaine, répondit le lieutenant en prononçant le dernier mot avec une feinte déférence.

— Pas de ça, dit Charles en riant. Je sais qui est le supérieur de qui. Tu es dans l'armée régulière, moi seulement dans la milice.

— Pas pour longtemps, j'en suis sûr... Oh oh ! Une autre magnifique binette que tu devrais reconnaître. Et précisément là où on s'attend à la voir : au milieu d'un essaim d'admiratrices.

Charles tourna la tête, sentit son cœur battre plus vite à la vue d'un autre vieil ami qui était théoriquement le rival de son colonel. Jeb Stuart, barbe rousse resplendissante, rose jaune à la boutonnière, regard étincelant, taquinait et flattait les dames se pressant autour de lui.

Le commandant du 1er de cavalerie de Virginie était en première année quand Charles avait été admis à West Point. L'ancien avait infligé au jeune bizuth une coupe de cheveux que Charles n'oublierait pas de sitôt. Fitz et lui se dirigèrent vers le commandant qui, les avisant, s'excusa auprès des dames fort déçues. A ce moment précis, Charles vit un major du 1er de Virginie inviter à danser une blonde à la poitrine épanouie vêtue de soie bleu clair, Augusta.

Stuart s'avança, chaussé des bottes aux éperons d'or dont tout le monde parlait.

— Bison Main ! Maintenant, la soirée est parfaite !

Charles répondit avec politesse et modération.

— Mon colonel.

— Allons, allons. Ce n'est pas ainsi qu'on dit bonsoir à son vieux barbier.

— Comme tu voudras, Beauty. C'est formidable de te retrouver. Toi et le général Beauregard êtes les héros de l'heure.

— J'ai entendu dire que les Yankees pensent que nous montons tous des étalons noirs crachant le feu par les naseaux. Excellent ! Nous les écraserons plus vite s'ils ont la frousse. Viens donc boire un whisky.

Le trio s'approcha du buffet où des Noirs servaient avec déférence.

— Il paraît que vous n'avez pas été de la fête ? reprit Stuart, avec un brin de condescendance. Question de chance. Comment trouves-tu ton commandant ?

D'un geste, il montra Hampton, qui conversait avec un civil à quelques mètres d'eux et n'avait droit à aucune cour.

— Il n'y en a pas de meilleur, répondit Charles.

— Il ne fera jamais un cavalier. Trop vieux.

— Il monte parfaitement, Beauty. Et il est aussi solide que n'importe lequel d'entre nous.

Le sourire éclatant de Stuart et le whisky détendirent l'atmosphère. Bientôt les trois officiers parlèrent de l'oncle de Fitz, qui avait, un temps, dirigé West Point. Lee affrontait à présent les Fédéraux sur la frontière ouest de l'Etat.

Le regard de Charles revenait sans cesse à Augusta, qui dansait un galop avec le même major, dont l'imagination jalouse du capitaine faisait un modèle de prétention assommante.

— Joli brin de femme, commenta Fitz.

— Tu la connais ?

— Certainement. C'est une veuve relativement aisée. La famille de sa mère, les Duncan, est une des plus anciennes du Rappahannock. Une des meilleures, aussi.

— Si on excepte le fichu traître qu'elle a pour oncle, précisa Stuart. Il est passé aux Africaniseurs, comme mon beau-père.

— Mais tu as donné à ton fils le prénom de son grand-père Cooke, fit remarquer Fitz.

— Sur mon insistance, Flora a changé le nom du petit. Il ne s'appelle plus Philip mais James.

Le sourire glacé de Stuart et la lueur fanatique de son regard gênèrent Charles. Le commandant alla retrouver d'autres admiratrices et la séparation, quoique amicale, laissa Charles sur l'impression que beaucoup de choses les opposaient à présent — et qu'ils en avaient tous deux conscience. Cette réflexion le plongea dans une morosité qui ne fit que s'accroître lorsque l'orchestre attaqua un nouvel air et que le major invita à nouveau Augusta.

— Si c'est elle que tu veux, vas-y, murmura Fitz.

— Il a un grade plus élevé que le mien.

— Aucun homme du Sud qui se respecte ne verrait là un obstacle. En outre, ajouta Fitz, baissant encore la voix, je le connais. C'est un crétin. Vas-y, Bison, dit-il en poussant Charles. Sinon tu seras bredouille quand la réception s'achèvera.

En se demandant pourquoi il se sentait aussi nerveux et hésitant, Charles s'approcha du bord de la piste où les couples tourbillonnaient. Il surprit Augusta à le regarder — avec plaisir et soulagement, lui sembla-t-il. Charles mit rapidement au point sa stratégie, attendit la fin du morceau et partit à l'assaut.

— Cousine Augusta ! Major, pardonnez-moi cette interruption. Je ne m'attendais absolument pas à voir ma cousine ici ce soir.

— Votre cousine ? fit l'officier du 1er de Virginie d'une voix qui semblait sortir d'un tonneau. Mrs. Barclay, vous ne m'aviez pas dit que vous avez de la famille en Caroline du Sud.

— Ah ! non ? Les Duncan ont une ribambelle de parents là-bas. Et je n'ai pas vu mon cher Charles depuis deux — oh ! cela doit faire trois ans, maintenant. Major Parsley, capitaine Main. Vous voulez bien nous excuser, major ?

En souriant, Augusta prit Charles par le bras et l'entraîna loin du Virginien dépité.

— Porcelet, avez-vous dit ? murmura Charles

Le whisky bouillonnait en lui et la pression d'un sein contre sa manche acheva de le troubler.

— C'est ainsi qu'on devrait l'appeler. Une cervelle de plume et des pieds de plomb. Je me croyais condamnée à sa compagnie pour le reste de la soirée.

— La plume et le plomb, c'est encore de Mr. Pope ?

— Non, mais vous avez une excellente mémoire.

— Assez bonne pour ne plus vous appeler Gus.

Lui tapant légèrement la main de son éventail, elle répliqua :

— Prenez garde ou je retourne au porcelet.

— Je ne le permettrai jamais, dit Charles en regardant pardessus son épaule. Attention ! il nous suit. Allons au buffet.

Charles tendit à Augusta une tasse de punch puis entreprit de remplir deux petites assiettes. Plusieurs jeunes filles se pressaient derrière lui et l'une d'elles, avec des gestes théâtraux et une diction emphatique, récitait un texte satirique que Charles avait déjà entendu au camp. Cette fable de l'orang-outang appelé le Vieil Abe avait été à l'origine publiée dans le *Richmond Examiner*.

— L'orang-outang fut choisi pour roi et cette élection provoqua une grande agitation dans les Etats du Sud car les bêtes de cette partie du pays avaient importé d'Afrique un grand nombre de singes noirs dont elles avaient fait des esclaves. Et Abe, l'orang-outang, avait déclaré que c'était une offense à son espèce...

Sans raison apparente, Augusta trébucha et renversa du punch sur la robe en soie beige de la jeune fille.

— Oh ! pardon.

La récitante et ses amies se mirent à piailler tandis que Mrs. Barclay entraînait Charles loin d'elles.

— Petites sottes sans cervelle, fit-elle avec colère. J'aime le

Sud, je le jure, mais je n'aime certainement pas tous ceux qui l'habitent. Elle ne tiendrait pas de tels propos dans ma maison, elle aurait droit à la cravache. Mes nègres sont de braves gens.

Charles porta les assiettes jusqu'à un petit balcon donnant sur la rue.

— Je ne suis vraiment pas à ma place ici, soupira Augusta. Je ne supporte pas les gens qu'on y rencontre. (Elle prit dans une assiette un toast dont le caviar brilla à la lumière.) Enfin, la plupart, ajouta-t-elle en levant les yeux vers Charles.

— Alors, pourquoi être venue?

— On avait besoin de danseuses. J'ai pensé... que mon devoir de patriote me commandait d'y assister. L'un de mes affranchis a fait le voyage avec moi. Non pas que je n'aurais pu conduire seule... Pourquoi souriez-vous?

— Parce que vous êtes sacrément — euh, je veux dire, terriblement...

— Sacrément ne me gêne pas. J'ai déjà entendu ce mot-là.

— Si confiante. Vous avez plus de culot que Jeb Stuart.

— Et ce n'est pas une qualité féminine?

— Je n'ai pas dit cela.

— Alors pourquoi cette remarque?

— Parce que c'est... surprenant.

— Surprenant? Vous ne trouvez rien de mieux? Dites-moi donc ce que vous en pensez vraiment, capitaine.

— Ne vous hérissez pas. Si vous voulez le savoir, cela me plaît.

Elle rougit, ce qui l'étonna. Elle l'étonna à nouveau en murmurant:

— Je ne voulais pas être désagréable. C'est une mauvaise habitude. Je ne me conduis pas toujours comme il le faudrait.

— Je vous approuve cependant. Du fond du cœur.

— Merci, cher monsieur.

Elle avait à nouveau baissé la barrière. La désarçonnait-il par ses attentions? En tout cas, il était lui totalement désarçonné par cette jolie veuve peu conventionnelle. Pourtant, il ne serait parti pour rien au monde. Dans un silence gêné, ils regardèrent passer voitures et piétons dans la rue. Richmond grouillait de gens venus d'ailleurs et la criminalité grimpait en flèche. Vols, meurtres, viols...

Quand l'orchestre recommença à jouer, Charles proposa:

— Voulez-vous danser, Augusta?

La façon dont il lâcha ces mots, d'une voix un peu rauque, alarma de nouveau la jeune femme. « Nous avons tous deux des raisons d'être prudents, pensa Charles. Ce n'est ni le lieu ni le moment de songer à autre chose qu'à une conversation anodine et une amitié banale. »

Elle était douce et souple dans ses bras. Charles était resté si longtemps sans femme qu'il devait maintenir un écart entre eux pour ne pas lui faire sentir les effets de cette privation. Ils passèrent en valsant devant un groupe d'officiers, et Fitz Lee applaudit silencieusement; devant Huntoon, à qui Charles adressa un signe de tête; devant l'officier du 1er de Virginie, qu'il salua d'un sonore « Major Porcelet ».

Augusta se mit à rire, s'abandonna un instant contre lui. Il sentit la pression de son corps, dont l'épanouissement rendait le contact plus sensuel.

Augusta consentit de tout cœur à rester la partenaire de Charles pour le reste de la soirée puis il la raccompagna à pied à la pension où elle avait réservé une chambre. Son affranchi attendait devant le

Spotswood avec le buggy mais elle l'envoya se coucher. Charles fut heureux de pouvoir être plus longtemps seul avec elle. Son train partait à trois heures, ce qui leur laissait près d'une heure.

Le sabre d'apparat battait contre sa jambe tandis qu'ils marchaient dans les rues silencieuses, désertes à l'exception de quelques silhouettes furtives ou d'une calèche ramenant un invité du bal. Ils passèrent devant des cafés bruyants où civils et militaires faisaient encore la fête mais personne ne les importuna. La taille et la musculature de Charles avaient un effet dissuasif. Augusta semblait aimer avoir son bras pour la protéger.

— Je vous dois la vérité, Charles, déclara-t-elle lorsqu'ils parvinrent devant le perron sombre de la pension. (Elle monta sur une marche pour mettre son regard à la hauteur du sien.) Ce soir, nous avons discuté de tout, de mes récoltes au caractère du général Lee, mais nous avons laissé de côté le seul sujet que nous aurions dû aborder.

— Lequel ?

— Je suis patriote mais pas autant que je l'ai affirmé. La seule raison pour laquelle j'ai entrepris ce long voyage... (Augusta prit une profonde inspiration, comme pour s'apprêter à plonger dans l'eau.) C'est que j'espérais vous voir à ce bal.

Ignorant la voix intérieure qui lui recommandait de ne pas s'engager, Charles avoua :

— Je... J'espérais la même chose.

— Je suis effrontée, n'est-ce pas ?

— Tant mieux. Jamais je n'aurais pu parler le premier.

— Vous ne m'avez pas fait l'impression d'un timide, capitaine.

— Avec des hommes comme Porcelet, non. Avec vous...

A un clocher lointain, une cloche sonna le quart. La nuit était encore chaude, et Charles se sentait brûlant. La main droite d'Augusta se posa sur la sienne, la pressa.

— Viendrez-vous me voir à la ferme, quand vous le pourrez ?

— Même si je vous appelle Gus ?

Elle le regarda, se pencha vers lui. Des boucles blondes effleurèrent le visage de Charles.

— Même, murmura-t-elle.

Elle l'embrassa sur la joue, s'enfuit aussitôt à l'intérieur de la pension.

Charles regagna la gare en sifflant. La voix intérieure poursuivait ses mises en garde : « Attention. Un cavalier ne doit pas s'encombrer de bagages ! » Mais il ne l'écoutait pas.

36

Au ministère des Finances, James Huntoon sortait d'une réunion convoquée d'urgence par le ministre pour discuter du problème des faux billets. Il s'assit à son bureau, dans la lumière automnale tachetant le meuble, et posa devant lui un billet de dix dollars qui avait l'air authentique mais ne l'était pas. On l'avait chargé de le montrer à Pollard, le rédacteur en chef de l'*Examiner*, pour que le journal alerte ses lecteurs sur la fausse monnaie en circulation, malheureusement mieux imprimée que la vraie.

Pollard aimerait cette histoire et Huntoon savourait l'idée de la lui raconter : il partageait l'hostilité du journaliste pour le président, sa politique et l'ensemble du gouvernement. L'*Examiner* prenait en ce moment pour cible le colonel Northrop, intendant général de l'armée, qui devenait rapidement l'homme le plus haï de la Confédération du fait de sa mauvaise gestion. Les éditoriaux de Pollard éreintant Northrop ne manquaient jamais de mentionner que, une fois de plus, Davis soutenait un petit copain de West Point. Le seul ancien de l'Académie trouvant grâce aux yeux de Pollard était Joe Johnston, parce que le général et le président se querellaient amèrement sur le grade auquel l'officier croyait pouvoir prétendre.

En privé, le journaliste se montrait plus incisif encore et traitait Davis de « parvenu du Mississippi ». Il l'accusait de recevoir ses ordres de son épouse (« Il est de la cire dans ses mains »), rappelait qu'il s'était opposé à la décision du Congrès de transférer la capitale à Richmond, et qu'il avait paru « accablé de douleur », selon l'expression de sa femme, en apprenant qu'il avait été choisi comme président.

Pollard n'était pas un cas isolé. Un cyclone d'opposition, s'exprimant parfois dans un langage extrême et violent, se levait au sud. Stephens, le vieux vice-président, parlait ouvertement du chef de l'Etat en termes de « tyran » et de « despote ». Beaucoup exigeaient le départ de Davis — et l'élection devant ratifier sa désignation n'aurait lieu qu'en novembre.

Le désenchantement de Huntoon à l'égard du gouvernement était une des causes de son état dépressif. Ashton en était une autre. Elle passait l'intégralité de son temps à tenter de se hisser plus haut sur l'échelle sociale et l'avait traîné deux fois de force aux réceptions données par Benjamin, le petit juif roublard. Ashton et lui avaient beaucoup de points communs. Ils avançaient tous deux à pas feutrés, cherchant à plaire à tous, à n'offenser personne — car qui pouvait dire dans quel sens soufflerait demain le cyclone.

Deux semaines après la soirée au *Spotswood*, l'homme à l'élégance tapageuse ayant des attaches à Valdosta et aux Bahamas se présenta à la résidence où Huntoon et Ashton avaient emménagé quelques jours plus tôt. Il proposa de céder à James une part de ce qu'il appela sa compagnie maritime. Il prétendit avoir repéré à Liverpool, sur la Mersey, un vapeur rapide pouvant être réarmé pour un prix raisonnable afin de forcer le blocus entre Nassau et la côte confédérée.

— Que transporterait-il ? demanda Huntoon. Des fusils, des munitions, des choses de ce genre ?

— Oh ! non, répondit Mr. Lamar H. A. Powell. Des produits de luxe : il y a bien plus d'argent à gagner avec ce genre de marchandises. Comme vous le savez, le navire courrait des risques considérables et il vaut mieux penser à court qu'à long terme en matière de profits. Selon mes calculs, avec une cargaison soigneusement choisie, deux voyages réussis rapporteraient un bénéfice de 500 % — minimum. Ensuite, les Yankees pourront couler le bateau quand il leur plaira. Et s'il fait d'autres voyages, les gains potentiels des actionnaires frôleront l'astronomique.

Huntoon remarqua alors que sa femme regardait attentivement le visiteur. Il craignait les beaux hommes parce qu'il ne l'était pas mais n'aurait su dire si c'était le plan irréaliste de l'individu ou son allure séduisante qui titillait Ashton. Dans un cas comme dans l'autre, il ne voulait rien avoir à faire avec Mr. L. H. A. Powell, sur qui il s'était renseigné après avoir reçu la lettre sollicitant un rendez-vous.

Powell avait été mercenaire en Europe puis flibustier en Amérique du

Sud. Selon les dossiers de l'administration, il avait échappé à toute sorte d'enrôlement en vertu d'une loi exemptant les propriétaires de plus de vingt esclaves. Powell avait prétendu en posséder soixante-quinze dans sa plantation familiale, proche de Valdosta. Un télégramme d'Atlanta répondant à celui envoyé par Huntoon révéla que la « plantation » se réduisait à une ferme délabrée et quelques bâtiments extérieurs où vivaient trois personnes nommées Powell : un couple de vieillards et une brute de quarante ans à cervelle d'enfant. Bref, des références guère satisfaisantes, qui justifiaient la réponse que Huntoon fit au visiteur :

— Je ne veux pas participer à ce projet, Mr. Powell.

— Puis-je connaître la raison de votre attitude ?

— J'en ai plusieurs mais la principale suffirait à elle seule : votre plan n'est pas patriotique.

— On peut être patriote et riche.

— Importer du parfum, de la soie et du sherry pour le ministre Benjamin n'est pas ma conception du patriotisme, monsieur.

— Mais James..., commença Ashton.

Poussé par un sentiment de danger mal défini mais clairement ressenti que Powell faisait naître en lui, Huntoon coupa :

— La réponse est non.

Après le départ du visiteur, le couple eut une bruyante dispute qui se prolongea tard dans la soirée.

— Bien sûr que je pense ce que j'ai dit ! cria Huntoon. Je ne veux pas tremper dans ce genre d'opération sans scrupule. Pour plusieurs raisons, comme je l'ai déclaré à ce type.

— Lesquelles ? répliqua Ashton, poings et dents serrés.

— Eh bien !... les risques personnels, pour commencer. Imagine les conséquences si cela se savait !

— Tu es un lâche.

Huntoon s'empourpra.

— Comme je te hais, parfois, murmura-t-il.

Mais il avait tourné la tête avant d'ouvrir la bouche.

Plus tard, Ashton revint à la charge avec plus de fureur encore :

— C'est avec *mon* argent que nous vivons, ne l'oublie pas. Tu gagnes à peine plus que les nègres qui cueillent le coton. C'est moi qui gère nos fonds...

— Parce que je le permets.

— Tu crois ça ? Je peux faire ce que je veux de cet argent.

— Tu oserais le vérifier devant un tribunal ? Selon la loi, ces fonds sont devenus miens à notre mariage.

— Toujours le même avocaillon content de lui, hein ?

Elle tira violemment sur les draps pour les arracher du lit, ouvrit la porte et les jeta dans le couloir :

— Dors sur le sofa, espèce de salaud — si tu n'es pas trop gros pour ça.

Les yeux larmoyants derrière ses lunettes, il leva la main dans un geste d'apaisement, mais elle le poussa hors de la chambre.

Ils s'étaient réconciliés le lendemain — comme toujours — mais elle ne l'en priva pas moins de rapports physiques pendant les deux semaines suivantes. Puis l'humeur d'Ashton s'améliora ; elle retrouva son entrain, comme si Powell et son projet n'avaient jamais existé.

A Richmond, la journée de travail finissait à trois heures et l'on prenait peu après un plantureux repas. Toutefois, cet horaire ne s'appliquait pas aux familles des fonctionnaires du gouvernement : la plupart du temps, James rentrait chez lui après sept heures et demie, pour un léger dîner.

Ce jour-là, Ashton passa un long moment à se faire belle et ne sortit pas avant deux heures. Homer amena la voiture et ils quittèrent la maison de trois étages de Grace Street, située dans un quartier respectable mais un peu trop loin du centre pour être en vogue.

Bien qu'il fît doux, Ashton étouffait. Le risque qu'elle prenait était énorme mais plusieurs facteurs l'incitaient à le courir, notamment la pusillanimité de son mari, son incapacité à pénétrer dans la bonne société de Richmond. Elle voyait à cela deux raisons : ils n'avaient ni position sociale ni véritable fortune. James avait échoué sur les deux tableaux, tout comme il échouait chaque fois qu'il essayait de lui donner du plaisir avec son lamentable petit instrument.

Appuyée contre le velours capitonnant l'intérieur de la voiture, elle regardait par la fenêtre. Oserait-elle aller jusqu'au bout ? Il lui avait fallu une semaine rien que pour trouver l'adresse où elle se rendait, plusieurs autres jours pour rédiger avec soin la note annonçant sa visite « au sujet d'une affaire d'intérêt commun ». Elle imaginait le regard amusé avec lequel il avait dû la lire.

S'il l'avait lue. Elle n'avait reçu aucune réponse. Et s'il était absent ?

Elle avait fait porter la lettre par un jeune Noir à qui elle l'avait confiée à Capitol Square. Comment savoir si le négrillon avait bien remis l'enveloppe cachetée de cire ? Préoccupée par ces doutes, elle ne remarqua pas que le bruit des sabots du cheval avait cessé. Par-dessus le coup de sifflet d'un train de la gare de Broad Street, Homer cria :

— On est au coin que vous vouliez, Miz Huntoon. Je vous reprends dans une heure ?

— Non, je ne sais pas combien de temps les courses me prendront. Je rentrerai en fiacre ou je passerai voir monsieur au bureau.

— Très bien, madame.

Ashton descendit, entra d'un pas vif dans le magasin le plus proche, en ressortit quelques minutes plus tard avec deux bobines de fil dont elle n'avait nul besoin. Après avoir rapidement inspecté les lieux pour s'assurer du départ de Homer, elle héla le premier fiacre qui passait.

Le cœur battant, elle en descendit devant une des ravissantes maisons à haut perron de Church Hill, dans Franklin Avenue, à quelques portes du coin de la 24e Rue. L'imposante résidence, aux volets clos pour empêcher la chaleur de l'après-midi d'y pénétrer, semblait assoupie sous les érables qui commençaient à perdre leur feuillage.

Sans regarder à droite ni à gauche, elle monta les marches, sonna.

Lamar Powell vint ouvrir en personne, se recula dans la pénombre.

— Entrez, je vous prie, Mrs. Huntoon.

Elle s'avança dans la fraîcheur du vestibule, découvrit plusieurs portes s'ouvrant sur des pièces richement décorées. Splendides boiseries, lustres de cristal, meubles de prix. Dernièrement, James avait à nouveau prononcé le nom de Powell pour annoncer qu'il avait fait une enquête sur lui. « Apparemment, il vit de culot, de vantardises et de crédit. » Si la remarque insidieuse avait quelque chose de vrai, Powell devait jouir d'un immense crédit.

— J'ai envoyé mon valet à la pêche, annonça-t-il en souriant. Il n'y a personne d'autre dans la maison, votre réputation ne risque rien.

Ashton se sentit gênée comme une gamine. Il était si grand, si parfaitement à l'aise dans son pantalon sombre et son ample chemise de coton blanc. Il avait les pieds nus.

— Vous avez une magnifique maison ! s'exclama-t-elle.

Amusé par sa nervosité, il lui prit le bras et dit :

— Lorsque nous nous sommes rencontrés au *Spotswood,* je savais que vous finiriez par venir ici. Vous êtes ravissante dans cette robe mais je soupçonne que vous devez l'être plus encore quand vous l'ôtez.

Sans hésiter, il la conduisit au pied de l'escalier, qu'ils montèrent en silence. Dans une chambre dont les stores dessinaient des raies sur le lit, ils commencèrent à se déshabiller — lui calmement, elle avec des gestes brusques. Aucun homme auparavant ne l'avait mise dans cet état.

Le silence se prolongeait. Il l'aida à défaire les boutons de son corsage, l'embrassa sur la joue avec une grande douceur puis sur la bouche, promenant lentement la pointe de sa langue sur la lèvre inférieure d'Ashton. Elle eut l'impression de sombrer dans un brasier.

Il fit glisser de ses épaules les bretelles en dentelle, la dénudant jusqu'à la taille. D'un geste tendre, il souleva un sein puis l'autre, pressa doucement les mamelons tour à tour. Il continuait à sourire, l'air curieusement détaché. Lorsqu'il se pencha en avant, elle renversa la tête et ferma les yeux, s'attendant à sentir sa langue.

Il la gifla à toute volée, l'expédia sur le lit. Trop terrifiée pour crier, elle le regarda, debout près d'elle, un pied posé sur le tas que faisait la robe, souriant.

— Pourquoi... ?

— Pour qu'il n'y ait aucun doute sur le rapport de forces, Mrs. Huntoon. J'ai tout de suite compris en vous voyant que vous avez du caractère. Réservez donc cette qualité à d'autres.

Brusquement, il se pencha et entreprit de lui ôter le reste de ses vêtements. La frayeur d'Ashton se transforma en une excitation si intense qu'elle ressemblait à de la folie. Elle ruisselait quand il enleva son caleçon de coton, lui écarta les jambes et la pénétra sans fermer les yeux.

Ashton ne pouvait croire à ce qui lui arrivait. Elle se tordait sur les draps humides, rendue frénétique par le coup qu'il lui avait donné. Elle se mit à pleurer lorsqu'il accéléra le rythme. Lorsqu'il donna la poussée finale, elle sanglota, cria et perdit conscience.

Appuyé sur le coude, il l'observait en souriant quand elle s'éveilla, couverte de sueur, vannée, effrayée par sa pâmoison.

— Je me suis évanouie...

— La petite mort. Tu veux dire que c'est la première fois ?

— La première.

— Ce ne sera pas la dernière. Cela fait plus d'une demi-heure que je te regarde. Assez pour qu'un homme reprenne des forces. Embrasse-moi là.

— Mais je n'ai jamais fait cela...

Il la saisit par les cheveux.

— Tu as entendu ce que j'ai dit ?

Elle obéit.

Au terme du deuxième acte, qui s'acheva longtemps après, Ashton s'endormit à nouveau. Elle se réveilla pour la seconde fois libérée des terreurs antérieures et se pressa contre le flanc de Powell.

Les ombres s'épaissirent, la pièce s'obscurcit : l'après-midi touchait à sa fin. Ashton n'en avait cure. Ce qu'elle venait de vivre l'avait transfigurée, lui révélant qu'elle n'était pas, sur le plan sexuel, la femme avertie qu'elle croyait. Elle avait eu sa part d'amants, sa collection de souvenirs en témoignait, mais Lamar Powell lui avait appris qu'elle n'était qu'une novice.

Lentement, toutefois, la seconde raison de sa visite lui revint à l'esprit.

— Mr. Powell..., commença-t-elle.

Il éclata de rire.

— Je crois que nous nous connaissons assez bien pour nous appeler par nos prénoms.

Ecarlate, elle releva une mèche noire humide tombée sur son front.

— Je voulais te parler affaires, reprit-elle. A la maison, c'est moi qui gère l'argent. Reste-t-il une part à acheter dans ta compagnie maritime ?

— C'est possible, répondit-il. (Ses yeux de verre opaque cachaient ce qu'il pensait.) Combien peux-tu mettre ?

— Trente-cinq mille.

Investir cette somme ne lui laisserait que quelques milliers de dollars en cas d'échec. Mais elle était aussi sûre du succès que de coucher à nouveau avec Powell si elle se représentait chez lui.

— Cette somme te donnera une part équitable du navire. Et des profits. Ta décision signifie-t-elle que ton mari a changé d'avis ?

— James ignore tout de ma démarche.

— Dès que j'aurai l'argent, nous pourrons aller de l'avant.

— J'apporterai un projet de contrat à ma prochaine visite.

— Tu ne perds pas la tête. Nous ferons un couple assorti.

Il roula sur le côté, se pencha pour embrasser le ventre nu d'Ashton. Cette fois, ce fut lui qui s'endormit après l'amour.

Ashton possédait un coffret que son mari n'avait jamais vu et dans lequel elle conservait les souvenirs de ses liaisons, qu'elles aient duré un mois, une semaine ou une nuit. C'était une boîte en bois laqué du Japon avec, sur le couvercle, des incrustations montrant un couple en train de prendre le thé. A l'intérieur, on retrouvait l'homme et la femme mais ils avaient ôté leur kimono et copulaient avec de larges sourires. Vues les dimensions du sexe de l'homme, Ashton comprenait l'expression heureuse de la Japonaise.

Elle gardait dans ce coffret des boutons de braguette, collection qu'elle avait commencée longtemps avant la guerre, lors d'une visite à West Point pour voir le cousin Charles, qui y était cadet. La coutume voulait alors que les jeunes filles échangent de petits cadeaux — le plus souvent des friandises — contre un bouton de tunique de cadet. Ce soir-là, Ashton régala non pas un mais sept cadets dans l'obscurité de la poudrière et réclama à chacun d'eux un souvenir peu conventionnel : un bouton de braguette.

Tandis que Powell dormait, elle se glissa hors du lit, chercha le pantalon qu'il avait jeté par terre, trouva la braguette et tira en silence jusqu'à ce qu'un des boutons se détache. Puis elle le rangea dans son sac et retourna au lit toute contente. Ce serait le vingt-huitième de sa collection — un pour chaque homme à qui elle avait accordé ses faveurs. Le seul qui ne fût pas représenté par un bouton était James, son mari.

37

A Washington, cet automne-là, le temps fut aux boucs émissaires. On continua à critiquer vivement McDowell mais Scott partageait désormais la responsabilité de la défaite du Bull Run et Cameron était attaqué de tous bords.

— Même Lincoln s'y met, annonça Stanley à Isabel, un soir à la maison. Un de nos informateurs m'a transmis des notes prises par Nicolay, son secrétaire. Stanley sortit de sa poche un morceau de papier sur lequel il avait griffonné les propos alarmants : « Président déclare Cameron totalement incompétent. Egoïste. Nuisible pour le pays. Incapable organiser détails ni concevoir plans généraux. » Il tendit la feuille à Isabel :

— Il y en a d'autres, de la même veine.

Ils étaient en train de dîner, seuls comme à leur habitude. A la fin de la journée, Isabel, excédée par les jumeaux, les faisait généralement manger à la cuisine — ce qui convenait d'ailleurs parfaitement aux enfants.

— Nous avons attendu trop longtemps, décréta-t-elle après avoir lu la note. Tu dois te dissocier de Cameron avant qu'on ne lui coupe la tête.

— Je ne sais comment faire.

— J'y ai réfléchi longuement et je crois que ce qui est arrivé à cet imbécile de Frémont doit nous servir de leçon.

Le célèbre pionnier, commandant militaire de Saint Louis, avait de son propre chef déclaré libres tous les esclaves du Missouri. La proclamation avait plu aux extrémistes du Congrès mais Lincoln, qui continuait à traiter les Blancs des *Border-States* avec beaucoup de déférence, de crainte de se les aliéner, avait cassé la décision.

— Il y a schisme, c'est certain, et il faut parier sur le camp des vainqueurs.

— Mais c'est lequel ? bredouilla Stanley, décontenancé.

— Je te répondrai en disant que j'ai rendu visite à Caroline Wade, cet après-midi.

— La femme du sénateur ? Isabel, tu m'étonneras toujours. Je ne savais pas que tu la connaissais.

— Je ne la connaissais pas il y a un mois mais j'ai réussi à me faire présenter. Aujourd'hui, elle s'est montrée très cordiale et je pense l'avoir convaincue de mon soutien à son mari et à sa clique : Chandler, Grimes, etc. J'ai aussi laissé entendre que tu n'approuves pas la façon dont Simon dirige le ministère de la Guerre mais que ta loyauté envers lui te lie les mains.

Perdant soudain toute couleur, Stanley demanda :

— Tu n'as pas parlé de Lashbrook ?

— Stanley, c'est toi qui commets les gaffes, pas moi. Mais, même si je l'avais fait, il n'y a rien d'illégal dans les contrats que nous avons obtenus.

— Non. Ce qui est illégal, c'est la façon dont nous les avons obtenus.

— Pourquoi es-tu sur la défensive ?

— Je suis inquiet. J'espère que ces foutues bottines résisteront à l'hiver. Pennyford ne cesse de me mettre en garde contre...

— Fais-moi le plaisir de surveiller ton langage et de ne pas détourner la conversation.

— Pardon. Continue.

— Sans être explicite, Mrs. Wade m'a fait comprendre que le sénateur souhaite former une nouvelle commission parlementaire qui réduirait les pouvoirs dictatoriaux que le président s'arroge et contrôlerait la conduite de la guerre. Une telle commission ferait du renvoi de Cameron l'une de ses premières préoccupations.

— Tu crois ? Ben Wade est l'un des plus solides amis de Simon.

— Il l'était, mon cher, il l'était. Les anciennes alliances se dénouent. Publiquement, Wade soutient peut-être fermement le Boss, mais je gage que c'est une autre histoire en coulisse. Simon est toujours en voyage ?

Stanley acquiesça : le ministre faisait la tournée des popotes dans l'Ouest.

— Alors, c'est l'occasion rêvée. Va voir Wade. Moi je donnerai une réception pour lui et sa clique. J'inviterai peut-être aussi George et Constance, pour sauver les apparences.

— Parfait, mais que suis-je censé dire au sénateur ?

— Tais-toi, je vais t'expliquer.

Le vendredi, Stanley attendait dans l'antichambre du sénateur Benjamin Franklin Wade. L'estomac noué, il serrait comme quelque objet religieux le pommeau d'or de sa canne. Le rendez-vous était fixé à onze heures et, au quart, le visiteur attendait encore. A la demie, alors qu'il s'apprêtait à déguerpir, la porte du bureau s'ouvrit, un petit homme bedonnant portant barbe et lunettes s'avança.

— Bonjour, Mr. Hazard. Vous êtes ici pour une affaire concernant le ministère ?

— Je... en fait, je suis venu pour des raisons personnelles, monsieur Stanton, répondit Stanley, pris de panique.

Le personnage de petite taille mais fort intimidant qui s'était arrêté pour essuyer les verres de ses lunettes, était comme Wade originaire de l'Ohio. Démocrate, il avait longtemps été l'un des meilleurs avocats de Washington avant de devenir procureur général. C'était aussi l'avocat personnel de Simon Cameron.

— Moi de même, assura Edwin Stanton. Désolé d'avoir empiété sur votre rendez-vous. Comment va mon client ? Il est rentré de voyage ?

— Non, mais je l'attends sous peu.

— A son retour, présentez-lui mes amitiés et dites-lui que je me tiens à sa disposition pour l'aider à rédiger son rapport de fin d'année.

Sur ce, Stanton disparut dans les couloirs du Capitole où flottaient encore les relents de la nourriture que les volontaires y avaient fait cuire quand ils y étaient cantonnés.

— Entrez, s'il vous plaît, suggéra l'adjoint de Wade de son bureau.

— Quoi ? Oui, merci.

Ebranlé par la rencontre inattendue de Stanton, terrorisé par celle qui allait suivre, Stanley passa dans l'autre pièce et ferma la porte.

Autrefois procureur dans le nord-est de l'Ohio, Ben Wade avait gardé l'allure sévère de ses anciennes fonctions. Elu au Sénat en 1851, il y siégeait depuis dix ans. Pendant la crise provoquée par le raid de Brown, il était monté à la tribune armé de deux pistolets d'arçon pour montrer à ses collègues du Sud qu'il était prêt à débattre de quelque manière qu'ils choisiraient.

D'un pas mal assuré, Stanley s'approcha du grand bureau en noyer. Wade avait au moins soixante ans, mais l'énergie et la tension qui l'habitaient dégageaient une impression de jeunesse.

— Asseyez-vous, Mr. Hazard.

— Merci, murmura Stanley, impressionné par l'éclat des petits yeux de jais et la moue dédaigneuse de la lèvre inférieure.

— Que puis-je pour vous ?

— Je ne sais comment dire...

— Parlez ou partez, Mr. Hazard. Je suis un homme occupé.

« Si Isabel se trompe... »

Stanley se jeta à l'eau comme s'il se suicidait :

— Je suis ici parce que je partage votre désir de voir la guerre menée avec efficacité et l'ennemi châtié comme il le mérite.

Wade posa sur le bois vernis des mains fortes, puissantes.

— Continuez.

Il était trop tard pour battre en retraite et les mots tombèrent de la bouche de Stanley :

— Je ne crois pas que la guerre soit menée avec efficacité en ce moment. Ni par le chef de l'Etat ni par mon ministère. Je ne puis rien quant au premier...

— Le Congrès peut intervenir et il le fera. Poursuivez.

— J'aimerais apporter mon aide en ce qui concerne le second, reprit Stanley. Il y a... (Il se força à croiser le regard perçant de Wade.) des irrégularités dont vous avez certainement entendu parler, et...

— Un instant. Je vous croyais l'un des élus.

Interloqué, Stanley balbutia :

— Je ne vois pas ce que...

— L'un des Pennsylvaniens que notre ami commun a fait venir à Washington parce qu'ils l'ont aidé à financer ses campagnes électorales. J'avais l'impression que vous faisiez partie de la meute — vous et votre frère qui travaille pour Ripley.

— Je ne puis parler pour mon frère, sénateur. En ce qui me concerne, j'ai effectivement été un ferme partisan de, euh, notre ami commun. Mais les gens changent. Le ministre était autrefois démocrate...

— Il est gouverné par l'opportunité du moment, Mr. Hazard, dit Wade. (La bouche impitoyable s'étira brièvement, ce qui était sa façon de sourire.) Nous en sommes tous là, dans ce métier. Moi-même j'étais whig avant de devenir républicain. La question n'est pas là. Que proposez-vous ? De le trahir ?

Stanley pâlit.

— Sénateur, votre façon de parler...

— Brutale mais exacte. J'ai raison ? (Les joues luisantes de sueur froide, le visiteur détourna les yeux.) Bien sûr que j'ai raison. Bon, voyons votre proposition. Elle intéressera peut-être certains membres du Congrès. Il y a deux ans, Simon, Zach Chandler et moi étions inséparables. Nous avions conclu un pacte : attaquer l'un de nous, c'était attaquer les deux autres et s'exposer aux représailles du trio. Mais les temps et les amitiés changent, comme vous l'avez fait remarquer avec sagacité.

Stanley s'humecta les lèvres en se demandant si le sénateur se moquait de lui.

— L'effort de guerre s'embourbe, continua Wade. Le président est mécontent de Simon, tout le monde le sait. Si Lincoln n'agit pas, d'autres le feront, même s'ils doivent le regretter sur un plan personnel. Que leur offrez-vous, Mr. Hazard ?

— Des informations sur des contrats irrégulièrement octroyés, murmura Stanley. Des noms, des dates. Tout. Oralement. Je refuse d'écrire un mot. Mais je pourrais être très utile à, disons, une commission parlementaire...

— Quelle commission ? lança sèchement Wade.

— Je, je ne sais pas. N'importe quelle instance habilitée...

Satisfait par cette réponse vague, Wade se détendit quelque peu.

— Et que demanderiez-vous en échange de votre aide ? L'immunité pour vous-même ?

Stanley acquiesça d'un signe de tête. Wade se renversa en arrière, posa un regard méprisant sur le visiteur, qui se crut perdu. Cameron serait informé de sa démarche dès son retour. Maudite Isabel qui l'avait poussé à...

— Cela m'intéresse, dit le sénateur. Mais il faut me convaincre que vous ne m'offrez pas de la pacotille. (Le procureur se pencha vers le témoin.) Donnez-moi deux exemples. Soyez précis.

Stanley servit à Wade deux échantillons de son éventail de secrets. Lorsqu'il eut terminé, il trouva les manières du sénateur notablement plus cordiales. Celui-ci lui demanda de fixer avec son adjoint un autre rendez-vous dans un endroit plus sûr où il pourrait entendre les révélations de Stanley sans crainte d'être interrompu. Étourdi, Stanley comprit que la visite était terminée.

À la porte, Wade lui serra la main avec vigueur.

— Ma femme m'a parlé d'une réception qui aura bientôt lieu chez vous. Je suis impatient d'y assister.

Stanley sortit comme un héros venant de subir le baptême du feu. Dieu bénisse Isabel, elle avait raison. Il y avait bien un complot visant à renverser le Boss, soit par une action parlementaire, soit par la soumission au président de révélations accablantes. Se pouvait-il que Stanton fît partie de la machination, lui aussi ?

Peu importait. L'essentiel, c'était le marché conclu avec la vieille fripouille de l'Ohio. Comme Daniel, Stanley était descendu dans la fosse aux lions et avait survécu. Vers le milieu de l'après-midi, il s'était convaincu que tout le mérite lui en revenait et qu'Isabel ne jouait dans l'affaire qu'un rôle mineur.

38

Il s'appelait Arthur Scipio Brown. Âgé de vingt-sept ans, il avait la couleur de l'ambre, de larges épaules, une taille de jeune fille et des mains si fortes qu'elles faisaient penser à des armes. Pourtant il parlait d'une voix douce, avec l'accent légèrement nasillard de la Nouvelle-Angleterre. Il était né à Roxbury, dans la banlieue de Boston, d'une mère noire délaissée par son amant blanc.

Brown raconta à Constance Hazard que sa mère avait juré de ne pas s'abandonner à la tristesse causée par cette trahison ou par les obstacles que la couleur de sa peau dressait devant elle, même dans une ville libérale comme Boston. Elle avait mis son intelligence et son énergie — toute sa vie, disait-il — au service de sa race. Elle avait fait l'école aux enfants d'affranchis dans une misérable cabane, six jours par semaine, et dispensé un autre enseignement tous les dimanches aux ouailles d'une paroisse noire. Elle était morte d'un cancer un an plus tôt, tenant la main de son fils et refusant jusqu'au bout de prendre du laudanum.

— A quarante-deux ans, elle n'avait guère profité de la vie, conclut Brown. Jamais il n'y eut sur cette terre femme plus courageuse.

Constance venait de faire la connaissance de Scipio Brown à la réception donnée en l'honneur du Dr Delany, le panafricaniste. Dans son magnifique boubou, le docteur déambulait parmi la soixantaine de personnes invitées chez les Chase, les captivant par sa conversation. C'était lui qui avait amené le jeune Scipio à la soirée.

Bien que mal vêtu — la veste de son habit, visiblement acheté chez le fripier, avait des revers luisants d'usure et des manches trop courtes — Brown ne paraissait pas mal à l'aise. Il entra en conversation avec les Hazard et lorsqu'il se dit disciple de Martin Delany, Constance lui demanda :

— Vous partiriez pour le Liberia si vous en aviez la possibilité ?

Brown but une gorgée de thé avant de répondre :

— Il y a un an, je vous aurais dit oui sans hésiter. Maintenant, j'en suis moins sûr. L'Amérique nourrit des sentiments de haine à l'égard des nègres — et j'imagine qu'elle continuera à le faire pendant plusieurs générations. Mais je prévois des améliorations. Je crois aux Corinthiens.

La tête légèrement inclinée en arrière du fait de la haute taille de Scipio Brown, George exprima son incompréhension :

— Pardon ?

— La première épître de Paul aux Corinthiens, expliqua le Noir avec un sourire plein de charme. « Je vais vous faire connaître un mystère. Nous ne mourrons pas tous, mais tous nous serons transformés. En un instant, en un clin d'œil, les morts ressusciteront incorruptibles et, nous, nous serons transformés. »

Il but un peu de thé et ajouta :

— J'espère seulement que nous ne devrons pas attendre « la trompette finale », comme il est dit dans la partie du verset que j'ai omise.

— Votre race a connu d'immenses souffrances, j'en conviens, reconnut George. Mais, vous-même, n'avez-vous pas eu de la chance ? Vous êtes né libre, vous l'êtes resté toute votre vie.

Brown montra une colère inattendue :

— Pensez-vous franchement que cela change quoi que ce soit, major Hazard ? Dans ce pays, toute personne de couleur est esclave de la peur des Blancs. Vous êtes abusé parce que mes chaînes ne se voient pas. Mais j'en porte. Je suis un Noir, cette lutte est mienne. Toute croix est ma croix — en Alabama, à Chicago ou ici même.

Quelque peu hérissé, George répliqua :

— Si ce pays vous semble si mauvais, qu'est-ce qui vous empêche de le quitter ?

— Je croyais vous l'avoir dit. L'espoir du changement. Mes études m'ont appris que le changement est l'une des rares constantes de ce monde. L'image hypocrite de la liberté américaine est destinée à changer parce que l'institution de l'esclavage est mauvaise, qu'elle n'a jamais été rien d'autre. J'espère que la guerre hâtera l'abolition. Autrefois, j'étais assez naïf pour croire que la loi accomplirait cette tâche mais l'affaire Dred Scott m'a montré que la Cour suprême constitue ce dernier rempart du despotisme.

George refusa de capituler :

— Je vous accorde qu'il y a beaucoup de vrai dans vos propos, Brown, mais votre remarque sur l'hypocrisie de la liberté américaine n'est pas fondée. Je pense que vous exagérez.

— Je ne le crois pas, répondit Brown. Mais si c'était.le cas... (Son sourire chaleureux dissipa tout antagonisme.) voyez-y un des rares privilèges de ma race.

— C'est donc l'espoir d'un changement qui vous retient ici..., commença Constance.

— Ainsi que mes responsabilités envers les enfants.

— Ah ! vous êtes marié.

— Non.

— Alors de quels enf...

Kate Chase interrompit Constance en réclamant le silence : le Dr Delany avait accepté de dire quelques mots. La jolie fille du ministre invitait ses hôtes à remplir leurs verres et leurs assiettes avant de s'asseoir.

Devant le buffet, où une jeune Noire en tablier de soubrette couvait Brown des yeux, George reprit :

— J'aimerais discuter plus longuement avec vous. Nous habitons au *Willard*...

— Je sais.

La remarque de Brown étonna Constance mais pas son mari, qui poursuivit :

— Voulez-vous y dîner avec nous un soir ?

— Merci, major, mais je doute que la direction aimerait cela. Si les frères Willard sont de braves hommes, je fais quand même partie de leur personnel.

— Quoi ?

— Je suis portier au *Willard*. C'est le meilleur emploi que j'aie pu trouver ici. Je ne veux pas travailler pour l'armée, qui possède ces temps-ci sa propre « institution particulière ». Elle embauche les miens pour faire la cuisine, couper du bois, porter de lourdes charges en échange d'une maigre pitance. Nous sommes assez bons pour creuser des latrines, pas pour nous battre. Voilà pourquoi je préfère être portier.

— Au *Willard*, murmura George. Je suis ébahi. Nous est-il arrivé de nous croiser dans le hall ou les couloirs ?

— Des dizaines de fois, répondit Brown en dirigeant les Hazard vers des chaises. Vous me regardez parfois mais vous ne me voyez jamais. Autre privilège de ma couleur, Mrs. Hazard, voulez-vous vous asseoir ?

Plus tard, comprenant que Brown avait raison, George voulut s'excuser mais le grand Noir l'interrompit avec un sourire et un haussement d'épaules. Constance était intriguée par les « enfants » dont il avait parlé et le lendemain après-midi, à l'hôtel, elle le chercha et finit par le trouver dans le hall, en train de vider les cendriers. Sans se soucier des regards des autres clients, elle lui demanda des explications.

— Ces enfants sont des fugitifs — ce que le général Butler appelle de « la marchandise de contrebande ». Un flot noir nous arrive du Sud ces temps-ci. Parfois les enfants s'échappent avec leurs parents puis les perdent. Parfois, ils n'ont aucune famille et suivent simplement les adultes qui tentent l'aventure. Aimeriez-vous les voir, Mrs. Hazard ?

167

Le regard de Brown s'accrocha à celui de Constance, comme pour l'éprouver.

— Où ? riposta-t-elle.

— Là où je vis, dans la 10e Rue Nord.

— *Negro Hill ?*

La légère inspiration que prit Constance avant de parler trahit les sentiments qu'elle éprouvait.

— Ce n'est pas parce que c'est un quartier noir qu'il faut avoir peur. Nous avons simplement notre lot d'indésirables, comme vous ici. Non, se reprit Brown avec un sourire. Vous, vous avez les politiciens en plus. Vraiment, vous ne risqueriez rien. Je ne travaille pas le mardi, nous pourrions y aller dans la journée.

— Entendu, acquiesça Constance, en espérant que George serait d'accord.

Il le fut :

— Si quelqu'un peut protéger ma femme où que ce soit, c'est ce grand gaillard. Va donc voir sa communauté d'enfants perdus. Je suis curieux de savoir à quoi elle ressemble.

George loua un attelage qui s'arrêta le mardi suivant devant les portes du *Willard*. Le rustre qui l'avait amené fit grise mine en voyant Brown et Constance s'installer côte à côte sur la banquette du conducteur. Il marmonna une remarque désobligeante mais un coup d'œil du grand Noir le réduisit au silence.

— Quand êtes-vous arrivé à Washington ? demanda Constance tandis que Brown engageait la voiture dans le flot d'omnibus, de chariots de l'armée et de chevaux.

— L'automne dernier, après la victoire du Vieil Abe.

— Pourquoi ?

— Je ne vous l'ai pas expliqué à la réception ? Le plan de retour en Afrique est suspendu à cause de la guerre et j'ai pensé que cela conduirait peut-être à des changements. J'espérais trouver ici quelque travail utile et c'est ce qui est arrivé. Vous verrez.

Bientôt ils parvinrent aux terrains vagues envahis d'herbe situés tout au bout de la 10e Rue. *Negro Hill* était une enclave de petites maisons, non peintes pour la plupart, de taudis faits de planches et de toile de sac. Constance remarqua les poulaillers, les carrés de légumes, les pots de fleurs et songea que ces petites touches ne changeaient guère cet affligeant tableau de pauvreté.

Les Noirs qu'ils croisaient posaient sur eux des regards curieux, parfois méfiants. Brown tourna dans un chemin sillonné d'ornières au bout duquel se dressait un cottage en pin jaune éclatant comme des pétales de tournesol.

— Toute la communauté m'a aidé à le construire, dit-il. Il est déjà trop petit, nous ne pouvons loger et nourrir qu'une douzaine d'enfants. Mais c'est un début.

La petite maison pimpante sentait le bois brut et le savon. L'intérieur, éclairé par de grandes fenêtres, se composait de deux pièces. Dans la première, une Noire corpulente assise sur un tabouret lisait la Bible à douze enfants pauvrement vêtus installés à ses pieds. Le plus jeune devait avoir quatre ou cinq ans, le plus âgé, dix ou onze, et la couleur de leur peau allait de l'ébène au tabac. De l'autre côté de l'arcade séparant les deux pièces, Constance vit des lits de camp soigneusement alignés.

168

Une jolie petite fille de six ou sept ans au teint cuivré courut vers Brown en piaillant :

— Oncle Scipio ! Oncle Scipio.

— Rosalie.

Il la prit dans ses bras, la souleva, l'embrassa. Après l'avoir reposée, il entraîna Constance à l'écart et murmura :

— Rosalie s'est enfuie de Caroline du Nord avec sa mère, son beau-père et sa tante. Près de Petersburg, un fermier blanc armé d'une carabine les a surpris dans sa meule de foin. Il a tué la mère et le beau-père, mais Rosalie et sa tante ont pu s'échapper.

— Où est la tante ?

— En ville. Elle cherche du travail. Cela fait trois semaines que je ne l'ai pas vue.

D'autres marmots vinrent se frotter contre les jambes du grand Noir en poussant des cris joyeux. Il caressa des têtes, des visages, des épaules, offrant à chacun la question ou l'encouragement souhaités tout en se dirigeant vers un vieux poêle où mijotait une soupe.

Constance mangea avec Brown, la Noire, qui s'appelait Agatha et les enfants. D'eux d'entre eux, tristes et graves, portaient la nourriture à leurs lèvres avec des gestes las de vieillards. Constance dut détourner les yeux pour ne pas pleurer.

Sur le chemin du retour, elle demanda à Brown :

— Quels sont vos projets pour ces enfants ?

— D'abord, je dois les empêcher de mourir de faim. Les politiciens ne feront rien pour eux, je le sais.

— Vous ne les estimez vraiment pas, Mr. Brown.

— Appelez-moi donc Scipio. J'aimerais que nous soyons amis. Oui, je méprise cette engeance. Les politiciens ont contribué à mettre les Noirs dans les fers et, pis encore, à les y maintenir.

Pendant une minute, ils roulèrent en silence puis Constance reprit :

— Outre les aider à survivre, envisagez-vous quelque chose d'autre pour ces enfants ?

— Du nécessaire nous passons à l'idéal. Si je trouvais un endroit approprié pour les douze gosses que vous avez vus — un lieu où ils seraient à l'abri en attendant que je leur procure un foyer — je pourrais en accueillir douze autres. Mais avec ce que je gagne à vider les crachoirs... Il nous faudrait l'aide d'un bienfaiteur.

— Est-ce pour cette raison que vous m'avez emmenée à *Negro Hill* ?

— Bien sûr, dit Brown en souriant.

— Et bien sûr, vous saviez que j'accepterais — quoique je ne voie pas comment nous réglerons les détails.

— Ne faites pas cela uniquement pour soulager votre conscience de Blanche.

— Ne soyez pas impertinent, Brown. Je le ferai pour les raisons qui me plaisent. Ces enfants abandonnés m'ont fendu le cœur.

— Bon, dit-il.

Ils passèrent devant la première maison des quartiers blancs, où deux enfants jouaient sur une pelouse avec un poney. Constance s'éclaircit la voix.

— Veuillez excuser la façon dont je vous ai parlé il y a un instant. De temps à autre, mon caractère soupe au lait se manifeste. Je suis d'origine irlandaise, vous savez.

— Je l'avais deviné, dit Brown avec un grand sourire.

A la grande joie de Constance, George fit plus que consentir à son désir d'aider Brown :

— S'il a besoin d'un endroit pour accueillir ces enfants, pourquoi ne pas le lui fournir ? Ainsi que de la nourriture, des vêtements, des livres. Tout cela ne grèvera guère notre budget et nous ferons œuvre utile. Dieu sait que les petits Noirs ne devraient pas souffrir de la stupidité passée et présente des adultes blancs !

Il alluma son cigare et regarda sa femme à travers la fumée avec une expression qui lui donnait un air de pirate, encore accentué par la moustache qu'il portait depuis peu. Ce masque cachait une fibre sentimentale que Constance avait découverte de longue date. De l'ongle du pouce, George expédia l'allumette droit dans l'âtre.

— Oui, décidément, je pense que nous devrions proposer à Brown d'installer ses enfants à Belvedere.

— Où exactement ?

— Pourquoi pas l'ancien atelier ?

— L'endroit est bon mais le bâtiment petit.

— Nous l'agrandirons en ajoutant un ou deux dortoirs, une salle de classe, un réfectoire. Les menuisiers de l'usine pourront s'en charger.

La réalité vint troubler l'enthousiasme de George quand Constance demanda :

— Tu crois qu'ils le feront ?

— Ils travaillent pour moi, bon sang ! Je ne comprends pas ta question.

— Ces enfants sont noirs, George.

— Tu penses que c'est important ? demanda-t-il naïvement.

— Oui. Pour beaucoup, peut-être pour la plupart des habitants de Lehig Station.

— Mmm. Je n'avais pas songé à cela, grommela George. (Il alla jusqu'à la cheminée en tournant son cigare entre ses doigts, comme il avait coutume de le faire lorsqu'il se heurtait à un problème.) Ce n'est quand même pas une raison pour rejeter cette idée. Elle est excellente, nous l'adoptons.

Ravie, Constance battit des mains.

— Peut-être pourrais-je retourner quelques jours à la maison avec Mr. Brown pour mettre le projet en route.

— Si tu veux, je prends un congé et je vous accompagne.

Elle s'apprêtait à applaudir à la suggestion quand un nom surgit dans son esprit, éclatant comme un fanal dans la nuit : Virgilia.

— C'est gentil à toi mais je sais que tu as beaucoup de travail, dit-elle. Je suis sûre que Mr. Brown et moi nous débrouillerons seuls.

— Bon, fit George avec un haussement d'épaules qui soulagea sa femme. J'envoie à Christopher une lettre autorisant tous les travaux que tu lui demanderas. A propos de lettre, tu as vu celle-ci ?

Il prit sur le dessus de cheminée une enveloppe froissée et tachée, fermée par un cachet de cire.

— C'est de père ! s'exclama Constance en reconnaissant l'écriture.

Elle ouvrit la lettre, se laissa tomber sur le sofa, lut quelques lignes avec une expression tendue.

— Il est arrivé à Houston... En portant constamment son revolver et en se mordant constamment la langue pour ne pas répondre aux balivernes sécessionnistes qu'on entend partout. Oh ! j'espère qu'il finira le voyage sain et sauf !

George s'approcha de son épouse, posa doucement la main sur son

170

épaule. « Nous sommes tous embarqués dans un long voyage, pensa-t-il. Et Dieu sait combien d'entre nous le finiront sains et saufs. »

Constance et Brown quittèrent Washington quelques jours plus tard, avec trois enfants que le Noir avait choisis pour les accompagner : Leander, un costaud de onze ans aux manières belliqueuses ; Margaret, une timide fillette à la peau anthracite ; et Rosalie, jolie petite dont la gaieté emplissait les silences des deux autres.

Constance découvrit rapidement que les craintes dont elle avait fait part à George n'étaient pas sans fondement. A la gare de Washington, un contrôleur exigea que Brown et les enfants s'installent dans la voiture de seconde classe réservée aux personnes de couleur. Le regard du Noir trahit sa colère, mais il ne fit pas d'esclandre. En quittant le compartiment avec les trois marmots, il dit à Constance :

— Je vous rejoindrai plus tard, Mrs. Hazard.

Après son départ, l'employé demanda à Constance :

— Ce nègre est votre domestique, madame ?

— Cet homme est mon ami.

Le contrôleur s'éloigna en secouant la tête.

Après un changement à Baltimore, ils poursuivirent leur route en direction de Philadelphie à travers des paysages d'automne dorés. Autour de Constance, des hommes vantaient la supériorité des soldats yankees en appuyant leurs propos de grands coups de journaux sur les banquettes. Dans une localité de l'ouest de la Virginie appelée Cheat Montain, le général ennemi autrefois considéré comme le meilleur officier américain s'était fait étriller.

— On dit que, à Richmond, on l'a surnommé Lee l'Evacuateur. Voilà une étoile rebelle qui pâlit diablement vite !

La vallée de la Lehig, embrasée par les rouges et les jaunes de l'automne, donnait une impression de paix et de fraîcheur. Sur le quai de la gare, les enfants ébahis regardaient les maisons s'étageant sur les terrasses, l'usine dominant le paysage sur un fond de montagnes et de ciel vespéral.

— Mon Dieu ! murmura la petite Rosalie.

Constance avait prévenu de son arrivée par télégramme et un domestique était venu à la gare avec une voiture. Elle remarqua son changement d'expression lorsqu'il comprit que Brown et les enfants l'accompagnaient.

Dans le véhicule remontant la rue en pente, les deux petites filles poussaient des cris en se serrant contre Brown parce que le vent agitait leurs robes et leurs cheveux. Du seuil de son magasin, Pinckney Herbert lui fit signe, mais d'autres habitants de la ville montrèrent un visage hostile, notamment un ancien ouvrier de la forge nommé Lute Fessenden.

Au sommet de la colline, la grande maison baignait dans la lumière du couchant. Brett attendait dans la véranda en compagnie d'une femme que Constance ne reconnut pas immédiatement. La voiture remonta l'allée, s'arrêta ; Constance descendit, courut vers le perron.

— Virgilia ? Comme tu es jolie ! Je n'en crois pas mes yeux.

— C'est l'œuvre de notre belle-sœur, dit Virgilia en désignant Brett du menton.

Elle avait parlé avec désinvolture, comme si la transformation importait peu, mais la vivacité de son expression trahissait ses véritables pensées.

Constance s'émerveilla. La robe en soie rouille avec des poignets de dentelle flattait la silhouette de Virgilia, à laquelle une grande perte de poids avait donné des formes voluptueuses. Ses cheveux, coiffés en chignon sur la nuque, brillaient d'un éclat que Constance ne leur avait jamais connu. Elle avait sur les joues un léger maquillage masquant presque totalement les marques de variole. Bref, si Virgilia ne pouvait toujours pas prétendre être belle, elle était devenue assez jolie.

— Je néglige mes devoirs, dit Constance.

Après les présentations, elle expliqua en quelques phrases pourquoi elle avait amené Brown et les enfants à Belvedere. Brett se montra polie mais froide et le grand Noir, de son côté, ne manqua pas de remarquer l'accent de la jeune femme. Constance surprit Virgilia en train de promener un regard langoureux du visage à la poitrine de Brown. Gêné, celui-ci s'empressa de s'occuper des enfants. Constance, qui se rappelait le goût de sa belle-sœur pour les hommes noirs, songea que, à certains égards, Virgilia n'avait pas du tout changé.

Le lendemain matin, tandis que Virgilia gardait les enfants et tentait vainement de faire parler Leander, Constance et Brown se rendirent à l'usine en voiture, franchirent les grilles et inspectèrent l'ancien atelier. Brown y entra, ressortit quelques minutes plus tard en disant :

— Avec quelques travaux, ce sera parfait.

Ils en discutèrent en retournant vers les grilles. Les ouvriers s'écartaient respectueusement au passage de la voiture, mais la plupart regardaient d'un œil désapprobateur la femme du patron se montrant en compagnie d'un Noir.

Ils parlèrent ensuite à Wotherspoon, qui envoya quelques hommes abattre une paroi de l'atelier et passer les trois autres au lait de chaux. Dans l'après-midi, Constance et Brown vinrent voir les travaux. Le chef d'équipe, un quinquagénaire nommé Abraham Fouts, travaillait depuis quinze ans aux forges Hazard et s'était toujours montré aimable. Ce jour-là, il se contenta d'adresser un signe de tête à Constance sans la saluer. Le soir, alors qu'adultes et enfants dînaient, une pierre fit voler en éclats la vitre d'une des fenêtres de devant. Leander sursauta, Virgilia se leva, furieuse. A la surprise de Constance, ce fut Brown qui se montra le plus tolérant.

— Il faut s'attendre à ce genre de choses lorsqu'un homme comme moi entre dans une maison comme celle-ci. Par la porte de devant.

— C'est exact, Mr. Brown, approuva Brett.

Le commentaire, quoique débité d'un ton aimable, alluma une lueur de colère dans l'œil du Noir. Soudain abattue, Constance prit conscience d'un problème potentiel auquel elle n'avait pas songé. On ne pouvait demander à Brown d'aimer les gens du Sud ni à une jeune femme de Caroline du Sud d'accepter tout de go un Noir à sa table.

Le lendemain, elle se leva tôt, prit la voiture et arriva à l'atelier en même temps qu'Abraham Fouts et son équipe de quatre ouvriers. Deux d'entre eux retinrent mal un ricanement en voyant les grandes lettres noires dont on avait barbouillé un des côtés du hangar : « Nous sommes pour la guerre mais pas pour les nègres. »

Attristée et furieuse, Constance souleva ses jupons, s'approcha, passa son pouce sur les dernières lettres comme pour les effacer. Elles étaient sèches.

— Mr. Fouts, veuillez repeindre sur ces saletés pour qu'on ne les voie plus. Si cela se reproduit, vous passerez une nouvelle couche et vous continuerez jusqu'à ce que cela cesse ou que ce hangar s'écroule sous le lait de chaux.

Le chef d'équipe tira nerveusement sur sa lèvre inférieure.

— Les gars parlent beaucoup de l'ancien atelier, marmonna-t-il. Ils disent qu'on va y loger des petits nègres et ça leur plaît pas.

— Ce qui leur plaît ou non m'indiffère. Mon mari est propriétaire de ce hangar, j'en fais ce que bon me semble.

Aiguillonné par le regard des autres ouvriers, Fouts releva la tête en rétorquant :

— Votre mari serait peut-être pas...

— Mon mari connaît mes projets et les approuve. Si vous voulez rester aux forges, mettez-vous au travail.

Fouts gratta le sol de la pointe du pied sans répliquer mais un de ses camarades fut plus hardi :

— On n'a pas l'habitude de recevoir des ordres d'une femme, même si c'est la femme du patron.

— Très bien, rétorqua Constance, envahie par la colère et le doute. Je suis sûre qu'il ne manque pas d'usines où vous n'aurez pas à vous plaindre. Passez prendre votre paie au bureau de Mr. Wotherspoon.

Sidéré, l'homme leva la main.

— Attendez. J'ai pas...

— Vous êtes renvoyé.

Remarquant une tache entre le pouce et l'index de l'ouvrier, Constance ajouta :

— Je vois que vous avez utilisé de la peinture noire, cette nuit. Comme c'est courageux d'attendre l'obscurité pour exprimer votre point de vue !

Elle fit deux pas vers l'homme en lui lançant :

— Filez chercher ce qu'on vous doit !

L'ouvrier détala. Aussitôt, la colère de Constance fit place à de l'anxiété : elle avait à coup sûr outrepassé les pouvoirs que George lui avait donnés. Mais il était trop tard pour s'en inquiéter.

— Je regrette cet incident, Mr. Fouts, mais je maintiens ma position, déclara-t-elle. Voulez-vous passer le hangar à la chaux ou quitter l'usine ?

Elle vit s'approcher trois autres hommes portant des outils de menuisier et se dit qu'il faudrait leur poser la même question.

— Je le ferai, votre boulot, maugréa Fouts. Mais pour une bande de nègres ? C'est pas juste.

En retournant à Belvedere, Constance songeait que le Nord n'était pas une pure fontaine d'humanisme et de générosité. Les arguments abolitionnistes soutenant le contraire avaient d'ailleurs exaspéré les gens du Sud pendant trois décennies et plus. Fouts croyait sans aucun doute en toute sincérité à l'infériorité du nègre par rapport à l'homme blanc, et selon George, Lincoln lui-même passait pour avoir exprimé la même opinion. Constance pouvait comprendre que Fouts était le produit de l'époque, parfaitement à l'aise pour exprimer le point de vue de la majorité.

Mais justifier ce point de vue, rejoindre cette majorité ou se laisser intimider par elle ? Pas question. Elle était la femme de George Hazard. La fille de Patrick Flynn.

— Abominable ! s'exclama Virgilia quand Constance eut relaté l'incident. Si nous avions à Washington le gouvernement qu'il faut, les choses seraient différentes. Je crois qu'elles ne tarderont plus à changer.

— Pourquoi ? demanda Brett.

La jeune femme était assise de l'autre côté de la table servie pour l'habituel déjeuner gargantuesque : agneau rôti assorti de cinq autres plats. Rosalie, Margaret et Leander ne mangeaient pas, ils dévoraient. Même Brown semblait ne pas parvenir à se rassasier.

— Le président est un homme faible, déclara Virgilia, retrouvant le ton qui avait causé tant de problèmes par le passé. Regardez la façon dont il a réagi à la décision de Frémont d'affranchir les esclaves du Missouri. Lincoln rampe devant les esclavagistes du Kentucky et des autres *Border-States*...

— Pour des raisons stratégiques, m'a-t-on dit.

Sans prêter attention à Constance, Virgilia poursuivit :

— Mais Thad Stevens et d'autres semblent vouloir le mettre au pas. Avec de bons Républicains aux guides, Lincoln aura ce qu'il mérite. Et les rebelles aussi.

— Veuillez m'excuser, dit Brett avant de quitter la pièce.

Après le repas, Constance s'arma de courage et prit Virgilia à part :

— J'aimerais que tu ne fasses pas... de grandes déclarations en face de Brett. Elle a pris la peine de t'aider, elle t'a transformée...

— Cela n'a rien à voir avec la vérité ni...

S'apercevant enfin que Constance était furieuse, Virgilia s'interrompit, poussa un long soupir.

— Tu as raison, reconnut-elle. Je n'abandonnerai jamais mes convictions...

— Personne ne te le demande.

— ... mais je comprends parfaitement que Brett a droit à certains égards.

— Sans parler de simple politesse.

— Absolument. Elle fait désormais partie de la famille et s'est montrée gentille envers moi, comme tu l'as rappelé. Je ferai de plus grands efforts. Cependant, étant donné l'arrangement présent, il y aura fatalement des accrochages.

— Puisque tu abordes la question de cet arrangement, je propose que nous en discutions, dit Constance d'un ton calme.

Virgilia hocha la tête.

— Je sais que mon sursis touche à sa fin. Je suis impatiente de partir, de me replonger dans la réalité mais j'ignore comment faire. Où trouverai-je à gagner ma vie ? Que puis-je faire sans métier et sans expérience ?

Virgilia approcha lentement de la fenêtre du salon. Dehors, une pluie d'orage criblait les vitres et les gouttes qui s'y accrochaient dessinaient sur son visage de nouvelles cicatrices. D'une petite voix triste, elle murmura :

— Ce sont des questions que je n'avais jamais dû me poser auparavant. Attendre des réponses qui ne viennent pas, c'est effrayant, Constance.

« N'attends pas, cherche ! » pensa la femme de George. Mais son irritation se dissipa aussitôt et elle éprouva à nouveau de la compassion pour sa belle-sœur.

Leur brève conversation avait clarifié deux points : Virgilia devait partir avant que George découvre sa présence ou que Brett, poussée par la colère, la lui apprenne. Mais, par ailleurs, elle était incapable de trouver seule son chemin et ce fardeau aussi incombait à Constance.

39

A la fin du mois d'octobre, Mrs. Burdetta Halloran, citoyenne de Richmond, sombra dans une profonde détresse.

Veuve depuis deux ans, sans enfants, elle était encore à trente-trois ans d'une beauté sculpturale, avec une magnifique chevelure auburn, une chute de reins extraordinaire, des seins — selon elle — tout juste passables. L'ensemble avait charmé le négociant en vins qui l'avait épousée quand elle avait vingt et un ans. De seize ans son aîné, Halloran était mort d'une crise cardiaque en s'efforçant de satisfaire les puissants appétits sexuels de son épouse.

Le pauvre, elle l'aimait bien, même s'il manquait de vigueur et de technique pour la contenter physiquement. Il l'avait bien traitée et elle ne l'avait cocufié que deux fois : la première liaison avait duré quatre jours, la seconde une seule nuit. La mort de son mari l'avait laissée dans l'aisance — du moins le pensait-elle jusqu'au déclenchement de cette maudite guerre.

Ce jour-là, alors que toute la ville se réjouissait d'une victoire remportée près du Potomac, à Ball's Bluff, Burdetta Halloran s'alarmait en faisant le tour des boutiques. Les prix grimpaient. Sa livre de bacon lui avait coûté cinquante *cents,* son demi-kilo de café un dollar vingt-cinq ! La semaine précédente, l'affranchi qui lui apportait du bois de chauffage de la campagne lui avait réclamé huit dollars la corde au lieu de cinq. A ce train-là, elle devrait bientôt se restreindre.

Née Soames, d'une famille installée depuis quatre générations dans le Vieux Dominion *, elle déplorait les changements qui avaient affecté sa ville, son Etat et l'ordre social. Bob Lee, le meilleur parmi les meilleurs, se faisait traiter de « grand-mère » à cause de ses défaites. Elle avait entendu dire qu'il serait bientôt envoyé dans l'une des obscures régions militaires du Sud profond, où pousse le coton.

La reine Varina outrageait les membres de la bonne société locale en s'entourant d'une cour composée principalement d'étrangers à la ville. Certes, la femme de Joe Johnston en faisait partie mais sans doute dans le seul but d'aider la carrière de son mari. La générale n'avait rien de commun avec les parvenues qui gravitaient autour de la présidente : Mrs. Mallory, papiste enragée ; Mrs. Wigfall, vulgaire Texane ; Mrs. Chestnut, garce de Caroline. Toutes méprisables. Et pourtant en faveur.

La ville grouillait de prostituées et de spéculateurs dont chaque train apportait une nouvelle fournée. Des hordes de nègres, probablement en fuite pour la plupart, grossissaient les bandes d'oisifs des rues. Des prisonniers yankees s'entassaient dans des camps de fortune comme la fabrique de tabac Liggon, au coin de la 25e Rue. Leur arrogance, leur mépris pour tout ce qui touchait au Sud insultaient de fermes citoyennes comme Burdetta, qui portait courageusement la croix de Jeff Davis et passait tout son temps libre à tricoter des chaussettes pour la troupe.

* La Virginie (n.d.t.).

Elle avait cessé de tricoter deux semaines plus tôt, quand sa détresse avait pris des dimensions tragiques. Cet après-midi-là, dans le fiacre qui l'emmenait à Church Hill, elle but discrètement une gorgée de whisky à une petite bouteille emmaillotée dans un cosy en crochet. Cela faisait des jours qu'elle envisageait cette visite et son désespoir croissant l'avait finalement décidée à agir.

La voiture ralentit, Mrs. Halloran but une autre gorgée et cacha la bouteille dans son sac.

— J'attends ? demanda le cocher après s'être arrêté au coin de la 24ᵉ Rue.

Une prémonition de mauvais augure incita la veuve à acquiescer. Elle fila le long de l'allée, monta le perron avec une telle précipitation qu'elle faillit tomber. L'alcool qu'elle avait bu pour se donner du courage ne faisait que lui engourdir l'esprit et aviver son angoisse. Elle souleva le heurtoir, le laissa retomber.

Son cœur se mit à battre à lui faire mal. Les rayons obliques du soleil d'octobre annonçaient l'hiver — la tristesse et la solitude. Et s'il n'était pas là ? Elle frappa à nouveau, plus fort et plus longuement.

La porte s'entrouvrit, Burdetta faillit s'évanouir de bonheur. Puis elle examina plus attentivement son amant, vit des cheveux en broussaille, un coin de peau entre des revers de velours bordeaux. En peignoir, à cette heure ?

Elle pensa d'abord qu'il était souffrant mais comprit ensuite la vérité et l'étendue de sa stupidité.

— Burdetta, dit-il.

Sans surprise, sans chaleur. Sans ouvrir davantage la porte.

— Lamar, tu n'as pas répondu à une seule de mes lettres.

— Je pensais que la signification de ce silence ne t'échapperait pas.

— Seigneur ! tu ne veux pas dire que... Tu ne me rejettes pas comme ça, pas après six mois d'incroyable...

— Cette situation est embarrassante, reprit-il d'une voix dure en regardant le cocher, juché en haut du fiacre. Pour toi comme pour moi.

— Tu as quelqu'un d'autre ? une jeune traînée ? Elle est ici ? demanda Mrs. Halloran en reniflant. Mais oui ! Tu empestes son parfum.

Les larmes aux yeux, elle passa la main dans l'entrebâillement de la porte.

— Chéri, laisse-moi au moins entrer, qu'on parle. Si je t'ai offensé...

— Retire ta main, Burdetta, conseilla Lamar Powell en souriant. Sinon tu auras mal quand je fermerai la porte.

— Infâme salaud, murmura-t-elle.

La porte baignée de soleil commença à se refermer et Burdetta aurait eu le poignet ou les doigts cassés si elle n'avait promptement retiré sa main. Le pêne cliqueta dans la serrure. Pendant six mois, elle avait risqué sa réputation, elle s'était livrée à toutes sortes de perversions pour en arriver là ? Pour se faire renvoyer comme une fille ?

Burdetta Soames avait été élevée dans le respect des valeurs du Sud, notamment le courage et la sauvegarde des apparences. S'il lui faudrait sans doute des jours, des semaines, pour se remettre (Lamar avait éveillé en elle un côté animal et elle n'avait jamais aimé aucun homme plus complètement), elle ne mit qu'une dizaine de secondes pour composer son visage. Lorsqu'elle se retourna pour descendre la première marche du perron, soulevant sa jupe de ses mains gantées, elle souriait.

— On y va ? demanda le cocher.

— Oui. Il ne m'a fallu qu'un moment pour en finir avec cette affaire, répondit Burdetta.

En fait, cela ne faisait que commencer.

40

En automne, un tourbillon s'abattit sur la côte de la Caroline. Le 7 novembre, la flottille du commodore Du Pont pénétra dans le détroit de Port Royal et ouvrit le feu sur l'île de Hilton Head. Sous la canonnade, la petite garnison confédérée se réfugia sur la terre ferme avant le coucher du soleil. Deux jours plus tard, non loin de là, le petit port de Beaufort tomba et l'on parla de maisons incendiées, pillées par de cupides soldats yankees et des Noirs assoiffés de vengeance.

Chaque jour apportait de nouvelles rumeurs : le feu détruirait bientôt Charleston, qui serait remplacée par une ville de fugitifs noirs ; Harriet Tubman était en Caroline, ou s'y rendait, ou envisageait de le faire, pour inciter les esclaves à la révolte ; après ses défaites en Virginie, Lee, en disgrâce, avait reçu le commandement de la nouvelle région militaire de Caroline du Sud, de Georgie et de Floride orientale.

Cette dernière rumeur s'avéra. Le célèbre général et trois de ses officiers supérieurs apparurent un soir à cheval dans l'allée de Mont Royal et passèrent une heure en compagnie d'Orry Main avant de poursuivre leur route vers Yemassee.

Le planteur n'avait rencontré Lee qu'une fois, au Mexique, mais, du fait de sa réputation, tant sur le plan militaire que sur le plan personnel, il avait l'impression de bien le connaître. Il éprouva donc un choc en découvrant que le visiteur ne ressemblait plus aux portraits qu'on publiait de lui. Âgé de cinquante-quatre ans, il avait un visage sillonné de rides, des yeux cernés, une barbe striée de blanc et un air las qui le faisaient paraître beaucoup plus vieux. Comme Orry s'étonnait de lui voir porter la barbe, le général répondit :

— Oh ! j'ai ramené cela de la campagne de Cheat Montain. Avec toute une série de surnoms dont je serais heureux de me débarrasser. Comment va votre jeune cousin Charles ?

— Bien, aux dernières nouvelles. Il s'est enrôlé dans la légion de Hampton. Je suis surpris que vous vous souveniez de lui.

— Impossible de l'oublier. Quand je commandais West Point, il en était le meilleur cavalier.

Lee aborda ensuite l'objet de sa visite : il tenait à ce qu'Orry accepte un poste à Richmond, même si lui-même ne s'y trouvait plus et ne pourrait pas l'avoir directement sous ses ordres.

— Vous seriez très utile au ministère de la Guerre. Il n'est pas vrai, comme le prétendent les mauvaises langues, que le président Davis multiplie les ingérences ni qu'il dirige en fait personnellement le ministère... Enfin, pas entièrement vrai.

— Je prévois de me rendre là-bas dès que possible, mon général. J'attends d'un jour à l'autre l'arrivée d'un nouveau régisseur qui s'occupera du domaine en mon absence.

— Bonne nouvelle. Vous et tous les anciens de West Point de votre trempe êtes des hommes infiniment précieux pour l'armée. Si je puis me permettre une confidence, le grand tort de Mr. Davis, c'est de croire qu'il n'y a aucun mal à faire sécession. Je peux vous assurer que, à Washington, on considère cela comme une trahison. Je ne suis pas assez expert en constitution pour affirmer que cette décision était illégale mais j'estime que ce fut une erreur dont on ne perçoit l'ampleur que maintenant. Cependant, quels que soient nos sentiments personnels à l'égard de la sécession, nous devons à présent gagner notre droit à la faire — notre droit d'exister en tant que nation séparée. Quand je dis gagner, je parle de victoire militaire. Mr. Davis pense malheureusement qu'il suffira de réclamer ce droit avec assez d'insistance pour qu'il nous soit accordé. C'est un rêve d'idéaliste. Ce que nous avons fait a paru abominable à la majorité de nos anciens compatriotes. Seule la force des armes nous permettra de conquérir et de garder notre indépendance. Les anciens de West Point le comprendront et livreront le combat nécessaire.

— Nous combattrons, approuva l'un des aides de camp.

— Voilà l'esprit qui doit nous animer, conclut Lee.

Il se leva en faisant craquer ses genoux, serra la main d'Orry, bavarda quelques instants avec Madeline puis partit prendre son obscur commandement. Le planteur passa le bras autour des épaules de sa femme et la pressa contre lui en songeant que, désormais, leur séparation était inévitable.

D'autres nouvelles parvinrent le lendemain matin. Neuf Noirs de la plantation de Francis LaMotte avaient descendu l'Ashley dans des bateaux d'osier confectionnés en secret. Ils avaient abandonné leurs nacelles après Charleston et s'étaient probablement enfuis en direction des lignes yankees entourant Beaufort.

En plus des nouvelles, Mont Royal vit arriver ce jour-là Philemon Meek, le régisseur de Caroline du Nord, monté sur une mule.

Orry fut d'abord déçu : il s'attendait à voir un homme de soixante ans mais pas une sorte de vieux maître d'école au dos voûté, avec des besicles au bout du nez. Toutefois, après une heure de discussion dans la bibliothèque, l'impression du planteur commença à changer. Meek répondait aux questions de son nouveau patron avec concision et franchise, avouant parfois son ignorance. Il déclara qu'il ne croyait pas à la nécessité d'une dure discipline, à moins que les esclaves ne la justifient par leur conduite. Orry répondit que, à l'exception de Cuffey et de quelques autres, il y avait peu de trublions à Mont Royal.

Le régisseur précisa qu'il était un homme pieux, ne possédant et ne lisant qu'un seul livre : les Saintes Écritures. Il reconnut cependant que toute lecture lui était difficile, ce qui contribuait peut-être à lui faire dire que tous les livres profanes, et plus particulièrement les romans, étaient inspirés par Satan. Orry ne fit aucun commentaire : ce genre d'attitude n'était pas rare chez les dévots.

— Je ne sais trop que penser de lui, avoua-t-il à Madeline ce soir-là.

En une semaine, il se forma une opinion plus positive. Malgré son âge, Meek était robuste et ne se laissait pas conter des balivernes par ceux qu'il faisait travailler. Andy ne semblait pas l'apprécier beaucoup mais s'entendait avec lui. Aussi Orry fit-il ses malles — sans oublier l'épée de Solingen.

La veille de prendre le train, il se promena avec Madeline en fin d'après-midi. Le soleil, juste au-dessus de la cime des arbres, était entouré de piques de lumière. Le ciel, d'un blanc brumeux à l'ouest, était d'un bleu profond à l'est. Quelque part dans les rizières, un esclave chantait en gullah * d'une belle voix de baryton.

— Tu es impatient de partir, n'est-ce pas, dit Madeline tandis qu'ils revenaient vers la grande maison.

Clignant des yeux dans le soleil, Orry répondit :

— Je ne suis pas pressé de te quitter, quoique la présence de Meek me rassure quelque peu.

— Cela ne répond pas à ma question, cher monsieur.

— Oui, je suis impatient de partir, et tu ne devinerais jamais pourquoi. C'est à cause de mon vieil ami Tom Jackson. En six mois, il est devenu un héros national.

— Tu me surprends. Je ne te connaissais pas cette sorte d'ambition.

— Oh ! je n'en nourris aucune. Plus depuis le Mexique, en tout cas. Jackson et moi étions de la même promotion. Il s'est empressé de faire son devoir alors qu'il m'a fallu six mois pour répondre à l'appel. Non sans bonne raison mais je ne m'en sens pas moins coupable.

Madeline lui prit le bras, le pressa contre sa poitrine.

— Tu ne devrais pas. Ton attente est finie et, dans quelques semaines, lorsque Meek sera bien installé, je prendrai le chemin de Richmond.

Tandis qu'ils approchaient de la maison, traînant derrière eux de longues ombres, Orry éprouvait un sentiment de paix, l'impression que, pour une fois, les événements se déroulaient comme il le souhaitait.

— J'ai vu une lithographie de Tom la semaine dernière. Il a une splendide barbe broussailleuse, comme la plupart des officiers. Tu aimerais que je laisse pousser la mienne ?

— Je ne peux te répondre sans savoir si cela grattera horriblement quand nous...

Madeline s'interrompit en voyant Aristotle courir vers eux en gesticulant. Orry fut le premier à remarquer le chariot branlant et la mule arrêtés au bout de l'allée.

— De la visite, Mr. Orry, annonça le domestique. Deux négresses prétentieuses qui veulent dire ce qui les amène seulement à vous et Miss Madeline. Je les ai fait attendre dans la cuisine.

Intrigués, Orry et sa femme se dirigèrent vers le bâtiment de la cuisine, centre d'un nuage de savoureuses odeurs de barbecue. En s'approchant, ils reconnurent la vieille Noire assise près de la porte dans un fauteuil à bascule. Sa jambe droite, maintenue grossièrement par des bouts de bois et des chiffons, reposait sur une caisse à clous vide.

— Tante Belle ! s'exclama Madeline.

Orry s'interrogeait sur l'identité de la compagne de l'octavonne qui venait de sortir de la cuisine. C'était une jeune fille d'une beauté stupéfiante, nubile et noire comme l'ébène. Elle portait une robe décolorée par de trop nombreuses lessives, des chaussures à la semelle décollée.

Madeline prit la frêle vieille femme dans ses bras, lui demanda précipitamment :

— Comment vas-tu ? Qu'est-ce que tu as à la jambe ? Elle est cassée ?

La tante Belle Nin, sage-femme depuis de longues années, vivait seule et libre dans les marais. Madeline avait fait sa connaissance à

* Créole anglais des Etats-Unis (n.d.t.).

Resolute, où la Noire se rendait parfois pour un accouchement difficile. C'était chez tante Belle qu'elle avait conduit Ashton, la sœur d'Orry, quand celle-ci, tombée dans un fâcheux état, avait imploré l'aide de Madeline.

— Ça fait beaucoup de questions, marmonna l'octavonne avec une grimace. Oui, elle est cassée en deux ou trois endroits. A mon âge, c'est pas une bénédiction. Je suis tombée hier soir en voulant monter dans notre chariot.

Des yeux brillants profondément enfoncés dans une chair d'un jaune marbré examinèrent Orry comme une pièce de musée.

— Je vois que vous vous êtes dégoté un autre mari.

— Oui, tante Belle. C'est Orry Main.

— Je sais qui c'est. Il est un rien mieux que celui d'avant. Ce joli brin de fille, c'est ma nièce, Jane. Elle appartenait à la veuve Milsom, là-bas sur la Combahee, mais la vieille dame est morte de pneumonie l'hiver dernier. Dans son testament, elle a affranchi ma nièce, qui vit depuis avec moi.

— Ravie de faire votre connaissance, dit la jeune fille sans courbette ni autre marque de déférence.

Orry se demandait s'il devait croire tante Belle, dont la « nièce » pouvait être une esclave en fuite espérant que personne ne vérifierait son histoire en ces temps troublés.

Dans le silence qui suivit, quelqu'un fit tomber une marmite dans la cuisine. Une servante s'en prit à une autre, une troisième intervint ; un rire signala l'harmonie rétablie. Jane s'aperçut que les Blancs attendaient une explication.

— Tante Belle ne se porte pas très bien depuis quelque temps mais j'ai eu du mal à la convaincre d'abandonner sa maison des marais pour un endroit plus sain.

— Tu veux dire ici ? interrogea Orry, qui ne voyait toujours pas ce que désiraient les deux femmes.

— Non, Mr. Main. La Virginie. Puis le Nord.

— C'est un voyage long et dangereux, surtout pour des femmes, en temps de guerre.

Il avait failli dire des femmes noires.

— Ce qui se prépare est encore pire. Nous allions partir quand tante Belle s'est cassé la jambe. Elle a besoin de soins, d'un lieu sûr pour se reposer.

— Ta maison n'est plus sûre ? demanda le planteur à la sage-femme.

Ce fut Jane qui répondit, ce qui irrita quelque peu Orry.

— Vendredi dernier, deux inconnus ont essayé d'y pénétrer. Des hommes de couleur. Ils sont nombreux à errer sur les petites routes. Je les ai chassés avec le vieux mousquet de tante Belle mais nous avons eu peur Hier, quand elle a eu son accident, j'ai décidé qu'il fallait partir.

La vieille octavonne se tourna vers Madeline.

— J'ai dit à Jane que vous êtes une bonne chrétienne, que vous accepteriez sûrement de nous héberger un moment. Tout ce que je possède est dans la carriole — il n'y a pas grand-chose.

Orry et sa femme se questionnèrent du regard. Tous deux connaissaient les problèmes que cet appel à l'aide soulevait. Comme Orry s'apprêtait à partir, Madeline estima qu'il lui incombait de les résoudre.

— Nous t'accorderons toute l'aide possible. Chéri, tu peux demander à Andy de leur trouver une place dans une case ?

Devinant que sa femme souhaitait rester seule avec les deux Noires, Orry hocha la tête et s'éloigna.

— Tante Belle, mon mari part pour Richmond demain matin. Il s'enrôle dans l'armée. C'est moi qui m'occuperai du domaine jusqu'à ce que je le rejoigne. Je serai très heureuse de t'offrir un refuge, mais à une condition. A tort ou à raison, les Noirs de Mont Royal ne sont pas libres d'aller dans le Nord comme tu en as le projet. Ils pourraient t'en vouloir ou me créer des ennuis.

— Madame ? intervint Jane pour attirer l'attention de la femme blanche. Les esclavagistes ont tort en tout, raison en rien.

La réponse de Madeline avait de la dureté :

— Même si je suis de ton avis, trouver une solution pratique est une autre affaire.

Jane pesa ces paroles avec une expression de défi que Madeline admira mais qu'elle ne pouvait tolérer. Finalement, la jeune Noire soupira :

— Je ne pense pas que nous pouvons rester, tante Belle.

— Réfléchis encore. Cette dame fait preuve de bonne volonté. Fais-en autant. Ne te bute pas comme une chèvre.

Jane hésita puis proposa :

— Accepteriez-vous l'arrangement suivant, Mrs. Main ? Je travaillerai pour gagner ce que nous vous coûterons. Je ne révélerai nos projets à personne et ne ferai rien pour créer des troubles. Dès que tante Belle pourra voyager, nous partirons.

— Cela me paraît convenable, approuva Madeline. Notre nouveau régisseur n'aimerait peut-être pas cet arrangement mais...

Des voix s'élevant dans l'obscurité l'interrompirent ; Orry et le contremaître s'avancèrent dans le halo de lumière orange entourant la lanterne posée à côté de la porte de la cuisine.

— J'ai expliqué la situation à Andy, dit Orry. Il y a une case disponible. Du moins, si...

— Oui, nous sommes d'accord, répondit Madeline. Andy, je te présente tante Belle et sa nièce Jane.

Elle exposa les détails de l'arrangement au contremaître, qui ne quittait pas la jeune Noire des yeux. « En pure perte, songea Madeline. Cette fille est déjà amoureuse d'un idéal. »

— Vous avez un chariot, m'a dit Mr. Main, fit Andy. Je vais vous conduire à la case.

— Prenez à manger dans la cuisine, proposa Orry. Vous devez avoir faim

— Nous sommes affamées, dit la fragile octavonne. Je vous connais pas, Mr. Main, mais vous me faites l'impression d'un bon chrétien vous aussi.

Tandis que le chariot roulait lentement vers le village des esclaves, Andy ne cessait de regarder Jane par-dessus son épaule. Rassemblant son courage, il déclara :

— Vous parlez drôlement bien, miss Jane. Vous savez lire ?

— Et écrire, répondit-elle. Je sais aussi compter. C'est Mrs. Milsom qui m'a appris.

— C'est contre la loi.

— Mrs. Milsom se moquait de la loi. Elle voulait me préparer à me débrouiller seule. Et vous, vous savez lire et écrire ?

— Non.

Cherchant désespérément à faire bonne impression, Andy ajouta :

— J'aimerais bien, pourtant. Oui, alors. On ne peut pas améliorer sa condition sans instruction.

— On ne peut pas améliorer sa condition quand on appartient à...

Tante Belle donna une tape sur la main de sa nièce.

— Je suis disposée à vous donner des leçons, avec la permission de Mrs. Main, reprit Jane.

— On verra ça plus tard, grogna la vieille Noire avec agacement.

Le chariot s'engagea entre les petites maisons des esclaves. Assis au pied d'un chêne énorme poussant entre deux d'entre elles, Cuffey, une brindille entre les dents, se grattait paresseusement l'entrejambe. Avisant sur le chariot un visage inconnu, il se redressa. Qui était cette fille ? Il n'avait pas entendu dire qu'on avait acheté de nouveaux esclaves. En tout cas, elle méritait qu'il s'intéresse à elle.

Cuffey lança un regard mauvais à Andy — qui n'y prêta pas attention — puis reposa les yeux sur la poitrine aguichante de la fille. La main, dans l'entrejambe, s'agita de plus belle.

Le lendemain matin, Orry, vêtu comme pour un enterrement, embrassa sa mère. Elle lui adressa un vague sourire en disant :

— Merci de votre visite, cher monsieur. Revenez donc nous voir.

Lorsqu'il prit sa femme dans ses bras, elle se serra contre lui et murmura :

— Dieu te garde, mon amour.

— Ne t'inquiète pas. Je ne crois pas qu'on tire sur les officiers assis derrière un bureau. Tu verras, nous serons bientôt de nouveau ensemble.

41

Certains civils américains se rappelaient que, pendant la guerre de Crimée, deux des principaux ennemis de l'armée britannique avaient été la poussière et la maladie. Peu après la chute de Sumter, ils décidèrent de prévenir, s'ils le pouvaient, une répétition des erreurs commises douze ans plus tôt de l'autre côté du globe.

Dès que ce plan devint public, les médecins de l'armée raillèrent les civils et les traitèrent d'amateurs se mêlant des affaires des autres. Même attitude chez la plupart des dirigeants gouvernementaux. Les civils, obstinés, fondèrent la Commission sanitaire des Etats-Unis et placèrent à sa tête Frederick Law Olmsted, l'homme qui avait dessiné les plans de Central Park en 1856 et fait une description critique de l'esclavage dans un carnet de voyage beaucoup lu.

Lincoln et le ministre de la Guerre ne voulaient pas accorder leur sanction à l'organisme mais y furent contraints parce que d'importantes personnalités le soutenaient, notamment Mr. Bache, petit-fils de Ben Franklin, et Samuel Gridley Howe, célèbre médecin et humaniste de Boston. Même après leur reconnaissance officielle, certains membres de la commission ne pardonnèrent pas au président de les avoir qualifiés de cinquième roue du carrosse.

Que cela plût ou non aux esprits rétrogrades, la commission avait l'intention de fournir aux soldats ce qui leur manquait, de mettre de l'ordre dans les camps et les hôpitaux pour les maintenir propres. L'opposition à cette action faiblit après la bataille du Bull Run, où seize ambulances de la commission allèrent récupérer les blessés alors que la plupart des soldats de l'Union s'enfuyaient dans l'autre sens.

La commission recruta et organisa un grand nombre de femmes dans tout le Nord, unifiant et orientant un travail bénévole mené essentiellement sur un plan individuel dans les premières semaines de la guerre. A Lehig Station comme ailleurs, les dames tinrent des kermesses sanitaires pour collecter des fonds et des dons en nature.

Tandis que Scipio Brown installait le reste de ses enfants perdus dans l'atelier agrandi, avec un couple de Hongrois engagés pour s'occuper des lieux, Constance préparait activement une kermesse pour les seconds vendredi et samedi de novembre. Elle se déroulerait dans l'entrepôt de l'usine situé près de la voie ferrée et du canal.

Wotherspoon fit travailler ses ouvriers deux jours et deux nuits afin de vider le bâtiment et d'expédier d'énormes stocks de plaques de fer par trains spéciaux. Virgilia apporta son aide en qualité de membre du comité d'organisation et Brett fit de même, justifiant son acte par deux arguments : son mari était officier de l'Union, et les considérations humanitaires prévalaient sur les opinions partisanes.

Dès son ouverture, la kermesse accueillit une foule de visiteurs venus de toute la vallée. Des drapeaux décoraient les murs et pendaient aux poutres de l'entrepôt, où l'on se pressait pour voir notamment des photos des courageux soldats du 47ᵉ régiment de volontaires de Pennsylvanie, commandé par le colonel Tilghman Good, ainsi qu'un portrait agrandi du général McClellan. Le dessinateur du journal local exposait ses caricatures de Slidell et Mason, deux émissaires rebelles se rendant en Europe et dont les Fédéraux s'étaient emparés en arrêtant en mer le paquebot-poste anglais *Trent*. Les deux hommes étaient à présent emprisonnés à Boston, ce qui outrageait le gouvernement de la reine Victoria et suscitait les protestations de Lord Lyons, ambassadeur britannique à Washington.

On pouvait voir aussi à la kermesse des armes en faisceaux, le contenu d'un havresac typique, une authentique gourde authentiquement percée par une balle, des stands où l'on recevait vivres, livres et vêtements. Un membre du comité avait réussi à se procurer une tunique réglementaire de drap de renaissance dans laquelle Virgilia avait découpé de petits carrés. Tous les quarts d'heure, elle procédait à une démonstration en plaçant un carré dans un bol et en versant de l'eau dessus. Le drap de renaissance se désintégrait en petites boules sous les yeux de spectateurs indignés, que Virgilia appelait à déposer des vêtements dans les tonneaux prévus à cet effet.

Ce travail l'excitait : elle portait au Sud un coup infime mais utile. Elle se sentait en outre satisfaite de son apparence, avec le châle prêté par Constance et le camée que Brett avait épinglé au corsage de sa robe marron. Les cheveux pris dans un filet en soie noire, elle portait des boucles d'oreilles d'opale, également empruntées. Les talents oratoires qu'elle avait affinés dans les rassemblements abolitionnistes faisaient d'elle la meilleure animatrice — et de loin — de la kermesse. Elle eut droit aux compliments du président du comité local et à ceux, tacites, d'un homme qu'elle ne connaissait pas.

C'était un major du 47ᵉ, le régiment de la vallée. Il l'avait observée pendant qu'elle mettait en pièces — au propre et au figuré — la tunique réglementaire, et Virgilia s'était troublée lorsque le regard de l'officier avait glissé de son visage à sa poitrine. Puis l'homme s'était éloigné au bras d'une femme — son épouse, peut-être — mais les quelques secondes pendant lesquelles il l'avait regardée avaient été très importantes pour Virgilia.

Après la kermesse, son euphorie retomba. Elle errait dans la maison et la ville, se répétant qu'elle devait partir sans parvenir à s'y résoudre. Près de deux semaines plus tard, Constance annonça pendant le déjeuner :

— Nous avons reçu une lettre du Dr Howe, de la Commission sanitaire. C'est un vieil ami.

— Vraiment ? Où as-tu fait sa connaissance ? demanda Virgilia.

— A Newport. Il y passait l'été avec sa femme en même temps que nous. Tu ne t'en souviens pas ?

Virgilia secoua la tête et se pencha vers son assiette : elle était parvenue à presque tout oublier de cette période.

— Il parle de la kermesse ? voulut savoir Brett.

— Et comment ! Il écrit que notre kermesse a été la plus réussie de toutes celles qui se sont tenues jusqu'à maintenant. Lors d'une réception, il en a parlé à Miss Dix en personne — tenez, lisez vous-même, dit Constance en tendant la lettre à sa belle-sœur.

Brett la parcourut rapidement puis murmura :

— Miss Dix... C'est cette femme de Nouvelle-Angleterre qui a tant fait pour transformer les asiles ?

— Oui. Elle est aussi célèbre que dévouée. Depuis cet été, elle dirige les infirmières de l'armée.

Virgilia releva la tête.

— L'armée emploie aussi des femmes ?

— Au moins une centaine, d'après ce que Billy m'a dit, répondit Brett. Elles reçoivent un salaire, des indemnités et ont le privilège de baigner des soldats qui, pour la plupart, ne sont pas des fanatiques de l'hygiène — toujours selon Billy.

— Je crois savoir que les médecins sont violemment opposés aux infirmières, ajouta Constance. Voilà bien les docteurs ! Ils gardent jalousement leur petit bout de terrain.

La femme de George, à qui l'intérêt soudain de Virgilia n'avait pas échappé, se tourna vers elle :

— Tu aimerais devenir infirmière ?

— Je pense que oui — mais je n'aurais sûrement pas les qualités requises.

Constance savait que Miss Dix n'exigeait de ses recrues aucune formation médicale ou scientifique. Il fallait simplement avoir plus de trente ans et n'être pas jolie. Aussi put-elle répondre en toute sincérité :

— Tu serais parfaite. Veux-tu que j'écrive au Dr Howe pour lui demander une lettre de recommandation ?

— Oui. Oui, s'il te plaît.

Dans le mot accompagnant sa lettre de recommandation, le Dr Howe prodiguait deux conseils : Virgilia ne devait pas revêtir une tenue trop élégante pour son entrevue avec Miss Dix, et quoique la directrice des infirmières fût prompte à déceler la flagornerie grossière, un discret éloge des *Conversations on Common Things* ne nuirait pas. Ce petit manuel de conseils ménagers de Miss Dix se vendait fort bien depuis sa parution en 1824. On en était à la sixième édition et l'auteur s'enorgueillissait de son enfant.

Virgilia arriva à Washington au début du mois de décembre, pendant une période de redoux. En posant le pied sur le quai baigné de soleil, elle sentit une odeur désagréable s'élevant des longues caisses en sapin empilées sur un chariot à bagages. De l'eau dégouttait par les jointures, tombait sur le sol. Virgilia demanda à un porteur ce que ces caisses contenaient.

— Des soldats, répondit-il. D'un temps pareil, la glace tient pas.

— Il y a eu des combats ?

— Pas de grande bataille, pour ce que j'en sais. Ces gars-là sont sûrement morts de dysenterie ou de quelque chose de ce genre. Si vous restez un peu dans le coin, vous en verrez des centaines, de ces caisses.

A dix heures, le lendemain matin, Virgilia pénétra dans le bureau de Dorothea Dix, vieille fille aussi nette et ordonnée dans sa mise et ses gestes que dans sa façon de parler.

— Ravie de faire votre connaissance, Miss Hazard. Vous avez un frère dans les services de Mr. Cameron, je crois ?

— Deux, en fait. Et un troisième dans le Génie, en Virginie. C'est sa femme qui m'a recommandé votre livre, que j'ai pris beaucoup de plaisir à lire.

Virgilia espérait que Miss Dix ne l'interrogerait pas sur le contenu de l'ouvrage, qu'elle n'avait pas pris la peine d'acheter.

— J'en suis heureuse. Verrez-vous vos frères pendant votre séjour ici ?

— Naturellement. Nous sommes très proches. Je les verrai davantage si je reste ici pour de bon. Je voudrais devenir infirmière mais je crains de ne pas avoir la formation requise.

— Toute femme intelligente peut rapidement acquérir ces connaissances, assura Miss Dix. Par contre, il y a une qualité essentielle qu'elle n'acquerra jamais si elle ne la possède déjà.

La vieille fille croisa les bras, posa sur Virgilia des yeux gris-bleu dont la sévérité ne s'accordait pas avec la féminité de sa voix douce et de son long cou.

— Laquelle ? demanda Virgilia.

— La force d'âme. Les femmes de mon corps d'infirmières doivent affronter la saleté, le sang, le spectacle de dépravations que la décence m'empêche de décrire. Elles sont en butte à l'hostilité des malades comme à celle des médecins. J'ai des idées précises sur notre tâche et la façon dont nous devons l'accomplir. Je ne tolère aucun désaccord — ce qui m'aliène docteurs et politiciens. Voilà les obstacles auxquels nous nous heurtons. Si vous entrez chez nous, Miss Hazard, non seulement vous verrez l'enfer mais vous le traverserez.

La respiration légèrement sifflante, Virgilia s'efforçait de cacher l'excitation qui s'était emparée d'elle. Miss Dix disparut derrière des visions de jeunes soldats en uniforme gris perdant leur sang et gémissant. Grady, son amant mort, se délectait de ce spectacle et montrait dans un sourire les fausses dents qu'elle lui avait achetées pour remplacer celles qu'on lui avait arrachées afin de marquer sa condition d'esclave...

— Miss Hazard ?

— Excusez-moi. Un vertige passager.

Froncement de sourcils.

— Cela vous arrive souvent ?

— Non, non. C'est la chaleur.

— Oui, elle est inhabituelle pour décembre. Que pensez-vous de ce que je vous ai dit ?

— J'ai participé activement au mouvement abolitionniste, Miss Dix, répondit Virgilia. J'ai vu... (Elle donna plus de fermeté à sa voix.) les corps mutilés d'esclaves en fuite fouettés ou brûlés par leurs maîtres. J'ai vu des cicatrices horribles, des visages défigurés. Je l'ai supporté.

La Bostonienne sourit enfin à la visiteuse.

— J'admire votre certitude. C'est un bon signe. De plus, le Dr Howe vous recommande chaleureusement. Si nous discutions de votre salaire et de vos indemnités ?

42

Les premières quarante-huit heures que le lieutenant-colonel Orry Main passa à Richmond furent bien remplies. Il trouva un logement provisoire dans une pension, signa des papiers, prêta serment, acheta un uniforme et se présenta au colonel Bledsoe, responsable des opérations au siège du ministère de la Guerre, Capitol Square, côté 9ᵉ Rue.

Un employé nommé Jones, Marylandais aux manières furtives, lui désigna un bureau caché derrière l'une des minces cloisons divisant la grande salle. Le lendemain, Orry fut reçu par le ministre Benjamin. Ce petit homme dodu avait remplacé Walker, avocat de l'Alabama au parler franc à qui on reprochait de ne pas avoir su exploiter la victoire de Manassas et d'avoir sombré dans l'inaction.

— Enchanté de vous avoir enfin parmi nous, colonel, assura le ministre. (Toute sa personne débordait de cordialité, excepté son regard, indéchiffrable.) Si j'ai bien compris, nous dînons ensemble samedi.

Comme Orry exprimait sa surprise, Benjamin reprit :

— L'invitation est probablement chez votre logeuse. Angela Mallory offre à ses hôtes une table superbe, et les *mint juleps* de mon collègue sont renommés. Mr. Mallory ne tarit pas d'éloges sur le travail que votre frère et Bulloch réalisent à Liverpool... Mais je suppose que vous préféreriez apprendre en quoi consiste le vôtre.

— Oui, monsieur.

— Le poste que vous allez occuper est resté trop longtemps vacant. C'est une tâche à la fois nécessaire et difficile parce qu'elle vous mettra en contact avec des personnes détestables. Le nom de Winder vous dit-il quelque chose ?

Orry réfléchit un peu avant de répondre :

— A West Point, on parlait du général William Winder, qui perdit la bataille de Bladensurg en... 1824, je crois ? (Benjamin acquiesça d'un signe de tête.) Oui, cela me revient, maintenant. Bien que disposant de forces supérieures en nombre et occupant une meilleure position que l'ennemi, Winder se fit battre par les Britanniques, qui marchèrent ensuite sur Washington sans rencontrer de résistance et brûlèrent la ville. Plus tard, lors de la reconstruction, on donna son nom à un bâtiment de la capitale. Les officiers de carrière citent toujours Winder comme l'un des imbéciles suggérant de réformer l'armée en réformant West Point.

— C'est de son fils que je parle. Il fut professeur de tactique à l'Académie quand le président Davis la fréquenta. Aussi ce dernier se souvint-il parfaitement de lui quand le major Winder quitta son Maryland pour venir ici, il y a quelques mois. Il a été nommé général de brigade et grand prévôt, chargé d'appréhender les criminels dans l'armée et au-dehors. En d'autres termes, c'est un flic, la gloriole en plus. Cela ne poserait pas de problème en soi s'il n'était aussi de ces hommes que l'âge rend inflexibles. Bref, c'est un vrai garde-chiourme mais il jouit de la faveur du président. Pour le moment.

Benjamin poursuivit en expliquant que le grand prévôt avait recruté des hommes qualifiés de détectives professionnels.

— Moi je les qualifie de vauriens. Et venus d'ailleurs, qui plus est. De la racaille yankee qui ne comprend pas les gens du Sud et est incapable de se comporter comme eux. Ils semblent plus aptes à éjecter les voyous des cafés qu'à effectuer un vrai travail de détective. Mais, comme je l'ai indiqué, ce sont eux qui enquêtent sur les méfaits commis par les militaires et les civils. Etant donné le, euh, caractère du général, ils ont tendance à outrepasser leur autorité. Quelle que soit la gravité des délits dont ils s'occupent, je ne les laisserai pas nuire aux intérêts bien compris de l'armée. Je ne les laisserai pas empiéter sur les prérogatives de ce ministère. S'ils s'y risquent, nous les materons. Naturellement, il faut quelqu'un pour se charger de cette tâche et le dernier homme qui s'y est attelé ne fut pas à la hauteur de ses responsabilités. C'est pourquoi je suis ravi de votre arrivée.

Orry, déjà impressionné par ce qui l'attendait, allait éprouver un nouveau choc.

— Je dois aussi vous informer que Winder est responsable des prisons locales, poursuivit Benjamin. S'il n'applique pas les règles humanitaires concernant le traitement des prisonniers, cela pourrait nous nuire dans les milieux diplomatiques — d'autant que notre reconnaissance par les pays européens n'est pas encore assurée. Bref, colonel, il y a bien des manières dont le général peut faire tort à la Confédération et nous devons l'en empêcher.

Il vint à l'esprit d'Orry que le ministre s'avançait sur un terrain contestable : il était responsable de l'armée, pas de la politique étrangère. Devinant sans doute les pensées du colonel, Benjamin poursuivit :

— Vous découvrirez que les lignes de partage des responsabilités ne sont pas très nettes dans ce gouvernement. Il ressemble à un labyrinthe de maison de campagne anglaise : on a du mal à le saisir dans sa totalité, du mal à s'y retrouver parce que beaucoup d'allées s'y croisent. Laissez-moi me soucier des problèmes interministériels, occupez-vous du général.

— Permettez-moi de vous faire observer que le général Winder a un grade supérieur au mien.

— S'il représente une menace directe contre le bon fonctionnement de ce ministère, nous verrons qui est le supérieur de qui.

Benjamin adressa à Orry un regard révélant le fer sous la soie.

— Je suis persuadé que vous vous acquitterez de votre tâche avec tact et habileté, colonel.

Pas un espoir, ça. Un ordre.

Le lendemain matin, Orry rendit visite au grand prévôt, dont les bureaux se trouvaient dans un hideux bâtiment en bois de Broad Street, près de Capitol Square. Dès qu'il y pénétra, l'impression fut négative. Deux des « vauriens » de Winder, civils portant des bottes boueuses et des chapeaux mous, le lorgnèrent du banc où ils étaient vautrés.

Il eut grand-peine à attirer l'attention des employés, lancés dans une bruyante discussion. Quand l'un d'eux condescendit à s'occuper de lui, Orry déclina son identité et le motif de sa visite.

Le général de Brigade John Henry Winder le fit attendre une heure dans une pièce où flottaient des relents de bière. Enfin introduit, Orry découvrit un officier empâté paraissant beaucoup plus que la soixantaine. Ses cheveux blancs se dressaient sur sa tête en touffes qui semblaient n'avoir été ni peignées ni lavées depuis quelque temps. Il avait la peau sèche, squameuse, et le U inversé de sa bouche laissait penser qu'il n'avait pas pour habitude de sourire.

Orry se présenta d'un ton courtois, exprima l'espoir d'avoir avec lui de bonnes relations de travail. Le prévôt ne parut pas intéressé :

— Je sais que votre patron est un ami de Davis, mais moi aussi. Nous nous entendrons si vous suivez deux règles : ne pas m'importuner, ne pas mettre mon autorité en question.

D'un ton moins amène, Orry répliqua :

— Je crois que le ministre a également deux règles, mon général. Dans les questions concernant l'armée, en tout cas, j'ai pour instruction de veiller à ce que la procédure adéquate soit resp...

— Au diable la procédure. Nous sommes en guerre, il y a des ennemis dans tout Richmond, déclara Winder en posant sur Orry des yeux de vieille tortue. Je les liquiderai sans m'occuper de procédure. Vous pouvez disposer.

— Serviteur, général, dit Orry en saluant.

Mais Winder, déjà penché sur un dossier, ne lui rendit pas son salut.

Le travail avait vidé les bureaux du ministère, où il ne restait que quelques employés, dont Jones. Orry lui narra l'entrevue et Jones déclara d'un ton méprisant :

— Attitude typique. Il n'y a pas d'homme que je déteste plus que lui, et vous serez bientôt dans les mêmes dispositions que moi.

— Du diable si je ne le suis déjà.

Avec un ricanement, Jones se remit à écrire dans un carnet. Plus tard, Orry le vit ranger furtivement dans un tiroir de son bureau. « Il tient un journal ? se demanda-t-il. Je ferais bien de surveiller mes propos devant lui. »

A la fin de la journée, toujours sous le coup de son entrevue avec Winder, Orry éprouva le besoin de boire un verre. Sur le chemin du retour, il s'arrêta dans un endroit bruyant et animé appelé le *Lager Beer Saloon* de Mrs. Muller. Devant une pinte de bière, il feuilleta l'*Examiner*, qui fustigeait à nouveau le gouvernement Davis, cette fois pour l'état du système ferroviaire du Sud. Le journal dénonçait son incapacité à transporter des troupes de l'Est sur le théâtre d'opérations du Kentucky et du Tennessee.

L'accusation n'était pas nouvelle. Orry savait que le matériel roulant était ancien, les voies usées, et que le Sud ne possédait pas d'usine pouvant les remplacer. L'avertissement que Cooper Main lançait depuis dix ans sur les insuffisances de l'industrie du Sud se révélait fondé et les ennemis que Davis comptait dans la presse écrivaient à présent qu'elles pouvaient conduire à une défaite.

Il finit sa bière, en commanda une autre avec un vague sentiment de culpabilité. Il voulait oublier la tâche que Benjamin lui avait confiée. Lui, un officier expérimenté, chargé d'espionner un autre officier ! Des bribes de conversation pleines d'invectives et de prévisions catastrophiques lui parvinrent par-dessus le brouhaha. Davis était un « foutu dictateur », Judah Benjamin « le favori du tyran » et la guerre « une sotte affaire ». « Nul doute que nombre de ceux qui tiennent ces propos ont applaudi au bombardement de Fort Sumter », pensa Orry en sortant.

Il régnait un climat plus optimiste le samedi soir au dîner donné chez le ministre de la Marine, Stephen Mallory. Né en Floride de parents yankees, il avait la chance — ou l'infortune, selon le point de vue — de diriger un ministère dont Jefferson Davis n'avait cure. Le ministre ne tarda pas à faire connaître ses opinions tranchées à son hôte :

— Je n'ai jamais vu dans le mot sécession autre chose qu'un synonyme de révolution. Mais, maintenant que nous nous battons, j'ai l'intention de tout faire pour vaincre l'ennemi, pas pour obtenir son approbation ou la reconnaissance de notre droit à exister en tant que nation. Sur ce point et sur de nombreux autres, nous divergeons, le chef de l'Etat et moi. Un autre *julep*, colonel ?

Pendant le repas, on porta de nombreux toasts à la Confédération et plus particulièrement à ses représentants emprisonnés, Mason et Slidell, enfants chéris de la faction ultra-sécessionniste. Benjamin avait lui aussi la faveur des convives, comme Orry le découvrit pendant la conversation à table. Il admirait l'aplomb de l'adroit petit homme mais s'interrogeait sur la sincérité de ses convictions. Le ministre lui faisait plus l'effet d'un politicien habile à survivre que d'un farouche prosélyte.

A la fin de la soirée, Benjamin l'invita à l'accompagner dans un des lieux qu'il aimait fréquenter :

— Chez Johnny Worsham. J'aime jouer au pharaon chez lui. C'est un endroit agréable. On peut s'y frotter à dame Fortune tout en étant sûr de ne pas être grugé et de bénéficier d'une totale discrétion.

Benjamin proposa une promenade dans l'air de la nuit et Orry n'y vit pas d'objection. Le ministre renvoya son cocher, les deux hommes se mirent à marcher. Ils venaient de passer devant le *Spotswood* quand ils tombèrent sur un groupe bruyant sortant sans doute d'une autre soirée.

— Ashton !

Surpris, Orry avait donné à son exclamation un ton plus amical qu'il ne l'eût fait en d'autres circonstances. Accrochée au bras de son mari aux traits porcins, sa sœur lui adressa un sourire aussi chaleureux qu'une nuit de janvier.

— Ce cher Orry ! J'ai appris ta venue ici — et ton mariage. Madeline est avec toi ?

— Non, mais elle me rejoindra bientôt.

— Tu es splendide dans ton uniforme ! Il travaille pour vous, Judah ?

— Oui, j'ai plaisir à le dire.

— Comme vous avez de la chance ! Orry, il faudra venir dîner à la maison un de ces soirs quand nous serons libres. James et moi sommes littéralement happés par un tourbillon d'invitations. Certaines semaines, nous ne passons guère plus de cinq minutes en tête à tête.

— C'est exact, marmonna Huntoon, les lunettes embuées par le froid.

Ces trois mots furent sa seule contribution à la conversation. Ashton flirta un moment du regard avec le ministre puis monta en voiture avec l'aide de son mari.

— Séduisante jeune femme, murmura Benjamin quand les deux hommes reprirent leur marche. Elle m'a charmé dès notre première rencontre. C'est agréable pour vous d'avoir une sœur à Richmond.

Orry ne vit pas l'utilité de cacher ce qui finirait par être de notoriété publique.

— Nous ne sommes pas en très bons termes, j'en ai peur.

— Dommage, dit Benjamin avec un sourire de compassion parfaitement réussi et totalement dépourvu de sincérité.

« Je navigue en compagnie d'un maître louvoyeur », pensa Orry. Il savait qu'Ashton ne lui reparlerait plus jamais de son invitation à dîner et cela lui convenait tout à fait.

— Ashton ?

— Non.

Repoussant la main de son mari, elle fit glisser son oreiller jusqu'au bord du lit, le plus loin possible de James. Au moment où elle commençait à s'assoupir en pensant à Powell, son mari l'importuna à nouveau.

— Quelle surprise de tomber sur ton frère.

— Une surprise désagréable.

— Tu veux vraiment l'inviter à dîner ?

— Après qu'il m'eut chassée de la maison où j'ai grandi ? Laisse-moi donc tranquille, je suis lasse.

Lasse de James, en tout cas. De Powell, elle n'était jamais rassasiée. Jamais rassasiée de sa science amoureuse ou de sa personnalité décidément originale, qu'elle commençait à découvrir et à apprécier.

Ashton voyait Lamar au moins une fois par semaine, deux, si les horaires de James le lui permettaient. Son mari ne la questionnait jamais sur son emploi du temps, il ne connaissait même pas ses mystérieuses absences de la maison. Il était trop stupide, trop absorbé par sa petite besogne aux Finances, qui le retenait chaque jour jusqu'à huit, voire neuf heures.

Non seulement Powell contentait Ashton par sa façon de faire l'amour, parfois cruelle, mais il la fascinait en tant que personne. C'était un ardent patriote, montrant toutefois un attachement impitoyable à sa propre cause. Il aimait la Confédération mais détestait le roi Jeff ; il croyait à la sécession mais non au gouvernement sécessionniste. Enfin, il avait bien l'intention de survivre à la guerre et de prospérer.

— J'ai un an environ pour le faire, expliquait-il. Davis continuera encore quelque temps à accumuler les bourdes sans que personne intervienne. Notre cause est juste — nous devrions et nous pouvons gagner. Avec l'homme adéquat à la tête du pays, je deviendrais le prince d'un nouveau royaume mais dans les circonstances présentes, avec le dictateur que nous avons, tout ce que je peux devenir, c'est riche.

Patriote, spéculateur, amant incomparable — jamais Ashton n'avait rencontré d'homme aussi complexe, et Huntoon souffrait encore plus que d'habitude de la comparaison.

Aucune importance. Leur couple, fragile dès le début, avait maintenant sombré. Ces derniers mois avaient convaincu Ashton que James ne lui apporterait jamais la réussite sociale ou financière parce qu'il n'avait ni l'habileté, ni les nerfs, ni le cerveau requis. Au cours de la brève discussion qu'il avait eue avec Davis, il s'était passé la corde au cou et avait ouvert la trappe. De semaine en semaine, sa haine pour Huntoon croissait, tout comme sa certitude d'être amoureuse de Lamar Powell.

Amoureuse. Comme il semblait étrange que ce mot familier pût s'appliquer à elle ! Elle n'avait éprouvé ce sentiment qu'une seule fois auparavant. Puis Billy Hazard l'avait rejetée en faveur de Brett, déclenchant une chaîne d'événements qui avaient conduit son fichu frère à la chasser de Mont Royal.

Ashton doutait que Powell fût épris d'elle. Elle le jugeait incapable d'aimer quiconque d'autre que lui. Cela ne l'inquiétait pas, elle avait assez à donner pour...

— Ashton ?

Le dos toujours tourné à son mari, Ashton marmonna un mot grossier, enfonça son poing dans l'oreiller. Pourquoi ne la laissait-il pas en paix.

— Qu'est-ce qu'il y a encore ?

Une main molle, répugnante se posa sur l'épaule de la jeune femme.

— Pourquoi cette froideur ? demanda Huntoon. Cela fait des semaines que tu ne me laisses pas exercer mes droits d'époux.

Seigneur ! Même lorsqu'il mendiait de l'amour d'une voix geignarde, il parlait comme un avocat. Il allait payer. Elle roula sur le côté, prit une allumette, la frotta contre le grattoir, ôta le verre de la lampe de chevet, alluma la mèche, remit le verre en place. Appuyée sur les coudes, elle retroussa sa chemise de nuit jusqu'à la taille.

— Bon, allons-y, dit-elle.

— Qu-quoi ?

— Prends ce que tu veux pendant que tu en as les moyens.

Elle plia les genoux, les écarta, serra les dents.

— Allez !

Huntoon entreprit d'enlever sa chemise de nuit en flanelle et murmura :

— Je ne suis pas sûr de pouvoir, comme ça, sur commande...

Lorsqu'il laissa tomber le vêtement au pied du lit, révélant son corps blanc, Ashton constata qu'il avait raison.

— Tu ne peux jamais ! ricana-t-elle. Même quand il durcit un peu, ton misérable petit truc me fait l'effet d'une brindille. Et tu t'imagines pouvoir satisfaire une femme ? Tu es lamentable !

Elle referma les jambes, rabattit sa chemise de nuit, prit la lampe et sortit de la chambre. Huntoon l'entendit descendre l'escalier ; sans se soucier d'être entendu des domestiques, il cria :

— Sale garce !

Sa colère s'évanouit aussi vite que la légère érection qu'il avait réussi à avoir tandis que sa femme l'insultait. Outre qu'elle le blessait, la cruauté d'Ashton confirmait les soupçons qu'il nourrissait depuis quelques jours : il y avait un autre homme.

Huntoon se jeta sur le lit, enfouit son visage au creux de son bras. Tout à Richmond allait de travers. Il s'échinait sur un·travail subalterne pour un gouvernement dont il s'était d'abord méfié et qu'il méprisait maintenant. Il éprouvait les mêmes sentiments à l'égard de Davis, dont les ennemis ne formaient plus une compagnie ou un régiment mais une petite armée : des hommes importants comme le vice-président Stephens, le général Johnston, les gouverneurs Vance, de Caroline du Nord, et Brown, de Georgie, qui accusaient Davis d'usurper leurs pouvoirs ; Toombs, l'ancien secrétaire d'Etat, dont le président avait fait taire les attaques en le nommant général de brigade.

Davis dictait sa loi à l'armée et s'aplatissait devant la clique de Virginie, comme si c'était le seul moyen de faire accepter ses origines obscures. Il dirigeait la guerre aussi mal que le pays et, conséquence logique pour un Huntoon en pleine détresse, il ruinait ses ambitions, creusant ainsi le fossé entre Ashton et lui.

James imagina sa femme nue avec un autre homme. Un officier, peut-être ? Ou ce malin petit juif avec ses belles manières ? Ou encore ce Powell de Georgie, individu manifestement peu recommandable ? La bouche sèche, Huntoon vit Ashton faisant l'amour avec divers suspects.

Après être resté longtemps étendu, il se leva, passa sa robe de chambre et descendit.

— Ashton ? Je m'excuse pour...

Il s'interrompit, fit la grimace. La respiration légère et régulière, elle dormait dans un grand fauteuil, les jambes ramenées contre la poitrine, les bras autour des genoux. Sur son visage, le sourire des rêves, une expression de plaisir sensuel.

James retourna vers l'escalier, les larmes aux yeux. Il la haïssait mais se savait incapable de faire quoi que ce soit, ce qui exacerbait encore ses sentiments. L'horloge du vestibule sonna trois heures lorsqu'il monta les marches, d'un pas de vieillard.

43

A Belvedere, Brett continuait à livrer sa guerre quotidienne contre la solitude.

Seule consolation, les lettres de Billy avaient un ton plus optimiste. Son ancienne unité, la compagnie A, était rentrée à Washington et avait installé ses quartiers à l'arsenal fédéral, avec deux des trois nouvelles compagnies de volontaires que le Congrès avait approuvées en août : B pour le Maine, C pour le Massachusetts.

Quoique fier d'appartenir à « la vieille compagnie », Billy écrivait que la plupart des soldats de l'armée régulière faisaient bon accueil aux nouvelles recrues et s'efforçaient de leur apprendre rapidement à jeter des pontons sur une rivière ou à construire des routes.

Le bataillon du Génie ainsi constitué était rattaché à l'armée du Potomac de McClellan et commandé par le capitaine James Duane (promotion 48), un officier pour qui Billy avait du respect. Afin de rester avec le bataillon, Lije Farmer avait dû démissionner de son poste de capitaine de volontaires et devenir lieutenant dans l'armée régulière. « Le plus vieux de l'armée du Potomac, prétend-il, mais il est satisfait, et je suis content de l'avoir avec nous. »

Brett était heureuse de savoir son mari content. Elle espérait que, avec l'hiver, sa compagnie serait relativement peu active, ce qui le mettrait hors de danger pour plusieurs mois. Elle se demandait s'il avait une chance d'obtenir une permission. Il lui manquait tellement.

Elle participait le plus possible aux travaux ménagers mais cela lui laissait quand même de longues heures vides à occuper. Constance était retournée auprès de George, à Washington, et Brown, l'étrange homme de couleur irascible, avait recommencé à recueillir les enfants perdus dans la capitale. Virgilia, admise parmi les infirmières de Miss Dix, ne reviendrait pas. Brett était seule, maussade et solitaire.

Un jour de décembre, elle alla jusqu'à l'ancien atelier, y vit deux enfants, un garçon et une fille, récitant une phrase écrite au tableau noir sous la gouverne de Mr. Czorna. Près du poêle, la femme du Hongrois remuait la soupe. Brett les salua tous deux.

— Bonjour, madame, répondit la femme aux cheveux blancs, poliment mais sans trop de chaleur.

Brett savait que le couple n'avait pas confiance en elle — ce qui n'était pas très original à Lehig Station. Elle allait poursuivre par une banalité lorsqu'elle découvrit dans la pièce voisine une fillette assise sur un lit de camp, tête baissée.

— La petite est malade, Mrs. Czorna ?

— Non, pas malade. Avant de partir, Mr. Brown lui avait acheté une tortue. Il y a deux jours, quand il a neigé, la tortue est sortie par la fenêtre et est morte de froid. La petite veut pas que je l'enterre. Elle mange plus, elle parle plus, elle rit plus. Je ne sais pas quoi faire.

Touchée par la vue de la petite silhouette solitaire, Brett proposa :

— Je peux vous aider ?

— Allez-y.

Le ton de la Hongroise et son haussement d'épaules signifiaient qu'une femme née dans une plantation de Caroline n'était pas la personne indiquée pour s'occuper d'une petite Noire.

— Elle s'appelle Rosalie, n'est-ce pas ?

— Oui.

Brett passa dans le dortoir, s'assit à côté de la petite fille, qui ne bougea pas. Elle tenait dans sa main ouverte la tortue morte, renversée sur le dos et dégageant une odeur peu agréable.

— Rosalie ? Je peux prendre ta tortue pour la mettre dans un endroit bien chaud, où elle se reposera ?

L'enfant posa sur l'adulte un regard vide, secoua la tête.

— Il fait froid ici. Tu ne le sens pas ? Viens m'aider à la mettre au chaud. Ensuite, nous irons chez moi boire du chocolat et manger des biscuits. Tu verras la maman chat qui a eu des petits la semaine dernière.

Brett attendit, sous le regard fixe de Rosalie. Lentement, elle tendit la main vers la tortue, la prit. Rosalie baissa les yeux mais ne réagit pas. Après avoir aidé la petite fille à passer un manteau, Brett demanda une cuillère à Mrs. Czorna puis sortit. Elle conduisit Rosalie derrière le bâtiment, s'agenouilla, creusa un trou dans la terre avec la cuillère. Elle y plaça la tortue, enveloppée dans un chiffon propre, la recouvrit. Relevant la tête, elle vit que la petite fille s'était mise à pleurer. Son chagrin s'épanchait enfin en sanglots, d'abord silencieux puis violents.

— Ma pauvre chérie ! s'écria Brett en ouvrant les bras.

Rosalie s'y précipita et Brett serra contre elle le petit corps tremblant. Elle caressa les cheveux de la gamine, fit soudain une découverte. A la plantation, il lui était arrivé très souvent de prendre dans ses bras des bébés noirs emmaillotés, de tenir la main d'enfants plus âgés mais jamais elle ne les avait serrés contre elle.

Etait-ce parce qu'elle pensait confusément que les Noirs, pour une raison quelconque, n'étaient pas dignes du contact d'une Blanche ? Elle l'ignorait mais cet instant, dans le matin gris, lui révéla que Rosalie n'était aucunement différente de n'importe quel autre enfant ayant de la peine.

Brett sentit les bras de la petite fille autour de son cou, la froideur humide d'une joue cherchant la chaleur de la sienne.

44

Tante Belle Nin mourut le 10 décembre, victime de ce que le docteur appela un « poison dans le sang ». Elle demeura consciente jusqu'au bout, fumant la pipe de maïs que Jane bourrait pour elle et commentant ses visions de la vie dans l'au-delà.

— J'aurais pas peur de partir si j'étais pas sûre de retomber là-bas sur mes deux maris. Ça, je m'en passerais. Je quitte un monde aujourd'hui meilleur qu'au jour de ma naissance et je sais, au fond de mon cœur, que le jour d'allégresse viendra l'année prochaine ou la suivante.

La tante et la nièce étaient depuis longtemps convaincues que, en cas de guerre, le Sud s'effondrerait. Il flottait à présent dans le vent une senteur de liberté, comme celle de la pluie avant l'orage. Tante Belle tira une dernière bouffée de sa pipe, sourit à Jane et ferma les yeux.

Madeline consentit volontiers à ce que la vieille Noire fût enterrée à Mont Royal le lendemain — le jour même où le feu ravagea Charleston. L'incendie détruisit six cents immeubles, causa des millions de dollars de dégâts, et on accusa les nègres de l'avoir provoqué. La nouvelle parvint à la plantation le lendemain des funérailles : un courrier avait galopé pour prévenir les planteurs de l'Ashley d'un soulèvement possible.

Tandis que l'homme bavardait avec Madeline et Meek, Jane se promenait seule au clair de lune, le long de la rivière. Un craquement de planches au bout du quai la fit sursauter. En se retournant, elle vit la silhouette menaçante d'un homme et pensa que Cuffey l'avait suivie — il ne cessait de lui tourner autour, ces temps derniers. Elle se tint immobile, envahie par la peur.

— Ce n'est que moi, Miss Jane.

— Oh ! Andy. Bonsoir.

Soulagée, elle serra son châle autour de ses épaules. La lune tôt levée de l'hiver éclaira le visage du jeune Noir, qui s'approchait timidement.

— Je voulais vous dire à quel point la mort de votre tante m'a fait de la peine. Je n'ai pas osé vous parler pendant l'enterrement...

— Merci, Andy.

Jane se surprit à le regarder un peu plus longtemps que la politesse ne l'exigeait.

— Vous voulez vous asseoir une minute ? proposa le contremaître. Je n'ai pas souvent l'occasion de vous parler, avec tout ce travail.

Lorsqu'elle s'assit au bord du quai, il lui prit la main pour l'empêcher de tomber. Se rendant aussitôt compte qu'il avait eu l'audace de la toucher, il eut une expression mortifiée. A vrai dire, Jane paraissait aussi nerveuse que lui. A Rock Hill, elle n'avait guère eu de contacts avec les garçons. Elle était vierge et la veuve Milsom lui avait sévèrement recommandé de le rester jusqu'à ce qu'elle trouve un homme qu'elle aimât et voulût épouser. Elle se savait jolie — en tout cas pas trop laide — mais aucun des messieurs des environs de Rock Hill qui l'avaient courtisée ne songeaient au mariage.

— Terrible, cet incendie, dit Andy.

— Terrible, approuva Jane.

En réalité, elle ne compatissait nullement au sort des propriétaires blancs et toutes les plantations de l'Etat auraient pu brûler sans qu'elle en ait cure.

— Je suppose que vous partirez bientôt.

— Oui. Maintenant que tante Belle est enterrée, je suis...

Elle ravala le mot « libre », de peur de blesser Andy.

— Je suis prête, acheva-t-elle.

Il examina le bout de ses doigts, regarda la rivière étincelante et lâcha finalement :

— J'espère que vous ne m'en voudrez pas si je vous dis autre chose.

— Je ne peux pas le savoir avant de l'entendre, non ?

Il rit, un peu plus à l'aise.

— J'aimerais que vous restiez, Miss Jane.

— Vous n'êtes pas obligé de m'appeler « miss » tout le temps.

— C'est plus correct. Vous êtes jolie, plus intelligente que je le serai jamais.

— Mais vous êtes intelligent, Andy. Vous vous étonnerez vous-même quand vous saurez lire et écrire.

— Justement. Quand vous serez partie, il n'y aura plus personne pour m'apprendre. Ni moi ni les autres...

Se penchant vers la jeune fille, Andy ajouta :

— Les soldats de Lincoln arrivent. Mais je ne me débrouillerai jamais dans le monde des Blancs si je reste comme je suis. Les Blancs écrivent des lettres, font des additions. Je ne suis pas plus prêt pour la liberté qu'un vieux chien de chasse qui flemmarde toute la journée au soleil.

C'était moins une prière qu'une sommation à préparer la communauté noire du Sud.

— Vous essayez de me culpabiliser, répliqua Jane, piquée au vif. Ce n'est pas mon rôle d'apprendre aux autres à lire.

— Ne vous mettez pas en colère. Ce n'est pas tout.

— Comment ça ? Je ne vous comprends pas.

— Miss Madeline va partir rejoindre Mr. Orry. Meek n'est pas méchant mais il est sévère. Nos gens auront besoin d'une autre amie comme Miss Madeline.

— Vous pensez que je pourrais la remplacer ?

— Vous... vous n'êtes pas blanche mais vous êtes libre.

Pourquoi Jane se sentait-elle déçue par les propos du contremaître ? Elle l'ignorait.

— Pardon de vous avoir mal compris, et merci de votre confiance mais...

Elle poussa un petit cri quand il lui prit la main.

— Je ne veux pas que vous partiez parce que je vous aime beaucoup, déclara-t-il précipitamment.

Il referma aussitôt la bouche, parut sur le point de mourir de honte. Elle l'entendit à peine quand il murmura :

— Je m'excuse.

— Ne vous excusez pas. Ce que vous m'avez dit est... très gentil, répondit Jane, qui se sentait la langue liée.

Inclinant la tête, elle effleura la joue d'Andy de ses lèvres. Jamais elle ne s'était conduite d'une façon aussi effrontée. Aussi embarrassée que le jeune Noir, elle ajouta :

— Il fait froid. Nous devrions rentrer.

— Je peux vous raccompagner ?

— J'en serais ravie.

Ils marchèrent jusqu'aux cases dans un silence tendu, parvinrent à la rue principale dont l'extrémité était éclairée par la lampe de la maison du régisseur.

— Bonne nuit, Miss Jane, fit Andy d'une voix étranglée. (Sans s'arrêter, il laissa Jane devant sa case et continua en direction de la sienne.) J'espère que je ne vous ai pas trop fâchée.

Non, mais il l'avait troublée. Profondément. L'intérêt qu'elle éprouvait pour la personne d'Andy contrebalançait l'attraction qu'exerçait l'aimant du Nord. Après l'enterrement, Jane était sûre de partir mais à présent, elle hésitait, elle se sentait...

— Le seul nègre assez bon pour toi, c'est le contremaître, hein ?

Jane scruta la pénombre, vit une forme se détacher d'une case non éclairée, sur la gauche. Cuffey s'avança vers elle en poursuivant :

— Moi aussi j'ai été contremaître. Ça me donne le droit de te balader au clair de lune ? Je connais tous les trucs qui donnent du plaisir aux filles — j'apprends depuis que j'ai dix ans.

Jane voulut reculer mais il lui saisit le bras.

— Je t'ai demandé quelque chose, négresse. Je suis assez bon pour toi ou pas ?

La jeune Noire luttait pour cacher sa frayeur.

— Lâche-moi ou je te plante les ongles dans les yeux et je crie pour réveiller Mr. Meek.

— Meek va mourir, gronda Cuffey en approchant son visage de celui de Jane. Lui et tous les Blancs qui nous ont battus et commandés toute notre vie. Leurs chouchous noirs aussi vont mourir. Alors, petite garce, tu ferais mieux de choisir ton camp...

— Lâche-moi ! Ignorant, sauvage ! Un homme comme toi ne mérite pas d'être libre.

Jane avait à présent un auditoire. Une femme gloussa, un homme éclata de rire. Cuffey tourna la tête à droite, à gauche, le blanc de ses yeux éclairé par la lune. Occupé à chercher les rieurs invisibles, il laissa la jeune fille s'échapper. Elle se rua dans sa case, se tint le dos contre la porte, haletante.

Avec son lit de camp et celui de tante Belle, elle se barricada pour la nuit et décida de laisser la lampe allumée. Le papier huilé des fenêtres n'empêchant pas le froid de pénétrer dans la case, elle s'enveloppa de ses deux minces couvertures, s'assit sur un des lits, le dos contre la porte. Elle regarda brûler la mèche de la lampe, vit dans la flamme deux visages d'hommes. Elle partirait dès que possible.

Demain.

Pendant la nuit elle rêva de routes de campagne envahies par des milliers de Noirs errant sans but. Elle s'éveilla au chant du coq, l'image de Cuffey flottant encore dans son esprit. Elle la chassa, repensa aux Noirs perdus sur les routes dont elle avait rêvé. Tante Belle croyait aux rêves, même s'il était souvent difficile d'en saisir la signification. Jane s'efforça de comprendre le sien et prit une décision.

Rester serait plus dur que partir mais, malgré Cuffey, il y aurait des compensations : d'abord l'aide qu'elle apporterait aux siens en les préparant un peu à une libération qu'elle jugeait certaine ; ensuite, Andy, peut-être. Jane s'habilla, se coiffa et se rendit d'un pas pressé à la grande maison.

Madeline, qui prenait le petit déjeuner, lui proposa :

— Veux-tu une tasse de thé ? Un biscuit ?

Stupéfaite par cette invitation à s'asseoir à la table de la maîtresse blanche, Jane remercia Madeline, s'installa en face d'elle mais ne toucha à rien. Elle remarqua l'air scandalisé d'une servante retournant à la cuisine.

— Je suis venue parler de mon départ, Miss Madeline.

— Je m'en doutais. C'est pour bientôt ? Où que tu ailles, tu nous manqueras — et tu manqueras aussi à beaucoup d'autres.

— C'est ce dont je voulais vous parler. J'ai changé d'avis, j'aimerais rester plus longtemps à Mont Royal.

— Jane, cela me ferait tant plaisir ! J'espère partir pour Richmond à la fin du mois. Après mon départ, tu serais d'une grande aide à Mr. Meek.

— Ce sont les miens que je désire aider. Ils doivent être prêts pour leur libération.

Le sourire de Madeline disparut.

— Tu crois que le Sud perdra ?

— Oui.

La femme d'Orry regarda autour d'elle pour vérifier qu'elles étaient seules.

— Je dois avouer que j'ai le même sinistre pressentiment, mais je n'en parle pas afin de ne pas saper l'autorité de Meek. Et Dieu sait comment mon mari dirigeait la plantation sans...

Elle s'interrompit, chercha le regard de Jane.

— J'en ai trop dit. Je compte sur ton silence.

— Je me tairai.

— Que pourrais-tu faire pour préparer les tiens, pour reprendre ton expression ?

Jane estima qu'il était trop tôt pour parler de les instruire mais qu'il fallait obtenir une première concession.

— Je ne sais trop mais je crois pouvoir trouver la réponse dans votre bibliothèque. J'aimerais avoir la permission d'y prendre des livres et de les lire.

Madeline fit tinter sa tasse en frappant le bord doré avec une toute petite cuillère.

— Tu te rends compte que c'est illégal ?

— Oui.

— Qu'espères-tu trouver dans les livres ?

— Des idées, des moyens d'aider ceux de cette plantation.

— Jane, si je te donne ma permission et si tes lectures ou tes actes nuisent à quiconque vit ici, Noir ou Blanc, je ne demanderai pas à Mr. Meek de te punir, je le ferai moi-même, de mes propres mains. Je ne tolérerai pas qu'on sème le désordre ou la violence.

— Je ne le ferai pas.

— Je considère cela comme une autre promesse.

— Vous le pouvez. Et la première tient toujours : je n'encouragerai pas non plus les miens à s'enfuir. Mais je voudrais trouver des idées pour les aider lorsqu'ils seront libres de choisir entre partir et rester.

— Tu as de la franchise, reconnut Madeline en se levant. Viens avec moi.

Jane la suivit dans l'entrée où la lumière tombant de l'imposte dessinait des ombres. La maîtresse tendit le bras vers les portes de la bibliothèque en disant :

— Cela pourrait me valoir d'être fouettée et chassée de l'Etat.

Elle ouvrit les portes d'un geste théâtral, s'écarta, fit entrer la jeune Noire et referma aussitôt derrière elle.

— Les idées ne m'ont jamais fait peur, Jane. Elles sont au contraire le salut de cette planète. Prends tous les livres que tu voudras.

Une odeur de cuir émanait des étagères où il n'y avait guère d'espaces vides. Jane eut l'impression d'être dans une cathédrale. Inclinant la tête en arrière, elle leva les yeux vers les livres et son visage prit une expression rayonnante.

45

— George, ne te mets pas dans un état pareil. Tu vas avoir une attaque.

— Mais...

— Prends un cigare, je vais te servir un whisky. Tous les soirs c'est pareil, tu rentres hors de toi. Les enfants l'ont remarqué.

— Seule une statue resterait calme dans un endroit pareil, répondit George Hazard. (Il déboutonna le col de son uniforme, s'approcha de la fenêtre, où des flocons de neige se collaient aux vitres et fondaient aussitôt.) Tu sais à quoi j'ai passé l'après-midi ? A regarder un crétin du Maine faire une démonstration de son appareil à marcher sur l'eau : deux petits canoës fixés à ses chaussures. Exactement ce dont l'infanterie a besoin ! Nos fantassins vont traverser les fleuves de Virginie en marchant sur les eaux !

Voyant Constance pouffer, il poursuivit en agitant le doigt :

— Je te défends bien de rire. Le pire, c'est que j'ai reçu le mois dernier *quatre* inventeurs de ce genre d'appareils ! Est-ce servir son pays que d'écouter des gens qu'on devrait enfermer ?

Il se passa la main dans les cheveux, regarda sans la voir la neige de décembre. L'obscurité et le découragement pesaient sur la ville. Seul rayon de lumière, les préparatifs de la campagne de printemps, auxquels McClellan s'était attelé.

— Tu dois bien voir de temps en temps des inventeurs intelligents, fit observer Constance.

— Bien sûr. Mr. Sharps, par exemple — dont Ripley a refusé de commander le fusil à chargement par la culasse, bien que le régiment spécial du colonel Berdan fût disposé à payer la légère différence de prix. Pour Ripley, c'est encore un « nouveau truc ». Un comité de l'armée a procédé à des essais concluants il y a déjà onze ans mais c'est quand même nouveau !

— Impossible de passer par-dessus Ripley ? Cameron ne peut pas intervenir ?

— Il est assailli par ses propres problèmes. Je ne crois pas qu'il finira le mois. Mais on peut effectivement passer par-dessus Ripley. Lincoln l'a fait en octobre, il a commandé vingt-cinq mille fusils se chargeant par la culasse.

George se laissa tomber sur le sofa en soupirant.

— Tu veux un autre exemple ? Un nommé Christopher Spencer, jeune ajusteur chez Colt, à Hartford, a mis au point un ingénieux fusil à répétition qu'on charge en insérant un tube de sept cartouches dans le magasin. Tu sais quelle objection Ripley a soulevée ? « Nos soldats tireront trop vite, ils gâcheront leurs munitions. »

— Je peux à peine y croire.

— C'est la vérité ! dit George en levant la main, comme un témoin appelé à la barre. Nous n'osons pas équiper l'infanterie d'armes qui pourraient hâter la fin de la guerre. Ripley a dû céder sur les fusils à chargement par la culasse — nous en commanderons pour la cavalerie — mais il refuse obstinément les armes à répétition. Aussi le président continue-t-il à faire notre travail. Cet après-midi, Bill Stoddard m'a informé que Lincoln a commandé dix mille Spencer. Les tireurs d'élite de Hiram Berdan pourront en essayer quelques-uns avant Noël.

George tira une bouffée de son cigare, parut se calmer mais explosa à nouveau :

— Tu as une idée des ravages causés par Ripley ? Du nombre de jeunes soldats qui mourront peut-être parce que l'idée de gâcher des munitions lui fait horreur ? Je n'en peux plus. En feignant d'écouter les élucubrations de quelque idiot de village, je ne cesse de penser aux morts dont nous sommes responsables.

Constance avait souvent assisté aux colères de son mari mais elles étaient rarement mêlées de désespoir comme cette fois. Elle s'assit près de lui, le prit dans ses bras.

— J'ai deux nouvelles à t'apprendre. Père se trouve dans le Territoire du Nouveau-Mexique. Il s'efforce de rester hors du chemin des armées de l'Union et de la Confédération qui y font mouvement. Il a bon espoir d'arriver en Californie à la fin de l'hiver.

— Bien, grogna George, distraitement. L'autre nouvelle ?

— Nous sommes invités à une soirée en l'honneur de ton vieil ami le général en chef.

— Petit Mac ? Il ne m'adressera probablement pas la parole maintenant qu'il est en haut de l'échelle.

McClellan avait été nommé à la tête des armées le 1er novembre ; Scott était un homme fini.

— George, George, fit Constance d'un ton de reproche. Comme tu es devenu amer !

— Venir ici fut une catastrophe. Je perds mon temps, je ne suis pas utile. Je devrais donner ma démission et rentrer avec toi et les enfants.

D'une main apaisante, elle caressa le visage de son mari, la barbe qui déjà repoussait sous les pointes cirées des moustaches.

— Tu te souviens de notre rencontre à Corpus Christi ? murmura-t-elle. Tu voulais que le vapeur parte sans toi pour le Mexique...

— C'est vrai. Je désirais rester te faire la cour.

— Mais tu as embarqué avec les autres.

— Cela avait un sens alors. J'espérais accomplir quelque chose. Aujourd'hui, je participe à un gâchis qui coûtera peut-être des milliers de vies.

— La situation pourrait s'améliorer si Cameron était contraint de démissionner.

— A Washington ? C'est un bourbier de chicanerie, de stupidité, de paperasserie — mais l'autoprotection y est élevée au rang d'art. Quelques visages changeront, rien de plus.

— Attends encore un peu. La guerre n'est facile pour personne. Je l'ai appris pendant la campagne du Mexique, quand je demeurais éveillée toutes les nuits, craignant pour ton sort.

Elle lui donna un baiser, simple tendre pression de ses lèvres sur les siennes. Une partie de la tension qui habitait George se dissipa et son visage redevint presque celui d'un jeune garçon, malgré les marques des ans.

— Que ferais-je sans toi, Constance ? Je ne survivrais jamais.

— Si. Tu es fort. Mais je suis heureuse que tu aies besoin de moi.

Il la serra contre lui en murmurant :

— Plus que jamais. Bon, je reste. Mais promets-moi de me trouver un bon avocat si je craque et si j'assassine Ripley.

Le lundi 16 décembre, l'Angleterre pleurait le mari de la reine. La nouvelle de la mort du prince Albert, survenue le samedi précédent, n'avait pas encore traversé l'Atlantique mais certaines dépêches diplomatiques, approuvées au château de Windsor avant le décès du prince consort, étaient parvenues à Washington. Sans user d'un ton excessivement belliqueux, Albert continuait à réclamer la libération des émissaires confédérés.

Stanley savait que cette libération serait bientôt accordée, mais non pour les nobles motifs qu'on jetterait en pâture à la presse et à l'opinion. Le gouvernement devait capituler pour deux raisons : la Grande-Bretagne, principal fournisseur du salpêtre indispensable à la fabrication de la poudre à canon américaine, avait suspendu ses livraisons. De plus, on ne pouvait risquer une seconde guerre, surtout quand les dernières dépêches annonçaient que les Anglais cuirassaient en toute hâte plusieurs de leurs vaisseaux de guerre. Les canons à âme lisse défendant les ports américains seraient impuissants contre de tels navires.

En décembre, le gouvernement se retrouva aux prises avec un faisceau de problèmes cachés mais angoissants, qui menaçaient par contrecoup le petit empire industriel de Stanley. La panique le poussa à des mesures extrêmes. Le soir, il forçait les tiroirs de certains bureaux, en sortait des dossiers confidentiels assez longtemps pour les lire et recopier des passages importants. Il rencontrait fréquemment un collaborateur de Wade dans des jardins publics ou des cafés mal famés proches du canal et lui remettait des informations, sans vraiment savoir si cela aiderait sa cause. Il risquait tout sur une seule éventualité, que d'aucuns prétendaient certaine : la chute de Cameron.

Lincoln, lui-même, était menacé par l'ardeur de Wade et de son équipe. La nouvelle commission du Congrès, en passe d'être annoncée, serait dominée par les plus purs des Républicains. Elle limiterait l'initiative du président et orienterait la guerre dans le sens désiré par les ultras.

Pour toutes ces raisons, l'atmosphère était devenue tendue au ministère de la Guerre. Aussi Stanley quitta-t-il son bureau avec soulagement le lundi matin après avoir encore reçu une mauvaise nouvelle. Sous la neige, il se rendit rapidement au 352 Pennsylvania Avenue où, au-dessus d'une banque et d'une pharmacie, s'étalait sur trois étages le premier studio de la ville et du pays, la Galerie d'art photographique Brady. La montre de Stanley indiquait qu'il avait près d'une demi-heure de retard pour la séance.

Au premier étage de la galerie, une réceptionniste pimpante trônait au milieu d'images de grands de ce monde encadrées d'or ou de noyer noir. Fenimore Cooper avait un regard perçant sur son daguerréotype jauni ; le riche Corcoran, photographié grandeur nature, avait été artistiquement colorié au crayon, technique très en vogue.

L'employée informa Stanley qu'Isabel et les jumeaux se trouvaient déjà dans le studio.

— Merci, bredouilla-t-il en se précipitant vers l'escalier.

A l'étage au-dessus, il passa devant des artistes retouchant des photographies à l'encre de Chine ou au pastel. Avant même d'arriver au dernier étage, il entendit ses fils se quereller.

Lorsqu'il entra dans le vaste studio où la lumière pénétrait par de grands châssis vitrés, Isabel l'accueillit en lui lançant d'un ton sec :

— Le rendez-vous était à midi.

— J'ai été retenu au ministère. Nous sommes en guerre, tu sais.

Il avait répliqué avec plus de sécheresse encore que sa femme, ce qui l'avait étonnée.

— Mr. Brady, mes excuses. Laban, Levi, arrêtez immédiatement.

Stanley ôta son chapeau mouillé par la neige, gifla l'un des jumeaux puis l'autre. Surpris par cette réaction inhabituelle de leur père, les deux garçons cessèrent de se chamailler.

— Il faut s'attendre à des retards avec une personne de votre position, dit le photographe, doucereux. Il n'y a pas de mal.

Brady n'avait pas réussi dans sa partie en insultant les clients importants. C'était un barbu mince approchant de la quarantaine, vêtu d'une veste noire luxueuse, d'un élégant pantalon en daim gris, d'une chemise d'un blanc éclatant et d'une lavallière en soie noire flottant au-dessus d'un gilet en daim assorti.

D'un geste nerveux, il appela un jeune collaborateur qui replaça sur le fond de tentures rouges une grosse horloge en or portant le nom de Brady.

— La lumière est limite, aujourd'hui, déclara-t-il. Je n'aime pas faire des portraits quand il n'y a pas de soleil. La pose est trop longue. Mais comme c'est pour Noël, nous allons essayer quand même. Chad ? Légèrement à gauche.

L'assistant se précipita pour déplacer le trépied portant un réflecteur blanc. Brady inclina la tête, étudia les deux fils turbulents de Mr. et Mrs. Hazard.

— Les parents assis et les garçons debout derrière, je crois, proposa-t-il. Ils sont pleins de vie, ces gaillards. Il va falloir leur mettre la tête dans les immobilisateurs.

Laban commençait à protester, mais un grognement de son père l'arrêta. La séance dura trois quarts d'heure pendant lesquels Brady plongea à plusieurs reprises sous l'abat-jour noir de son appareil, murmura des instructions à son collaborateur, qui glissait les grandes plaques derrière l'objectif avec précision et rapidité. A la fin, Brady remercia les Hazard, leur suggéra de voir le réceptionniste au sujet de la date de livraison du portrait et sortit du studio d'un pas vif.

Une fois dehors, Isabel se plaignit :

— Evidemment, nous ne sommes pas assez importants pour être reçus plus d'une fois.

— Pour l'amour du ciel, tu ne peux pas penser à autre chose qu'à ta position sociale ?

Plus surprise qu'irritée, elle répondit :

— Stanley, tu es d'humeur massacrante ce matin. Pour quelle raison ?

— Il s'est produit quelque chose de terrible. Expédions les garçons en fiacre à la maison, je t'expliquerai en mangeant au *Willard*.

La sole aux amandes était succulente, mais Stanley ne songeait qu'à épancher son anxiété :

— J'ai réussi à mettre la main sur le projet de rapport annuel de Simon sur les activités du ministère. Un chapitre, apparemment rédigé par Stanton, déclare que le gouvernement a le droit, et peut-être l'obligation, d'armer les « marchandises de contrebande » et de les envoyer combattre leurs anciens maîtres.

— Simon propose de donner des armes aux esclaves en fuite ? C'est bizarre. Qui pourrait croire que le vieux brigand s'est transformé en croisé ?

— Il doit penser que cela prendra.

— Alors il a perdu l'esprit.

Stanley lorgna vers les tables voisines : personne ne leur prêtait attention. Il se pencha vers sa femme, baissa le ton.

— Le plus terrible, c'est que ce rapport a été envoyé à l'imprimerie gouvernementale mais pas à Lincoln.

— Le président revoit habituellement ce genre de rapports ?

— Il les revoit, il approuve leur publication.

— Alors pourquoi... ?

— Parce que Simon sait que Lincoln aurait été contre. Tu te souviens qu'il a annulé la décision d'émancipation prise par Frémont ? Simon veut à tout prix faire publier son rapport. Il est en train de couler et pense que seuls les ultra-abolitionnistes peuvent lui lancer une bouée de sauvetage. Moi, je suis persuadé qu'ils n'en feront rien, pour la raison que tu as toi-même soulignée. La manœuvre de Simon est transparente.

— L'aide que tu as donnée à Wade devrait te sauver si Cameron fait naufrage, non ?

— Je n'en sais rien ! explosa Stanley en se frappant la main du poing.

Ignorant sa réaction, Isabel réfléchit et murmura quelques instants plus tard :

— Quoi qu'il arrive, ne te laisse pas convaincre de parler en faveur de ce chapitre controversé.

— Pourquoi pas, bon Dieu ? Wade l'approuvera sûrement. Stevens aussi et je ne sais combien d'autres.

— Je ne le pense pas. Simon est un combinard, toute la ville le sait. On ne le laissera jamais se draper dans un manteau d'idéaliste, il aurait l'air ridicule.

Isabel ne se trompait pas. Dès qu'il reçut un exemplaire du rapport, le président ordonna qu'il soit immédiatement republié sans le passage litigieux. Ce jour-là, Cameron parcourut le ministère en vociférant. Il envoya un messager au cabinet de Mr. Stanton à neuf heures et demie, puis à midi et à trois heures. Nul besoin d'être grand clerc pour deviner que l'avocat du Boss, à présent reconnu comme l'auteur du chapitre, ne répondait pas aux appels à l'aide de son client.

— Le mal est fait, dit Stanley à Isabel le lendemain soir.

Le teint blafard, il lui tendit l'*Evening Star* de Mr. Wallach, le journal le plus résolument démocrate — d'aucuns disaient « pro-Sudiste » — de la capitale.

— Ils ont réussi d'une façon ou d'une autre à se procurer le rapport.

— Mais tu m'as expliqué que le passage avait été supprimé.

— Ils ont mis la main sur l'original.

— Comment ?

— Dieu sait ! D'ici à ce qu'on m'accuse...

Insensible à l'humeur sombre de son mari, Isabel répondit d'un ton songeur :

— Nous aurions pu communiquer le rapport à la presse. C'est un joli coup, qui ne manquera pas d'attiser les passions dans les deux camps. Aucun parti ne veut distribuer des fusils aux moricauds. Oui, un fort joli coup — j'aurais aimé y penser moi-même.

— Comment peux-tu sourire ? Si le Boss plonge, il m'entraînera peut-être avec lui. J'ignore si Wade a jugé mes informations utiles, si je lui en ai fourni assez. Je ne l'ai pas revu depuis notre réception. Rien n'est sûr...

Stanley martela la table du poing et répéta d'une voix étranglée :
— Rien.

Isabel lui saisit le poignet.

— Quand le bateau affronte la tempête, le capitaine s'attache à la barre. Il ne pleurniche pas dans l'entrepont.

Le ton méprisant d'Isabel — la comparaison même — humilia Stanley mais ne contribua pas à dissiper sa peur. Cette nuit-là, il ne cessa de se retourner dans son lit et ne dormit guère plus de trois heures.

Le lendemain matin, il bondit de son fauteuil lorsque Cameron entra dans son bureau avec un contrat d'achat de chaussures et de vêtements qu'il venait d'approuver. Le ministre expédia la question en quelques phrases puis demanda :

— Avez-vous vu Mr. Stanton dernièrement, mon garçon ?

— Non, répondit Stanley, le cœur battant. Nous ne fréquentons pas du tout le même milieu.

— Ah ? fit le Boss en posant sur son protégé un regard bizarre. Je n'arrive pas à le joindre et il ne répond pas à mes messages. Etrange. L'auteur du passage qui me met dans le pétrin refuse de dire un mot pour le défendre. Ou pour me défendre. Je montre que je suis dans le camp de Wade mais on ne veut pas de moi. Stanton feint de soutenir le président mais, la semaine dernière, je l'ai entendu traiter Abe de Gorille originel. Cela a fait beaucoup rire Petit Mac, paraît-il. J'essaie toujours de découvrir comment le rapport a pu parvenir au *Star*...

Le regard de Cameron se posa à nouveau sur Stanley, qui pensa, affolé : « Il sait. *Il sait.* »

Le Boss secoua la tête, l'air vaguement attristé. Il semblait moins compétent à présent, moins sûr de lui. Ce n'était plus qu'un homme ordinaire, fatigué par surcroît. Avec un sourire amer, il poursuivit :

— Je trouverais toute cette affaire extrêmement curieuse si je ne savais de quoi il s'agit en fait. De politique. A propos, avez-vous reçu une invitation pour la réception que le président donne en l'honneur de McClellan ?

— Ou-oui, monsieur, bredouilla Stanley. Je crois qu'Isabel m'en a touché un mot.

— Hmm. Je n'ai pas encore la mienne. Une erreur de la poste, vous ne pensez pas ?

Cameron fixa longuement son subordonné avant d'ajouter :

— Excusez-moi Stanley, je me sauve. J'ai des quantités de choses à faire avant de rendre mon portefeuille. On me le réclamera d'un jour à l'autre, maintenant.

Le ministre sortit d'un pas vif. Etourdi, Stanley posa les mains à plat sur son bureau, ferma les yeux. Avait-il réussi à tirer son épingle du jeu ? Isabel avait-elle réussi ?

46

Je suis trop cynique, pensait George. Non, répondait une autre partie de lui-même. Tu es simplement devenu, en peu de temps, un Washington-tonien.

Les roues arrière du fiacre s'embourbèrent dans une ornière gorgée d'eau, en ressortirent. Encore quelques centaines de mètres et il serait de retour au *Willard*, où l'on donnait un dîner en l'honneur du visiteur de Braintree.

Il neigeait et la ville que George appelait parfois Canaille-sur-Canal était jolie comme une gravure. Les lumières de Noël donnaient temporairement quelque éclat aux esprits insipides des bureaucrates ; la riche odeur des sapins supplantait pour un temps la puanteur de la peur, de l'humidité et du froid qui s'insinuaient partout en ce mois de décembre. Malgré les splendides revues que McClellan avait mises en scène pendant tout l'automne, en dépit des fréquentes déclarations du général prédisant une proche victoire, George se demandait si le spectacle reposait sur quelque chose de solide. Il se reprochait son incrédulité mais il s'interrogeait.

Il revenait de l'arsenal, où Billy était installé avec son bataillon — assez satisfait bien que montrant une certaine vivacité d'humeur. C'était — George le savait — un symptôme courant pendant les quartiers d'hiver. La veille, Constance était rentrée d'un court voyage à Lehig Station. Brown, qui l'avait accompagnée, restait là-bas quelques jours de plus pour préparer la venue d'autres enfants. Brett avait confié à Constance des cadeaux de Noël pour Billy, et George avait saisi ce prétexte pour se rendre à l'arsenal.

Les deux frères avaient discuté du visiteur de Braintree. Billy avait entendu parler de la soirée mais n'y était pas invité. Pour le réconforter, George déclara :

— Je serai probablement le moins gradé des invités. On m'a prévenu que la moitié de l'état-major de Petit Mac y assisterait — mais pas le général lui-même.

— As-tu déjà rencontré l'invité d'honneur ?

— Une fois, après une remise de diplômes. Je ne peux prétendre le connaître.

A l'hôtel, George se précipita dans sa suite, embrassa sa femme, ses enfants, brossa ses cheveux et sa moustache avant de redescendre précipitamment, en retard pour la réception précédant le dîner organisé en l'honneur d'Emeritus Sylvanus Thayer. Agé de soixante-treize ans, depuis longtemps à la retraite, Thayer, ancien commandant de West Point, était venu du Massachusetts pour assister à la soirée McClellan.

Une impressionnante quantité de brillants cerveaux et d'épaulettes emplissait le salon où évoluaient une soixantaine d'officiers, pour la plupart colonels ou généraux. La qualité commune d'ancien de l'Académie rendait moins sensible la barrière des grades. Protégés des curieux par les portes closes, les vieux diplômés de l'école buvaient de généreuses rasades de porto ou d'excellent bourbon servis par des Noirs en livrée. George se félicita que Brown eût quitté son emploi de portier et accepté le salaire que les Hazard lui avaient proposé afin qu'il pût consacrer tout son temps aux enfants.

Comme la foule se pressait autour de l'invité d'honneur, mince et étonnamment en forme, George entra en conversation avec un major et un colonel qu'il avait connus au Mexique. Près de la moitié des officiers de l'armée régulière avaient servi là-bas.

Baldy Smith et Fitz-John Porter, deux généraux de la promotion précédant celle de George, se joignirent à eux. Bien que Smith parût agacé par l'assistance, le buffet, l'éclairage — c'était un personnage bougon — il plaisait davantage à George que Porter. Déjà à l'Académie, ce dernier avait frappé George par son goût de l'épate, sa propension à se vanter — comme le général auquel il était à présent attaché.

Le bourbon détendit les officiers, qui se rappelèrent bientôt le temps où ils étaient sur un pied d'égalité. Thayer s'approcha du groupe, salua chaleureusement chacun de ses membres. Il avait une mémoire phénoménale, une sorte de vaste fichier permanent contenant le nom et la carrière de chaque ancien de West Point — même ceux d'hommes qui, comme George et les généraux, y étaient passés bien après son époque.

— Hazard — oui, certainement, dit Thayer. Où êtes-vous maintenant ? (George répondit.) Dommage. Vous aviez d'excellentes notes à l'Académie. Votre place est sur le champ de bataille.

Ne voulant pas l'offenser, le major Hazard expliqua :

— Je ne me sentais pas la capacité de commander.

Il voulait dire qu'il n'en avait jamais eu le goût.

— Ce que nous faisons en Virginie, intervint Baldy Smith d'un ton méprisant, ce n'est pas commander, c'est mener du bétail.

« A l'abattoir ? » pensa George, à qui le souvenir du Bull Run donnait encore des cauchemars. Souriant, il haussa les épaules :

— J'ai pris le poste qu'on m'a proposé.

— Vous n'en paraissez pas satisfait, fit remarquer Thayer, dont la franchise était le style.

— Je ne pense pas devoir faire de commentaires à ce sujet, commandant.

— Ce genre de réponse indique que vous avez l'étoffe d'un général, lança un Pennsylvanien jovial nommé Winfield Hancock, général de brigade lui-même.

Ils allèrent s'asseoir à une grande table en fer à cheval pour déguster un repas où chapon et rôti de bœuf occupaient la vedette. Whisky, porto et vin coulèrent à flots et lorsqu'on donna la parole à Thayer, George était prêt à rouler sous la table.

D'une voix fluette mais passionnée, le vieil officier souligna un fait que les convives connaissaient déjà : West Point était à nouveau la cible d'attaques, d'autant plus dangereuses cette fois qu'on cherchait à rendre l'école responsable de la démission de tous les officiers passés au Sud. Thayer appela chacun à promettre de défendre l'Académie si, comme il le craignait, le Congrès tentait de la faire disparaître en lui coupant les vivres.

— Je me réjouis de voir tant d'entre vous servir la nation qui vous a éduqués et vous a donné un noble métier. Je sais que vous aurez la force nécessaire pour tenir. J'ai été consterné par de nombreux articles de journaux que j'ai lus avant la grande bataille de juillet, et selon lesquels la lutte serait rondement menée à son terme. Connaissant nos collègues des Etats en rébellion — leur intelligence, leur courage, leur carrière, aussi exemplaire que la vôtre à l'exception d'un acte gravissime — je répondrai à toutes ces déclarations par un seul fait.

On n'entendait dans la salle nul autre bruit que le sifflement du gaz et le frêle vieillard retenait tous les regards.

— Un fait qui est pour vous tous un principe et une vérité fondamentale : il faut trois ans pour forger une armée. Et, même après ces trois années, elle doit endurer de dures épreuves pour vaincre. La guerre n'est pas une partie de plaisir. Ceux d'entre vous qui ont fait la campagne du Mexique le savent ; ceux qui se sont battus dans l'Ouest le savent. La guerre exige un lourd tribut de vies et de souffrances. Ne l'oubliez jamais. Soyez forts. Soyez patients. Mais soyez aussi sûrs de vous. Vous triompherez.

Lorsque Thayer s'assit, les applaudissements et les cris retentirent comme un coup de tonnerre. Les anciens de West Point entonnèrent *Benny Haven's, Oh !* et même George le Cynique eut la larme à l'œil en entendant le dernier vers.

La grande réception donnée en l'honneur du général George Brinton McClellan eut lieu quelque temps plus tard, dans un climat de doute et de lutte feutrée. Rumeurs et proclamations abondaient : les prisonniers du *Trent* seraient libérés parce que l'Union ne pouvait se passer de salpêtre ; la formation de la commission du Congrès sur la conduite de la guerre serait annoncée incessamment ; McClellan écraserait la Confédération au printemps — ne l'avait-il pas promis dans diverses déclarations ? Les détracteurs de Petit Mac prétendaient qu'il avait manigancé la destitution de ce pauvre vieux goutteux de Scott pour s'octroyer aussi le poste de général en chef.

A la résidence présidentielle brillamment éclairée, un orchestre de cordes jouait pour accueillir les invités de marque. George promit à Constance de la présenter à son ancien camarade de West Point mais seulement après avoir repéré le terrain, pour ainsi dire.

McClellan ne paraissait guère plus âgé qu'à l'époque où George et lui potassaient ensemble. Il s'était laissé pousser une spectaculaire moustache auburn mais, à ce détail près, il était resté le même gaillard solidement bâti et sûr de lui de la promotion 46 dont George avait gardé le souvenir. Tout en lui, de son nez nettement dessiné à ses larges épaules, semblait proclamer : voilà la force, voilà la compétence. Il avait quitté la compagnie de chemin de fer de l'Illinois pour réintégrer l'armée, et sa brillante ascension donnait à George un léger sentiment d'infériorité.

Brillante était le mot. Une aura de célébrité entourait les McClellan qui passaient d'un groupe à l'autre, traînant derrière eux deux des nombreux aides de camp européens du général, le comte de Paris et le duc de Chartres, joyeux exilés français.

Tous les indiscrets tendirent l'oreille lorsque McClellan et son épouse entrèrent en conversation avec le président et Mrs. Lincoln. Depuis qu'il s'était établi dans une maison de la rue H, défiant ceux qui auraient voulu le voir vivre au camp, McClellan ne laissait aucun doute sur le point de savoir qui, du président ou du général en chef, prenait le pas sur l'autre. La ville parlait encore de l'incident de novembre : un soir, Lincoln et John Hay, un de ses secrétaires, s'étaient rendus rue H pour une affaire gouvernementale. Le général, absent, arriva une heure plus tard, monta directement au premier sans voir les visiteurs et se mit au lit. On dit que le président fut furieux mais il avait tendance à masquer de tels sentiments derrière une modestie et une bonne humeur d'homme de l'Ouest. Contrairement à McClellan, l'arrogance n'était pas son style.

— Cela grouille de politiciens, murmura George à Constance du coin de la bouche. Voici Wade, qui dirigera la nouvelle commission. Et Thad Stevens.

— Sa perruque est de travers. Comme toujours.

— Tu joues les Isabel, ce soir ?

Constance frappa de son éventail la manche galonnée de son mari.

— Ne dis pas d'horreurs.

— A propos d'horreurs, j'aperçois la dame en question, avec mon frère.

Stanley et Isabel n'avaient pas encore remarqué George, trop occupés qu'ils étaient à regarder Cameron. Le ministre venait de faire son entrée, seul, et circulait dans la foule avec des mines de conspirateur. Comment s'était-il procuré une invitation ? Pourquoi les évitait-il ?

Stanton, qui bavardait en tête à tête avec Wade, n'adressa même pas un signe à son client. Stanley se sentit moins l'âme d'un Judas : d'autres trahissaient aussi, apparemment. Mais pour qui ? dans quel but ? Il avait l'impression d'être un enfant ignorant, conscient de son ignorance.

— Je parie que Stanton veut la place de Simon, chuchota Isabel derrière son éventail déployé. Cela expliquerait pourquoi tu l'as surpris sortant du bureau de Wade, pourquoi il s'abstient de défendre le rapport original et même d'en endosser la paternité.

Cette idée, totalement nouvelle, laissa Stanley bouche bée.

— Ferme la bouche, lui glissa sa femme. Tu as l'air d'un crétin.

— Ma chère tu ne cesses de m'étonner. Je crois que tu pourrais avoir raison.

Isabel l'entraîna dans un coin pour lui demander :

— Quel genre d'homme, ce Stanton ?

— Brillant avocat originaire de l'Ohio. Farouche abolitionniste. Volontaire, dit-on. Et retors. Très redoutable.

Isabel prit son mari par le bras.

— Leur conversation est finie. Il faut que tu parles à Wade pour savoir où tu en es.

— Mais je ne peux pas lui demander comme ça...

— Nous allons le saluer. Tous les deux. Maintenant.

Il n'y eut pas de discussion : Isabel referma la main sur le poignet de son époux et l'entraîna. Au moment où ils rejoignaient Ben Wade, Stanley craignit de ne plus contrôler sa vessie. Isabel sourit, imitant de son mieux les coquettes de vaudeville.

— Ravie de vous revoir, sénateur. Où est votre charmante femme ?

— Quelque part dans la foule. Il faut que je la retrouve.

— Je suppose que tout va bien pour cette nouvelle commission dont nous entendons tant parler ?

— En effet. Nous donnerons bientôt à l'effort de guerre des bases plus solides. Une orientation plus claire.

La pointe contre Lincoln étant manifeste, Isabel s'empressa d'approuver :

— Un objectif qui a mon soutien, et celui de mon mari.

— Ah ! oui.

Wade eut un sourire dans lequel Stanley crut discerner une nuance de mépris qui lui était destinée.

— Sa loyauté, son dévouement sont connus d'un grand nombre des membres de la commission, reprit le sénateur. Stanley, nous espérons que vous continuerez à faire preuve d'esprit de coopération.

— Sans aucun doute, sénateur.

— Voilà une excellente nouvelle. Bonsoir.

Stanley faillit s'évanouir en regardant Wade s'éloigner. Il avait survécu à la purge.

— Isabel, je crois que je vais me soûler ce soir, avec ou sans ta permission.

L'inévitable rencontre des deux frères et de leurs épouses eut lieu quelques minutes plus tard, près des saladiers de punch. Les salutations furent polies de part et d'autre, sans plus. George eut du mal à paraître sincère en souhaitant à Stanley et à Isabel un joyeux Noël.

— Tu connais notre jeune Napoléon ? bredouilla Stanley, qui buvait punch sur punch.

— Je ne lui ai pas encore parlé ce soir mais je n'y manquerai pas, répondit George. Nous nous sommes connus à West Point.

— Vraiment ? fit Isabel, avec une expression suggérant qu'elle venait de perdre un point dans un jeu quelconque.

— Comment est-il ? demanda Stanley. Comme homme, je veux dire. Je crois savoir qu'il a d'excellentes origines mais c'est un démocrate. Mou sur la question de l'esclavage, paraît-il. Curieux choix que le président a fait là, tu ne trouves pas ?

— Pourquoi ? N'est-on pas censé faire abstraction des considérations politiques en période de crise ?

— Si vous le croyez vraiment, vous êtes naïf, laissa tomber Isabel.

Voyant les joues de Constance s'empourprer, George lui prit la main, passa son bras sous le sien.

— Pour répondre à la question de Stanley, McClellan est extrêmement brillant, dit-il. Second de notre promotion, il est monté trois fois en grade au Mexique pour bravoure. D'après Billy, les hommes l'adorent, ils l'acclament quand il passe à cheval. Il nous fallait un homme en qui la troupe aurait confiance et je puis dire que nous l'avons trouvé. Il me semble que le président a fait un choix intelligent, non un choix politique.

— Le président n'aurait pas dit mieux.

Isabel parut sur le point de s'enfoncer dans le parquet lorsqu'elle découvrit derrière George celui qui venait de parler. Lincoln leva un long bras, posa la main sur l'épaule de George.

— Comment allez-vous, major Hazard ? Cette jolie dame est votre épouse ? Vous devez me présenter.

— Avec plaisir, monsieur le président.

Après avoir présenté Constance, George demanda à Lincoln s'il connaissait son frère et sa belle-sœur. L'homme aux allures d'épouvantail répondit poliment qu'il croyait avoir fait leur connaissance, mais George crut comprendre que Lincoln n'avait pas gardé de cette rencontre une impression positive. Isabel saisit aussi la nuance et en fut manifestement irritée.

Constance montrait à l'égard du chef de l'Etat une déférence adéquate mais restait détendue, sans grimacer ou tirer nerveusement sur la dentelle de ses gants comme Isabel.

— Mon mari m'a dit qu'il vous a rencontré un soir à l'arsenal, monsieur le président.

— C'est exact. Nous avons discuté d'armes à feu.

— J'espère ne pas être déloyal envers mon ministère en disant que j'ai été content d'apprendre la décision d'acheter des Spencer et des Sharps à répétition, déclara George.

— Votre supérieur se refusait à les acquérir, il fallait bien que quelqu'un le fasse. Mais je ne veux pas ennuyer les dames avec ce genre de propos.

Lincoln orienta la conversation sur Noël, se rappela une histoire qu'il raconta avec un plaisir évident, en imitant divers accents. La chute provoqua des rires sincères, sauf chez Isabel qui se mit à hennir si fort que plusieurs invités se retournèrent.

— Parlez-moi un peu de vous, Mrs. Hazard, demanda le président à Constance.

Elle s'exécuta. Ils évoquèrent un moment le Texas puis une remarque de Constance rappela à Lincoln une autre histoire drôle. Il l'avait à peine commencée quand sa femme, boulotte et habillée avec trop de recherche, fondit sur lui et l'emmena. Isabel saisit l'occasion pour partir elle aussi, et Stanley suivit.

— George, c'était formidable, dit Constance. Mais je me sentais mal à l'aise : j'ai pris du poids, je suis laide.

— Tu as peut-être pris une livre ou deux. Le reste, c'est dans ta tête, dit George en lui tapotant la main. As-tu remarqué comme Lincoln buvait tes paroles ? Il a l'œil pour les jolies femmes — c'est pour cette raison que sa moitié l'a quasiment enlevé. Il paraît qu'elle ne supporte pas de le voir en compagnie d'une autre femme. Ah ! voici Thayer. Allons le saluer.

Constance charma aussi l'ancien commandant de West Point et le trio s'approcha de McClellan, libéré temporairement de ses admirateurs.

— Un de vos camarades de promotion..., commença Thayer.

— Stump Hazard ! Je t'ai vu dans la foule il y a un moment, je t'ai tout de suite reconnu.

L'accueil de McClellan était chaleureux mais George le trouva quelque peu artificiel. Peut-être n'était-ce qu'un effet de son imagination...

— Bonsoir, général.

— Non, non. Mac, comme avant. Dis-moi, qu'est devenu ce type avec qui tu étais si lié ? Un homme du Sud, je crois ?

— Oui. Orry Main. Je ne sais pas ce qu'il est devenu. Je ne l'ai pas vu depuis avril.

Nell, la femme du général, se joignit au groupe et la conversation porta sur Washington puis sur la guerre. McClellan devint grave :

— L'Union est en danger, le président semble incapable de la sauver. C'est à moi que le rôle de sauveur est dévolu. Je le remplirai de mon mieux.

Pas la moindre nuance ironique n'atténuait cette déclaration, et George sentit la main de Constance se crisper sur son bras. L'instant d'après, les McClellan s'excusèrent pour aller rejoindre le général Meade et madame. Lorsqu'ils furent assez loin pour ne plus être entendus, Constance dit à mi-voix :

— C'est ahurissant. Il y a quelque chose qui ne tourne pas rond chez un homme qui se proclame lui-même sauveur.

— Mac n'a jamais été un type ordinaire, plaida George. Ne nous hâtons pas de le juger. Dieu sait quelle tâche redoutable on lui a confiée.

— Je maintiens qu'il ne tourne pas rond.

George s'avoua *in petto* que McClellan lui avait laissé la même impression.

Portés par les mouvements de la foule des invités, les Hazard se retrouvèrent dans un groupe où se tenait Thad Stevens, l'avocat de Pennsylvanie qui serait le membre de la Chambre le plus influent de la commission de Wade. Presque tout le monde le trouvait bizarre, avec son pied-bot, son toupet de cheveux drus, et son air sinistre, éclairé seulement par une froide passion.

— Je ne suis pas de l'avis du président sur tous les sujets mais je partage son opinion sur un point au moins. Comme il l'affirme, l'Union n'est pas un simple contrat d'amour libre que n'importe quel Etat peut rompre à sa guise. Les rebelles ne sont pas des frères égarés, comme Mr. Greeley les appelle affectueusement, mais des ennemis, des ennemis acharnés du temple de la liberté qu'est notre pays. Pour ces ennemis acharnés, il ne peut y avoir qu'un sort : le châtiment. Nous devons libérer tous les esclaves, exécuter tous les traîtres, réduire en cendres toutes les demeures des rebelles. Si le pouvoir exécutif n'en a pas le cran, notre commission l'aura.

Le regard du zélote parcourut son auditoire impressionné.

— Je vous en fais la promesse solennelle, mesdames et messieurs, reprit Stevens. Notre commission l'aura.

Et il s'éloigna en claudiquant.

— Rentrons, Constance, décida George.

Madeline et Hettie, une servante, nettoyaient une malle piquée de moisissure quand des pas retentirent dans l'escalier menant au grenier.

— Miss Madeline ? Venez vite.

Lâchant son chiffon, la femme d'Orry se leva aussitôt.

— Qu'y a-t-il, Aristotle ?

— C'est miss Clarissa. Elle est sortie pour sa promenade, après le petit déjeuner et on l'a retrouvée dans le jardin.

Une peur glacée comme l'air de ce matin d'hiver saisit Madeline. Elle courut au jardin, vit Clarissa étendue sur la pelouse encore couverte de givre, entre deux buissons d'azalées. La mère d'Orry regarda sa belle-fille avec des yeux brillants, leva vers elle un regard implorant. Elle essaya de parler mais n'émit qu'une sorte de gargouillis.

— C'est une attaque, dit Madeline au domestique noir rongé d'angoisse.

Elle avait envie de pleurer. A présent, il lui faudrait remettre son départ jusqu'au rétablissement de sa belle-mère.

— Va chercher de l'aide pour la porter à l'intérieur.

Aristotle fila vers la maison, revint accompagné d'autres domestiques et, avec leur aide, souleva la vieille femme. Sous le corps frêle, le givre avait fondu, dessinant comme une ombre sur un champ de neige.

Le docteur sortit de la chambre de la malade à onze heures et demie. Avec un calme apparent, Madeline l'entendit déclarer que Clarissa était presque totalement paralysée du côté droit et qu'il lui faudrait peut-être un an pour se remettre.

47

Le jour du réveillon de Noël — un mardi — George n'était toujours pas parvenu à se défaire de la morosité qui l'assaillait depuis la réception en l'honneur de McClellan. La guerre, la ville et même le temps le déprimaient pour des raisons qu'il ne pouvait s'expliquer totalement.

Un feu fleurant bon éclairait l'âtre du salon, où la famille se tenait après le dîner. Patricia avait repris ses leçons de musique avec un professeur local mais, la suite exiguë ne permettant pas d'avoir un vrai piano, George avait acheté un petit harmonium. La fillette ouvrit un recueil de chants de Noël, appuya sur les pédales de l'instrument et se mit à jouer.

Constance sortit de la chambre avec trois gros paquets qu'elle plaça auprès des autres cadeaux, au pied du sapin décoré de guirlandes et de bougies. Derrière l'arbre, on avait mis des seaux d'eau et de sable, et on avait éteint toutes les lampes à gaz de la pièce. La lumière était douce, plaisante — tout à fait à l'opposé de l'humeur de George.

— Chante avec moi, papa, réclama Patricia entre deux vers.

Il secoua la tête, demeura sur son fauteuil. Constance s'approcha de l'harmonium, ajouta sa voix à celle de la petite fille. De temps à autre, elle jetait un coup d'œil à son mari, dont l'abattement l'inquiétait.

Après le chant, William demanda à son père :

— On peut ouvrir un de nos cadeaux ce soir ?

— Non. Tu m'as cassé les pieds avec ça toute la soirée. J'en ai assez.

— George, excuse-moi, intervint Constance. Il te l'a demandé une seule fois.

— Une ou cent fois, la réponse est non. William, nous ouvrirons les cadeaux demain matin après la messe.

— Après la messe ? s'écria le garçonnet. C'est trop long. Pourquoi pas après le petit déjeuner ?

— Parce que ton père en a décidé ainsi, dit Constance d'une voix douce mais avec un froncement de sourcils que George ne remarqua pas.

— C'est pas juste ! protesta William.

— Je vais te montrer ce qui est juste, petit impertinent...

— George ! fit Constance en s'interposant entre son fils et son mari. Essaie de te souvenir que c'est demain Noël. Tu nous traites comme des ennemis. Que se passe-t-il ?

— Rien — je ne sais pas — où sont mes cigares ?

Le dos tourné à sa famille, il se pencha vers le dessus de cheminée et son regard tomba sur le brin de laurier qu'il avait amené de Lehig Station. Il le prit par une de ses feuilles sèches et jaunies, le jeta dans le feu.

— Je vais me coucher.

Lorsque Constance vint le rejoindre, il dormait déjà, perdu dans un cauchemar où des obus explosaient avec une lenteur exquise sur la route de Churubusco. Une énorme tête de carnaval à l'expression mauvaise s'inclinait vers lui, menaçante, toujours plus grosse. Elle avait les traits de Thad Stevens et sa bouche immense, caverneuse, criait : « Libérer tous les esclaves, exécuter tous les traîtres, réduire en cendres toutes les demeures. »

Sur la route du Cub Run, le cheval tombé à terre. Le jeune zouave abat son mousquet sur la seule cible qu'il peut offrir à sa peur et à sa colère. Le cheval, fou de douleur, retrousse ses babines, découvre ses dents. Le zouave frappe à nouveau, le crâne se fend comme un fruit mûr, crache sa pulpe rouge en jets spasmodiques qui deviennent un flot.

La scène explose puis reapparaît. Tout recommence. Le zouave lève à nouveau son arme...

« Arrêtez. »

— George...

« Arrêtez, arrêtez ! »

Une voix d'enfant craintive :

— P'pa ? Maman, il va bien ?

— Oui, William.

« Arrêtez ! »

— Retourne au lit, William. Ce n'est qu'un cauchemar.

George s'éveilla, frissonnant dans le noir, et murmura :

— Seigneur.

— Là, dit Constance.

Elle le prit dans ses bras, releva les mèches de cheveux tombées sur son front moite, l'embrassa. Comme elle était douce et chaude. Il se blottit contre elle, honteux de sa faiblesse mais reconnaissant du réconfort que Constance lui apportait.

— A quoi rêvais-tu ? Ce devait être horrible.

— Au Mexique, au Bull Run. Je m'excuse d'avoir été si désagréable, ce soir. Je parlerai aux enfants dès leur réveil et nous ouvrirons les paquets. Je veux qu'ils sachent que je regrette ma conduite.

— Ils comprennent, ils savent que tu ne vas pas bien. Seulement, ils ne savent pas pourquoi. Moi-même, je ne suis pas sûre de le savoir. C'est la guerre ?

— Sans doute. Je ne supporte pas la malhonnêteté, la cupidité cachée derrière de beaux discours patriotiques. Tu sais que Stanley est en train de faire fortune, avec ses bottines ? Tu sais qu'elles ne tiendront pas une semaine sur les routes caillouteuses ?

— Je préférerais ne pas le savoir.

— Ce qui m'inquiète, c'est ce que Thayer a déclaré au dîner donné en son honneur. On ne construit pas une armée en trois mois, il faut deux ou trois ans.

— Il pense que la guerre pourrait durer aussi longtemps ?

— Oui. La guerre printanière, brève et saine, ce fut une cruelle illusion. Ce n'est jamais cela, la guerre. A présent, tout change. On assiste à l'ascension d'hommes comme Thad Stevens, qui veulent un massacre. Billy en réchappera-t-il ? Et Orry, et Charles ? Si je revois Orry un jour, m'adressera-t-il la parole ? Les longues guerres font les haines tenaces. Elles changent les hommes, elles les usent, les écrasent de désespoir lorsqu'elles ne les tuent pas rapidement. Regarde l'effet que cette guerre a sur moi.

Constance serra George contre sa poitrine, lui fit comprendre par son silence qu'elle partageait sa peur et n'avait pas de réponse à ses questions. Dehors, il avait recommencé à neiger.

De tout l'automne, Charles Main n'avait tiré que trois coups de feu. Chaque fois, il s'était trouvé à la tête d'un détachement d'éclaireurs aventuré bien au-delà des trous de tirailleurs que l'infanterie de Hampton avait creusés le long des défenses confédérées ; chaque fois il avait eu pour cible des cavaliers yankees en fuite. Il avait blessé l'un d'eux, manqué les autres.

Ces trois coups de feu rendaient parfaitement compte des mois écoulés depuis Manassas : pas d'événements majeurs, à l'exception de la victoire encourageante de Ball's Bluff, à la fin du mois d'octobre. Dans le Nord, on avait accusé d'incompétence, voire de trahison, le commandant de l'Union qui avait ordonné à ses hommes de traverser le Potomac. Repoussés par les Confédérés, de nombreux soldats nordistes étaient tombés sous le feu de l'ennemi ou s'étaient noyés. Shank Evans, un Carolinien du Sud que Charles avait affronté au Texas dans les courses de chevaux, s'était distingué à Ball's Bluff comme il l'avait fait à Manassas. Il semblait cependant peu probable qu'il obtienne de l'avancement car il buvait et était d'un tempérament violent.

En revanche, la promotion de Hampton au grade de général de brigade paraissait assurée. Il jouissait de la faveur de Johnston, à qui était échu le commandement de toute la Virginie dans le cadre de la réorganisation qui avait suivi Ball's Bluff. Le Vieux Bory, tenu en échec, était relégué au commandement du district du Potomac. En fait, Hampton remplissait les fonctions de général de brigade depuis novembre puisqu'il avait sous ses ordres trois régiments d'infanterie supplémentaires : un de Géorgie, deux de Caroline du Nord. Calbraith Butler commandait la cavalerie, qui assurait les tâches les plus diverses, de la reconnaissance des positions yankees à la protection des chariots de l'officier trésorier.

Charles avait profité de ses deux seuls jours de permission pour se rendre dans le comté de Spotsylvania. Après une longue et épuisante chevauchée, il avait facilement trouvé la ferme Barclay... pour découvrir que sa propriétaire était absente. Washington, le plus vieux de ses deux affranchis, l'avait informé qu'elle s'était rendue à Richmond avec Boz, le plus jeune, pour vendre la récolte d'avoine. Charles retourna au front en proie à une morosité que des heures de pluie battante ne contribuèrent pas à dissiper.

La légion avait établi ses quartiers d'hiver près de Dumfries. Le soir du réveillon, Charles se trouvait seul dans la hutte de rondins et de torchis qu'il avait construite avec Ambrose, sans l'aide d'un seul Noir. Excepté quelques obstinés comme Custom Cramm III, la plupart des soldats avaient mieux aimé renvoyer leurs esclaves chez eux plutôt que les voir s'enfuir.

On avait sonné la retraite une demi-heure plus tôt mais il n'y aurait pas de couvre-feu à cause de la fête du lendemain. Ambrose, qui était de patrouille, avait quitté le camp avant la nuit en direction de Fairfax Courthouse pour une surveillance de routine des lignes de l'Union. Son détachement comprenait le soldat de deuxième classe Nelson Gervais, à qui Miss Sally Mills avait promis sa main grâce aux talents épistolaires de Charles. Les deux jeunes gens projetaient de se marier à la première permission de Gervais.

Un petit feu brûlait dans la cheminée faite de briques chapardées dans la plus pure tradition de la cavalerie par le sergent Reynolds. La hutte, qui mesurait quatre mètres sur quatre, comportait deux bancs disposés de chaque côté, un râtelier pour les sabres et les fusils, du mobilier de fortune : une table, simple assemblage de grosses planches sur un tonneau, deux chaises au dossier arrondi taillées dans des barils de farine. Ambrose s'y connaissait en menuiserie, même s'il se plaignait que ce fût un travail d'esclave.

Bien que le feu rendît l'endroit confortable, Charles n'était pas de la meilleure humeur. La soirée avait mal commencé, le bœuf en conserve servi au dîner se révélant immangeable. Malgré la salaison, il avait une couleur violacée et un aspect gluant. Il avait fallu se contenter de pois et de biscuits.

Pour Noël, on avait promis de la dinde, des patates douces et du pain d'avoine frais, mais Charles ne croirait à ce festin que lorsqu'il l'aurait sous les yeux. Ses hommes haïssaient l'Intendance et réservaient à Northrop, l'officier qui la dirigeait, des injures aussi fleuries, voire davantage, que celles dont ils couvraient le vieil Abe.

Les colis envoyés par la famille contrebalançaient dans une certaine mesure cette baisse récente de la qualité des rations. Charles avait devant lui, posé sur la table, un de ces paquets — ou ce qui en restait. Il était arrivé de Richmond dans l'après-midi, précédé d'une lettre d'Orry l'informant qu'il était à présent lieutenant-colonel au ministère de la Guerre et coincé à un poste qu'il n'aimait pas.

Orry avait pris la précaution de joindre à la lettre une liste de ce que contenait le colis : deux oranges, qui arrivèrent écrasées mais mangeables ; deux numéros du *Southern Illustrated News*, dont un comportant un long article sur la victoire de Ball's Bluff. La liste mentionnait aussi quatre romans, qui avaient disparu du paquet éventré.

La déchirure de l'emballage expliquait probablement la moisissure verte qui recouvrait les deux douzaines de gâteaux secs. De son couteau, Charles gratta l'un d'eux, le mangea. Cela irait. Il essuya la lame à sa manche gauche qui, comme le reste de son uniforme, avait pris une patine de crasse dont aucun nettoyage ne viendrait à bout.

Orry avait aussi envoyé trois petits pots de confiture, qui s'étaient tous fendus et que Charles avait dû jeter. Enfin, le paquet contenait un gâteau au chocolat qui semblait être passé sous un boulet de canon mais dont on pouvait récupérer les débris.

Charles sortit sa montre de sa poche : huit heures et demie. Il avait ce soir des obligations à remplir — certaines officielles, d'autres pas — et ferait bien de commencer à s'en acquitter. De ses ongles, il gratta la barbe qu'il se laissait pousser pour avoir chaud aux joues et dont les poils mesuraient déjà plus de deux centimètres. Un vrai nid à poux mais jusqu'à présent, il avait réussi à tenir les petites bêtes à l'écart. A la différence de nombre de ses hommes, il se lavait en effet le plus souvent possible, non seulement parce qu'il détestait se sentir sale mais parce que, dans la perspective d'une soirée en tête à tête avec Gus Barclay, il ne tenait pas à ce que ses parties intimes soient infestées de vermine. Cela tuerait tout romantisme.

Le visage de la jeune femme revenait souvent dans ses pensées ces temps derniers et, ce soir-là, il lui apparaissait avec une netteté particulière. Il se sentait solitaire et aurait voulu être à la ferme, écoutant Augusta lui réciter des vers de Pope devant une tasse de vin chaud.

Il secoua la tête, se leva, mit son képi au moment où une voix de ténor entonnait *Sweet Hour of Prayer*. Chantonnant lui aussi, il attacha son revolver à sa taille, décrocha ses gants de leur clou. En franchissant la porte, il découvrit qu'il neigeait. Ambrose serait de retour à minuit et ils déboucheraient alors une bouteille de gnôle achetée au cantinier. Peut-être devraient-ils organiser d'abord une bataille de boules de neige : l'inaction rendait les soldats irritables et querelleurs.

Trois soldats originaires de la région de Savannah sortirent de leur tente pour regarder avec étonnement les flocons blancs tombant entre les grands arbres sombres.

— C'est la première fois que vous voyez de la neige, les gars ? leur demanda Charles en s'approchant.

— Oui, mon capitaine.

— Attention, capitaine Main. Une boule de neige pourrait envoyer votre képi en l'air.

En riant, Charles descendit la rangée de tentes d'hiver faites de palissades de rondin surmontées de toile. Il entendit sur sa gauche un bruit familier et furieux, se tourna dans cette direction. Il fit quelques pas, découvrit le coupable, pantalon et caleçons sur les chevilles.

— Bon sang ! Pickens. Je vous ai déjà dit d'utiliser les feuillées. Ce sont des types comme vous qui propagent la maladie dans le camp.

— Je sais ce que vous m'avez dit, mon capitaine, plaida le jeune garçon, effrayé, mais j'ai la courante...

— Les feuillées, répéta Charles, impitoyable. Allez.

Remontant maladroitement ses vêtements, le soldat s'éloigna en marchant de côté comme un crabe. Charles regagna l'allée, se dirigea vers l'entrée du camp : deux piliers et une arche faits de branches écorcées et tressées ensemble. Une œuvre d'art, cette grille. Elle tiendrait jusqu'au printemps, date à laquelle ils partiraient probablement en campagne contre McClellan.

Charles passa devant des sentinelles à qui il rendit leur salut sans vraiment les voir. Le visage de Gus Barclay l'obnubilait. Parvenu devant une hutte deux fois plus grande que la sienne, il demanda au caporal montant la garde ;

— Comment va le prisonnier ?

— Il a pas arrêté de râler pendant une demi-heure, mon capitaine. Mais comme je répondais pas, il a fini par la fermer.

— Libérez-le. Personne ne doit être puni le soir du réveillon.

Le caporal hocha la tête, se baissa pour entrer dans la hutte. Charles le suivit, partagé entre la mansuétude et le sentiment de mal faire ; l'homme emprisonné juste avant l'appel du soir était l'éternelle forte tête, le soldat Cramm. Le sergent Reynolds lui ayant donné un ordre qui ne lui plaisait pas, Cramm s'était gratté la gorge et avait craché bruyamment au moment où le sous-officier s'éloignait. Charles avait ordonné de le boucler pour la nuit.

Le prisonnier, assis sur la terre battue de la cabane, regarda l'officier avec des yeux mauvais. Il avait les poignets attachés à un rondin passé derrière ses genoux.

— Vous ne le méritez pas, Cramm, mais je vais vous libérer parce que c'est Noël. Le caporal vous conduira à votre tente et vous y resterez jusqu'à la diane. Compris ?

Le puni, détaché par le caporal, se frotta les poignets en grimaçant, comme s'il souffrait atrocement. Son regard n'exprimait aucune gratitude mais un profond mépris.

— Oui, mon capitaine, bougonna-t-il.

Sentant monter sa colère, Charles s'empressa de sortir.

La neige tombait à présent plus dru. Charles devait encore rendre la visite la plus importante de la soirée et décida de le faire sans attendre. En remontant l'allée, il passa devant une tente à l'intérieur de laquelle quelqu'un gémissait :

— Oh ! seigneur. Seigneur !

Il reconnut la voix de Reuven Sapp, neveu du docteur qui avait drogué Madeline LaMotte au laudanum pendant si longtemps. Ce jeune garçon de dix-neuf ans ferait un excellent cavalier le jour où il ne se laisserait plus intimider par ses camarades plus braillards et moins compétents.

— Oh ! seign...

Charles frappa, entra aussitôt. Un soldat aux cheveux blonds assis sur un des lits de camp et tenant une lettre à la main releva la tête.

— Capitaine ! Je ne savais pas qu'il y avait quelqu'un tout près...

Charles ôta son képi, en fit tomber la neige, descendit trois marches en planches jusqu'au sol, creusé pour mieux protéger la tente du froid.

— Où sont tes camarades ?

— Partis à la chasse au lapin, répondit Sapp en s'efforçant de reprendre une voix normale. C'était maigre, le rata, ce soir.

— Infect, approuva l'officier. Puis-je m'asseoir ?

— Certainement, mon capitaine. Excusez...

Comme le soldat se levait, l'officier lui fit signe de se rasseoir et attendit, persuadé qu'il finirait par lui raconter ce qui n'allait pas. Charles avait raison : montrant la lettre, Sapp dit d'un ton hésitant :

— En août dernier, j'ai écrit à une fille pour lui demander si elle voulait de moi comme soupirant. Elle m'a envoyé un cadeau de Noël mais elle répond dans cette lettre que je suis pas assez respectable parce que je vais pas à l'église...

— Alors nous sommes deux à ne pas être respectables. C'est vraiment dommage de recevoir une nouvelle comme ça pour Noël. Je voudrais pouvoir...

Les larmes du seconde classe interrompirent Charles.

— Mon capitaine, j'ai le mal du pays. J'ai honte mais j'y peux rien. Cette foutue guerre me dégoûte.

Sapp se pencha en avant, cacha sa face dans ses mains. Charles s'approcha de la couchette, posa une main sur l'épaule secouée de sanglots.

— Moi aussi, j'ai souvent le mal du pays, Reuven. Ne te culpabilise pas. (Le jeune garçon leva vers son capitaine un visage rouge et humide.) Oublie tout ça. Oublie aussi la règle qui interdit aux hommes de troupe de boire avec les officiers. Passe à ma hutte dans un moment, je te donnerai un remontant.

— Je bois pas d'alcool, dit Sapp en reniflant. Merci quand même, mon capitaine.

Charles hocha la tête, sortit de la tente en espérant qu'il avait quelque peu réconforté le soldat.

Il reprit sa route vers les abris aux toits en pente où couchaient les chevaux, entendit les bêtes avant de les voir. Elles semblaient nerveuses. Le ventre du capitaine se contracta quand il aperçut une silhouette accroupie près de Joueur. En trois enjambées, Charles fut sur l'homme, le saisit par le col, le tourna vers lui. C'était un sous-officier placé directement sous les ordres de Calbraith Butler.

— Ce sont « mes » planches que vous essayez de voler, sergent. Je les ai placées sur le sol pour que mon cheval ait les jambes au sec. Allez chercher ailleurs du bois de chauffage pour le major Butler. Et remerciez votre bonne étoile, je ne lui parlerai pas de l'incident.

Charles poussa le voleur loin des chevaux agités, lui botta le train pour faire bonne mesure. Le sous-officier déguerpit sous la neige sans un regard en arrière.

Joueur reconnut son maître, qui ôta ses gants pour redresser la lourde couverture grise protégeant l'animal. Charles s'agenouilla dans la boue pour vérifier que les planches offraient une assise stable aux sabots du hongre. Puis il s'avança vers la mangeoire quasi vide, roula entre ses doigts un reste de fourrage : de la paille sèche, de mauvaise qualité. Déjà les pâturages d'hiver devenaient rares car les milliers de chevaux de la cavalerie et de l'artillerie tondaient rapidement toutes les prairies de Virginie.

Charles flatta l'encolure de Joueur puis, décrochant une lanterne pendue à un clou, passa lentement derrière les chevaux. Les bêtes s'étaient calmées depuis le départ du voleur. Elevant sa lanterne, il chercha des signes de maladie, ne vit rien d'alarmant. Un petit miracle.

Quel ramassis de canassons ! Depuis la fin de l'été, plus question d'avoir des bêtes de la même couleur. La plupart des bais étaient morts au printemps à cause des maladies, du manque de soins ou sous le feu de l'ennemi. On avait dû les remplacer par des animaux bruns ou rouans, gris comme Joueur, et même par un pie aux lignes lourdes de cheval de trait. Pourtant les Yankees vivaient toujours dans la frayeur d'une diabolique cavalerie de *Black Horse* en grande partie imaginaire. Curieux.

Les chevaux le firent penser au printemps, si lointain et si différent qu'il semblait appartenir à une autre année, à une autre vie. Le changement avait été brutal. Il y avait plus d'un mois qu'il n'avait pas entendu Ambrose chanter *Young Lochinvar* et si les hommes lisaient toujours Walter Scott, ils n'y cherchaient plus des leçons de chevalerie. A présent, la conduite de l'officier yankee lancé à la recherche de la passeuse de quinine aurait paru étrange et imbécile. Charles se surprit à espérer qu'Ambrose rentrerait tôt pour qu'ils puissent se mettre à boire.

De retour dans sa hutte, il sortit la bouteille, certain que le lieutenant ne tarderait plus : il était déjà onze heures. Pour se protéger du froid, il s'allongea sur son lit de camp, se glissa sous les couvertures et finit par s'endormir. Il se réveilla en sursaut, se frotta les yeux, regarda sa montre.

Trois heures et quart.

— Ambrose ?

Pas de réponse.

Engourdi par le froid, il roula sur le côté, constata que l'autre couchette était vide. Ne parvenant pas à retrouver le sommeil, il se leva, fit le tour des sentinelles. Il trouva l'une d'elles endormie, faute passible du peloton d'exécution. Mais c'était Noël, et Charles se contenta de réveiller le jeune garçon et de le réprimander avant de poursuivre sa route.

A la grille, il demanda au garde si le détachement du lieutenant Pell était rentré.

— Non, mon capitaine. Ils sont drôlement en retard, hein ?

— Ils rentreront bientôt, j'en suis sûr, répondit Charles.

Un pressentiment lui souffla qu'il mentait.

Il retourna inspecter les chevaux, refit le tour des sentinelles. La neige avait cessé de tomber pendant son sommeil. Charles attendit jusqu'aux premières lueurs orangées de l'aube. Personne ne franchit la grille du camp : Ambrose ne reviendrait pas. Aucun de ceux qui l'accompagnaient ne reviendrait. Charles songea que Nelson Gervais en faisait partie et qu'en plus des lettres aux familles, il lui faudrait aussi écrire à Miss Sally Mills.

Les changements arrivaient, inexorables comme les saisons. Walter Scott avait disparu ; McClellan attendait de faire son entrée.

De retour dans sa hutte, le capitaine Main courba la tête, avala plusieurs fois sa salive en serrant les dents puis se redressa. Sans même enlever ses gants, il saisit la bouteille de tord-boyaux, ôta le bouchon avec ses dents et la vida avant la diane.

LIVRE TROIS

UN ENDROIT
PIRE QUE L'ENFER

Le peuple s'impatiente : Chase n'a pas d'argent ; le général commandant l'armée de terre a la typhoïde. Le baquet n'a plus de fond. Que dois-je faire ?

Abraham Lincoln au général Montgomery Meigs, directeur de l'Intendance militaire, 1862.

— CAVALIERS DROIT
devant, mon capitaine.

Charles, monté sur Joueur, se tenait sous un grand saule où il avait arrêté son détachement pour attendre le rapport de l'éclaireur. Ils étaient six et revenaient du quartier général de Stuart en ce troisième jour de 1892 : Charles ; le lieutenant remplaçant Ambrose Pell ; le sous-lieutenant Julius Wanderly ; deux sous-officiers et l'éclaireur Abner Woolner, qui venait de surgir du brouillard.

L'hiver virginien se révélait cruel, et bien que la température fût ce matin-là au-dessus de zéro, le froid saisissait Charles à travers ses vêtements. Il était un peu plus de sept heures et on ne voyait pas au-delà de quelques mètres. Le monde se réduisait au sol boueux, aux piliers noirs et humides des troncs d'arbres, à une brume blanche, que le soleil rendait lumineuse mais ne parvenait pas à percer.

— Combien sont-ils, Ab ? demanda Charles.

— Pas pu voir dans cette purée de pois, mais au moins une escouade.

L'éclaireur, homme efflanqué d'une trentaine d'années, portait un pantalon de velours maculé de boue, une veste de paysan et un chapeau mou cabossé. Il essuya le bout de son nez, où pendait une goutte, avant de poursuivre :

— Ils avancent tranquillement, de l'autre côté de la voie ferrée.

La ligne Orange et Alexandria. Le détachement de Charles devait la traverser en revenant du camp Qui Vive.

— Dans quelle direction vont-ils ?

— Vers le Potomac.

Ce qui signifiait que les cavaliers étaient presque à coup sûr yankees. Peut-être s'étaient-ils glissés derrière les lignes confédérées pour arracher des rails pendant la nuit.

Calbraith Butler avait envoyé Charles au camp de Stuart pour trois raisons, dont une tenant à la personne du capitaine. La cavalerie du major n'avait plus de fourrage, il fallait en réclamer et Butler avait pensé qu'une requête présentée par un vieil ami du général de brigade (Stuart avait obtenu son avancement, Hampton attendait toujours le sien) serait plus promptement prise en considération qu'une lettre envoyée par courrier.

Le détachement demeura deux jours au camp et Beauty, plus joyeux que jamais, s'épanouissant dans ce climat de guerre, avait invité Charles dans sa petite maison de Warrenton où il avait installé sa femme, Flora, son fils et sa fille. Bien sûr qu'il pouvait prêter un peu d'avoine à des frères dans le besoin ! En automne, il avait ramené de Dranesville un convoi entier de fourrage — en prenant quelques risques. Il avait manœuvré trop hardiment, comme à son habitude, et l'infanterie de Pennsylvanie, lui tendant une embuscade, l'avait contraint à livrer pendant deux heures une bataille au cours de laquelle il avait failli perdre le convoi.

Mais il s'était finalement sorti de sa fâcheuse situation et plusieurs chariots de fourrage seraient rapidement envoyés au major Butler, avec les compliments du général Stuart. Beauty s'enquit poliment de la santé du colonel Hampton et Charles en conclut que, à cet égard, rien n'avait changé : Stuart reconnaissait les mérites de son aîné mais n'avait aucune sympathie pour lui.

La seconde raison de Calbraith Butler concernait le remplaçant d'Ambrose Pell. Venu de Richmond l'avant-veille de la nouvelle année, l'homme avait, selon ses dires, attendu deux mois avant d'être envoyé au front. Butler, qui voulait savoir comment il se comporterait sur le terrain, avait pris Charles Main à part, le lendemain de l'arrivée du nouveau.

— On nous l'a refilé parce qu'il est plus ou moins apparenté au Vieux Pete ou à sa famille. (Le Vieux Pete était le général de division Longstreet, originaire de Caroline du Sud.) Quand j'ai signalé la disparition de Pell, son remplaçant est arrivé si vite que quelqu'un devait attendre l'occasion de se débarrasser de lui. Je lui ai parlé il y a une demi-heure, il m'a fait l'impression d'un crétin et d'un intrigant. Dangereuse combinaison, Charles. Soyez sur vos gardes.

Le lieutenant Reinhard von Helm, citoyen de Charleston d'ascendance allemande, avait huit ou neuf ans de plus que Charles. Petit, mince, le crâne chauve cerné d'une couronne de cheveux bruns, il avait un dentier mal adapté à sa bouche qui le faisait souffrir.

Il prétendait avoir délaissé son cabinet d'avocat pour répondre à l'appel des armes, et cette confidence, ainsi que les noms de personnalités de Charleston citées dans la conversation impressionnèrent beaucoup Wanderly. Aussi le sous-lieutenant devint-il le compagnon inséparable de von Helm dès qu'il eut fait sa connaissance.

Le jour de l'an, Chester Moore, officier d'une autre unité originaire lui aussi de Charleston, avait invité Charles dans sa hutte pour lui offrir à boire et lui révéler des détails supplémentaires sur le lieutenant von Helm.

— Il était effectivement avocat mais guère brillant. En réalité, c'était son père et ses trois associés qui assuraient la réussite du cabinet. Sous la pression du paternel, le fiston y était entré. Grave erreur. L'argent qu'il hérita et la grande vie achevèrent de le pourrir. Lorsqu'on lui permettait de plaider quelque affaire sans importance, il était généralement ivre. Une fois le père dans la tombe, les autres associés mirent le fils à la porte et aucun autre cabinet ne voulut de lui. Seule sa fortune l'empêcha de sombrer totalement. C'est un incapable, Charles. Qui plus est, il le sait. Les ratés sont souvent vindicatifs. Méfiez-vous.

— Capitaine ? fit l'éclaireur. Vous voulez que je retourne les regarder de plus près ?

— Pour quoi faire ? intervint von Helm en approchant sa monture de celles des deux hommes. Ils sont forcément des nôtres.

Charles se sentait recru de fatigue et mort de froid.

— Vous en êtes certain, lieutenant ?

— Naturellement. Pas vous ? répliqua von Helm, d'un ton soulignant la stupidité du capitaine. Le mieux, c'est de leur faire signe pour qu'ils ne nous tirent pas dessus par erreur. J'y vais.

— Une minute, dit Charles.

Mais von Helm éperonnait déjà sa monture et fonçait dans le brouillard.

— Il y a en lui un peu de la fougue de Stuart, n'est-ce pas ? commenta le sous-lieutenant Wanderly, admiratif.

Charles n'eut pas le temps d'exprimer une opinion contraire. La voix de von Helm retentit dans la brume blanche, d'autres s'élevèrent en réponse :

— Qui va là, un rebelle ?

— Bien sûr que c'est un rebelle. Tu reconnais pas l'accent ?

— Hé, tu couches avec combien de négresses ?

Lorsque des coups de feu claquèrent, Charles leva son fusil de chasse et ordonna au détachement de le suivre au trot. Tête baissée, il évitait les branches basses et autres obstacles que le brouillard cachait jusqu'au dernier moment. Derrière lui, Wanderly poussa un long cri d'excitation. Une balle cassa une brindille qui effleura l'œil de Charles. Aller plus vite présentait un grand risque du fait du brouillard et de la nature du terrain, mais le capitaine s'y vit contraint pour sauver le lieutenant sans cervelle.

— Au galop !

Joueur obéit à la pression des genoux de son maître, qui entendit tonner la carabine de von Helm. Presque aussitôt après, le lieutenant se mit à jurer, sans doute parce qu'il avait des difficultés à recharger. « L'imbécile, pensa Charles. Jamais Hampton ne se lancerait ainsi au combat sans connaître la force de l'ennemi. »

Courbé pour passer sous les branches défilant au-dessus de lui, Charles entrevit des éclairs orangés dans la brume et entendit des coups de feu se succédant à une rapidité incroyable. Ou les Yankees étaient plus nombreux que Woolner ne l'avait estimé, ou ils tiraient sans presque s'arrêter.

Cette réflexion détournant son attention, il découvrit trop tard le tronc d'arbre abattu qui lui barrait le chemin. Du fait de sa vitesse et de sa position en tête du détachement, il ne pouvait plus tourner. L'éclaireur galopait derrière lui, la bride entre les dents, un revolver dans chaque main.

— Woolner, à gauche ! cria Charles. Il y a un arbre devant !

Joueur et son cavalier étaient déjà sur l'obstacle. Aucun chapitre du manuel sur le franchissement de la double barrière ne pouvait l'aider ; il ne pouvait compter que sur son instinct et les qualités de son cheval. Il serra cuisses et jambes, tira légèrement sur la bride.

« Bon Dieu ! ce tronc fait au moins un mètre cinquante de diamètre... »

Charles se pencha en avant au moment où Joueur s'apprêtait à sauter et se dressa sur les étriers. Soudain, l'homme et l'animal quittèrent le sol, s'envolèrent, retombèrent de l'autre côté de l'arbre. Le hourra de

Woolner apprit à Charles que l'éclaireur avait entendu l'avertissement à temps et évité l'obstacle. Wanderly, médiocre cavalier, tira trop vite sur les rênes avant d'arriver au tronc d'arbre et passa par-dessus sa monture. Les deux sous-officiers, effrayés, laissèrent leurs bêtes lancées au galop passer de chaque côté de l'arbre.

Entre les oreilles rabattues de Joueur, Charles aperçut trois ou quatre Yankees descendus de cheval et faisant feu derrière un talus. Von Helm avait mis pied à terre lui aussi, s'était abrité et tirait alternativement au revolver et à la carabine.

Celui qui commandait la petite troupe yankee donna soudain l'ordre de remonter à cheval et de battre en retraite. Une balle siffla à l'oreille de Charles, le sous-officier qui le suivait poussa un cri, porta la main droite à son bras gauche et faillit tomber avant de ressaisir les rênes qu'il avait lâchées. Le blessé s'agrippa à son cheval qui continua à galoper en obliquant vers la gauche.

Charles chercha parmi les ennemis, à présent en selle, l'homme qui tirait aussi rapidement. Il le trouva. Le jugeant à sa portée, il mit Joueur au trot, abaissa son fusil de chasse et fit feu. La double charge projeta en arrière le Yankee, qui roula des yeux horriblement blancs au moment où il s'effondrait.

Woolner abattit deux autres Nordistes et von Helm un troisième. Les autres, dont le nombre demeurait un mystère, s'éparpillèrent dans le brouillard.

Lorsque le bruit de sabots s'éloigna, von Helm sortit de son abri en brandissant sa carabine et cria :

— Va dire au Gorille que nous délaissons nos négresses quand il y a du Yankee à étriller !

— Youpie ! s'exclama l'un des sous-officiers en guise d'approbation.

Il ôta son képi, s'en frappa la jambe et partit au galop secourir son camarade tombé à terre. Manifestement, le caporal était impressionné par la bravade du lieutenant, dont la témérité aurait pourtant pu les faire tous tuer.

Charles se laissa glisser de sa selle, appuya le fusil de chasse aux canons brûlants contre un arbre et s'efforça de réprimer les frissons qui s'emparaient de lui. Il se retourna, cria au brouillard :

— Comment va Loomis ?

— Une simple éraflure, mon capitaine. Je m'en occupe.

Charles s'approcha du talus en disant à Helm :

— Nous avons eu de la chance. Si nous nous étions frottés à une troupe plus nombreuse...

Le lieutenant répliqua d'un ton agressif :

— Ce ne fut pas le cas.

Ils découvrirent trois Nordistes morts, un quatrième qu'une blessure au ventre faisait gémir. Il faudrait l'emmener pour lui donner des soins, mais il ne survivrait pas longtemps de toute façon : les blessures au ventre étaient souvent fatales.

Woolner et le sous-officier indemnes accoururent, prêts à jouer aux charognards. La première fois que Charles s'était permis une telle conduite, il avait eu l'impression d'être une goule. A présent, il récupérait sans aucune gêne tout ce qui pouvait l'aider à combattre mieux et plus longtemps.

Le caporal, agenouillé sur la poitrine d'un cadavre, s'employait à lui fouiller les poches. Ne trouvant qu'une pipe et un peu de tabac, il grommela :

— Merde.

Au même instant, Charles vit ce qu'il cherchait, en bas du talus, dans l'herbe jaunie. Von Helm, qui avait eu probablement la même idée, le découvrit aussi et tenta de passer devant son capitaine. Charles l'écarta en déclarant :

— C'est pour moi. Une chose encore : la prochaine fois, attendez mes ordres ou je vous fais passer en cour martiale.

Von Helm serra ses fausses dents, tourna les talons et s'éloigna.

— C'est bien vrai, ce qu'on dit, marmonna le caporal en se penchant vers les pieds du soldat mort. Ces Yankees, y a rien à en tirer à part une paire de godasses...

Il ôta la chaussure droite, jura en s'apercevant que la semelle était décollée, regarda à l'intérieur.

— *Lashbrook of Lynn*. Qu'est-ce que ça veut dire ?

Personne ne prit la peine de lui répondre. Un peu calmé, Charles se laissa glisser en bas du talus, ramassa l'arme tombée dans l'herbe. D'un aspect totalement nouveau pour lui, elle mesurait environ cent vingt centimètres et présentait une mystérieuse ouverture au bout de la monture. Le nom du fabricant était inscrit au-dessus du magasin :

Cie Spencer, carabine à répétition.
Boston, Mass.
Breveté le 6 mars 1860

Un déclic se fit dans la mémoire de Charles, qui se rappela un article d'un des nombreux journaux de Washington qu'on lisait derrière les lignes sudistes. Une unité spécialement constituée et commandée par un tireur d'élite new-yorkais avait reçu ou devait recevoir une carabine à répétition d'un type nouveau. Se trouvait-il devant une de ces armes — volées, peut-être ? A sa connaissance, l'unité était encore à Washington.

La mort avait relâché les sphincters des cadavres, mais, malgré la puanteur envahissant le talus, Charles se refusait à partir sans les munitions correspondant à la carabine. Il trouva le soldat qui s'en était servi. Woolner l'avait déjà délesté de ce qu'il avait dans les poches, délaissant toutefois trois curieux chargeurs tubulaires. Charles en prit un, l'ouvrit, vit à l'intérieur sept cartouches en cuivre alignées l'une derrière l'autre. Il comprit la fonction de la mystérieuse ouverture.

L'éclaireur rejoignit le capitaine.

— C'est l'arme qui canardait si vite ? Jamais vu un truc pareil.

— Espérons que nous n'en verrons pas d'autre. J'ai récupéré les munitions. Je veux l'essayer.

Le soleil perçait à présent le brouillard de longs rayons brillants. Charles et ses hommes jetèrent le blessé yankee en travers du cheval de Loomis et, abandonnant les morts, reprirent la direction du camp. Lorsqu'ils y parvinrent, Loomis toucha le Nordiste, dont le sang n'avait cessé de couler sur le pelage de la bête.

— Hé, Yank, réveille-toi !

S'apercevant qu'il était mort, le sous-officier pâlit, perdit conscience et tomba de cheval.

Epuisé et encore un peu secoué, Charles ordonna qu'on s'occupe du cadavre, libéra ses hommes puis entreprit de bouchonner Joueur, de lui donner à manger et à boire. Von Helm se débarrassa négligemment de cette corvée en trois fois moins de temps que son capitaine.

Quand Charles eut terminé, il tapota le flanc de son cheval puis se rendit au mess pour calmer les grondements de son estomac. Von Helm, lui, avait aussitôt regagné la hutte qu'il partageait avec son capitaine. Au cours des premiers jours de cohabitation, les deux hommes ne s'étaient guère parlé plus que le service ou la politesse ne l'exigeaient. Désormais, les échanges seraient encore plus restreints s'il ne tenait qu'à Charles.

La journée était bien avancée lorsqu'il fit son rapport à Calbraith Butler :

— Ce fut à mon avis un engagement tout à fait inutile et que nous aurions dû éviter.

La silhouette du major, penché au-dessus de son fauteuil, se dessinait dans le soleil qui brillait à présent au-dehors.

— Vous ne me dites pas tout ? Ab Woolner est aussi passé me voir. Il est de votre avis mais m'a également raconté comment le détachement s'est débandé. Von Helm vous a entraîné.

— C'est la première et la dernière fois, promit Charles.

— Je vous avais prévenu, reprit Butler, d'un ton exprimant moins la réprimande que la compréhension. Peut-être pourrai-je obtenir une nouvelle mutation de ce petit animal nuisible. Je dois dire qu'il a fait grosse impression sur Wanderly. Votre sous-lieutenant chante ses louanges et le compare à Stuart, dont il illustre parfaitement selon lui le premier axiome : « Au galop pour charger l'ennemi, au trot pour s'en éloigner. » Aucune importance s'il n'y a plus personne pour trotter après la charge.

— Je m'occuperai de von Helm, assura Charles avec plus de confiance qu'il n'en éprouvait. Toujours rien sur Ambrose ?

— Non. Franchement, je ne crois pas que nous saurons un jour ce qui s'est passé.

Le capitaine hocha la tête d'un air grave puis parla de l'arme qu'il avait récupérée.

— Je veux l'essayer, dit-il après l'avoir décrite. Même si elle ne me servira plus à rien lorsque j'aurai tiré les vingt et une balles contenues dans les trois tubes.

— J'aimerais assister aux essais.

— Il y a exercice de tir demain. Je passerai vous prendre.

Charles salua d'une main lasse et quitta son commandant. Répugnant à rejoindre von Helm, il retourna s'assurer que Joueur était bien couvert et se tenait sur les planches, les sabots au sec. Passant lentement la main sur l'encolure tiède du cheval gris, il se sentait triste et furieux à la fois.

C'était le lot du soldat après presque toute bataille. Personne ne pouvait expliquer pourquoi cette réaction était si fréquente mais l'expérience le lui avait appris. Voir Gus Barclay le tirerait peut-être de son état dépressif. Au moment même où Charles songeait à elle, il se rappela que ce n'était pas raisonnable. La guerre n'était pas le bon moment pour avoir une liaison.

La détonation se répercuta dans les bois. Percée en son milieu, la cible en papier fixée à un arbre claqua dans la lumière pâle de l'après-midi.

Charles abaissa le pontet de l'arme, éjectant la douille de la culasse. Il releva le pontet, arma la carabine, tira. Abaisser le pontet, relever, armer, tirer. Une demi-douzaine de soldats l'entouraient et le regardaient, l'air plus étonné à chaque coup de feu. Ab Woolner se gratta l'entrejambe en marmottant :

— Doux Jésus.

Calbraith Butler avait compté à voix haute en frappant sa botte de sa badine à poignée d'argent. Lorsque l'écho de la dernière détonation mourut, la partie inférieure de la cible se détacha et tomba en voletant. Butler regarda Charles.

— Cela fait sept balles en treize secondes environ.

Un des soldats ramassa les douilles en cuivre, sans doute pour les garder comme souvenir. Charles posa la crosse de l'arme sur la pointe craquelée de sa botte et hocha la tête, l'air maussade. Il sentait à travers son gant la chaleur du canon bleuté. Ce fut l'éclaireur qui exprima ce que tous pensaient :

— Pourvu que les Yankees aient pas trop d'engins comme ça. Ils pourraient les charger le lundi et nous tirer dessus le reste de la semaine.

Charles retourna à sa hutte d'un pas lourd, mit l'arme à répétition au râtelier et rangea les deux derniers chargeurs dans sa cantine. Von Helm était sorti — tant mieux. Charles se rappela les mises en garde du cousin Cooper sur la supériorité de l'industrie nordiste et songea que cette carabine en apportait une preuve de plus. Etait-il cynique de ne pas souscrire aux proclamations de ceux, très nombreux dans l'armée, qui croyaient avec une absolue certitude que le cran et la bravoure triompheraient d'un meilleur armement ?

Il alluma un méchant cigare acheté trois fois son prix au cantinier. Qui avait raison ? Le sceptique qui hantait son esprit ou ses soldats vantards qui découvraient d'excellents présages dans les journaux yankees vieux d'une semaine. Parce que McClellan n'avait pas fait mouvement, certains Républicains réclamaient déjà son remplacement.

Des rumeurs encourageantes en provenance de Norfolk étaient par ailleurs parvenues au camp. Le *Virginia*, redoutable nouveau dreadnought, quitterait bientôt ses couettes. C'était en fait un ancien navire de l'Union — le *Merrimack* — que les Yankees avaient essayé de saborder en abandonnant les chantiers navals. On l'avait renfloué, recouvert de plaques protectrices auxquelles il devait son nom de cuirassé. Au camp, les hommes en parlaient comme s'il pouvait mettre fin à la guerre en tirant une ou deux salves. Là encore, le sceptique qui habitait la tête de Charles demandait à voir.

Le courrier du lendemain apporta une agréable surprise, un colis posté à Fredericksburg à la fin du mois de novembre. Charles y trouva un exemplaire relié cuir de l'*Essai sur l'homme* d'Alexander Pope. Sur la page de garde, on avait écrit :

Au capitaine Charles Main
pour la Noël de 1861

Sous la signature « A. Barclay », la jeune femme avait ajouté : « Je suis désolée d'avoir manqué votre visite. J'espère que vous reviendrez bientôt. » Charles voyait nettement la jolie blonde dans les volutes que sa gracieuse main avait tracées.

De nombreux soldats portaient une petite bible dans la poche de leur veste et cela donna une idée à Charles. Il chaparda une pièce de cuir souple, en fit un sac muni d'un lacet et y ajouta un cordon plus long pour l'attacher autour de son cou. Il mit le petit volume dans le sac, qu'il glissa entre sa chemise et sa poitrine.

Pendant plusieurs jours, le cadeau lui procura une allégresse que même la présence de von Helm ne pouvait altérer. Le lieutenant entrait et sortait brusquement de la hutte sans presque jamais prononcer un mot. Un soir que des maux d'estomac avaient ôté à Charles toute envie d'assister à une représentation donnée par des comédiens amateurs du camp, son sergent se présenta à la hutte.

— Qu'y a-t-il, Reynolds ?

— Mon capitaine, je..., bredouilla le sous-officier en rougissant. Je crois qu'il est de mon devoir de vous parler.

— Allez-y.

— Le sous-lieutenant Wanderly et le deuxième classe Cramm régalent la troupe à la cantine. Ils, euh, ils font campagne.

— Pour quoi ?

— Pour le lieutenant von Helm.

Fatigué, tenaillé par ses crampes stomacales, Charles répliqua avec irritation :

— Je ne comprends toujours pas. Parlez clairement, bon sang.

L'air catastrophé, Peterkin Reynolds répondit :

— Ils veulent le faire élire capitaine, mon capitaine.

Une heure plus tard, von Helm rentra, traînant derrière lui des relents de bourbon.

— Vous avez manqué un excellent spectacle. Ces acteurs..., commença le lieutenant. (Ses yeux marron s'écarquillèrent lorsqu'il remarqua le changement dans la hutte.) Que s'est-il passé ? Où sont mes affaires ?

— Je les ai fait porter chez votre plus chaud partisan, répondit Charles de sa couchette.

— Mon plus... ? Oh ! je vois.

La bouche de von Helm s'étira comme si on en avait relevé les coins en tirant sur une ficelle.

— Très bien. Bonsoir, capitaine, dit-il avant de sortir.

Au moins, maintenant l'ordre de bataille était clair : le capitaine Main contre l'intrigant poseur de Charleston.

50

Stanley frappa, entra dans le bureau du ministre. En proie à une grande nervosité, il était sûr qu'on l'avait dénoncé et qu'il allait entendre sa condamnation.

A sa stupéfaction, il trouva le Boss d'humeur rayonnante, parcourant la pièce pour inspecter les caisses pleines de dossiers et de notes personnelles. Il avait les joues roses et luisantes d'un récent rasage et sentait la lavande. Fait sans précédent, rien n'encombrait sa table de travail.

— Asseyez-vous, Stanley, mon garçon. Je mets de l'ordre en vitesse mais j'ai tenu à vous voir avant mon départ.

Le ministre indiqua un siège à son collaborateur, prit sa place habituelle derrière son bureau. Tremblant, Stanley posa son gros postérieur sur le fauteuil.

— J'ai été atterré en apprenant la nouvelle de votre démission, samedi dernier, monsieur le ministre.

— Plus de « monsieur le ministre ». Vous pouvez recommencer à m'appeler Boss ou Simon, comme vous voudrez, dit Cameron d'un ton enjoué.

— C'est une perte tragique pour l'effort de guerre.

Le commentaire maladroit fit naître un petit sourire sur les lèvres de l'ancien ministre.

— C'est ce que diront sans doute maints industriels qui ont passé un contrat avec nous. Toutefois un serviteur dévoué de l'Etat doit aller là où ses supérieurs le jugent le plus utile. La Russie est fort lointaine mais, à dire vrai, Stanley, je ne regretterai pas l'agitation et les médisances de cette ville.

Mensonge, pensa Stanley. Le Boss avait été parmi les plus médisants. Les trop nombreuses irrégularités du ministère avaient finalement contraint Lincoln à agir, en laissant toutefois Cameron sauver la face en présentant cette nomination d'ambassadeur des Etats-Unis en Russie comme une promotion.

— Je suppose que vous vous entendrez avec mon successeur, poursuivit le Boss d'un ton détaché. Il ne se montrera cependant pas aussi coulant que moi. C'est un ardent défenseur des gens de couleur... (le bref accès de fièvre abolitionniste de Cameron avait été oublié par tout le monde, à commencer par lui)... sévère pour ceux qui ne répondent pas à son attente. Moi, j'étais plus enclin à fermer les yeux sur une erreur ou un faux pas. Oui, mon cher, il va falloir apprendre la discipline, avec le nouvel occupant de ce bureau.

— Je ne vous suis pas, marmonna Stanley. Je ne connais même pas le nom du nouveau ministre.

— Vraiment ? Je pensais que Wade vous l'avait confié. Dans ce cas, vous devrez attendre l'annonce officielle de sa nomination.

Cameron éclata de rire devant l'air dépité de Stanley et reprit :

— Je ne vous en veux pas trop, mon garçon. A votre place, j'aurais fait la même chose. Vous avez bien assimilé les leçons que je vous ai apprises. Un dernier conseil, vendez vos bottines aussi longtemps que vous le pourrez. Et mettez l'argent de côté, vous en aurez besoin. Dans cette ville, il y a toujours quelqu'un qui attend le bon moment pour vous trahir.

Cameron fit le tour du bureau, serra la main de Stanley à lui faire mal et ajouta :

— Il faut que je me presse, maintenant.

Stanley sortit, laissant le Boss s'activer gaiement parmi les ruines de son ancien empire.

Le lendemain soir, George apprit la nouvelle à Constance en rentrant chez lui :

— C'est Stanton.

— Mais il est démocrate !

— Il sait aussi plaire aux Républicains extrémistes. Ceux qui l'apprécient le qualifient de patriote, les autres parlent de son dogmatisme et de son esprit tortueux. On le dit prêt à tout pour parvenir à ses fins, y compris à suspendre l'*habeas corpus* — je veux dire à faire un large usage de sa suspension. Je n'aimerais pas me trouver à la place d'un directeur de journal de l'opposition ou d'un partisan d'une paix modérée qui attirerait l'attention de Mr. Stanton. Même s'il a été désigné par Lincoln, c'est une créature de Wade et consorts.

Le général McClellan se remettait d'un cas aigu de typhoïde mais demeurait atteint d'une autre maladie que Lincoln avait appelée la « lambinite ». Sous des pressions croissantes, le président ordonna le 31 janvier au général en chef de mettre en mouvement l'armée du Potomac avant le 22 février.

Du front ouest parvinrent des nouvelles si glorieuses qu'une foule en liesse se pressa devant les sièges des journaux, où l'on affichait un résumé des dernières dépêches télégraphiques. Une offensive combinée sur terre et sur fleuve avait provoqué la reddition de Fort Henry, bastion rebelle capital situé sur le Tennessee, juste sous la frontière du Kentucky.

Dix jours plus tard, c'était au tour de Fort Donelson de tomber. Ces deux victoires revenaient en principe au commandant de la région militaire, le général Halleck, mais l'homme à qui les correspondants de guerre tressaient des couronnes de laurier était un ancien de West Point à qui George n'avait pas songé depuis longtemps. Sam Grant était en première année lorsqu'il avait défendu le bizuth Orry Main contre les brimades excessives d'Elkanah Bent.

George l'avait retrouvé au Mexique et avait vidé plus d'un verre avec lui dans les *cantinas* après la prise de Mexico. C'était un officier sympathique, plutôt courageux, mais dépourvu du brio d'un Tom Jackson, par exemple. La dernière fois que George avait entendu parler de lui, Grant avait dû démissionner de l'armée parce qu'il buvait trop. Il était à présent général de division dans la milice et surnommé « Reddition inconditionnelle » parce qu'il avait fait cette réponse au commandant de Fort Donelson lui demandant ses conditions. « J'ai l'intention d'attaquer immédiatement vos défenses », avait-il écrit à Buckner. Ce qu'il fit, arrachant aux Confédérés l'ouest du Kentucky et du Tennessee ainsi que le nord du Mississippi. Le Sud chancela, le Nord cria victoire et le nom de Grant devint connu de tout écolier dont les parents lisaient le journal.

En revanche, des rumeurs alarmantes continuaient à sourdre de la résidence présidentielle. Lincoln souffrait d'une dépression si profonde que certains le disaient au bord de la folie. Il ne dormait plus la nuit, restait de longues heures immobile puis se dressait soudain pour décrire d'étranges visions prophétiques. Les colporteurs de ragots de Washington — presque aussi nombreux, selon Constance, que les hommes en uniforme — proposaient un éventail de mets convenant à tous les palais : le président sombrait dans la démence ; Mary Lincoln, qui avait de la famille chez les rebelles, était une espionne ; le petit Willie Lincoln, âgé de douze ans, luttait contre la typhoïde. Ce dernier bruit s'avéra et le garçonnet mourut deux jours avant la date à laquelle McClellan aurait dû marcher sur Manassas.

Le général n'en fit rien, son armée demeura sur place. Lincoln n'apparut à aucune des cérémonies officielles commémorant la naissance de Washington — date que les armées des deux camps ne manquèrent pas de célébrer, comme avant la guerre.

Billy rendit un soir une visite surprise à George et les deux frères commentèrent la situation en prenant un whisky avant le dîner.

— Qu'est-ce qu'il fabrique, Mac ? demanda le cadet. Il devait sauver l'Union il y a deux semaines.

— Comment le saurais-je ? répliqua l'aîné. Je ne suis qu'un employé de bureau galonné, je n'entends que des bruits de couloir. Tu devrais en savoir plus que moi : c'est ton commandant.

— Il a été ton camarade de promotion.

— Ne prends pas ce ton sarcastique, on croirait entendre un Républicain.

— Un Républicain fervent.

— Voici ce que j'ai entendu, dit George. Bien que disposant de forces deux à trois fois supérieures en nombre à celles de l'ennemi, Petit Mac ne cesse de réclamer des renforts et de nouveaux délais. Dieu sait ce qu'il a dans la tête ! Parle-moi plutôt de tes nouvelles recrues.

— Elles ont eu près de sept semaines d'entraînement mais bien entendu, un bon comportement à l'exercice ne garantit pas une bonne conduite au combat. La semaine dernière, notre bataillon a construit un grand radeau sur le canal. La prochaine fois, nous essayerons d'installer un pont flottant. Le président a assisté à l'exercice. Il a fait de son mieux pour paraître intéressé mais il a l'air exténué. Un vrai cadavre. Il...

Tous deux relevèrent la tête quand Constance entra dans la pièce, toute pâle.

— Un planton de ton bataillon attend à la porte.

Billy sortit aussitôt, revint quelques instants plus tard et annonça :

— Ordre de rentrer au camp pour nous préparer à partir.

— Où allez-vous ?

— Je ne sais pas.

Les deux frères s'étreignirent.

— Prends soin de toi, dit George.

— Oui. Peut-être que Mac s'est décidé à bouger, répondit Billy.

Sur ce, il s'empressa de quitter la pièce.

51

Charles devina qu'il y avait des problèmes quand Calbraith Butler le convoqua après l'appel du soir. Il trouva le major en compagnie du colonel Hampton qui, après les saluts d'usage, lui proposa :

— Asseyez-vous, si vous le voulez, Charles.

— Non, merci, mon colonel.

— Je suis venu vous parler personnellement, reprit Hampton. Le major Butler est confronté à un problème épineux... Inutile de tourner autour du pot : il a reçu une pétition signée par nombre de vos hommes et réclamant une nouvelle élection des officiers.

Dès que Charles avait été mis au courant de la campagne lancée contre lui, il s'était efforcé de surveiller discrètement son développement. Von Helm, qui voulait devenir capitaine, avait promis de l'avancement à Julius Wanderly s'il parvenait à ses fins. Peterkin Reynolds, tout en gardant une attitude déférente, se montrait moins amical à l'égard de Charles. Lui avait-on promis des galons de sous-lieutenant ?

— Signée par combien d'hommes ? demanda Charles.

— Plus de la moitié, répondit Butler, embarrassé.

Le capitaine réussit à sourire.

— Grand Dieu ! je me savais mal aimé mais pas aussi impopulaire qu'un Yankee. Je ne me doutais pas que...

— Vous êtes un excellent officier, coupa Hampton.

— C'est aussi mon avis, approuva Butler.

— Mais cela ne vous rend pas pour autant populaire, reprit le colonel. Comme vous le savez, Charles, les hommes n'ont pas droit à de nouvelles élections avant le renouvellement de leur engagement d'un an. J'ai tenu toutefois à vous informer et à vous demander...

L'interruption vint cette fois de Charles :

— Laissez-les faire... demain, s'ils le veulent ; je m'en moque.

C'était faux mais il cachait ses sentiments, immobile et raide devant ses supérieurs.

— Et si vous perdez ? demanda Butler avec un froncement de sourcils.

— Pardon, major, mais pourquoi poser cette question ? Vous savez bien que je perdrai. Le nombre de signatures le garantit. Je n'insiste pas moins pour que cette élection ait lieu. Je trouverai une autre façon de servir mon pays.

Hampton échangea un regard avec Butler avant de déclarer :

— J'apprécie l'esprit qui vous anime, Charles. J'apprécie de même les qualités qui font de vous un officier remarquable. Bravoure incontestable, sollicitude paternelle pour vos hommes. Je soupçonne votre attachement à la discipline d'être à l'origine de cette histoire car beaucoup de légionnaires se considèrent davantage comme des gentils-hommes de Caroline que comme des soldats, attendant le bon plaisir du général McClellan. Votre formation d'officier de West Point vous a peut-être également porté tort.

« Elle n'a nui ni à Stuart ni à Jackson ni à beaucoup d'autres », songea Charles avec amertume. Mais il était stupide de rendre quiconque d'autre responsable de ses propres déficiences.

— Je ne veux pas que cette unité vous perde, déclara le colonel d'un ton emphatique. Si vous ne tenez pas à faire campagne contre votre, euh, adversaire...

— Je ne m'abaisserai pas à affronter ce crétin !

— Nous avons une autre proposition à vous faire, dit Butler. Vous êtes un solitaire, Charles, mais cela peut être une qualité. Accepteriez-vous de commander Abner Woolner et quelques autres de mes meilleurs hommes, qui formeraient une escouade d'éclaireurs ?

— C'est une tâche capitale et très dangereuse, ajouta Hampton. Un éclaireur affronte des périls constants. Seuls les meilleurs cavaliers peuvent remplir cette mission.

Charles ne réfléchit pas très longtemps avant de répondre :

— J'accepte, à une condition. Avant de commencer, j'aimerais avoir une courte permission.

Butler fronça à nouveau les sourcils.

— Mais l'armée va bientôt faire mouvement.

— Vers l'arrière, si j'ai bien compris. Vers le Rapidan et le Rappahannock. La dame que je désire voir habite dans ce secteur, à Fredericksburg. Je pourrais rejoindre rapidement la légion en cas de besoin.

— Accordé, dit Hampton en souriant. Pas d'objection, major ?

— Non, mon colonel.

— Dans ces conditions, j'accepte la mission d'éclaireur, déclara Charles. Avec plaisir.

Même s'il souffrait — et souffrirait longtemps — d'avoir été rejeté par ses hommes, il se sentait libéré, heureux. Il retourna à sa hutte d'un pas vif et allègre en se demandant si un Noir affranchi éprouvait les mêmes sentiments.

Son laissez-passer militaire, contresigné à Richmond, mentionnait son âge, sa taille, la couleur de ses yeux et de ses cheveux, et précisait qu'il avait l'autorisation de voyager aux environs de Fredericksburg. A mesure qu'il parcourait avec Joueur les kilomètres le séparant du comté de Spotsylvania, affrontant d'abord plusieurs orages puis une froidure qui couvrit de givre les champs morts et les arbres dénudés, il se sentait plus impatient d'arriver à la ferme d'Augusta, plus effrayé aussi de la trouver à nouveau absente. Enfin il découvrit la maison trapue et ses dépendances sur la gauche de la route étroite.

— La cheminée fume ! cria-t-il à son cheval.

A en juger par la configuration des champs, les terres d'Augusta devaient s'étendre de chaque côté de la route. La maison, vénérable et solide, ressemblait à une forteresse dressée derrière deux gros chênes roux. La ferme paraissant fort ancienne, les arbres n'étaient sans doute que de jeunes plants au moment de sa construction. A présent, ils étendaient leurs grosses branches au-dessus des bardeaux du toit et cognaient aux lucarnes du grenier.

En arrêtant son cheval dans la cour, Charles entendit un grincement, un sifflement. Sur sa droite, une gerbe d'étincelles fusa dans la pénombre d'un hangar. Il descendit de cheval. Un Noir d'une vingtaine d'années s'avança, vêtu d'un vieux pantalon et d'une chemise reprisée. Il tenait à la main le fer de faux qu'il venait d'aiguiser sur une meule.

— Je peux faire quèque chose pour vous, m'sieur ?

— Ça va, Boz. Je connais cet homme.

Un autre Noir plus âgé, le visage rond et la bouche édentée, apparut de derrière la maison, un sac de graines à l'épaule. Charles l'avait rencontré à Richmond, le soir du bal.

— Comment ça va, capitaine ? On dirait que vous avez chevauché des heures dans la boue.

— C'est ce que j'ai fait. Elle est là, Washington ?

Le Noir partit d'un rire aigu.

— Oui, oui ! C'est de bonne heure pour une visite mais vous en faites pas pour ça. Elle est toujours debout avant l'aube. Elle est probablement en train de faire frire le jambon pour notre petit déjeuner.

Avec un signe de tête vers la droite, l'affranchi ajouta :

— C'est plus court par-derrière.

Charles passa devant lui, monta le perron de bois en faisant tinter ses éperons.

— Mets le cheval du capitaine à l'écurie, Boz, lança Washington à l'autre affranchi.

Charles songea qu'il aurait dû s'occuper lui-même de Joueur mais il était trop impatient de frapper à la porte. Gus ouvrit, porta à ses lèvres une main blanche de farine.

— Capitaine Main. C'est bien vous ?

— C'est ce que dit mon laissez-passer.

— Je ne vous ai pas reconnu tout de suite, avec cette barbe...

— Elle vous plaît ?

— Je m'y ferai.

— C'est chaud, en tout cas.

— Vous passez dans le coin ?

— Je ne croyais pas cette barbe aussi repoussante.

— Arrêtez de parler de votre barbe et répondez à ma question.

— Chère madame, je réponds même à votre invitation à venir vous rendre visite. Je peux entrer ?

— Bien sûr. Excusez-moi de vous laisser à la porte.

Sa vieille robe en coton, qui avait presque perdu sa couleur jaune, n'enlevait rien à son charme. Elle paraissait surprise mais en même temps ravie et excitée. Charles remarqua qu'il manquait un bouton à la rangée courant sur le renflement de la poitrine d'Augusta et entrevit un coin de peau dans l'entrebâillement du tissu.

Elle posa la cuiller avec laquelle elle avait remué sa pâte à frire, mit les poings sur les hanches.

— Une question avant que nous ne passions sérieusement au chapitre visite. Allez-vous vous obstiner à m'appeler par ce nom affreux ?

— Très probablement. C'est la guerre. Nous sommes tous exposés à quelque désagrément.

Remarquant que Charles avait essayé d'imiter son ton mordant, elle sourit.

— Je ferai un effort pour le bien de la patrie. Le petit déjeuner est bientôt prêt mais je peux faire chauffer de l'eau si vous voulez vous laver d'abord.

— Il vaudrait mieux, sinon je vais transformer votre maison en bourbier.

Elle le surprit en lui saisissant la manche gauche.

— Vous allez bien ? J'ai entendu dire qu'il y aurait de grandes batailles prochainement. Jusqu'ici vous avez survécu mais tant d'hommes sont déjà tombés, à ce qu'on raconte... Pourquoi riez-vous ? Vous vous moquez de moi ?

— Non, madame, mais vous faites les demandes et les réponses.

Elle rougit, ou du moins il en eut l'impression. Dehors, il faisait encore sombre, et seul le feu brûlant dans la grande cheminée en pierre éclairait la pièce.

La cuisine, immense et carrelée, était meublée de tables et de chaises robustes et simples, dégageant une impression de solidité s'harmonisant avec la bâtisse. Charles se dit que feu Barclay avait dû, comme Ambrose, exceller dans le travail du bois et éprouva un petit pincement de jalousie.

Augusta entreprit de retourner les tranches de jambon qu'elle avait mises à frire dans une poêle en fer noir.

— Vous ne m'avez pas écrit, reprocha-t-elle. J'étais inquiète.

— Les lettres, ce n'est pas mon fort. Surtout quand il s'agit d'écrire à quelqu'un d'aussi cultivé que vous. De plus, le courrier de l'armée est très lent : votre cadeau est arrivé en retard. Je vous remercie de vous être souvenue de moi.

— Comment aurais-je pu..., commença Augusta (elle détourna la tête)... oublier Noël ?

— Le livre est beau.

— Mais vous ne l'avez pas lu.

— Je n'ai pas encore eu le temps.

— Voilà une bien piètre échappatoire. Combien de temps pouvez-vous rester ?

Sous le ton désinvolte de la question, Charles crut entendre des mots différents, inattendus et extrêmement agréables.

— Jusqu'à demain matin, si cela ne doit pas vous compromettre. Je dormirai dans l'écurie avec mon cheval.

A nouveau le poing sur la hanche.

— Me compromettre aux yeux de qui, capitaine ? Washington, Boz ? Ce sont des hommes discrets, compréhensifs. J'ai une chambre d'amis et pas de voisins à moins de deux kilomètres.

— Je pensais simplement que...

Entendant un bruit mat, Charles baissa les yeux : une plaque de boue se détachant de son pantalon, était tombée sur le carrelage.

— Enlevez-moi tout cela, ordonna Mrs. Barclay en agitant sa cuiller. Allez dans ma chambre — là, devant vous. Je vous ferai porter de l'eau et une chemise de nuit de mon mari. J'ai gardé certaines de ses affaires dans le grenier. Laissez votre uniforme dans l'entrée, je lui donnerai un coup de brosse. Filez ! ajouta-t-elle du ton d'un sergent instructeur.

Charles déguerpit en riant.

Vêtu de la chemise de nuit de feu Barclay, le capitaine retourna dans la cuisine, où les affranchis avaient pris place. Augusta expliqua qu'ils prenaient leurs repas dans cette pièce.

— Mais ils passent toujours par la porte de derrière, précisa-t-elle. Certains de mes voisins — de bons croyants, la messe tous les dimanches — mettraient sans doute le feu à la ferme s'ils voyaient des Noirs franchir ma porte à toute heure du jour. Nous en avons discuté, Washington, Boz et moi, et nous pensons que nous pouvons endurer une petite blessure d'amour-propre si c'est le prix à payer pour garder un toit sur nos têtes.

Les deux Noirs hochèrent la tête en souriant. Charles songea qu'ils formaient avec Gus une famille, dans laquelle il s'était immédiatement senti le bienvenu.

Après qu'il eut remis son uniforme dûment nettoyé, elle lui montra avec fierté ses champs. Le givre fondait, la terre nue dégageait une odeur annonçant le printemps. En se promenant d'un pas lent, ils parlèrent de diverses choses. De Richmond, où elle avait vendu sa récolte :

— J'ai l'impression que tout le monde, dans cette ville, cherche à rouler tout le monde d'une façon ou d'une autre.

Des désillusions de Charles :

— Les officiers d'état-major sont très occupés. Ils passent cinquante pour cent de leur temps à faire de la politique, cinquante pour cent à brasser de la paperasse, cinquante pour cent à combattre.

— Cela fait cent cinquante pour cent.

— Voilà pourquoi il n'y a guère eu de combats.

De l'oncle d'Augusta, le général de brigade Jack Duncan. Elle aurait voulu savoir où il était pour lui écrire. Des courriers non officiels — des contrebandiers, en quelque sorte — passaient n'importe quoi à travers les lignes en faisant simultanément usage de faux passeports et de pots-de-vin.

Puis, sans raison particulière, Augusta se mit à évoquer le passé :

— Je voulais un enfant, Barclay aussi. Mais je ne suis tombée enceinte qu'une seule fois...

Ils descendaient une allée bordant un petit verger et les rayons obliques du soleil projetaient sur eux un filet d'ombres enchevêtrées. Gus, emmitouflée dans un vieux manteau, avait croisé les bras sur sa poitrine et glissé ses mains dans les manches. Elle ne regardait pas

Charles en parlant de sa grossesse mais ne semblait pas pour autant embarrassée.

— Pendant les quatre premiers mois, je fus constamment malade. Puis une nuit, je fis une fausse-couche. Ç'aurait été un garçon. Je connais Pope mais, pour les choses simples, je pourrais prendre des leçons de la vieille vache qui nous donne régulièrement du lait et des veaux.

Le soir, Washington et Boz prétendirent avoir trop de travail pour dîner à la cuisine et Augusta accepta cette fable sans poser de question. En tête à tête avec elle, Charles mangea à la lueur de l'âtre un des meilleurs repas qu'il eût jamais faits : rôti de bœuf tendre et savoureux, pommes de terre sautées, pain encore chaud. Elle posa sur la table un cruchon de rhum, emplit leurs deux verres. Charles lui confia ses pensées sur la guerre :

— La volonté d'indépendance est une qualité louable chez un homme Mais une armée qui veut vaincre ne peut s'en accommoder.

— Il me semble que le gouvernement est pris dans le même dilemme, dit Augusta. Chaque Etat place ses propres objectifs et sa prospérité au-dessus de toute autre considération. Le principe d'indépendance pour lequel nous combattons sera peut-être ce qui causera notre perte... Mais nous devenons sinistres. Encore un peu de rhum ? Parlez-moi de votre unité.

— Elle a fondu depuis que nous avons dansé ensemble à Richmond.

Charles poursuivit en mentionnant la pétition, son affectation chez les éclaireurs de Butler. Le fixant gravement de ses yeux bleus, Gus murmura :

— Les missions des éclaireurs sont très dangereuses.

— Moins que d'essayer de mener des hommes qui galopent dans toutes les directions. Je m'en tirerai. Je tiens à mon cheval et à ma peau — dans cet ordre.

— Vous êtes d'humeur bien joyeuse.

— C'est votre compagnie, Gus.

— Curieux. Je peux presque entendre ce nom sans grincer des dents. La compagnie, comme vous dites...

Une bûche se brisa dans la cheminée, des ombres dansèrent sur les murs. Dans l'intimité de la pièce, Charles et Augusta prirent conscience de leur trouble mutuel. Il ramena ses jambes sous la table, elle se leva pour débarrasser.

— Vous devez être épuisé, dit-elle. Et une longue route vous attend demain, non ?

— Réponse affirmative aux deux questions.

Il avait envie de la suivre, de l'entourer de ses bras, de faire en sorte qu'une seule chambre soit occupée cette nuit dans la maison obscure. S'il s'en abstint, ce ne fut ni par souci des convenances ni par crainte d'un refus mais à cause d'une mise en garde proférée par sa propre voix et qu'il avait déjà entendue. Une mise en garde contre les circonstances qui les avaient réunis.

— Je ferais bien d'aller me coucher, ajouta-t-il en se levant. J'ai passé une merveilleuse journée.

— Moi aussi, Charles. Bonne nuit.

Il s'approcha de la jeune femme, se pencha vers elle et l'embrassa doucement sur le front avant de se diriger vers la chambre d'amis.

236

Etendu sous le couvre-pieds, il s'accabla de reproches pendant une heure. « J'aurais dû la toucher, pensait-il. Elle le désirait, je l'ai vu dans ses yeux. » Il rejeta les couvertures, alla à la porte, écouta les petits craquements de la maison. Il tendit la main vers la poignée, arrêta son geste au dernier moment et retourna se coucher en jurant.

Il s'éveilla le cœur battant, sur ses gardes. Il entendit du bruit dans le couloir, vit de la lumière sous la porte. Il se leva, l'ouvrit brusquement, découvrit Augusta Barclay au pied de l'escalier menant au grenier. Elle portait une chemise de nuit en flanelle décolletée et avait tressé ses cheveux blonds en nattes.

— Que se passe-t-il ? demanda Charles.

Elle s'approcha de lui, un vieux fusil à percussion d'une main, une lampe de l'autre.

— J'ai entendu quelque chose dehors, murmura-t-elle.

Voyant les pointes de ses seins dressées sous l'étoffe, il perdit tout contrôle de soi. Il posa la main droite sur la poitrine d'Augusta, se pencha pour respirer la chaleur de sa peau. Elle se pressa contre lui, ferma les yeux, ouvrit les lèvres. Au moment où la langue de Gus touchait la sienne, des coups retentirent à la porte.

— Que m'as-tu fait, Charles Main ? haleta-t-elle en se reculant.

Les coups se firent plus forts, la voix de Washington s'éleva au-dehors. Charles retourna dans la chambre prendre son revolver, retrouva Augusta à la porte de derrière où il découvrit les deux affranchis, visiblement alarmés.

— Désolé de vous réveiller en pleine nuit, Miz Barclay, dit le plus âgé, mais il y a du remue-ménage sur la route.

Charles entendit effectivement des grincements d'essieux, des bruits de sabots, des hommes jurant et maugréant. Il alla jeter un coup d'œil à la fenêtre de devant, revint annoncer :

— J'ai vu les lettres C.S.A.* sur la bâche de deux des chariots. Ils se dirigent vers Fredericksburg. Je ne crois pas que nous serons dérangés.

Charles et Augusta se postèrent à la fenêtre, côte à côte mais prenant garde à ne pas se toucher, et regardèrent le convoi passer au clair de lune. Quand le dernier chariot eut disparu et que les cris des cochers s'estompèrent, l'aube commençait à poindre. Il n'était plus temps de se coucher, pour quelque raison que ce fût. La nuit et la visite de Charles s'achevaient.

Après le petit déjeuner, Augusta l'accompagna jusqu'à la route, où Joueur, bien reposé, piaffait d'impatience.

— Vous reviendrez ? lui demanda-t-elle en touchant sa main gantée.

— Si je peux.

— Bientôt ?

— Cela dépendra beaucoup du général McClellan.

Elle lui prit la main, la porta à ses lèvres, se recula.

— Il faut que vous reveniez. Je n'avais pas été aussi heureuse depuis des années.

— Moi aussi.

Charles engagea son cheval sur la route où les chariots avaient creusé des sillons. Il éperonna l'animal, se retourna pour faire signe à la silhouette qui se tenait devant la maison et les chênes roux. Il se rappela la chaleur de sa poitrine, de ses lèvres, le contact de leurs langues avant que Washington ne frappe à la porte.

* Armée des Etats confédérés (n.d.t.).

Il ne devait pas tomber amoureux.
Il l'était déjà.

52

Le premier samedi d'avril, l'atmosphère était au beau fixe dans les bureaux de Liverpool du capitaine James Bulloch. Il venait de rentrer d'Amérique à bord d'un bateau qui avait forcé le blocus et s'était entretenu à Savannah avec plusieurs collaborateurs de Mallory.

Le capitaine avait notamment discuté du succès de son premier projet : le 22 mars, le vapeur *Oreto* avait filé des chantiers de Toxteth sans que les autorités britanniques interviennent. Deux des détectives du consul Dudley l'avaient regardé partir en s'agitant sur le quai mais leur action s'était limitée à cela.

Bulloch avait choisi ce nom d'*Oreto* pour semer la confusion. Pendant sa construction, le bâtiment avait été enregistré comme navire marchand dont le port d'attache serait Palerme. En fait, sa véritable destination était Nassau. Le capitaine britannique chargé de lui faire traverser l'Atlantique le remettrait au capitaine Maffitt, de la Marine confédérée, car l'*Oreto* n'avait rien d'un humble cargo. Il avait été conçu comme une canonnière et les pièces d'artillerie qui l'équiperaient seraient transportées séparément jusqu'à Nassau à bord du trois-mâts *Bahama*. Une fois armé, l'*Oreto* deviendrait un redoutable vaisseau de guerre.

Combien de temps ce stratagème permettrait-il de tourner la loi anglaise ? Nul ne pouvait le dire. Assez pour le lancement d'un deuxième navire, espérait Bulloch. Quelques jours après son retour, il avait exprimé ce vœu devant Cooper quand les deux hommes s'étaient retrouvés dans leur lieu de rencontre le plus sûr : le salon du capitaine.

Bulloch informa Cooper que la valise diplomatique venait d'apporter un message urgent selon lequel il fallait accélérer la construction de la seconde canonnière. Le plan de Lincoln visant à étrangler le Sud devenait de plus en plus efficace à mesure que de nouveaux bâtiments yankees renforçaient le blocus. Le *Florida*, nom que prendrait l'*Oreto* une fois armé, avait une mission claire : capturer ou couler des navires marchands de l'Union afin de faire grimper le prix des assurances maritimes. Les armateurs pousseraient alors de grands cris et réclameraient à Lincoln une protection accrue. Ce dernier — toujours selon les suppositions confédérées — serait donc contraint de détacher des vaisseaux des escadres assurant le blocus.

Un second navire de course, rapide et bien armé, accroîtrait la pression. L'*Enrica*, supérieur à l'*Oreto* à plusieurs égards, était en cours d'achèvement aux chantiers Laird. Ce serait le 209e bâtiment construit par cette entreprise, dont le fondateur, le vieux John, s'était lancé dans la politique, laissant ses fils William et John junior s'occuper de l'énorme affaire née d'une petite fabrique de chaudières.

Il fallait accélérer la construction du n° 209, ou *Enrica* : c'était le message que Cooper devait remettre en ce samedi de printemps. La tâche n'était pas aussi aisée qu'il semblait car ni lui, ni Bulloch, ni aucun de leurs collaborateurs n'auraient osé s'aventurer chez Laird. Dudley avait des espions partout. Si l'un d'eux apercevait des Sudistes aux chantiers, ou même conversant simplement avec l'un de ses propriétaires, Adams, l'ambassadeur yankee, réclamerait une enquête et tout serait découvert. C'était la raison pour laquelle le contrat de

238

construction de l'*Enrica* avait été négocié au cours de rencontres clandestines au 1 Hamilton Square, Birkenhead, la résidence de John Laird junior.

Cooper aimait cette atmosphère d'intrigue. Judith la jugeait dangereuse et condamnait le plaisir que son mari y prenait. Elle avait peut-être raison mais, pour Cooper, cela donnait un sens à son travail et le rendait plus excitant. A mesure que l'heure du départ approchait, il sentait au creux des paumes un picotement qui n'avait rien de déplaisant.

La valise diplomatique avait aussi apporté plusieurs journaux sudistes, dont le *Charleston Mercury* du 12 mars, qui portait en titre : « Grand combat naval à Hampton Roads. » Cooper lut que, le 9 mars, un vapeur confédéré cuirassé de fer avait échangé des salves avec le *Monitor*, bâtiment de l'Union à la forme étrange, encore appelé la Batterie d'Ericsson, du nom de l'inventeur de sa tourelle mobile.

Captivé, Cooper poursuivit sa lecture. Le *Virginia* avait affronté le cuirassé yankee, dont une quarantaine de mètres au plus le séparaient, et avait remporté, selon le journaliste, une « éclatante victoire ». Apparemment, le naïf reporter n'avait pas saisi la véritable signification de la bataille.

Cooper y voyait les derniers jours du bois et de la voile, l'ascension rapide du fer et de la vapeur aussi bien sur mer que sur terre. Brunel, le grand ingénieur anglais dont Cooper s'était inspiré, en Caroline du Sud, avait prédit cette évolution des années auparavant.

Après avoir regardé sa montre, Cooper rangea ses affaires et se dirigea vers l'escalier. Bulloch émergea de l'espace cloisonné qui constituait son minuscule bureau et lui lança :

— Mes respects à Judith.

— Mes amitiés à Harriott.

— J'espère que vous passerez un bon dimanche.

— Je me reposerai après la messe.

— Vous avez notre donation ?

— Oui.

Pendant l'échange, regards et demi-sourires avaient exprimé une autre série de questions et de réponses. Deux des employés du bureau étaient nouveaux, on ne pouvait jamais être sûr de la loyauté de quelqu'un.

En descendant, Cooper ôta son haut-de-forme pour saluer Prioleau, le directeur de Fraser et Trenholm. En bas, il traversa la cour pavée, hâta le pas dans le court tunnel passant sous les bureaux de Rumford Place. Il tournait à gauche quand les cloches de l'église Saint-Nicholas sonnèrent le quart. Il aurait tout le temps de prendre le ferry de seize heures.

Au coin de la rue, il inspecta les environs, ne remarqua aucun suspect parmi les passants qui se pressaient ou flânaient sous un soleil printanier. Il prit à droite en direction de la Mersey. L'eau séparant Birkenhead du centre de la ville brillait de mille éclats tremblotants. Un cargo passa, Cooper entendit sa cloche lointaine.

La Caroline du Sud lui manquait parfois mais, avec Judith, les enfants, son travail, il était probablement plus heureux à Liverpool. A l'exception de Prioleau et de deux autres employés de Fraser et Trenholm, personne ne connaissait son histoire et nul ne lui faisait donc remarquer l'absurdité d'œuvrer pour une cause en laquelle il ne croyait pas tout à fait. Lui-même ne s'expliquait pas comment un

Cooper Main continuait à haïr l'esclavage tandis qu'un autre aimait et servait le Sud avec une ferveur nouvelle née de la guerre.

Il n'était même pas sûr que la Confédération survivrait. La reconnaissance par les deux plus importantes nations d'Europe, la France et la Grande-Bretagne, demeurait à l'état d'espoir et, sur le plan militaire, il se passait apparemment peu de chose mis à part l'étonnante victoire de Hampton Roads.

Il prit un ticket, traversa le débarcadère, s'appuya à la balustrade. A quatre heures une, le ferry quitta le quai, emportant une foule d'employés terminant plus tôt le samedi. Cooper avait succombé au charme de Liverpool comme il s'était laissé séduire par celui de Charleston. Pourtant les deux villes n'auraient pu être plus dissemblables : Charleston était une dame au teint pâle faisant la sieste dans la chaleur de l'après-midi, Liverpool une jeune serveuse au visage criblé de taches de rousseur qui tirait de la bière dans un pub.

Cooper adorait l'animation du port. Tout le commerce d'un empire passait par la Mersey, qui voyait aussi partir les bâtiments neufs qu'on venait de lancer. Il aimait la gouaille des marins qui allaient et venaient, comme la marée. Liverpooliens ou lascars des Indes orientales, ils parlaient la même langue, appartenaient à la même confrérie d'hommes ne tenant pas en place.

Il aimait les immeubles sombres, aussi solides que leurs habitants joviaux. Il se plaisait dans l'hôtel particulier que Judith et lui avaient loué juste en face de chez Prioleau, de l'autre côté d'Abercromby Square. Il avait même appris à manger du boudin noir, spécialité locale dont il n'était cependant pas très friand.

Il trouvait la population de la ville fascinante, des magnats qui, d'un trait de plume, envoyaient des hommes doubler des caps tempétueux, aux personnages de moindre importance comme Mr. Lumm, son marchand de légumes, soudain devenu veuf à trente-sept ans et qui ne s'était jamais remarié parce qu'il avait découvert que le monde grouillait de femmes consentantes. Agé à présent de soixante-quatorze ans, Mr. Lumm continuait à tenir boutique six jours par semaine et vantait à Cooper, d'homme à homme, les immenses ressources de ses « roubignoles ». « De quoi peupler tout un pays, j'vous dis. » Cooper aimait le vieux bonhomme autant que le vicaire de la paroisse, qui élevait des bull-terriers, organisait des promenades-leçons de choses dans le Wirral et prenait la peine de rendre visite aux Main au moins une fois par semaine parce qu'il savait qu'on manque d'amis en terre étrangère. Le vicaire était cependant fortement opposé à l'esclavage et au Sud mais cela ne changeait rien à ses dispositions amicales sur un plan personnel.

Le soir, Cooper aimait marcher le long des quais en contemplant les étoiles au-dessus de la Mersey et des collines du Wirral. Même loin de son pays, il se sentait bien dans « cette sale vieille ville », comme disait souvent Mr. Lumm avec affection.

Plongé dans ses rêveries, promenant le regard sur les docks, Cooper Main se sentit soudain observé. Il se retourna, vit un homme d'une cinquantaine d'années : moustaches imposantes, nez en pied de marmite, costume bon marché trop lourd pour la saison. Assis au bout d'un banc où s'entassaient déjà une mère de famille et ses cinq enfants, il tenait à la main un sac en papier dont il tira un poireau et mordit à belles dents dans le bulbe blanc.

En mâchant son légume, il jeta à Cooper un coup d'œil machinal, ni curieux ni hostile, mais l'Américain savait maintenant repérer les agents de Dudley. A en juger par la largeur de ses épaules, l'homme pouvait en être un.

Quand le ferry toucha le débarcadère de Birkenhead, Cooper fut l'un des premiers à descendre, rapidement mais sans avoir l'air de fuir. Il se faufila entre les cochers de fiacre attendant un client, monta une rue pavée jusqu'à une impasse tapie derrière Hamilton Square, s'y engouffra. Après une dizaine de mètres, il se retourna, inspecta la ruelle, ne vit pas trace de l'amateur de poireaux. Rassuré, il entra dans un pub appelé le *Pig and Whistle*.

Comme d'habitude, la clientèle se réduisait à cette heure-là à quelques marins et dockers. Cooper s'installa à une petite table ronde, la femme du tenancier lui apporta une pinte de bière sans attendre sa commande.

— Bonjour, Mr. Main, dit-elle. Evensong aura deux heures de retard.

— Tant que ça ? s'exclama Cooper. Pourquoi ?

— Je n'en sais rien.

— Bien. Merci, Maggie.

Bon sang ! Deux heures à tuer. Y avait-il des problèmes ? Charles Francis Adams était-il parvenu à convaincre les autorités anglaises de saisir le navire ? Des visions alarmantes se bousculaient dans la tête de Cooper, gâchant la saveur de sa bière. Il sursauta lorsque la sonnette accrochée au-dessus de la porte tinta.

L'homme au sac de poireaux alla directement vers lui, tendit une main grassouillette avec un sourire patelin.

— Mr. Cooper Main, je crois ? Marcellus Dorking. Détective privé. Je peux m'asseoir ?

Qu'est-ce que cela signifiait ? Ni Maguire, ni Broderick, ni aucun autre agent de Dudley n'agissaient de cette façon.

— Je ne vous connais pas, répondit Cooper, le cœur battant.

Dorking laissa retomber sa main, prit place sur la banquette située sous la fenêtre aux vitres sales. Il commanda un gin, posa son sac sur la table, en tira un poireau avec lequel ses doigts se mirent à jouer.

— Mais nous vous connaissons. Vous faites partie de l'équipe de Bulloch, hein ? Pas de problème. Nous admirons les gens qui font leur travail consciencieusement.

— Qui ça nous ?

— Ceux qui m'ont chargé de prendre contact avec vous, sir. Ils n'apprécient pas la façon dont le capitaine Bulloch interprète la loi anglaise.

Cooper songea au message caché dans son haut-de-forme. Le trouverait-on si on le fouillait ? Quelle erreur de mettre de telles choses par écrit ! se dit-il, un peu tard. Serait-il arrêté, emprisonné ? Pourrait-il prévenir Judith ?

Dorking mordit dans son poireau, mastiqua et reprit :

— Vous êtes dans le mauvais camp, sir. L'esclavage des nègres, ma femme est contre. Moi aussi.

— C'est votre conscience ou votre portefeuille qui vous dicte vos convictions, Dorking ?

— A votre place, je ne plaisanterais pas, sir. Vous êtes un ressortissant américain coupable de graves violations de la loi sur les engagements à l'étranger... Oh ! je connais la parade. Les chantiers anglais n'ont pas le droit d'armer des vaisseaux de guerre pour des belligérants avec lesquels la Grande-Bretagne est en paix, mais rien dans la loi n'empêche de construire un navire ici et de l'équiper de canons là-bas. Cela n'a rien d'illégal mais c'est une interprétation jésuitique de notre législation, vous ne trouvez pas ?

Comme Cooper gardait le silence, Dorking se pencha vers lui, l'air menaçant.

— Très jésuitique, en fait. Mais en ce qui vous concerne, nous pourrions fermer les yeux — et même vous verser une petite récompense — si mes clients recevaient un ou deux brefs rapports sur ce que doit devenir un certain bateau qu'on appelle parfois le 209, parfois l'*Enrica*. Vous me suivez, sir ?

Pâle de rage malgré sa frayeur, Cooper répliqua :

— Vous m'offrez un pot-de-vin, Mr. Dorking ?

— Non, non ! Juste une modeste rétribution en échange de quelques renseignements. Par exemple sur le comportement étrange de jeunes matelots qui déambulaient dernièrement dans Canning Street en chantant un air intitulé *Dixie's Land*. Ces jeunes marins avaient été repérés peu auparavant derrière les grilles de chez John Laird. Qu'est-ce que cela signifie, Mr. Main ?

— Qu'ils aiment chanter *Dixie's Land*, Mr. Dorking. Et vous, qu'en pensez-vous ?

— Je pense que Laird recrute peut-être un équipage pour un nouveau vaisseau de guerre confédéré...

Le détective jeta sur la table le reste de son poireau, beugla en direction de la tenancière :

— Et mon gin, femme ?

Puis il laissa le temps à Cooper d'observer ses yeux rapprochés et ses dents cariées avant de poursuivre :

— Je serai franc avec vous, sir. Il y aura plus qu'une rétribution si vous nous aidez. La sécurité de votre femme et de vos enfants sera garantie.

Comme Maggie approchait de la table, Cooper saisit le verre de gin et en aspergea le visage du détective. Dorking jura, s'essuya ; Cooper lui empoigna la gorge de la main gauche.

— Si tu touches à ma famille, je te retrouverai et je te tuerai, menaça-t-il.

— Je vais chercher Percy, dit Maggie en s'éloignant. C'est un costaud, mon mari.

Dorking fila vers la porte, s'arrêta sur le seuil le temps de crier :

— Fumier d'esclavagiste ! On t'aura ! Tu peux y compter.

La clochette sonna, vibra longtemps après que la porte se fut refermée derrière le détective.

— Ça va, Mr. Main ? s'enquit Maggie.

— Oui, murmura Cooper.

L'incident l'avait ébranlé, et pas seulement à cause de son aspect personnel. Il révélait que les enjeux devenaient plus importants, la tension plus grande dans les deux camps. Cooper finit sa bière, en but une seconde sans parvenir à se détendre.

L'heure vint finalement de se rendre à l'église Sainte-Marie, située près de la Mersey, juste à côté des chantiers et du bateau qu'il n'avait jamais vu.

— Vous voulez que Percy vous suive, pour plus de sûreté ? proposa Maggie quand Cooper se leva.

Bien qu'il eût désespérément envie d'accepter, il secoua la tête.

Dehors, les rues étroites menant à l'église lui parurent singulièrement désertes. Ne cessant de jeter derrière lui des coups d'œil nerveux, il finit par arriver sans encombre à l'édifice cruciforme construit au début du siècle.

Un homme sans signes particuliers s'avança vers lui, s'excusa de son retard et en expliqua brièvement les raisons. Après avoir soigneusement inspecté les environs, Cooper ôta son chapeau et remit le message à l'homme, qui partit aussitôt.

Cooper courut pendant presque tout le trajet menant à l'embarcadère mais manqua quand même le ferry et dut attendre une heure pour le suivant. Il flottait sur le quai des odeurs de friture et de saucisse auxquelles se mêlaient celle d'un ivrogne ronflant dans un coin. Pendant la traversée, Cooper s'appuya de nouveau au bastingage mais, au lieu de la ville et de l'eau, il vit cette fois les yeux, les moustaches, les dents cariées de Marcellus Dorking.

« On t'aura. »

Dans son esprit s'insinuait une question qui, une semaine plus tôt, l'aurait fait rire. Mais à présent...

— Monsieur ?

— Quoi ? marmonna Cooper.

— Nous sommes arrivés, dit le marin. Tout le monde est déjà descendu.

— Merci.

Cooper s'éloigna dans le soir en se répétant silencieusement la question, qui n'était plus ridicule : dois-je me procurer une arme ?

53

« Prenez le commandement du régiment, colonel Bent. »

Il ne cessait d'entendre cet ordre dans sa tête. Malgré le fracas de l'artillerie déchirant l'air frais de ce dimanche. Malgré le bruit des avant-trains de canon tirés à toute allure vers le front. Malgré les cris des soldats de l'Ohio blessés ou effrayés qu'il devait maintenir sur leurs positions. Malgré le vacarme infernal de ce matin d'avril.

« Prenez le commandement du régiment, colonel Bent. »

Au quartier général, proche de la Maison commune de Shiloh, le regard du commandant de la division s'était posé sur lui une heure après les premiers coups de feu et le retour des patrouilles confirmant leur signification : l'armée d'Albert Sidney Johnston se trouvait au sud-ouest et les avait pris par surprise.

Bent avait été choisi parce que le commandant ne l'aimait pas. Au lieu de désigner un officier moins gradé à la tête du régiment de l'Ohio dont le colonel, le lieutenant-colonel et le capitaine avaient été tués, il avait porté son choix sur un colonel d'état-major — envers qui il s'était montré cassant et désagréable dès leur première rencontre.

Jamais aucun officier n'avait servi dans de plus mauvaises circonstances. Le général était un incapable totalement abruti, le commandant un petit pète-sec, chez qui la peur de Johnston avait déclenché une attaque de nerfs en automne. Bent était convaincu que William Tecumseh Sherman était fou. Et rancunier. « Prenez le commandement du régiment... »

Bent le haïssait plus que personne — hormis Orry Main et George Hazard — parce qu'il avait ajouté :

— Et qu'on ne vienne pas me dire qu'on vous a retrouvé derrière un arbre, la main tendue pour recevoir une permission. Je sais que vous avez des relations à Washington.

Ces relations avaient sauvé Bent — du moins, il le croyait jusqu'à ce dimanche matin. Le jour de son départ en train pour l'Ouest, avec Elmsdale, il avait envoyé une lettre d'excuses — un ultime appel — à l'avocat Dills. En arrivant au Kentucky, Bent avait reçu de nouveaux ordres l'affectant à l'état-major d'Anderson.

A la suite d'une réorganisation du commandement, Anderson avait cédé la place à Sherman, qui avait pour frère un influent sénateur de l'Ohio. Comment ce fou avait-il eu vent de l'intervention de Dills ? Bent l'ignorait. Il savait seulement que son commandant avait attendu l'occasion de le punir.

Clignant des yeux dans la fumée, le colonel vit ses phantasmes de terreur devenir réalité : une nouvelle vague d'assaut se formait dans les bois. Les hommes de Hardee, sale racaille aux uniformes miteux, teints couleur noix cendrée. Au sommet de la faible pente que les rebelles devaient gravir, les soldats du régiment de l'Ohio se cachaient derrière les arbres ou dans l'herbe. Surpris au petit déjeuner, les Fédéraux n'avaient pas creusé de tranchées parce que le général Grant avait négligé d'en donner l'ordre. Halleck * avait maintenant une bonne raison de ne pas faire confiance à Grant.

Tremblant, Bent vit les rebelles se lancer à l'assaut.

— Restez sur vos positions, les gars, ordonna-t-il.

Au prix d'un gros effort, il s'éloigna du chêne derrière lequel il était caché, braqua ses jumelles vers l'ennemi. Quand les soldats de la première vague grise commencèrent à tirer, il se précipita à nouveau derrière l'arbre. La racaille se mit à pousser les cris sauvages qui accompagnaient désormais les charges confédérées — bien que personne ne sût où et quand cette habitude avait commencé. Bent eut l'impression d'entendre hurler des chiens enragés.

Les balles sifflaient de toutes parts. Sur sa gauche, un soldat agenouillé se dressa brusquement, comme soulevé par les bras. Un morceau de sa joue gauche vola en l'air puis l'homme s'effondra, le crâne fracassé.

Les gris continuaient à charger, montant la colline déployés en éventail. Ceux de derrière tiraient quand leurs camarades de devant s'agenouillaient pour recharger et faire feu dans cette position. Puis toute la ligne reprenait l'assaut, baïonnettes au canon, les officiers beuglant aussi fort que les hommes de troupe.

Bientôt les rebelles ne furent plus qu'à cinquante mètres : gris et noix cendrée, barbes et haillons, yeux féroces et immenses bouches ouvertes. Des éclats d'obus constellaient le ciel bleu, de la fumée flottait à la cime des arbres, la terre tremblait. Bent entendit un cri plus fort que les autres.

— Oh ! non, mon Dieu, non !

Les premiers rebelles atteignirent les soldats de l'Ohio, qui n'avaient jamais été au feu auparavant et cherchaient maladroitement à échapper aux baïonnettes des assaillants. Bent vit une pointe d'acier s'enfoncer dans une vareuse bleue, ressortir rouge de l'autre côté. A nouveau le cri :

— Mon Dieu, non !

De son sabre, il frappa le dos d'un soldat de l'Ohio. Titubant dans

* Commandant en chef des forces de l'Union dans l'Ouest (n.d.t.).

l'herbe haute, il se précipita derrière l'homme qui s'enfuyait. Les rebelles se ruaient au sommet de la colline; les bleus, enfoncés, abandonnaient leurs positions. Bent continua à frapper le deuxième classe jusqu'à ce qu'il s'écroule.

Il se débarrassa de ses jumelles et de son arme, poursuivit sa course vers le Tennessee avec des centaines d'autres fuyards. L'un après l'autre, les régiments de l'Union s'effondraient. Bent devait sauver sa peau, même si tous les hommes placés sous son commandement mouraient. A lui seul, il les valait tous.

Les fugitifs précédant le colonel avaient tracé dans l'herbe une trouée qui facilita sa fuite jusqu'à ce qu'il se heurte à un obstacle : un petit soldat, boitant, les mains crispées sur le bord bleu émaillé d'un tambour. Bent saisit les frêles épaules du jeune garçon, le poussa sur le côté. En tombant, l'adolescent lui lança un regard à la fois apeuré et méprisant.

La panique du colonel s'accrut quand il arriva dans une zone d'arbres. Entendant un obus siffler, il se précipita vers un chêne, en étreignit le tronc en fermant les yeux. Au moment de l'explosion, il se rendit compte que c'était lui qui avait crié juste avant :

— Mon Dieu, non !

Il reprit conscience trempé par la pluie et, dans un premier moment d'incohérence, se crut mort. Puis il entendit des cris dans l'obscurité. Des gémissements, des plaintes aiguës et soudaines. Reniflant, il promena les mains le long de son corps, des chevilles à la gorge en passant par le bas-ventre. Il était engourdi, raide mais entier. Entier, il avait survécu.

Un éclair brilla au-dessus des branches bourgeonnantes. Quand le tonnerre retentit, Bent se mit à ramper. Il se cogna la tête contre un arbre, le contourna, s'enfonça dans un buisson aux épines acérées. Devant lui, le terrain s'abaissait doucement. Il eut l'impression de sentir de l'eau, rampa plus vite.

Un deuxième roulement de tonnerre couvrit le chœur ininterrompu des blessés. Ils devaient être des milliers gisant dans les prés et les bois entourant la Maison commune de Shiloh. Qui avait gagné la bataille ? Bent s'en moquait.

Sentant de la boue sous ses paumes, il tendit les bras, plongea les mains dans l'eau. Il but avidement, eut un haut-le-cœur, faillit vomir. Elle avait un goût étrange, cette eau.

A la lueur d'un éclair, il vit des cadavres flottant à la surface, un liquide rouge coulant entre ses doigts. Il se plia en deux, hoqueta. « Je suis au Mexique », pensa-t-il, complètement perdu.

Il se remit péniblement debout, traversa le petit cours d'eau. Chaque fois qu'un mort venait se frotter à ses jambes, Bent était saisi de nausée. Il monta sur la berge, s'élança dans un bois, trébucha sur une pierre, tomba en avant. L'une de ses mains s'accrocha à quelque chose qui l'aida à freiner sa chute. Au toucher, cela ressemblait à une douille de baïonnette. Les cheveux dans les yeux, il se redressa, s'agenouilla.

La lueur d'un éclair lui révéla que la baïonnette avait cloué au sol un autre jeune tambour, lui perçant la gorge. Bent cria jusqu'à en perdre le souffle puis se releva. Peu à peu, il recouvra une lucidité qui le contraignit à voir la réalité en face. Il avait été parmi les premiers à fuir, crime d'autant plus grave qu'il avait la responsabilité du régiment. Il savait que les survivants rapporteraient sa conduite, ruinant à jamais sa carrière.

Il fit demi-tour, explora les broussailles à tâtons et finit par retrouver le cadavre du petit tambour.

« Je n'y arriverai jamais », pensa-t-il en regardant à la lueur d'un éclair la gorge empalée.

« Il le faut. C'est le seul moyen de te sauver. »

Haletant, il saisit la baïonnette, tira doucement, la tourna pour la dégager de la chair. Puis, adossé à un arbre, il rassembla son courage. Les yeux fermés, il plaça la pointe de l'arme contre le devant de sa cuisse gauche et poussa.

Dans les deux camps on revendiqua la victoire de Shiloh. Mais, le lendemain, Grant dirigea l'offensive et l'armée confédérée dut finalement battre en retraite vers Corinth après avoir perdu un de ses grands héros, Albert Sidney Johnston. Ces seuls faits en disaient plus que les déclarations prononcées de part et d'autre.

A l'hôpital, Elkanah Bent apprit que la conduite du régiment de l'Ohio n'était pas un cas isolé. Des milliers de soldats de l'Union s'étaient enfuis. Des lambeaux de régiment éparpillés le long du Tennessee avaient attendu à l'abri l'issue de la bataille, défaite le dimanche et victoire le lundi.

Aucune de ces circonstances n'atténuait cependant les menaces pesant sur Bent. Bientôt on procéda à une enquête sur sa conduite et il répéta avec une assurance croissante sa version des événements :

— Effectivement, je courais. Pour arrêter mes hommes. Pour enrayer la débâcle.

Lorsqu'on l'interrogeait sur l'endroit où on l'avait retrouvé inconscient — à près de deux kilomètres de la position de son régiment — il répondait :

— Je me trouvais sur notre position d'origine quand j'ai reçu le coup de baïonnette. Je ne m'enfuyais pas, je faisais face à l'ennemi : l'emplacement de ma blessure le prouve. J'ai peu de souvenirs de ce qui s'est passé ensuite. Je me rappelle seulement que j'ai abattu mon assaillant d'un coup de sabre et que j'ai couru pour arrêter la déroute.

L'enquête fut finalement menée par Sherman lui-même, à qui Bent déclara :

— Je courais pour arrêter mes hommes.

— Selon certains témoignages, vous avez été parmi les premiers à fuir, répliqua le général d'un ton froid.

— Je ne fuyais pas, mon général. Je tentais d'arrêter les fuyards. Si vous tenez à me faire passer en cour martiale, je réitérerai mes déclarations devant cette instance — et devant tout témoin m'accusant de m'être enfui. Que mes accusateurs s'avancent ! Le régiment que vous m'avez confié était composé d'hommes qui n'avaient jamais été au feu. Comme tant d'autres, ils ont fui. J'ai couru pour les arrêter. Pour enrayer la débâcle.

— Epargnez-moi vos litanies, colonel, grommela Sherman. (Il se pencha pour cracher par terre à côté du bureau installé dans sa tente.) Je ne veux plus de vous sous mes ordres.

— Cela signifie-t-il que vous avez l'intention...

— Vous l'apprendrez quand je jugerai bon de vous en informer. Vous pouvez disposer.

Bent salua, sortit en s'appuyant sur sa béquille. Les menaces implicites de Sherman le tourmentaient plus que sa blessure. Qu'est-ce que ce petit fou avait imaginé pour le punir ?

Dans la péninsule située au sud-ouest de Richmond, McClellan affrontait Joe Johnston sans guère de résultats. Le long de la Shenandoah, Stonewall Jackson manœuvrait brillamment et infligeait aux Yankees une défaite lavant en partie la honte de Shiloh. Sur le Mississippi, l'amiral Farragut parvenait à La Nouvelle-Orléans malgré les batteries confédérées. Quasiment sans défense, la ville se rendit le 25 avril. Une semaine plus tard — et près d'un mois après l'entrevue épineuse avec Sherman —, Bent obtint une nouvelle affectation.

— A l'état-major de l'armée du Golfe ? dit Elmsdale quand Bent l'en informa. C'est surtout une troupe d'occupation. Un poste de tout repos mais qui n'aidera pas beaucoup votre carrière.

— Ça non plus, marmonna Bent en montrant sa jambe blessée.

Elmsdale lui serra la main, lui souhaita bonne chance mais avec une expression que Bent jugea suffisante. Blessé à l'épaule pendant la bataille, Elmsdale avait reçu une citation. Bent, lui, connaissait une nouvelle ignominie dont il rendait les autres responsables, de Sherman, le petit dément à la barbe en broussaille, à cet ivrogne de Grant, l'artisan de la victoire de Shiloh.

Elkanah Bent voyait son étoile pâlir et n'y pouvait pas grand-chose.

54

— Faites avancer les chariots ! cria Billy. Nous avons besoin de bateaux.

Enfoncé dans la boue jusqu'à mi-bottes, Lije Farmer saisit le bras du jeune officier.

— Pas si fort, mon garçon. Il y a peut-être des sentinelles ennemies sur l'autre rive.

— Elles ne peuvent y voir plus que nous dans cette obscurité. Quelle est la largeur de ce cours d'eau, de toute façon ?

— Le haut commandement ne nous gratifie pas de telles informations. Ni d'ailleurs de cartes topographiques. Tout ce qu'il nous donne, ce sont des ordres : nous devons construire un pont sur le Black Creek.

— Il porte bien son nom *, fit Billy d'un ton bougon.

Le convoi transportant le matériel — pontons, poutrelles, madriers, outils, forge de campagne — avait parcouru péniblement des routes rendues boueuses par la pluie, qui avait commencé à tomber en début de soirée. Après une légère accalmie, il pleuvait à présent de plus belle et le vent s'était levé. Billy examinait le pont inachevé à la lumière de trois lanternes se balançant en haut de poteaux plantés dans la vase. Ils prenaient des risques en révélant ainsi leur position mais on ne pouvait se passer de lumière : le cours d'eau était profond, le courant rapide.

Le pont de bateaux s'étendait jusqu'au milieu du Black Creek. Ses pontons, reliés par des poutrelles de neuf mètres, étaient retenus par deux ancres, l'une en amont, l'autre en aval. Des sapeurs déchargeaient des madriers, les plaçaient sur les poutrelles tandis que

* Black Creek : ruisseau noir (n.d.t.).

d'autres fixaient le parapet sur les traverses déjà posées. C'était une rude besogne, rendue plus pénible encore par le balancement de l'ouvrage sous l'effet d'un vent violent.

Personne ne répondit à l'appel de Billy, qui ne voyait d'ailleurs plus de chariots de bateaux.

— Ils ont dû s'embourber, supposa Farmer. Allez donc voir. Moi, je reste ici, ajouta-t-il en logeant son vieux mousquet dans le creux de son bras gauche.

On détachait d'ordinaire des fantassins pour assurer la protection du site de construction mais les soldats du Génie de l'armée du Potomac se fiaient davantage à eux-mêmes qu'à cette bleusaille et travaillaient rarement sans armes. Billy portait son revolver dans un étui dont il avait ôté la patte.

Couvert de boue, gagné par l'engourdissement, il remonta sur la berge derrière un chariot d'outils. Quel jour était-on ? Le 10 avril, peut-être. L'énorme armée de McClellan, deux fois plus nombreuse, disait-on, que les forces conjuguées de Joe Johnston et du prince Magruder, était descendue par bateau jusqu'au Fort Monroe, situé à la pointe de la péninsule séparant l'York et le James. L'embarquement avait commencé le 17 mars, six jours après que Petit Mac eut perdu le commandement en chef. Pour expliquer cette destitution, certains invoquaient son refus de marcher sur Manassas ; d'autres se contentaient de citer le nom de Stanton, le nouveau ministre, à qui les généraux faisaient désormais directement leurs rapports.

Bien qu'il ne commandât plus que l'armée du Potomac, McClellan continuait à réclamer de l'artillerie et des munitions supplémentaires, ainsi que le corps d'armée de McDowell, affecté à la défense de Washington. Quand le gouvernement eut rejeté la plupart de ses requêtes, le général décida d'assiéger Magruder au lieu de l'attaquer, choix que plusieurs officiers, dont Lije Farmer, avaient mis en question.

— Qu'est-ce qu'il a ? avait demandé le capitaine à Billy. On dit qu'il double les estimations des effectifs ennemis fournies par les agents de Pinkerton. Mais même alors, nos forces sont supérieures en nombre. De quoi a-t-il peur ?

— De perdre sa réputation. Ou peut-être les prochaines élections présidentielles, avait répondu Billy, mi-plaisantant mi-sérieux.

La marche sur Yorktown avait commencé le 4 avril. La tâche du bataillon du Génie consistait notamment à fasciner les routes et à jeter des ponts sur les cours d'eau pour que les hommes et l'artillerie de siège puissent approcher des lignes de Magruder, qui s'étiraient sur plus de vingt kilomètres entre Yorktown et la Warwick. Selon les éclaireurs, des canons puissants et nombreux étaient installés sur les défenses ennemies.

La presqu'île était un labyrinthe de routes et de cours d'eau ne figurant sur aucune carte dans lequel il devint de plus en plus difficile d'avancer avec la pluie. Mais les sapeurs étaient prêts. Le soir d'hiver où Billy avait quitté précipitamment Washington, son bataillon avait été envoyé sur le Potomac pour mettre à l'épreuve les nouvelles recrues. Elles avaient passé l'examen en réussissant à construire un pont de bateaux complet, ce qui avait ranimé l'orgueil frisant l'arrogance des sapeurs. A présent, Billy n'éprouvait plus cette fierté. Les nuits passées sous une tente humide, les journées de travail de dix-huit ou vingt heures sous une pluie battante l'avaient vidé de tout sentiment. Il survivait, simplement, forçant ses hommes et lui-même à passer d'une tâche à une autre.

Il parvint aux chariots de pontons, immobilisés à près d'un kilomètre du pont. Chacun d'eux transportait un long bateau en bois et son équipement : rames et tolets, ancres, crochets et filins. Comme il l'avait craint, le premier chariot était enfoncé dans la boue jusqu'aux essieux.

Billy examina la situation à la lumière d'une lanterne. Il suggéra de détacher les bœufs, de les faire avancer, de nouer à leur joug des cordes qu'on ferait passer par-dessus une grosse branche d'arbre avant de les attacher au chariot. Lorsque le dispositif fut en place, le cocher du chariot frappa les bêtes de son fouet à longue mèche mais au lieu de partir droit devant eux, les bœufs obliquèrent sur la droite. La branche émit un craquement menaçant.

— Lâchez tout ! cria Billy.

Il se rua vers le conducteur, le poussa sur le côté juste avant que la branche ne se casse et tombe sur l'avant du bateau, l'écrasant et brisant sous son poids l'essieu avant du chariot.

Furieux contre lui-même, Billy Hazard s'arracha à la boue, monta sur le chariot, constata qu'il bloquait le passage des autres.

— Bon, je vous envoie du renfort, dit-il aux cochers. Nous porterons les bateaux à dos d'homme. Nous sommes déjà en retard.

Dans l'obscurité, une ombre lança :

— La faute à qui ?

— Les porter ? se plaignit un autre conducteur. Du dernier chariot, ça fera près de deux kilomètres !

— Cela pourrait en faire cinquante, je m'en moque, répliqua Billy avant de repartir en trombe, honteux de lui-même.

Sur le pont inachevé, les fantassins fatigués avaient cessé le travail. On ne pouvait rien faire avant que le bateau suivant soit mis à l'eau et placé à neuf mètres du dernier ponton.

— Lije, j'ai besoin d'hommes pour porter les bateaux, expliqua Billy. Au lieu de dégager le chariot qui bloquait, je l'ai complètement immobilisé. On ne peut plus avancer.

— J'ai vu, répondit Farmer en hochant la tête avec une lenteur majestueuse. Ne vous accablez pas de reproches. Il n'est pas un sapeur vivant qui n'ait commis une erreur en son temps. Et nous ne sommes pas dans des conditions qui favorisent une réflexion rapide. Remerciez le ciel d'avoir perdu un chariot et non une vie.

Le jeune officier songea que lorsque Brett et lui auraient des enfants, il s'efforcerait de les conseiller avec autant de sagesse et de compréhension que Farmer le faisait pour ceux qu'il avait sous ses ordres.

Une langue de feu déchira la nuit sur l'autre rive ; sur le pont, un soldat poussa un cri en portant la main à sa jambe, bascula vers l'eau mais ses camarades le retinrent. Aussitôt, Farmer saisit son mousquet par le canon, fit tomber du poteau la lanterne la plus proche. Billy bondissait vers une autre quand la fusillade se déclencha. Les sapeurs se retirèrent sur la berge, ripostèrent. Un quart d'heure plus tard, les rebelles cessèrent de tirer ; Billy et Lije attendirent un peu puis ordonnèrent de rallumer les lanternes et de reprendre le travail.

Vers deux heures et demie, les sapeurs avaient mis à l'eau assez de bateaux et placé assez de poutrelles pour atteindre l'autre rive. Billy rédigea une brève dépêche annonçant que le pont était achevé et envoya un courrier la porter au quartier général. Les hommes se couchèrent par terre, abritant de leur mieux leur carcasse et leur poudre. Adossé à un arbre, une couverture humide sur les jambes, Billy éternua pour la quatrième fois.

— Lije ? Ce soir, avant notre départ, vous avez entendu ce qu'on dit des pertes essuyées à Shiloh ?

— Oui, répondit Farmer de l'autre côté de l'arbre. Chaque armée aurait perdu un quart des forces engagées.

— C'est incroyable. Cette guerre change, Lije.

— Elle continuera à changer.

— Mais où mènera-t-elle ?

— Au triomphe final du juste.

Je ne suis pas sûr que nous vivrons tous pour le voir, songea Billy en fermant les yeux. Bien qu'il claquât des dents et fût parcouru de frissons, il finit par s'endormir sous la pluie.

Le lendemain matin, les sapeurs fixèrent les derniers câbles sur le pont, envoyèrent sur l'autre rive des éclaireurs qui constatèrent que les rebelles avaient déguerpi. Puis ils attendirent qu'on les expédie ailleurs, ce qui ne pouvait tarder.

Un soir qu'il bivouaquait près de Yorktown, Charles Main fit observer à Abner Woolner :

— Voilà plusieurs semaines que nous chevauchons ensemble mais je ne sais pas grand-chose de vous.

— Y a pas grand-chose à savoir. Je sais à peine lire et écrire, pas du tout compter. J'ai été marié. Ma femme est morte en accouchant. Le bébé aussi. J'ai une ferme près de la frontière de la Caroline du Nord, à King's Mountain. Là où mon grand-père a combattu les Anglais.

— Que pensez-vous de cette guerre ?

L'éclaireur souleva sa lèvre supérieure de sa langue avant de répondre :

— Ça pourrait vous vexer si je vous le disais.

— Allez-y.

— C'est les gros planteurs qui mènent la grande vie sur la côte qui nous ont foutus dans ce pétrin. Y en a quèques-uns de bien, mais ils sont rares.

— Vous avez des esclaves ?

— Pas un. Et j'en voudrais pas. J'aime pas spécialement les Noirs mais je pense qu'aucun homme ne devrait être enchaîné. Je sais qu'un juge a déclaré que Dred Scott * et le reste des moricauds sont pas des personnes mais j'en connais qui sont des types bien. Alors je sais pas trop ce que je pense de la question.

— Je partage votre opinion sur la plupart des planteurs, concéda Charles.

Ab Woolner sourit :

— Je savais bien que j'avais raison de vous avoir à la bonne.

Billy écrivit dans son journal :

Le général est un paradoxe. Il nous demande d'installer son artillerie de siège — rien que des pièces de soixante-douze — pour bombarder une position dont beaucoup pensent qu'on pourrait s'emparer avec une seule attaque concertée. Il faudrait une page entière pour décrire le système de

* Dans l'affaire Dred Scott, le tribunal récusa le témoignage d'un Noir parce qu'il n'était qu'un bien, pas une personne (n.d.t.).

rouleaux et de grues utilisé pour descendre les canons. Nous devons construire des rampes pour mettre en place chaque pièce et un observateur non averti croirait que ce siège doit durer un an.

Les hommes posent des questions : pourquoi ce siège ? Pourquoi prendre pour objectif Richmond et non l'armée confédérée, dont la défaite contraindrait le Sud à capituler ? Bien que fréquentes, ces questions ne sont jamais formulées à proximité d'un des officiers à la loyauté inébranlable dont le général s'entoure.

Le paradoxe que je mentionnais est le suivant : bien qu'il agisse peu, le général est très aimé. Les hommes dont il a fait la plus magnifique troupe combattante jamais vue se tournent les pouces — et continuent à l'acclamer lorsqu'ils l'aperçoivent. Est-ce parce qu'il leur épargne les dangers d'un affrontement décisif ?

Brett, je deviens amer. Mais il y a tant de factions dans cette armée ! Certains appellent le général « McNapoléon », et ce n'est pas pour faire son éloge.

Lorsque les Confédérés évacuèrent Yorktown, au début du mois de mai, les sapeurs de l'Union furent parmi les premiers à arriver sur les fortifications désertées. Billy courut à un emplacement de canon, jura en découvrant que la grosse pièce noire n'était qu'un tronc d'arbre peint. L'emplacement comprenait cinq autres leurres semblables.

— Des canons de Quaker *, fit-il, écœuré.

Farmer, dont la barbe blanche flottait au vent, trouva une citation de la Bible convenant à la situation :

— Tu m'as trompé et j'ai été abusé. Chacun se moque de moi.

— Le prince est un expert en artillerie qui aime aussi le théâtre amateur. Redoutable combinaison. Je me demande s'il y a d'autres faux canons.

Il y en avait. Un déserteur rebelle révéla en outre que Magruder avait promené quelques unités dans tout Yorktown pour faire croire à l'ennemi qu'il disposait de forces plus importantes que les treize mille hommes qu'il avait à présent repliés. Tandis qu'il retenait McClellan par son audace et ses stratagèmes, le gros de l'armée rebelle s'était retiré sur de meilleures positions défensives préparées en secret plus au nord de la presqu'île. Les énormes canons de McClellan, qu'il avait fallu trois semaines pour installer, étaient braqués sur un objectif sans valeur. Les atermoiements de Petit Mac avaient aussi donné à Johnston plus de temps pour faire venir des renforts de la partie ouest de l'Etat.

— Cette fichue guerre pourrait bien durer un moment, déclara Billy. Nous avons plus d'usines mais il me semble que les autres ont plus de cervelle.

Cette fois, Farmer ne trouva pas de réponse dans les Saintes Ecritures.

Les bois sentaient la pluie de mai. Charles, Ab et un troisième éclaireur nommé Doan se tenaient immobiles sur leur selle, cachés par les arbres, et regardaient le détachement passer sur la route de campagne : douze Yankees, sur deux files, venant au pas de Tunstall'-Station et se dirigeant vers le pont Bottom, sur la Chickahominy. Johnston s'était retiré de l'autre côté de la rivière et les pessimistes de son armée faisaient observer qu'en plusieurs points, cette ligne de

---

* Ou faux canons, à cause du pacifisme des Quakers (n.d.t.).

démarcation liquide se trouvait à moins de quinze kilomètres de Richmond.

Les trois éclaireurs reconnaissaient la rive yankee depuis deux jours sans avoir glané de renseignements concluants. Ils avaient surveillé la voie ferrée Richmond-York, n'y avaient vu aucun signe de trafic et avaient fait demi-tour. Ils approchaient des terres basses et marécageuses bordant la rivière quand ils avaient entendu les Yankees.

Un papillon jaune voletait dans un rayon de soleil à un mètre de Charles, qui avait dégainé son colt 44. Il tenait beaucoup moins à se battre qu'à découvrir qui étaient ces hommes et ce qu'ils faisaient sur cette route.

— Des fusiliers montés ? murmura-t-il, en se fondant sur le pompon orange du képi des deux officiers menant le détachement.

— Les gradés peut-être, répondit Woolner. Mais si les autres sont restés plus de deux heures à cheval de toute leur vie, je suis Varina Davis.

— Alors, ils sont quoi ? chuchota Doan. Impossible à dire, leurs uniformes sont tellement crottés.

Charles caressa sa barbe, dont les poils mesuraient à présent trois centimètres. La boue le fit penser aux berges, les berges à son ami Billy.

— Je parie que ce sont des sapeurs.

— Possible, dit Ab. Mais ils font quoi, alors ? Ils reconnaissent les marais ?

— Oui. Pour y trouver des gués, des endroits où construire un pont. C'est peut-être le premier indice d'une avance ennemie.

Joueur fit un écart. Tout en le calmant d'une pression des genoux, Charles entendit, venant du sol, un curieux bruissement auquel il ne prêta pas attention parce que Doan lui demandait :

— On leur tire un peu dessus pour les remuer, capitaine ?

— J'aimerais bien mais il vaut mieux poursuivre jusqu'à la route suivante. Il faut ramener cette information au camp le plus vite possible.

— Un serpent à sonnette, chuchota Woolner, plus fort qu'il n'aurait dû.

Le reptile se glissa devant les sabots de son cheval, qui recula en poussant un long hennissement.

— C'est fichu, dit Charles.

Il entendit sur la route quelqu'un crier des ordres. Le serpent, plus effrayé que les trois hommes, disparut.

— Filons, décida Charles.

Ab ne parvenait pas à calmer son cheval.

— Allons Cyclone. Satanée b...

Habitué aux coups de feu mais pas aux serpents, l'animal rua et faillit désarçonner son cavalier. Saisissant le licou du cheval, Charles le força à reposer ses sabots avant sur le sol et Woolner reprit le contrôle de sa monture. Mais des secondes avaient été perdues et, dans son agitation, Cyclone avait exposé son pelage à l'un des rayons de soleil filtrant à travers les arbres. Les deux Yankees fermant la marche repérèrent Ab, braquèrent sur lui leur arme d'épaule.

Charles saisit son fusil de chasse, tira ses deux cartouches puis fit feu trois fois de la main droite avec son revolver. Les Yankees se dispersèrent en criant :

— A couvert !

— En avant, les gars, ordonna Charles.

Il avait tablé sur la marge de temps que les bleus laisseraient aux éclaireurs en s'abritant dans le fossé bordant la route. Il éperonna Joueur, le lança parmi les arbres, non pas dans la direction opposée à la route — comme il en avait d'abord eu l'intention — mais vers elle, en remontant le côté d'un triangle imaginaire qui les conduirait loin devant le détachement ennemi.

Après quelques secondes de galop effréné, il déboula sur la route, suivi d'Ab et de Doan. Un regard en arrière lui montra deux Yankees au bord du fossé, les autres avaient disparu.

Les deux soldats de l'Union tirèrent; une balle perça le bord du chapeau de Charles. Quelques secondes encore et les éclaireurs furent hors de portée des mousquets ennemis. Charles rengaina son revolver, se concentra sur la route serpentant à travers des bois où miroitaient des étangs marécageux.

Quelques centaines de mètres plus loin, l'eau cernait la route de toutes parts. Les arbres semblaient s'élever d'une surface recouverte d'une pellicule verte, mouchetée par de minuscules insectes. Dans moins de deux kilomètres, ils traverseraient la rivière.

Derrière eux, la route explosa en une grande flamme, une fontaine d'éclats d'obus. Ab faillit tomber dans l'eau avec son cheval; Charles fit demi-tour, vit un trou fumant et Doan qui essayait de se dégager de sa monture gisant au sol.

Les yeux écarquillés, Doan haletait. La bête était condamnée. L'obus enterré, mis à feu par un détonateur à friction, avait projeté des éclats mortels dans le garrot et la poitrine de l'animal.

Doan parvint à libérer son pied de l'étrier gauche, son cheval glissa dans le trou. L'éclaireur se mit debout, tourna en rond comme un enfant perdu. On entendit les Yankees, cachés par les méandres de la route, approcher au galop.

Charles dirigea Joueur vers le bord du trou mais l'animal fit un écart en arrivant près du cheval agonisant et souffla par ses naseaux en longs jets tremblés.

— Montez, dit Charles à Doan en frappant la croupe de Joueur.

L'éclaireur hagard se mit soudain à pleurer.

— Je peux pas le laisser.

— Il est fichu, répliqua Charles.

Les premiers cavaliers ennemis apparurent sur la route.

— Monte, bon sang! répéta Charles en agrippant Doan par le col. Sinon nous serons tous pris.

Doan parvint à grimper sur le cheval gris, passa ses bras autour de la taille de Charles, qui lança Joueur vers la Chickahominy. Ab s'écarta pour laisser passer son capitaine, déchargea son arme sur leurs poursuivants. Il avait peu de chances de les atteindre mais les coups de feu les ralentiraient.

Malgré sa double charge, Joueur galopait vaillamment en direction de la rivière. Doan, que Charles sentait trembler derrière lui, s'écria soudain:

— Foutus sauvages!

— Qui?

— Les Yanks qui ont enfoui cette machine infernale dans le sol.

— Prenez-vous-en plutôt au général Rains ou à un autre officier de notre camp. Avant d'évacuer Yorktown, Rains a semé des mines comme celles-là dans les rues et sur les quais de la ville... On s'en tire, Ab?

Woolner, qui chevauchait à sa hauteur, répondit :

— On est loin devant ces marchands de boutons et de dés à coudre. Attention, voilà le pont.

La proximité de la rivière mit fin à la discussion sur la mine qui avait tué la monture de Doan. Le général Longstreet qualifiait ces engins d'inhumains et interdisait leur usage. Une interdiction singulièrement efficace...

Rétrospectivement, Billy devait se dire plus tard qu'il était mûr pour une bagarre lorsqu'il était entré dans la tente du cantinier, un soir de la fin du mois de mai.

Depuis des jours, une nervosité obstinée s'était emparée des armées de la péninsule. Les rebelles, retranchés de l'autre côté de la Chickahominy, étaient prêts à mourir pour Richmond. Dans le camp de l'Union, le doute régnait, des rumeurs alarmantes circulaient : Jackson humiliait les fédéraux sur la Shenandoah et McDowell, qui tenait bon près de Fredericksburg, serait peut-être envoyé là-bas pour conjurer le danger. Petit Mac continuait à réclamer des renforts bien qu'il disposât de plus de cent mille hommes. Il se plaignait aussi des attaques de la meute de Washington, menée par ce chien enragé de Stanton.

Des clans se formaient, soutenant chaque partie. Les détracteurs de « McNapoléon » affirmaient que son entourage d'officiers supérieurs, notamment Porter et Burnside, exécuteraient sans poser de question n'importe quel ordre du général et le défendraient contre Washington, fût-ce au prix d'une défaite.

Tout cela, s'ajoutant à la fatigue de longues heures de veille, avait fortement éprouvé Billy. Le soir où il se rendit à la cantine, il y aperçut un officier qu'il ne connaissait que de vue et trouvait cependant antipathique. C'était un ancien de l'Académie, affecté à l'état-major. Billy l'avait vu plusieurs fois trotter à cheval dans le sillage de Petit Mac. L'homme avait un teint de fille et l'arrogance désinvolte d'un familier des clubs. Même son uniforme irritait Billy : à la différence de ceux des autres, couverts de boue, il était d'une propreté impeccable, comme ses bottes resplendissantes. Avec ses longues mèches bouclées et le foulard rouge noué autour de sa gorge, il ressemblait davantage à un cavalier de cirque qu'à un officier.

Ce qui agaçait le plus Billy, penché au bout de la planche faisant office de comptoir, un verre sale à la main, c'était l'attitude de cet homme. De deux ou trois ans plus jeune que Billy, il ne portait pas d'épaulettes mais se comportait comme un officier supérieur.

Un officier supérieur hâbleur.

— Le général remporterait la victoire s'il n'y avait pas ces canailles abolitionnistes de Washington. Pourquoi les supporte-t-il ? Je l'ignore. Même notre vénéré président l'humilie. Il a osé traiter le général de traître la semaine dernière. En pleine figure !

Billy but une gorgée. Il en était à son deuxième verre de ce que le cantinier appelait du cidre — un cidre rudement corsé mais qu'il valait encore mieux ingurgiter que les mixtures douteuses (sucre brun, pétrole de lampe, alcool de grain) présentées sous le nom de whisky.

Ce « cidre » avait des effets néfastes sur votre estomac et votre humeur si vous n'aviez rien avalé depuis midi. Et Billy, chargé de diriger une corvée de gabionnage, n'avait pas eu le temps de manger.

L'officier d'état-major s'interrompit le temps de vider son verre du breuvage maison. Sa petite coterie, constituée de cinq autres gradés, capitaines et lieutenants, attendait impatiemment qu'il reprenne la parole.

— Connaissez-vous la dernière ? L'estimable Stanton attaque l'honneur du général et met en question sa bravoure — derrière son dos, naturellement — tout en persuadant le Gorille originel de ne pas accorder les renforts dont nous avons désespérément besoin.

— Une vraie conspiration, grommela un lieutenant.

— Exactement. Et vous savez pourquoi, n'est-ce pas ? Le général aime et respecte les gens du Sud. Beaucoup dans cette armée ont les mêmes sentiments et j'en fais partie. Or l'estimable Stanton n'apprécie qu'une seule sorte de gens du Sud : ceux qui ont la peau noire. Il est comme tous les Républicains.

— Mais il est démocrate, dit Billy en claquant son verre sur le comptoir.

L'officier aux longues boucles écarta ses admirateurs comme Moïse fendant les eaux de la mer Rouge.

— M'avez-vous adressé la parole ?

Du calme, se dit Billy. Mais il ne suivit pas son propre conseil. Curieux que, lui, qui n'avait aucune sympathie particulière pour les gens de couleur, se fît le défenseur d'un de leurs partisans.

— Oui. J'ai rappelé que Mr. Stanton est démocrate, pas républicain.

Sourire froid du lieutenant arrogant.

— Puis-je avoir le plaisir de savoir qui nous offre cette précieuse information ?

— Lieutenant Hazard. Actuellement affecté à la compagnie B, bataillon du Génie.

— Sous-lieutenant Custer, affecté à l'état-major. Serviteur, monsieur. Vous avez probablement fait West Point, vous aussi. J'en suis sorti en juin, dernier de ma promotion. Trente-sixième sur trente-six.

Custer semblait ravi de ce classement et son entourage ricana complaisamment.

— Quant à votre déclaration, poursuivit-il, elle n'est exacte que si l'on a une vision étroite des choses. Me permettez-vous d'oublier toute considération hiérarchique pour vous dire ce qu'est Stanton en réalité ?

Le sous-lieutenant s'approcha de Billy et tous les officiers présents se turent pour l'écouter. Un chien galeux, au poil jaune couvert de boue, entra en trottinant dans la tente et vint se frotter aux bottes de Custer. Il y avait dans le camp des dizaines de chiens, errants ou adoptés par la troupe.

— Stanton est un homme vil, hypocrite, dépravé. S'il avait vécu au temps du Seigneur, Judas aurait paru respectable à côté de lui.

Plusieurs des officiers observant la scène réagirent avec colère. L'un d'eux se leva mais son compagnon le retint. Seul Billy, énervé par le cidre, eut la témérité de répondre :

— Ce genre de propos n'a pas sa place dans l'armée. On y fait déjà trop de politique.

— Trop ? Pas assez, oui !

La coterie approuva en tambourinant sur le comptoir.

— Non, lieutenant Custer, c'est de la victoire que nous devons avant tout nous soucier. Mon frère, qui travaille au ministère de la Guerre, m'écrit que...

— Un planqué, lança un capitaine par-dessus l'épaule de Custer.

— Il est major au service du Matériel, répliqua Billy. Il fait un travail très important.

— Lequel ? demanda Custer. Il cire les bottes de Stanton ? Il offre des rafraîchissements aux visiteurs noirs du ministre ?

— Il lui baise le postérieur ? ajouta le capitaine.

Billy se précipita vers l'homme dont les propos avaient choqué jusqu'à Custer :

— Capitaine Rawlins, vous allez un peu loin...

Billy écarta le sous-lieutenant, expédia son poing vers le visage du capitaine, qui mesurait une tête de plus que lui. Le coup ne fit qu'effleurer le menton de Rawlins. Les autres officiers se mirent à crier comme les spectateurs d'un combat de coqs.

— Faites de la place pour ces messieurs !

— Pas ici, protesta le cantinier.

Personne ne l'écouta. Le capitaine déboutonna son col, un vague sourire aux lèvres. « Quel imbécile je fais ! » se disait intérieurement Billy en serrant et desserrant les poings. Quelqu'un entra dans la tente, l'appela par son nom, mais Billy concentrait toute son attention sur le capitaine, qui s'avançait à présent vers lui en grommelant :

— Je vais t'arranger, petit merdeux de Républicain.

Billy n'était pas encore en garde lorsque le poing de Rawlins s'écrasa sur son visage. Il bascula en arrière, sur le comptoir, un filet de sang coulant de chaque narine. Le capitaine voulut porter un autre coup mais le lieutenant se redressa, détourna le poing lancé vers lui. Rawlins enfonça son genou dans le bas-ventre de Billy, qui s'écroula. Avec un grand sourire, le capitaine leva sa botte au-dessus du visage de son adversaire.

— Ah ! vous voilà ! fit la voix familière derrière les spectateurs.

— Cela suffit, Rawlins, intervint Custer. C'est peut-être un républicain ami des nègres mais il a droit à un combat loyal.

— Sûrement ! ricana le capitaine.

La botte commença à descendre, Billy tenta de rouler sur le côté.

Soudain, Rawlins bascula mystérieusement en arrière, agitant le pied avec lequel il allait frapper. Billy se releva, s'appuya sur un coude, cligna des yeux et découvrit Lije Farmer, qui tenait le capitaine par les épaules. Le visage courroucé, Farmer poussa sur le côté l'adversaire de Billy avec une telle force que l'homme tomba par terre. Puis Lije aida Billy à se relever en grondant :

— Sortez de cet infâme établissement.

Personne n'osa sourire. La taille de Farmer, le regard qu'il promena sur le groupe des partisans de McClellan eurent un effet dissuasif.

— N'essayez pas d'invoquer dans cette affaire votre supériorité hiérarchique, lança-t-il à Rawlins. Si vous l'osez, je témoignerai contre vous.

Billy ramassa son képi et sortit. Il avait à peine fait quelques pas dehors qu'il entendit Custer éclater de rire. Ses partisans l'imitèrent et même son chien se mit de la partie en aboyant.

— Des officiers comme eux divisent l'armée, murmura Billy en se tâtant le visage avec précaution.

— C'était à prévoir, répondit Farmer. Le général a une profonde connaissance de l'art militaire mais aussi une ambition effrénée. Cela se sent dans ses ordres, ses discours aux troupes, dans la composition et la conduite de son état-major.

— Le sous-lieutenant aux belles boucles en fait partie.

— Oui, je l'avais déjà remarqué. Pas étonnant, il s'habille de manière à attirer l'attention.

— Je sais que j'ai eu tort de m'emporter mais ils avaient insulté mon frère. Merci de m'avoir tiré des pattes de ce capitaine. Une minute de plus et j'aurais eu le visage en compote. Vous êtes arrivé à point nommé.

— Ce n'était pas par hasard, je vous cherchais. Nous avons reçu l'ordre de partir avant l'aube. Laissez à d'autres les guerres politiciennes, nous avons la nôtre à livrer.

Songeant aux forêts épaisses à travers lesquelles ils avaient ouvert un passage à la hache, aux routes qu'ils avaient façonnées, aux ponts qu'ils avaient construits, Billy approuva du fond du cœur.

— Je ne vous en remercie pas moins, Lije. C'est vrai.

« Rien d'étonnant à ce que le climat soit malsain », songea-t-il. Ils se trouvaient quasiment aux portes de la capitale confédérée, défendue par des forces inférieures en nombre, et la campagne s'éternisait, indécise et coûteuse. Cette nuit, il en avait découvert une des raisons. Il craignait qu'avant la fin de l'offensive des centaines d'hommes soient inutilement sacrifiés aux ambitions du général et à sa manie de la persécution. Billy ne tenait pas à être l'un d'eux.

55

Dans la dernière semaine de mai, la fin sembla proche. Chaque matin, Orry Main se faisait cette réflexion en buvant l'infecte décoction d'avoine grillée que la pension servait à la place de café. Depuis la chute de La Nouvelle-Orléans, on n'avait même plus de sucre à y mettre.

Comme tout le monde à Richmond, Orry effectuait son travail quotidien en appréhendant la reprise des tirs d'artillerie qui faisaient trembler les vitres des fenêtres. Il se félicitait que Madeline n'ait pu encore le rejoindre du fait de l'état de santé de sa mère. Clarissa se remettait très lentement.

Quelle ironie de se rappeler que, en février, les journaux locaux avaient vanté les victoires militaires remportées dans le Sud-Ouest et la création du Territoire confédéré de l'Arizona, dont pas une personne sur cent mille ne pouvait délimiter les frontières ! A quoi bon un bastion dans le Sud-Ouest après la chute des forts Henry et Donelson ? Benjamin, supérieur hiérarchique et ami d'Orry, était passé au Département d'Etat parce qu'il fallait rejeter la responsabilité de ces revers sur quelqu'un.

George Randolph, son successeur, était un Virginien plein d'ardeur issu d'une famille irréprochable. Juriste d'excellente réputation, il avait une expérience militaire toute fraîche puisqu'il avait commandé l'artillerie de Magruder. Si Randolph détenait le portefeuille du ministère de la Guerre, il ne pouvait en faire grand-chose. Chacun savait désormais que le véritable ministre de la Guerre habitait la résidence présidentielle.

L'Ile n° 10 avait été perdue le mois précédent, ce qui avait de graves conséquences sur le contrôle du cours inférieur du Mississippi. Les Yankees s'étaient aussi emparés de Norfolk, contraignant la marine confédérée à couler le déjà légendaire *Virginia* pour empêcher sa capture.

Avril apporta un autre indice révélateur de la situation de la Confédération. Davis approuva une loi ordonnant la conscription pour trois ans de tous les hommes âgés de dix-huit à trente-cinq ans. Orry savait cette mesure nécessaire et s'irrita lorsque le président fut critiqué aussi bien par les vagabonds que par les gouverneurs. Deux de ces derniers déclarèrent qu'ils garderaient autant d'hommes qu'ils le jugeraient bon pour défendre leur Etat, conscription ou pas.

McClellan, tout proche maintenant, semblait prêt à marcher sur la ville. Bien que sa stratégie ne fût pas claire, sa simple présence plongeait Richmond dans un climat de peur et Davis avait déjà envoyé sa famille à Raleigh. Jackson poursuivait ses brillantes manœuvres dans la vallée mais sans pour autant éloigner la menace des tenailles qui pouvaient se refermer à tout moment sur la capitale.

Vers la mi-mai, Richmond vécut dans la terreur lorsque cinq navires fédéraux, dont le *Monitor*, remontèrent le James jusqu'à Drewry's Bluff, à quinze kilomètres de la ville. Les sbires de Winder vidèrent les rues et les cafés en embauchant de force de la main-d'œuvre pour construire un pont provisoire reliant Richmond à la rive fortifiée du James. Les vitres de Richmond vibrèrent sous l'effet de la canonnade qui finit par chasser les bâtiments fédéraux mais la ville avait senti pendant quelques heures le vent de la défaite et nul ne pouvait en oublier l'odeur.

Après Drewry's Bluff, Orry ne dormit plus qu'une heure ou deux chaque nuit. Alors que la situation s'aggravait, il se demandait si la tâche qu'on lui avait confiée conservait un sens. Sur la requête de Benjamin, il alla trouver le général Winder au sujet d'un domestique ayant disparu au moment où les hommes de main du général « recrutaient » de la main-d'œuvre pour la construction du pont. Le grand prévôt démentit ces pratiques et repoussa l'enquête d'Orry sans prendre la peine de cacher son animosité.

Les réfugiés affluaient dans la capitale par tous les moyens de transport concevables. Ils dormaient à Capitol Square ou pénétraient par effraction chez les habitants déjà partis en train, à cheval ou à pied. Orry apprit qu'Ashton faisait partie de ceux qui refusaient de quitter la ville et cela atténua quelque peu ses sentiments hostiles à son égard.

Les militaires grossissaient aussi le flot des réfugiés : blessés renvoyés à l'arrière, déserteurs qui s'étaient mutilés eux-mêmes ; spectres vêtus de lambeaux gris, amaigris par la faim, les yeux rougis par la fièvre, sales, couverts de pansements tachés de sang et de pus. Certaines femmes leur venaient en aide, d'autres se détournaient. Tout le jour, toute la nuit, on entendait le grondement des chariots et des voitures quittant la ville ou y entrant ; il devenait impossible de dormir.

Orry se rendit à nouveau — cette fois à la demande de Randolph — dans le bâtiment en pin abritant Winder et ses hommes. Le ministre possédait une grande ferme familiale dans les environs et l'un de ses amis, fermier lui aussi, avait refusé de vendre sa récolte au prix excessivement bas fixé par le prévôt. Dans une lettre polémique adressée au *Richmond Wigh*, l'homme avait écrit que Winder était pour le peuple une plus grande menace que McClellan. Il fut enlevé un soir à la sortie de l'*Exchange Bar* et expédié à la sinistre fabrique de Cary Street où Winder détenait ceux dont il jugeait les propos séditieux.

Venu pour réclamer la libération du prisonnier, Orry ne fut pas reçu par le général et eut affaire à l'un de ses collaborateurs civils, personnage efflanqué vêtu de noir.

Israel Quincy ressemblait davantage à un pasteur du Massachusetts qu'à un détective et jubilait visiblement de recevoir en quémandeur, dans son minuscule bureau lugubre, un officier aussi élevé en grade qu'Orry.

— Nous ne donnerons pas l'ordre de le libérer. Cet homme a provoqué la colère du général Winder.

— Le général a provoqué celle du ministre et de la plupart des habitants de Richmond avec ses tarifs absurdes, répliqua Orry. La ville a désespérément besoin de vivres mais aucune des fermes voisines n'acceptera de lui en vendre aux prix fixés par vos services.

Orry reprit sa respiration avant de demander :

— Votre réponse est non ?

Le regard bienveillant, Quincy sourit au visiteur. Puis son expression se craquela, révélant ses véritables sentiments.

— Catégoriquement non, colonel. L'ami du ministre restera au « donjon ».

— Certainement pas, rétorqua Orry en se levant. Le ministre a pouvoir de passer par-dessus la tête du général et il le fera. Il aurait préféré suivre la procédure normale mais vous vous y opposez. Je tirerai le prisonnier de ce trou à rats dans moins d'une heure.

Comme il quittait le bureau, la voix de Quincy l'arrêta :

— Réfléchissez avant de faire cela, colonel.

Incrédule, Orry se retourna, vit l'expression arrogante du détective et explosa :

— Pour qui vous prenez-vous ? Vous croyez avoir le droit de terroriser les citoyens et d'étouffer toute opinion différant de la vôtre ? Nous ne laisserons pas les Pinkerton faire la loi dans la Confédération !

— Je vous mets à nouveau en garde, colonel, dit Quincy à voix basse. Ne défiez pas nos services, vous pourriez avoir un jour besoin de notre indulgence.

— Menacez-moi, Mr. Quincy, et je vous casse les os avec mon seul bras.

Quarante-cinq minutes plus tard, le « donjon » perdit un de ses pensionnaires. Mais il en gardait de nombreux autres pour lesquels Orry ne pouvait rien. Quant aux avertissements du voyou ivre de pouvoir en costume noir, il n'y prêta aucune attention.

Mai s'acheva dans la crainte avec la bataille de Fair Oaks, qui se disputa quasiment aux portes de la capitale. McClellan repoussa maladroitement l'attaque confédérée au cours de laquelle, Joe Johnston, gravement blessé, fut remplacé dans les vingt-quatre heures par l'ancien conseiller militaire du président, rappelé d'exil.

« Grand-maman » Lee prit pour la première fois le commandement de l'armée de Virginie du Nord. Comme on n'avait guère confiance en lui, on accéléra dans les ministères la mise en caisse des dossiers, notes et archives. Un train spécial se tenait prêt à partir pour emporter les réserves d'or au cas où l'assaut final des Fédéraux briserait les lignes de Lee. Orry, qui surveillait l'emballage au ministère de la Guerre, entendit dire que les services de Winder préparaient une machination contre lui. Les menaces oubliées de Quincy lui revinrent en mémoire et il remercia le ciel une fois de plus que Madeline ne fût pas exposée aux mêmes dangers que lui.

— S'il vous plaît, dit la femme.

Agée de trente ans à peine, elle paraissait plus vieille et sentait la boue qui maculait ses vêtements. Trois enfants, souris grises affamées, s'accrochaient à sa jupe; derrière elle, une jeune Noire aux dents cariées, coiffée d'un foulard rouge, regardait par-dessus son épaule.

Le jardin luxuriant bruissait et s'égouttait après l'averse, qui avait cessé une heure plus tôt, vers six heures et demie. En haut des dix marches menant à la maison, Ashton se tenait derrière Powell, pressant l'une de ses mains contre le dos de la chemise en lin blanc de son amant.

Pour toute réponse, Powell arma son revolver.

— S'il vous plaît, répéta la femme en mettant dans ces mots sa lassitude, son désespoir. Nous venons de Mechanicsville, les Yanks étaient trop près. Mon mari est avec Jackson, dans la vallée, nous n'avons nulle part où aller. La grille était ouverte...

— Des nègres l'ont forcée la nuit dernière pour s'installer dans le jardin. Je les ai chassés comme je vous chasse.

— M'man, où on va aller? demanda un des enfants.

— Pose la question au président Davis, dit Powell. Il a expédié sa femme à la campagne, il aura peut-être de la place pour vous. Filez, vermine, conclut-il en agitant son arme.

La femme lui décocha un regard haineux avant d'emmener sa progéniture dans le jour finissant. Au loin, le ciel vibrait avec un bruit de timbales. Powell glissa le revolver sous sa ceinture, descendit les marches, ferma la grille d'un coup de pied.

— Va me chercher de la corde, demanda-t-il sans se retourner.

Ashton fila à l'intérieur, revint un instant plus tard, Powell attacha la corde aux montants de la grille, fit plusieurs nœuds. Des gouttes tombèrent des feuilles dans le silence puis le ciel se remit à gronder.

De retour dans la chambre, dont toutes les fenêtres étaient ouvertes sur la chaleur suffocante du soir, il laissa Ashton le caresser comme il l'aimait et, quand son érection devint puissante, il la pénétra comme un taureau. Dans leurs mouvements, ils arrachèrent les draps du lit, les firent tomber par terre. Powell lui procura comme à chaque fois un plaisir qu'elle ne pouvait exprimer et libérer qu'en criant.

Epuisée et comblée, elle s'endormit. Lorsqu'elle s'éveilla, elle trouva son amant plongé dans la lecture de son livre de chevet : les *Contes*, d'un certain Poe. Il lui avait expliqué qu'il aimait ces histoires fantastiques, écrites par un homme qui avait publié pendant quelque temps à Richmond le *Literary Messenger*.

Las et couverts de sueur, ils demeuraient étendus l'un contre l'autre, Powell confiant à Ashton ses réflexions, comme il aimait à le faire après l'amour.

— J'ai discuté hier de la loi sur la conscription. De l'avis unanime, c'est une infamie. Sommes-nous des singes que Jeff peut mettre en cage à son gré? Heureusement, il y a des moyens de tourner la loi.

Ashton, la joue appuyée sur la poitrine velue de Lamar, traçait de l'ongle de petits cercles autour du mamelon de son amant.

— Quels moyens?

— D'abord l'exemption pour les propriétaires de cent vingt esclaves. Je doute que le roi Jeff prendra le train pour Valdosta à seule fin de vérifier que les cent huit miens sont imaginaires.

— Je t'aime, murmura Ashton. Mais, parfois, je ne te comprends pas.

— Comment ça?

— Tu critiques la conscription et le roi Jeff, comme tu l'appelles, mais tu restes à Richmond alors que la plupart des résidents permanents se sont enfuis.

— Je tiens à protéger ce qui m'appartient. Ce qui t'inclut, chère associée.

— Moi je suis restée pour toi, dit Ashton.

C'était vrai. Les tirs d'artillerie la terrorisaient au point qu'elle avait parfois envie de sauter dans le premier train. Elle restait cependant, persuadée que Powell la quitterait si elle montrait le moindre signe de faiblesse.

Elle avait trop besoin de lui. En Lamar Powell elle avait enfin trouvé un homme capable de s'élever dans le monde, de détenir un grand pouvoir et de posséder une immense fortune. Dans la Confédération en cas de victoire, ailleurs dans le cas contraire. Ashton se refusait à prendre le risque d'une séparation.

Elle planta un baiser sur le mamelon qu'elle avait caressé et ajouta :

— Ce pauvre James veut toujours me conduire en toute hâte à la gare. Je ne cesse d'inventer des excuses pour rester.

Powell embrassa sa maîtresse sur la joue.

— Bravo, dit-il. Je ne voudrais pas d'une femme sans caractère, comme l'épouse du tyran.

Sans caractère ? songea Ashton. Quelle plaisanterie ! Hormis Powell, tous les hommes avec qui elle avait folâtré s'étaient toujours pliés de bon gré à ses désirs. Qu'elle ne pût le dominer le rendait terriblement attirant.

— Tu hais réellement Davis, n'est-ce pas ? lui demanda-t-elle.

— Ne dis pas cela comme si c'était anormal. Oui, je le hais, et ceux qui partagent mes sentiments sont assez nombreux pour former une ou deux divisions, ici à Richmond. S'il était fort, je le soutiendrais. Mais c'est un faible, un raté. Te faut-il une autre preuve que la présence du général McClellan à moins de vingt kilomètres du lit du président ? Le roi Jeff conduira les funérailles du Sud si on ne l'arrête pas.

— L'arrêter ?

— C'est ce que j'ai dit.

Une pénombre moite chargée des odeurs du jardin avait envahi la chambre. Malgré la passion de ses convictions, Powell gardait un ton calme.

— Ce ne seront pas les beaux discours qui sauveront la Confédération et mettront un terme à la carrière de gaffeur de Mr. Davis. Il faudra quelque chose de plus décisif.

Nue contre son amant, Ashton revit soudain en pensée le revolver qu'il avait montré à la réfugiée de Mechanicsville. Il n'avait quand même pas en tête une idée de ce genre...

Comme l'homme dont il soupçonnait l'existence mais ignorait le nom, James Huntoon haïssait le président des Etats confédérés d'Amérique. Il aurait aimé le voir destitué, voire mort. A en juger par l'évolution de la situation en ce mois de juin, les Yankees atteindraient peut-être ces deux objectifs.

Dans un état constant de fatigue nerveuse, Huntoon dormait mal, ne se réjouissait guère des exploits de Jackson dans la vallée ou de Stuart qui, avec douze cents hommes, avait contourné l'armée de McClellan. Une manœuvre spectaculaire, certes, mais sans grande utilité pour la capitale assiégée.

Aux Finances aussi, on emballait les dossiers. Huntoon peinait comme un esclave, ce qui le mettait en fureur. Pour achever de le tourmenter, il y avait les absences d'Ashton, fréquentes ces temps-ci, souvent longues et toujours inexpliquées.

Quel monde de fous! Pour défendre la maison de Grace Street contre les réfugiés et les militaires en maraude, il avait confié un mousquet à Homer, leur principal domestique. Jamais Huntoon n'aurait imaginé qu'il armerait un jour un esclave mais avec la canaille qui rôdait partout, les vauriens qui gravissaient les collines pour écouter l'artillerie ou voir les ballons d'observation de l'Union, il n'avait pas le choix.

Lui aussi écoutait les canons, les tambours et les fifres de la relève marchant vers les fortifications. Il entendait malgré lui le grincement incessant des ambulances entrant dans la ville sur une longue file, avec un air de fête trompeur lorsque s'allumait leur guirlande de lanternes. Il n'y avait aucun air de fête dans les églises et les halls d'hôtels où l'on déposait en rangs les blessés et mourants que les hôpitaux ne pouvaient plus accueillir.

Huntoon voulait désespérément fuir la ville. Il avait acheté deux billets de chemin de fer — en versant un pot-de-vin pour avoir le privilège de payer trois fois le prix normal — mais Ashton refusait catégoriquement de partir. Pour elle, le simple fait de s'être procuré les billets était déjà de la couardise. Le pensait-elle vraiment ou n'était-ce qu'un subterfuge? D'où lui venaient ce courage, ce patriotisme dont elle n'avait jamais fait preuve auparavant? De son amant?

Un soir qu'elle n'était pas encore rentrée, il chercha une plume dans le bureau personnel de sa femme et y trouva un paquet de documents et de lettres.

— Qu'est-ce que c'est que ce compte en banque à Nassau? cria-t-il une heure plus tard en lui jetant le paquet. Nous n'avons pas de compte en banque à Nassau.

Ashton saisit son bien en ripostant:

— Comment oses-tu fouiller dans mes affaires?

Il crispa les lèvres, battit en retraite vers les hautes fenêtres ouvertes donnant sur Grace Street. La rue était encombrée de chariots de la *Southern Express Company* faisant office d'ambulances.

— Je... je n'ai pas fouillé, bredouilla-t-il. J'avais besoin d'une plume...

Il explosa soudain avec un courage inhabituel chez lui:

— Je n'ai pas d'explications à te donner. C'est toi qui m'en dois. Que signifient ces papiers? J'exige une réponse.

Ashton comprit qu'elle était allée trop loin. Il fallait faire preuve d'habileté pour ne pas compromettre sa liaison avec Powell.

— James, calme-toi. Assieds-toi et je vais te répondre.

Il se laissa tomber dans un fauteuil qui gémit sous son poids. L'ombre de Homer passa devant les fenêtres ouvertes. Avec son mousquet, l'esclave rendait Ashton nerveuse. Haut dans le ciel, une fusée explosa; une détonation sourde suivit la pluie de brillantes banderoles de lumière.

— As-tu lu tous les papiers, examiné les chiffres? commença Ashton en choisissant ses mots avec soin (Elle tira un document du paquet, le déplia et le tendit à James.) Voici l'état de notre compte le mois dernier.

Huntoon ne manqua pas de remarquer l'adjectif possessif. *Notre* compte, avait-elle dit. Eberlué, il marmonna:

— Ce sont des livres sterling...

— Exact. Au cours actuel, nous avons un quart de million de dollars — des dollars yankees, pas de l'argent confédéré sans valeur.

Elle courut vers lui en faisant bruisser ses jupons, s'agenouilla. C'était humiliant mais cela aiderait peut-être à lui faire avaler le plus difficile.

— Nous avons réalisé un profit d'environ sept cents pour cent rien qu'avec deux traversées, dit-elle.

— Deux traversées ?

— Nassau-Wilmington, chéri. Avec le petit vapeur pour lequel Mr. Lamar Powell te proposait une participation. Tu te rappelles ? Tu avais refusé mais j'ai pris le risque. Le navire a été réarmé à Liverpool en automne dernier, conduit aux Bahamas par son capitaine anglais. Il nous a déjà rapporté ce que certains considéreraient comme une fortune. S'il coule demain, nous aurons récupéré plusieurs fois notre investissement.

— Powell ? Ce méprisable aventurier ?

— Un habile homme d'affaires, chéri.

Les petits yeux de James clignèrent derrière ses lunettes.

— Tu le vois ?

— Oh ! non. Les profits sont versés à Nassau et nous recevons les relevés par le courrier apporté par des navires forçant le blocus. Le *Water Witch* rapporte autant parce qu'il ne transporte aucun matériel de guerre mais du café, des dentelles : des marchandises rares et chères. Puis il repart dans l'autre sens avec une cargaison de coton. Voilà, je t'ai tout expliqué. Tu peux dormir tranquille en rêvant à la découv...

— Tu m'as défié, Ashton, coupa James en agitant la feuille de papier devant le visage de sa femme. J'avais dit non à Powell, et toi, derrière mon dos, tu as pris nos économies...

Voyant que la manière douce avait échoué, Ashton cessa de sourire.

— Je te rappelle que cet argent était à moi, répliqua-t-elle.

— Légalement, il m'appartient. Je suis ton mari.

Les chariots de la *Southern Express* continuaient à passer, balançant leur lanterne comme un esquif sur une mer houleuse. Un homme criait, un autre sanglotait ; deux fusées explosèrent en une cascade de lumière qui mourut derrière les faîtes des toits.

— Qu'est-ce que tu as, James ? J'ai accru nos biens...

— Illégalement ! s'écria Huntoon. Qu'as-tu fait d'autre d'immoral ?

L'instinct d'Ashton lui conseilla de contre-attaquer, et vite, pour ôter tout soupçon de la tête de James.

— Que veux-tu dire par cette remarque insultante ?

— Je..., bredouilla Huntoon en relevant une mèche tombée sur son front moite. Rien.

Il détourna la tête mais Ashton l'obligea à la regarder.

— J'exige une réponse plus claire.

— Je... je me demandais si... si Powell est à Richmond, murmura-t-il en évitant les yeux de sa femme.

— Je le pense mais je ne pourrais le jurer. Je ne le vois pas, je te le répète. J'ai remis l'investissement initial à un homme de loi chargé de s'occuper du contrat d'association. Powell était présent et je ne l'ai pas revu depuis.

Le cœur d'Ashton battait la chamade mais elle savait de longue date que, pour faire passer un mensonge, il faut avoir des nerfs solides, un visage impassible, un regard ne se détournant jamais de la personne que l'on trompe. Elle sut que l'accès de fièvre de son mari était retombé en voyant ses épaules reprendre leur voussure habituelle. Ses velléités de virilité étaient aussi brèves que vaines.

— Je te crois, murmura-t-il.

Remarquant que les yeux sombres d'Ashton regardaient derrière lui, il se retourna, vit Homer sur la terrasse.

— Reprends ta ronde ! cria Ashton à l'esclave, qui décampa.

— Je te crois, répéta Huntoon. Mais te rends-tu compte de l'infamie dont tu t'es couverte ? Les spéculateurs sont une engeance méprisable. Certains disent qu'on devrait tous les arrêter, les juger et les pendre.

— Il est trop tard pour y songer, mon cher. Si on réclame une pendaison, il faudra deux cordes pour notre famille. Je te suggère donc de faire preuve de la même discrétion que moi au sujet du *Water Witch*. Par ailleurs, tu pourrais te réjouir de ce que j'aie eu le flair qui te manquait.

Ce fut dit sur un ton cinglant car elle en avait assez de cet homme qui se conduisait en enfant. Un enfant qui méritait le fouet, pas des câlineries.

— Mais, Ashton, dit James, retrouvant son ton geignard habituel, je ne sais si je peux toucher à de l'argent qui...

— Tu le peux et tu le feras, répliqua Ashton. Tu l'as déjà fait, ajouta-t-elle en montrant le paquet.

Huntoon ferma les yeux, s'agrippa au bord de la table.

— Seigneur, tu es si dure, murmura-t-il, des larmes perlant à ses paupières. Si dure. Tu ne me laisses rien à quoi m'accrocher. Tu fais de moi un homme indigne de ce nom.

Le ton pathétique de James ne fit qu'aviver la colère d'Ashton, qui n'eut plus aucune envie de l'épargner.

— Castré est le mot que tu cherches, chéri ?

Tremblant de haine, il la vit appuyer sa question d'un petit hochement de tête. D'un ton désinvolte, elle poursuivit :

— Dans ce domaine comme dans quelques autres, c'est exactement celui qui te convient. Nous le savons depuis des années, n'est-ce pas ?

Dehors, la nuit s'embrasa, le canon tonna.

— Sale garce !

Ashton éclata de rire.

Ecarlate, James cligna des yeux plusieurs fois puis se précipita vers sa femme, lui prit la main et la caressa.

— Pardon, pardon, chérie. Je suis sûr que tu as pris la bonne décision. Mon Dieu, je t'aime. Dis-moi que tu me pardonnes.

Après l'avoir laissé au supplice quelques instants de plus, elle accorda son pardon. Elle le laissa même la caresser et tenter de faire l'amour quand ils se mirent au lit. Incapable de conclure, il se retira d'elle, flasque et mou, mais se déclara heureux de savoir qu'elle l'avait pardonné.

Imbécile, pensa-t-elle en souriant dans le noir.

56

— Jamais de ma vie je n'ai passé une aussi curieuse fête nationale, dit George à Constance.

Penché à la fenêtre du salon, William rentrait le drapeau que Patricia et lui y avaient accroché la veille.

— Pourquoi, p'pa ? demanda-t-il.

— Parce que, ici, les discours sont pleins de bravoure et d'espoir, répondit George en pliant la bannière tricolore, et que là-bas, dans la péninsule, nous avons perdu.

— C'est vraiment terminé ? dit Constance.

— Presque. Le télégraphe du ministère signale que l'armée se retire sur le James. McClellan avait Richmond à portée de main et l'a laissé échapper.

— Parce que Lee a appelé Stonewall Jackson en renfort, expliqua William.

George hocha la tête d'un air sombre pour approuver son fils, qui semblait faire partie des admirateurs du Vieux Jack.

On n'en comptait aucun au Winder Building. Combien de fois George n'avait-il pas entendu les railleurs du ministère se moquer de Jackson et de son habitude de tenir les bras en l'air avant la bataille pour bien faire circuler le sang ? Combien de fois avait-il entendu dire que les propres collaborateurs de Stonewall le jugeaient complètement fou ? Souvent pressé de conter des anecdotes sur la conduite bizarre de Jackson à l'époque où ils étaient cadets, George s'en abstenait, bien qu'il n'eût que l'embarras du choix. Ces plaisanteries l'écœuraient parce qu'elles avaient la peur pour source. Tom Jackson avait l'intelligence et l'ardeur d'un Josué. Sa « cavalerie à pied » * avait parcouru toute la vallée à marches forcées, contribuant à sauver Richmond.

Pendant une semaine, la bataille pour la capitale confédérée avait oscillé à travers une suite d'âpres engagements ; Mechanicsville, Gaines's Mill, Savage Station, Malvern Hill. Malgré des erreurs et des succès mineurs de part et d'autre, au bout de sept jours, le périmètre de défense de Richmond, que Bob Lee avait mis un mois à tracer et renforcer, tenait toujours. Le Vieux Bob s'était montré meilleur stratège et meilleur combattant que McClellan et ses commandants. Au cours des premiers mois de la guerre, il avait commis quelques faux pas mais ces sept jours avaient tout effacé. George craignait pour l'Union si Lee prenait le commandement en chef des armées confédérées.

L'établissement de la banque de Lehig Station se heurtait à un obstacle. Jupiter Smith, l'avocat de George, se précipita à Washington pour informer son client que le gouvernement local proposait une participation de l'Etat de Pennsylvanie.

— Il suggère que nous accordions à l'Etat quarante mille dollars de parts et une option de dix ans pour en acheter une quantité égale à parité, expliqua l'homme de loi.

— C'est tout ? aboya George.

— Non. Une contribution de vingt mille dollars à la caisse des travaux publics serait la bienvenue. Mais ces suggestions sont faites le plus respectueusement du monde, George. Le gouvernement se rend compte que vous êtes un homme important.

— Je suis un homme qui a une massue au-dessus de la tête. Bon sang, Jup', c'est un pot-de-vin qu'on me réclame.

L'avocat haussa les épaules.

— Parlons plutôt d'un arrangement. Ou d'une pratique courante. Les banques de Philadelphie et de Pittsburgh ont accepté des arrange-

* Surnom donné aux troupes de Jackson à cause des marches épuisantes dont elles étaient capables (n.d.t.).

ments de ce genre pour obtenir leur charte. A vous de juger si vous voulez en faire autant. Mais nous avons déjà acheté le bâtiment et, si vous refusez, nous devrons le mettre en vente. Moi, cela m'est égal que vous disiez non. Ça me fera seulement de la paperasse en moins.

— De gros honoraires en moins aussi.

Smith eut l'air peiné.

— Je maintiens que c'est un pot-de-vin, grommela George. (Il mâchonna son cigare.) Répondez oui.

Le major Hazard se révéla mauvais prophète en matière militaire. McClellan demeura à son poste faute de remplaçant compétent : les seuls anciens de West Point qui paraissaient capables d'assurer la victoire étaient passés au Sud. A la mi-juillet, George reçut une lettre lui proposant de prendre au Conseil de l'Académie la place d'un membre soudainement décédé. Les attaques redoublées contre l'école l'incitant à accepter, il demanda une entrevue à Stanton et le ministre lui donna son autorisation sous réserve que ces nouvelles fonctions ne perturbent pas son travail.

Bien que déjà débordé, George assura Stanton qu'il n'y aurait pas de problème. De leur bref entretien, le major ne tira pas la moindre indication sur ce que le ministre pensait de l'Académie. George en conclut que l'homme s'enfermait à dessein dans une forteresse circulaire, pour se garder de toute attaque, d'où qu'elle vînt.

Bien que l'entrée au Conseil de l'école signifiât un surcroît de travail, George s'en réjouissait. Sa tâche était devenue si frustrante qu'il appréhendait chaque matin d'ouvrir les yeux, d'enfiler son uniforme et de se rendre au Winder Building. Son travail sur les contrats d'artillerie était constamment interrompu par d'interminables réunions. Le service devait-il recommander l'adoption d'obus fusants ? procéder à des essais sur les obus au chlore ? George continuait aussi à recevoir des inventeurs d'armes manifestement insensées. Un jour, il perdit trois heures à étudier les plans d'une pièce à double canon destinée à tirer deux boulets reliés par une chaîne.

— Nous sommes aux petits soins pour les énergumènes et les bons inventeurs ne s'adressent plus à nous parce que nous leur accordons autant d'attention que leur coiffeur, dit-il un jour à Constance.

— Tu exagères encore.

— Tu crois ça ? Lis.

Il lui tendit le dernier numéro du *Scientific American*, dont l'éditorial avait provoqué la fureur de Ripley :

« Nous craignons que le talent de nos techniciens, le sacrifice de notre peuple et les efforts héroïques de nos troupes pour sauver le pays ne soient rendus vains par les incapables qui dirigent les ministères de la Guerre et de la Marine. »

— Ils nous prennent pour des imbéciles, et ils ont raison, grogna George quand sa femme eut fini de lire.

Une seule chose l'aidait à survivre au Winder Building : Ripley ne pouvait se mêler de tout et semblait maintenant enclin à ne pas s'occuper des questions d'artillerie. Ce changement s'était produit en avril, quand les canons Parrott avaient démontré leur valeur en réduisant rapidement en ruine le fort Pulaski de Savannah. George avait toutefois l'impression de s'accrocher au bord du précipice et ne savait pas combien de temps encore il tiendrait.

Mêlés à son travail et à la guerre, il y avait les événements de la vie familiale quotidienne, certains amusants, d'autres ennuyeux. Grâce à quelque miracle, Constance avait trouvé une petite maison confortable à louer à Georgetown et ils déménagèrent à la mi-juillet. Pendant une semaine, George tourna en rond dans sa nouvelle demeure sans parvenir à mettre la main sur ses caleçons, ses cigares ou autres choses indispensables.

Un matin, Patricia trouva ses draps rougis à son réveil et bien que sa mère l'eût préparée à devenir femme, l'adolescente pleura pendant une heure.

William grandissait rapidement et son attitude à l'égard des filles passait de l'aversion à l'intérêt teinté de méfiance. Au début de la guerre, il se disait souvent impatient d'avoir l'âge de s'enrôler et de se battre pour l'Union mais la longue journée et la nuit plus longue encore du Bull Run avaient mis fin à ces déclarations.

George se faisait du souci pour Billy, dont il ne recevait aucune lettre. En revanche, il ne s'inquiétait nullement de Stanley, qui vivait dans le luxe. Isabel et lui fréquentaient les personnages les plus influents de Washington, se montraient dans les réceptions les plus prestigieuses. George ne pouvait comprendre qu'un homme aussi incompétent que Stanley pût jouir de ces faveurs.

— Il y a des saisons pour tout, dit Constance en guise de réponse. Stanley est longtemps resté dans ton ombre.

— Et je devrais maintenant vivre dans la sienne?

— Je n'ai pas voulu dire...

— En fait, c'est ce qui se passe. Et cela me rend furieux.

— J'en éprouve aussi quelque jalousie, si tu veux le savoir.

— D'un autre côté, je suis persuadé qu'Isabel est le principal artisan de leur réussite et j'aimerais mieux me faire pendre que de changer de place avec elle.

George tira une bouffée de son cigare.

— Je ne parviens pas à oublier que j'ai frappé Stanley après la débâcle. J'en suis peut-être puni.

— As-tu remarqué comme le ministre s'est montré aimable? s'exclama Stanley Hazard un soir de juillet.

Isabel et lui revenaient en calèche d'une représentation d'une pièce de Shakespeare donnée au nouveau théâtre de Leonard Grover, situé sur l'emplacement de l'ancien *National*, dans la rue E.

— L'as-tu remarqué, Isabel?

— Pourquoi Stanton ne serait-il pas cordial? Tu es l'un de ses meilleurs collaborateurs. Il sait qu'il peut te faire confiance.

Stanley prit un petit air satisfait. Effectivement, il était en bons termes avec le ministre, dogmatique mais incontestablement patriote, et maintenait en même temps des relations amicales avec Wade, à qui il passait à l'occasion des informations sur des questions confidentielles. L'usine Lashbrook prospérait au-delà de toute espérance et Stanley envisageait de se rendre à La Nouvelle-Orléans pour y établir d'autres contrats de nature délicate mais potentiellement lucratifs. Etrange comme une guerre féroce pouvait complètement changer la vie d'un homme!

Seuls quelques aspects de son rôle de farouche Républicain lui déplaisaient et il en cita un à Isabel lorsqu'ils se mirent au lit ce soir-là.

— La loi de Confiscation doit être signée cette semaine. Elle prévoit la libération des esclaves dans les territoires conquis et l'enrôlement de

Noirs. Mais ce n'est pas tout. Stanton m'en a glissé un mot au second entracte, pendant que tu étais aux toilettes.

— Ne prononce pas ce mot en ma présence. Que t'a-t-il appris ?

— Le président rédige en ce moment un décret, répondit Stanley, qui, cherchant un effet, marqua une pause. Il veut émanciper tous les esclaves.

— Mon Dieu ! Tu en es sûr ?

— Du moins, tous ceux de la Confédération. Je ne crois pas qu'il touchera à l'esclavage dans le Kentucky ou les autres *Border-States*.

— Ah ! je me doutais bien qu'il n'était pas aussi idéaliste. Ce ne sera donc pas une mesure humanitaire mais punitive, dit Isabel. Lincoln a autant de charme qu'un pourceau mais il faut reconnaître son habileté de politicien, ajouta-t-elle à contrecœur.

— Comment peux-tu dire une chose pareille ? Tu imagines des bandes de nègres libres déferlant sur le Nord ? Pense aux troubles. Pense aux emplois que perdront les Blancs. Cette idée est révoltante.

— Garde cette opinion pour toi si tu veux conserver l'amitié de Stanton et de Wade.

— Mais...

— Stop, Stanley. Lorsqu'on dîne chez le diable, on ne choisit pas le menu. Joue ton rôle de Républicain loyal.

Ce qu'il fit, bien qu'il fût exaspéré par les propos d'émancipation qu'on entendit soudain dans les bureaux et les couloirs, les salons et les cafés du Washington officiel et officieux. La proposition radicale de Lincoln choqua de nombreux Blancs qui en eurent vent et ne manque-raient pas de susciter une vive agitation sociale si on la mettait en pratique. Suivant le conseil de sa femme, Stanley garda toutefois son opinion pour lui.

Il ne fit pas de même sur une autre question lorsqu'il invita son frère à déjeuner au *Willard* pour pouvoir l'éblouir.

— A ta place, George, je ne consacrerais pas autant de temps au Conseil de West Point. Si Ben Wade et quelques autres imposent leurs vues, l'année prochaine il ne restera plus de l'Académie que des bâtiments abandonnés et des souvenirs.

— De quoi diable parles-tu ?

— Il n'y aura pas de crédits pour West Point. L'école a assuré une formation gratuite aux traîtres mais qu'a-t-elle donné à notre camp ? Un général dont on dit qu'il s'est saoulé comme un cochon à Shiloh, un autre si imbu de lui-même et incompétent qu'il n'a pu vaincre face à des forces deux fois inférieures en nombre. Je pourrais également citer une kyrielle d'officiers de moindre imp...

Stanley s'interrompit quand son frère posa sa fourchette et le fusilla du regard.

— Tu m'avais parlé d'un déjeuner amical. Sans politique. J'aurais dû me méfier, dit George.

Il sortit, laissant l'addition à son frère.

Stanley s'en moquait. Il se sentait ce jour-là généreux, riche et même beau. Il venait de remporter un petit triomphe. La précieuse institution de son vaniteux frère était condamnée, et ce dernier n'y pouvait absolument rien.

Elle était noire et belle. En chêne doublé de cuivre, mesurant plus de soixante-dix mètres du beaupré à la poupe. Une unique cheminée basse, en son milieu, mettait en valeur sa ligne élancée. Elle avait pour seules couleurs vives le rouge de sa figure de proue et l'or de ses sculptures, à l'arrière.

Cooper la connaissait intimement et l'aimait sans réserve. C'était une goélette à vapeur de mille cinquante tonneaux, avec deux machines oscillantes de trois cent cinquante chevaux faisant tourner une hélice qu'on pouvait sortir de l'eau pour réduire la résistance à l'avancée. Ses trois mâts pouvaient porter une grande voilure servant de moyen de propulsion auxiliaire. En ce vingt-neuvième jour de juillet, elle mouillait sur la Mersey, prête à partir, l'équipage à bord au grand complet.

Une file d'attelages amenait les passagers sur les dalles de la jetée. Bulloch accueillait en les saluant par leur nom chacun des hommes d'affaires ou des notables locaux invités — en toute hâte — à un après-midi de promenade à bord du n° 209.

Le capitaine Butcher, ancien officier en second de la malle *Arabia*, avait poussé les feux et attendait les derniers invités. Arriveraient-ils avant l'ordre, parti de Whitehall, d'empêcher le navire de prendre la mer parce qu'il y avait violation de la loi anglaise?

Bulloch, informé par ses agents, gardait un visage souriant en accueillant ses hôtes en haut de la passerelle et en les conduisant au buffet servi sous un dais à rayures. Cooper arpentait la jetée et consultait sa montre toutes les minutes. S'ils ne partaient pas — si Charles Francis Adams avait atteint son but — le magnifique, inestimable bâtiment serait perdu pour la Confédération.

Un employé s'approcha de Bulloch pour lui montrer une liste.

— Il ne manque que ces deux messieurs, murmura-t-il.

— Nous partirons sans eux, décida Bulloch.

Il monta la passerelle, passa devant les matelots enrôlés pour la première partie du voyage. Soudain, Cooper vit un fiacre émerger de Canning Street et se diriger vers le bateau.

— Voilà peut-être nos derniers invités, James, lança-t-il du pied de la passerelle.

Bulloch alla à la barre, parla au jeune capitaine Butcher dont la brise agitait les favoris. La voiture s'engagea sur la jetée, ralentit. Avant même qu'elle ne s'arrête, un homme en sauta. Cooper sursauta en reconnaissant Maguire. Précédé par une odeur de poireaux, Marcellus Dorking apparut à son tour.

Depuis l'entrevue du *Pig and Whistle*, l'Américain avait été suivi de façon intermittente par plusieurs individus travaillant sans l'ombre d'un doute pour Tom Dudley. De Dorking il n'avait pas vu trace : les menaces contre la famille de Cooper n'étaient que paroles en l'air, propos de lâche pour inspirer la peur. Cela rabaissa encore le personnage dans l'opinion de Cooper.

Maguire et Dorking se précipitèrent vers l'Américain, qui barrait la passerelle.

— Une petite promenade d'agrément, sir? dit Dorking en plongeant la main droite dans la poche de sa veste écossaise de mauvais goût.

— Exactement. Comme vous le voyez, nous avons des personnalités locales à bord.

— Nous devons cependant vous prier de retarder votre départ. Un train arrive en ce moment à la gare de Lime Street avec un gentleman qui désire parler au capitaine de certaines irrégul...

— Excusez-moi, coupa Cooper en faisant un pas sur la passerelle.

— Une minute.

Dorking saisit Cooper par l'épaule, le fit se retourner brutalement.

Un matelot cria pour avertir le capitaine Butcher ; plusieurs invités froncèrent les sourcils en murmurant. Comme Bulloch commençait à descendre la passerelle, Dorking sortit de sa poche un petit pistolet argenté qu'il enfonça dans le ventre de Cooper.

— Poussez-vous qu'on aille discuter avec le capitaine.

Cooper n'avait jamais été aussi effrayé ni si directement menacé de mort violente. Toutefois, cette menace lui parut moins importante que l'impérieuse nécessité d'amener le n° 209 à destination. Se rendant compte qu'on pouvait voir son arme du pont, Dorking tenta de la cacher. Au moment où il en abaissait le canon, Cooper lui écrasa le pied.

— Nom de Dieu ! beugla Dorking en vacillant.

Maguire essaya de frapper Cooper, qui le repoussa et expédia son genou dans l'entrejambe du croqueur de poireaux. Les deux agents du consul Dudley firent la culbute sur les dalles de la jetée comme des acrobates mal entraînés.

— Cette croisière est exclusivement réservée aux invités, messieurs, leur cria Cooper.

Il grimpa rapidement la passerelle, demanda aux matelots de la relever. Le capitaine Butcher donna des ordres et les ouvriers des docks qui avaient observé la scène avec un amusement intrigué se hâtèrent de larguer les amarres. Parmi les invités, c'était la consternation.

Une eau brune apparut entre la coque du navire et la jetée. Maguire puis Dorking se relevèrent. Le second braqua son pistolet vers le bateau mais le premier lui abaissa le bras. L'amateur de poireaux lança un regard mauvais à Cooper, qui se pencha au-dessus du bastingage en criant :

— Il ne faut jamais se vanter, Mr. Dorking. Il ne faut jamais proférer des menaces qu'on ne peut pas mettre à exécution. J'espère que vous n'avez pas promis à Dudley de nous empêcher de partir.

— Taisez-vous, murmura Bulloch derrière lui.

Cooper se retourna, prêt à s'excuser, mais avec un sourire que personne d'autre ne pouvait voir, Bulloch lui glissa :

— Beau travail.

Puis il retourna à ses invités, qui l'assaillirent aussitôt de questions.

Les silhouettes de Maguire et Dorking s'éloignaient. Appuyé au bastingage, Cooper se détendait, surpris de la rapidité de ses réactions, content de lui.

La rivière brillait comme de l'or ; l'air était salé, pas trop chaud. C'était un après-midi parfait. Bulloch promit de répondre à toutes les questions mais convia d'abord ses invités à boire le champagne qu'il avait commandé pour entretenir l'illusion d'une innocente promenade. Quand le calme fut à peu près revenu, il réclama poliment le silence et s'avança dans le soleil, juste au bord de l'ombre du dais.

— Nous espérons que vous prendrez tous plaisir à cette promenade à bord du navire appelé le n° 209, ou l'*Enrica*, mais qui portera bientôt son nom véritable. Nous voulons que vous passiez un après-midi agréable, sans vous laisser troubler par le fâcheux incident de la jetée. Pour être franc, je dois vous révéler que le voyage de retour se fera à bord d'un remorqueur qui nous attend à Anglesey.

— Qu'est-ce que cela signifie ?

— Enfin, Bulloch !

— Un sale tour, voilà ce que c'est.

— Une regrettable nécessité, messieurs, dit Bulloch, dominant les protestations de sa voix profonde. Nous avions été avertis, dimanche, que ce navire serait saisi s'il demeurait quarante-huit heures de plus sur la Mersey. Vous n'aurez aucun ennui avec les autorités si vous leur dites simplement la vérité. Vous avez été invités à une promenade en mer — celle que vous faites en ce moment. Seul changement de programme, c'est un autre bateau qui vous reconduira à Liverpool.

— Alors, les rumeurs étaient vraies ? Ce navire a été construit illégalement ?

— Sa construction a scrupuleusement respecté la loi britannique, cher monsieur.

— Ce n'est pas une réponse, intervint un autre invité. Quelle est sa destination ?

— D'abord la mer d'Irlande, ensuite un port dont il ne m'est pas permis de vous révéler le nom. Sachez seulement qu'il gagnera les eaux américaines avec un équipage différent.

Cooper sentit le long de son dos un curieux frisson d'excitation, aussi inattendu que sa bravoure maladroite sur la passerelle. Comme il avait changé depuis l'époque où il démontrait l'absurdité de la sécession et de la guerre à qui voulait l'entendre ! Il était fier de ce navire, fier d'avoir contribué à lui faire prendre la mer. Fier de son nom, que Bulloch lui avait révélé : l'*Alabama*. Fier de se tenir sur son pont flambant neuf tandis que, glissant sur la Mersey, la goélette voguait vers une destination que Bulloch annonça d'une voix tranquille à des invités stupéfaits :

— Elle part pour la guerre.

Tandis que le vaisseau confédéré s'échappait de Liverpool, George faisait route vers le Massachusetts, après avoir passé un jour et demi à Lehig Station. Il s'était entretenu avec Jupe Smith, selon qui le gouvernement local considérait maintenant d'un œil favorable la demande d'autorisation d'établissement d'une banque. « Quelle surprise ! » avait grommelé George avant de passer sept heures avec Wotherspoon à vérifier les livres, inspecter l'usine, examiner des échantillons de la production Hazard. Avant son départ, il passa voir les Hongrois et la quinzaine d'enfants dont ils avaient à présent la charge. Brett lui confia que, pour égayer sa solitude, elle aidait de temps en temps Mr. et Mrs. Czorna. Ce fut la seule fois où George remarqua quelque animation chez sa belle-fille au cours de sa visite.

Après avoir vainement tenté toute la nuit de dormir sur la banquette du train, George arriva à Braintree recru de fatigue. Sylvanus Thayer le laissa se reposer trois heures dans un lit confortable puis l'éveilla et lui offrit un petit déjeuner gargantuesque. Pendant que son invité engloutissait six œufs, quatre tranches de lard et six toasts à cinq heures de l'après-midi, par une chaleur torride, Thayer s'épancha :

— C'est lorsque la situation leur échappe que les hommes ont le plus besoin de boucs émissaires, George. L'animal humain est entêté, souvent stupide. Il distribue indûment les blâmes parce que toute explication du chaos, aussi ridicule soit-elle, vaut mieux que pas d'explication du tout. Je ne dis toutefois pas que c'est toujours le cas. En temps de guerre, on a tendance à reporter toutes les responsabilités sur l'armée, à juste titre.

Le vieil officier tira un numéro de *Harper's* d'une pile de *New York Tribune* et poursuivit :

— Ce torchon malfaisant et le journal de Greeley exigent tous deux la fermeture définitive de l'Académie. De grands hommes sont sortis de notre école mais peu importe. L'armée a failli à son devoir et il faut clouer quelqu'un ou quelque institution sur la croix.

George finit son café, alluma un cigare.

— Je suis écœuré de les entendre dire que c'est nous qui avons formé l'ennemi, soupira-t-il.

— Je sais, je sais, répondit Thayer. (Ses mains, blanches comme la nappe, se crispèrent sur le bord de la table.) Nous avons aussi formé nombre d'officiers accomplis qui sont demeurés loyaux. Hélas, malgré tous ses efforts, le président ne semble pas les utiliser à bon escient. Peut-être s'ingère-t-il trop dans les questions militaires, comme le fait, paraît-il, Davis. C'est une observation, pas une excuse à notre inaction. George, nous devons comprendre que West Point est en guerre.

— Comment dites-vous ?

— En guerre. Ceux d'entre nous qui lui demeurent attachés doivent se mettre en campagne. Il faut combattre avec intelligence et fougue, sans jamais accepter la moindre possibilité de défaite. Nous ne devons pas attendre que nos positions soient enfoncées. Nous devons passer à l'offensive.

— J'approuve cette stratégie, colonel, mais la tactique ?

Les yeux du vieil homme étincelèrent.

— Ne cachons pas notre lanterne sous notre cape. Rappelons les services que nous avons rendus au pays dans l'Ouest et au Mexique. Clamons haut et fort la justesse de notre cause, murmurons nos arguments dans des oreilles influentes. Tordons les bras récalcitrants, frappons sur les crânes obstinés. Attaquons, George !

Les deux hommes poursuivirent leur conversation tard dans la nuit. Ils convinrent qu'il fallait appeler les anciens de West Point à défendre leur école. George écrirait à six membres du Conseil, Thayer s'adresserait aux dix autres. Ils ne se couchèrent pas avant trois heures et demie mais le vieillard se leva quelques heures plus tard pour accompagner son invité à la gare. Sur le quai bruyant, Thayer continuait à préparer l'assaut :

— Sur quels appuis pouvons-nous compter au Congrès ?

— Je vois principalement Cump Sherman — le frère de John — sénateur de l'Ohio comme Wade. Les deux hommes ne s'aiment guère.

— Cultivez le sénateur Sherman, recommanda Thayer en serrant la main de George, qui eut l'impression de recevoir son ordre de marche.

Après un court arrêt à Cold Spring, et un bref échange de doléances avec Benet, George traversa l'Hudson et entama sa campagne. Le professeur Mahan promit d'écrire davantage en faveur de l'Académie ; le capitaine Edward Boynton, camarade de promotion de George et Orry, s'engagea à terminer rapidement son histoire de West Point et à y insérer une réponse aux critiques dirigées contre l'école. Dans le train bondé qui le ramena à Washington, George se sentit un peu mieux : l'offensive était lancée.

Il espérait qu'elle n'avait pas été lancée trop tard. Le Congrès attribuant les crédits au début de l'année, il leur restait moins de six mois pour mener et remporter leur petite guerre tandis que la grande se poursuivait le long d'une route boueuse dont nul ne voyait la fin.

De retour au bureau, George trouva l'armée plus férocement attaquée que jamais. Halleck, rappelé de l'Ouest, avait pris le commandement en chef ; McClellan gardait l'armée du Potomac, servant essentiellement désormais à défendre Washington ; John Pope s'était vu confier l'armée du nord de la Virginie après sa victoire de l'Ile n° 10. Ce dernier s'aliéna rapidement la plupart de ses hommes en déclarant que les soldats du front ouest se battaient avec plus d'ardeur qu'eux et étaient plus résistants.

La politique de Lincoln à l'égard des Noirs provoquait des rixes dans les cafés et les camps militaires. Le seul point de la loi de Confiscation qui plût à quiconque, c'était la décision d'encourager les affranchis à émigrer dans quelque pays tropical non précisé.

— On ne fait que parler d'émancipation et nous n'y sommes pas prêts, dit George à sa femme. Personne n'y croit.

— Il faudrait y croire, pourtant.

— Bien sûr. Mais tu connais la réalité, Constance. La plupart des Nordistes se fichent bien des Noirs et ne pensent certainement pas qu'ils ont les mêmes droits que les Blancs. Ils font la guerre pour une seule raison : l'amour de l'Union et du drapeau. Je ne dis pas que c'est juste, je dis que c'est ainsi. Si émancipation il y a, je redoute les conséquences.

La fin du mois d'août vit une deuxième grande bataille du Bull Run, dont l'issue fut semblable à celle de la première. Vaincues, les armées de l'Union se replièrent sur Washington, où la peur d'une attaque directe de la ville se répandit comme un feu de prairie. Les adversaires de la guerre intensifièrent leurs attaques et réclamèrent la recherche immédiate d'une paix négociée.

Un jour orageux de début septembre, Stanton convoqua Stanley Hazard dans son bureau. Le ministre, ayant cédé à Halleck le commandement direct des armées, prenait tranquillement d'autres secteurs sous sa coupe. Autrefois méprisant à l'égard de Lincoln, il était entré dans les bonnes grâces du président dont il était devenu le conseiller et l'ami. A moins de cinquante ans, Edwin McMasters Stanton — petites lunettes rondes, barbe parfumée, visage de bouddha — passait pour l'homme le plus puissant du pays après le chef de l'Etat.

Stanton avait une opinion tranchée sur la montée de l'opposition :

— Il faut l'écraser. Nous devons mater les Démocrates pacifistes et autres poules mouillées, leur faire comprendre que, s'ils continuent à attaquer le gouvernement, ils risquent d'être arrêtés, emprisonnés et même accusés de trahison. Il faut mener la guerre à son terme.

La pluie se mit à battre aux fenêtres du bureau. Pensant aux machines de l'usine Lashbrook tournant à plein rendement, Stanley hocha la tête avec ferveur.

— Je suis tout à fait de votre avis, approuva-t-il.

— C'est moi qui suis à présent chargé des questions de sécurité, dont s'occupait auparavant Seward...

Le ministre de l'Intérieur s'était acquitté de cette tâche d'une façon dont on parlait beaucoup. On racontait qu'il avait sur son bureau une clochette et se vantait de pouvoir, en l'agitant, faire emprisonner n'importe qui indéfiniment.

— J'ai besoin d'un adjoint en qui je puis avoir confiance, poursuivit Stanton en posant sur le bureau ses mains grassouillettes. Quelqu'un qui veillera à ce que mes ordres soient exécutés avec diligence et sans question.

Stanley s'agrippa aux bras de son fauteuil, impressionné par les perspectives de pouvoir que Stanton étalait devant lui.

— Nous devons revoir les questions de sécurité et commencer à prendre des mesures énergiques contre les ennemis que nous comptons dans notre propre camp.

— Sans aucun doute, monsieur le ministre. Je me demande cependant comment atteindre cet objectif. A elle seule, la question de l'*habeas corpus* a soulevé une tempête de protestations contre la violation des droits constitutionnels.

Les mains de Stanton se portèrent à sa bouche, qui avait pris un pli méprisant. Les genoux de Stanley tremblèrent. En voulant montrer qu'il comprenait la situation, il avait irrité le ministre.

— Le pays a-t-il été fait pour la Constitution? répliqua Stanton. Je crois que c'est plutôt l'inverse. Pour nos ennemis, le pays peut bien sombrer, ils se consoleront facilement en sachant que la Constitution demeure.

Se penchant vers le bureau, Stanley s'empressa d'expliquer :

— Ces gens-là ne sont pas seulement égarés mais dangereux. C'est tout ce que je voulais dire.

Stanton se renversa en arrière en caressant sa barbe, ce jour-là parfumée au lilas.

— Bien, fit-il. Un instant, j'ai cru vous avoir mal jugé. Vous m'avez servi loyalement, et une loyauté absolue est indispensable pour le poste que je vous propose. J'ai besoin d'un homme sachant être discret mais fermement résolu à réduire nos adversaires au silence.

Une main dodue quitta le bureau pour indiquer un grand tableau accroché à un mur.

— Voici l'organigramme de notre ministère, continua Stanton. Si nous jugeons bon d'établir un service spécial pour combattre les activités séditieuses, il ne devra jamais y apparaître.

— Je saurai y veiller, assura Stanley.

— Excellent, murmura Stanton. (Par-dessus ses lunettes rondes, il regarda le visiteur d'un air malicieux.) Si vous vous acquittez efficacement de votre nouvelle tâche, vous aurez amplement le temps de vendre des chaussures à l'armée.

Figé dans son fauteuil, Stanley n'osa répondre.

Le ministre continua à parler pendant un quart d'heure puis remit à son collaborateur un dossier contenant son plan confidentiel en vue de renforcer la branche policière du ministère de la Guerre. Sur la suggestion de Stanton, Stanley prit le temps de parcourir rapidement les six pages du document, en accordant une attention particulière à son préambule.

— Cette introduction est tout à fait juste, dit-il lorsqu'il eut achevé sa lecture. Il faut sévir. Ce sera d'autant plus nécessaire si le président met à exécution son plan de libérer les moric — les Noirs des Etats rebelles.

— Il y tient farouchement. A mon avis, ce qui n'était d'abord dans son esprit qu'une mesure punitive est devenu un impératif moral. Pas plus tard qu'hier, il a déclaré au Cabinet que s'il a des doutes en de nombreux domaines, il n'en a aucun quant au bien-fondé de l'émancipation. Seward, moi-même et quelques autres l'avons cependant convaincu de remettre la proclamation à un moment plus propice.

Stanton parut se tasser sur lui-même; son visage et sa silhouette s'assombrirent en même temps que le ciel. De la forme obscure s'éleva la voix puissante :

— Le changement de politique que le président propose est si inhabituel, pour ne pas dire radical, que nous n'osons le rendre public alors que nous subissons des revers sur le plan militaire. Pour que la proclamation reçoive un accueil un tant soit peu favorable, il faut la faire dans une période d'euphorie et de confiance. Bref, il nous faut une victoire.

Stanley serra dans ses mains le dossier, clef d'un pouvoir et d'une autorité accrus. Stanton avait été clair : il ne voulait pas d'un brillant penseur mais d'un soldat obéissant.

— Absolument, acquiesça-t-il, même si l'idée de tous ces Noirs étranges et hostiles, libres d'envahir le Nord à leur guise lui faisait horreur. Une victoire.

Après avoir patrouillé autour de Frederick, dans le Maryland, Charles et Ab reprirent la direction du Potomac et du gué de White. C'était le 4 septembre, l'automne arrivait.

Déguisés en paysans, les deux éclaireurs chevauchaient lentement le long d'un chemin coupé d'ornières, entre des collines boisées aux flancs escarpés. Les feuilles n'avaient pas commencé à changer de couleur mais Charles se sentait déjà affecté par la mélancolie de la saison. Malgré sa répugnance à écrire, il avait envoyé trois lettres à la ferme Barclay et n'avait reçu aucune réponse. Il espérait que ce n'était qu'une nouvelle preuve de l'incurie de la poste militaire et non le signe que Gus l'avait oublié.

La lumière du jour traversant le feuillage des branches clignotait au-dessus des deux hommes hirsutes. La veste ouverte, Charles avait son revolver à portée de la main. La veille, près de Frederick, ils avaient trouvé du bon fourrage et Joueur semblait plus fringant. Il en allait de même pour Cyclone, le cheval d'Abner. Ces derniers temps, l'armée n'avait donné aux bêtes que du maïs vert.

Avant de dénicher du picotin pour leurs montures, ils s'étaient risqués dans Frederick même. Charles, contraint au mutisme du fait de son accent, avait parcouru seul la ville sans éveiller de soupçons. Ab s'était rendu dans un café et en avait ramené une information déconcertante :

— Charlie, ils se foutent d'être libérés. Tu crois que Bob Lee est mal informé ? On m'avait raconté que les gars du coin se soulèveraient pour nous aider quand on envahirait leur Etat.

— On m'a dit la même chose.

— Ben, la plupart des types, dans ce rade, s'intéressaient pas du tout à l'endroit d'où je venais. J'ai juste eu droit à quelques coups d'œil, une proposition à faire une partie de cartes, un verre de whisky que j'ai payé moi-même, et une vue panoramique sur un paquet de dos. Les gens d'ici vont pas nous donner à manger ni nous cracher à la figure.

Charles avait froncé les sourcils. L'armée s'était-elle à nouveau trompée dans ses prévisions ? En tout cas, il était trop tard : elle faisait déjà mouvement. Mr. Davis semblait effectivement en désaccord avec ses généraux sur la situation du Maryland. Pour le président, l'Etat appartenait au Sud, les Sudistes y seraient accueillis en libérateurs. Au camp, on racontait au contraire qu'on allait cette fois porter la guerre en territoire yankee, y rafler le bétail et les récoltes. Quelle que fût la vérité, les deux hommes avaient rempli leur mission. Après avoir quitté

Frederick, ils avaient dormi dans un verger isolé, la longe de leurs chevaux attachée au poignet, le fusil de chasse en travers du ventre, puis ils avaient pris le chemin du retour.

— Charlie, je peux te demander un truc ? dit Ab.

— Vas-y.

— T'as une petite amie ? Je demande ça parce que t'en parles jamais.

Charles pensa au soldat Gervais et à Miss Sally Mills.

— Le moment est mal choisi pour cela.

— Ça, c'est sûr mais ça répond pas à ma question. T'en as une ?

Charles rabattit son chapeau sale sur son front en regardant la route.

— Non.

La réponse était sincère : il n'avait pas de petite amie, sauf dans son imagination. Quand on a une petite amie, on reçoit des lettres. Gus l'avait embrassé mais qu'est-ce que cela signifiait ? Beaucoup de femmes distribuaient leurs baisers comme s'ils n'avaient guère plus d'importance qu'un quartier de tarte.

Le terrain changeait rapidement ; les collines devenaient plus hautes, leur pente plus raide. Dans les clairières et les rares endroits plats, il n'y avait ni ferme ni hangar car la terre était trop pauvre pour qu'on pût en vivre. Charles estima qu'ils devaient se trouver près du fleuve et en reçut bientôt confirmation en entendant les bruits lointains d'une armée de cinquante-cinq mille hommes quittant la Virginie en passant un gué.

Quand Petit Mac apprendrait la manœuvre, les Yanks sortiraient de Washington pour se battre. Au cours de ses missions d'éclaireur dans la péninsule, Charles avait eu sa part de combat mais il ne s'habituerait jamais à se battre ou à prendre la bataille à la légère.

Ils parvinrent au fleuve à temps pour voir arriver la cavalerie. Cinq mille chevaux, affirma Ab, avec de nouvelles brigades composées de vieux copains. Beauty Stuart, l'homme aux éperons d'or et au chapeau emplumé, commandait la division bien qu'il n'eût pas trente ans ; il avait pour adjoints les généraux Hampton et Fitz Lee. Le vieil ami de Charles avait en effet eu un avancement rapide puisqu'il était passé de lieutenant à général en quinze mois.

Les batteries d'artillerie volantes — innovation de Stuart — traversèrent l'eau dans un grand fracas. Abner poussa une exclamation en apercevant les troupes de Hampton sur la rive virginienne. La brigade regroupait le 2ᵉ de cavalerie de Caroline du Sud, nouvellement formé autour du noyau des quatre unités originelles de la légion.

Calbraith Butler, colonel du régiment, découvrit les deux éclaireurs penchés sur leurs chevaux et les salua en agitant sa cravache à poignée d'argent. Derrière lui chevauchait son second, le frère cadet de Hampton, Frank.

Charles, resté capitaine, se fit l'effet d'être le cancre de la classe. Toutefois, il ne pouvait nier qu'il préférait à présent la vie plus dangereuse mais plus indépendante d'éclaireur.

Il rappela à Abner qu'ils devaient se présenter au quartier général de Stuart pour y faire leur rapport. Eperonnant soudain sa monture, Hampton venait de s'élancer de la rive virginienne. Il repéra les éclaireurs, se dirigea vers eux dans un grand éclaboussement d'eau, reçut leurs saluts avec un chaleureux sourire puis leur serra la main.

Massif et martial sur sa monture, Hampton avait fière allure, même si son uniforme semblait élimé, comme ceux de toute l'armée. Charles remarqua sur son col trois étoiles — le même insigne que Stuart. Rien ne distinguait un général confédéré d'un autre.

— J'ai appris que vous aimez ce que vous faites, capitaine Main.

— Cela me convient mieux que commander des troupes, mon général. Oui, j'aime beaucoup ce que je fais.

— Ravi de l'entendre.

— Vous avez bonne mine, mon général. Je suis heureux de vous voir totalement rétabli.

Commandant des fantassins à Seven Pines, Hampton, monté sur son cheval, avait reçu une balle dans le pied. Craignant de ne pouvoir remonter s'il descendait pour se faire soigner, il était resté en selle tandis qu'un médecin lui enlevait sa botte, cherchait le projectile et l'extrayait. La blessure bandée, la botte rechaussée, il demeura avec ses hommes jusqu'à ce que la tombée de la nuit mît fin au combat. On l'aida alors à descendre de cheval, la botte ruisselante de sang.

— Je suis content de vous rencontrer car j'ai deux nouvelles qui vous feront peut-être plaisir, dit le général.

Intrigué, Charles attendit la suite.

— Dernièrement, le capitaine von Helm est tombé de cheval à l'exercice et s'est cassé le cou. Il était ivre. Un autre de vos excellents amis, le soldat Cramm, a disparu sans permission.

— Il est probablement à la traîne, avec quelques centaines d'autres.

— Cramm n'est pas un traînard, il a déserté. Il a laissé une lettre nous informant qu'il s'était engagé pour défendre le territoire du Sud, pas pour se battre dans le Nord.

— Je suis surpris qu'il n'ait pas fait appel aux services d'un avocat pour rédiger son petit mot, dit Charles en s'esclaffant.

— J'ai pensé que ces deux nouvelles vous apporteraient quelque réconfort.

— Certainement, mon général, même si j'ai honte à le reconnaître.

— N'ayez aucune honte. Ce qui est honteux, c'est qu'un aussi bon chef que vous ait perdu cette élection. Si nous n'avions que des Cramm et des von Helm, nous serions fichus. Bonne route, capitaine. Je suis persuadé que je ferai prochainement appel à vous et au lieutenant Woolner, déclara Hampton avant de rejoindre son état-major au galop.

Après avoir présenté leur rapport, Charles et Ab attendirent de nouveaux ordres et n'en reçurent pas. Ils mangèrent, soignèrent leurs bêtes, essayèrent de dormir et, le lendemain, allèrent voir le Vieux Jack mener ses hommes dans le Maryland.

Stonewall Jackson et ses exploits étaient devenus si célèbres qu'on avait de plus en plus tendance à ne voir en lui qu'une sorte de légende impossible à relier à un être humain authentique, et surtout pas au rustaud timide auquel le cousin Orry s'était lié d'amitié pendant sa première année à West Point. Pourtant, c'était un Jack bien réel qui montait habilement son cheval couleur crème et passait le gué en direction des arbres où la fanfare jouait un tonitruant *Maryland, My Maryland* pour l'accueillir.

Abner accorda quelque attention à Jackson mais fut plus intéressé par la longue colonne de fantassins qui le suivaient. Les hommes de Stonewall donnaient l'impression d'avoir marché, combattu et dormi dans leur uniforme pendant des années sans le laver une seule fois. Excepté leurs armes, ils ne portaient pas grand-chose : envolés les havresacs bien remplis de 61.

C'étaient donc les soldats fabuleux de « la cavalerie à pied » de Jackson, capables de couvrir cent kilomètres en deux jours. Charles contemplait avec étonnement ces rangées de barbes hirsutes, d'yeux brillants, de joues et de fronts brûlés par le soleil.

— Bon Dieu, Ab, beaucoup d'entre eux n'ont même pas de chaussures.

En regardant passer la colonne, Charles estima que la moitié des fantassins de Jackson marchaient pieds nus. Des pieds écorchés, meurtris, maculés de sang séché, couverts de poussière. Un homme pouvait supporter un tel dénuement par beau temps, mais qu'adviendrait-il en hiver ?

En examinant le visage ridé et maigre d'un soldat pataugeant dans l'eau peu profonde, Charles crut d'abord que l'homme avait quarante ans puis s'aperçut de son erreur.

— Ils ont l'air vieux, murmura-t-il.

— Nous aussi, dit Ab en se penchant sur l'encolure de Cyclone. T'as remarqué les poils gris de ta barbe ? Paraît que celle de Bob Lee est presque blanche, maintenant. Beaucoup de choses ont changé en un an. Et c'est pas fini.

Charles frissonna. Il regarda les pieds crottés marchant vers le Maryland et se demanda combien en reviendraient.

57

9 septembre. Une chaude lumière de fin d'été embrumant la campagne vallonnée. Feuillage jaunissant et se desséchant. Le moment de rentrer la récolte.

La cavalerie s'étirait sur une file de près de trente kilomètres de long. Derrière, les divisions de Lee manœuvraient, prêtes à foncer jusqu'en Pennsylvanie, disaient certains. De l'autre côté des collines aux contours flous, McClellan, sûrement. Venant en force de Washington. Lentement, comme toujours, mais avançant. On avait repéré le long du Potomac de faux paysans observant le passage du gué de White. Des éclaireurs de l'autre camp.

Hampton s'installa à Hyattstown, à quelques kilomètres au sud d'Urbana. Charles rangea dans le coffre contenant son sabre de Solingen tout ce qui ne lui était pas indispensable et en sortit sa veste grise de capitaine. Il ne fallait pas être grand clerc pour comprendre que l'invasion du Maryland provoquerait d'âpres combats et il tenait à être reconnu des siens. Lorsque des soldats chargèrent le coffre sur l'un des chariots à bagages, il eut l'impression de le voir pour la dernière fois.

Il roula sa veste, l'attacha derrière sa selle — une « McClellan » à présent bien fatiguée qu'il avait achetée neuve à Columbia. Cette selle avait été conçue, à partir d'un modèle prussien, par l'homme qui s'efforçait de les anéantir avec un tel acharnement. Curieuse, cette guerre.

Et affamante. Ab Woolner s'en était plaint pendant la moitié de la soirée :

— Personne dans le coin nous donnera à manger. Encore du maïs vert pour les deux-pattes comme pour les quatre-pattes. Mon vieux Charlie, faudrait qu'on appelle ça la campagne du maïs vert.

Charles ne répondit pas et vérifia sa poudre et ses balles afin de dormir plus tranquille. Il en aurait peut-être bientôt besoin.

10 septembre. Charles et huit autres éclaireurs, sortis à la tombée de la nuit, rencontrèrent inopinément des vedettes en uniforme bleu. Ils chargèrent sur la route desséchée et n'entendirent aucun ennemi crier : *Black Horse ! Black Horse !*

Des coups de feu. Un éclaireur abattu ; Doan, le malchanceux, perdit une autre monture. Les éclaireurs décampèrent au galop en emportant deux blessés. Charles, qui s'était chargé de Doan, se demandait s'ils étaient tombés sur des hommes de Pleasonton. Ces types tiraient et montaient mieux que la plupart des Yankees qu'il avait vus jusqu'à présent. Ou alors les vendeurs de chaussures, les mécaniciens apprenaient à se battre à cheval. Peut-être faudrait-il un jour se préoccuper de la cavalerie de l'Union.

A Urbana, des cavaliers de Hampton blessés vinrent se faire soigner dans une école que le général Stuart avait illuminée pour la soirée. Encore un de ces fichus bals, dont le vaniteux Virginien semblait ne pouvoir se lasser. La vue des hommes perdant leur sang gâcha la fête, la plupart des jeunes filles rentrèrent chez elles. Quelques-unes restèrent pour aider les infirmiers et, leurs jolis yeux ronds brillant à la lueur des chandelles, elles s'effarouchèrent de la crasse et de la puanteur de ces hommes étranges venus prévenir que des forces importantes faisaient mouvement dans la nuit, derrière l'horizon.

Quatre-vingt-dix mille Nordistes, en fait, et qui, pour changer, n'avaient pas la « lambinite » habituelle de McClellan. Bob Lee ignorait encore leur nombre et la vitesse à laquelle ils avançaient.

12 septembre. Marchant vers l'ouest, Lee eut l'audace — la folie — de diviser son armée. Charles apprit la nouvelle et devina le reste. Le Vieux Bob voulait assurer ses arrières et sa ligne de ravitaillement jusqu'à Winchester avant de porter un coup brutal au nord, en direction de Hagerstown — et peut-être même de Philadelphie. Cela impliquait de neutraliser la garnison de Harper's Ferry. Cela impliquait de diviser ses forces. L'ordre en avait été donné le 9, mais Charles ne le savait pas encore.

Il avait fait la connaissance de Lee au Texas, avait dîné et longuement bavardé avec lui. Il ne s'agissait pas alors de bataille, juste d'escarmouches occasionnelles avec les Indiens. En outre, Lee avait souvent été absent, laissant le commandement à ses subordonnés. Charles apprenait donc à nouveau à le connaître, à travers des témoignages de sixième main.

Aux yeux de tous, le Vieux Bob passait pour un homme courtois, lent à se mettre en colère. Jamais on ne l'avait entendu jurer, jamais on ne l'avait vu commettre un acte indigne d'un gentleman. Mais le son du canon lui faisait bouillir le sang et lorsqu'il pariait sur le champ de bataille, il risquait parfois tous les jetons qu'il possédait, comme un joueur à bord d'un bateau descendant le Mississippi. Charles et Ab se dirent qu'il avait à nouveau joué le tout pour le tout. Lee avait estimé pouvoir diviser ses forces — idée qui, à elle seule, ferait hurler les auteurs de manuels de stratégie — et avoir ensuite le temps de les regrouper. Parce que Petit Mac lambinerait, comme toujours.

Le matin du 12, Stuart sortit de Frederick et prit le sillage de Lee. Charles, Ab et d'autres hommes de Hampton formaient l'arrière-garde, à l'affût de soldats en uniforme bleu. Et par Dieu ! il en vint, marchant à une vitesse incroyable. Qu'est-ce qui avait guéri McClellan de sa « lambinite » ? Une tasse de thé à l'amour-propre blessé, infusant depuis les combats de la péninsule ? La promesse d'une dose d'élixir à la rétrogradation du docteur Lincoln ?

Charles n'avait ni le temps ni les moyens de répondre. Lorsque l'arrière-garde traversa le Catoctin Ridge, il sentait déjà la fièvre d'une fatigue dont il savait qu'il ne se remettrait pas avant des jours, voire des semaines.

Peu de signes d'allégresse accueillirent les « libérateurs ». Près de Burkittsville, alors que leurs poursuivants étaient clairement en vue, soulevant la poussière de la route, Charles passa devant une petite fille à nattes blondes qui, assise sur la barrière d'une ferme, agitait un petit drapeau de la Confédération. Ce fut tout ce qu'il vit en guise de soulèvement patriotique. Doan, qui s'était approprié le cheval d'un mort, cria à l'enfant de ne pas rester sur le chemin des foutus ventres-bleus qui arrivaient de la colline mais elle continua à agiter son drapeau.

A Burkittsville, au cours d'un bref engagement, Charles désarçonna un Yankee en lui expédiant les deux cartouches de son fusil de chasse dans la poitrine. Un autre ennemi lui rasa la joue gauche de son sabre avant que la troupe de Hampton ne parvienne à se dégager.

13 septembre. Les hommes d'Old Marse Bob* avançaient rapidement par les passes de la partie nord de la Blue Ridge. L'armée était à présent divisée, Old Jack marchant sur Harper's Ferry avec ses démons aux pieds couturés, la division de McLaws se dirigeant vers les hauteurs du Maryland et celle de Walker vers Loudoun Heights. Ces trois forces convergeaient vers une pointe de terre située au confluent du Potomac et d'une rivière répondant au doux nom chantant de Shenandoah.

Charles et les éclaireurs échangèrent des coups de feu avec une unité en marche en qui ils crurent reconnaître les soldats de l'Ohio de Jacob Cox, mais comment être sûr de quoi que ce soit quand on chevauche au galop, harassé de fatigue, tourmenté par la faim et la chaleur ?

Ce fut ce jour-là qu'un Yankee veinard trouva trois cigares à Frederick, là où les hommes de Daniel Harvey Hill avaient campé. Trois cigares enveloppés dans une copie magnifiquement calligraphiée et apparemment authentique de l'ordre n° 191. Qui avait laissé traîner ce document ? Personne ne le savait. On sut par contre bientôt qui en prit connaissance : McClellan, qui apprit ainsi que Lee avait divisé son armée. Survolté par cette information, Petit Mac se lança comme un ouragan bleu. La surprise, l'initiative, le temps — tout commença à couler comme de l'eau entre les doigts du Vieux Bob.

14 septembre. Le matin, Charles vida quatre fois son revolver en trois quarts d'heure de combat à Crampton's Gap, la plus au sud des trois passes que les Confédérés s'efforçaient de tenir. À court de munitions pour son colt et craignant que Joueur ne soit touché, il prit son fusil de chasse. Pour cette arme aussi, les cartouches se faisaient rares.

Stuart envoya Hampton soutenir et protéger McLaws. Lee avait désespérément besoin de temps pour ressouder son armée avant que Petit Mac n'écrase facilement chacune des divisions séparées. La consigne : se retrancher, tenir les cols.

* Lee. *Old Marse* est l'appellation respectueuse que les esclaves donnaient à leurs maîtres (n.d.t.).

Mais les troupes tenant les passes fléchirent lentement. Les obus fédéraux creusaient des trous dans le flanc des collines et dans les lignes des gris. Lee n'eut qu'un jour de sursis.

Des cavaliers au galop fonçaient sur Harper's Ferry. Personne ne savait ce qui allait se passer et Charles se demandait avec inquiétude si les siens avaient perdu l'avantage. Chevauchant dans la nuit, il fermait parfois les yeux pour dormir quelques minutes, s'en remettant à Joueur.

Peu après l'aube, dans un brouillard gris comme l'uniforme confédéré, Charles, Ab, Doan et un quatrième éclaireur firent demi-tour. Ils échangèrent des coups de feu avec des vedettes en veste bleu foncé qui avaient forcé Crampton's Gap et avançaient sans relâche pour prendre l'ennemi entre leurs canons et la garnison de Harper's Ferry. Les passes étaient sûrement perdues. Lee pourrait-il sauver quelque chose, à commencer par son armée?

15 septembre. A Harper's Ferry, aucun danger ne les attendait; c'était au contraire la fête : le Vieux Jack avait obtenu une reddition inconditionnelle.

Les vainqueurs enfoncèrent les portes des dépôts et des greniers, trouvèrent quinze mille armes légères et du fourrage fédéral pour leurs chevaux affamés. Ils firent onze mille prisonniers, récupérèrent deux cents chariots en état de rouler, plus de soixante-dix canons et des munitions en abondance.

Il se passa une chose curieuse quand le Vieux Jack partit, à la fin de la journée. Vêtu de sa veste la plus sale et d'un chapeau cabossé, le visage grave, il avait l'air d'un diacre presbytérien ignorant et puant. En le voyant, ses hommes jetèrent leurs képis en l'air et l'acclamèrent. Mais les prisonniers yankees l'acclamèrent aussi, avec autant de force. Charles, étourdi de fatigue, hocha la tête d'un air incrédule quand un jeune soldat fédéral cria de sa prison de fortune :

— Bravo, Jack! T'es quelqu'un. Si on t'avait avec nous, on vous mettrait une raclée, c'est sûr.

Quand vint le soir, Charles attacha la bride de Joueur à son poignet, s'adossa au mur de l'arsenal et s'endormit. Une demi-heure plus tard, Ab l'éveilla :

— Je crois qu'ils se préparent à aller quelque part plus au nord. Jack a commandé des rations cuites pour deux jours.

Avec l'obscurité descendit le calme, la paix étrange des heures précédant la bataille. Charles, qui attendait des ordres, se promena çà et là, vit des jeunots de dix-sept ou dix-huit ans cuire de la viande en plaisantant, en se poussant du coude dans la fumée de leur feu. Charles savait qu'ils n'avaient jamais été au combat. Les soldats ayant subi l'épreuve du feu étaient moins agités. Ils sommeillaient ou écrivaient des lettres; les croyants lisaient de petites bibles pour se préparer à un éventuel voyage vers un ciel dont ils étaient sûrs.

Vers onze heures commença la distribution de munitions, tardive pour que la poudre reste sèche le plus longtemps possible. « Cinquante balles et doses de poudre par homme », dit un soldat à Charles. Conscient que les tambours ne tarderaient pas à battre le rassemblement, il alla retrouver Ab, qui dormait en tenant les brides de leurs deux chevaux.

Autour de grands feux allumés près de cours d'eau bouillonnants, les colonels s'adressaient aux hommes aguerris comme aux nouvelles recrues :

— Rappelez-vous qu'il vaut mieux blesser que tuer parce qu'il faut du temps, et parfois deux ennemis, pour transporter un blessé à l'arrière.

Charles continua à marcher dans le noir.

— Lorsque nous serons déployés sur le champ de bataille, nous remporterons une victoire décisive, nous vaincrons les égalitaristes qui veulent vous déposséder de vos biens, de votre liberté, de votre honneur. N'oubliez jamais que les espoirs de huit millions de personnes reposent sur vous. Montrez-vous dignes de votre race et de votre lignée. De vos femmes, de vos mères, de vos sœurs, de vos fiancées — de toutes les Sudistes, qui comptent sur vous pour les protéger. Ainsi motivés, forts de la confiance que vous placez en vos chefs et en Dieu, vous réussirez. Vous ne pouvez pas échouer.

16 septembre. Jackson fit battre le rassemblement et mit l'armée en marche à une heure du matin.

. Charles remonta à cheval. Le général Hampton, l'air reposé et l'œil vif, déploya ses régiments derrière la principale colonne. Charles se demandait comment le vieil officier parvenait à paraître aussi frais.

— Où on va, Charlie ? dit Abner.

— On suit Jackson. Pour protéger ses arrières.

— Ça, je le sais. Mais où il va, lui ?

— À Sharpsburg, d'après Frank Hampton. Une petite ville à vingt-cinq kilomètres d'ici. J'ai l'impression que, après la victoire de Jack, Old Marse Bob a décidé de se retrancher et de combattre.

— Comme on était divisés, c'était ça ou se faire enterrer, à mon avis, dit Woolner. (Charles approuva d'un signe de tête.) La « cavalerie à pied » a l'air épuisée.

— Elle n'est pas la seule.

Sharpburg se révéla être un plaisant village dans une campagne verdoyante où se dressaient quelques collines mais aucun pic comparable à ceux qu'on trouvait le long du Potomac. Lee avait installé son quartier général à Oak Grove, à quelque distance au sud-ouest de la localité. Sa ligne principale s'étirait sur près de cinq kilomètres depuis le centre de Sharpburg en suivant approximativement la route de Hagerstown. La cavalerie de Stuart remonta sur la gauche jusqu'à Nicodemus Hill, près du fleuve. John Hood disposait de deux brigades, Harvey Hill de cinq, dont les hommes se retranchaient et regardaient vers l'est, au-delà d'un champ de blé de quarante acres, en direction du terrain vallonné bordant l'Antietam, rivière coulant du nord au sud. C'était de l'est que Petit Mac surgirait probablement avec ses soixante-quinze mille soldats. Lui aussi avait des traînards mais c'était le joueur qui possédait le plus de jetons. Il pouvait en jeter à pleines poignées et rester le maître du jeu.

Tandis que Jackson plaçait ses troupes de manière à soutenir le secteur nord, Charles fut chargé de porter des ordres à Stuart ainsi qu'aux avant-postes établis le long de l'Antietam, en amont et en aval de l'endroit où la route de Boonsboro la traversait. Il aperçut de la poussière à l'est dans le ciel d'automne : les avant-postes reculaient. Les batteries fédérales de Hunt ouvrirent le feu, celles de Pendleton et de Stuart leur répondirent, d'une position plus élevée. Les lueurs rouges des pièces d'artillerie embrasèrent le soir.

Rentrant au galop, Charles aperçut des petits groupes d'hommes se faufilant à travers les épis du champ de blé. Lorsqu'il retrouva Abner devant le quartier général une heure plus tard, ce dernier déclara :

— Paraît que les piquets de chaque camp sont si près l'un de l'autre qu'on sent l'odeur quand on pète chez l'ennemi.

Il y avait eu des escarmouches sporadiques, que Charles avait entendues sans les voir, et d'intenses bombardements en fin de journée. A la tombée de la nuit, l'armée de Lee se tenait silencieuse le long de Sharpsburg Ridge, celle de McClellan de l'autre côté de l'Antietam et Dieu savait où encore. Dans la journée, les bois situés à l'ouest des lignes sudistes avaient paru menaçants à Charles : épais et sombres, ils pouvaient servir à cacher les préparatifs d'une attaque.

On n'entendit bientôt plus qu'un cri ou un coup de mousquet de temps à autre. Aux petites heures de la nuit, il se mit à pleuvoir une pluie fine. Quand le jour se leva, l'enfer commença.

17 septembre. Les vagues bleues déferlèrent de bonne heure des bois dont Charles se méfiait. Bannières déployées, les Yankees avançaient au pas de gymnastique : d'abord une double ligne de tirailleurs puis la force principale, tirant et rechargeant sans trêve, avançant. Un Sudiste s'écria :

— Joe Hooker !

Bel homme et remarquable combattant, Joe Hooker brandit le marteau de ses deux corps d'armée et l'abattit sur le flanc gauche confédéré. On envoya Charles à travers les lignes de Hood, posté à l'ouest de la route, dans un bosquet entourant une petite église blanche, afin de porter des instructions aux artilleurs de Nicodemus Hill. Les troupes de l'Union surgissant des bois ouvrirent le feu sur les hommes de Hood, et l'artillerie yankee, invisible, cachée derrière ces mêmes bois, commença son pilonnage tandis que les fantassins bleus chargeaient dans le champ de blé en courbant ou en tournant la tête comme pour éviter l'averse.

Les combats commencèrent à six heures. A neuf heures, chaque camp avait repoussé l'autre plusieurs fois de l'autre côté du champ. La croix de Saint-André, emblème du Sud, avait plusieurs fois disparu dans la fumée et le tumulte pour surgir à nouveau. La bataille prit de telles dimensions que Charles n'en perçut jamais que des détails sans en avoir une vue d'ensemble.

Revenant de Nicodemus Hill, tête baissée, revolver à la main, il fut pris dans une charge des Fédéraux contre les soldats de Jackson, qui attendaient parmi les arbres sur des crêtes rocheuses. Un colonel qui avait perdu plusieurs officiers fit descendre Charles de Joueur en le menaçant de son arme et lui ordonna :

— Tenez cette position à tout prix.

Il combattit donc dans les bois avec deux escouades de la « cavalerie à pied » pendant quinze incroyables minutes, tirant sur les Yankees qui traversaient la route en courant, la baïonnette étincelant au soleil.

Au milieu des hommes de Jackson, Charles tirait, rechargeait, criait, contribuait à repousser l'assaut qui coûta aux Yankees près de cinq mille hommes en moins d'une demi-heure. Quand la « cavalerie à pied » contre-attaqua en hurlant, Charles estima avoir rempli la tâche que lui avait confiée le colonel anonyme et courut retrouver Joueur. Il repartit, tremblant sous l'effet de l'excitation nerveuse et de la peur.

Comme il émergeait des rochers situés derrière la petite église, une silhouette bleue ensanglantée se dressa devant lui, poussant sa baïonnette vers Joueur. Charles tira, atteignit l'homme au visage — bien qu'il eût visé plus bas. Il vit la chair imberbe éclater, un œil jaillir d'une orbite sanglante tandis que le jeune soldat s'effondrait. Cette image le toucha profondément et déclencha en lui quelque mécanisme malsain.

Des obus éclataient, faisant trembler le sol. Charles se secoua comme un chien mouillé et accéléra, inquiet pour son cheval.

Vers onze heures, le centre de la bataille s'était déplacé vers une route encaissée située à l'est et légèrement au sud du champ de blé, que Charles parvint cette fois à traverser. Au cours des trois dernières heures, les charges s'étaient succédé dans un sens puis dans l'autre, fauchant les épis. Les tiges qui se dressaient fièrement la veille avaient disparu, piétinées, écrasées par des hommes vivants et morts.

Il eut l'impression de regarder dans un kaléidoscope démoniaque dont chaque scène sanglante apportait une variation dans l'horreur. Charles sentait qu'il perdait sa maîtrise de soi. Comme une nouvelle explosion dans le ciel lui faisait rentrer la tête dans les épaules, il pensa à un visage. A un nom, et s'y raccrocha.

L'envie qu'il éprouvait de descendre de cheval pour se cacher passa et il continua à avancer en direction de la route creuse, où les troupes de Lee ne s'efforçaient pas seulement désormais de sauver l'armée mais peut-être toute la Confédération.

Charles contraignit Joueur à aller de l'avant. Il était un homme à la dérive sur une vaste mer destructrice. Aucune cause, aucun slogan ne pouvait le sauver. Juste des lambeaux de souvenir.

Un nom.

Un visage.

Elle.

Près de la route, il se retrouva parmi des déments, des soldats gris exposés au feu pour la première fois, malades de peur. Il vit l'un d'eux jeter sa gourde, un autre glisser une, deux, trois, quatre balles à la file dans le canon de son mousquet, sans compter, sans s'en apercevoir ; un troisième, debout, braillait en serrant les poings, comme un enfant abandonné. Un éclat de fer volant dans l'air coupa en même temps sa jambe gauche et son cri ; du sang mouilla le sol comme le crachin du matin.

— Relève-toi ! Relève-toi, Bon Dieu !

Charles vit celui qui avait crié, un lieutenant à barbe rousse, le visage rougeaud, qui donnait des coups de botte à un cheval tombé à terre. Les hommes du lieutenant étaient accroupis autour d'un canon Blakely pris dans une ornière. Charles baissa la tête en entendant un obus exploser, se laissa glisser de sa selle, coinça la bride de Joueur sous un rocher. Puis il courut vers l'officier hystérique qui continuait à frapper la bête et le poussa sur le côté.

— Reculez. Cet animal ne peut plus avancer, il a une jambe cassée.

— Mais... mais on a besoin de ce canon, là-bas, sur la route. J'ai reçu l'ordre de l'y amener, pleurnicha le lieutenant.

— Ecartez-vous. Vous, les gars, lança Charles aux soldats, coupez les harnais. Nous allons tirer le canon par l'affût tandis que vous pousserez à la roue. Que l'un de vous s'occupe de mon cheval.

Sous une grêle de balles Minié dense comme un essaim d'abeilles, ils tirèrent le petit canon de campagne en jurant comme des dockers, suant, poussant mètre après mètre. Ils finirent par rejoindre un major qui dégaina son sabre d'un grand geste pour les saluer.

— Bravo, les gars ! Amenez-le par ici.

— C'est le capitaine qui a tout fait, expliqua un des artilleurs. Notre lieutenant, il chiait dans son froc.

— Qui êtes-vous, capitaine ? demanda le major.

— Charles Main. Eclaireur de la brigade Hampton.

— Je vous proposerai pour une citation si nous sommes encore en vie demain.

Charles fit demi-tour, retourna en courant auprès du soldat gardant Joueur. Le lieutenant barbu était assis par terre, près du cheval blessé, que Charles acheva d'une balle. L'officier leva vers lui des yeux larmoyants comme pour implorer le même sort.

— Viens, Joueur, murmura Charles d'une voix rauque avant de repartir vers le quartier général.

Il lui fut difficile d'avancer car l'artillerie fédérale se déchaînait derrière un rideau de fumée sur les hauteurs dominant la rivière. Charles ne vit pas le soldat qui le blessa. Il se sentit frappé à la poitrine, bascula sur le côté et faillit vider les étriers.

Hébété, il baissa les yeux, découvrit un trou rond à gauche d'un bouton de sa chemise. Il passa la main sous le vêtement, sortit le sac en cuir, troué lui aussi mais pas de part en part. Le livre avait arrêté la balle, sans doute morte mais néanmoins mortelle, qui l'avait atteint.

Charles croisa le flot de la brigade d'Anderson, envoyée en toute hâte sur la route encaissée pour tenter de sauver la situation. Le changement qui s'opérait en lui n'était pas causé par le spectacle de la mort — il l'avait déjà vu — mais par sa multiplication. Cadavres entassés, mouches vertes trottinant sur des moignons, corps accrochés aux barrières des fermes.

Une pièce d'artillerie tirée par des chevaux roulait sur la route de Hagerstown, près de la partie basse du champ de blé où les morts gris et bleus étaient si nombreux qu'on ne voyait presque plus le sol. Joueur dut se frayer un chemin parmi les corps sans vie, les têtes inclinées selon un angle anormal, les mains retenant le flot s'échappant de blessures mortelles, les bouches réclamant du secours, de l'eau. Implorant Dieu de mettre fin à leurs souffrances.

Charles voulut traverser la route devant les artilleurs lancés à toute allure, ne fut pas assez rapide, dirigea Joueur sur le bas-côté. Il entendit le sifflement de l'obus, vit les chevaux voler en l'air.

De la fumée l'enveloppa. Joueur rua, hennit pour la première fois de la matinée. Des entrailles, du sang, des os de chevaux retombèrent sur Charles. Hurlant de rage, il aperçut un Yankee blessé et désarmé qui s'efforçait de se relever à quelques mètres de lui ; il le mit en joue mais, au lieu de tirer, se pencha sur la droite et vomit.

Lorsqu'il reprit ses esprits, quelques instants plus tard, il chevauchait à nouveau en direction de la lisière nord de Sharpsburg. Soudain, il repéra à droite, gisant dans l'herbe rougie, un corps dont la forme lui parut familière. L'homme était allongé sur le ventre, le visage enfoui dans la couronne de son chapeau à large bord.

Tremblant, Charles descendit de cheval.

— Doan ?

L'éclaireur ne bougea pas. Des cadavres jonchaient les deux côtés de la route mais Charles ne vit nulle part le cheval de Doan.

— Doan ? répéta-t-il d'une voix étranglée, devinant ce qu'il allait découvrir en retournant le corps.

Ce fut pire que ce à quoi il s'attendait. Une balle avait percé de part en part la tête de Doan, inondée de sang. Quand Charles la souleva, un flot rouge coula des orbites, des narines, de la langue et des dents du dessous. Le chapeau était plein de sang, Doan était mort noyé.

18 septembre. Dans l'obscurité de la nuit, l'armée de Lee franchit le Potomac pour retourner en Virginie.

Vingt-trois mille hommes étaient tombés pendant la bataille, qui, se déplaçant vers l'est de l'autre côté de l'Antietam, avait duré jusqu'au soir du 17. N'ayant pas de plan d'ensemble, McClellan avait lancé ses attaques l'une après l'autre, avec sauvagerie mais sans les relier entre elles. Conséquence directe, Lee avait dû déplacer ses troupes d'un point de danger à un autre sans parvenir à prendre l'initiative. Il avait mené une série d'opérations de rescousse hâtives et relativement désorganisées, non une offensive s'appuyant sur un plan stratégique. Cette défense désespérée s'était faite au prix d'énormes pertes ; une attaque de front des positions de l'Union n'aurait guère été plus meurtrière.

Il y avait eu des moments où tout avait semblé perdu. Dans l'après-midi, les Yankees s'étaient avancés à moins d'un kilomètre de Sharpsburg, menaçant de couper à Lee toute voie de retraite. Il y eut aussi des moments dont on pouvait être fier, par exemple lorsque la division légère de A. P. Hill était arrivée en renfort, couvrant en sept heures une trentaine de kilomètres au cours d'une incroyable marche forcée.

Des politiciens qui n'avaient jamais commandé de troupes ou même tâté du combat reprochaient souvent aux généraux de calmer les combats à la fin de la journée et de ne pas exploiter leur avantage pendant la nuit. Ces critiques malveillants ne comprenaient pas, ne pouvaient imaginer quel terrible fardeau la bataille imposait. Elle était non seulement mortellement effrayante mais épuisante. Elle laissait les combattants vidés, affamés, assoiffés, prêts à s'étendre à n'importe quel endroit qui ne fût pas déjà occupé par un cadavre.

Ainsi donc, lorsque les combats cessèrent, les deux camps, exténués, avaient encore devant eux une longue nuit terrifiante, pleine de cris et de gémissements. Il fallait chercher les survivants. Des flammes de bougie voletaient dans les champs et les bois, comme les dernières lucioles de l'été. Les sentinelles ne tiraient pas, chacun cherchait les siens.

Cette nuit-là, Charles vit des ambulances transporter leur chargement de plaintes, des infirmeries de fortune où les chirurgiens, remontant leurs manches, amputaient par centaines bras et jambes mutilés. Il vit des cadavres gonflés par les gaz de la mort, et l'un d'eux exploser.

Le lendemain vinrent les premières estimations.

McClellan, adoptant une attitude défensive, avait manqué sa chance d'enterrer une fois pour toutes la Confédération. Alors qu'il avait l'occasion d'anéantir l'armée de Lee, il s'était contenté d'arrêter l'invasion. Lee n'avait pas été écrasé mais n'avait pas gagné non plus. Déplaçant d'un endroit à un autre ses unités de défense, il avait successivement repoussé cinq attaques apocalyptiques de l'aube au crépuscule ; trois fois dans les bois et le champ de blé ; puis sur la route encaissée, laissant des cadavres entassés sur un chemin des morts long d'un kilomètre ; enfin au pont situé en aval de l'Antietam.

Recevant des renforts dans les premières heures du 18, McClellan décida de tenir bon; le haut commandement confédéré choisit de battre en retraite. Charles n'avait que des souvenirs fragmentaires de la veille. Il ne se rappelait plus tous les endroits où on l'avait envoyé, combien d'hommes il avait abattus. Plusieurs fois il s'était retrouvé seul pendant une heure ou plus, coupé de son objectif, loin de tout visage familier — mésaventure fréquente dans une bataille roulant çà et là comme une goutte de mercure. Il savait qu'il garderait à jamais le souvenir de sa peur constante pour Joueur, de son impression que cet après-midi de septembre était éternel, que le soleil, cloué dans le ciel, ne se coucherait jamais pour y mettre fin.

Sur la retraite, d'autres fragments de la tapisserie, notamment un incident dont il ne pouvait se rappeler le lieu bien que les images en fussent gravées au fer dans son esprit. Trois hommes en gris, dont un très jeune, de la salive au coin de ses lèvres craquelées, enfonçaient leur baïonnette jusqu'à la garde dans les cadavres de soldats de l'Union. Un lieutenant-colonel chétif, couvert de sang, parvint à se redresser dans le soleil et indiqua en levant la main qu'il demandait grâce, qu'il « s'attendait » à être épargné. Le jeune soldat aux lèvres fendillées fut le premier à le frapper, au ventre. Les autres plantèrent leur baïonnette dans sa poitrine puis tous s'éloignèrent à pas lents, avec un sourire d'ivrogne satisfait.

Ce seul souvenir enracina dans le cœur et l'esprit de Charles une conviction nouvelle. La guerre serait plus longue que quiconque ne l'avait pensé et livrée désormais sans l'esprit chevaleresque dont un lieutenant yankee nommé Prevo avait fait montre en acceptant de croire Charles sur parole, ce jour si lointain où des cavaliers de l'Union avaient poursuivi Gus. Les attitudes de gentleman avaient disparu avec les chevaux noirs et les jeunes gars joyeux qu'il avait conduits au printemps. Il aurait voulu se souvenir d'eux mais ne le pouvait pas à cause des bêtes massacrées, des corps mutilés ou gonflés, des trois soldats en gris avec leur baïonnette et leur sourire.

Qui avait gagné, qui avait perdu? Quelle importance? songeait-il en chevauchant avec Ab vers le Potomac, dans une longue file qui s'étirait au-delà des collines du Maryland. Ils se trouvaient à un kilomètre de l'arrière du 2e régiment de Caroline du Sud, troupes relativement fraîches parce qu'elles avaient été tenues en réserve pendant toute la bataille.

Au clair de lune, ils passèrent devant quelques fantassins qui s'étaient allongés non loin du fleuve pour se reposer. L'un d'eux leur lança avec un enjouement amer :

— Je parie que vous deux, de la cavalerie, vous avez pas été à la bagarre.

— Ouais, approuva un autre. Etre dans la cavalerie, c'est comme avoir une assurance sur la vie que personne touchera jamais.

Abner, pâle et fiévreux, dégaina son arme et la braqua sur l'homme qui venait de parler.

— Hé, là! s'écria le fantassin en bondissant debout pour s'enfuir.

Charles saisit le bras de Woolner, l'abaissa lentement.

Le lendemain, le capitaine Main se comporta comme nombre de ceux qui ont participé à une grande bataille et ont survécu. Il ne souriait pas, parlait à peine, se sentait l'âme saisie par une dépression profonde. Il vaquait machinalement à ses occupations, obéissait aux ordres mais c'était à peu près tout. Et lorsqu'on demandait à Ab pourquoi son ami avait ce regard lointain, l'éclaireur expliquait :

— On était à Sharpsburg. Charlie y est encore.

58

Sur le combat que dans son camp on appelait bataille de l'Antietam, Billy n'écrivit qu'une seule ligne dans son journal : *L'horreur, au-delà de tout ce qu'on peut imaginer.*

Elle avait commencé à s'insinuer en lui pendant la progression de l'armée vers ce qui allait devenir le champ de bataille. Les sapeurs eurent du mal à avancer sur les routes du Maryland, encombrées d'ambulances d'où s'échappaient des cris que Billy avait déjà entendus auparavant mais auxquels il ne s'habituerait jamais.

Il vit la fumée, entendit la canonnade tirée de South Mountain mais ne parvint au sommet de Turners' Gap qu'après la tombée de la nuit, le 15. La diane réveilla le bataillon à quatre heures et, lorsque le jour se leva, les sapeurs découvrirent qu'ils avaient bivouaqué parmi les morts des deux camps. Les hommes, même les plus endurcis, rejetèrent ce qu'ils avaient mangé au petit déjeuner.

De Keedysville, où il parvint en fin d'après-midi, le bataillon fut expédié au front. Billy et Lije formèrent des détachements chargés de ramasser toutes les pierres des environs puis de les porter jusqu'à l'Antietam. Torse nu, Billy dirigea jusqu'au coucher du soleil l'empierrement du lit de la rivière et la création d'un gué où l'artillerie pourrait traverser. On procéda aux mêmes préparatifs pour l'infanterie.

Quand les chariots de matériel arrivèrent — bien tard — on commença à niveler les abords. A dix heures et demie, le travail fut terminé. Bien que ne cessant de bâiller et mort de fatigue, Billy resta éveillé une grande partie de la nuit à cause de son énervement. Demain, ce serait la bataille. Bison en serait-il ? Etait-il encore en vie ? Billy avait beaucoup pensé à Charles au cours des derniers jours.

Comme à l'accoutumée, les sapeurs reçurent des munitions — quarante balles pour la cartouchière, vingt pour les poches — mais furent tenus à l'écart du véritable combat. Billy, Lije et leurs hommes passèrent toute la journée sur une crête surplombant les gués qu'ils avaient construits la veille. La vue des morts et des blessés lui fit se demander si une cause, quelle qu'elle fût, valait le sacrifice d'autant de vies humaines.

Envoyés à l'avant le lendemain, les sapeurs servirent de soutien d'infanterie à une batterie proche du centre de la ligne. Ils furent harcelés par des tirs confédérés sporadiques, qui ne causèrent toutefois aucune perte parmi eux. Le lendemain, le bataillon se retira vers Sharpsburg par le pont auquel on avait déjà donné le nom de Burnside en l'honneur du général qui l'avait enlevé au cours de la phase finale de la bataille.

Le pont de bateaux fédéral de Harper's Ferry ayant été détruit par les rebelles, les sapeurs furent envoyés sur les lieux et, dans l'après-midi du 21, entreprirent de le reconstruire. Billy puisa dans ce travail un réconfort : avec leurs mains, leurs reins, leur sueur, les sapeurs créaient au lieu de détruire. Il parvint même à édifier une barrière mentale derrière laquelle il dissimula l'objectif de ces constructions.

De l'eau peu profonde, ils tirèrent les pontons pouvant être sauvés, les réparèrent avec le bois des caisses de rations. Billy, dont la barbe mesurait à présent deux pouces de long, vivait dans un état de torpeur constant et s'endormait parfois debout pendant quelques secondes. Brett lui manquait terriblement.

Dans la nuit du 22, des chariots arrivèrent avec le convoi normal de pontons et des renforts : le 15e régiment de sapeurs volontaires de New York. Billy travailla jusqu'à l'aube, pataugeant souvent dans l'eau froide, et fut relevé aux premières lueurs de la matinée du 23. Il s'étendit sous une couverture, dormit quatre heures puis mangea et se sentit prêt à repartir. Un groupe de sapeurs avait organisé une loterie : chaque homme tirait un papier portant une date devant correspondre à celle du jour où McClellan serait relevé. Le tirage se poursuivit jusqu'à la fin du mois de décembre.

Plus qu'une critique du commandant en chef, les hommes émettaient une simple constatation : Petit Mac n'avait pas poursuivi et détruit l'armée de Lee alors qu'il en avait l'occasion, et le Gorille originel n'aimerait pas cela.

Deux jours plus tard arriva la nouvelle que Lincoln avait publiquement annoncée le 24. Le soir, autour des feux de camp, les soldats en discutèrent et, selon une longue tradition de l'armée, déformèrent les détails.

— Il a signé un document qui libère tous les foutus nègres du pays.

— Non, tu te goures. C'est seulement dans les Etats encore en rébellion au 1er janvier. Il a pas touché au Kentucky ou à des endroits comme ça.

— C'est quand même une insulte aux Blancs, commenta un volontaire du régiment « Pelle et Pioche » de New York. Aucun d'eux ne le soutiendra. Pas dans notre armée.

Beaucoup approuvèrent.

Incertain de sa propre réaction, Billy se rendit à la tente de Lije Farmer, passa la tête à l'intérieur, vit son ami barbu agenouillé, les mains jointes, la tête baissée. Billy se retira, attendit cinq minutes puis toussota et fit du bruit avec ses pieds avant d'entrer à nouveau. Quand il demanda à Lije ce qu'il pensait de la proclamation, celui-ci répondit :

— Il y a un mois, Mr. Lincoln recommandait encore instamment à nos frères noirs affranchis d'aller s'installer en Amérique centrale. La conclusion s'impose : il vient de promulguer une mesure de guerre, rien de plus. Pourtant, pourtant... (L'officier agitait l'index comme un maître d'école sur son estrade.) J'ai lu sur Washington, sur Jefferson et sur le vieil Hickory au langage ordurier des ouvrages montrant que les événements — que le fait même d'être président — ont parfois le pouvoir de changer un vil métal en or. C'est peut-être le cas ici, tant pour l'acte que pour l'homme.

— Il a exempté tout Etat réintégrant l'Union avant janvier.

— Aucun ne le fera. C'est pourquoi c'est une mesure de guerre.

— Alors à quoi sert-elle, si ce n'est à provoquer la colère des rebelles et peut-être des soulèvements qui n'aboutiront pas à grand-chose ?

— A quoi sert-elle ? Son utilité est dans son principe même, qui, aussi équivoque soit-il, est celui du droit. Elle donne enfin un fondement moral à cette guerre. Désormais, nous luttons pour sortir des fers des êtres humains.

— Je pense que cette décision va susciter une grande agitation, dans l'armée et à l'extérieur, dit Billy.

Il n'avait pas changé d'avis à la tombée de la nuit, lorsqu'il alla se promener le long du Potomac. Voulant chasser de son esprit le dégoût que les scènes de bataille y avaient fait naître et la confusion engendrée par ce tout nouveau tournant dans le cours de la guerre, il s'efforçait de penser à Brett.

Un bugle fit entendre une sonnerie mélancolique, dernier adieu aux soldats morts. D'un trait de plume, Lincoln avait-il fait mourir autre chose ? A quelle naissance assistait-on ? Billy, immobile, se posa ces questions en écoutant le clapotis du fleuve, les bruits familiers du camp et les dernières notes de la sonnerie.

En Virginie, Charles montrait à Abner Woolner le livre de Pope où s'était logée la balle.

— C'est un cadeau de qui ? demanda l'éclaireur.

— Augusta Barclay.

— Je croyais que t'avais pas de petite amie.

— J'ai une amie qui m'a offert un livre pour Noël.

— Ah ouais ? J'avais déjà entendu parler de gars sauvés par la bible qu'ils trimbalaient dans leur veste mais toi, c'est par Pope — le pape, quoi. Encore une histoire de religion.

Charles ne sourit pas, se contenta de hocher la tête sous le regard gêné et malheureux de son ami. Il remit le livre dans le sac, le glissa sous sa chemise.

Cooper Main avait emmené sa femme dehors pour lui apprendre la nouvelle.

L'heure était douce et grise, avec des étoiles scintillantes et une barre de lumière orange qui s'amenuisait au-dessus du Wirral. La brise automnale soufflant dans Abercromby Square chassait les cygnes vers leur nid caché dans les roseaux entourant l'étang. Quelques feuilles, déjà sèches et jaunies, tourbillonnaient autour du pied en fer noir d'un réverbère.

— On nous rappelle, dit Cooper. Le message est arrivé aujourd'hui avec le courrier de Richmond.

Judith ne répondit pas immédiatement. Main dans la main, ils marchèrent vers un banc où ils aimaient s'asseoir pour discuter des événements de la journée. Judah avait reçu la permission d'aller jouer à condition de ne pas trop s'éloigner et Cooper, qui ne cessait jamais d'être un père, guettait de temps a autre le retour de l'enfant.

— C'est une surprise, dit enfin Judith. On invoque une raison ?

De l'autre côté de la place, un vieux domestique sortit de chez Prioleau pour allumer les lampes à gaz flanquant la porte d'entrée. Au premier étage, au centre d'un linteau de fenêtre, une étoile solitaire gravée en bas-relief attestait de la loyauté du maître des lieux.

— La guerre ne se déroule pas bien pour les Yankees mais c'est la même chose pour nous. Les pertes ont été terribles au Maryland.

Et pas seulement en vies humaines. Quand la nouvelle de la bataille parvint en Europe, on fit de son issue une défaite pour la Confédération. Malgré leur gaieté de façade et leurs proclamations de victoire, les collaborateurs de Bulloch comprenaient la signification de Sharpsburg : le Sud ne serait jamais reconnu sur le plan diplomatique.

— On me réclame au ministère de la Marine, poursuivit Cooper. Mallory a besoin d'aide et pense manifestement que je puis lui en apporter. James a la situation bien en main, ici, et je sais qu'il a envoyé un rapport favorable sur mon travail après le lancement de l'*Alabama*.

Bulloch avait effectivement fait l'éloge de la réaction maladroite mais efficace de son collaborateur sur la jetée. Cooper était resté à bord du bateau jusqu'à la mi-août, date à laquelle il fut rejoint aux Açores, dans une baie de l'île de Terceira, par deux autres bâtiments. L'*Agrippina*, trois-mâts que Bulloch avait acheté, transportait un canon Blakely, une pièce à âme lisse de huit pouces, six autres canons de trente-deux, des munitions, du charbon et assez de vivres pour une longue croisière. Le *Bahama* avait à son bord vingt-cinq marins confédérés et le capitaine Semmes. Une fois sa mission secrète achevée, Cooper était rentré à Liverpool en paquebot vapeur.

— Que penses-tu de la requête de Mallory ? lui demanda Judith.

Il pressa sa femme contre lui. Le vent était froid ; à l'horizon, la lueur orange avait presque disparu.

— Cette ville me manquera mais je n'ai pas le choix. Je dois partir.

— Quand ?

— Dès que j'aurai réglé deux ou trois affaires en cours. Disons que nous serons en route vers la fin de l'année.

Judith prit le bras de son mari et le passa autour de ses épaules.

— Traverser l'océan en hiver, cela m'inquiète, fit-elle.

Ce qui inquiétait plus encore Cooper, c'était la dernière partie du voyage, de Nassau ou Hamilton à la côte confédérée, où il faudrait forcer le blocus. Toutefois, il n'en souffla mot pour ne pas alarmer sa femme et chercha au contraire à la rassurer d'une pression de ses lèvres sur sa joue froide, d'un murmure.

— Tant que nous serons tous les quatre, tout ira bien. Ensemble, nous pouvons résister à tout.

Judith approuva.

— Je me demande ce que dirait ton père s'il te voyait si attaché à la cause du Sud, ajouta-t-elle.

— Il dirait que je ne suis plus le fils qu'il a élevé, que j'ai changé. Nous avons tous changé.

— Seulement à certains égards. Je déteste toujours autant l'esclavage.

— Moi aussi, tu le sais bien. Lorsque nous aurons conquis notre indépendance, l'esclavage dépérira de lui-même.

— Notre indépendance ? Cooper, la cause est perdue.

— Ne dis pas cela.

— C'est vrai. Au fond de toi-même, tu en as conscience. C'est toi qui m'as parlé des ressources du Nord, de l'insuffisance de celles du Sud bien avant le début de cette horrible guerre. Tu m'en as parlé le jour où nous nous sommes rencontrés.

— Je sais, mais... Je n'admets pas la défaite. Sinon, pourquoi rentrer ? Pourquoi prendre des risques ? Le Sud est ma terre natale. La tienne aussi.

Judith secoua la tête.

— Je l'ai quittée, Cooper. Cette guerre est mauvaise, la cause qu'elle défend aussi. Pourquoi continuer à se battre ?

La lumière du réverbère tombait sur le visage de Judith, si beau pour lui. Pour la première fois, Cooper laissa sa femme pénétrer dans l'endroit secret où il cachait la vérité qu'elle avait déjà devinée, une vérité attestée par les dépêches concernant Sharpsburg.

— Nous devons nous battre pour obtenir les meilleures conditions possibles. Une paix négociée.

— Tu penses que cela vaut la peine de rentrer ?

Il acquiesça d'un signe de tête.

— Alors, nous rentrons, chéri, dit Judith. Embrasse-moi.

Une rafale de vent fit tourner des feuilles mortes autour des jambes du couple enlacé. Ils s'embrassèrent jusqu'à ce qu'un agent tousse en passant devant le banc. Comme Judith portait des gants, le policier désapprobateur n'avait pu voir son alliance et l'avait prise sans doute pour une femme légère folâtrant avec un galant. Cette pensée la fit glousser tandis qu'ils traversaient la place d'un pas vif. La nuit était tombée, il ferait bon être à la maison.

Dans l'entrée éclairée par une lampe à gaz, Cooper pâlit, montra une goutte de sang tombée sur le sol dallé.

— Mon Dieu, regarde !

— Judah ? fit Judith, les yeux agrandis par la peur.

Marie-Louise passa sa tête blonde par la porte du salon.

— Il est blessé, maman.

La gorge serrée, les mains moites, Cooper se précipita dans l'escalier menant aux chambres. Son fils avait-il été victime d'un voleur ou d'un sadique ? La moindre menace sur l'un de ses enfants le torturait comme une épine dans sa chair. Lorsqu'ils tombaient malades, il demeurait avec eux toute la nuit, toutes les nuits, jusqu'à ce que le danger soit écarté.

Il s'élança vers la porte à demi ouverte de la chambre de son fils en s'écriant :

— Judah !

Il poussa la porte, vit l'enfant étendu sur son lit, les bras serrés autour de sa poitrine. Sa veste était déchirée, sa joue égratignée, et son nez saignait.

Cooper se rua vers lui, s'assit au bord du lit, faillit prendre Judah dans ses bras mais se retint. Le garçon avait onze ans et se jugeait trop âgé pour ce genre de chose.

— Que... qu'est-il arrivé ?

— Je suis tombé sur des gars des docks. Ils voulaient me prendre mon argent. Quand j'ai répondu que je n'en avais pas, ils m'ont sauté dessus. Mais ça va, assura l'enfant avec une fierté évidente.

— Tu t'es défendu ?

— Du mieux que j'ai pu, p'pa. Ils étaient cinq.

Cooper ne put s'empêcher de toucher le front de son fils, de caresser ses cheveux bruns d'une main dont il essayait de contrôler le tremblement. L'ombre de Judith tomba sur sa manche.

— Il n'a rien, murmura-t-il, tandis que la peur commençait à refluer en lui comme le jusant.

59

Dans La Nouvelle-Orléans occupée, il faisait chaud ce matin-là. Ce n'était cependant pas la température qui échauffait la bile du colonel Elkanah Bent et des citoyens qui se tenaient avec lui au coin de Chartres et Canal Streets, contemplant une preuve tangible de l'extrémisme du général Ben Butler.

L'air limpide fleurait sur tout le café, comme à l'accoutumée, mais il s'y mêlait l'odeur du Mississippi et de l'eau de toilette des messieurs contraints à sortir parce qu'ils étaient dans les affaires. Des messieurs qui s'occupaient autrefois de coton et continuaient sans doute à le faire, de moins en moins clandestinement chaque jour. Les membres des classes supérieures restaient chez eux, peut-être parce qu'ils se doutaient du spectacle qui les attendait dehors.

Plus gras que jamais et tirant sur son cigare, Bent était aussi furieux que les civils qui l'entouraient, bien qu'il n'osât pas le montrer. Au son des fifres et des tambours, le 1er régiment noir louisianais défilait dans Canal Street.

Le général Butler avait levé cette unité à la fin de l'été après avoir commis une série d'autres actes révoltants comme la pendaison de Mumford, l'homme qui avait osé descendre le drapeau américain de l'hôtel de la Monnaie, ou l'ordre du 15 mai, permettant d'arrêter et de traiter comme des prostituées les femmes qui auraient des gestes ou des propos insultants envers les soldats de l'Union.

Farces d'écolier comparé à cela, pensait Bent. La simple existence de ce régiment de gardes, officiellement constitué le 27 septembre, lui semblait inimaginable, odieuse. Il plaignait les officiers choisis pour commander ces anciens cueilleurs de coton et dockers.

La ville bruissait de rumeurs engendrées par divers aspects de la « manière Butler » : le général yankee qui pillait l'argenterie des demeures privées serait relevé à cause des crimes commis contre la population civile ; Lincoln ne permettrait pas aux gardes louisianais de servir dans l'armée fédérale afin de ne compromettre aucune éventualité — le retour d'un Etat frère égaré — avant l'expiration du délai fatidique fixé dans la proclamation.

Le régiment de moricauds n'était pas une rumeur, par contre. Bent l'avait sous les yeux : visages jaunes, tabac brun, sépia ou bleu-noir. Les Noirs souriaient de toutes leurs dents et roulaient des yeux en se pavanant devant leurs anciens oppresseurs, figés comme des statues, paralysés par la stupeur et le dédain.

Pour aggraver l'insulte, les fifres attaquèrent l'*Hymne de bataille* tandis que le régiment noir, l'un des premiers de l'armée, continuait à descendre vers le fleuve. D'une chiquenaude, Bent jeta son cigare sur le trottoir. Il y avait de quoi devenir sudiste — une engeance qu'il avait toujours haïe mais qu'il considérait maintenant avec une sympathie croissante.

Il sentit une démangeaison dans les mains quand l'idée lui vint de prendre un verre. Trop tôt. Beaucoup trop tôt. Mais il ne parvenait pas à chasser cette envie de boire à laquelle il cédait avec une fréquence croissante depuis quelque temps. Il n'avait aucun ami parmi les officiers de l'armée d'occupation ; rares étaient ceux qui lui adressaient la parole en dehors des nécessités du service. Bent s'exhortait à ne pas succomber à la tentation tout en sachant qu'il finirait par capituler. Un verre — un verre ou deux — soulagerait sa détresse.

Depuis Pittsburgh Landing, il n'avait cessé de sombrer. Il était arrivé au quartier général de Butler, à La Nouvelle-Orléans, après un difficile voyage jusqu'à la côte est suivi de quelques journées à bord d'un vapeur qui, doublant la pointe de la Floride, l'avait amené au port qu'on venait de rouvrir. Il eut droit à deux minutes d'entretien avec le petit politicien bigleux du Massachusetts avant de se retrouver à la prévôté — affectation idéale puisqu'elle lui permettait de donner des ordres aux civils comme aux soldats.

Bent connaissait déjà La Nouvelle-Orléans, dont il appréciait l'atmosphère raffinée et les plaisirs offerts aux messieurs ayant de l'argent. C'était dans les bordels de la ville qu'il avait acquis un certain sens de l'égalité des races : il était prêt à payer cher pour forniquer avec une négresse, surtout très jeune, et venait de savourer cette expérience la veille.

Bent suivit des yeux le régiment — le Bataillon d'Afrique, comme l'appelaient ces nègres présomptueux. Il fallait promettre de l'avancement aux officiers blancs ou les menacer de cour martiale pour qu'ils acceptent de commander une compagnie de ce nouveau régiment nègre, qui en comptait plusieurs.

Quelle remarquable volte-face le général Butler avait opérée en l'organisant ! A l'origine, il s'était déclaré contre cette idée puis, en août, avait changé d'avis grâce aux arguments, disait-on, de sa femme, de son ami Chase, le ministre, et peut-être aussi parce qu'il avait tardivement compris que l'apparition de régiments noirs frapperait les citoyens locaux d'apoplexie. Dans un premier temps, Butler déclara ne vouloir recruter que les hommes, quelque peu dégrossis, d'une unité noire formée pour défendre la ville avant sa chute. Il revint aussi sur cette position et enrôla bientôt les esclaves échappés des plantations.

En se dirigeant vers la vieille place, Bent croisa des visages inamicaux sur les trottoirs surplombés par de charmants balcons en fer forgé. Ah ! mais comme les civils s'écartaient pour lui céder le passage !

Ses pensées revinrent aux bordels. Il connaissait une maison à laquelle il s'était rendu par hasard avant la guerre, alors qu'il rentrait du Texas. Dans le bureau de la maquerelle étaient accrochés de jolis tableaux, notamment le portrait d'une femme liée d'une façon ou d'une autre à la famille Main. De quelle nature, ces liens ? Il l'ignorait mais ils étaient bien réels : au Texas, il avait vu dans la chambre de Charles Main la photographie d'une femme aux traits quasi identiques.

L'imagination de Bent avait été stimulée par les détails que lui avait confiés la patronne du bordel, Mme Conti. Ce tableau représentait une octavonne ayant travaillé autrefois dans l'établissement. En d'autres termes, une putain noire.

Bent pensait pouvoir utiliser un jour ce portrait contre les Main, dont la haine ne l'avait pas quitté. Il savait que la maison close existait toujours, qu'elle était encore dirigée par Mme Conti et présumait que le portrait n'en avait probablement pas bougé.

Lorsqu'il arriva place Bienville, il sentit qu'il ne pourrait plus tenir longtemps sans un verre. Il remarqua alors une femme blanche élégante descendant d'une calèche près du croisement de deux ruelles. Elle renvoya la voiture et, comme Bent, prit la direction de la cathédrale. Deux soldats noirs arrivaient dans l'autre sens, riant et plaisantant. La bande jaune de leurs culottes bleu clair indiquait qu'ils appartenaient à la cavalerie levée par Butler.

La femme s'arrêta, les soldats aussi, bloquant le passage. Elle leur dit quelque chose à quoi ils répondirent par un rire. Dégainant son sabre, Bent traversa la place.

— Ecartez-vous, enjoignit-il aux deux Noirs.

Ils ne bougèrent pas.

— Je vous ai donné un ordre. Descendez du trottoir pour laisser passer cette dame.

Ils ne bougèrent toujours pas. Ce genre d'insubordination n'était pas inconnu de Bent mais elle le rendait plus furieux encore que d'habitude du fait de la couleur de la peau des soldats. Ils n'auraient pas osé le défier s'il n'y avait eu Butler et le Vieil Abe. Depuis la proclamation du président, les négros se croyaient les maîtres du monde.

Comme le passage, la situation était bloquée et Bent, sous le regard hostile des deux hommes, commençait à s'inquiéter. Quelle stupidité de s'être occupé de ces deux brutes ! Et s'ils se jetaient sur lui ?

Il vit son salut en la personne de trois soldats blancs — dont un sergent portant une arme — émergeant de la Conti Street.

— Sergent ! cria Bent en agitant son sabre. Venez par ici tout de suite.

Le trio accourut, Bent déclina son identité et son grade.

— Emmenez ces fripouilles indisciplinées à la prévôté. Je vous suis pour faire mon rapport...

Rassuré, Bent put écraser les moricauds de son mépris :

— Si vous voulez faire partie de l'armée de l'Union, vous devez vous conduire comme des êtres humains civilisés, pas comme des singes. Disposez, sergent.

Le sous-officier dégaina son revolver et emmena les cavaliers noirs, qui semblaient effrayés.

A juste titre, pensa Bent. On les pendrait par les pouces à une poutre ou à un montant de porte, les pieds effleurant le sol. Une heure de ce traitement était la punition habituelle en cas d'insubordination. Pour eux, il ordonnerait une triple dose.

— Colonel ?

D'un grand geste, Bent ôta son képi devant la victime des nègres. C'était une femme d'âge mûr, séduisante.

— Madame, je m'excuse du comportement de ces... soldats.

— Je vous suis infiniment reconnaissante de votre intervention, déclara-t-elle avec l'accent chaud et mélodieux de la ville. J'espère ne pas vous offenser en faisant observer que les autres officiers de l'armée d'occupation ne vous ressemblent pas. En fait, je trouverais plus normal de voir en uniforme gris un homme de votre délicatesse. Merci encore et bonne journée.

Abasourdi, Bent marmonna un au revoir tandis que la femme disparaissait dans une entrée d'immeuble.

Il y avait si longtemps qu'on ne l'avait complimenté sur quoi que ce soit qu'il se dirigea vers le parvis de la cathédrale dans un état euphorique. Peut-être cette femme avait-elle raison. Peut-être se trompait-il depuis longtemps en haïssant les Sudistes. A certains égards, il était plus rebelle que Yankee. Dommage d'en prendre conscience trop tard.

Devant la façade de la cathédrale Saint-Louis, Bent s'arrêta soudain, l'attention attirée par deux hommes. L'un était le frère du général commandant l'armée, un officier très en vue ces derniers temps à La Nouvelle-Orléans. L'autre...

Après un effort de concentration, la mémoire lui revint : Stanley Hazard, que Bent avait vu un an plus tôt au *Willard*. Que faisait-il là ?

La nappe était d'une blancheur aveuglante, l'argenterie lourde. La plupart des serveurs noirs en livrée se penchaient vers les convives avec une telle déférence que Stanley aurait pu croire que Lincoln et sa proclamation d'émancipation étaient imaginaires.

Le gentleman courtois et réservé qui partageait sa table portait les feuilles de chêne et les galons de colonel, quoique l'origine de ce grade fût un mystère pour Stanley. Avant de quitter Washington, il avait fait une enquête et dans une série de rapports, on se référait à cet homme sous le nom de « capitaine » Butler, officier dont le sénat avait rejeté l'hiver dernier l'affectation à l'intendance.

D'autres rapports conservés au ministère de la Guerre parlaient du colonel Butler — mais la plupart émanaient de son frère. Autrement dit, en temps de guerre, lorsqu'un officier était affecté à l'état-major de son frère, il montait rapidement en grade. Peu importait à Stanley que cet avancement fût légal ou non ; ce qui comptait, c'était l'influence et le pouvoir réels de cet homme.

Stanley s'abstenait de boire trop de champagne en prévision de la négociation difficile qui l'attendait. Tant que les deux hommes mangèrent, la conversation roula sur des sujets sans danger : la durée de la guerre, l'éventuel remplacement de McClellan et l'identité de son successeur. A ces deux dernières questions, Stanley connaissait les réponses (oui, McClellan serait remplacé par Burnside) mais feignit l'ignorance.

Butler l'interrogeant sur son voyage, Stanley assura :

— Oh ! excellent. L'air marin est salubre.

Il n'en avait guère respiré puisqu'il était resté étendu sur sa couchette pendant la majeure partie du voyage, ne se levant que pour vomir dans un seau. Mais il importait de paraître à son avantage dans tous les domaines aux yeux d'un adversaire commercial — une autre des petites leçons d'Isabel.

— Délicieux, ce repas, dit l'invité de Stanley en se renversant contre le dossier de sa chaise. Je vous remercie. Puisque votre visite est si brève, nous pourrions peut-être en venir aux faits.

— Volontiers, colonel. Pour information, je puis commencer par préciser que je suis propriétaire de la fabrique Lashbrook, à Lynn, dans le Massachusetts.

— Chaussures pour l'armée, commenta le colonel Andrew Butler en hochant la tête.

Un petit frisson courut sous la chemise de Stanley : l'homme savait apparemment beaucoup de choses. Il essuya de sa serviette la sueur perlant sur sa lèvre supérieure, se pencha en avant, dans l'ombre d'une fougère suspendue au mur.

— Cet endroit n'est pas très discret. Ne pourrions-nous ?...

— Nous sommes parfaitement bien ici, répondit Butler avant d'allumer un gros havane. Des, euh, arrangements semblables sont négociés à la moitié des tables de ce restaurant. Pas au niveau que vous proposez, toutefois. Poursuivez, je vous prie.

Stanley se jeta à l'eau :

— Je crois savoir qu'il y a une forte demande en chaussures.

— Forte, en effet, murmura Butler.

— Dans le Nord, on a besoin de coton.

— On peut en trouver. Il suffit de connaître des sources d'approvisionnement, le moyen de faire entrer la marchandise dans la ville et de la transporter sur les quais, dit le colonel en souriant. Il est bien entendu que, pour chaque transaction, je perçois une commission de l'acheteur et du vendeur, n'est-ce pas ?

— Oui, oui. Pas de problème si vous pouvez m'aider à livrer des chaussures à la Conf..., à ceux qui en ont besoin et, en même temps, à obtenir des quantités de coton assez importantes pour que cela vaille la peine de courir des risques non négligeables. Il y a des lois qui interdisent de commercer avec l'ennemi, vous savez.

— Vraiment ? Je ne m'en étais pas aperçu, s'esclaffa Butler.

Stanley jugea bon de joindre son rire au sien puis les deux hommes sortirent et discutèrent des détails en faisant quelques pas. Dans la lumière douce du début de l'hiver, Stanley se sentit soudain parfaitement bien, incapable de croire que, dans des endroits reculés qu'il ne verrait jamais, des hommes vivaient dans la peur et la saleté, donnant leur vie pour des mots d'ordre.

A son troisième cigare, Andrew Butler se mit à parler de son frère :

— On l'a surnommé la Brute parce qu'il a menacé de traiter en prostituées les femmes de la ville faisant des remarques désobligeantes à l'égard de nos soldats ; on l'appelle aussi la Cuillère parce qu'il aurait volé l'argenterie de nombreuses demeures privées. Il est coupable de la première accusation, et fier de l'être, mais, croyez-moi, Stanley, si Ben voulait voler, il ne s'occuperait pas de babioles comme des cuillères en argent. Après tout, c'est un ancien homme politique, juriste, par surcroît.

Stanley Hazard aurait pu ajouter quelques informations qu'il avait entendues au sujet du général : par exemple, qu'il s'était enrichi depuis son arrivée à La Nouvelle-Orléans et que nul ne savait comment. L'origine de la fortune croissante d'Andrew Butler était par contre largement connue.

Ils approchaient du fleuve où mouillait un vapeur à aubes, blanc comme un gâteau de mariage dans le soleil, quand Butler poursuivit :

— Les gens de cette ville ont tort de condamner mon frère. C'est un administrateur plus équitable et plus efficace qu'on ne veut l'admettre. Il a nettoyé la pestilence qu'il a trouvée en arrivant, il a fait venir des vivres et des vêtements à un moment où on en avait grand besoin, il a rouvert le port au commerce. Mais on n'entend parler que de cette maudite brute de Butler. Heureusement, dans notre petite affaire, vous et moi traiterons avec des gentlemen qui mettent le profit au-dessus des slogans creux.

— Vous parlez des planteurs de coton ?

— Oui. Leur sens des réalités s'est trouvé renforcé par la mésaventure arrivée à ceux d'entre eux qui ont commencé par me refuser leur coopération — et leur coton. Ces messieurs ont vu soudain disparaître tous leurs esclaves. Par la suite, quand ils ont consenti à livrer leurs récoltes, les esclaves ont naturellement fait leur réapparition pour se mettre au travail.

Sous la menace des baïonnettes de soldats des Etats-Unis, pensa Stanley. Ces histoires scandaleuses étaient parvenues à Washington mais il s'abstint de tout commentaire.

— Même en temps de guerre, il est souvent plus sage de se laisser guider par le sens des réalités que par le patriotisme, conclut Butler.

— Assurément, approuva Stanley.

Le champagne, le soleil, le succès des négociations firent tout à coup effet sur lui, lui donnant un sentiment de sa propre valeur qu'il n'avait jamais éprouvé de sa vie. Isabel serait fière de ce qu'il avait accompli. En tout cas, lui l'était.

A l'approche de la fin novembre, la plupart des officiers de l'armée du golfe savaient qu'ils auraient un nouveau commandant avant la nouvelle année. Les protestations contre la manière Butler étaient devenues trop nombreuses, les accusations de vol et de trafics en tous genres trop fondées. La venue d'un nouveau commandant entraînant généralement une réorganisation et de nombreuses mutations, Elkanah Bent décida qu'il devait mettre la main immédiatement sur le portrait.

Il surveilla l'entrée de la maison de Mrs. Conti trois soirs choisis au hasard et constata la véracité de ce qu'il avait entendu dire : le bordel était fréquenté aussi bien par les officiers que par leurs subalternes, bien que le règlement leur interdît toute promiscuité, comme il leur interdisait de se rendre dans ce genre d'endroit. Ces deux règles étaient transgressées par de nombreux hommes qui entraient furtivement chez Mrs. Conti et en ressortaient en chahutant — soûls comme des barriques. En une demi-heure, Bent assista à deux rixes qui achevèrent de le ravir.

Dans sa chambre en désordre située en face de la Bourse du coton, Bent échafauda un plan avec l'aide de son compagnon le plus secourable : une bouteille de whisky. Il en était à plus d'un litre par jour — et de la plus mauvaise qualité, à peine meilleur que le tord-boyaux du cantinier.

La femme qui dirigeait le bordel n'accepterait jamais de lui vendre le tableau et Bent n'était pas disposé à courir le risque de le voler la nuit : il avait gardé un souvenir précis du videur noir de Mrs. Conti. Il faudrait donc subtiliser la toile tandis que d'autres se livreraient à ce qu'en termes militaires on appelle une opération de diversion. Vu l'état imbibé de la clientèle, il ne serait pas difficile d'en créer une. Satisfait de son plan, Bent vida la bouteille et s'effondra sur son lit en se rappelant confusément de se procurer un couteau.

Le samedi suivant, en grand uniforme, Bent monta le bel escalier en fer forgé qu'il avait déjà gravi une fois. Il trouva au salon une foule tapageuse de militaires dont il ne connaissait aucun. Une chance.

Il commanda un bourbon au vieux Noir debout derrière le petit bar, but lentement son verre en écoutant. Quand les clients ne débitaient pas des vantardises devant les filles, ils parlaient du pays ou exprimaient des sentiments hostiles au Sud. Parfait.

Bent demanda un autre verre, sentit soudain un picotement sur la nuque. Quelqu'un l'observait-il ?

Il se retourna et vit une femme imposante et forte s'approcher de lui à travers la foule. La soixantaine passée, la masse de ses cheveux blancs arrangée en une coiffure étonnante, elle portait une robe de soie vert émeraude brodée de motifs orientaux.

— Bonsoir, colonel. Il m'avait bien semblé reconnaître un ancien client.

— Vous avez bonne mémoire, Mrs. Conti, dit Bent, soudain inondé de transpiration.

— Je me souviens de votre visage, pas de votre nom.

Adroitement, elle ne rappela pas leur querelle sur le prix de certains services spéciaux obtenus de la putain qu'il avait choisie ce jour-là.

— Bent.

Lors de sa première visite, il avait prétendu s'appeler Benton afin de ne pas compromettre la carrière qu'il croyait encore faire dans l'armée. Il n'avait pas encore appris que les généraux ne reconnaissent jamais le talent et sont seulement sensibles à l'influence.

« Et tu n'en as aucune, pensa Bent. A cause de ton père, qui t'a trahi dans la mort. Des Main et des Hazard, du général Billy Sherman et d'une ribambelle d'ennemis inconnus qui ont conspiré à ta... »

— Colonel, vous ne vous sentez pas bien ?

La veine qui saillait sur son front disparut, sa respiration se ralentit.

— Un simple étourdissement. Rien de grave.

— Colonel Bent, c'est cela, dit la maquerelle, avec dans le regard une lueur de doute qui échappa à l'officier.

— Je me rappelle que vous aviez pour videur un énorme nègre à l'air féroce. Je ne l'ai pas vu ce soir.

— Pomp voulait s'engager dans votre armée et comme il était affranchi, je n'ai pu l'en dissuader. Aux affaires, colonel. Comment pouvons-nous vous satisfaire ce soir ? Vous connaissez l'éventail de nos spécialités, si je me souviens bien.

Bent aurait voulu un jeune garçon mais n'osa le demander au milieu de tous ces militaires.

— Une Blanche, je crois. Bien en chair.

— Alors je vais vous présenter Marthe. Elle est d'origine allemande mais apprend l'anglais. Attention : son jeune frère est soldat dans un régiment louisianais. Je lui ai rappelé, à elle comme à toutes les autres filles, que mon établissement est d'une stricte neutralité mais vous éviterez tout désagrément en évitant toute allusion directe à la guerre.

— Certainement.

Bent commanda du champagne puis, de sa démarche dandinante, se laissa conduire auprès de la putain.

— Très charmant, chéri, assura Marthe vingt minutes plus tard. Très satisfaisant.

Elle avait un accent lourd comme un plat de choucroute et des yeux d'un bleu de porcelaine qu'elle avait gardés fixés au plafond pendant tout l'intermède. Boulotte, le teint légèrement rosi par ses brefs efforts, elle jouait avec les anglaises encadrant son visage.

Bent, qui lui tournait le dos, se glissait péniblement dans son pantalon. Maintenant, se dit-il. Maintenant. Il prit la bouteille, but la dernière goutte de champagne.

La putain grassouillette et rose se leva, tendit la main vers son kimono de soie bleue — autre preuve de la passion de Mrs. Conti pour les vêtements orientaux.

— C'est le moment de payer, chéri. Le type du bar, en bas, prendra ton arg...

Bent pivota. La fille vit le poing lancé vers elle mais la stupeur l'empêcha de crier tout de suite. Le coup la renversa sur le lit où elle se mit à hurler de colère et de douleur. Se retournant à nouveau pour dissimuler à la prostituée ce qu'il allait faire, Bent se griffa la joue gauche au sang puis saisit sa veste et se dirigea vers la porte.

La putain se jeta sur lui, le frappa des deux poings en beuglant en allemand. Bent lui décocha deux coups de pied, s'engouffra dans le couloir obscur. Des portes s'ouvrirent, des visages apparurent.

Il se rappela qu'il avait oublié son sabre mais renonça à aller le rechercher. « Tu en rachèteras un autre, se dit-il. Le tableau est plus important. »

Il descendit l'escalier en titubant, le menton dégouttant de sang.

— Cette pouffiasse de rebelle m'a attaqué. Elle m'a attaqué !

Il déboucha dans le salon, où ses cris avaient déjà fait naître une expression de colère sur le visage des soldats.

— Regardez ce que cette putain m'a fait ! vociféra-t-il en montrant sa joue ensanglantée. Elle a traité le général Butler de chien galeux, elle a craché sur mon uniforme. Je ne paierai pas un sou dans ce repaire de traîtres !

— Tout à fait d'accord avec vous, colonel, approuva un capitaine à barbe noire.

Plusieurs hommes se levèrent au moment où Marthe, dévalant les escaliers, renforça l'effet du récit de Bent par un chapelet de jurons allemands. A travers la fumée épaisse colorée par les verres rouges des lampes, Bent vit la main du barman glisser sous le comptoir. Mrs. Conti surgit derrière lui d'une entrée : le bureau — exactement là où Bent se rappelait qu'il devait se trouver.

— Tenez-vous tranquilles, s'il vous plaît. Je ne permettrai pas...

— Voilà ce que nous faisons aux gens qui insultent l'armée des Etats-Unis ! brailla le colonel.

Il saisit la chaise la plus proche de lui, la fracassa sur le dessus en marbre du bar.

— Arrêtez, arrêtez ! s'écria Mrs. Conti, une note de désespoir dans la voix.

Plusieurs filles s'enfuirent en glapissant, d'autres s'accroupirent par terre. Le barman brandit un minuscule pistolet, deux sous-officiers se jetèrent sur lui ; le premier fit tomber l'arme dans un crachoir, le second passa ses deux mains derrière la nuque de l'homme et lui rabattit la tête contre le marbre, brutalement. Bent entendit le nez craquer.

Il souleva une autre chaise, la projeta contre un miroir qui se brisa en une cascade de débris.

Les soldats, dont la moitié étaient ivres, se lancèrent joyeusement dans la mêlée. Les tables volèrent, les chaises se brisèrent. Mrs. Conti tenta vainement de s'accrocher aux bras des énergumènes ravageant son salon puis renonça et quitta précipitamment la pièce quand la démolition commença dans les chambres. Un officier la rattrapa, la souleva et disparut en la portant sur son épaule.

Haletant d'excitation et de peur, Bent courut dans le bureau. Il reconnut le papier mural rouge, la série de tableaux, dont un grand Bingham — et le portrait de la quarteronne, derrière le bureau de la maquerelle. Il sortit de sa poche un couteau pliant, entreprit de découper la toile le long du bord intérieur du cadre. Il avait presque terminé quand une voix retentit derrière lui :

— Qu'est-ce que vous faites !

Un dernier coup de couteau, la toile libérée se détacha, Bent s'empressa de la rouler.

Mrs. Conti se rua vers le colonel, qui lâcha le portrait et la frappa du poing à la tempe. Déséquilibrée, elle s'agrippa au bord du bureau. Sa magnifique chevelure dénouée, elle le regarda en bredouillant :

— Tu ne t'appelais pas Bent, la dernière fois, mais...

Il lui assena un nouveau coup qui l'expédia trois mètres en arrière, sur le sol. Elle se tortilla sur le dos en poussant des cris plaintifs tandis que Bent reprenait le rouleau de toile. Il se précipita dans le salon, le traversa sans s'arrêter et dévala l'escalier en fer forgé, laissant ses collègues finir le travail. A en juger par les hourrahs qu'ils poussaient et les bruits de casse qui poursuivirent Bent dans la rue, ils passaient un excellent moment.

La nuit avait été bonne pour tout le monde.

60

A la mi-novembre, Burnside amena l'armée du Potomac sur le Rappahannock. Les sapeurs s'installèrent à Falmouth, dans les huttes d'un camp immense, et attendirent. Rarement Billy avait entendu autant de récriminations :

— On traîne tellement qu'ils auront le temps de préparer leurs meilleures troupes pour les envoyer contre nous.

— Mauvais terrain, Fredericksburg. Qu'est-ce qu'on doit faire ? Marcher sur les hauteurs comme les habits rouges à Breed's Hill et se faire faucher de la même manière ?

— Le général est un merdeux qui sait juste se peigner les moustaches. Y a pas dans tout le pays un officier capable de mener l'armée à la victoire.

Malgré les recommandations de Lije Farmer, qui l'exhortait à avoir confiance et à ne pas écouter les mécontents, c'étaient les mécontents que Billy commençait à croire. La confiance en Burnside ne fut pas renforcée quand la rumeur courut dans le camp qu'il demandait conseil à son cuisinier personnel en matière de stratégie.

Le temps humide et triste accrut le découragement de Billy et finit par l'affecter physiquement. Le 9 décembre, il commença à renifler, puis vinrent les frissons et les maux de tête. Le lendemain soir, alors que le convoi de pontons progressait vers un endroit préalablement reconnu le long du fleuve, il eut une terrible migraine et fut pris de violents tremblements qu'il avait peine à maîtriser.

Les sapeurs avançaient le plus silencieusement possible, dans un brouillard contribuant à étouffer les bruits. A trois heures du matin, le bataillon régulier, aidé par les 15ᵉ et 50ᵉ régiments de volontaires de New York, déchargea les bateaux tandis que les conducteurs des chariots s'efforçaient de calmer les chevaux. Tout le monde connaissait la signification des taches de couleur trouant le brouillard : sur l'autre rive, parmi les arbres et les maisons hautes brûlaient les feux des sentinelles confédérées.

— Silence, répétait Billy toutes les minutes.

Les hommes portant les bateaux ne cessaient de les faire tomber en traversant le champ labouré, de se bousculer et d'échanger des menaces. Cette campagne lancée si tardivement dans l'année ne leur plaisait pas. Elle ne rimait à rien, elle était condamnée.

Malgré la fièvre qui l'abrutissait et brouillait sa vue, Billy tenait bon, donnant ses instructions à voix basse, maintenant l'ordre, mettant la main à la pâte quand un sapeur affaibli vacillait et ployait sous le fardeau. Une pluie fine se mit à tomber.

Pendant une pause, il serrait les bras autour de sa poitrine dans un vain effort pour se réchauffer quand Lije Farmer apparut.

— Allez à l'infirmerie, dit-il en posant une main sur l'épaule de Billy. Vous êtes malade.

Le lieutenant se dégagea en protestant :

— Mais ça va !

Immobile, Lije ne répondit pas, mais Billy eut conscience de l'avoir froissé. Il allait s'excuser quand Farmer fit demi-tour et s'éloigna.

Billy fut envahi de honte puis d'un sentiment de mépris pour son ami. Comment pouvait-il croire à tout ce fatras religieux ? S'il existait un Dieu plein de compassion, comment pouvait-il permettre à cette guerre cauchemardesque de se poursuivre ?

Les sapeurs se remirent au travail sans cesser de surveiller les feux des sentinelles, de l'autre côté du fleuve. De temps en temps, le crachin les faisait fumer mais les rebelles disposaient sans doute de bois sec. Un feu situé juste en face d'eux attirait plus particulièrement leur attention parce qu'on voyait assez clairement la sentinelle postée à cet endroit. L'homme était grêle, barbu et marchait de long en large comme s'il avait toute l'énergie du monde.

L'aube allait se lever quand les premiers bateaux furent mis à l'eau. Les sapeurs en lâchèrent un qui tomba sur le fleuve avec un claquement sec comme un coup de fusil. Billy entendit quelqu'un s'écrier « C'est foutu ! » puis vit la sentinelle ennemie saisir un brandon et l'agiter au-dessus de sa tête, dans un grand arc d'étincelles.

— Pressons, les gars, ordonna Farmer. Plus besoin de faire attention au bruit, maintenant.

Les hommes s'activèrent avec poutres et madriers tandis qu'un petit canon d'alarme tonnait sur l'autre rive. Des silhouettes se mirent à courir devant les feux. Un détachement d'infanterie vint prendre position derrière les sapeurs ; des tireurs d'élite ensommeillés préparèrent leurs armes ; l'artillerie s'installa sur la falaise. Billy songea cependant que tout cela ne leur assurerait qu'une mince protection.

Cinq bateaux étaient ancrés, deux reliés par des planches lorsque les tirailleurs ennemis arrivèrent et ouvrirent le feu. Le teint jaunâtre dans la lumière de l'aube, le lieutenant Cross et un groupe d'hommes montèrent dans leurs bateaux et se lancèrent vers la rive ennemie.

Billy travaillait au bout du pont, qui parvint bientôt au milieu du fleuve. Des coups de feu commencèrent à claquer, une balle ricocha sur l'eau à sa droite, une autre s'enfonça avec un bruit sourd dans le plat-bord du bateau sur lequel il était agenouillé.

— Putain, si j'avais mon flingue, marmonna un sapeur

— Ne gaspille pas ton souffle, dit Billy. Travaille.

Un des hommes apportant les madriers tressaillit, bascula sur le côté et tomba dans le Rappahannock.

Des mains se tendirent pour saisir et hisser le sapeur blessé. Billy n'avait jamais plongé les bras dans une eau aussi glacée. Lije accourut en disant :

— Courage, mes enfants. Notre âme attend le Seigneur. Il est notre aide, notre bouclier.

Billy, qui tirait du fleuve le blessé au visage ruisselant d'eau et de sang, tourna la tête pour lancer :

— La ferme, Lije. Le Seigneur, notre bouclier, n'a pas plus aidé cet homme qu'il n'aidera les autres.

L'officier à la barbe blanche sembla se rapetisser. La colère qui s'alluma dans ses yeux fit aussitôt place à de la tristesse. Les hommes avaient les yeux fixés sur Billy, qui aurait voulu s'arracher la langue. Il fit quelques pas sur le pont glissant pour rejoindre Lije, lui saisit le bras.

— Je ne voulais pas dire cela. Je suis profondément désolé d'avoir...

— Baissez-vous ! cria Farmer au moment où éclatait la fusillade.

Il poussa Billy, tomba sur lui. La tête du lieutenant heurta une traverse. Il essaya de se redresser mais trop de choses l'avaient épuisé : la maladie, la fatigue, le désespoir. Malgré la honte qu'il éprouvait, il se laissa glisser dans un trou noir réconfortant.

Plus tard, ce même vendredi 11 décembre, Billy se réveilla dans un hôpital de campagne, à Falmouth. Il y apprit que les sapeurs avaient travaillé toute la matinée sous un feu ininterrompu et construit deux des cinq ponts prévus sur le Rappahannock.

Trop faible pour se lever, Billy passa le samedi à écouter la canonnade. Le dimanche, Farmer apparut, circula entre les lits de camp, trouva son ami et s'assit sur une caisse près d'un poteau auquel pendait une lanterne. Lorsqu'il demanda à Billy comment il se sentait, celui-ci répondit :

— J'ai honte, Lije. Honte de ce que j'ai dit et de la façon dont je l'ai dit.

— Eh bien ! lieutenant, répondit le vieil homme d'un ton quelque peu guindé, je dois reconnaître que j'en ai souffert un moment.

— Vous m'avez épargné une blessure.

— Nul n'est parfait, et le pardon doit être dans le cœur du serviteur de Dieu. Vous étiez malade, exténué, dans une situation périlleuse. A qui pourrait-on reprocher un mot dur dans de telles circonstances ? dit Farmer.

Son visage de prophète s'adoucit quand il ajouta :

— Vous voulez sans doute connaître les nouvelles. Je crains que vos prévisions pessimistes n'aient été pleinement fondées. Ma propre confiance est bien affaiblie après les événements d'hier.

Et parmi les malades, les blessés, les mourants, Lije raconta à son ami comment les troupes fédérales avaient traversé le fleuve et ce qui leur était advenu.

61

Ce même dimanche soir, trois hommes veillaient dans le bureau du ministre Stanton.

La brume du Potomac flottait au-dehors derrière les fenêtres ; le gaz sifflait et de petits claquements émanaient d'une source invisible. Stanley Hazard aurait voulu rentrer chez lui pour examiner les derniers chiffres de Lashbrook, qui avait doublé sa production déjà énorme grâce au contrat secret arrangé par Butler. Bien qu'il s'efforçât de masquer son impatience, il glissait involontairement de plus en plus vers le bord de sa chaise et ne cessait d'agiter le pied gauche.

Le major Albert Johnson, arrogant jeune homme qui avait été l'employé de Stanton à son cabinet juridique avant de devenir son collaborateur le plus proche, marcha à grands pas de la porte principale à celle de la salle du chiffre, fit demi-tour, traversa le bureau et recommença le circuit.

Le président était étendu sur le sofa qu'il avait occupé pendant la majeure partie de la journée. Vêtu d'un costume sombre démodé et fripé, il fixait le tapis d'un air accablé.

Lincoln venait de déclarer qu'un certain Mr. Villard, correspondant du *New York Tribune* de Greeley, était rentré du front le samedi et avait été amené à la résidence du chef de l'Etat à dix heures du soir. Là, il avait communiqué les informations qu'il détenait et protesté contre le maintien de la censure militaire sur ses dépêches concernant les vaines attaques de Burnside contre Fredericksburg.

— Je lui ai présenté mes excuses et ai exprimé l'espoir que les nouvelles n'étaient pas aussi alarmantes qu'il le croyait.

Aucun des trois hommes ne savait avec certitude quelle était la situation. Le ministre contrôlait la presse — les censeurs militaires lui faisaient leurs rapports — et les télégrammes envoyés du front. Il avait fait transporter les récepteurs du quartier général de McClellan à ses propres bureaux — en haut, dans la bibliothèque — peu après son entrée en fonction. Il avait même piraté le principal officier du télégraphe de McClellan, le capitaine Eckert. Stanley admirait l'audace avec laquelle le ministre s'était emparé des moyens d'information : rien d'important ne parvenait à Washington ou n'en sortait sans que Stanton soit d'abord mis au courant. Il se servait du télégraphe comme d'un cordon ombilical reliant plus sûrement son ministère à la résidence présidentielle et à Lincoln lui-même. Le président continuait à professer une grande confiance en Stanton ainsi qu'une admiration magnanime pour l'homme qui lui avait fait subir un affront sur le plan professionnel lorsqu'ils étaient encore avocats tous les deux. Stanton traitait à présent Lincoln de « cher ami » mais manipulait leurs rapports de manière que le président y occupe la place du partenaire dépendant, non dominant.

Stanley continuait à considérer Abraham Lincoln comme un pauvre abruti. Le président, allongé sur le côté, lui faisait penser à un cadavre ou à une sculpture d'un débutant sans talent. Les secrétaires du chef de l'Etat avaient donné à diverses personnes des sobriquets, parfois on ne pouvait plus adéquats, comme celui de « Mégère » attribué à Mary Lincoln. Mais comment pouvaient-ils appeler leur chef le Patron sans y mettre de la dérision ? L'homme ne serait jamais réélu, pas même si la guerre parvenait à une conclusion rapide et heureuse, ce qui semblait peu vraisemblable.

La porte de la salle du chiffre s'ouvrit, Johnson s'arrêta de marcher, Stanley bondit sur ses pieds. Stanton la franchit en tenant d'une main plusieurs feuillets jaunes sur lesquels étaient recopiées des dépêches décodées en provenance du front. Le ministre sentait l'eau de Cologne et le savon, ce qui indiqua à Stanley qu'il avait participé à quelque cérémonie officielle. Stanton se lavait toujours soigneusement et se parfumait après avoir été en contact avec le public.

— Quelles sont les nouvelles ? demanda Lincoln.

La lumière des lampes à gaz reflétée dans les verres des lunettes du ministre en faisait de petits miroirs éblouissants.

— Mauvaises, bougonna-t-il.

— J'ai demandé une information, pas un commentaire, répliqua la voix lasse du président.

Il se redressa sur son coude gauche, sa cravate dénouée pendant au bord du sofa. Stanton souleva le coin des deux premiers feuillets en disant :

— Le jeune Villard avait raison, j'en ai peur. Il y a eu des attaques répétées dans la ville.

— Quel était l'objectif ?

— Marye's Heights. Une position quasi imprenable.

L'air affligé, Lincoln fixa son ministre des yeux.

— Sommes-nous vaincus ?

Stanton ne détourna pas le regard.

— Oui, monsieur le président.

Lentement, comme s'il souffrait de douleurs arthritiques, Lincoln s'assit. Stanton lui remit les feuilles jaunes et poursuivit d'une voix calme :

— Une dépêche qu'on recopie en ce moment indique que le général

Burnside avait l'intention d'attaquer à nouveau ce matin, peut-être pour effacer ses revers de la veille. Ses officiers l'en ont dissuadé.

Lincoln feuilleta les copies des dépêches avant de les jeter sur le sofa.

— D'abord j'ai eu un général qui faisait de l'armée du Potomac son garde du corps, maintenant j'en ai un qui célèbre une défaite en en suggérant une autre.

Secouant la tête, il alla à la fenêtre et contempla le brouillard, comme s'il y cherchait la solution du problème.

Stanton se gratta la gorge. Après un silence tendu, Lincoln se retourna, le visage semblable à une étude de la fureur affligée.

— Je suppose que les vapeurs nous apporteront bientôt de nouveaux blessés.

— C'est déjà fait, répondit Stanton. Les premiers blessés en provenance d'Aquia Landing ont débarqué ce soir. Les copies contiennent cette information.

— Je ne les ai pas lues attentivement. Je ne le supporte pas : au lieu de chiffres, je vois des visages. Je présume que les pertes sont lourdes ?

— C'est ce qu'indiquent les premiers rapports.

Plus pâle que jamais, le président se retourna à nouveau pour faire face à la nuit.

— Stanton, je vous l'ai déjà dit. S'il y a un endroit pire que l'enfer, je m'y trouve.

— Nous partageons tous ce sentiment, monsieur le président. Jusqu'au dernier.

Stanley prit soin de garder une expression peinée de circonstance.

Le mardi matin, des cris lointains éveillèrent Virgilia, qui tourna la tête vers la lucarne. Au-dehors, la nuit. Pas encore l'aube.

La vitre était intacte, fait rare au vieil *Union Hotel*. Des hôpitaux modernes, en cours de construction selon le plan Nithtingale, fourniraient mille cinq cents lits et permettraient d'améliorer les soins. Les crédits avaient été affectés un an plus tôt. Mais, en attendant la fin des travaux, il fallait se rabattre sur toutes sortes de bâtiments inappropriés, des édifices publics et des églises aux entrepôts et aux habitations privées — cela d'autant plus qu'en ce mois de décembre sinistre et froid, les erreurs de Burnside avaient déjà fait plus de mille deux cents victimes.

Les cris continuèrent, Virgilia se redressa, tendit la main vers la lampe posée sur le sol. Elle s'était endormie dans sa robe grise et son long tablier blanc. Elle ignorait quand on aurait besoin d'elle car personne n'avait précisé si les blessés destinés à l'hôpital de l'*Union Hotel* arriveraient à Washington par train ou par bateau. Elle savait en revanche comment ils arriveraient à Georgetown.

— Dans ces infernales carrioles à deux roues, marmonna-t-elle en allumant la lampe.

Certains des hommes qu'elle avait soignés depuis son entrée dans le corps d'infirmières de Miss Dix lui avaient confié qu'après avoir été transportés dans ces chariots qui faisaient la honte des services médicaux, ils souhaitaient presque qu'on les eût laissés là où ils étaient tombés. On procédait à des essais sur des ambulances à quatre roues mais il faudrait pour les obtenir de l'argent et du temps.

La lumière vacillante de la lampe éclaira le pauvre mobilier de la chambre, les planches grossières du parquet, le papier se décollant des murs. Tout l'hôtel était dans cet état : en ruine. Mais c'était là qu'on l'avait envoyée — à moins d'un kilomètre de la maison de George et Constance. Elle ignorait si son frère savait qu'elle était infirmière à Washington mais n'avait nullement l'intention de prendre contact avec lui pour l'en informer.

Malgré elle, Virgilia restait reconnaissante à Constance et même à la femme de Billy, qui l'avaient aidée à améliorer son aspect physique et à orienter sa vie. Mais si elle ne devait jamais les revoir, cela ne la chagrinerait aucunement.

Elle redressa le filet enserrant ses cheveux, sortit de sa chambre et descendit l'escalier, la lampe à la main. Elle avait une silhouette bien dessinée, une poitrine rebondie et dégageait une certaine autorité. Déjà on lui avait confié la responsabilité de la salle 1. Virgilia acceptait le salaire habituel de douze dollars par mois que certaines bénévoles refusaient. C'était pour elle une protection contre quelque malheur futur.

L'hôtel s'animait. Des cuisines s'échappaient des odeurs de café et de bouillon. Des infirmiers militaires, des convalescents se levaient de lits de camp pas très propres installés dans les couloirs et les salons du rez-de-chaussée. Le garçon de salle de Virgilia, un jeune artilleur de l'Illinois nommé Bob Pip, bâilla et cligna des yeux en la regardant approcher.

— ' jour ! Miss.

— Debout, Bob, debout. Ils arrivent.

Pour en avoir confirmation, elle s'arrêta devant une fenêtre aux carreaux brisés. Le peu de lumière tombant du ciel gris lui montra une longue file d'instruments de torture à deux roues serpentant dans la rue étroite menant à l'entrée principale. Elle se retourna pour inspecter à nouveau le hall, n'y vit aucun médecin. Ils étaient généralement les derniers à arriver, sans doute pour souligner l'importance de leur rôle, pensait-elle.

Malgré son antipathie pour les docteurs, Virgilia avait conscience que tous ceux qui travaillaient à l'hôpital luttaient pour une cause commune : secourir et soigner des hommes blessés dans des combats livrés à un ennemi haïssable. Ceux dont les plaintes s'élevaient des ambulances s'étaient battus pour Grady, son amant mort, contre l'armée d'aristocrates et de canailles que Virgilia détestait plus que tout au monde, l'esclavage mis à part. C'était la raison pour laquelle elle mettait tant de cœur à remplacer la saleté par la propreté, la douleur par l'apaisement, le désespoir par le réconfort.

Virgilia aimait son travail, elle avait la force nécessaire pour l'accomplir. Nombre d'infirmières bien intentionnées découvraient rapidement qu'elles ne la possédaient pas et retournaient chez elles. Virgilia avait dans sa salle une jeune femme dans ce cas. Arrivée à Washington depuis trois jours seulement, elle était manifestement bouleversée par sa tâche, mais Virgilia avait quand même de la sympathie pour elle.

Elle frappa à la porte d'un salon transformé en dortoir pour les infirmières. Les surveillantes comme elle avaient droit à de petites chambres individuelles — mince privilège.

— Mesdames ? Debout, je vous prie. Ils sont là. Pressez-vous. On a besoin de vous immédiatement.

Virgilia fit demi-tour avec une raideur militaire dont elle était inconsciente et se dirigea vers les portes de sa salle. Sur l'une d'elles, une plaque en cuivre ne tenant plus que par un clou portait l'inscription gravée — et inclinée à quarante-cinq degrés — « Salle de bal ».

Elle comportait quarante lits, un poêle central dans lequel Bob Pip jetait du petit bois tandis qu'un autre soldat allumait les lampes à gaz. Virgilia descendit l'allée en inspectant la salle, remettant une couverture en place quand c'était nécessaire. L'expérience de Miss Dix consistant à employer des femmes dans les hôpitaux avait débouché sur un succès inattendu parce que le plan d'origine — confier la responsabilité des salles aux infirmiers militaires — présentait deux inconvénients : les convalescents transformés en infirmiers se fatiguaient vite ; ils ne prodiguaient pas facilement et naturellement la seule chose qu'un blessé éprouvé par les combats désirait presque autant que la fin de la douleur : de la tendresse. Virgilia passait autant de temps assise au chevet des soldats, leur tenant la main et les écoutant, qu'à changer les pansements et assister les médecins.

Comme elle terminait son inspection, elle fut rejointe par son assistante, femme corpulente et sans grâce d'une trentaine d'années, avec un visage agréable et une épaisse chevelure châtain tressée en nattes et maintenue dans un filet. Elle avait confié à Virgilia qu'elle avait des ambitions d'écrivain et avait déjà publié quelques articles et poèmes avant que la ferveur patriotique ne la pousse à s'engager dans le corps des infirmières.

— Bonjour, Miss Alcott. Venez m'aider à accueillir les blessés.

— Certainement, Miss Hazard.

Avec une autorité manifeste, Virgilia reprit :

— Bob, Lloyd, Casey... Dans le hall, s'il vous plaît.

Elle prit la tête du petit groupe, remarqua l'expression tendue de Louisa Alcott. Bien que le hall ne fût pas encore en vue, on en sentait déjà les odeurs puissantes — des odeurs familières qui avaient soulevé le cœur de Virgilia la première fois qu'elle les avait affrontées.

Elle espérait beaucoup que Miss Alcott tiendrait le coup : quelque chose lui disait que cette femme avait l'étoffe d'une excellente infirmière. Elle venait d'une famille connue puisque Bronson, son père, le transcendantaliste, s'était livré à des expériences sur l'école et la vie en communauté. Mais à l'hôpital, ses origines familiales ne l'aideraient guère. Virgilia entendit son assistante s'exclamer « Oh ! Mon Dieu ! » quand le groupe de la salle 1 pénétra dans le hall.

D'autres groupes arrivaient d'autres salles pour prendre leur contingent de blessés. Ils étaient là, les courageux jeunes gars de Fredericksburg, marchant sans aide ou avec des béquilles, portés dans des civières, parfois si couverts de boue et de pansements ensanglantés qu'on ne voyait plus leur uniforme. Entendant Louisa Alcott hoqueter, Virgilia lui glissa rapidement :

— Portez sur vous un mouchoir imprégné d'ammoniaque ou d'eau de Cologne, comme vous voudrez. Bientôt, vous vous apercevrez que vous n'en aurez plus besoin.

— Vous voulez dire que l'on s'habitue à... ?

Mais Virgilia se dirigeait déjà vers les brancardiers.

— Quarante par là, dit-elle en montrant la direction de sa salle.

La vue des blessés lui fendait le cœur. Jeune soldat à la main droite amputée, homme plus âgé, blessé au pied, s'escrimant avec sa béquille et regardant fixement avec des yeux écarquillés ; caporal s'agitant sur une civière, des larmes coulant dans sa barbe crottée et répétant « Maman, maman ». Virgilia lui prit la main, marcha à ses côtés. L'homme se calma, l'expression d'angoisse disparut de son visage.

Le savon et le désinfectant qu'on avait répandus partout la veille se révélèrent impuissants face aux miasmes de saleté, de pus, d'excréments et de vomi qui envahirent bientôt la salle de bal. Comme toujours, cette puanteur eut un curieux effet sur Virgilia. Au lieu de l'écœurer, elle accrut son sentiment qu'on avait besoin d'elle, sa conviction que la lutte ne pouvait se terminer que d'une seule façon : en réduisant le Sud en ruine, comme l'avait si bien dit le parlementaire Stevens.

Bob Pip prépara serviettes, éponges et pains de savon. Un Noir apporta une bouilloire de la cuisine et versa de l'eau fumante dans les cuvettes. Les conducteurs des ambulances aidèrent à transporter les blessés dans la salle puis repartirent. Virgilia remarqua une grande brute malpropre qui la lorgnait et lui tourna le dos avec irritation. Les hommes la détaillaient souvent, non pour sa beauté mais pour l'ampleur de ses formes. Cela ne la gênait pas : auparavant, personne ne faisait attention à elle.

— C'est quoi, cette foutue baraque ? beugla une voix tonitruante à l'accent irlandais.

Derrière le poêle, qui chauffait à présent, Virgilia vit un soldat d'une vingtaine d'années, large d'épaules, la tignasse et la barbe rousses, se tortillant sur son lit de camp.

Comme Pip lui répondait qu'il se trouvait à l'hôpital de l'*Union Hotel*, l'homme essaya de se lever. L'infirmier l'en empêcha, le soldat fit une seconde tentative. Commençons par celui-là, décida Virgilia. D'autres blessés observaient la scène, il importait d'établir qui exerçait l'autorité dans la salle.

— Calmez-vous, dit-elle en s'approchant de l'Irlandais. Nous sommes ici pour vous aider.

— Laisse tomber l'aide, femme, et donne-moi quelque chose à manger. J'ai bouffé des clous depuis que Burny m'a envoyé crever sur cette saleté de colline.

L'homme agita son pied gauche, entouré de bandes tachées, avant d'ajouter :

— Tout ce que ça m'a valu, c'est de perdre quelques orteils, ou p't'êt' un peu plus. Bon Dieu, femme, reste pas plantée là. Je veux à manger.

— Vous ne mangerez pas avant d'avoir été lavé. C'est la règle, à l'hôpital.

— Et qui va le faire ? Je voudrais bien le savoir.

Le blessé inspecta la pièce en roulant les yeux pour montrer qu'il ne voyait personne qui en fût capable.

— L'une de mes infirmières, répondit Virgilia. Miss Alcott.

— Une femme, me laver ? Sûrement pas !

Au-dessus de la barbe, les joues de l'Irlandais avaient rougi. Pip posa une cuvette d'eau près du lit puis remit à Louisa deux serviettes, une éponge et du savon noir. Comme le soldat tentait de rouler sur le côté pour échapper aux deux femmes, Virgilia fit un geste en direction de son garçon de salle.

— Bob, aidez-moi.

Elle saisit le blessé par les épaules et, au prix de quelque effort, le maintint immobile.

— Nous ne voulons pas vous infliger des souffrances supplémentaires et nous ne le ferons pas si vous vous montrez coopératif. Nous allons vous déshabiller et vous récurer complètement.

— Partout ?

— Oui, partout.

— Sainte Mère de Dieu !

— Cela suffit. D'autres blessés ont besoin de soins. Nous n'avons pas de temps à perdre avec la fausse pudeur des imbéciles.

En disant ces mots, Virgilia ouvrit le col de l'uniforme d'un coup sec qui fit voler plusieurs boutons. Affaibli, l'Irlandais ne se débattit pas beaucoup et la surveillante montra à son assistante stupéfaite comment se servir d'une éponge. L'homme demeurait figé mais, lorsqu'elle lui souleva le bras pour lui laver l'aisselle, il se tortilla en gloussant.

— Pas de ça, dit Virgilia avec un petit sourire.

— Bon Dieu, qui aurait cru ça ? s'exclama le soldat. Une inconnue qui me cajole comme si elle était ma mère ! C'est pas désagréable après ce que j'ai traversé. Pas désagréable du tout.

— J'apprécie votre changement d'attitude. Miss Alcott, prenez la suite, je m'occupe du suivant.

— Mais Miss Hazard..., commença l'assistante, aussi écarlate que le soldat. Puis-je vous parler ?

— Certainement. Venez par ici.

Virgilia savait ce que Louisa allait dire mais elle fit obligeamment quelques pas et tendit l'oreille pour entendre la question murmurée. Elle répondit avec la même discrétion pour ne pas embarrasser Miss Alcott.

— Bob ou l'un des autres soldats termine le travail. Dans l'armée, on dit : « Les anciens lavent les bleubites. »

Trop soulagée pour être choquée, Miss Alcott pressa un poing contre sa poitrine et prit une profonde inspiration.

— Je suis heureuse de l'apprendre. Pour le reste, je crois que je pourrai me débrouiller. Je m'habitue à l'odeur mais je ne pense pas que je serais capable de, de...

— Vous vous en sortirez très bien, assura Virgilia avec une petite tape d'encouragement.

Louisa Alcott s'en sortit effectivement bien. En deux heures, avec l'aide d'une troisième infirmière, elles déshabillèrent et lavèrent tous les occupants de la salle. Puis les plantons apportèrent du café, de la soupe et du bœuf.

Pendant que les soldats mangeaient apparurent les médecins, reconnaissables à la ceinture verte qu'ils portaient sur leur uniforme. Deux d'entre eux, dont un homme âgé que Virgilia n'avait jamais vu, entrèrent dans la salle de bal. L'inconnu se présenta, précisa qu'il s'occuperait de tous les cas ne nécessitant pas de chirurgie. L'autre docteur, que Virgilia connaissait, avait déjà commencé à examiner les malades se trouvant au bout de la salle.

Chez les médecins militaires, il y avait un peu de tout : des hommes dévoués et talentueux, des charlatans sans expérience professionnelle. C'étaient ces derniers qui se comportaient le plus souvent comme s'ils étaient d'éminents praticiens. Brutaux avec les malades, cassants avec leurs subalternes, ils ne perdaient pas une occasion de proclamer qu'ils s'abaissaient en servant dans l'armée. Virgilia ne tolérait leur suffisance que parce qu'ils partageaient un objectif commun : soigner des hommes pour qu'ils réintègrent leur régiment et tuent d'autres Sudistes.

Le médecin qui s'approchait d'elle n'était pas un charlatan mais un docteur de Washington ayant une solide réputation. Erasmus Foyle faisait une tête de moins que Virgilia mais avançait avec le port d'un Brobdingnagien, comme au pays de Gulliver. Chauve comme un œuf à l'exception d'une mince couronne de cheveux noirs et gras, il arborait des moustaches effilées et parfumait son haleine avec des clous de girofle. Dès leur première rencontre, il avait fait comprendre à Virgilia qu'elle l'intéressait pour des raisons extra-professionnelles.

— Bonjour, Miss Hazard, dit-il avec une courbette. Puis-je vous parler en privé ?

Le dernier soldat que Foyle avait examiné, un homme aux cuisses bandées du genou à l'entrejambe, commença à s'agiter en gémissant. Ses plaintes se transformèrent en un cri aigu et Miss Alcott laissa tomber sa cuvette. Prompt à réagir, Pip la rattrapa avant qu'elle ne se brise.

— Donnez de l'opium à cet homme, Bob, ordonna Virgilia.

— Une forte dose, ajouta Foyle avec un hochement de tête vigoureux.

Il glissa son bras sous celui de la surveillante et l'entraîna, sa main pressant le renflement du sein droit. Elle allait le remettre à sa place quand il se passa quelque chose en elle.

Les hommes la regardaient à présent différemment et cela pouvait lui être utile. Rougissante de plaisir, elle laissa la main du docteur là où elle était.

— Par ici, dit-il.

Il la conduisit dans le couloir, hors de vue des blessés, et se tint devant elle, ses petits yeux brillants à hauteur de sa poitrine. Grady aussi avait aimé ses seins.

— Miss Hazard, que pensez-vous de ce pauvre malheureux en train de crier ?

— Docteur Foyle, je ne suis pas médecin...

— Je vous en prie, je connais votre expérience, interrompit le docteur, qui dansait quasiment d'un pied sur l'autre. J'ai de l'estime et je dirai même de l'admiration pour vous depuis que le hasard nous a fait nous rencontrer. Veuillez me donner votre avis.

En parlant, le rusé petit homme avait glissé la main sous l'autre bras de la surveillante. « Il veut aussi tâter le gauche », pensa-t-elle, amusée et un peu ahurie par ce pouvoir inattendu.

— Je ne crois pas qu'on pourra sauver sa jambe gauche, répondit-elle.

Elle avait parlé à contrecœur : elle avait vu des hommes se réveiller après avoir subi la scie.

— Amputation, oui — c'est aussi mon avis. Et la jambe droite ?

— Elle n'est pas en si mauvais état mais la différence est minime. Vraiment, docteur, pourquoi ne pas consulter plutôt votre confrère ?

— Bah ! Il ne vaut guère mieux qu'un apothicaire. Mais vous, Miss Hazard, vous saisissez bien les questions médicales. De façon intuitive, peut-être, mais fort juste. Amputation dès que possible, conclut Foyle. Que diriez-vous de discuter d'autres cas ce soir en dînant ensemble ?

Virgilia éprouvait un sentiment de puissance grisant. Foyle n'était pas bel homme mais il était riche, respecté et il la désirait. Un Blanc la désirait. Elle avait changé, sa vie avait changé. Elle éprouva de la reconnaissance pour le docteur Erasmus Foyle.

Pas au point cependant de lui appartenir.

— J'aimerais beaucoup mais qu'en penserait votre femme ?

— Ma... ? Je ne vous ai jamais dit que...

— Non. C'est une infirmière qui me l'a appris.

— La maladroite. Qui est-ce ?

— En fait, je tiens ce renseignement de plusieurs collègues. De cet hôpital et d'ailleurs. On dit que vous protégez si jalousement la réputation de votre épouse que personne ou presque ne connaît son existence.

Prenant un plaisir malin à le voir rougir, elle souleva le bras, signal péremptoire lui enjoignant de retirer sa main. Le voyant trop abasourdi pour réagir, elle lui saisit le poignet, l'écarta et le lâcha comme s'il était souillé.

— Je suis flattée de vos attentions, docteur Foyle, mais je pense que nous devrions retourner à notre travail.

— Attentions ? quelles attentions ? rétorqua le petit homme. Je voulais simplement vous entretenir en privé sur une question médicale, rien de plus.

Il tira sur le devant de sa veste bleue, ajusta sa ceinture et se dirigea d'un pas vif vers la salle de bal. En d'autres circonstances, Virgilia aurait éclaté de rire.

— Eh bien ! Miss Alcott ? demanda la surveillante lorsque les infirmières épuisées prirent leur premier vrai repas, à huit heures du soir. Que pensez-vous de notre travail ?

Fatiguée, irritable, Louisa Alcott répondit :

— Jusqu'à quel point puis-je être franche ?

— Autant que vous le voudrez. Nous sommes toutes des volontaires — toutes égales.

— Pour commencer, cet endroit est un trou à rats. Les paillasses sont dures comme du plâtre, les draps sales, l'air putride et la nourriture... Vous avez goûté la viande ? C'est sûrement une arme secrète de l'ennemi. Et les mûres en compote avaient tout l'air de cafards bouillis.

Des rires fusèrent parmi les femmes assises des deux côtés de la table à tréteaux. Louisa parut sur le point de pleurer puis se mit à rire elle aussi.

— Nous connaissons tout cela, Miss Alcott, dit Virgilia. La question, c'est de savoir si vous restez.

— Oh ! oui, Miss Hazard. Je n'ai pas l'habitude de laver des hommes nus — du moins, je ne l'avais pas jusqu'à aujourd'hui — mais je reste, aucun doute.

Comme pour le prouver, elle mit dans sa bouche un gros morceau de bœuf qu'elle entreprit de mastiquer.

62

Ce même mardi, date à laquelle le général Banks devait remplacer le général Butler à La Nouvelle-Orléans, Elkanah Bent fut convoqué devant l'ancien commandant à onze heures. Bent s'attendait à une enquête sur la bagarre chez Mrs. Conti mais n'aurait jamais pensé que le général en personne s'en chargerait.

— Une belle affaire que vous me mettez sur les bras pour mon dernier jour ici, maugréa Butler.

C'était un homme courtaud, rondouillard et chauve, au regard torve. Ses yeux se braquaient toujours dans des directions différentes et, selon une plaisanterie de ses subordonnés, on se faisait sacquer si on regardait le mauvais. Il semblait ce matin-là dans ce genre de dispositions.

— Je suppose qu'il ne vous est pas venu à l'esprit que la tenancière des lieux porterait plainte auprès des autorités civiles et militaires ?

— Mon général, je plaide coupable d'avoir exercé une justice brutale, répondit Bent, d'une voix qu'il voulait ferme. Malgré ses grands airs, cette femme est une prostituée. Ses employées vous ont insulté puis m'ont attaqué, poursuivit-il en montrant les traces d'ongles sur sa joue. Quand d'autres et moi-même avons protesté, elle nous a provoqués par d'autres injures. Je reconnais que les choses ont un peu dégénéré...

— Bel euphémisme, coupa Butler, louchant plus que jamais. Vous avez totalement saccagé la maison. Selon le règlement, je devrais demander au général Banks de réunir une cour martiale.

Bent faillit s'évanouir. Après quelques secondes de silence, Butler reprit :

— Personnellement, je préférerais passer totalement l'éponge... mais je ne peux pas. A cause de vous, et à cause d'elle.

Interloqué, le colonel marmonna :

— Pardon, mon général ?

— C'est pourtant clair, non ? C'est à cause de votre dossier que je ne peux me montrer clément, dit Butler. (Il ouvrit la chemise posée devant lui, en sortit plusieurs feuilles jaunies.) C'est un ramassis de blâmes. Quant à la femme, vous avez raison, c'est une prostituée, et je sais qu'elle m'a insulté plus d'une fois. Mais si je devais pendre tous ceux qui le font, il n'y aurait plus de chanvre dans l'hémisphère nord.

Le front de Bent devint luisant de sueur. Avec un grognement, le général se leva de son fauteuil. Les mains derrière le dos, la panse en avant, il décrivit de petits cercles, comme un pigeon.

— Malheureusement, les accusations de Mrs. Conti ne se limitent pas à l'incitation au vandalisme, continua-t-il. Elle prétend que vous avez volé un tableau de valeur, que vous l'avez frappée quand elle vous a surpris.

— Deux beaux mensonges.

— Vous rejetez ces accusations ?

— Sur mon honneur. Sur mon serment sacré d'officier de l'armée des Etats-Unis.

Butler lissa sa moustache du dos de la main, se mordit la lèvre.

— Elle a laissé entendre qu'elle retirerait sa plainte si elle récupérait son bien.

Quelque chose prévint Bent que c'était le moment critique, qu'il devait attaquer.

— Mon général, si je puis me permettre, pourquoi passer quelque compromis que ce soit avec une femme d'aussi mauvaise réputation ?

— C'est que justement sa réputation n'est pas aussi mauvaise qu'on pourrait le croire. Elle appartient à une très ancienne famille de la ville, qui a donné son nom à une rue du vieux quartier... Certains des clients de Mrs. Conti sont aussi ses amis et occupent des fonctions importantes dans la municipalité. Je n'aime pas ces hommes mais je suis contraint de faire appel à eux pour diriger cette ville. Il faut donc que je leur jette un os, vous comprenez ?

« Nous y voilà, pensa Bent, furieux. Un compromis avec des traîtres. » Butler se laissa retomber dans son fauteuil avec des mines de chanteur d'opéra comique. Ridicule, cet homme, mais détenant un pouvoir dangereux.

— Je pourrais vous mettre à la tête d'un régiment noir..., commença le général (Bent faillit une deuxième fois tourner de l'œil.) mais Mrs. Conti ignore sans doute que je ne parviens pas à trouver d'officiers blancs pour cette affectation. Elle ne comprendrait pas la subtilité du châtiment. A mon regret, je dois opter pour une punition plus manifeste.

Butler tira de dessous le dossier de Bent une feuille qu'il tourna pour que le colonel pût la lire.

— A dater de ce jour, vous êtes dégradé. Cela empêchera cette garce de brailler jusqu'à mon départ. Un membre de l'état-major du général Banks réglera la question des indemnités financières. Je crains que vous ne passiez le reste de votre carrière à payer cette petite escapade, lieutenant. Vous pouvez disposer.

Lieutenant ? Après seize ans dans l'armée, il se retrouvait au grade qu'il avait en sortant de West Point ? « Bon Dieu ! Non », cria-t-il à sa chambre en désordre. Il tira sa malle d'une alcôve, en souleva le couvercle, y jeta quelques livres, une miniature de Starkwether et, enveloppée dans du papier huilé, dissimulée parmi des sous-vêtements, la toile de Mrs. Conti, soigneusement enroulée. Il empila ensuite dans la malle toutes ses affaires à l'exception d'un costume civil, d'un chapeau à large bord qu'il avait achetés une heure après avoir quitté Butler, et de tous ses uniformes, qu'il laissa en tas sur le sol.

Un rideau de pluie balayait la jetée illuminée par des éclairs. L'orage secouait le sol, faisait trembler la passerelle glissante et estompait les lumières jaunes de la ville.

— Attention à la malle ! cria Bent au vieux Noir tirant le bagage sur les planches mouillées.

Le chapeau ruisselant, Elkanah Bent monta d'un pas chancelant à bord du *Galena*. Ses ambitions brisées par des ennemis jaloux, acharnés contre lui, il avait choisi de déserter plutôt que de servir dans une armée récompensant par une rétrogradation des années de loyauté et de zèle. Il avait peur d'être pris mais était poussé par une haine plus forte que celle qu'il avait éprouvée par le passé.

Une silhouette effrayante entourée d'un halo bleu lui barra le passage en haut de la passerelle. Calme-toi, s'exhorta Bent, sinon on te soupçonnera, tu te feras pincer et pendre.

— Monsieur ?

Le halo bleu disparut avec l'éclair et Bent, soulagé, s'aperçut qu'il avait seulement affaire au commissaire du bateau, tenant une liste de la main dépassant de son ciré.

— Votre nom ?

— Benton. Edward Benton.

— Heureux de vous voir, Mr. Benton. Vous êtes le dernier passager à monter à bord. Cabine 3, sur le pont supérieur.

Bent s'éloigna du bastingage sans pour autant échapper à la pluie, poussée par un vent rugissant.

— Quand partons-nous ? cria-t-il.

— Dans une demi-heure.

— L'orage ne nous retardera pas ?

— Nous lèverons l'ancre pour le golfe à l'heure prévue.

— Parfait. Excellent.

Bent chercha à tâtons la rampe de l'escalier, perdit l'équilibre et faillit tomber. Il lança à l'orage un chapelet d'obscénités qui firent accourir le commissaire.

— Ça va, Mr. Benton ?

— Très bien, répondit Bent, qui ne tenait pas à attirer l'attention. Très bien.

Il lui fallut s'agripper des deux mains à la barre glissante pour hisser son corps las en haut des marches, vers la sécurité de sa cabine. Que lui restait-il ? Rien que le tableau, sa haine et sa détermination à ne pas laisser ses ennemis l'anéantir.

Non, se dit-il, en peinant sous la pluie, les yeux brillants comme un rocher humide. Oh ! non. Il trouverait le moyen de les anéantir avant.

Encore affaibli par sa maladie, Billy Hazard retourna au fleuve et, sous la protection des mousquets et des canons, participa au démontage du pont qu'il avait construit. Il eut l'impression de commettre une profanation. Il avait beau se dire qu'il ne devait pas faire d'une défaite militaire une affaire personnelle, il n'y parvenait pas.

Les chariots de pontons disparurent dans la nuit de l'hiver. De retour au camp de Falmouth, il confia à son journal ce qu'il n'osait écrire à Brett.

Encore un froid mordant ce soir. Quelqu'un chante Douce maison, *refrain curieux vu l'endroit où nous nous trouvons et notre situation. Rien que cette semaine, nos régiments de soutien ont perdu une vingtaine d'hommes qui ont déserté. C'est la même chose dans toute l'armée. Les gars s'enfuient, découragés. Même Lije ne cite plus que rarement les Ecritures. Il sait que les exhortations et les promesses sonnent faux. Burnside est rappelé, dit-on, et on spécule beaucoup sur l'identité de son remplaçant. Les plus amers ironisent : « Ne vous en faites pas. Il y a des dizaines de généraux aussi stupides qui attendent à Washington. » Et ils débitent une série de cours que ces officiers auraient suivis à West Point : « l'Art de la gaffe », « les Principes de la témérité ». C'est une purge difficile à avaler sans protester. On croirait que nous campons au bout du monde tant nos huttes semblent lointaines et lugubres, alors que Noël approche. Lorsqu'on regarde autour de soi, l'œil tombe sur un paysage uniforme de confusion et de cupidité. Mes hommes n'ont pas été payés depuis six mois. Là-bas, à La Nouvelle-Orléans — s'il faut croire les journaux de Richmond qui nous parviennent parfois quand les sentinelles font du troc (café du Nord contre tabac du Sud) — le général Butler et son frère volent le coton pour leur profit personnel. Grant chasse les juifs de la région qu'il commande sous prétexte qu'ils spéculent et enfreignent la loi. Il paraît qu'une cabale de sénateurs républicains réclame les têtes de Mr. Chase et Mr. Seward. Mais qui se soucie le moins du monde de notre pauvre armée ? Où est l'homme qui consacre toute son énergie à trouver des généraux capables de nous tirer du bourbier dans lequel une série d'erreurs nous a enlisés, apparemment pour l'éternité ?*

Si jamais tu lis ces gribouillis, ma chère femme, tu sauras combien je t'aime, combien j'ai besoin de toi en ce moment. Mais je n'ose te l'écrire de peur de laisser se glisser dans une lettre d'autres choses que je ne tiens pas à te dire. Je ne veux pas te contraindre à porter toi aussi un fardeau qui est le mien — le fardeau d'hommes qui se sentent abandonnés et n'osent pas dire tout haut qu'ils n'ont plus d'espoir.

63

Deux jours avant Noël, Charles chevauchait en fin de journée vers la ferme Barclay. Un sac en crochet rudimentaire, pendu à sa selle, contenait un jambon de Westphalie provenant d'entrepôts yankees pillés au cours de récents raids nocturnes au nord du fleuve.

Le crépuscule avait quelque chose d'étrange et d'inquiétant. Les branches nues, les buissons, les barrières des prés le long de la route brillaient comme du verre. La veille, il avait plu et la température avait soudain baissé.

La plupart des nuages avaient à présent disparu et le ciel, à l'ouest, avait une teinte violette, pâle près de la ligne des arbres, plus sombre au-dessus. La lune montrait sa sphère grise, avec un fin croissant lumineux dans le bas. Il y avait encore assez de lumière pour que Charles distingue la maison couverte de givre et les deux chênes roux se dressant comme de curieuses sculptures en cristal.

Joueur allait au pas : le chemin était traître. Les dents de Charles brillaient au milieu de sa barbe. Un sentiment de plaisir anticipé mettait un sourire sur son visage et l'aidait à chasser les souvenirs de Sharpsburg, qui le tourmentaient souvent. Il n'avait pas eu droit à la citation promise pour avoir amené le canon sur le champ de bataille. Soit le major avait oublié le nom de Charles ; soit, plus vraisemblablement, il faisait partie des milliers d'hommes qui n'avaient pas survécu à cette journée, la plus sanglante de la guerre. C'était la première occasion que Charles avait de se rendre à la ferme en plusieurs mois, bien que la cavalerie eût campé quelques semaines dans les parages, à Stevensburg. Hampton et ses éclaireurs, constamment en selle, n'avaient cessé de harceler l'ennemi de l'autre côté du Rappahannock.

Fantômes de la nuit, ils se glissaient derrière les lignes yankees, s'emparaient de chevaux ou faisaient une centaine de prisonniers (comme à Hartwood Church), coupaient les lignes de communication des bleus avec Washington, capturaient des chariots de ravitaillement (comme à Dumfries) et ne faisaient demi-tour que lorsque tout un régiment de cavalerie ennemi surgissait devant eux. Ils ramenèrent de leurs raids vingt chariots chargés de denrées aussi délicates que des huîtres en conserve, du sucre et des citrons, des noix, du brandy et des jambons — dont celui qu'il réquisitionna pour en faire cadeau à Gus. Au camp, on fêterait Noël dans les règles, quoique brièvement : Hampton avait l'intention de retourner dès le lendemain en territoire ennemi et Charles devait le rejoindre le soir du réveillon.

Au cours de plusieurs semaines de chevauchées et de combats dans la neige, la pression s'était faite plus forte sur la ville de Fredericksburg. Elle avait trouvé son point culminant dans une bataille sauvage et une défaite pour Burnside. Charles n'avait cessé de s'inquiéter pour Gus. Si les carnassiers efflanqués de Hampton effectuaient des raids de l'autre côté du Rappahannock, des détachements de l'Union pouvaient faire de même dans l'autre sens.

Une fumée transparente s'élevait de la cheminée et disparaissait dans le ciel. Des lampes invisibles éclairaient l'arrière de la maison et répandaient leur lumière par la porte à demi ouverte de l'écurie.

Charles se pencha sur l'encolure de son cheval. De la lumière dans l'écurie, à cette heure ?

Deux chevaux étaient attachés à la pompe, où pendait une stalactite étincelante. Charles présumait qu'il y avait une explication banale à la présence des bêtes mais ne pouvait s'empêcher de la trouver inquiétante, si près des positions ennemies. Il descendit de cheval au milieu de la route, conduisit Joueur sur le bas-côté et l'attacha à une barrière. L'animal frappa du sabot, souffla par les naseaux une haleine chaude qui fit un panache dans le froid.

Charles avança à pied vers la maison, distante d'une centaine de mètres. Dans le silence, ses éperons tintaient comme de petites cloches agitées par le vent. Il s'accroupit, les ôta. Tout cela lui paraissait un peu stupide et il se promit de n'en rien dire quand il apprendrait que les bêtes appartenaient à des voisins en visite.

Pourtant... Pourquoi la porte de l'écurie était-elle ouverte ? Pourquoi Washington et Boz étaient-ils invisibles ?

Charles s'arrêta à l'entrée de la cour pour examiner les chevaux. Leurs selles, vieilles et usées, ne lui apprirent rien. Il s'approcha à pas de loup de la ferme, dont les tuiles couvertes de glace reflétèrent un moment le clair de lune. Les chevaux, s'apercevant de sa présence, se mirent à frapper doucement du sabot. Charles s'arrêta près de la maison, tendit l'oreille.

Il entendit à l'intérieur un rire qui n'appartenait pas à Gus puis la voix de la jeune femme.

L'un des animaux remua et poussa un hennissement, le rire s'interrompit. Les bêtes s'écartèrent, révélant complètement l'entrée de l'écurie. Deux paires de jambes attachées aux chevilles apparurent dans le champ de vision de Charles. Boz et Washington...

Charles s'appuya contre le mur, le cœur battant. Gus était dans la maison, en danger. La femme qu'il aimait était en danger. Paralysé par la peur qu'il éprouvait pour elle, il resta un moment immobile, incapable de prendre une décision. Et s'il causait la mort de Gus en intervenant sans réfléchir ?

Une minute s'écoula. « Fais quelque chose, bon sang, se dit-il. Fais quelque chose. »

Secouant enfin sa torpeur, il considéra la porte de derrière. Pas question d'entrer par là, le sol gelé craquerait sous ses pas. Il tourna la tête vers la route, les chênes roux... En y grimpant, il pourrait peut-être s'introduire par une lucarne et surprendre dans la cuisine ou l'une des pièces de derrière les hommes qui avaient ligoté les deux affranchis. Qu'ils fussent yankees, il en avait à présent la certitude. Tout dépendait de l'effet de surprise.

Il gagna à pas feutrés le devant de la maison, s'assit par terre en bas du perron, ôta ses bottes. Puis il monta les marches avec précaution, tourna lentement la poignée de la porte.

Fermée. Bon, il ne s'attendait guère à ce qu'elle soit ouverte.

Comme il posait la chaussette sale de son pied droit sur une marche pour redescendre, il glissa, son corps partit en arrière et retomba sur les arêtes du perron avec un bruit sourd. Etouffant un cri, il roula sur le côté sur le sol gelé, écouta...

Au bout de quelques secondes, il cessa de retenir sa respiration. On ne l'avait pas entendu. Il devait faire plus attention, il y avait de la glace partout.

Parvenu sous l'un des chênes, il tendit les bras en l'air, agrippa la branche la plus basse et s'y glissa. De là, ce fut moins facile. Ses chaussettes et ses gants glissaient sur l'écorce gelée, il manquait de prise. Avec une lenteur exaspérante, il finit par se jucher sur une grosse branche s'étendant au-dessus du toit.

Saisissant une branche mince située plus haut, il se mit debout, commença à avancer sur l'écorce luisante, glissant son pied droit de quelques centimètres vers la maison, puis le gauche et à nouveau le droit. Engourdi par le froid, il ne sentait presque plus rien en dessous des chevilles.

Hormis les étoiles et le croissant de lune, le ciel était noir d'un horizon à l'autre. Parvenu près d'une des lucarnes, Charles, en équilibre sur sa branche, étudia la situation. Il lui faudrait se pencher, saisir le rebord du toit surmontant la lucarne, s'y accrocher. Pas question d'essayer de se tenir debout ou à genoux sur le toit à cause de sa pente et de ses tuiles gelées.

Il avala sa salive, tendit le bras...

Ses doigts n'effleuraient même pas le rebord.

Il se redressa, se rapprocha de quelques centimètres. La branche sur laquelle il se trouvait ploya, se mit à craquer. Jouant le tout pour le tout, il se jeta en avant, les deux bras tendus. Ses mains se refermèrent sur le rebord de la lucarne, ses genoux heurtèrent les tuiles.

Charles demeura un moment pendu par les deux bras puis libéra sa main droite pour tenter de soulever le châssis.

Il tira. Sans résultat.

Il tira encore. Nouvel échec.

Fermé, bon Dieu. Avec un grognement de rage, il tira une troisième fois en pensant qu'il allait devoir casser la vitre.

Le panneau se souleva d'un centimètre.

Sa main gauche glissa sur le rebord mais il tint bon, pantelant. Il passa son autre main sous le châssis et, lentement, l'ouvrit assez pour pouvoir basculer dans l'obscurité froide et sèche de quelque endroit tendu de toiles d'araignée. Les yeux clos, il s'agenouilla sur le sol, le bras gauche parcouru de tremblements.

Il ouvrit les yeux et distingua au bout d'un moment quelques formes : des malles, un vieux mannequin. Il se trouvait au grenier. Une tache oblongue plus claire indiquait l'endroit où l'escalier conduisait en bas.

Charles entendit rire à nouveau puis des paroles confuses prononcées par Gus. Elle semblait furieuse. Une gifle claqua, la jeune femme répliqua encore, avec colère, mais un second claquement la réduisit au silence. Charles eut l'impression de recevoir les coups.

Maîtrisant sa fureur, il se leva précautionneusement pour ne pas faire grincer le plancher ou heurter une poutre de la tête. Il enleva ses gants, souffla sur ses doigts, les fit bouger pour rétablir la circulation du sang. Déboutonnant sa vieille veste de paysan, il en sortit son colt chargé puis il s'avança vers l'escalier et commença à descendre lentement.

Parvenu sur la dernière marche, il mit près d'une demi-minute pour abaisser la poignée, ouvrir la porte — qui, Dieu merci ne grinça pas — et se glisser dans le vestibule.

A droite, la porte de la cuisine, d'où provenaient des voix à présent distinctes.

— Je voulais te demander, Bud, t'as déjà couché avec une femme ?

— Non, sergent, répondit une voix plus claire et sans doute plus jeune que la première.

— Ben, mon gars, on va s'occuper de ça tout de suite.

Le dos au mur, Charles se coula vers la porte.

— T'as déjà vu de plus gros nichons, Bud ?

— Non, sergent.

— Tu veux les reluquer de plus près avant qu'on commence vraiment la fête?

— Si vous voulez aussi, sergent.

— Tu parles que je veux! Bougez pas, ma p'tite dame.

— Ne me touchez pas.

Charles se trouvait à un mètre de la porte quand Gus avait parlé.

— Du calme, ma p'tite dame. Je voudrais pas bousculer une jolie petite rebelle comme vous, mais je dois déboutonner votre robe pour jeter un coup d'œil à c'te paire de...

Charles s'approcha du seuil, le doigt sur la détente de son arme, et découvrit les deux Yankees. Ni l'un ni l'autre ne portait d'uniforme : c'étaient des éclaireurs, comme lui.

Ce fut le plus proche, un jeunot aux yeux bleus avec une moustache blonde rabougrie, qui le vit le premier.

— Sergent!

L'autre Yankee cachait Gus, qui devait être assise sur une chaise. Charles s'avança dans la pièce et commit une erreur en s'écartant sur la droite pour voir si la jeune femme était blessée.

— Gus, vous êtes...?

Il aperçut trop tard le pistolet d'arçon que le jeunot avait glissé sous sa ceinture. L'arme jaillit, énorme, menaçante. Charles tomba à genoux et tira en même temps que le Yankee.

La balle du pistolet passa au-dessus de la tête de Charles; celle du colt s'enfonça dans la bouche ouverte du jeune homme, ressortit par derrière en éclaboussant le mur de fragments d'os et de chair. Gus poussa un cri. Le sergent regarda en roulant de gros yeux son camarade projeté en arrière contre la cuisinière puis Charles, un genou à terre, le colt fumant à la main.

Le Yankee tendit maladroitement la main vers son arme mais la peur ralentissait son geste et il comprit qu'il n'aurait jamais le temps de dégainer. Mouillant son pantalon, il s'enfuit en titubant vers la porte de derrière.

Charles s'avança près de la chaise de Gus et visa le dos du fuyard en murmurant :

— Saleté de Yank.

Gus lui tira le bras au moment où il appuyait sur la détente.

La balle pénétra dans la jambe gauche du sergent, qui franchit en gémissant la porte qu'il venait d'ouvrir. Il dévala les marches sur le ventre, roula par terre, laissant sur la glace une traînée sanglante.

— Je vais l'achever, ce...

— Charles!

Pâle, Augusta lui saisit le bras et le regarda. Elle eut peine à supporter la lueur de mort, la froide détermination qu'elle lut dans ses yeux.

— Charles, je n'ai rien. Laissez-le partir.

— Mais il pourrait...

Ils entendirent un cheval hennir puis des bruits de sabots. Boz et Washington crièrent de l'écurie. Lentement, Charles lâcha la détente du colt et posa l'arme sur la table. Il tremblait.

Saisissant Gus par les épaules, il se pencha vers elle.

— Je n'ai jamais abattu un homme dans le dos mais cette fois, je l'aurais fait. Vous êtes sûre que vous n'avez rien?

Augusta acquiesça d'un petit hochement de tête.

— Et vous ?

— Non, répondit Charles.

La lueur folle de son regard s'estompait, les muscles de son visage se détendaient. Il s'agenouilla pour détacher les liens maintenant la jeune femme sur sa chaise.

— Quand vous avez fait irruption dans la pièce, j'ai cru que j'avais perdu l'esprit, dit-elle. (Elle parvint à rire nerveusement, se leva, s'étira.) J'ai cru que j'avais une vision. A ce propos, cela fait longtemps que je ne vous avais vu.

— Je vous ai écrit plusieurs lettres.

— Moi aussi. Une demi-douzaine.

— Vraiment ? fit Charles, ébauchant un sourire.

— Vous ne les avez pas reçues ?

— Non. Mais cela n'a plus d'importance, maintenant. Je ferais mieux d'aller à l'écurie délivrer vos affranchis. Joueur est resté sur la route — mes éperons aussi, et j'ai laissé mes gants au grenier. Je suis venu par le toit et j'ai semé mes affaires un peu partout.

L'humeur basculant vers la joie sans mélange, il sortit de la maison.

Une heure plus tard, en sous-vêtements et emmitouflé dans trois couvertures, il se reposait devant la cheminée. Gus avait nettoyé le mur. Washington et Boz avaient emporté le corps du jeune Yankee après avoir remercié Charles avec effusion de les avoir sauvés, leur maîtresse et eux.

Encore frissonnant, Charles contemplait le feu et repensait avec étonnement à sa conduite. Il avait tué un jouvenceau sans le moindre scrupule quant à l'âge de la victime et avait eu l'intention — l'envie quasi irrépressible — d'abattre un autre homme d'une balle dans le dos, et cela non sur le champ de bataille mais dans une cuisine. Ces changements extrêmes l'alarmaient. Qu'arrivait-il dans cette maudite guerre ? Que lui arrivait-il ?

Le devoir d'un officier consistait à anéantir l'ennemi, pas à y prendre du plaisir. Pas à chasser de soi tout autre sentiment que la rage. Le jeune éclaireur à la moustache rabougrie n'était pas un trait sur un tableau, un chiffre dans un rapport. Il avait eu des parents, un foyer, des ambitions banales, une petite amie, peut-être. Charles n'y avait pas songé avant cet instant. Une heure plus tôt, il n'avait pensé qu'à tirer, avec autant de détachement que sur du gibier à plumes en automne.

Gus revint dans la cuisine, s'approcha de lui.

— Qu'y a-t-il ? demanda-t-elle.

— Rien.

— Vous aviez l'air tourmenté quand je suis entrée.

— J'ai encore un peu froid, c'est tout.

— Vous resterez pour Noël ?

— Si vous le désirez.

— Si je le désire ? Oh ! Charles ! s'écria-t-elle tandis que les flammes se reflétaient sur les murs, révélant une tache qu'elle n'avait pas complètement fait disparaître. J'ai eu tellement peur pour vous pendant qu'on se battait dans la ville. La nuit, j'écoutais les canons en me demandant où vous étiez.

Elle s'agenouilla en face de lui, posa ses avant-bras sur ses genoux, leva vers lui un visage plein de douceur, sans défense.

— Que m'avez-vous fait, Charles Main ? Je vous aime. Mon Dieu, je n'arrive pas à croire à quel point je vous aime.

Elle tendit les bras, l'attira vers elle pour l'embrasser. Il se leva, passa un bras autour d'elle et la mena vers la chambre. Ils tombèrent sur le lit, se cherchant à tâtons.

— Gus, je devrais d'abord me laver...

— Plus tard. Serre-moi, Charles. J'ai besoin d'oublier la mort de ce pauvre garçon.

— C'était un sale gamin.

— Il croyait châtier l'ennemi.

— Aucun manuel ne prescrit le châtiment qu'ils voulaient t'infliger.

— J'ai passé un moment horrible mais c'est fini. Cessons de discuter et aime-moi... Qu'est-ce que c'est que ça ?

Les doigts d'Augusta avaient senti le sac en cuir sous le maillot de corps. Elle insista pour allumer une bougie tandis qu'il déboutonnait le vêtement. Après s'être fait quelque peu prier, il passa le cordelet par-dessus sa tête et lui tendit le sac.

La joie envahit le visage d'Augusta lorsqu'elle l'ouvrit.

— Tu portes ce livre tout le temps sur toi ? Et là ? C'est une balle ?

— Ce qu'il en reste. Mr. Pope m'a sauvé la vie à Sharpsburg.

Elle fondit en larmes, se jeta sur Charles, fit tomber sur lui une pluie de baisers. Ils ôtèrent leurs derniers vêtements en toute hâte et s'unirent presque aussitôt, avec une certaine maladresse due à la pression persistante des événements qui venaient de se dérouler. Moins de cinq minutes plus tard, il roula sur le côté et s'endormit.

Il s'éveilla une heure plus tard quand elle lui secoua l'épaule.

— Il y a de l'eau chaude dans la bassine, annonça-t-elle.

Elle avait passé une robe de chambre et sa chevelure dénouée pendait presque jusqu'à sa taille.

— Je te lave le dos et nous retournons au lit.

Plus détendu cette fois, Charles glissa avec Gus dans une grotte de chaleur. Ses mains caressèrent longuement chaque sein rond puis descendirent. Elle saisit son poignet, le pressa.

Le rythme de leur respiration s'accéléra. Pourtant des mises en garde continuaient à retentir dans la tête de Charles.

— Es-tu sûre que nous devions continuer ? Je suis un soldat, je ne pourrai pas revenir ici avant des mois.

— Je le sais, dit-elle en le caressant doucement dans le noir.

— Je pourrais ne plus jamais revenir.

— Ne dis pas de choses pareilles.

— Il le faut, Gus. Je quitte ce lit immédiatement si tu penses que cela vaut mieux.

— C'est ce que tu veux ?

— Grand Dieu, non.

— Moi non plus, murmura Augusta. (Elle l'embrassa, le toucha, l'amena à une rigidité telle qu'il en avait mal.) Je sais que les temps sont effrayants, dangereux. Nous devons suivre le conseil de Pope...

Sa bouche glissa sur son visage barbu, trouva ses lèvres, s'ouvrit. Leurs langues, humides et tendres, s'entremêlèrent un moment.

— Quel conseil ?

— Tout ce qui est, est bien. Aime-moi Charles.

Il lui obéit et, vers la fin, elle laissa sa tête pendre en arrière en haletant :

— Je te veux pour toujours. Toujours, toujours.

— Je t'aime, Gus.

— Je t'aime, Charles.

320

— ... t'aime...

— ... t'aime...

— ... aime...

Le mot se répéta en écho comme une musique tandis que Charles poussait en elle. Augusta se redressa et cria sa joie d'une voix qui secoua la pièce.

Plus tard encore, au cœur de la nuit, elle dormait contre l'épaule de Charles en émettant de temps à autre de petits grognements. Ils avaient fait l'amour une troisième fois puis elle avait fermé les yeux. Lui semblait incapable de s'assoupir ou même de se calmer. Ce qu'il avait fait et appris cette nuit-là lui faisait garder les yeux ouverts et lui faisait battre le cœur beaucoup trop vite pour un homme enveloppé dans la douceur succédant à l'amour.

Il avait peur parce qu'il ne pouvait plus se cacher ses sentiments. Il avait compris qu'il aimait Gus lorsque, près de la maison, la crainte qu'il éprouvait pour elle l'avait un moment paralysé. Il avait eu confirmation de cet amour quand, dans la cuisine, il s'était d'abord soucié de Gus avant de s'assurer que le jeune Yankee n'était pas armé.

Enfin — et c'était le plus grave, peut-être — il avait failli tuer un homme dans le dos, avec une joie impitoyable, dans un endroit normalement à l'abri de la violence et de tous les autres poisons répandus par la guerre.

« Tu ne devrais pas être ici », se reprocha-t-il. Mais comment aurait-il pu être ailleurs ? Il était tombé amoureux de Gus à leur première rencontre. Comment pouvait-il être à la fois aussi heureux et déchiré ? Il aimait Gus. Elle était la passion, la paix, la joie, l'amitié. Il l'admirait, il la désirait.

Mais il y avait Hampton, et les Yankees.

Charles ne pouvait renoncer ni à Gus ni à son devoir. Il était irrémédiablement pris dans deux états antagonistes, l'amour et la guerre. Il n'avait d'autre choix qu'aller de l'avant, là où des forces contraires l'entraîneraient — les entraîneraient, lui et elle.

L'esprit envahi de sombres pressentiments, il passa un bras autour des épaules tièdes d'Augusta et la serra contre lui.

LIVRE QUATRE

« MOURIR
POUR LIBÉRER DES HOMMES »

J'aimerais voir le Nord gagner mais quant à la Proclamation d'émancipation, je m'en lave les mains, comme tous les officiers et soldats de l'armée. Je suis venu combattre pour la restauration de l'Union... pas pour libérer des nègres.

Un soldat de l'Union, 1863

64

— C'EST DU SUICIDE, RÉPON-
dit-il lorsqu'elle lui soumit l'idée. Même pour une abolitionniste
comme toi !

— Tu crois que je m'en soucie ? Je trouve que c'est exactement
l'endroit où il faudra être demain soir.

— Je suis de ton avis. Je t'y conduirai.

Ainsi George et sa femme, catholique romaine, se retrouvèrent-ils
assis sur l'un des bancs de l'église presbytérienne de la 15e Rue. On n'y
avait allumé qu'un tiers des bougies des lustres car l'heure était à la
méditation. Le chœur chantait l'*Hymne de bataille* tandis que le
pasteur, tête baissée, agrippait de ses mains noires le marbre de la
chaire. Son court message aux fidèles, membres pour la plupart d'une
communauté noire prospère, (il n'y avait pas dans l'église plus d'une
douzaine de Blancs) était tiré de l'Exode : « Et Moïse dit au peuple :
" Souvenez-vous de ce jour où vous êtes sortis d'Egypte, de la maison de
servitude ". »

Minuit approchait. Bien que peu attiré par la religion, George
éprouva une certaine émotion en voyant les visages noirs tournés vers
le ciel, beaucoup en larmes, quelques-uns avec une expression proche
de l'extase.

Dans tout le Nord, de semblables services religieux célébraient la
venue de l'année nouvelle. Le lendemain matin, Lincoln signerait la
proclamation. George sentit la tension monter quand la dernière
minute de l'année s'écoula. Le chœur puis toute l'église devinrent
silencieux. Dans le clocher, le carillon fit entendre sa première note. Le
pasteur leva la tête et les bras.

— Seigneur Dieu, l'heure est enfin venue. Tu nous a délivrés.

— Amen ! Loué soit Dieu !

Dans toute l'église, hommes et femmes proclamèrent leur joie et le
son de la cloche parut s'enfler. Constance avait les larmes aux yeux.
Bientôt, d'autres cloches lointaines firent écho à celle de l'église et les
exclamations de bonheur redoublèrent. Soudain, une grêle de pierres
s'abattit sur l'édifice ; George entendit des invectives, des injures.

Il se leva, plusieurs autres firent de même. Trois Blancs, dont lui, et une douzaine de Noirs se précipitèrent dans l'allée centrale, mais lorsqu'ils atteignirent le perron, ils ne virent que des ombres prenant la fuite.

George remit son sabre d'apparat dans son fourreau, écouta les cloches carillonner sous la voûte noire de la nuit. Son bref moment d'exaltation était passé ; les pierres l'avaient ramené aux réalités de ce premier jour de 1863.

Dans la calèche qui retournait à Georgetown par les rues désertes, Constance se pressa contre son mari et lui demanda :

— Es-tu content que nous y soyons allés ?

— Très content.

— Tu avais l'air très grave, vers la fin de la messe.

— Je réfléchissais. Je me demandais si quelqu'un, Lincoln compris, sait exactement ce que cette proclamation signifie pour le pays.

— Moi pas.

— Moi non plus. Mais, dans l'église, j'ai eu le curieux sentiment que le terme de guerre ne convient plus aux événements.

— Si ce n'est pas une guerre, qu'est-ce que c'est ?

— Une révolution.

Constance serra en silence le bras de George tandis qu'ils affrontaient la morsure du froid. Il avait choisi de conduire lui-même plutôt que de demander à l'un des affranchis qu'ils employaient comme domestiques de quitter les enfants. Les cloches continuaient à sonner, annonçant les changements à travers la ville et le pays.

Washington avait connu une transformation radicale au cours des mois que les Hazard y avaient passé. Les affaires avaient rarement été meilleures — mais c'était le cas partout ailleurs dans le Nord. L'usine Hazard tournait à plein rendement et la banque de Lehig Station, ouverte en octobre, connaissait un grand succès.

Des centaines d'immigrants européens, attirés malgré le conflit — ou à cause de lui : la guerre entraînait une vague de prospérité — affluaient dans une capitale déjà surpeuplée. L'esprit martial des premiers jours avait disparu, emporté par les flots de sang versés dans les grandes batailles perdues par l'Union. On ne voyait plus défiler d'élégants uniformes ni de fanfares jouant en public. Dans les librairies et les magasins de nouveautés, les gens achetaient des billets de banque ou des képis confédérés ramassés par les chasseurs de souvenirs après la seconde bataille du Bull Run. Ils payaient avec des billets à ordre du gouvernement, de petites coupures émises par le Trésor (billets au dos vert d'une valeur inférieure à un dollar, appelés par dérision des « emplâtres »), ou des pièces frappées par des firmes privées et faisant leur publicité. Ils acceptaient la présence de serveurs noirs au *Willard* (tous les employés blancs s'étaient engagés) comme ils acceptaient celle, partout dans la ville, d'anciens combattants mutilés.

Au début de la guerre, chacun s'accordait à voir en Washington une ville sudiste. Mais, quelques mois plus tôt, Richard Wallach, frère du propriétaire du *Star*, avait été élu maire. Démocrate, partisan inconditionnel de l'Union, Wallach voulait poursuivre la guerre jusqu'au bout, à la différence des membres de l'aile pacifiste de son parti. A ces démocrates recherchant la paix, on donnait le nom de *copperhead**, un serpent venimeux.

L'émancipation était arrivée dans le district fédéral en avril. Stanley

---

* Littéralement, tête de cuivre (n.d.t.).

et Isabel avaient fait partie de ses plus ardents défenseurs, bien qu'au cours d'un des rares dîners réunissant les deux couples Hazard pour maintenir une façade d'entente familiale, Isabel eût déclaré que l'émancipation transformerait la ville en « un enfer sur terre pour la race blanche ». Les choses ne s'étaient pas exactement passées selon ses prévisions. Presque chaque jour des soldats blancs agressaient des réfugiés noirs, les battaient ou les mutilaient impunément. Les nègres n'avaient pas le droit d'emprunter les nouveaux tramways reliant le Capitole au Département d'Etat par Pennsylvania Avenue. Isabel déplorait cette étroitesse d'esprit lorsqu'elle cultivait ses amis abolitionnistes à tout crin.

Dans l'armée démoralisée, le changement ne faisait aucun doute. Etabli le long du Rappahannock, Burnside, contre l'avis de tous, continuait à échafauder des plans de campagne d'hiver, pressé qu'il était de racheter ses erreurs de Fredericksburg. Plus d'une fois George avait entendu des officiers supérieurs affirmer que Burnside avait perdu l'esprit.

C'était le nom de Joe Hooker qu'on prononçait le plus souvent comme successeur de Burnside. Quel qu'il fût, l'homme qui prendrait la relève devrait s'atteler à la tâche monumentale de réorganiser l'armée, de rétablir la discipline et le moral des troupes. Certains régiments refusaient de passer devant la résidence présidentielle mais faisaient un détour par la Rue H pour aller acclamer McClellan. Il y avait désormais des Noirs dans l'armée. Comme les « marchandises de contrebande », ils étaient souvent battus et recevaient trois dollars de moins par mois que les soldats blancs pour accomplir les mêmes tâches.

Dans le domaine politique aussi, le changement s'annonçait comme une quasi-certitude. Les élections au Congrès avaient été mauvaises pour les Républicains et le président mélancolique exerçait ses fonctions dans un climat de mécontentement croissant. On rendait Lincoln responsable de toutes les défaites militaires, on le traitait de « crétin de la campagne » ou de « négrophile flagorneur ».

Le changement était donc dans l'air. Nécessaire, non désiré, inéluctable.

De retour à la maison, Constance alla voir les enfants endormis puis prépara du chocolat chaud pour George. En attendant que l'eau chauffe, elle relut la lettre de son père reçue la veille.

Arrivé en Californie en automne, Patrick Flynn avait découvert une terre de nonchalance ensoleillée, fort éloignée de la guerre. En 1861, il y avait eu des rumeurs de révolte, de création d'une Confédération du Pacifique, mais on n'en parlait plus maintenant. Flynn écrivait que le cabinet juridique qu'il avait ouvert à Los Angeles ne lui rapportait quasiment pas un sou mais qu'il était heureux. S'il ne donnait pas d'explication sur ses moyens d'existence, il dissipait cependant les craintes de sa fille quant à sa sécurité.

Constance apporta le chocolat à George dans la bibliothèque. En chemise, les manches roulées jusqu'au coude, il avait l'air épuisé. Il avait disposé devant son encrier plusieurs feuilles de papier, certaines déjà griffonnées, d'autres vierges.

— Tu en as pour longtemps ? demanda-t-elle en posant la tasse près de lui.

— Il faut que je termine ce travail. Je dois le montrer demain — ou plutôt aujourd'hui — au sénateur Sherman à la réception du président.

— Sommes-nous obligés d'y assister ? Ces soirées sont insupportables. Il s'y presse tant de monde qu'on peut à peine bouger.

— Je sais, mais Sherman compte sur moi. Il a promis de me présenter au sénateur Wilson, du Massachusetts, président de la commission sur les affaires militaires. Un allié dont nous avons grand besoin.

— Quand attribuera-t-on les crédits ?

— La loi sera soumise à la Chambre dans deux semaines et la vraie bataille va commencer au Sénat. Nous avons peu de temps.

Se penchant au-dessus de son mari, affalé dans son fauteuil, elle lui caressa tendrement les cheveux.

— Tu fais preuve d'un zèle remarquable pour un homme qui n'a jamais aimé le métier de soldat.

— Je ne l'aime toujours pas, mais je suis profondément attaché à West Point, même s'il m'a fallu de longues années pour le découvrir.

— Viens vite te coucher, conclut Constance.

Il acquiesça distraitement et ne la vit pas quitter la pièce. Il trempa sa plume dans l'encre, reprit la rédaction de l'article qu'il avait accepté d'écrire pour le *New York Times*, l'un des plus fermes défenseurs de l'Académie. Il y réfutait l'argument favori du sénateur Wade selon lequel il fallait supprimer West Point parce que, sur huit cent vingt officiers de l'armée régulière, deux cents avaient démissionné pour passer dans le camp confédéré en 1861.

« Si c'était une raison suffisante pour faire disparaître une précieuse institution, écrivit George sous la lampe à gaz, nous devrions appliquer ce principe dans d'autres domaines et, nous rappelant les divers sénateurs et représentants qui ont aussi donné leur démission — notamment Mr. Jefferson Davis, que le sénateur Wade qualifie " d'âme de la rébellion " — dissoudre nos instances législatives nationales car elles aussi ont engendré des traîtres. Cet exemple révèle l'argument du sénateur Wade pour ce qu'il est : un fatras spécieux et démagogique. »

Ces trois derniers mots lui vaudraient des ennemis mais il n'en avait cure. La bataille était engagée et une puissante cabale visait à enterrer définitivement l'Académie dès cette année. Dirigée par Wade, elle comptait des hommes comme Lyman Trumbull, de l'Illinois, et James Lane, du Kansas. Ce dernier était tellement sûr de lui qu'il annonçait dans tout Washington la disparition prochaine de West Point.

George continua à écrire dans la maison qui se refroidissait, bâillant et luttant contre sa fatigue, mitraillant de mots ses adversaires dans une petite guerre dont l'issue lui paraissait presque aussi essentielle pour le pays que celle de la grande. Vers cinq heures, il finit par s'endormir sur sa feuille, une mèche de cheveux tombant sur sa plume abandonnée.

— Oui, je suis heureux de pouvoir dire qu'elle me rejoindra bientôt, déclara Orry Main au président.

Il tenait dans son unique main une tasse de punch mais avait refusé l'assiette qu'on lui avait présentée. Aussi habile fût-il devenu, il ne pouvait toujours pas boire et manger en même temps.

— Il est même possible qu'elle soit déjà en route, ajouta-t-il.

Orry s'inquiétait de l'aspect du chef de l'Etat qui, plus pâle que jamais, avait la posture légèrement voûtée d'un homme qui souffre. Outre ses névralgies, Jefferson Davis avait bien d'autres raisons d'être affligé. L'embargo sur le coton était un échec malgré la pénurie de matière première dans les fabriques anglaises ; la reconnaissance diplomatique de la Confédération par l'Europe n'était même plus un lointain espoir ; on le harcelait de critiques parce qu'il continuait à soutenir Bragg, fort impopulaire, et que l'on manquait de tout. A Richmond, on remplaçait le café par d'infectes décoctions de graines d'okra, de patate douce ou de pastèque, que l'on sucrait au sorgho. Des inscriptions à la peinture commençaient à apparaître sur les murs de la ville pour réclamer : « Halte à la guerre ! Retour dans l'Union ! »

L'après-midi du jour de l'an, de nombreux invités se pressaient à la résidence officielle de Clay Street, dans le quartier huppé de Court End. Davis avait à cœur de s'entretenir, fût-ce brièvement, avec chacune des personnes présentes. Malgré les épreuves, son sourire et ses manières demeuraient chaleureux.

— Excellente nouvelle, colonel. Je crois me rappeler que vous espériez la voir à Richmond bien plus tôt.

— Elle devait me rejoindre au début de l'année dernière mais la plantation a connu une série de malheurs.

Orry mentionna l'attaque de sa mère mais ne parla pas du problème de plus en plus aigu des fuyards. Quand Davis s'enquit de l'état de Clarissa, le planteur répondit qu'elle avait recouvré presque toutes ses facultés physiques.

— Et comment vous entendez-vous avec Mr. Seddon ? demanda le président.

— Très bien. Il a, je crois, une excellente réputation de juriste, ici, à Richmond.

Orry ne voulait pas en dire plus. James Seddon, du comté de Goochland, était devenu ministre de la Guerre en remplacement du général Gustavus Smith, qui avait lui-même exercé ces fonctions quatre jours après la démission de Randolph, en novembre. Orry n'aimait ni l'humeur sombre ni les opinions fortement sécessionnistes de Seddon. Il changea de sujet :

— Permettez-moi de vous poser une question sur un tout autre domaine, monsieur le Président. L'ennemi arme des Noirs. Pensez-vous que nous aurions intérêt à faire de même ?

— Vous le croyez ?

— Oui, peut-être.

Davis pinça les lèvres.

— C'est une idée pernicieuse, colonel. Comme l'a fait observer Mr. Cobb, de Georgie, si les nègres font de bons soldats, toute notre théorie de l'esclavage est erronée. Veuillez m'excuser.

Et le président se dirigea vers un autre invité. Orry songea avec irritation que l'incapacité de Davis à accepter des vues différentes des siennes était une faiblesse néfaste.

Il but une gorgée de son punch trop sucré et se sentit seul parmi la foule rassemblée dans le salon central de la résidence qu'on appelait la Maison Blanche à cause de la couche de plâtre qui recouvrait les briques à l'extérieur. C'était une magnifique demeure, achetée par la ville et offerte à Mr. et Mrs. Davis.

Derrière Orry, quelques invités discutaient d'une rumeur selon laquelle on projetait de créer sur le continent un troisième pays, constitué celui-là d'Etats du nord-ouest de la partie supérieure du Sud. Ils en parlaient d'un ton agité, voire légèrement hystérique. La réception commençait à déprimer le planteur, qui se faufila vers la porte. Soudain il entendit une voix qu'il reconnut pour celle de Varina Davis.

— ... désormais, mon cher, je me réserve le droit de ne pas rendre les invitations. C'est mon Fort Sumter — et au diable les objections de Pollard, ce petit journaliste de rien du tout.

Orry ne se retourna pas pour voir la présidente mais sentit la tension de la voix sous le sarcasme. Une tension qui infectait le salon et la ville comme une pestilence.

Lui aussi en était victime. Outre la solitude, la séparation d'avec Madeline, il détestait son travail au ministère de la Guerre — la bataille incessante pour empêcher le général Winder d'arrêter arbitrairement quiconque était à ses yeux un ennemi de l'Etat. Présentement, le prévôt s'efforçait de débusquer les membres d'une société pacifiste hautement secrète, l'Ordre des héros d'Amérique.

Un rapport de source sûre avait informé Orry qu'Israel Quincy et deux autres hommes de main de Winder avaient emprisonné et battu trois personnes soupçonnées d'appartenir à cette organisation. La lettre de protestation du colonel Main était restée sans réponse et une visite personnelle aux bureaux de Winder n'avait eu pour résultat qu'une nouvelle algarade avec Quincy. Les suspects avaient été libérés uniquement parce que le général avait conclu, en définitive, qu'ils n'avaient rien à voir avec la société secrète.

Orry songea à Dick Ewell, de la promotion 1840 de West Point, qui avait perdu un bras au combat en août mais commandait toujours sur le champ de bataille. A Fair Oaks, au printemps, Oliver Howard était lui aussi devenu manchot mais le haut commandement de l'Union ne l'avait pas relégué dans un bureau. Peut-être était-il temps de demander une mutation sur le front.

Il se dirigea lentement vers le hall d'entrée, où Judah Benjamin était entouré de trois admiratrices. Le secrétaire d'Etat le salua avec chaleur, comme si le déplaisant incident survenu récemment n'avait jamais eu lieu. Benjamin s'était fait pincer dans une salle de jeu de Main Street où les détectives de Winder avaient opéré une descente. Le coup de filet, dirigé contre les déserteurs, n'avait ramené que quelques civils chagrinés, dont un membre du gouvernement.

— Comment allez-vous, Orry ? demanda Benjamin, la main tendue.

— J'irai mieux quand Madeline sera ici. Elle va enfin me rejoindre.

— Formidable. Nous dînerons ensemble pour fêter son arrivée.

— Avec plaisir, marmonna le colonel en poursuivant son chemin.

Il venait de songer qu'il serait injuste de sa part de demander une mutation juste au moment où Madeline arrivait enfin à Richmond. Elle comprendrait, mais ce serait injuste. Peut-être resterait-il quelques mois de plus dans la capitale.

Au pied du grand escalier, il se raidit en voyant trois personnes faire leur entrée : sa sœur, magnifiquement vêtue, le visage rosi par le froid, Huntoon et un autre homme portant un pantalon ample, une veste de drap fin et un chapeau rond.

— Bonsoir, Ashton... James, dit Orry tandis que l'inconnu se découvrait.

Huntoon grommela en regardant ailleurs ; sa femme assura avec un sourire glacial :

— Ravie de te voir, Orry.

Puis elle se précipita vers Benjamin sans prendre la peine de présenter le bel inconnu au regard endormi. Orry n'avait aucune envie de le connaître. A en juger par sa mise, l'homme était un de ces parasites infestant la Confédération : un spéculateur. Ashton et son mari avaient de curieuses relations.

65

Le jour de l'an, tandis que son mari se trouvait à la Maison Blanche de Richmond, Madeline fermait enfin la dernière malle, vérifiait pour la dixième fois ses tickets verts et faisait un ultime tour de la maison. Elle savait que le voyage serait long, salissant, pénible mais s'en moquait. Elle eût fait un détour par le centre de la terre avec Satan comme compagnon de route pour rejoindre Orry.

Son inspection terminée, elle frappa à la chambre de Clarissa, qu'elle trouva assise près de la fenêtre, devant la table à plateau inclinable sur laquelle elle dessinait autrefois de splendides arbres généalogiques de la famille. Le soleil tiède éclairait une feuille de papier où Clarissa avait griffonné au fusain un dessin maladroit qu'on eût dit tracé par un enfant.

— Bonjour.

La vieille femme sourit mais ne parut pas reconnaître sa belle-fille. De petits signes de l'attaque qui l'avait frappée étaient encore visibles : la paupière droite légèrement abaissée, une certaine lenteur d'élocution. A part cela, Clarissa était rétablie mais se servait rarement de sa main droite, qui reposait inerte sur son giron.

— Clarissa, je pars pour Richmond rejoindre votre fils.

— Mon fils. Ah ! oui. Très bien·

Le regard de la vieille femme, baigné de soleil, n'avait aucune expression.

— Les domestiques et Mr. Meek s'occuperont de vous. Je tenais seulement à vous prévenir de mon départ.

— Comme c'est gentil ! Merci de votre visite.

Les larmes aux yeux, voyant dans sa belle-mère l'image de sa propre mortalité, de son vieillissement futur, Madeline prit Clarissa dans ses bras et la serra contre elle. Ce geste impulsif surprit et alarma la mère d'Orry, qui haussa ses sourcils blancs, le gauche un peu plus haut que le droit.

La lumière mélancolique de janvier, la conscience qu'une année de sa vie avec Orry s'était écoulée firent jaillir les larmes de Madeline. « Je me conduis comme une idiote, se dit-elle, je devrais au contraire être au comble du bonheur. » Cachant son visage à la vieille femme calme et souriante, elle sortit de la chambre.

En bas, elle parla brièvement à Jane, chargée depuis l'été dernier de diriger la domesticité de la maison, puis descendit l'allée serpentante menant à la petite bâtisse qui avait successivement abrité Tillet, Orry et elle-même. Elle était maintenant occupée par le régisseur.

Des rayons de soleil perçant le feuillage éclairaient le pied d'un arbre où un esclave, mollement étendu, effritait un morceau d'écorce. Il jeta un regard insolent à Madeline, qui s'arrêta :

— Tu n'as donc rien à faire, Cuffey ?

— Non, m'dame.

— Je vais demander à Andy de remédier à cela.

Elle poursuivit son chemin, vaguement mal à l'aise.

En mai dernier, Hunter, le général responsable des enclaves yankees de la côte, avait ordonné l'émancipation des Noirs de Caroline du Sud. Le temps que Lincoln annule la décision, la nouvelle s'était propagée et une vague de fugitifs déferlait déjà des plantations. Dans ses lettres à Orry, Madeline faisait état des pertes affectant Mont Royal — dont le total s'élevait à dix-neuf.

L'année précédente, juste après la proclamation, Cuffey avait été l'un des premiers à s'enfuir. Philemon Meek s'était lancé à sa recherche et l'avait retrouvé gisant dans les marécages, inconscient, atteint de fièvres. Le régisseur avait ramené le fuyard dans les fers et s'était fâché quand Madeline avait refusé de punir davantage Cuffey. Elle jugeait en effet qu'il avait été suffisamment châtié en tombant malade et en se faisant reprendre.

Elle s'étonnait que le Noir n'eût pas essayé de s'enfuir à nouveau. Restait-il pour Jane — qui manifestement ne pouvait le supporter — ou parce qu'il avait en tête quelque plan tortueux qu'il mettrait à exécution après son départ pour Richmond ?

Madeline frappa à la porte du bureau, entra. Philemon Meek repoussa la bible qu'il était en train de lire, ôta ses lunettes. « Quelle chance de l'avoir trouvé ! » pensa-t-elle. Le régisseur, excédant de loin l'âge limite de la deuxième loi de conscription, adoptée en septembre, n'aurait pas à quitter Mont Royal. A moins, bien sûr, que Jeff Davis en vînt à enrôler les grands-pères...

— Etes-vous prête, Miss Madeline ? Je vais demander à Aristotle de charger les bagages.

— Merci, Philemon. Un dernier mot avant de partir : en cas d'urgence, n'hésitez pas à télégraphier. Je rentrerai aussitôt.

— J'espère que ce ne sera pas nécessaire et que je vous laisserai passer au moins une heure avec votre mari.

— Je l'espère aussi, dit Madeline en riant. Je meurs d'impatience de le revoir.

— Pas étonnant. Vous avez eu une rude année, avec les soins à donner à la pauvre Mrs. Main. Cela devrait aller mieux cette année si les bleus ne se rapprochent pas encore. Hier, j'ai entendu dire qu'un collecteur d'impôts a lu la proclamation de Lincoln près de Beaufort. Une foule de nègres s'était rassemblée autour d'un arbre qu'on appelle déjà le Chêne de l'émancipation.

Lorsque Madeline lui rapporta sa rencontre avec Cuffey, Meek grommela d'un ton irrité :

— Il n'a rien à faire, hein ? Je m'en occupe. Mauvaise graine, ce Cuffey.

— D'après Orry, il n'a pas toujours été comme cela. Cuffey et le cousin Charles étaient très proches, dans leur enfance.

— Je l'ignorais. Je regrette parfois de l'avoir retrouvé dans les marais. Il faut le tenir à l'œil.

— Je suis sûre que vous saurez le faire. Vous avez accompli un travail remarquable, Philemon, tant vis-à-vis des esclaves qu'en ce qui concerne les récoltes. Prévenez-moi si vous avez besoin de quelque chose.

Le régisseur ouvrit la bouche pour parler, se ravisa puis se jeta à l'eau :

— J'aimerais que vous disiez à Jane qu'elle ne peut plus jouer au professeur. L'instruction, c'est mauvais pour les nègres, surtout en ce moment...

Le vieil homme s'éclaircit la voix avant d'ajouter :

— Je ne suis pas du tout d'accord.

— Je le sais, mais vous connaissez ma position. J'ai fait une promesse à Jane, et je crois qu'elle contribue, par ses leçons, à rendre le climat plus calme à Mont Royal.

— Quand même, apprendre à lire aux nègres... D'abord, c'est interdit.

— Les temps changent, Philemon. Les lois doivent changer aussi. Si nous n'aidons pas nos gens, ils se jetteront droit dans les bras des Yankees. J'accepte la responsabilité des leçons de Jane et de toutes leurs conséquences.

Meek risqua une dernière remarque :

— Si Mr. Orry était au courant...

— Il l'est, répliqua Madeline. Je le lui ai écrit l'année dernière.

Inutile d'en dire plus. De préciser qu'elle pensait que la Confédération perdrait la guerre, que les esclaves de la plantation deviendraient libres dans un monde de Blancs sans la moindre préparation. C'était la raison essentielle pour laquelle elle permettait à Jane d'instruire les Noirs.

Meek renonça.

— Je vous souhaite bon voyage. J'ai entendu dire que les chemins de fer sont en mauvais état.

— Merci de vous inquiéter pour moi.

Surmontant ses hésitations, Madeline s'élança vers le vieillard et le prit dans ses bras.

— Prenez bien soin de vous, lui dit-elle.

Le régisseur toussa, rougit.

— Saluez de ma part le colonel.

Toujours écarlate, il sortit appeler Aristotle afin que celui-ci conduise Madeline à l'arrêt de chemin de fer situé à quelques kilomètres de la plantation. En partant, la femme d'Orry fit signe à la quarantaine d'esclaves rassemblés dans l'allée pour lui dire au revoir.

Se tenant à l'écart, les bras croisés sur la poitrine, Cuffey observait la scène.

Ce soir-là, Jane faisait classe dans l'infirmerie.

Trente-deux Noirs s'entassaient dans la pièce passée au lait de chaux éclairée par de petits morceaux de bougie. Andy était assis au premier rang ; Cuffey, vautré dans un coin, quittait rarement Jane des yeux. Gênée par l'insistance de son regard, elle faisait de son mieux pour l'ignorer.

— Essaie, Ned, demanda-t-elle à un esclave efflanqué.

De son morceau de charbon — sa craie — elle frappa sur le couvercle de caisse qui servait de tableau.

— Trois lettres, insista-t-elle, les montrant l'une après l'autre.

— Je sais pas, répondit Ned en secouant la tête.

Jane frappa le sol de son pied nu.

— Tu savais il y a deux jours.

— J'ai oublié ! Je travaille dur toute la journée, je suis fatigué. Je suis pas assez intelligent pour me rappeler des choses comme ça.

— Si, Ned. Essaie encore.

Jane réprima son impatience. Elle avait l'impression de hisser des rochers sur le flanc d'une colline.

— Trois lettres : N, E, D. C'est ton nom, tu ne t'en souviens pas ?

— Non, bougonna le Noir.

Jane poussa un soupir de lassitude. Le départ de Madeline l'avait affectée plus qu'elle ne l'aurait cru et avait affecté aussi l'équilibre de Mont Royal en supprimant un élément modérateur. Juste mais sévère, Meek était fortement hostile à ces leçons. D'autres les méprisaient — tel Cuffey, qui se tenait silencieux dans son coin. Pourquoi ne restait-il pas dans sa case, comme ceux qui refusaient les cours de la jeune Noire ?

— Arrêtons pour ce soir, annonça-t-elle.

Cicero, le doyen des élèves, fut parmi ceux qui protestèrent le plus. Veuf depuis peu, trop âgé pour travailler aux champs, il aurait soixante-dix ans l'année prochaine mais jurait qu'il saurait lire et écrire avant son anniversaire. Il voulait mourir instruit, à défaut de vivre assez longtemps pour mourir libre.

Cuffey, qui se tenait tous les soirs au même endroit, rompit enfin son silence :

— Vaudrait mieux arrêter pour de bon, m'est avis.

Andy se leva.

— Si tu ne veux pas apprendre, va ailleurs.

Une vieille femme marmonna « Amen » et se cacha derrière Cicero pour échapper au regard furieux de Cuffey.

Jane prenait toujours soin de cacher ses sentiments à l'égard d'Andy, qui était son meilleur élève. Ils se retrouvaient presque chaque soir pour qu'elle lui donne des exercices supplémentaires. La dernière fois que Madeline l'avait envoyé à Charleston, il avait réussi à se procurer un livre pour lui — le manuel de lecture de William McGuffey destiné aux écoles des Blancs.

A son retour, il l'avait fièrement montré à Jane, le sortant de dessous sa chemise comme un trésor bien que ce ne fût qu'un vieux livre dépenaillé. Comment se l'était-il procuré ? Il avait refusé de le lui révéler et s'était contenté de répondre à ses questions en haussant les épaules : « Oh ! ça n'a pas été dur. » Il mentait, Jane le savait. En Caroline du Sud, un Noir qui achetait un livre courait un danger mortel.

Andy faisait de remarquables progrès, et c'était l'une des raisons pour lesquelles les sentiments de Jane à son égard changeaient. Une des raisons mais pas la seule. A deux reprises, il l'avait embrassée timidement. La première fois sur le front, la seconde sur la joue. Ce jeune homme plein de détermination changeait l'existence de Jane sans qu'elle comprît tout à fait pourquoi.

Répondant à Andy, Cuffey lança :

— Je pourrais bien. Personne est obligé de rester ici. Si on descend jusqu'à Beaufort, on sera libres.

La nouvelle de la proclamation de Lincoln s'était répandue dans le district comme un feu invisible. Les Noirs de Mont Royal, qui n'avaient jamais vu de portrait du président de l'Union, prononçaient son nom avec un respect généralement réservé aux divinités.

— Sûr, grogna Cicero, agitant le doigt en direction de Cuffey. Va à Beaufort. Tu crèveras de faim parce que t'es qu'un nègre ignorant qui sait ni lire ni écrire son nom.

— Tiens ta langue, vieil homme. Je crèverais pas de faim à Beaufort. On donne de la terre aux affranchis. Un lopin et une mule.

— Bon, et en vendant ta récolte, tu te feras rouler par les Blancs parce que tu sais pas compter.

Cuffey explosa de rage :

— T'es devenu un esclave bien sage ! T'as rien dans le ventre.

Andy s'avança vers lui mais le vieux Cicero le retint.

— Je déteste être esclave autant que toi, répliqua Andy. J'ai vu vendre ma mère, mes sœurs. Tu crois que j'aime ceux qui ont fait ça ? Non, sûrement pas, mais je pense plus à moi qu'à eux. Je vais être libre, Cuffey, mais je ne pourrai rien faire de ma vie si je reste ignorant comme toi.

Les Noirs silencieux regardèrent tour à tour les deux hommes. Des ombres dansaient sur les murs blanchis à la chaux. Des pieds raclèrent le sol, quelqu'un murmura. Cuffey ferma le poing et le brandit.

— Un de ces jours, je t'arracherai la langue ! cria-t-il.

— Quelle honte ! dit Cicero d'une voix basse mais ferme.

D'autres esclaves lui firent écho. Cuffey tendit le cou, cracha par terre — un gros crachat blanc résumant l'opinion qu'il avait d'eux.

— Je veux pas de vos livres. Je veux foutre le feu à cette plantation, tuer ceux qui ont tué mes enfants et me tiennent enchaîné.

— Tu es fou, intervint Jane en se rapprochant d'Andy. Miss Madeline est la meilleure maîtresse que tu puisses avoir en ce moment. Elle veut vous aider à vous préparer à être libres. C'est une femme bonne.

— C'est une Blanche, et je la tuerai ! Je brûlerai tout ici avant d'avoir fini.

Cuffey ouvrit la porte d'un coup de pied, sortit de l'infirmerie et disparut dans l'obscurité.

Secouant la tête, les élèves de Jane sortirent eux aussi en marmonnant « Quelle honte ». Jane, debout près d'Andy, qui était resté, rappela l'un d'eux :

— Ned ? Nous pouvons travailler ensemble, rien que toi et moi, si tu veux.

Ned ne parut pas avoir entendu et continua à s'éloigner. Jane se couvrit les yeux de la main un moment puis regarda Andy.

— Il n'y a pas moyen d'aider Cuffey, n'est-ce pas ? Il est devenu mauvais à l'intérieur.

— Je le crois.

— Alors je préfère qu'il s'enfuie à nouveau et que Meek ne le pourchasse pas. Jamais un nègre ne m'a fait aussi peur.

Sans penser à ce qu'elle faisait, elle posa la tête contre la poitrine d'Andy, qui lui passa un bras autour de la taille et lui caressa les cheveux. Un geste naturel, réconfortant.

— Tu n'as pas à avoir peur de Cuffey, dit Andy. Je serai là pour te protéger. Toujours, si tu le veux.

— Quoi ?

— Je dis toujours. Si tu le veux.

Lentement, il baissa la tête et l'embrassa sur la bouche avec douceur. Il se passa en Jane quelque chose qui s'exprima par un petit rire surpris. Elle avait conscience qu'ils venaient d'engager leur avenir par ce simple baiser. Enfin elle s'avoua que depuis des semaines elle était amoureuse...

Des images surgirent dans sa tête, gâchant l'instant. Au lieu du visage d'Andy, Jane vit celui de Cuffey et, dans les ombres se tordant au plafond, Mont Royal en flammes.

— Résolution n° 611, dit le sénateur Sherman en tapotant son bureau avec le document. Comme vous le savez, si elle n'est pas adoptée par les deux chambres, l'Académie n'aura plus de fonds pour fonctionner.

George éternua, s'essuya le nez avec un immense mouchoir. De l'autre côté des fenêtres du bureau du sénateur, la neige tombait en estafilades presque horizontales.

— Quand la loi doit-elle être soumise ?

— Demain.

La pièce sentait le vieux cigare. Une horloge sonna le quart de dix heures. La plupart des habitants de la ville devaient être chez eux, blottis sous leurs couvertures, et George les enviait. Bien qu'il eût gardé son manteau de l'armée doublé d'une cape aux épaules, il ne parvenait pas à se réchauffer.

— Que fera la Chambre ?

— Elle la tripatouillera, répondit le frère cadet du général. Elle rognera sur les dix mille dollars destinés à la réfection des toits ; elle supprimera peut-être le chapitre concernant l'agrandissement de la chapelle. Les membres de la Commission des finances voudront montrer leur autorité mais je doute qu'ils apporteront des changements importants. Les haches feront leur apparition quand la loi sera transmise au Sénat.

— Wade est toujours aussi résolu ?

— Absolument. Il en devient fou. Vous connaissez sa haine du Sud.

— Enfin, John ! West Point n'est pas le Sud.

— Tous les sénateurs ne partagent pas votre opinion, George. Un nombre important d'entre eux suit Ben Wade, quoique certains vacillent. Ce sont ceux avec qui j'ai longuement discuté. Je sais que Thayer, vous-même et d'autres avez aussi déployé de gros efforts. C'est même ce qui vous a rendu malade, je crois bien.

George balaya d'un geste la dernière remarque.

— Quelles chances avons-nous de faire passer la loi ?

— Tout dépend de qui parlera, et de la force persuasive des arguments avancés. Wade prendra la parole longuement pour présenter toutes les raisons imaginables de rejeter la loi. Lane le soutiendra...

— Ce n'est pas une réponse, coupa George. Quelles sont nos chances ?

— Au mieux, cinquante pour cent, dit Sherman en fixant son interlocuteur.

— Nous aurions dû faire plus. Nous...

— Nous avons fait tout ce qui était possible, interrompit le sénateur. A présent, nous ne pouvons qu'attendre.

Il se leva, fit le tour du bureau, posa une main sur l'épaule du visiteur.

— Rentrez chez vous, George. Nous ne tenons pas à ce que nos officiers meurent de la grippe.

Le visage grisâtre, George sortit de la pièce à pas lents.

Dans la tempête de neige, il lui fallut trois quarts d'heure pour trouver un cocher acceptant de le ramener à Georgetown. Claquant des dents, il s'affala sur la banquette du fiacre et martela du poing la portière en disant :

— Nous aurions dû faire plus.

— Qu'est-ce qui se passe, en bas ? demanda le cocher.

— Rien ! cria George.

Il arriva chez lui inondé de sueur et abruti par la fièvre.

66

Judah se pencha au-dessus du bastingage et dit :

— Regarde, p'pa. C'est un Yankee ?

Cooper scruta la brume matinale, repéra le croiseur à vapeur que son fils montrait du doigt. Le bâtiment mouillait à l'entrée de la rade, voiles ferlées, et des matelots paressaient sur le pont. De son pavillon, qui pendait mollement, on ne distinguait que des couleurs : du rouge, du blanc et une partie bleu sombre. Doutant qu'il s'agît du drapeau de la Confédération, Cooper répondit :

— Je crois bien.

Une barque amena le pilote à bord ; bientôt le bruit des machines s'intensifia et l'*Isle of Guernsey* pénétra lentement dans la rade. Le port, protégé au nord par de petites îles, abritait une multitude de bateaux à voile et à vapeur. Plus loin, Cooper découvrait les maisons pâles des latitudes tropicales, et la tache verte de l'île de New Providence.

Le vapeur transportant les Main avait affronté d'énormes vagues et des vents d'hiver violents pour les amener dans cette chaleur lourde. Pendant le voyage, le subrécargue britannique avait montré à Cooper la cargaison que le navire portait dans ses cales : carabines Enfield, moules à balles, barres de plomb, sacs de cartouches, pièces de serge. Il fallait maintenant la décharger et la monter à bord d'un autre bateau pour la périlleuse dernière étape à travers le blocus.

Judith, pimpante et d'humeur joyeuse sous le chapeau neuf que son mari lui avait offert pour Noël avec un peu d'avance, s'approcha avec sa fille.

— Voici un nouvel argument à l'appui de la démonstration que je voulais faire hier, dit Cooper. Ce bâtiment yankee monte la garde. Je me sentirais beaucoup mieux si tu me laissais chercher une maison à louer à Nassau, où...

— Cooper Main, interrompit Judith. J'ai dit mon dernier mot sur la question.

— Mais...

— La discussion est close. Je ne resterai pas ici avec les enfants tandis que tu vogueras joyeusement vers Richmond.

— Joyeusement ! grommela Cooper. C'est une traversée très dangereuse. Le blocus se resserre de jour en jour. Il est presque impossible de rallier Savannah ou Charleston, et ce n'est guère mieux pour Wilmington. Je n'aime pas du tout vous faire courir de tels risques.

— J'ai pris ma décision. Si tu cours le risque de forcer le blocus, nous aussi.

— Hourrah ! s'exclama Judah en battant des mains. Je veux retourner au Dixie Land et voir le général Jackson.

— Je ne veux pas monter à bord d'un bateau sur lequel on va tirer, dit Marie-Louise. Je préfère rester ici. Je pourrai acheter un perroquet ?

— Chut, lui ordonna sa mère, avec une tape sur le poignet.

Cooper s'efforçait vainement de convaincre Judith depuis qu'ils s'étaient arrêtés à Madère pour faire du charbon. Autant renoncer. Peut-être ne rencontreraient-ils aucune difficulté, finalement. De nombreux bateaux guidés par de bons capitaines et des pilotes côtiers expérimentés réussissaient à se glisser à travers les mailles du filet sans même se faire repérer.

Il ôta son chapeau haut de forme, se pencha par-dessus le bastingage et regarda le port de la ville. Ces îles, d'abord espagnoles puis anglaises depuis les Stuart, avaient toujours été un repaire de pirates. Nassau même, capitale coloniale comptant quelques milliers d'habitants, avait soudain pris de l'importance avec la guerre.

Des mouettes en quête de détritus formèrent un nuage tapageur à la poupe. L'air sentait le sel, des épices curieuses mais agréables. Dans moins d'une heure, l'*Isle of Guernsey* y jetterait l'ancre, un bateau plus petit transporterait les Main et leurs bagages jusqu'au débarcadère de Prince George.

Le quai grouillait de matelots blancs, de dockers noirs à l'oreille ornée d'une boucle en or, de femmes aux robes colorées sans occupation apparente, de marchands ambulants pauvrement vêtus offrant des perles au milieu d'éponges et de bananes. Près de montagnes étincelantes de charbon de Cardiff s'entassaient des balles de coton comprimé.

Cooper n'avait jamais entendu un brouhaha polyglotte comme celui de Bay Street, que remontait la voiture de louage les conduisant à leur hôtel. Il discerna des accents américains familiers, une élocution saccadée toute britannique et un anglais abâtardi, étrange et musical, parlé principalement par les Noirs. La rue longeant les quais accueillait à grand-peine une circulation intense : si la guerre affamait le Sud, elle apportait manifestement la prospérité à cette île située au large de la Floride.

Après avoir installé la famille dans une suite, Cooper se rendit au bureau du capitaine du port, où il expliqua ce qu'il désirait en termes vagues et prudents. L'officier moustachu trancha brutalement à travers les circonlocutions du visiteur :

— Pas de forceur de blocus au port en ce moment. J'attends le *Phantom* demain mais il ne prendra pas de passagers. Juste la cargaison du *Guernsey*.

— Pourquoi pas de passagers ?

Le capitaine regarda Cooper comme s'il avait affaire à un débile mental.

— Le *Phantom* appartient au service Matériel de votre gouvernement, voyons.

— Ah ! oui. Il y a quatre bâtiments de ce genre. Comme je suis du ministère de la Marine, le *Phantom* pourrait faire une exception pour moi.

— Libre à vous d'en parler à son capitaine, mais je dois vous avertir que d'autres diplomates de la Confédération ont tenté sans succès d'obtenir une place à bord d'un forceur de blocus du gouvernement. Quand le *Phantom* lèvera l'ancre, chaque centimètre carré du pont et des cabines sera occupé par des armes et des munitions.

Le lendemain matin, sous un crachin lui rappelant le bas pays, Cooper et son fils traversèrent Rawson Square pour aller regarder le port, ses marchands et prostituées, marins et journalistes, soldats du régiment indigène de l'île. Judith répugnait à exposer son fils au spectacle d'un port de mer mais Cooper avait déjà donné à Judah quelques conférences paternelles à Liverpool en se fondant sur le principe que la connaissance défend mieux que l'ignorance contre la perversité du monde. Marchant à côté de son père et sifflant une chanson de marin, Judah ne tourna même pas la tête quand un matelot perdit au jeu de pile ou face et beugla : « Putain de bordel de merde ! » Cooper sentait parfois son cœur prêt à éclater d'amour et de fierté pour ce fils grand et beau.

Le *Phantom* s'était faufilé dans le port pendant la nuit, en battant pavillon britannique. La veille, Cooper Main avait eu un entretien bref et inutile avec son commandant. Le capitaine du port avait raison : même le bras droit du ministre Mallory ne serait pas accepté comme passager à bord d'un navire du service du Matériel.

— Je suis responsable d'une cargaison précieuse, avait fait valoir le commandant. Je n'y ajouterai pas la responsabilité de vies humaines.

Le crachin s'arrêta, le soleil apparut. Deux journées languides s'écoulèrent. Le *Phantom* repartit — à nouveau la nuit — et le croiseur yankee disparut, sans doute pour le poursuivre. A la fin de la semaine, Cooper en avait plus qu'assez d'attendre et de lire de vieux journaux, même ceux l'informant de la stupéfiante défaite de l'Union à Fredericksburg.

Les enfants furent bientôt las du spectacle du port. La relève de la garde au palais du Gouvernement les amusa une fois mais pas deux ; la nouveauté des flamants cessa après une vingtaine de minutes, et louer un buggy pour un pique-nique à la campagne n'arrangea rien. Judith se résignait à apaiser une fois par heure les disputes éclatant entre sa fille et son fils. Contaminé par les enfants, Cooper était d'humeur irascible et prompt à distribuer les taloches.

Enfin, après presque une semaine passée à Nassau, la rubrique maritime du *Nassau Guardian* du lundi annonça parmi les arrivées de la veille le *Water Witch*, de New Providence, cargaison de coton en provenance de Saint George, Bermudes.

— C'est sûrement un forceur de blocus ! s'exclama Cooper au petit déjeuner. Le coton n'est pas une production importante aux Bermudes et Bulloch m'a appris que les forceurs prétendent naviguer exclusivement entre des îles neutres.

Avec son fils, il reprit donc le chemin du port et fut retardé en chemin par le cortège funèbre d'une des nombreuses victimes de la fièvre jaune. Lorsqu'ils parvinrent devant l'endroit où mouillait le navire, Judah retrouva des accents liverpooliens pour s'écrier :

— Mazette ! Vise ce sacré tas de coton !

— Ne parle pas comme ça, répliqua Cooper, fasciné pourtant lui aussi.

Le *Water Witch* était un vapeur à aubes d'approximativement soixante mètres de long et trois cents tonneaux, avec des mâts courts inclinés vers l'arrière, un gaillard ressemblant à une carapace de tortue, pour pouvoir fendre plus facilement une mer agitée. Chaque centimètre du bateau — coque, aubes, mâts trapus — était peint en gris.

Du moins, tout ce qu'on en pouvait voir car au-dessus du plat-bord s'élevaient des balles de coton brunes et carrées empilées sur le pont. A l'exception de quelques meurtrières permettant de voir, elles dressaient une barricade autour du kiosque de navigation.

Cooper et son fils se faufilèrent à bord en évitant les balles passant d'une paire de mains noires à une autre. Main demanda à voir le capitaine mais ne fut reçu que par le second.

— Le capitaine Ballantyne est à terre. Il est descendu tout de suite. Je suppose qu'il est déjà en train de tripoter les fes... (Découvrant Judah, l'homme s'interrompit.) Vous ne le trouverez pas à bord avant demain matin, quand nous commencerons à charger. Pourquoi vous voulez le voir, d'abord ?

— Je suis **Mr. Main**, du ministère de la Marine. J'ai besoin de me rendre d'urgence sur le continent avec mon fils, que voici, ma femme et ma fille.

Le second se gratta la barbe.

— On repart pour Wilmington mais le voyage est sacrément dangereux jusqu'à ce qu'on soit sous la protection des canons de Fort Fisher. Je crois pas que le capitaine voudra prendre des civils, surtout des jeunes.

L'homme parlait avec l'accent des fermiers pauvres de la côte de Georgie. Etait-il sincère ou commençait-il déjà à marchander ?

— J'ai ordre de me présenter au ministre Mallory dès que possible, déclara Cooper. Voilà une semaine que j'attends un bateau. Je paierai le prix que vous demanderez.

L'officier se gratta l'aisselle.

— La place coûte cher à bord. Nous avons une seule cabine mais on y met généralement des clous, ou des choses de ce genre.

— Des clous ?

— Ouais. Ils se vendaient quatre dollars la caisse juste après le début de la guerre. Maintenant, un des propriétaires du bateau et quelques autres messieurs ont monopolisé le marché, et le prix est monté à dix dollars.

Le marin sourit à Cooper, qui plissa les yeux de dégoût.

— Dites-moi, monsieur...

— Soapes.

— D'où êtes-vous ?

— De Fernandina, un port de Floride.

— Je connais. Sudiste, donc ?

— Oui, m'sieur. Comme vous et le capitaine Ballantyne. Votre nom à vous, c'est Main, hein ? Vous êtes parent avec les Main de Caroline du Sud ?

— Je suis de cette famille. Pourquoi cette question ?

— Oh ! comme ça. J'ai entendu parler d'eux, c'est tout.

Mr. Soapes mentait, Cooper en était sûr mais se demandait pour quelle raison. Nerveux à présent, le second cria en direction d'un docker descendant la passerelle en chancelant, une balle en équilibre sur son dos nu.

— Si tu fous mon coton à l'eau, sale nègre, tu crèveras de faim jusqu'à ce que tu l'aies payé. Soixante cents la livre, prix du marché.

Cooper s'éclaircit la voix.

— Dites-moi, Mr. Soapes, quelle cargaison emporterez-vous pour Wilmington ?

— Oh ! comme d'habitude, vous savez.

— Non, je ne sais pas. Qu'est-ce que c'est, d'habitude ?

Soapes se gratta le ventre, regarda partout sauf en direction de Cooper.

— Du sherry, des cigares de La Havane. Je crois qu'on a des caisses de fromage, ce coup-ci. Et puis du thé, de la viande en conserve et du café...

A mesure qu'il récitait sa liste, le second parlait avec moins d'assurance, et les joues de Cooper s'empourpraient.

— Nous avons aussi du rhum..., des formes à chapeau venant de Londres.

— Alors que la Confédération a désespérément besoin de matériel de guerre ?

— On transporte ce qui rapporte, répliqua le second, dont le courage s'évanouit après cette repartie. De toute façon, c'est pas moi le subrécargue, c'est le capitaine qui s'occupe de la cargaison. C'est à lui qu'il faut vous adresser.

— Je n'y manquerai pas, vous pouvez me croire.

— Il reviendra pas du bordel avant demain matin.

Cooper comprit que le second avait prononcé le mot « bordel » uniquement pour le mettre mal à l'aise à cause de la présence de son fils.

— Mon père m'emmène tout le temps dans ce genre d'endroit, intervint le garçon. Nous l'y rencontrerons peut-être.

Mr. Soapes parut un moment stupéfait puis se rendit compte qu'on se moquait de lui.

Plus tard dans la journée, Cooper se rendit chez J. B. Lafitte, l'agent local de Fraser et Trenholm. Il se présenta, posa des questions sur le capitaine William Ballantyne, de Fernandina, et obtint de nombreuses informations.

Ballantyne, originaire de Floride, passait pour un capitaine compétent mais peu aimé des matelots, à qui il menait la vie dure. Selon Lafitte, Ballantyne avait gagné une petite fortune l'année précédente. En plus de son salaire de capitaine — les cinq mille dollars habituels, qu'il exigeait en argent de l'Union, déposés dans une banque des Bermudes — Ballantyne se livrait à quelque spéculation personnelle à chaque voyage.

Le navire de Ballantyne ne filait au mieux qu'onze nœuds — allure dangereusement lente compte tenu des eaux où il croisait. Il n'avait pas été construit spécialement pour forcer le blocus mais simplement réarmé par Rowdler, Chaffer et Company, un chantier de la Mersey que Cooper connaissait bien. Selon Lafitte, le *Water Witch* était la propriété d'un consortium de Sudistes dont les noms, à sa connaissance, n'avaient jamais été rendus publics.

A son retour, le lendemain matin, Cooper envoyé sous le pont, fut assailli par une odeur de viande salée. La cabine de Ballantyne empestait le tabac et était pleine de petites caisses portant des inscriptions espagnoles d'où se détachait le mot *Habana*.

— Des cigares, fit Ballantyne, désinvolte, lorsqu'il eut remarqué la curiosité du visiteur. Mon opération personnelle pour ce voyage. Asseyez-vous sur ce tabouret, je finis de m'occuper de notre manifeste, qui indique les Bermudes comme destination. C'est toujours là que nous allons, précisa le capitaine avec un sourire angélique.

C'était un homme au visage de lune, avec plus de poils dans les oreilles que de cheveux sur le crâne. Ventru, portant des lunettes, il avait un accent grasseyant qui rappelait davantage les Appalaches que le Sud profond.

La nécessité de se rendre à Richmond prit le pas sur la répugnance de Cooper — du moins pendant le marchandage sur le prix du voyage. Ballantyne avait un sourire onctueux et des manières flatteuses qui lui déplaisaient beaucoup.

— Voilà qui est réglé, conclut le capitaine à l'issue des tractations. Désolé de vous avoir manqué hier. Mr. Soapes m'a dit que vous avez un peu, euh, tiqué, sur la nature de la cargaison.

— Puisque vous abordez ce sujet, c'est exact.

Ballantyne continuait à sourire mais avec une pointe de hargne.

— J'ai préféré soulever le problème avant que vous le fassiez.

— Tiquer n'est pas le mot qui convient. Parlons plutôt de sérieuses objections morales. Pourquoi ce navire ne transporte-t-il que des marchandises de luxe ?

— Mais, cher monsieur, simplement parce que ses propriétaires en ont décidé ainsi. C'est ce qui ramène la braise.

Le marin frotta son pouce contre le bout de ses doigts, comme pour caresser un métal invisible.

— Vous gagnez de l'argent en transportant de la viande salée ?

— Bien sûr. A l'aller, j'ai déchargé un peu de coton à Saint George et, avec la place libérée, j'ai pris du lard. Je crois qu'il est destiné aux armées de l'Ouest mais je n'en jurerais pas. Tout ce que je sais, c'est que je l'ai vendu hier à un officier d'intendance confédéré... pour trois fois le prix que je l'avais payé aux Bermudes. C'est la meilleure viande qu'on puisse trouver dans tout l'Etat de New York. Les fermiers du coin aiment mieux vendre leur viande à notre camp qu'au leur. Ça rapporte plus.

Le visage livide, Cooper répliqua :

— Vous êtes un fieffé gredin, Ballantyne. Des hommes meurent faute d'armes et de munitions tandis que vous transportez du lard, des cigares et des formes à chapeau.

— Ecoutez, moi, je transporte ce qu'on me dit de transporter. Plus un petit quelque chose pour mes vieux jours. Je ne vois pas pourquoi vous montez sur vos grands chevaux. Tout le monde trafique !

— Non, capitaine. Votre manque de scrupules et de patriotisme n'est pas universel. En aucun cas.

Le sourire de Ballantyne s'évanouit.

— Je ne suis pas obligé de vous prendre à bord, vous savez.

— Je crois que vous auriez tort de refuser. L'attention du gouvernement pourrait être attirée sur la nature des biens que transporte ce navire.

Ballantyne agita les papiers qu'il tenait à la main et riposta, d'une voix trahissant pour la première fois un manque d'assurance :

— Essayez de me couler et vous coulerez du même coup quelqu'un qui vous est proche.

— Qu'est-ce que cela signifie ?

— Vous êtes de Caroline du Sud, m'a dit Mr. Soapes. C'est aussi le cas d'une des propriétaires de ce bateau, qui portait avant son mariage le même nom que vous. Elle a vingt pour cent des parts du *Water Witch*, et un frère au ministère de la Marine.

L'eau du port clapotait contre la coque. Cooper pouvait à peine avaler sa salive, encore moins parler.

— Que dites-vous ? réussit-il enfin à articuler.

— Allons, cher monsieur, ne faites pas l'innocent. L'un des propriétaires du bateau est une dame nommée Huntoon, Mrs. Ashton Main Huntoon, de Richmond. N'est-ce pas une parente à vous ?

Voyant l'expression atterrée de Cooper, Ballantyne poursuivit :

— C'est bien ce que je pensais. J'ai additionné deux et deux après avoir parlé à Mr. Soapes. Vous allez voyager sur un bateau de la famille, Mr. Main.

67

Penché par-dessus la balustrade de la galerie, George regardait la salle d'or et de marbre du Sénat. Il avait mal dormi, s'éveillant souvent, partagé entre la crainte et l'espoir.

Wade, maître d'œuvre de l'attaque contre l'école, fut le premier à se lever.

— J'ai si souvent exprimé mon opposition à des lois de cette nature et à l'allocation de crédits à l'institution en question que je ne perdrai pas mon temps à argumenter contre elle.

A la manière de tous les politiciens, il fit aussitôt ce qu'il venait de s'engager à ne pas faire :

— S'il n'y avait pas eu d'Académie militaire de West Point, il n'y aurait pas eu de rébellion. C'est là qu'elle a couvé ; c'est de là que sont sortis les principaux traîtres et conspirateurs.

Le débat, ainsi lancé, se durcit au fil des minutes. Le sénateur Wilson, président de la commission des Affaires militaires — que George avait longuement rencontré —, prit la parole pour reconnaître certaines faiblesses de l'Académie mais cita ensuite des faits contredisant Wade : les chiffres mêmes que George avait mentionnés dans sa lettre au *Times*. Wilson ne voyait pas en West Point le « berceau de la trahison » mais lui reprochait son caractère de « club fermé, dont les membres se targuent d'une supériorité sur les autres officiers de l'armée parfois très offensante ».

Le sénateur Nesmith rappela les noms de diplômés de l'école ayant donné leur vie pour l'Union (Mansfield et Reno, notamment, parmi les plus connus) et tenta d'émouvoir ses collègues en récitant un poème patriotique.

Aussitôt, Wade contre-attaqua : l'institution n'avait aucune utilité parce qu'elle formait des ingénieurs, pas les chefs d'une armée combattante. Habilement, il glissait dans sa diatribe une petite phrase qui ne cessait de revenir : *Traîtres au pays, traîtres au pays, traîtres au pays.*

George commençait à avoir mal à la tête. Wade triturait la réalité de manière révoltante. Lee était ingénieur mais aussi brillant stratège. Pourquoi déformer ainsi la vérité ? Etait-ce la nature de la bête politique ou une particularité de cette guerre, de ce moment, de ce nœud singulier d'intérêts et de passions ? Les hommes comme Wade éprouvaient-ils sincèrement la haine qu'ils exprimaient ? Cette possibilité, qui n'était certes pas nouvelle pour George, avait encore le pouvoir de le terrifier.

Il y avait bien entendu une explication plus cynique. Wade et sa clique vociféraient contre le Sud pour accéder au pouvoir. Et le sénateur, impitoyable, poursuivait :

— Je demande la disparition de cette institution. (Applaudissements çà et là.) Nous ne voulons pas d'intervention du gouvernement dans le domaine de l'éducation, militaire ou autre.

Sentant le courant contraire, John Sherman quitta son banc pour trottiner d'un collègue à l'autre. Foster, du Connecticut, fit observer que Yale et Harvard avaient formé autant de Sudistes que West Point.

— Yale n'est pas financé par le gouvernement des Etats-Unis, rétorqua Wade avec mépris.

On relança le débat sur le point de savoir si l'Académie avait ou non fourni des chefs compétents à l'Union. Cette discussion fut interrompue par le cadavérique sénateur Lane, du Kansas, qui conclut ses brèves remarques — une phrase ou deux — en répétant l'épitaphe de West Point qu'il colportait depuis des jours dans la capitale : « Mort d'esclavagisme ! »

Wade exprima son approbation en tapant des pieds ; Sherman trottina de plus belle.

Le débat se poursuivit. Wade proposa que West Point soit remplacé par un système d'institutions séparées propres à chaque Etat puis on passa au vote sur la loi de crédits.

— Ceux qui sont pour ?

Les oui furent sonores, fervents.

— Les contre ?

Les non furent encore plus bruyants mais — George en eut l'impression — moins nombreux. L'espoir lui jouait-il des tours ?

— Je procède au décompte, dit le vice-président Hamlin. Oui, vingt-neuf ; non, dix.

Des huées s'élevèrent dans la galerie et sur les bancs mais elles furent bientôt couvertes par de chaleureux applaudissements. John Sherman, l'air épuisé, tourna les yeux vers George, sans autre signe de satisfaction qu'une crispation spasmodique des lèvres.

Du Capitole, George prit le tramway pour se rendre au *Willard* et fêter l'événement au bar. Maudissant mentalement le travail sans intérêt qui l'attendait au Winder Building, il offrit tournée sur tournée aux autres officiers présents. Puis, demeuré seul, il s'approcha d'une table, s'assit et se mit à déclamer un slogan publicitaire qui avait retenu son attention dans un journal.

Contre le froid, contre la bruine
Un petit verre de Morris's Gin.

— Je crois que vous devriez rentrer chez vous, major Hazard, lui conseilla le garçon.

Si la terre connaît un nouveau déluge,
Espérons qu'il pleuvra du Morris's Gin.

— Vraiment, vous devriez rentrer, insista le serveur en emportant le verre encore à moitié plein de son client.

George se leva.

Chez lui, il annonça à Constance :

— Nous avons gagné.

— Tu as pourtant l'air sinistre. Et les jambes flageolantes. Assieds-toi donc avant de tomber.

Elle ferma les portes coulissantes du salon pour que les enfants ne puissent voir leur père.

— Aujourd'hui m'est apparu le vrai visage de cette ville, Constance, bredouilla George. (Se tenant la tête à deux mains, il contemplait une table à dessus de marbre, qui venait de se dédoubler.) Ignorance, préjugés, mépris de la vérité — voilà le véritable Washington. Certains des gredins du Sénat débitaient leurs mensonges comme s'ils récitaient les Dix Commandements. Je n'en peux plus. Il faut que je parte, d'une manière ou d'une autre...

Sa tête roula en arrière sur le napperon du fauteuil puis tomba sur son épaule. Constance s'avança derrière lui, tendit la main pour lui caresser le front. George ouvrit la bouche, se mit à ronfler.

Stanley semblait en revanche s'accommoder parfaitement de l'atmosphère byzantine de la ville. Il ne se considérait plus comme un nouveau venu — bien au contraire — et savourait ses responsabilités croissantes de bras droit de Mr. Stanton. De plus, il gagnait pour la première fois de sa vie beaucoup d'argent sans le secours de la famille.

Bien sûr, le vote des crédits pour West Point constituait un revers qui le rendit d'humeur maussade pendant quelques jours. Cette morosité était renforcée par celle du ministre, qui n'avait pas souri depuis que Burnside avait fait mouvement contre Lee, le 20 janvier, pour être stoppé deux jours plus tard par des pluies diluviennes transformant en bourbier les routes de Virginie.

Les apologistes de Burnside imputèrent à la main de Dieu l'échec de ce qu'on appela par dérision « la Marche dans la Boue », mais les hommes exerçant le pouvoir en accusèrent le général et le remplacèrent par Hooker. Joe le Battant annonça son intention de réorganiser l'armée, d'apporter des améliorations dans tous les domaines, de l'hygiène au moral — il commença immédiatement à accorder des permissions — et, surtout, d'anéantir les rebelles au printemps.

L'humeur de Stanley s'assombrit encore quand Isabel découvrit Laban, le pantalon sur les chevilles, forniquant avec une servante qui n'était que trop consentante. Stanley en fut réduit à caresser le postérieur de son fils avec une baguette de bouleau — opération devenant de plus en plus difficile à mesure que les jumeaux grandissaient —, à renvoyer la catin — ce qu'il fit sans mal — et à lui verser cent dollars — ce qui lui coûta beaucoup.

Un jour triste de la fin du mois, Stanton le convoqua. Bien qu'il eût passé la nuit à son bureau (cela lui arrivait fréquemment), le ministre semblait frais et plein d'énergie. Une estafette du ministère remplissant aussi les fonctions de barbier enduisait de mousse la lèvre supérieure de Stanton, qu'il s'apprêtait à raser.

— Regardez ça, dit le ministre en lançant sur le bureau un objet métallique.

C'était un grand penny de cuivre, frappé en 1857, dans lequel on avait découpé grossièrement le profil de Lincoln. L'estafette termina son travail, essuya la lèvre de Stanton. Stanley retourna la pièce, vit qu'on avait soudé au revers une petite épingle de sûreté.

— C'est ce que portent les ennemis du gouvernement! explosa le ministre après le départ du barbier. Ouvertement!

Stanley, habitué aux accès de colère de son supérieur, déclara calmement :

— Je savais qu'on appelait les Démocrates pacifistes *copperheads* mais j'en ignorais la raison. Puis-je vous demander d'où vient cet insigne?

— Du colonel Baker. D'après lui, il en existe un grand nombre. Stanley, les deux abominations de cette guerre sont la trahison et la corruption. Si nous ne pouvons pas grand-chose à cette dernière, nous sommes en mesure de lutter contre les traîtres. Je veux que vous rencontriez Baker plus souvent, que vous le pressiez d'intensifier ses activités et que vous les rendiez plus efficaces. C'est un ignare, un homme entêté mais il peut être utile. Je vous charge personnellement de veiller à ce qu'il le soit.

— Bien, monsieur le ministre. Songez-vous à quelqu'un en particulier contre qui vous voulez lancer le colonel ?

— Pas cette fois, mais je prépare des listes — des dossiers, pour les cas les plus graves, dit Stanton en se caressant la barbe. Voyez Baker au plus tôt, autorisez-le à engager des hommes supplémentaires. Nous allons lancer une attaque massive contre ceux qui tentent de renverser le gouvernement — en particulier ceux qui réclament une paix de lâches. Une dernière chose : le président doit tout ignorer de nos efforts. Comme je vous l'ai déjà dit, les services de Baker ne doivent en aucun cas figurer sur notre organigramme. Sa tâche est cependant essentielle et il faut lui fournir tout l'argent dont il a besoin.

Stanton sourit avant d'ajouter :

— En liquide. Sans traces.

— Je comprends. Je verrai le colonel dès cet après-midi.

Stanley s'en alla ravi de cette décision d'intensifier la répression contre les organisations pacifistes fleurissant dans le Nord-Est et le Nord-Ouest, ainsi que contre ceux qui critiquaient le gouvernement dans leurs articles ou leurs discours. Par contre, il ne se réjouissait guère d'avoir à rencontrer plus souvent Lafayette Baker, personnage grossier, énigmatique et parfois effrayant qui avait réussi à s'insinuer dans les bonnes grâces de Stanton avant l'Antietam. Depuis, le ministre considérait Baker comme le grand prévôt de ses services. Le colonel dirigeait sa propre organisation — que Stanton qualifiait en privé de bureau d'enquête du ministère de la Guerre — depuis un petit bâtiment en brique situé en face du *Willard*.

En caressant la tête de cuivre, Stanley songea que des rapports plus étroits avec Baker pouvaient aussi présenter des avantages. Cela lui permettrait peut-être d'amener le bureau à examiner de près le comportement de son frère George...

En février, George rencontra par hasard un homme méprisant autant que lui les méthodes du gouvernement.

Les forges venaient de fondre des canons Rodman à âme lisse de quinze pouces pour le front du Rappahannock. Christopher Wotherspoon les fit charger à bord d'un train de marchandises qui les transporta à l'arsenal de Washington, pour inspection et approbation. Wotherspoon fut aussi du voyage et, pendant deux longues soirées, il s'entretint avec George d'affaires concernant l'usine. Puis le jeune directeur surveilla le chargement des énormes pièces en forme de bouteille sur des barges qui les transporteraient par le Potomac, jusqu'à Aquia Landing. George, qui put se libérer, descendit le fleuve à bord d'une canonnière et arriva au débarcadère sous une tempête de neige.

Quand la température s'éleva, la pluie remplaça la neige, et George regarda Wotherspoon houspiller les soldats qui, à l'aide de palans et de poulies, hissaient les Rodman de cinq mille livres sur des rampes spécialement construites. Des wagons à plate-forme renforcée transporteraient ensuite les canons jusqu'au front par la ligne Richmond, Fredericksburg et Potomac.

Charger les pièces prit une journée entière. George demeura sous la pluie jusqu'à la fin de l'opération, regardant ses canons avec une fierté non dissimulée. Quand la dernière pièce fut en place, une locomotive

Mason flambant neuve s'accrocha aux wagons. On pouvait lire sur le poste de conduite l'inscription « Gal Haupt » et, sur le tender « Chemins de fer militaires des Etats-Unis ».

Un panache de vapeur enveloppa George, qui ne vit pas immédiatement l'homme moustachu d'aspect austère, portant des bottes crottées, qui était venu se poster près de lui. George avait l'impression de le connaître mais ne se rappelait pas qui il était.

L'homme mesurait une tête de plus que lui et, parfois, la seule existence de tels spécimens irritait George. Ce fut pour cette raison qu'il dit avec fierté, sans tourner la tête :

— Mes canons.

— Sur mon train.

Piqué, George se retourna et reconnut cette fois l'homme.

— Sur mes rails.

— Vraiment ? Etes-vous Hazard ?

— En effet.

— Ça, alors ! Je vous imaginais en rond-de-cuir pansu, incapable de mettre les pieds dans un endroit pareil. Vous fabriquez de bons rails, j'en ai posé quelques-uns.

Par-dessus le sifflement de la vapeur, George demanda :

— Etes-vous le général Haupt ?

— Non, monsieur. Je ne suis pas général. Quand j'ai accepté mon poste, en mai dernier, ce fut à la condition de ne pas avoir à porter l'uniforme. En automne, Stanton a essayé de me bombarder général de brigade de volontaires mais je n'ai jamais accepté officiellement. Devenez général, vous passez votre temps à faire des courbettes et à noircir du papier. Je suis Haupt, tout simplement.

L'homme fixa George comme un procureur examinant un témoin.

— Vous aimez boire un coup ? J'ai une bouteille dans le bâtiment, là-bas — la baraque minable qui tient lieu de bureau.

— Oui, j'aime boire un coup.

— Bon, vous voulez un verre de whisky ou pas ?

— Si vous invitez aussi mon directeur...

— Allez le chercher au lieu de parler.

C'est ainsi que naquit sous la pluie l'amitié de George Hazard et de Herman Haupt.

Haupt avait raison : le bureau n'était guère plus qu'une cabane dont le toit en planches laissait passer l'eau. La barbe luisante de gouttes de pluie, le « général » emplit deux gobelets sales. Wotherspoon, qui désirait faire le tour des vastes installations militaires avant son départ, avait décliné l'invitation.

— Je suis ingénieur civil de profession, déclara Haupt modestement. (Il passait pour l'un des meilleurs du pays.) J'ai pour tâche d'entretenir des chemins de fer de l'armée et d'en construire de nouveaux. C'est diablement difficile avec toutes ces paperasses. Et vous, que faites-vous ?

— Je travaille à Washington.

— Je ne le souhaiterais pas à mon pire ennemi. Que faites-vous au juste ?

— Je m'occupe de l'acquisition de pièces d'artillerie pour le service du Matériel. Autrement dit, je passe le plus clair de mon temps avec des imbéciles.

— Des inventeurs ?

347

— Ce sont les plus inoffensifs, répondit George avant de boire une gorgée. Je pensais surtout aux généraux et aux politiciens.

Haupt partit d'un grand rire puis se pencha en avant :

— Quelle opinion avez-vous de Stanton ?

— Je n'ai pas beaucoup de rapports avec lui. Sur le plan politique, il se montre extrêmement rigide et certaines de ses méthodes sont douteuses, mais je le crois plus capable que la plupart des autres.

— Il a compris plus vite qu'eux la leçon du Bull Run. Quand la guerre a commencé, rares étaient ceux qui avaient saisi la supériorité du rail sur les voies fluviales pour transporter les troupes. La plupart des généraux en sont encore à l'âge de la péniche mais le vieux Stanton a pris conscience de l'importance du rail quand les rebelles ont fait venir des renforts de la vallée par train et ont réuni deux armées pour écraser McDowell. Ils ont fait ça si vite que McDowell en a eu le vertige.

— Célérité, dit George en hochant la tête.

— Pardon ?

— La célérité — une des idées favorites de Dennis Mahan. Il y a plus de dix ans, il affirmait déjà que le chemin de fer et le télégraphe gagneraient la prochaine guerre.

— Si les généraux ne la perdent pas avant. Buvez un autre verre.

— Non, merci. Je dois essayer de trouver mon frère. Il est dans le Génie.

George se leva, Haupt lui tendit la main en disant :

— Ravi de cette conversation. Il n'y a pas beaucoup d'hommes intelligents et directs comme vous dans cette armée.

La remarque amusa George, qui n'avait guère fait qu'écouter.

— Je suis obligé de me rendre à Washington de temps à autre, poursuivit Haupt. La prochaine fois, je viendrai vous voir.

— Je l'espère bien, général.

— Herman, Herman.

Après s'être enquis des coordonnées des sapeurs, George monta en début d'après-midi dans un wagon à charbon d'un train à destination de Falmouth. Le chapeau rabattu sur les yeux, le dos contre le métal froid, il repensa à Haupt. Un an plus tôt environ, après l'adoption d'une loi instituant un réseau ferroviaire militaire, Stanton avait nommé à sa tête Daniel McCallum. Pour quelle raison celui-ci n'avait-il pas donné satisfaction ? George l'ignorait, mais Haupt n'avait pas tardé à le remplacer.

Haupt organisa ses services en deux corps, l'un pour faire fonctionner le réseau, l'autre affecté à la construction, et c'est avec ce dernier que Haupt était devenu célèbre. On le connaissait pour la rapidité avec laquelle il posait les voies, construisait des ponts — et se mettait en colère. Au moins, cet homme réalisait quelque chose, ce que George ne pouvait dire de Ripley. Ou de lui-même.

Il sauta du train à Brooks Station, trouva Billy surveillant la construction d'un rempart destiné à protéger la gare. Ils parlèrent plus d'une heure et George apprit que son frère venait de passer une semaine de permission à Belvedere. A l'aller comme au retour, Billy était passé par Washington au milieu de la nuit, ce qui expliquait pourquoi il n'avait pas fait un détour par Georgetown.

— Je comprends ton impatience de voir ta femme mais pas ta hâte de revenir ici, fit observer George en souriant.

— Je veux en finir avec cette guerre. J'en ai assez d'être séparé de Brett. J'en ai assez de tout cela.

Tel fut le ton de leur entretien : peu d'humour, une morosité envahissante. George ne parvint pas à égayer l'humeur de son frère et éprouva lui-même de la tristesse en regagnant la capitale.

A sa surprise, il ne s'écoula pas une semaine avant que Herman Haupt ne vînt le trouver dans le Winder Building. Les deux hommes se rendirent au *Willard* où ils prirent un plantureux déjeuner arrosé de bière. Haupt était furieux : il sortait d'une réunion au ministère de la Guerre. Lorsque George lui demanda ce qui s'était passé, il répondit :

— Oublions-le. Si j'en parle, je vais prendre un nouveau coup de sang.

— Moi, j'ai eu une nouvelle discussion avec Ripley ce matin et je ne suis pas de meilleure humeur que vous. Je ne cesse de répéter à ma femme que je ne resterai plus longtemps ici.

Haupt mâchonnait un cigare qu'il n'avait pas allumé.

— Si vous décidez de partir, prévenez-moi. Je vous ferai travailler à la construction de voies ferrées.

— Je sais fabriquer des rails, Herman, mais j'ignore tout de la façon de les poser ou de les entretenir.

— Vingt-quatre heures dans l'unité de construction et vous le saurez, je vous le garantis.

Libéré d'un grand poids, George sourit :

— J'apprécie votre offre. Je vous prendrai peut-être au mot plus tôt que vous ne le pensez.

Des vents violents, des températures glaciales et des tempêtes de neige continuaient à tourmenter les armées attendant le printemps. Charles réussit à se rendre trois fois à la ferme Barclay pour y passer la nuit. La première, il apporta deux carabines prises à des Yankees morts et les confia aux deux affranchis — un acte qui lui aurait valu le fouet dans son Etat natal. Mais il avait confiance en eux et il valait mieux qu'ils soient armés si les bleus traversaient le fleuve en force.

Sa seconde visite faillit lui coûter la vie. Revenant d'une mission de deux jours avec Abner derrière les lignes ennemies, il portait encore l'uniforme de l'Union avec lequel il s'était déguisé. Il neigeait lorsqu'il approcha de la ferme et Boz, le prenant pour un ennemi, lui tira dessus et le manqua de peu. Le temps que l'affranchi recharge son arme, Charles et Joueur avaient trouvé refuge derrière l'un des chênes. Cette fois, la balle s'enfonça dans l'arbre. Charles cria pour se faire reconnaître et Boz s'excusa pendant près de dix minutes.

Charles ne se rassasiait pas de la veuve aux yeux bleus. Il ne se lassait pas de lui parler, de dormir avec elle, de la toucher ou simplement de la regarder.

Gus voulait tout savoir de la vie de Charles. En dégustant un savoureux bouillon — dont il pêcha les os dans la marmite pour sucer la moelle — il lui décrivit la monotonie de la vie de camp en hiver. Celui de Jeb Stuart, situé au sud de Fredericksburg, avait été surnommé le Camp sans Camp tellement on s'y ennuyait.

Il brossa ensuite le portrait de cavaliers confédérés dont le nom devenait légendaire. Turner Ashby avait brillé un an dans le ciel, comme une comète, montrant une témérité suicidaire sur son cheval blanc. D'aucuns disaient qu'il brûlait de venger son frère Richard, qui avait été tué. Ashby lui-même mourut dans la vallée en été. John Mosby avait été éclaireur pour Stuart quand ce dernier avait contourné l'armée de McClellan et commandait à présent des troupes montées irrégulières dans les comtés de Loudoun, Fauquier et Fairfax — région qu'on surnommait déjà la Confédération de Mosby.

— Les Yanks voudraient le pendre comme hors-la-loi, précisa Charles.

Dans le Kentucky, il y avait John Hunt Morgan, surnommé l'Eclair de la Confédération, et on commençait à entendre des histoires fantastiques sur un autre cavalier de l'Ouest, un fermier nommé Bedford Forrest, sachant à peine lire et écrire.

— Il a un surnom, lui aussi ?

— Le Sorcier de la selle.

— On t'a oublié, Charles.

— Oh, non. Ab, moi et tous les autres, on nous appelle les Eclaireurs de fer.

— On dirait un compliment.

— Je le prends comme tel, dit Charles en souriant.

— Les Yankees doivent vous considérer comme des cibles de choix.

Portant un os à sa bouche, il leva les yeux vers Augusta dont ni le ton ni l'expression n'étaient empreints de légèreté.

A la fin de la troisième visite, Augusta l'embrassa longuement sur la bouche avant de murmurer :

— Quand reviendras-tu ?

— Sais pas. Bientôt nous descendrons dans la partie sud de l'Etat chercher des chevaux. Nous en avons perdu beaucoup.

— Dis au général Hampton que je ne veux pas qu'il t'arrive quelque chose...

— Et toi, dis à Boz et à Washington de dormir avec leur carabine — chargée.

De retour au camp, il retrouva Abner, qui le surprit et l'irrita en le taquinant.

— Bon Dieu, Charlie, ça fait une heure que t'es là et t'as fait que parler de cette fille. Avant, tu parlais de Joueur et de la guerre de temps en temps. T'as oublié pourquoi on est ici ?

Charles réfléchit et s'aperçut qu'il n'avait rien à répondre à cette question.

68

Il était toujours pénible à Virgilia de demander au visiteur de partir. Bien qu'il fût étrange, les malades l'aimaient bien et attendaient ses visites du dimanche. Parfois, il ne venait pas parce qu'il n'avait pas réussi à se faire admettre à bord d'un vapeur militaire à destination d'Aquia Landing.

A chacune de ses apparitions, il apportait des bonbons, des crayons bon marché et du papier à lettre, des carottes de tabac, de petits pots de confiture et des billets de cinq ou dix cents qu'il distribuait aux blessés pour qu'ils puissent acheter du lait frais aux marchands qui passaient. Virgilia soupçonnait le visiteur de se priver pour acheter ce qu'il donnait aux malades. Il ne devait pas gagner grand-chose puisqu'il n'était que gratte-papier dans les services de l'officier trésorier. C'était, avec son nom, tout ce qu'elle savait de lui, hormis qu'il semblait avoir besoin de réconforter les soldats hospitalisés.

C'était le début de l'après-midi, le soleil pâle de février brillait. Aquia Landing, vaste ensemble de docks, d'aiguillages, de baraques en pin et de tentes où vivaient des milliers de soldats, de civils et de réfugiés noirs était relativement calme. Le bâtiment étroit et long de l'hôpital abritait des hommes blessés au cours d'escarmouches ou tombés malades pendant l'infâme Marche dans la boue.

Virgilia sentait le moral des troupes remonter. Au printemps, le général Hooker conduirait ce qui serait peut-être la phase finale de la croisade contre les rebelles. Entendant des voix dans le hall, Virgilia s'approcha du bon Samaritain du dimanche, assis près d'un soldat endormi dont il tenait la main. Agé d'une quarantaine d'années, le visiteur était barbu et bâti en hercule. Il avait cependant des yeux pleins de douceur, un teint clair, des mains délicates.

— Walt, voici la délégation. Il faut partir.

Avec de lents mouvements d'ours, le visiteur se leva du tabouret que sa masse avait complètement caché. Sentant qu'on abandonnait sa main, le soldat ouvrit les yeux.

— Ne partez pas.

— Je reviendrai, promit Walt.

Il se pencha pour embrasser la joue du jeune blessé. Plusieurs infirmières trouvaient ce comportement anormal mais les soldats qui appréhendaient la scie du chirurgien ou souffraient horriblement appréciaient les baisers et les serrements de main de Walt. C'était le seul amour que certains d'entre eux connaîtraient avant de mourir.

— A la semaine prochaine, Miss Hazard, dit le visiteur du dimanche. Si je peux.

Il sortit en traînant les pieds au moment même où les membres de la délégation faisaient leur entrée par l'autre porte. Le groupe se composait de deux femmes et quatre hommes appartenant à la commission sanitaire, ainsi que d'un septième personnage envers qui les autres semblaient montrer beaucoup de déférence. Virgilia se félicita d'avoir passé le sol et les murs au désinfectant la veille ; cela atténuait les odeurs de maladie et d'incontinence.

— ... salle typique, soigneusement tenue par les infirmières bénévoles, comme vous pouvez le constater, monsieur le député.

L'homme qui venait de parler, membre de la commission, fit signe à Virgilia.

— Mademoiselle, pouvez-vous nous accorder quelques instants ?

Touchant ses cheveux, lissant son tablier, elle s'avança d'un pas vif vers les visiteurs. Tous étaient d'âge mûr à l'exception du parlementaire, homme grand et voûté d'allure peu avenante. Pourtant il l'impressionna lorsqu'il ôta son chapeau d'un geste théâtral — révélant des cheveux ondulés pommadés — et examina rapidement son visage et sa silhouette.

L'épouvantail à moustache blanche qui l'avait appelée poursuivit :

— Vous êtes Miss...

— Hazard, Mr. Turner.

— Comme c'est aimable à vous de vous souvenir de moi. Nous avons un invité d'honneur, qui souhaite inspecter certaines de nos installations. Puis-je vous présenter Samuel G. Stout, représentant de l'Indiana ?

— Miss Hazard, dit le parlementaire, stupéfiant Virgilia.

De ce corps de rond-de-cuir sortait la voix la plus profonde qu'elle eût jamais entendue — une voix d'orateur-né, capable de tirer des larmes et d'entraîner des foules. En prononçant les deux mots, il l'avait regardée avec de petits yeux marron rapprochés qui la firent frissonner.

— Nous sommes heureux de vous accueillir, assura-t-elle. De nombreuses personnalités de Washington passent par Aquia Landing mais, jusqu'à présent, aucune n'avait encore honoré notre salle de sa visite.

— Hormis se battre au front, il n'est pas de tâche plus importante que celle de remettre nos soldats en état de combattre, dit Stout. Je ne pense pas, comme Mr. Lincoln, que nous devons montrer de la douceur à l'égard des traîtres. Je suis de l'avis de Mr. Stevens, qui estime qu'il faut les punir sans pitié. Vous contribuez à hâter ce châtiment.

Des murmures d'approbation parcoururent la délégation. Une femme, énorme comme un ballon dirigeable, pressa un gant contre son front et s'exclama :

— Bravo !

Quoique consciente du comportement politicien de Stout, qui transformait une simple conversation en discours électoral, Virgilia était fortement troublée par sa voix et les idées qu'elle exprimait.

— Faites-vous partie du corps de Miss Dix ? demanda-t-il en s'approchant encore.

Elle acquiesça, sentit l'odeur de cannelle de sa chevelure.

— Parlez-nous un peu de votre travail, suggéra Stout en souriant.

Il avait des dents de travers, qui confirmèrent Virgilia dans sa première impression : physiquement, il n'était guère attirant. Pourtant, elle devinait en lui force et détermination.

— Ce jeune garçon, par exemple, continua-t-il.

En la dirigeant vers un des lits, il trouva le moyen de lui prendre le bras, ce qui provoqua en elle une réaction physique si inattendue qu'elle craignit de rougir.

Le soldat alité tourna vers les visiteurs un regard fiévreux.

— Henry montait la garde sur le Rappahannock, dit Virgilia. Des éclaireurs rebelles passèrent à proximité, il y eut un échange de coups de feu.

Le blessé posa sa joue contre l'oreiller, ferma les yeux. Virgilia entraîna les visiteurs à l'écart et murmura :

— On ne pourra sauver sa jambe droite. D'ici deux ou trois jours, les chirurgiens devront l'amputer.

— J'aimerais ravir la vie de dix rebelles pour les punir d'avoir infligé un tel sort à ce garçon. Je les crucifierais si ce châtiment était permis par notre société. Il devrait l'être. Rien n'est trop cruel pour ceux qui nous ont précipités dans l'abîme de cruauté de cette guerre.

Un des membres de la commission fit observer :

— Ne serait-ce pas un peu sévère ?

— Pas du tout. Un parent qui m'était cher, aide de camp du général Rosencrans, s'est fait tuer à Murfreesboro il y a moins de deux mois. On ne put restituer sa dépouille à sa famille tant le corps avait été mutilé. Les parties intimes...

Stout s'interrompit, conscient sans doute qu'il était allé trop loin.

Pas pour Virgilia, en tout cas. Stout l'excitait comme peu d'hommes l'avaient fait depuis qu'elle avait rencontré John Brown, le visionnaire. Elle guida les visiteurs dans la salle en éprouvant une curieuse impression de délire. Son esprit continuait à fonctionner assez bien pour qu'elle pût décrire chaque cas mais une partie d'elle-même demeurait libre pour contempler avec ravissement le parlementaire. Se pouvait-il qu'il la trouvât elle aussi très attirante ?

Sans s'en rendre compte, elle s'attarda exagérément devant chaque lit, ce qui incita Turner à battre du pied. N'obtenant aucun résultat, le membre de la commission se résolut à tirer une grosse montre de son gousset en disant :

— Je crains qu'il ne faille nous presser, Miss Hazard. Nous devons encore visiter les magasins de l'Intendance.

— Certainement, Mr. Turner.

Virgilia se dit que si elle laissait partir Stout sans lui faire comprendre ce qu'il avait éveillé en elle, elle risquait de ne plus le revoir. Après un temps d'hésitation, elle ajouta :

— Pourrais-je m'entretenir un moment en privé avec Mr. Stout ? Notre hôpital manque de certaines choses qu'il pourrait nous aider à obtenir.

Prétexte peu convaincant, elle s'en rendait compte, mais elle n'en avait pas trouvé de meilleur. Soupçonnant quelque chose, Turner et la grosse dame échangèrent un regard : il y avait outrage à la décence. Stout demeurait impassible mais ses yeux souriaient : il avait compris lui aussi.

Virgilia s'éloigna, il la suivit, tandis que le reste de la délégation descendait l'allée dans l'autre sens. Le feu aux joues, l'infirmière s'arrêta entre deux lits dont les occupants dormaient, se tourna vers Stout et murmura :

— J'ai menti tout à l'heure. Nous ne manquons de rien.

Le regard du parlementaire caressa un instant la poitrine de Virgilia, revint au visage.

— Je l'espérais, à dire vrai.

— Je... Je voulais simplement vous faire savoir combien j'admire les propos que vous avez tenus sur l'ennemi. Je partage votre haine du Sud et ne puis envisager une paix modérée comme celle que défend Mr. Lincoln.

Stout pinça les lèvres.

— Il n'y aura pas de paix modérée si les parlementaires de notre opinion l'emportent, déclara-t-il de sa voix profonde comme les registres graves d'un orgue. Si vous avez l'occasion de vous rendre à Washington, nous pourrons en discuter plus à loisir.

— Ce... ce serait avec plaisir. Je comprends les sentiments d'un homme dont l'ennemi a torturé un parent cher.

— Le frère aîné de ma femme.

Virgilia eut l'impression qu'il l'avait giflée. A en juger par la petite moue de sa bouche et l'expression de ses yeux, la révélation n'était pas fortuite.

— Votre... ?

— Femme, répéta-t-il. Depuis que nous sommes arrivés de Muncie, elle s'occupe de sociétés féminines, de comités humanitaires, etc. Je ne l'accompagne en public que lorsque la situation l'exige. Cela pour indiquer que nous avons peu de chose en commun.

— Excepté un certificat de mariage.

— Miss Hazard, je ne suis guère enclin à l'hypocrisie — sauf quand je m'adresse à mes électeurs. Ne soyez pas fâchée. Je vous trouve extrêmement attirante et j'ai simplement voulu être franc.

Virgilia eut soudain mal à la tête. Il lui vint l'idée répugnante qu'il avait déjà tenu ces propos, qu'il débitait avec l'aisance que donne l'habitude.

— Le fait que je sois marié ne devrait pas nous empêcher de nous rencontrer discrètement pour manger en échangeant des idées stimulantes.

Virgilia recula d'un pas.

— Ce n'est pas du tout mon avis.

— Ma chère Miss Hazard, dit Stout en plissant le front, ne laissez pas une sotte pruderie...

— Excusez-moi, monsieur le Député, coupa-t-elle avant de s'éloigner d'un pas vif.

Furieuse de s'être laissé emporter par son émotion et d'avoir été ainsi humiliée, Virgilia franchit les portes à battant de la salle en les poussant brutalement.

69

Le bar, plutôt louche, était situé dans un quartier mal famé, dans la rue Q, près de Greenleaf's Point. L'endroit grouillait d'officiers de l'arsenal braillards, de civils en goguette, de malfrats et de prostituées — des Blanches, des Noires et même une Chinoise. Jasper Dills s'y était rendu avec une forte répugnance, uniquement parce que la rencontre ne pouvait avoir lieu dans les quartiers respectables qu'il fréquentait habituellement. Après tout, il répondait à l'appel d'un déserteur de l'armée.

Le cocher de Dills attendait au comptoir, un pistolet caché sous ses vêtements, ce qui rassurait un peu le petit homme de loi. On ne pouvait être trop prudent à Washington. Dills ne se serait jamais risqué dans un tel lieu s'il n'y avait eu l'allocation.

Bent, assis de l'autre côté de la table, entama son plaidoyer :

— Je suis désespéré, Mr. Dills. Je n'ai aucune ressource.

Les ongles manucurés de l'avocat firent tinter son verre d'eau minérale.

— Votre lettre quelque peu incohérente me l'a fait comprendre. Je vous parlerai franchement, et j'espère que vous tiendrez compte de chacune de mes paroles. Si je prends des dispositions — si j'écris la note à laquelle je pense — vous ne devez pas risquer de me compromettre. Vous devrez vous entendre avec l'homme que j'ai l'intention de vous présenter comme si le passé n'existait pas. Vous devez oublier vos difficultés à West Point, vos griefs imaginaires...

— Ils ne sont pas imaginaires, coupa Bent en frappant sur la table.

— Recommencez une seule fois et je m'en vais, murmura Dills.

Le déserteur se couvrit les yeux d'une main tremblante.

— Pardon, Mr. Dills. J'oublierai le passé.

— Vous feriez bien. Du fait de votre conduite à La Nouvelle-Orléans, plus une seule voie légale ne s'ouvre devant vous. Celle que je vous suggère est au mieux marginale.

— Comment... comment savez-vous ce qui s'est passé à La Nouvelle-Orléans ?

— J'ai des informateurs et je continue à m'intéresser à votre carrière. Mais peu importe, venons-en aux faits. Vous me garantissez que, à votre connaissance, vous n'avez jamais rencontré l'homme en question ?

— Oui.

— Mais il connaît probablement votre vrai nom. Pour cette raison — et aussi parce qu'il a accès aux archives militaires — nous vous donnerons une nouvelle identité. Disons un nom de guerre.

La remarque amena un sourire froid sur les lèvres de l'homme de loi.

354

Un nom de guerre, tout à fait, pensa Bent. Il faisait encore la guerre, cette fois pour assurer sa propre survie.

Une putain à la peau brune caressa l'épaule de Dills, qui lui prit la main et la repoussa. La fille lui jeta un regard mauvais avant de se diriger en jouant des hanches vers un autre client.

— Que diriez-vous d'un nom de l'Ohio ? proposa Bent. Dayton ? Ezra Dayton ?

— Suffisamment passe-partout, approuva l'avocat avec un haussement d'épaules. Vous devrez vous rendre au ministère de la Guerre pour la première rencontre. C'est possible ?

— On ne pourrait pas... ? commença Bent. (Le regard dur de Dills le fit s'interrompre.) Oui, c'est possible.

— Bon. Avant de disparaître des effectifs de l'armée, vous vous êtes fait une réputation d'homme particulièrement brutal. Oh ! n'ouvrez pas la bouche en feignant l'innocence. J'ai lu une copie de votre dossier. En l'occurrence, ce penchant déplaisant plaide en votre faveur. Ecrivez l'adresse de votre garni sur ce morceau de papier. Demain, j'y enverrai un messager avec une enveloppe adressée à Ezra Dayton. Vous y trouverez une seconde enveloppe — cachetée, celle-là — que vous ne devrez pas ouvrir. Elle contiendra une lettre de recommandation destinée à l'assistant du ministre en matière de sécurité intérieure, Stanley Hazard.

Deux jours plus tard, à sept heures et demie du matin, Bent brossa le costume acheté à La Nouvelle-Orléans. Il s'était fripé pendant le voyage, mais il n'en avait pas d'autre. L'ancien officier avait l'intention de se rendre à pied au ministère de la Guerre afin d'économiser le prix d'un fiacre. Il ne lui restait que quelques dollars et l'entretien pouvait mal se passer. En ce cas, il serait acculé au vol — ou à pire.

En sortant de son immeuble miteux, il tourna à droite, passa devant un terrain vague où des réfugiés noirs avaient construit des cabanes avec des débris de charpente, sans doute volés. Bent jeta un coup d'œil méprisant aux hommes de couleur accroupis autour d'un feu de bois.

Au froid rigoureux de février avait succédé un temps doux. Sous un soleil éclatant, Bent se rendit d'un pas lent jusqu'au canal, le traversa puis franchit le portique à colonnes du bâtiment du ministère de la Guerre, qui lui parut immense : trois étages, avec des cheminées dépassant des branches dénudées des arbres.

A l'intérieur, un soldat armé lui demanda ce qu'il voulait. D'une main moite de sueur, Bent présenta la lettre cachetée ; le soldat l'envoya au premier. En chemin, Bent s'arrêta pour couler un regard dans une pièce où une sorte de gnome dodu à lunettes métalliques se tenait derrière un pupitre le séparant d'une file de quémandeurs : femmes en larmes, officiers et sous-officiers de l'armée, civils probablement en quête d'un contrat. Bent se rendit compte avec stupeur qu'il s'agissait de Stanton. Recevait-il régulièrement le public ?

Au premier étage, un planton conduisit Bent dans une vaste pièce, où Stanley Hazard trônait derrière un magnifique bureau en noyer. Celui-ci fit attendre le visiteur le temps qu'il ouvre la lettre et en prenne connaissance puis daigna enfin lui faire signe.

— Asseyez-vous. Mon temps est compté, ce matin.

Bent eut toutes les peines du monde à caser son postérieur dans un fauteuil. Le souvenir du passé fit palpiter une veine de son front mais il s'efforça de maîtriser ses idées de violence. Cet homme représentait pour lui le meilleur moyen — le seul, peut-être — d'échapper à la misère et à l'échec total. Bent devait oublier que Stanley Hazard avait un frère.

Cela lui fut plus facile lorsque Stanley eut un sourire d'une onctuosité réconfortante.

— Cette lettre de Mr. Dills vous présente comme Ezra Dayton mais précise qu'il ne s'agit pas de votre vrai nom.

— Quoi ? fit Bent, soudain terrorisé.

— Vous n'en connaissez pas le contenu ?

— Non, non.

Stanley lut à voix haute :

« Dayton est un pseudonyme. On ne peut révéler sa véritable identité à cause de certains rapports avec des personnes haut placées qu'il convient de protéger. Cet anonymat forcé ne diminue en aucune manière sa capacité à vous seconder et n'ôte rien à mes recommandations chaleureuses. »

— C'est... c'est très aimable de votre part, balbutia Bent, soulagé.

Stanley croisa les mains, détailla son visiteur.

— Mr. Dills propose de vous affecter aux services spéciaux d'un bureau de ce ministère qui n'a pas d'existence officielle. Il a pour tâche de purger la société de personnes dont les opinions ou les actes nuisent au gouvernement. Cela peut se faire sur ordre direct du ministre...

Cela, Bent le savait. Stanton détenait un immense pouvoir. Il n'avait qu'à murmurer pour qu'un adversaire du gouvernement disparaisse dans la prison de l'ancien Capitole.

— ... bien que, dernièrement, les ennemis devenant plus nombreux, ce soit le bureau lui-même qui prenne des initiatives. Ce bureau a pour chef le colonel Baker, également responsable de certaines missions confidentielles derrière les lignes ennemies. De temps à autre, je lui envoie un homme prometteur, et c'est manifestement ce à quoi pense Dills.

Stanley en resta là, attendit une réponse. Trempé de sueur, Bent bredouilla :

— Cela semble une tâche éminemment importante, et que j'accomplirai avec enthousiasme. Je soutiens fermement le programme du gouvernement...

— C'est apparemment le cas de tous les quémandeurs d'emploi, dit Stanley avec un sourire affecté qui mit l'ancien officier mal à l'aise.

L'instant d'après, il vint à l'esprit de Bent que le membre du clan Hazard qu'il avait devant lui était peut-être taillé dans la même étoffe que lui et ne méritait pas son hostilité. Stanley Hazard était hautain, ouvertement imbu de son importance — traits de caractère pour lesquels l'ex-colonel avait de l'admiration.

— N'oubliez pas, Dayton, que c'est Baker qui décide ou non d'embaucher quelqu'un. Je puis toutefois ajouter mes recommandations à celles de Dills.

— Je vous en serais...

— Je n'ai pas dit que je le ferai, coupa Stanley. Pourquoi n'êtes-vous pas dans l'armée ?

Bien qu'il se fût préparé à cette question, Bent sentit la panique le gagner.

— J'y étais, Mr. Hazard.

— Evidemment, votre anonymat nous empêche de vérifier ce point. Très habile, apprécia Stanley avec une ébauche de sourire. Vous pouvez au moins dévoiler les circonstances de votre départ.

— J'ai démissionné. J'ai refusé ma mutation à la tête d'une unité de nègres.

— Gardez ce genre d'expression pour vous. Le ministre est un fervent partisan de l'émancipation.

Bent eut à nouveau l'impression de basculer dans l'abîme de l'échec.

— Je suis désolé, Mr. Hazard. Je vous promets...

— Encore un conseil. Le colonel Baker est un adepte de la tempérance. Si vous avez l'habitude de boire, abstenez-vous-en avant de le rencontrer.

L'espoir de Bent reprit son essor tandis que Stanley ajoutait, sur un ton de confidence :

— Cela mis à part, le colonel n'exige pas la sainteté ni même la pureté idéologique. Il ne demande à ses hommes que deux qualités : loyauté et obéissance aux ordres. N'importe quel ordre. Aussi... (Stanley agita la main) irrégulier puisse-t-il apparaître à certains constitutionnalistes fourvoyés. Me fais-je bien comprendre ?

— Parfaitement. Je possède ces qualités.

— Nous en avons besoin parce que nous sommes pris dans une lutte féroce. Les ennemis du gouvernement sont légion. Mais nul n'est hors de notre portée. Si cela vous dit de nous aider à atteindre notre objectif : écraser la subversion intérieure pendant que nos généraux écrasent son équivalent sur le plan militaire...

— Tout à fait.

— Alors, je vais moi aussi vous recommander. Comme je vous l'ai précisé, c'est Baker qui prendra la décision en dernier ressort, mais je m'y connais en hommes. Vos chances de succès me semblent excellentes.

Stanley prit une plume, griffonna rapidement quelques lignes au bas de la lettre de Dills puis sonna le planton pour se faire apporter une enveloppe, qu'il cacheta après y avoir glissé la feuille.

Le visiteur exultait : il avait complètement abusé Stanley Hazard, qui n'avait pas fait le rapprochement avec Elkanah Bent. Il avait envie de poser des questions sur George, le frère, mais ne voyait pas comment faire sans éveiller de soupçons. L'ancien colonel se força à oublier sa soif de vengeance ; il fallait d'abord se faire accepter par Baker.

Stanley lui tendit l'enveloppe cachetée en disant :

— Vous la remettrez au colonel Baker, 217 Pennsylvania Avenue.

— Merci, monsieur, merci.

Bent s'extirpa de son fauteuil, tendit la main droite en oubliant qu'elle tenait l'enveloppe et la fit tomber par terre. Stanley se leva à son tour et, au lieu de serrer la main offerte, noua les doigts derrière son dos.

Piqué au vif par cet affront, le déserteur parvint à se maîtriser. Il se pencha péniblement en avant, ramassa la lettre.

— Une dernière chose, lui lança Stanley d'un ton sec.

— Monsieur ?

— Votre nom ne figure pas à la page d'aujourd'hui sur mon agenda. Notre entretien n'a pas eu lieu et vous n'êtes jamais venu dans ce bâtiment. Si vous violez ces instructions, vous pourriez avoir de graves ennuis. Au revoir.

Que feraient-ils s'il parlait ? Ils le tueraient ? Cette éventualité effraya Bent un moment mais son exultation reprit aussitôt le dessus. Il avait finalement trouvé une porte — même si elle n'était qu'entrouverte — menant aux allées du pouvoir.

En descendant l'escalier, il se promit de plaire à tout prix au colonel Baker. Par la suite, il pourrait peut-être retrouver George et Billy Hazard grâce à ce bureau spécial. De plus, le travail proposé lui convenait parfaitement. Il se voyait déjà interrogeant une femme suspecte. Déchirant sa robe, tendant la main pour la toucher...

Bent se sentit renaître lorsqu'il sortit dans le soleil. Les employés et les officiers couverts de galons se trouvant devant l'entrée regardèrent avec stupeur cet obèse qui dansait presque dans l'allée de President's Park.

70

Posté à tribord devant la timonerie, Cooper contemplait le ciel. Etait-ce un effet de son imagination ou le manteau de nuages s'amincissait-il au point de laisser passer les rayons de la lune ?

Ballantyne lui avait dit que le succès de leur tentative dépendait de deux conditions : le courant adéquat et une obscurité totale. Le courant était favorable mais, depuis peu, le vent du large s'était levé, chassant les nuages. La vigie, invisible quelques minutes plus tôt, se dessinait nettement dans les barres traversières.

Le *Water Witch* naviguait depuis trois jours sans incident. Des navires fédéraux étaient apparus à l'horizon mais le forceur de blocus avait réduit ses feux pour faire moins de fumée et, aidé par son profil bas et sa couleur grise estompant ses lignes, était passé sans se faire repérer. Puis vinrent les heures dangereuses, ce court laps de temps pendant lequel un capitaine gagnait ses cinq mille dollars en or ou en argent yankee. Pourtant, Ballantyne semblait sans inquiétude et avait promis aux Main une coupe de champagne pour fêter leur succès une fois qu'ils auraient passé Fort Fisher.

Depuis le départ, Cooper essayait de se faire à l'idée qu'Ashton était l'un des propriétaires du navire, qui n'avaient manifestement cure du sort de la Confédération. Ballantyne avait toutefois assuré que personne d'autre à bord ne connaissait le nom des actionnaires et qu'il n'avait mentionné celui d'Ashton qu'afin de réduire Cooper au silence. La révélation avait eu le résultat escompté. Elle avait aussi profondément bouleversé Cooper, qui ne savait encore ce qu'il ferait de sa découverte.

Agrippé au bastingage, il sentait le vent sur son visage. Il faisait doux pour l'hiver. A bâbord oscillaient les feux de l'escadre assurant le blocus. Comment les Yankees pouvaient-ils ne pas entendre le clapotis régulier des aubes du bateau ? Bien que le *Water Witch* progressât très lentement vers le sud, tout près de la côte, en suivant le chenal, ses machines semblaient faire un bruit de tonnerre.

— Big Hill à tribord, dit la vigie à mi-voix.

Un matelot courut à l'arrière porter l'information à la timonerie. Cooper chercha sur la côte plate et déserte le point de repère, qui lui apparut soudain avec une netteté alarmante. Ce monticule annonçait aux forceurs de blocus qu'ils se trouvaient à proximité de Fort Fisher et d'eaux où ils seraient en sûreté. Dans le ciel, des plages blanches s'éclairaient et s'éteignaient entre les nuages poussés par le vent.

Ballantyne et le pilote s'étaient mis d'accord sur la route à suivre dans la dernière partie du voyage : approcher à vingt milles au nord de Cape Fear puis virer à bâbord pour passer devant le bâtiment le plus au nord de l'escadre yankee. Après avoir accompli cette manœuvre à la tombée de la nuit, ils étaient demeurés quasi immobiles jusqu'à ce que l'obscurité fût totale puis avaient commencé à descendre le long de la côte vers l'embouchure du fleuve.

Une progression lente, éprouvante pour les nerfs. A bâbord, toujours les feux bleus de l'escadre. Dans la clarté plus grande, Cooper distingua des mâts, une coque assez imposante pour être celle d'un croiseur.

A quelle distance? Un demi-mille? S'il pouvait voir le bateau yankee, sa vigie pouvait-elle aussi voir le *Water Witch*?

Une fois de plus, il renversa la tête en arrière. Dieu! les nuages avaient la minceur d'un voile. Certains des plus gros laissaient passer de la lumière sur leurs bords effilochés. Dans quelques minutes, le vent fraîchissant nettoierait totalement le ciel.

Cooper courut vers la timonerie, oublia dans sa hâte que les chaloupes avaient été abaissées au niveau du bastingage. Il se cogna la tête, poussa une exclamation qui lui valut un « La ferme! » d'un matelot accroupi près du plat-bord. L'homme avait un bonnet en laine enfoncé jusqu'aux oreilles, le visage et les mains noircis au charbon. Cooper s'était soumis au même traitement après en avoir mis en doute la nécessité et s'être attiré de Ballantyne la réponse suivante : « Vous le ferez, cher monsieur, parce qu'il vaut mieux être sale que mort. »

Dans le kiosque de navigation, le clair de lune lui révéla le capitaine, le pilote et l'homme de barre, plongeant le regard dans un grand cône en fer-blanc destiné à masquer la faible lumière du compas.

— Capitaine, dit Cooper, vous avez sûrement remarqué le ciel. Il s'éclaircit.

— Oui, répondit Ballantyne.

Son sourire, défense universelle contre tous les ennemis et adversités, parut hésitant dans la lumière d'argent baignant le kiosque. Le pilote et l'homme de barre échangèrent des murmures.

— Pas de chance, ajouta le capitaine.

— N'est-ce pas trop risqué? Ne devrions-nous pas faire demi-tour?

— Quoi, fuir? Les Yankees nous prendraient en chasse.

— Et alors? Nous pouvons leur échapper, non? Vous m'avez dit que nous sommes assez rapides pour semer n'importe lequel de leurs navires.

— En effet.

— Et plus nous approchons du fleuve, plus les bâtiments ennemis sont nombreux, n'est-ce pas?

— Exact.

— Alors nous ne devrions pas courir ce risque.

— Seriez-vous devenu le capitaine du *Water Witch*? grogna Ballantyne. Les armateurs m'ont donné des instructions claires : pas de retards inutiles. Je dois doubler Cape Fear quels que soient les risques.

Furieux, Cooper fit un pas vers le capitaine.

— La Confédération ne s'écroulera pas si une cargaison de formes à chapeau et de cigares arrive en retard. Je ne laisserai pas votre cupidité et celle de ma s..., de vos patrons mettre ma famille en danger. Montrez un peu de bon sens! Faites demi-tour.

— Descendez, dit Ballantyne. Descendez ou je vous fais descendre.

Cooper agrippa le bras du marin.

— Maudit rapace! Allez-vous écouter...

Ballantyne poussa Cooper, qui trébucha et faillit tomber.

— Dieu nous vienne en aide, murmura le pilote. Voilà la lune.

Blanche, presque pleine, elle semblait voguer derrière un nuage lumineux. Du seuil de la timonerie, Cooper vit à bâbord les mâts et la voilure de quatre grands vaisseaux s'illuminer comme un décor de théâtre. Une voix de baryton amplifiée par un pavillon héla le *Water Witch*.

— Ici le croiseur fédéral *Daylight*. Ohé du vapeur, mettez en panne et attendez l'abordage.

— Pousse-toi ! cria Ballantyne en bousculant l'homme de barre pour se pencher vers le porte-voix relié aux machines. En avant toute !

Cooper songea à l'enfer que devait être la salle des machines, avec toutes les écoutilles fermées.

— Mon Dieu, murmura-t-il.

Une flottille de petits navires venait d'apparaître derrière le croiseur. Comme des pucerons d'eau argentés, les vedettes fédérales prirent en chasse le forceur de blocus en soulevant à un millier de mètres derrière lui des gerbes d'écume éclairées par la lune.

Cooper se retourna, vit dans le navire un essaim de lumières bleues qu'il n'avait pas remarquées auparavant. Le grondement des machines du *Water Witch* s'intensifia, le rythme des aubes frappant l'eau s'accéléra. Un coup de sifflet retentit sur le croiseur, la voix désincarnée beugla dans le pavillon :

— Mettez en panne ou nous ouvrons le feu.

— Ballantyne, vous devez..., commença Cooper.

Sa voix fut couverte par les jurons et les cris des matelots apeurés.

— Foutez-le dehors ! brailla le capitaine.

La porte de la timonerie se referma en claquant.

— Frégate à vapeur ! annonça la vigie. Droit derrière.

Un bâtiment était effectivement lancé à leur poursuite, à deux milles derrière, toutes voiles dehors pour ajouter quelques nœuds à la vitesse donnée par ses machines. Le *Water Witch* bondissait à présent sur les vagues

La gorge serrée, Cooper vit une, deux, trois traînées brillantes apparaître au-dessus du *Daylight*. La lune parut pâle comme une veilleuse lorsque les fusées éclatèrent, inondant toute la scène d'une lumière blanche. Même les mousquets des matelots des vedettes devinrent visibles.

Un canon du croiseur puis un autre crachèrent une langue de feu. Les obus tombèrent devant le *Water Witch*, soulevant des geysers brillant comme des diamants dans la lumière. A la première détonation, Cooper courut en bas.

La porte de la cabine était ouverte et Judith, les enfants dans les bras, tentait de ne pas montrer sa peur.

— Par ici, lui dit Cooper en la prenant par la main.

Un troisième obus explosa, plus près cette fois, et le navire oscilla en continuant sur sa lancée.

— P'pa, qu'est-ce qu'il y a ? demanda Judah.

— La lune s'est montrée et Ballantyne refuse de faire demi-tour, ce salaud. Il ne pense qu'à amener sa cargaison de luxe à Wilmington. Venez, *vite* !

Cooper tira sa femme par la main, si brutalement qu'elle poussa un cri.

— Où allons-nous ? gémit Marie-Louise.

— Aux chaloupes. Ballantyne a dû donner l'ordre de les amener. Notre seule chance est de gagner la côte en ramant.

Quand les Main arrivèrent sur le pont, Cooper découvrit avec stupéfaction que toutes les chaloupes se balançaient encore sur leurs daviers. Il arrêta un matelot.

— Mettez les chaloupes à la mer, que l'on puisse quitter le bateau !

— Personne quitte le bateau, m'sieur. On fonce vers le fleuve.

L'homme s'éloigna en faisant tourner une crécelle d'alarme aussi bruyante qu'un chapelet de coups de feu.

D'autres fusées répandirent leur lueur blanche, un obus frappa la poupe, la souleva. Judith et les enfants tombèrent sur Cooper, l'expédièrent dans les dalots.

— Papa, j'ai peur, geignit Marie-Louise, qui jeta les bras autour du cou de son père. Le navire va couler ? Les Yankees vont nous faire prisonniers ?

— Non, haleta-t-il en tentant de se relever.

Le *Water Witch* roula sous l'effet du ressac. Un coup de canon retentit, un obus siffla. Un matelot prévint son camarade du danger. Trop tard. La mitraille faucha les deux hommes, fit voler en éclats la vitre de la timonerie.

Judith se baissa, mordit sa main pour s'empêcher de crier. Une puissante détonation monta d'en bas.

— Nous sommes touchés à la coque ! cria un marin.

Aussitôt, le navire s'inclina fortement à tribord. Sur le pont, Ballantyne courait fébrilement çà et là afin de trouver des hommes pour l'aider à mettre une chaloupe à la mer.

— Salaud, murmura Cooper. Pauvre salaud stupide et cupide ! Les enfants, Judith, venez ! Nous monterons dans cette chaloupe même si je dois tuer pour cela tout l'équipage.

Avançant sur le pont fortement incliné, ils glissèrent côté tribord, où de hautes vagues épuisaient leurs formes contre la côte. « Au pire, songea Cooper, nous essaierons de nager jusqu'au rivage. » Il parvint à s'approcher du capitaine, qui s'affairait à amener une chaloupe.

— Ballantyne...

Avant que Cooper put poursuivre, un autre obus toucha la coque. L'explosion fut suivie par un vacarme terrifiant : hurlement du métal qui se rompt, sifflement furieux de la vapeur, cris épouvantables.

Le côté bâbord du *Water Witch* s'éleva, parallèle à la mer. Cooper vit passer devant lui la tête blonde de sa femme, dont les lèvres formèrent le nom de leur fils. Où était Judah ?

Par-dessus le tumulte, les craquements, les cris, le grondement du ressac et des canons, Ballantyne parvint quand même à se faire entendre. Les cheveux dressés sur la tête, les bras en croix devant la lune, il beuglait :

— Les chaudières ont explosé. Sauve qui...

Le pont s'ouvrit entre ses jambes, l'engloutit, hurlant, dans une tornade de vapeur.

Soapes, le second, et deux autres membres de l'équipage sautèrent par-dessus bord. En bas, dans la salle des machines, des hommes à l'agonie hurlaient. Cooper fut projeté contre le bastingage avec une violence à lui rompre le cou. Il se releva, passa un bras autour des épaules de sa fille, tendit l'autre vers Judith. Le vapeur continua à s'abattre, sa quille monta vers la surface, les Main basculèrent dans l'écume blanche.

Battant des pieds dans l'eau, hoquetant, Cooper tenait fermement sa femme et sa fille.

— Où est... Où est Judah ?

— Je ne sais pas ! cria Judith.

Alors, parmi les débris retombant autour d'eux, il vit flotter un corps dont il reconnut les vêtements. Il confia Marie-Louise à sa femme, nagea vers son fils en luttant contre les vagues. Cooper avait le pressentiment que l'enfant était mort, tué dans l'explosion des chaudières. En couvrant les derniers mètres, il s'efforça de reprendre espoir en se disant qu'il se trompait.

Judah flottait, le visage dans l'eau. Cooper tendit le bras pour le saisir à l'épaule mais, gêné par une vague, lui toucha le crâne. La tête se retourna, révélant une face brûlée par la vapeur où les os affleuraient en plusieurs endroits. Une vague sépara le fils et le père, qui n'eut plus dans la main qu'un lambeau de peau.

— Judah ! gémit-il, tandis que le frêle cadavre s'éloignait. Judah ! Judah !

Pantelant, la tête ruisselant d'eau se mêlant à ses larmes, il parvint à retourner auprès de sa femme.

— Judith, il est mort. Il est mort !

— Nage, Cooper, dit-elle. (Elle le prit par le col, le secoua.) Nage ou nous mourrons tous.

Un moignon de mât tomba juste derrière eux. Cooper se mit à remuer les jambes et le bras gauche. Du droit, il soutenait Marie-Louise, secouée à présent de sanglots hystériques. Judith nageait de l'autre côté de la petite fille et aidait son mari à l'entraîner. Bientôt Cooper eut mal à la poitrine puis dans tous les muscles et chaque vague déferlant derrière eux menaçait de les engloutir.

Quelques instants plus tard, il sentit des débris flottant autour de lui le heurter. Il cracha de l'eau de mer et du vomi, s'aperçut qu'ils avaient nagé jusqu'à une zone plus calme où des cylindres plats enveloppés de papier et des petites caisses en bois portant des inscriptions en espagnol dansaient sur l'eau. Du sherry et du fromage, disparaissant puis refaisant surface, près de la côte.

Les pensées et les peurs de Cooper se fondirent en un délire ténébreux. Sans cesser de nager, il cria une dernière fois avant de perdre conscience.

71

Dans la pénombre couleur d'ambre, Orry passa devant un mur sur lequel quelqu'un avait peint trois mots, que quelqu'un d'autre avait tenté d'effacer : « Mort à Davis ».

Ni l'inscription — qui n'était pas rare à présent — ni quoi que ce fût d'autre, y compris son odieux travail, ne pouvait gâcher sa belle humeur. Il pressa le pas : le dîner avait duré plus qu'il ne l'avait prévu. Avec son vieil ami George Pickett, il avait vidé une bouteille de bordeaux à quatre dollars et fait le tour de leurs souvenirs en un peu moins d'une heure.

Pickett, camarade de promotion d'Orry à West Point, avait gardé toute sa séduction. Ses cheveux parfumés retombaient sur le col de son uniforme et son sourire avait toujours autant d'éclat. Les deux hommes abordèrent des sujets aussi variés que leurs épouses ou le gros Yankee Bent, que sa haine d'Orry avait poussé à comploter contre le cousin Charles lorsqu'ils étaient tous deux dans le 2ᵉ de cavalerie.

Pickett reprocha à son ami de gaspiller son talent en surveillant le général Winder.

— Dieu sait pourtant que ce pauvre fou a besoin que quelqu'un le surveille pour l'empêcher de nous faire honte aux yeux du monde ! répliqua le planteur.

Bien que le jugeant ennuyeux et ingrat, Orry trouvait son travail important. Tous les deux ou trois jours, des charretées de prisonniers arrivaient en ville, grossissant le nombre des détenus de Belle Isle et Libby, déjà surpeuplées.

— C'est Winder qui dirige ces prisons, tu comprends. Les Yankees seraient encore plus mal traités si le ministère de la Guerre n'intervenait de temps à autre contre les abus.

Pickett accepta l'argument. Quand ils en furent à la dernière goutte de vin, il avoua que, malgré sa promotion au grade de général de division en automne, il n'était pas heureux. Ces derniers mois, il avait commandé le centre du front de Fredericksburg sans beaucoup combattre. Entre les deux vieux amis semblait flotter une vérité non dite. La situation était mauvaise pour la Confédération ; militaires et civils sentaient s'insinuer en eux le poison du doute. Comme il fallait un responsable, des mécontents anonymes peignaient « Mort à Davis » sur les murs.

Si le repas fut parfois mélancolique, Orry y prit plaisir, de l'apéritif aux tasses de vrai café — trois dollars pièce et pas de question sur sa provenance. Pickett quitta ensuite son ami pour emmener sa femme à l'élégant nouveau théâtre de Richmond, bâti là où le *Marshall* avait brûlé l'année précédente. Orry, lui, devait aller chercher Madeline à la gare.

Il pénétra dans le hall noir de suie, se faufila entre de jeunes soldats aux yeux tristes allongés sur des civières ou appuyés sur des béquilles, des marchands ambulants et des prostituées. Sur un grand tableau noir, une inscription à la craie indiquait que le train aurait une heure et demie de retard.

La nuit tomba. Après une attente qui parut beaucoup plus longue que les quatre-vingt-dix minutes annoncées, une lumière apparut au-delà de l'extrémité du quai, sur le grand chevalet bâti à vingt mètres au-dessus du lit du fleuve. Le train entra enfin en gare dans un long grincement de freins, avec des éructations de fumée. Des voitures aux vitres presque toutes brisées descendirent des militaires en permission, des civils de tout poil, du plus prospère au miséreux. Orry, qui émergeait de la foule du fait de sa taille, cherchait vainement Madeline des yeux.

Avait-elle manqué une correspondance ? N'avait-elle pu partir comme prévu ? Des voyageurs faisaient signe aux amis venus les accueillir ; des visages las s'éclairaient. L'inquiétude d'Orry grandissait. Enfin, il la vit descendre du dernier wagon.

Sa tenue de voyage avait ramassé la poussière dont les trains du Sud étaient désormais envahis. Des mèches de cheveux défaites pendaient sur son front. Elle était belle.

— Madeline ! s'écria Orry, agitant la main comme un écolier, luttant contre le flot des voyageurs.

— Orry, mon chéri ! Mon chéri.

Elle laissa tomber deux cartons à chapeau pour se jeter contre lui, le serrer, l'embrasser en sanglotant.

— J'ai cru que je n'arriverais jamais.

— Moi aussi.

Rayonnant comme un jeune marié, Orry recula d'un pas.

— Tu vas bien ?

— Oui, oui. Et toi ? Il faut aller prendre ma malle, elle est dans le fourgon à bagages.

— Nous irons la chercher et nous prendrons un fiacre. J'ai honte de l'endroit où je vais t'emmener mais c'est tout ce que j'ai pu trouver.

— Je dormirais sur un tas de fumier pour être avec toi. Mon Dieu ! Cela fait si longtemps. Oh ! mais tu as maigri.

Les phrases se bousculaient, le bonheur perçait à travers la fatigue d'un voyage long et épuisant. Orry envoya un porteur noir prendre la malle, trouva un fiacre. Il s'installa sur la banquette à gauche de Madeline pour pouvoir lui passer le bras autour des épaules.

— J'étais impatient de te voir arriver, mais Richmond n'a rien d'agréable en ce moment. Les gens sont misérables, plus mécontents chaque jour. On manque de tout.

En découvrant le garni que son mari avait loué, Madeline réagit comme si elle allait habiter un palais. La regardant à la lumière d'une unique lampe à gaz, il lui demanda :

— As-tu faim ?

— De toi seulement. J'ai apporté des livres...

— Hourra ! Nous lirons le soir.

Malgré l'étrange et cruel basculement du monde, ils pourraient retenir au moins un peu du passé.

— De la poésie ? poursuivit Orry.

— Oui, Keats. Et *les Aventures de M. Pickwick*, que j'ai beaucoup aimées.

— Ici, ce livre est interdit. Trop vulgaire ou je ne sais quoi.

Incapable de maîtriser son effervescence, il s'approcha d'elle, encercla sa taille de son bras, lui embrassa la gorge.

— Tu me raconteras tout ce qui est arrivé à Mont Royal. Nous avons des heures et des heures à rattraper... Dans de nombreux domaines, ajouta-t-il en plongeant son regard dans les yeux de Madeline.

Il changea de position pour pouvoir refermer la main sur la chaleur d'un sein et embrassa Madeline avec tant d'ardeur qu'elle ploya en arrière. Elle se dégagea en riant, commença à défaire les boutons recouverts de tissu de son corsage.

Ils étaient nus tous les deux dans la chambre fraîche dont la porte entrouverte laissait passer un peu de lumière. Orry contempla les cheveux de sa femme répandus sur l'oreiller et, doucement, s'introduisit en elle. Il en éprouva un bonheur presque insupportable.

— Nous ne nous séparerons plus jamais, sanglota Madeline. Jamais. J'en mourrais.

De la fenêtre du second étage donnant sur Franklin Street, Mrs. Burdetta Halloran vit un fiacre s'arrêter devant la maison d'en face. Une jeune femme brune d'une beauté vulgaire paya le cocher, monta l'allée, frappa à la porte et attendit, l'air tendu. Un moment plus tard, elle s'avança vers un rectangle vertical d'obscurité et la porte se referma.

Une lumière de fin d'après-midi couleur citron éclairait à travers les rideaux en dentelle la fenêtre où Mrs. Halloran s'était postée plusieurs fois au cours du mois. A la vieille fille propriétaire de la maison, elle s'était présentée comme la tante d'une jeune femme soupçonnée de se vautrer dans le péché avec le monsieur d'en face. Elle voulait avoir une certitude avant la confrontation, avait-elle prétendu. Quoi que pensât la vieille de cette histoire, la somme qu'elle avait reçue à chaque fois lui avait fait garder le silence.

Qui était la garce ? Burdetta Halloran l'ignorait mais elle n'oublierait pas son visage. Avec de petits mouvements vifs, elle tira sur ses mitaines et dit à la vieille femme qui se tenait dans l'ombre poussiéreuse :

— Merci de m'avoir laissée utiliser votre chambre. Je n'en aurai plus besoin.

— Vous avez vu votre nièce...

— Entrer chez ce Mr. Powell. Oui, hélas !

— Je ne le connais que de vue. Il est très secret.

— Il a mauvaise réputation.

Burdetta eut peine à ne pas en dire davantage. Elle remit son petit chapeau à plumes, sourit et passa dans le couloir.

— Je sors par-derrière, comme d'habitude.

— J'en étais venue à attendre vos petites visites. Je regrette presque que vous ayez fini par trouver ce que vous cherchiez.

« Je n'en doute pas, vieille cupide », pensa Burdetta.

— Si ce Powell est une telle canaille, reprit la propriétaire, j'espère que vous réussirez à les faire rompre, votre nièce et lui.

— Je l'espère aussi.

Burdetta s'empressa de partir de peur d'être trahie par l'expression de son visage.

« Trahie » — c'était le mot adéquat. Lamar Powell avait trahi son amour et sa confiance. Burdetta Halloran n'avait pas l'intention de s'intéresser à celle qui la remplaçait. C'était lui qui méritait son attention. Il l'aurait.

Washington et Boz sentaient le printemps proche dans la terre humide et le vent de la nuit. Un pasteur vint à cheval de Fredericksburg pour parler à Augusta Barclay et, sans entendre la conversation, les affranchis devinèrent les intentions du révérend. Elles ne furent pas exaucées.

Lorsque les tas de neige de la cour se mirent à fondre, les deux Noirs remarquèrent à toute heure des cavaliers sur la route. La nuit, les coups de canon tirés le long du fleuve faisaient trembler la cime des arbres. Parfois, les explosions secouaient les vitres au point de leur faire émettre une plainte étrange. Après avoir souvent discuté entre eux de la gravité de la situation, Washington et Boz finirent par décider d'en parler à leur maîtresse. Aussi Boz entra-t-il un soir dans la cuisine en arguant :

— Faut voir les choses en face, Miss Augusta. Ils vont se battre bientôt et l'armée de l'Union pourrait passer par la ferme. C'est dangereux de rester ici. Washington et moi, on est prêts à mourir pour vous mais on veut pas que vous vous fassiez tuer. On veut pas mourir non plus si on peut l'éviter. S'il vous plaît, vous devriez aller à Richmond.

— Je ne peux pas, Boz.

— Pourquoi ?

— Parce que s'il vient me voir, il ne saura pas où me trouver. Je pourrais lui écrire mais la poste fonctionne si mal qu'il ne recevrait peut-être pas la lettre. Désolée, Boz. Washington et toi pouvez partir quand vous voudrez. Moi, je dois rester.

— C'est risqué, Miss Augusta.

— Ce sera pire de partir et de ne plus jamais le revoir.

Quand Billy quitta Lehig Station à la fin de sa courte permission, Brett retomba dans une morosité partiellement due aux inquiétudes de son mari au sujet de l'armée. Il prétendait que l'effondrement du moral des troupes ne l'affectait pas, qu'il était un officier de carrière, mais Brett avait noté des changements en lui : lassitude, cynisme, colère toujours prête à éclater.

Seul remède à sa dépression, les longues heures passées à aider les Czorna et Scipio Brown à s'occuper des enfants. Brett frottait les planchers, préparait les repas, lisait des histoires aux plus petits, apprenait l'alphabet aux plus grands. Chaque jour elle travaillait jusqu'à l'épuisement pour être sûre de s'endormir quelques instants après s'être mise au lit.

A la fin de l'hiver, Brown emmena deux des enfants à Oberlin, dans l'Ohio, où habitait une famille noire désirant adopter un garçon et une fille. Pour le retour, il passa par Washington et ramena à Belvedere trois autres petites filles âgées de sept, huit et treize ans. Le lendemain de leur arrivée, il fit faire à chacune d'elles une promenade à cheval dans les environs. Contraint à de fréquents déplacements pour collecter des dons et visiter les camps de réfugiés, il était devenu un excellent cavalier. Comme les enfants, les chevaux semblaient sentir en lui une tendresse innée.

Il n'avait toutefois rien perdu de son ardeur militante et Brett, qui en était venue à l'apprécier, avait parfois l'impression qu'il provoquait délibérément les discussions avec elle. L'une de ces joutes eut lieu un après-midi de mars, lorsque la jeune femme et Brown quittèrent Belvedere pour acheter de la farine et d'autres marchandises chez Pinckney Herbert. Brown conduisait le buggy, Brett était assise à côté de lui — situation qui n'aurait suscité aucun commentaire à Mont Royal où on l'aurait pris pour un esclave. A Lehig Station, leur apparition ensemble provoquait inévitablement des regards hostiles et parfois des commentaires acérés, en particulier de gens comme Lute Fessenden et son cousin. Tous deux avaient jusqu'à présent échappé à l'armée.

Ils n'y échapperaient plus longtemps. Lincoln venait de signer une loi appelant sous les drapeaux pour trois ans les hommes valides âgés de vingt à quarante-six ans. On pouvait cependant se trouver un remplaçant ou acheter son exemption pour trois cents dollars. Cette issue de secours réservée aux riches provoquait déjà la colère des pauvres — et notamment celle de Fessenden et de son cousin.

Lorsqu'il faisait beau, les deux hommes traînaient presque toujours dans la rue, et c'était le cas ce jour-là. Comme Brett et le grand Noir repartaient en direction de la colline, le rouquin barbu Fessenden les aperçut et leur lança une injure.

— Je me demande si ce pays changera jamais, soupira Brown. Quand je vois de la racaille comme ça, j'en doute.

— Vous avez assurément changé depuis notre première rencontre.

— Comment cela ?

— D'abord vous ne parlez presque plus jamais de fonder ailleurs une colonie.

Brown se tourna vers Brett en demandant :

— Pourquoi les Noirs partiraient-ils maintenant que le président leur a accordé la liberté ? Oh ! je sais, la proclamation est une mesure de guerre, qui ne s'applique qu'au Sud. Mais Mr. Lincoln parle quand même de liberté, et nous en ferons un plus grand usage que tout le monde ne l'imagine, y compris lui-même. Vous verrez.

— Je ne crois pas que Lincoln ait changé d'avis sur la réimplantation des Noirs, Scipio. Le *Ledger Union* écrit que le président prévoit d'envoyer un bateau vers une nouvelle colonie au printemps. Près de cinq cents Noirs, dans un îlot proche d'Haïti.

— En tout cas, Abe ne m'y enverra pas — et le Dr Delany non plus. Je l'ai vu à Washington — je vous l'ai dit ? Plus de boubou, il veut un uniforme. Il essaie d'obtenir le commandement d'un régiment noir.

Par-dessus le clip-clop des sabots, Brett répondit :

— Billy prétend que les nègres sont mal accueillis dans l'armée. Ne vous offensez pas — ce sont ses mots, pas les miens — mais la plupart des officiers blancs se plaignent d'être envahis par les nègres.

— Qu'ils se plaignent. Pour la première fois, je me sens proche de la vraie liberté. Si quiconque essaie de me la refuser, je verserai jusqu'à la dernière goutte de mon sang. Avec sa proclamation, Mr. Lincoln n'a peut-être pas voulu déclarer libres tous les Noirs de ce pays mais c'est comme cela que je la comprends.

— C'est une interprétation extrême, Scipio.

— Vous dites cela parce que vous avez grandi là où il était normal de priver un homme de sa liberté, de le posséder comme une tranche de lard ou un morceau de bois. Mais ce n'est pas normal. Ou la liberté est accordée à tous ou c'est une supercherie.

— Je maintiens que vous avez une interprétation extrême de la...

— Pourquoi êtes-vous toujours sur la défensive ? coupa le Noir. Parce que je plante des épingles dans votre conscience assez profond pour faire mal ?

Il retint le cheval au bas de la colline pour laisser passer la carriole d'un boulanger, qui leur lança un regard méprisant.

— Regardez-moi dans les yeux, Brett, poursuivit Scipio. Et répondez à ma question : pensez-vous que la liberté est réservée aux gens de votre race ?

— C'est ce que pensaient les auteurs de la Déclaration d'indépendance.

— Pas tous ! D'ailleurs, nous sommes en 1863. Alors répondez : la liberté est pour les Blancs seulement ?

— On m'a appris que...

— Je ne veux pas entendre ce qu'on vous a appris, je veux savoir ce que vous pensez.

— Sapristi, Scipio, vous êtes d'une, d'une...

— D'une arrogance ? Oui, je suis orgueilleux, admit-il avec un petit sourire.

— Les Sudistes ne sont pas les seuls pécheurs, vous savez. A l'exception de quelques abolitionnistes, les Yankees ne veulent pas vraiment libérer les Noirs.

— Trop tard, lâcha Scipio. Mr. Lincoln a signé la proclamation. Et, en toute franchise, je ne me soucie pas de ce qui est mais de ce qui devrait être.

— Attitude qui, poussée à ses limites extrêmes, mettrait le feu au pays.

— Il est déjà en feu — vous n'avez donc pas lu les nouvelles, ces derniers temps ?

— Parfois, je vous déteste. Vous êtes si prétentieux !

— Je vous déteste pour la même raison. Parfois.

Scipio tendit la main pour tapoter celle de Brett mais retint son geste, de peur qu'elle ne se méprît sur ses intentions.

— Je ne discuterais pas une seule seconde avec vous si je n'étais convaincu qu'il y a quelque part en vous une femme honnête et sensée qui lutte pour percer votre carapace. Si vous me détestez parfois, c'est parce que je suis un miroir. Je vous force à vous regarder, à voir ce que vous êtes et ce que vous devez devenir si vous ne voulez pas faire injure à tous les morts de cette guerre.

— Vous avez raison, répondit Brett d'une voix calme et détendue. Personne n'aime qu'on lui montre ses erreurs — ni qu'on le pousse sur un chemin pénible et dangereux.

— Le seul autre chemin mène aux ténèbres. C'est celui que vous voulez prendre ?

— Non — non ! Mais...

Incapable de trouver des arguments, Brett n'en dit pas plus. Pourquoi fallait-il que Brown ne cesse de tourmenter sa conscience ? Il la forçait à remettre en question la croyance dogmatique de son père dans le bien-fondé de « l'institution particulière ». A se poser les questions que Cooper avait osé poser à leur père. Ce que Brown ignorait, c'était qu'elle éprouvait déjà les souffrances que cause la dissection des vieilles croyances. Elle lui en voulait seulement d'accélérer le processus.

Devinant l'humeur de la jeune femme, le Noir proposa :

— Arrêtons cette discussion avant de nous fâcher.

— Oui.

— Je m'en voudrais de perdre votre amitié, vous savez. Non seulement je vous estime mais il reste deux murs de l'école à passer au lait de chaux. Vous maniez le pinceau drôlement bien. Vous êtes sûre de ne pas avoir un peu de sang d'esclave ?

Brett ne put s'empêcher d'éclater de rire.

— Vous êtes impossible.

— Et résolu à vous faire changer. Votre brave mari ne vous reconnaîtra pas quand il reviendra à la maison après avoir renvoyé dans leurs foyers tous ces pauvres petits Blancs envahis par les nègres. Je vais vous dire une chose...

Brown cessa de sourire, tourna les yeux vers le soleil.

— Il vaudrait mieux que ce pays se prépare à faire leur place aux nègres parce que je ne veux pas passer ma vie comme Dred Scott. Comme quelqu'un qui n'est pas une personne, qui n'est rien. Beaucoup des miens partagent mon opinion. Nos chaînes vont se briser — les vraies chaînes et celles qui sont invisibles. Je le jure devant Dieu : nos chaînes se briseront ou le pays brûlera.

— Il se passera peut-être l'un et l'autre, Scipio, dit Brett d'une petite voix.

Lui aussi était calme à présent.

— Peut-être. J'espère que non.

Elle frissonna en comprenant soudain qu'il avait raison sur la question de la liberté. Elle se sentit changée et il ne lui resta qu'une pénible et maigre certitude : elle avait la nostalgie des jours anciens et redoutait leurs conséquences. Elle avait l'impression d'avoir trahi quelqu'un ou quelque chose et de ne pouvoir rien y changer. Leur discussion marquait un jalon sur le chemin dont ils avaient parlé. Un chemin qui ne permettait aucun retour en arrière.

L'homme à la barbe rousse, qui portait deux pistolets sous sa redingote demanda :

— Vous pensez pouvoir aider notre bureau à accomplir la tâche que je vous ai brièvement exposée ?

— J'en suis convaincu, colonel Baker.

— Moi aussi, Mr. Dayton. Moi aussi.

Bent eut un étourdissement, mais pas uniquement parce que la réussite venait enfin après des semaines d'attente. (On était en mars, Baker avait plusieurs fois remis l'entretien en prétextant des affaires urgentes.) Il avait faim. A bout de ressources, il avait emprunté à Dills une petite somme qu'il faisait durer en ne prenant que deux repas par jour.

Lafayette Baker avait une carrure de docker, des yeux de furet. Bent lui donnait trente-cinq ans environ. L'entretien, long d'une heure, s'était ramené à quelques questions suivies d'un monologue décousu sur le passé du colonel. Il consacra un quart d'heure à la période des années 1850, lorsqu'il était *vigilante** à San Francisco et purifiait fièrement la ville de ses criminels en les abattant ou en les pendant. Sur le bureau séparant Baker de son visiteur était posée une splendide canne en bois de pommier de Californie munie d'un pommeau d'or. C'était, expliqua le colonel, un cadeau d'un négociant reconnaissant de San Francisco.

— Je ne saurais trop souligner que le premier devoir de ce bureau, c'est de démasquer et de punir les traîtres. J'accomplis cette tâche en utilisant les méthodes de l'homme dont j'ai étudié la carrière et qui me sert de modèle.

Saisissant la canne, Baker montra un portrait accroché au mur, seul ornement d'une pièce par ailleurs monastique. Le personnage du daguerréotype avait une contenance sévère, de petits lorgnons perchés sur le nez.

— Le plus grand de tous les policiers : Vidocq. Vous le connaissez ?

— De nom seulement.

— Au début, c'est un criminel mais il s'est amendé et est devenu l'ennemi juré de la canaille dont il était issu. Vous devriez lire ses Mémoires, Dayton. Elles sont non seulement passionnantes mais aussi fort instructives. Vidocq avait une philosophie simple et efficace, que je suis à la lettre.

En parlant, le colonel caressait le pommeau de sa canne.

— Il vaut mieux arrêter et emprisonner cent innocents que laisser s'échapper un seul coupable.

— Je suis tout à fait d'accord, approuva Bent.

C'était moins l'opportunisme que le désir de travailler pour Baker qui le faisait parler à présent.

— Je l'espère, car seuls ceux qui partagent cette opinion peuvent me servir avec efficacité. Nous accomplissons un travail capital, ici, à Washington, mais nous menons aussi ailleurs nos activités spéciales.

Posant sur Bent ses petits yeux au regard indéchiffrable, Baker continua :

— Avant de vous utiliser dans la capitale, je propose de mettre votre ardeur à l'épreuve. Vous me suivez toujours ?

Malgré son appréhension, Bent n'eut d'autre ressource que d'acquiescer.

* Citoyen de bonne volonté servant d'auxiliaire à une police débordée (n.d.t.).

— Parfait. Le sergent Brandt réglera avec vous les détails matériels de votre entrée dans nos services, mais je vais vous révéler immédiatement en quoi consistera votre première mission.

Le colonel marqua une pause avant d'ajouter :

— Je vous envoie en Virginie, Mr. Dayton. Derrière les lignes ennemies.

72

Pendant près d'un mois, ils vécurent dans une seule chambre exiguë, que Judith avait divisée en pendant des couvertures autour du lit de Marie-Louise, afin de lui donner un peu d'intimité.

Dans la ville surpeuplée, c'était déjà de la chance d'avoir trouvé un logement. Cette chambre, que leur avait procurée un officier de Fort Fisher, avait pour unique attrait une fenêtre donnant sur le fleuve. Cooper y restait assis des heures, une couverture sur les jambes, le dos voûté, le visage gris et amaigri par la pneumonie qui l'avait maintenu deux semaines au seuil de la mort.

La nuit où Judah s'était noyé, les Main s'étaient débattus dans le ressac avant de finir par atteindre la côte. Ils s'étaient effondrés sur une dune baignée par le clair de lune, à trois kilomètres des fortifications protégeant l'embouchure du fleuve. Il n'y avait pas eu d'autres survivants.

Après avoir vomi l'eau de mer qu'il avait avalée, Cooper avait erré le long de la plage en criant le nom de Judah. Marie-Louise reposait à demi inconsciente dans les bras de sa mère, qui avait retenu ses larmes le plus longtemps possible. Puis Judith avait éclaté en sanglots, poussant de longues plaintes sans se soucier d'être entendue de toute l'escadre yankee.

Après avoir épanché son chagrin, elle avait rejoint Cooper, lui avait pris la main et l'avait emmené vers le sud, où elle pensait trouver Fort Fisher. Il l'avait suivie docilement en murmurant des sons inarticulés. Après une longue marche sous la lune, étrange comme une promenade dans un des royaumes enchantés de Mr. Poe, ils étaient enfin arrivés au fort. Le lendemain, un détachement fut envoyé fouiller les dunes mais on ne retrouva pas le corps de Judah.

A présent, ils étaient installés en ville et Cooper, rétabli — du moins physiquement — passait sa journée à regarder la jetée où des soldats armés montaient la garde pour empêcher les déserteurs de monter à bord de navires en partance.

Les yeux cernés d'ombres bleues, il contemplait le scintillement du soleil de mars sur le fleuve, les bateaux à fond plat du Market Street Ferry quittant la rive opposée, les petits sloops des planteurs de riz filant sur l'eau étincelante.

Wilmington était une ville en pleine expansion, grouillant de gredins, de marins, de soldats confédérés en permission. Les rues et même leur chambre avaient l'odeur des entrepôts navals — du pin et de l'essence de térébenthine que des marchands dynamiques vendaient aux représentants de la marine britannique. Grâce à une lettre de crédit qu'elle parvint à obtenir de leur banque de Charleston, Judith avait acheté des vêtements neufs pour eux trois. Le costume destiné à Cooper pendait dans la garde-robe, toujours enveloppé de papier.

Marchant un jour jusqu'au bout de leur rue, Judith remarqua une splendide maison fréquentée par de nombreux jeunes civils d'allure prospère. D'une des fenêtres du premier étage s'échappait de la musique de *minstrel*. Un colporteur lui apprit que c'était la résidence de la plupart des capitaines et des marins britanniques forçant le blocus. Les poches bourrées d'argent, ils faisaient la fête tous les soirs, pariaient sur des combats de coqs organisés dans le jardin, entretenaient des femmes de mauvaise réputation et scandalisaient la ville. Judith se félicita de l'absence de Cooper : la vue de la maison n'aurait fait qu'augmenter sa colère.

Car il était en colère, son silence et la lueur étrange de ses yeux l'indiquaient. Ils brillaient comme des hémisphères métalliques au soleil de mars et semblaient appartenir à un homme que Judith ne connaissait pas.

La nuit, elle pleurait souvent en pensant à Judah, à qui on ne pouvait même pas faire de funérailles. Son chagrin était renforcé par l'éloignement de son mari. Il ne la prenait plus par les épaules, ne la touchait plus, ne lui parlait plus lorsqu'ils étaient étendus côte à côte sur le lit dur. Elle n'en pleurait que plus, honteuse de ses larmes mais incapable de les retenir.

Vers la fin du mois de mars, Marie-Louise explosa :

— Allons-nous rester toute notre vie dans cette chambre affreuse ?

Judith se posait elle aussi la question. La première semaine, elle s'était abstenue de pousser Cooper à partir : il était encore faible et se fatiguait facilement. La réaction de sa fille l'incita à suggérer à Cooper de télégraphier au ministre Mallory pour lui faire part de leur situation. Il lui répondit par un hochement de tête et un autre de ses regards étranges, indifférents.

Quelques jours plus tard, Judith gravit en courant l'escalier du garni, une feuille jaune à la main. Elle avait laissé Marie-Louise en bas, dans le salon, avec le numéro de février du *Southern Illustrated News*. Comme d'habitude, Cooper était assis à la fenêtre.

— Chéri, de bonnes nouvelles ! s'exclama-t-elle, traversant en trois pas la pièce exiguë. Un télégramme du ministre !

Souriante, espérant le tirer de sa torpeur, elle lui tendit le morceau de papier jaune, qu'il ne prit même pas. Elle le posa sur ses genoux en disant :

— Lis-le. Stephen t'adresse ses condoléances et te prie de venir à Richmond au plus tôt.

Cooper battit des cils. Son visage émacié, curieusement étranger depuis quelque temps, s'adoucit un peu.

— A-t-il besoin de moi ?

— Oui ! Lis le télégramme.

Baissant la tête, il s'exécuta. Quand il la releva, Judith regretta presque de lui avoir donné le télégramme. Le sourire de Cooper, dépourvu de toute humanité, sembla étrangement faire s'enfoncer un peu plus dans leurs orbites ses yeux fiévreux.

— Je pense qu'il est temps de partir. J'ai un compte à régler avec Ashton, murmura-t-il.

— Je sais que tu te ronges à ce sujet. Mais elle n'est pas vraiment responsable de...

— Si ! Ballantyne l'a dit explicitement : les armateurs ne veulent pas de retard, ils exigent que la cargaison soit livrée à tout prix. Il a joué avec la vie de Judah pour de l'argent. Le sien et celui d'Ashton. Elle est responsable.

Un frisson secoua le corps mince de Judith. Le langage gai et émaillé d'humour de l'ancien Cooper avait fait place à des déclarations amères. Elle commençait à craindre les conséquences de sa fureur.

— Aide-moi à me lever, ordonna-t-il soudain en rejetant la couverture.

— Tu te sens assez fort ?

— Oui.

La couverture tomba. Cooper chancela et saisit le bras de Judith, pressa si fort qu'elle grimaça.

— Cooper, tu me fais mal.

Il relâcha son étreinte sans s'excuser et demanda d'un ton indifférent :

— Où est mon nouveau costume ? Je veux aller à la gare prendre les billets.

— Je peux m'en charger, proposa Judith.

— Je le ferai ! Je veux aller à Richmond. Nous sommes restés ici trop longtemps.

— Tu étais malade. Tu devais te reposer.

— Je devais aussi réfléchir, clarifier mes idées. Définir mes objectifs. C'est fait, maintenant. J'ai l'intention d'aider le ministre à mener la guerre à son terme. Rien d'autre ne compte.

— Je ne te crois pas, dit Judith en secouant la tête. Quand la guerre a éclaté, elle te faisait horreur.

— Plus maintenant. A présent, je partage l'opinion de Mallory. Nous devons gagner, pas négocier la paix. J'aimerais que notre victoire coûte la vie à un grand nombre de Yankees — et j'aimerais être directement responsable de leur mort.

— Chéri, ne parle pas comme cela.

— Pousse-toi que je m'habille.

— Cooper, écoute-moi. Ne laisse pas la mort de Judah étouffer la gentillesse et l'idéalisme qui ont toujours...

Il ouvrit la porte de la garde-robe avec une violence qui réduisit sa femme au silence. Pivotant, le cou tendu comme un charognard, il la regarda de ses yeux effrayants.

— Et pourquoi pas ? La gentillesse n'a pas sauvé la vie de notre fils. L'idéalisme n'a pas empêché Ballantyne et ma sœur de l'assassiner.

— Mais tu ne peux pas le pleurer jusqu'à la fin de ta...

— Je ne le pleurerais pas du tout si tu étais restée à Nassau avec les enfants, comme je t'avais suppliée de le faire.

Blême, Judith murmura :

— Alors, c'est ça. Il te faut quelqu'un à blâmer et je suis ce quelqu'un.

— Si tu veux bien sortir que je m'habille, rétorqua Cooper en lui tournant le dos.

Pleurant silencieusement, Judith alla rejoindre Marie-Louise.

73

Ashton entendit les cris avant que leur signification devînt claire.

Elle venait d'entrer à l'*Epicurien*, un traiteur de Main Street que fréquentaient uniquement des gens très riches n'ayant jamais l'indélicatesse de poser des questions sur l'origine des marchandises. Celles-ci provenaient en partie du dernier voyage réussi du *Water Witch*, qui n'en effectuerait plus jamais. Selon Powell, le vapeur avait été coulé près de l'embouchure du fleuve. Peu importait : les profits déjà réalisés étaient énormes.

La veille, alors que Huntoon était une fois de plus retenu au bureau, un messager avait apporté à Ashton une lettre de son associé. Habilement tournée en termes courtois et décents, elle la priait de se rendre chez lui le lendemain matin afin qu'ils disent adieu ensemble au défunt navire et élaborent une nouvelle stratégie. Powell aimait la taquiner avec de tels prétextes — comme s'il en avait besoin. Déjà l'idée du rendez-vous mettait aux joues de la jeune femme un rose assorti au duvet de marabout teint ornant les manchettes et le col de sa robe en velours noir.

La matinée était fraîche pour un 2 avril. Arrivée à l'*Epicurien* peu après dix heures et demie, Ashton s'adressa au patron, un homme frêle aux cheveux gris :

— Du Mumm, si vous en avez, Mr. Franzblau, et un pot — non, deux — de ce délicieux foie gras.

Tandis qu'elle comptait les cent vingt dollars confédérés demandés, le boutiquier enveloppait les emplettes dans du papier-beurre — que tout le monde conservait à présent pour faire son courrier. Quand les cris s'élevèrent à nouveau, Mr. Franzblau tourna la tête vers la rue et le Noir assis près de la porte pour refouler les indésirables fit de même.

En mettant le champagne et le foie gras dans le panier d'Ashton, le commerçant demanda :

— Mais qu'est-ce qu'ils crient ?

La jeune femme tendit l'oreille.

— Du pain. Du pain, du pain. Comme c'est curieux !

Le cerbère noir bondit sur ses pieds quand Homer franchit la porte.

— Mrs. Huntoon, on ferait bien de s'en aller, prévint le vieux domestique. Une foule de mécontents arrive au coin de la rue. Ils sont drôlement nombreux, et en colère.

Franzblau pâlit, murmura quelques mots en allemand et glissa la main sous le comptoir pour prendre son revolver.

— Will, baisse le rideau.

Les talons d'Ashton claquèrent sur le carrelage noir et blanc du sol. Elle se trouvait à mi-chemin de la porte quand elle entendit un bruit de verre brisé. Elle avait déjà vu les visages renfrognés des pauvres Blancs affamés de Richmond mais elle n'aurait jamais cru qu'ils envahiraient la rue.

Homer prit le panier, sortit, s'arrêta en haut du perron de la boutique. Ashton le rejoignit, vit une cinquantaine de femmes descendre Main Street. D'autres suivaient derrière. A l'intérieur de la boutique, Franzblau ordonna à son employé :

— Ferme la porte, Will.

Le verrou cliqueta.

— Je cours à la voiture, annonça Homer.

Certaines des manifestantes eurent la même idée.

— Je te suis, murmura Ashton, terrorisée.

Des centaines de femmes pauvrement vêtues braillaient, lançaient des pierres et des briques dans les vitrines, pillaient les étalages.

— Du pain, du pain ! scandaient-elles en raflant chaussures ou bijoux.

Un groupe souleva une charrette prise dans le flot, renversa les cages qu'elle contenait ; celles-ci se fracassèrent, laissant échapper des poules dans un tourbillon de plumes. Le paysan qui les avait apportées en ville se réfugia sous les débris de son véhicule.

En montant dans sa calèche, Ashton vit des harpies tirer l'homme de sa cachette, se jeter sur lui et le rouer de coups.

D'autres émeutières surgirent de la 9e Rue ou de Capitol Square. Des gamins, dont certains déjà robustes, s'étaient joints au cortège des ménagères sans le sou.

Homer saisissait rênes et fouet quand une douzaine de femmes se ruèrent vers la voiture, mains tendues, bouches grimaçantes.

— En v'là une de rupin !

— Ça doit être bon, ce que t'as dans ton panier.

— Envoie, poulette.

— Vite, Homer ! s'écria Ashton au moment où une vieille en guenilles montait sur le marchepied.

Une main crasseuse se referma sur le poignet de la jeune femme, tira.

— Fais-la descendre ! Allez, en bas ! s'égosillaient les autres pauvresses.

Ashton se débattait, tentait vainement de se libérer. Voyant du coin de l'œil Homer menacer de son fouet les deux jeunes garçons retenant les chevaux, elle se pencha, planta ses dents dans la main sale. La vieille hurla, tomba du marchepied.

— Du pain, du pain !

D'autres vitres volèrent en éclats. Les émeutières enfoncèrent la porte de l'*Epicurien*, arrachèrent le rideau, se précipitèrent à l'intérieur. Un coup de feu retentit, quelqu'un poussa un cri.

Homer fouetta les deux enfants blancs, fit partir la calèche à laquelle deux femmes s'accrochèrent. Une troisième sauta sur le marchepied, s'agrippa au bras d'Ashton.

Le tumulte s'intensifiait :

— Des chaussures !

— La police rapplique par là...

— Jeff va venir nous parler.

— Qu'il se pointe ! On le bouffera au dîner.

— Donne-moi ça, petite richarde, haleta la femme grimpée sur le marchepied en tendant la main vers le panier.

Ashton pinça les lèvres, prit la bouteille de champagne par le goulot et la brisa sur la tête de son assaillante, qui lâcha prise et tomba, couverte de mousse et de morceaux de verre. Ashton menaça de son tesson les femmes les plus proches, qui reculèrent. Sales froussardes ! pensa-t-elle.

Grimaçant, elle s'agenouilla sur la banquette, enfonça le tesson dans les mains des femmes agrippées à l'arrière. Le sang gicla.

— Homer, vite, en avant !

Le Noir fouetta chevaux et émeutières, fit tourner la calèche et la lança vers un autre groupe de femmes, qui se dispersa. Au moment où la voiture s'engouffrait dans la 11e Rue, Ashton se retourna et vit les manifestantes se mettre à courir. Elle entendit des coups de sifflet, des détonations : la troupe était arrivée.

Une fois hors de danger, le souvenir des violences auxquelles elle venait d'assister mirent Ashton dans un curieux état d'excitation. La guerre avait sur elle le même effet. Elle aiguisait tous les plaisirs, de celui de gagner une fortune à celui qu'elle éprouvait quand Powell la pénétrait. Amour était un mot trop doux pour les sensations presque insupportables qu'il faisait naître en elle.

Après être passée chez elle se rafraîchir et se changer, elle se rendit à la maison de Franklin Street avec le panier contenant les deux pots de foie gras.

— J'avais une bouteille de Mumm mais j'ai dû la briser pour échapper aux émeutières, expliqua-t-elle à Powell dans l'entrée.

Pieds et torse nus, il ne portait que des caleçons.

— J'avais décidé de ne pas ouvrir pour te punir de ton retard mais j'ai changé d'avis quand un livreur m'a appris qu'il y avait eu des troubles en ville.

— C'était la confusion la plus totale. Des centaines de femmes, laides et sales...

— Pas maintenant, coupa Powell en guidant la main d'Ashton.

Une pendule sonnait deux heures quand la jeune femme émergea du sommeil de la satiété. Powell dormait à côté d'elle, sur le drap froissé. Elle releva une mèche tombée devant ses yeux, posa un regard encore somnolent sur deux objets insolites se trouvant sur un tabouret, près de l'épaule droite de son amant : une carte des Etats-Unis et, dessus, l'arme préférée de Powell, un petit pistolet Sharp auquel quatre canons courts donnaient un air menaçant. La crosse s'ornait d'un entrelacs compliqué gravé spécialement. Ashton avait plusieurs fois vu Lamar le manipuler et le nettoyer.

Quelques minutes plus tard, il s'éveilla à son tour et interrogea sa maîtresse sur l'émeute. Une main jouant entre les cuisses de la jeune femme, il écouta son récit.

— Elles réclamaient du pain mais volaient tout ce qui était à leur portée.

— Elles feront plus que voler si le Roi Jeff continue à s'affoler. La situation à Richmond — et dans toute la Confédération — est désastreuse.

— Mais nous avons tout l'argent qu'il faut pour remplacer le *Water Witch* et acheter peut-être un deuxième navire. Ne nous soucions pas du président.

— Nous le devrions, pourtant, si nous accordons quelque importance aux idéaux du Sud.

Il avait parlé à voix basse mais avec passion et Ashton, inquiète, se rendit compte qu'elle l'avait irrité sans le vouloir.

— Moi, je crois en ces idéaux, poursuivit-il. Il existe heureusement un moyen de les préserver et de faire échec à Davis.

— Que veux-tu dire ?

L'horloge de la chambre égrenait son tic-tac dans le silence. En bas, des roues ferrées grondaient sur les pavés de Franklin Street. Les lèvres fines de Powell s'étirèrent en un sourire bien que son regard demeurât glacial.

— Jusqu'à quel point m'aimes-tu, Ashton ?

Elle rit nerveusement.

— Jusqu'à quel point... ?

— C'est une question simple. Réponds.

— Mon Dieu, tu connais la réponse. Aucun homme ne m'a jamais fait éprouver ce que je ressens avec toi.

— Je peux donc te faire confiance ?

— Notre association ne t'en a pas convaincu ?

— Si. Mais si je découvrais que j'ai commis une erreur... (Powell s'interrompit, saisit le Sharps et enfonça ses canons dans la poitrine de sa maîtresse)... je la corrigerais.

Ashton ouvrit la bouche en voyant le doigt de Lamar blanchir sur la détente. Avec un sourire, il pressa plus fort, le percuteur s'abaissa — sur une chambre vide.

En pleine confusion, malade de peur, Ashton put à peine articuler :

— Qu'est-ce... ? Lamar, qu'est-ce que tout cela veut dire ?

Il reposa le pistolet, déplia la carte sur le drap froissé. Dans le coin inférieur gauche, il avait tracé une ligne verticale à travers le territoire du Nouveau-Mexique et, à gauche, plusieurs petits carrés en pointillés.

— Nos généraux incapables ont perdu le Sud-Ouest, qui est passé totalement à l'Union, expliqua-t-il. Y compris (il tapota la région des carrés) le nouveau territoire de l'Arizona, que le Congrès yankee a créé par une loi constitutionnelle adoptée en février. Quelques unités régulières de Californie sont censées garder toute cette région avec l'aide de volontaires du Nouveau-Mexique. Naturellement c'est impossible : la zone est trop vaste et les Peaux-Rouges obligent les soldats à se précipiter d'un endroit à un autre pour protéger des colons isolés. Ce nouveau territoire convient parfaitement au plan conçu par moi-même et quelques autres gentlemen qui ont compris que le Roi Jeff nous conduira à notre perte si nous le laissons faire.

Le sourire exaspérant demeura tandis que Powell repliait la carte et la laissait tomber par terre. Ashton sauta du lit et, les fesses dansantes, alla à la fenêtre donnant sur le jardin.

— Tu fais des mystères pour me tourmenter, Lamar, geignit-elle en croisant les bras sur sa poitrine. Si tu ne t'expliques pas, je m'habille et je m'en vais.

— Il n'y a rien de mystérieux là-dedans, répondit Powell avec un rire. Ces carrés sur la carte indiquent les lieux possibles pour une autre confédération.

Elle se retourna, forme blanche comme du lait, mis à part le noir de sa toison.

— Une autre... ? Mon Dieu ! Tu es sérieux, n'est-ce pas ?

— Absolument. L'idée n'est pas nouvelle...

Ashton approuva de la tête. Elle avait entendu discuter de la formation éventuelle d'un troisième pays au nord-ouest et d'une Confédération de la côte pacifique.

— Je n'ai fait que trouver l'emplacement idéal pour un nouvel Etat, petit mais imprenable. Un endroit où chacun pourrait prospérer selon ses désirs et ses compétences, où la reproduction et la possession d'esclaves seraient encouragées.

La jeune femme revint près du lit, s'assit sur le bord.

— Depuis combien de temps songes-tu à ce projet ?

— Plus d'un an. Il a pris de la consistance après Sharpsburg, quand tout espoir de reconnaissance par l'Europe fut perdu.

— Mais Davis ne voudrait pas en entendre parler, Lamar. Il s'y opposerait avec tous les moyens dont dispose le gouvernement.

— Pauvre écervelée ! soupira Powell en caressant la joue de sa maîtresse. Bien sûr qu'il s'y opposerait. Pourquoi penses-tu que j'ai voulu m'assurer de ta confiance ? Lorsque nous établirons notre nouvel Etat, le gouvernement de Richmond aura été décapité. Mr. Jefferson Davis sera parti chercher la récompense qu'il mérite — en enfer. La première mesure à prendre est de hâter ce départ.

— Tu veux dire... l'assassiner ?

— Lui et les principaux membres du gouvernement. Ceux qui pourraient unir leurs forces pour s'opposer à nous.

— Combien... combien êtes-vous ?

— Sache seulement que je dirige les opérations. Maintenant que tu connais le complot... (le pouce de Powell appuya sur la joue d'Ashton, ses doigts se refermèrent autour de son cou et pressèrent doucement, éveillant un soupçon de douleur)... tu en fais partie.

La première surprise passée, les questions affluèrent dans l'esprit d'Ashton, qui posa d'abord les plus évidentes. D'où ce nouvel Etat ou pays tirerait-il ses ressources ? Avec quoi paierait-il l'armée nécessaire pour le défendre ?

Powell se mit à faire le tour de la pièce et répondit, d'une voix vibrant d'excitation :

— D'abord avec ma part des profits du *Water Witch*, mais il faudra bien plus pour armer et équiper les troupes dont nous aurons besoin pour défendre nos frontières pendant les deux premières années. Jusqu'à ce que les Yankees comprennent qu'ils ne peuvent nous écraser et reconnaissent notre souveraineté.

— Où trouveras-tu les soldats d'une telle armée ?

— Il y a des milliers d'entre eux en ce moment dans la Confédération — sous les drapeaux ou non. Certains de nos meilleurs hommes ont déserté, écœurés par tout ce gâchis. Nous les rallierons à notre cause et nous y gagnerons aussi des hommes de l'Ouest nés dans le Sud ou défendant ses idéaux. J'estime qu'on peut en trouver sept mille au moins rien qu'au Colorado. Enfin, si besoin est, nous ferons appel à des mercenaires européens. Non, nous n'aurons aucun mal à trouver des soldats.

— Mais tu devras les payer.

Le sourire de félin réapparut.

— Nous avons les ressources requises. Je t'ai parlé de mon frère, Atticus ?

— En passant. Tu ne m'en as jamais dit grand-chose.

Powell s'assit à côté d'Ashton, lui caressa la jambe. Elle le dévisagea, s'interrogea brièvement sur sa santé mentale. Il ne lui avait jamais paru déséquilibré, et pas davantage en ce moment. Il parlait passionnément, mais avec la lucidité d'un homme ayant longuement préparé ses plans. Les doutes de la jeune femme se dissipèrent.

— Mon frère n'était pas attaché au Sud, dit Powell avec un ton méprisant. Il quitta la Georgie au printemps 56 pour devenir chercheur d'or dans l'Ouest. Un grand nombre de Géorgiens l'imitèrent. Il y en a une importante colonie au Colorado, où Atticus trouva et jalonna une concession. Il l'exploita jusqu'à l'été 60, sans en tirer plus de deux mille dollars — somme respectable mais sans plus. Quand la Caroline du Sud fit sécession, Atticus, gagné à nouveau par l'ennui et la bougeotte, vendit sa concession pour un millier de dollars de plus et partit pour la Californie. Il n'alla pas plus loin que les gisements de la Carson, sur la frontière ouest du territoire du Nevada.

— J'ai entendu parler des mines de la Carson. James envisageait à une époque d'acheter des actions de l'une d'entre elles — l'Ophir, je crois. C'était avant qu'il ne découvre l'existence du *Water Witch*.

— Mon frère arriva au bon moment. L'année précédente, plusieurs chercheurs d'or dont un Canadien à demi fou surnommé la Crêpe parce qu'il ne mangeait rien d'autre, avaient découvert des gisements prometteurs dans deux ravins du mont Davidson. Comstock — c'était le vrai nom de la Crêpe — et les autres commencèrent à exploiter les deux cañons et gagnèrent convenablement leur vie dès le début. Cinq dollars par jour, en or. Cette somme passa à vingt lorsqu'ils firent une découverte importante — deux, en réalité. Le filon était plus riche qu'ils ne l'avaient rêvé et, mêlé à l'or, il y avait autre chose. De l'argent.

— Ton frère jalonna une concession ?

— Pas exactement. Les chercheurs d'or sont des êtres bizarres, complexes, qui ne cessent de vendre ou d'échanger leurs concessions. L'un de ceux qui avaient trouvé le filon, un nommé Penrod, possédait un sixième de l'Ophir et voulait le vendre cinq mille cinq cents dollars. Mon frère n'avait pas cette somme mais Penrod lui fit une autre offre : la moitié d'une mine appelée la Mexicaine pour trois mille dollars. Atticus se porta acquéreur.

Recommençant à arpenter la pièce, Powell expliqua que le camp des chercheurs d'or, baptisé Virginia City par un autre des premiers arrivés, Virginny Finney, connut des changements rapides et spectaculaires pendant les deux premières années de la guerre. Par décision des chercheurs d'or, il devint possible de jalonner une concession de filon, bien plus étendue que la concession de placer réglementaire de quinze mètres sur cent.

— Avec une concession de filon, on peut creuser la montagne jusqu'à une profondeur de cent mètres et on a des droits sur tout le terrain situé de part et d'autre des ramifications du filon. La Mexicaine commença par une fosse à ciel ouvert, on creusa ensuite des puits et, malgré le coût de la fonte et du transport — au début, il fallut acheminer le minerai en Californie à travers les montagnes — Atticus et son associé tirèrent bientôt trois mille dollars en argent et un tiers de cette somme en or de chaque tonne de minerai. L'année dernière, un grand nombre de Californiens affluèrent à Virginia City mais comme les concessions les plus riches étaient déjà prises, les nouveaux venus parlèrent de fumisterie. L'associé d'Atticus se laissa influencer par les rumeurs et mon frère lui racheta ses parts à un prix intéressant. L'été dernier, alors que la population de Virginia City venait de passer à mille cinq cents habitants, le pauvre Atticus trouva la mort.

— Oh ! comme c'est triste.

— Je vois que tu es profondément touchée, fit Powell en souriant.

— Comment est-il mort ?

— Abattu par un homme qui l'avait abordé dans l'ascenseur de l'*International Hotel*. On suppose que le vol fut le mobile du crime. Le coupable ne fut ni arrêté ni même identifié. Par coïncidence, la semaine d'avant, Atticus avait rédigé un document, que je garde en bas dans mon coffre, faisant de moi l'héritier de la Mexicaine. Il avait ensuite adressé ce testament à un intermédiaire de Washington qui le fit passer dans le Sud par l'une des filières de contrebande.

Powell avait parlé de l'acte généreux de son frère avec un ton amusé qui fit soudain comprendre à Ashton qu'il s'agissait d'une fable destinée aux crédules. Devinant les pensées de la jeune femme, il les confirma :

— J'étais son dernier parent en vie, ce qui signifie que personne ne viendra prétendre que l'écriture du testament ne présente qu'une ressemblance superficielle avec celle de mon frère. L'excellent contremaître qui dirige la mine se moque de l'identité du propriétaire tant qu'il est bien payé et régulièrement. La production de la Mexicaine a atteint un niveau record. Je dispose d'or et d'argent en abondance pour lever une armée.

Powell passa dans une autre pièce chercher un cigare. Ashton savait qu'il avait engagé l'homme qui avait tué son frère, tout comme il avait eu recours à un faussaire pour le testament. Plutôt que de l'indignation, elle éprouva pour lui un regain d'admiration. Lamar possédait l'ambition et le cran qui feraient toujours défaut à Huntoon.

— Tu vois, dit Powell en revenant avec un manille et des allumettes, ce que je propose n'est pas si délirant. Pas avec la Mexicaine pour financer le projet. Je dois te poser une autre question.

— Laquelle ? demanda Ashton.

Il la fit attendre en prenant le temps d'allumer soigneusement son cigare.

— Aimerais-tu être la présidente de la nouvelle confédération ?

— Oui. Oui !

Powell lui toucha les seins, traça lentement des cercles autour des mamelons avec le gras du pouce.

— C'est bien ce que je pensais.

Il ne put empêcher un certain mépris de percer à travers son sourire.

Au début de l'après-midi, Huntoon marchait sans but sur le trottoir jonché d'éclats de verre de Main Street. Il ne pouvait se résoudre à retourner à sa prison du ministère des Finances. Pas après ce qu'il avait découvert dans la matinée.

Comme beaucoup d'autres fonctionnaires travaillant dans les bâtiments entourant Capitol Square, il s'était précipité au-dehors en apprenant l'émeute. Il vit le président monter sur un chariot et réclamer le respect de la loi. « Tout citoyen doit endurer des privations pour le bien de la cause », déclara Davis. Les manifestantes lui répondirent par des huées. Dans un dernier geste pathétique, il retourna ses poches et lança quelques pièces à la foule.

Sans résultat. Il fallut les baïonnettes des gardes de la prévôté pour rétablir l'ordre. Alors que l'émeute faisait encore rage, Huntoon quitta la 9e Rue pour s'engager dans Main Street et vit de loin un attelage familier devant un traiteur en vogue. Poussé par une curiosité morbide, il s'approcha.

Ashton était dans la voiture. Elle tenait un panier à la main et se battait contre des pauvresses qui essayaient de le lui prendre. Les mouvements de la foule empêchèrent James d'en voir davantage mais cela suffit pour confirmer des doutes qui ne cessaient de croître depuis des mois. Sa femme avait un amant : elle n'achetait jamais les produits de luxe de Franzblau pour leur propre table. Cet amant devait être Powell, l'homme qui l'enrichissait, qu'il enviait et craignait à la fois.

74

Le vent se réchauffa, la terre mollit. Charles et Abner avaient parcouru en tous sens le camp du Sussex afin de trouver des remontes. Les deux hommes amenaient leurs chevaux à la forge itinérante en traversant un pré détrempé dans lequel leurs bottes s'enfonçaient.

— Regarde-moi ça, soupira Ab. (Il secoua un pied puis l'autre sans réussir à en faire tomber la boue.) Si on me demande si j'ai été en Virginie, je répondrai que j'ai même été *dedans* !

Charles rit, approcha une allumette de la pipe en maïs qu'il fumait depuis qu'il y avait pénurie de cigares. Il se sentait bien ce matin-là. Peut-être à cause du printemps ou parce que Joueur avait survécu aux rigueurs de l'hiver. Mais plus probablement à cause de la feuille de papier pliée et rangée dans la poche de sa chemise grise.

Tandis que le maréchal-ferrant finissait de s'occuper du canasson de quelque soldat, les deux éclaireurs nettoyèrent les jambes de leurs bêtes avec des racloirs et de l'herbe. Le maréchal-ferrant alla chercher des fers et des clous puis attisa le feu de la forge montée sur la plate-forme d'un chariot.

— T'as ton laissez-passer ? demanda Woolner. (Charles tapota sa poche.) Fais bien gaffe quand tu seras tout seul dans le comté de Spotsylvania. Si tu tombes sur la cavalerie de l'Union, planque-toi. J'ai la même opinion que toi sur les vendeurs de rubans : ils ont appris à tirer et à monter à cheval.

Cette certitude dérangeante se répandait depuis Sharpsburg. En mars, plus au nord, Fitz Lee avait envoyé un message moqueur de trop au général Bill Averell, un New-Yorkais que Charles avait connu à West Point. Fitz défiait le Nordiste de traverser le Rappahannock et, s'il en avait le courage, lui recommandait d'emporter du café, que les Sudistes seraient ravis de boire après l'avoir fait prisonnier. La division de cavalerie d'Averell déferla vers le sud comme un javelot et John Pelham, le célèbre officier d'artillerie de Stuart, fut tué.

L'événement, en apparence insignifiant, ébranla le Sud, plus effrayé par la mort d'un héros glorieux que par celle de milliers d'autres victimes anonymes. La perte de Pelham et l'attaque éclair d'Averell convainquirent les hommes de Wade Hampton que les cavaliers yankees n'avaient plus peur de se mesurer à eux.

— Fais-moi voir ce fer, dit Charles en prenant les pinces des mains du maréchal-ferrant. Chauffe-le et remets-le dans l'étau. Il n'est pas assez large derrière. Le sabot de mon cheval s'élargit quand il appuie dessus.

— Je connais mon boulot.

— Je connais mon cheval.

— Vous, les planteurs, vous faites une belle bande de...

Charles confia la bride de Joueur à Abner, fit un pas vers le maréchal-ferrant.

— Ça va, ça va, marmonna l'homme en se mettant à actionner le soufflet.

Plus tard, Charles dit au revoir à Ab, monta en selle et prit la direction du nord. A Richmond, il rendit visite à Orry et Madeline, qui avaient trouvé un grand appartement — quatre pièces, tout l'étage d'une maison — dans le quartier de Court End. Ravis d'avoir quitté le garni, ils payaient sans protester un loyer exorbitant.

En l'honneur du visiteur, Madeline fit une omelette de douze œufs frais et resta muette sur leur provenance. Charles leur parla de Gus, et Orry eut une réaction prévisible en apprenant l'endroit où se trouvait la ferme Barclay. Lee était retranché à Fredericksburg avec Jackson mais Hooker se trouvait juste de l'autre côté du fleuve, avec deux fois plus de soldats. C'était de la folie de rester dans le comté de Spotsylvania.

Charles approuva son cousin. La conversation se poursuivit jusqu'à quatre heures du matin sans que personne fît allusion à Ashton. Le lendemain, après avoir dormi sur le sol enroulé dans une couverture, Charles quitta la ville et repartit vers le nord, à travers une Virginie printanière.

Sous un ciel bleu, il chevauchait le long de routes bordées de forsythias et d'azalées. Les cerisiers en fleur étincelaient comme des champs de neige ; l'air sentait la glaise et, çà et là, une autre odeur qu'il connaissait : la chair de cheval en putréfaction. On en était à pouvoir repérer le passage des armées rien qu'en respirant la puanteur des cadavres de chevaux.

Ce soir-là, accroupi dans un bosquet, il vit passer une troupe de cavaliers se dirigeant vers le sud. A la lueur des étoiles, les vareuses et les képis semblaient noirs — ce qu'il traduisit par bleus : des soldats de l'Union se trouvaient à nouveau derrière les lignes confédérées.

Seul aspect réconfortant de l'incident, les Yankees s'embarrassaient toujours de ce que, par dérision, il appelait leurs fortifications : trente-cinq kilos de couvertures, d'outils et d'ustensiles divers. Un poids inutile lourd à porter pour les chevaux et dont Charles espérait que les Nordistes n'apprendraient jamais à se débarrasser.

Il parvint à Chancellorsville, simple carrefour entouré de quelques bâtisses, indigne du nom de village. Puis il poursuivit vers Fredericks-burg à travers une forêt de chênes nains et de pins quasi impénétra-ble : le Wilderness. Même sous un soleil éclatant, l'endroit semblait lugubre.

Au sortir de la forêt, il coupa vers le nord-est et perdit la fragile bonne humeur engendrée par le temps. Il était retourné pour de bon dans la zone de guerre.

La campagne était sillonnée par des compagnies de sapeurs confé-dérés, des convois de chariots de ravitaillement, des pièces d'artillerie tirées par six chevaux, de lents troupeaux de bestiaux décharnés. Un officier vérifia le laissez-passer de Charles puis lui demanda s'il avait vu des cavaliers nordistes depuis son départ de Richmond. Comme Charles acquiesçait, le gradé ajouta qu'il s'agissait probablement de Stoneman, qui s'en prenait aux lignes de communication avec la capitale.

Des traînards en uniforme gris erraient dans les champs fraîchement labourés, allant Dieu sait où faire Dieu sait quoi. Tant de soldats battant la campagne constituaient une menace pour une femme vivant seule, même s'ils portaient le bon uniforme. Charles en eut la preuve en approchant de la ferme Barclay. Un chariot de l'intendance était arrêté sur la route et ses deux conducteurs lorgnaient en direction de la maison. Charles se dirigea vers eux, la main sur son fusil de chasse, et les deux hommes décidèrent de poursuivre leur route.

En le voyant entrer dans la cour, Boz jeta sa hache, sauta par-dessus le tas de bois qu'il venait de fendre et courut vers la cuisine en criant :

— Miss Augusta ! Le capitaine Charles ! le capitaine Charles !

Plus qu'heureux, l'affranchi semblait soulagé.

— Il y a quelque chose qui te tracasse, dit-elle. Qu'est-ce que c'est ?

Ils étaient étendus côte à côte dans le noir. Au lieu de ressentir après l'amour une agréable somnolence, Charles se débattait dans le filet de ses propres pensées.

— Par quoi commencer ? soupira-t-il.

— Par ce que tu veux.

— Cela va mal, Gus. Vicksburg est menacée — c'est Grant qui commande les troupes yankees, là-bas. Orry, qui l'a connu à l'Académie et au Mexique, dit qu'il est entêté comme un terrier tenant un os dans sa gueule. Il ne lâchera pas. Mon cousin n'en parle à personne, mais il est persuadé que Grant prendra Vicksburg avant l'automne. Ensuite, il y a Davis, qui continue à protéger des généraux de seconde zone comme

Bragg. Enfin, la cavalerie ne trouve pas assez de chevaux, sans parler d'avoine pour les nourrir.

— Les champs des environs sont nus comme la main, dit Augusta. On laboure un arpent, dix minutes plus tard une batterie d'artillerie le traverse et on peut recommencer.

— Les soldats superstitieux prétendent que la chance a tourné. Sharpsburg aurait pu être une victoire au lieu d'une partie nulle si les Yankees n'avaient pas trouvé les cigares enveloppés dans un ordre de Lee. Le courage ne peut pas grand-chose contre la malchance — ou des effectifs supérieurs chez l'ennemi.

Cooper avait parlé chiffres bien longtemps avant lui, il les avait mis en garde.

— Voilà des inquiétudes que je qualifierais d'éminemment respectables, dit Augusta en posant une main apaisante sur l'épaule nue de Charles.

— Il y en a une encore.

— Laquelle ?

Il roula sur le côté mais ne vit de sa maîtresse qu'une forme pâle.

— Toi.

— Mon chéri, ne gaspille pas un seul instant à te faire du souci pour moi. Je sais me débrouiller.

Il y avait dans la voix de la jeune femme de la fierté, de l'assurance, et aussi de l'irritation.

— Pourtant je m'en fais. La plupart du temps, je n'arrive pas à dormir quand je pense à toi, isolée ici.

« Et voilà pourquoi il ne faudrait jamais tomber amoureux en temps de guerre. » Cette certitude pesait sur lui comme un roc, troublante, dérangeante — et indéniable.

— C'est idiot, Charles.

— Sûrement pas. Hooker va attaquer Fredericksburg — peut-être dans quelques jours. L'armée du Potomac pourrait envahir tout le comté.

— Boz, Washington et moi pouvons...

— Contenir des bleus qui n'ont pas vu de jolie femme depuis des mois ? Allons !

— Tu me cherches noise.

— Toi aussi. Je ne peux pas m'empêcher d'être inquiet.

— Cesse de venir ici, tu ne le seras plus.

Les mots tombèrent entre eux, froids et neutres. Charles se redressa brusquement, s'assit, se croisa les bras et se gratta furieusement la barbe de dépit. Augusta s'agenouilla, lui toucha l'épaule.

— Tu crois que moi, je ne m'inquiète pas pour toi ? Constamment ? Parfois, je pense que je suis tombée amoureuse au mauvais moment, d'un homme que je n'aurais pas dû...

— Je devrais peut-être ne plus venir te voir.

— C'est ce que tu veux ?

— Je...

Silence. Soudain Charles se retourna et attira le corps nu d'Augusta contre le sien.

— Non, Gus. Je t'aime tant que parfois j'ai envie de demander grâce.

Tremblants, ils demeurèrent un moment enlacés puis Charles murmura :

— Va à Richmond.

Augusta se dégagea.

— Charles, c'est chez moi ici. Je ne partirai pas.

— Ce ne serait pas de la lâcheté de quitter la ferme pour une semaine ou deux. Jusqu'à ce que Hooker attaque et que la situation s'éclaircisse.

— Et si les Yankees viennent ici pendant mon absence ? S'ils pillent la ferme ou s'ils la brûlent ? C'est tout ce que j'ai.

— Ils la brûleront aussi bien si tu y restes.

— Il y a trop de monde à Richmond. Pas d'endroit où...

— Mon cousin et sa femme t'hébergeraient. Avec Boz et Washington. Je suis passé les voir en chemin. Ils partageront volontiers le peu qu'ils ont.

Augusta s'assit sur ses talons, serra les bras contre sa poitrine comme si elle avait froid.

— Il faudra emballer toutes les affaires...

— Gus, arrête. Tu es orgueilleuse, forte, et je t'aime pour ces qualités. Mais bon Dieu !...

— J'aimerais que tu t'abstiennes de jurer.

Charles soupira, agrippa la tête du lit pour se calmer.

— Excuse-moi. Mais le fait demeure : l'orgueil, la force de caractère et deux nègres ne suffiront pas à te protéger de l'armée de Joe Hooker. Il faut que tu ailles à Richmond — si ce n'est pour ton bien, du moins pour le mien.

— Pour le tien ?

— Exactement.

— Je vois.

— Si tu le prends sur ce ton, je couche dans l'autre pièce.

— Il vaudrait mieux.

Charles se leva, s'enveloppa dans une couverture et sortit en claquant la porte.

A l'aube, il revint dans la chambre à pas de loup, murmura le nom de Gus et fut surpris de la voir se redresser aussitôt, l'air totalement éveillé. A la pâleur de ses joues, il devina qu'elle avait peu dormi.

— Je suis désolé, dit-il en tendant la main vers elle.

Ils s'enlacèrent, oublièrent leur querelle. Pendant le petit déjeuner, Augusta consentit à quitter la ferme et à se rendre à Richmond avant la fin de la semaine si Charles lui obtenait un laissez-passer. Il promit de s'en occuper puis inscrivit sur un morceau de papier l'adresse d'Orry et Madeline. Tout allait bien à nouveau, du moins en surface. Tomber amoureux en des temps aussi troublés, c'était de la folie, et chacun d'eux en avait conscience.

Plus tard dans la matinée, il se prépara à partir.

— Je passerai par Richmond pour les prévenir que tu viendras.

Dans la cour, Augusta mit les bras autour du cou de Charles, l'embrassa et dit :

— Je t'aime, Charles Main. Tu ne dois pas t'inquiéter pour moi.

— Sûrement. Et le Vieil Abe hissera la bannière étoilée demain à Atlanta.

Il monta en selle, partit au petit trot en direction de la route. Après avoir parcouru cinq cents mètres, il arrêta son cheval et se retourna pour voir Gus mais aperçut une colonne de chariots soulevant de la poussière. Il se cacha, regarda en direction de la ferme, ne vit que des roues, des jambes de cheval luisantes de sueur. Quand enfin le convoi fut passé, la cour de la ferme était déserte.

De retour au campement de la brigade, dans le comté du Sussex, il mentit à Abner en assurant que la visite avait été fort agréable.

75

— Miss Jane, je dois vous l'avouer...

Il l'avait reconduite jusqu'au seuil de sa case à la tombée de la nuit, rassemblant son courage en chemin.

— Je vous aime, poursuivit Andy. Je prie pour devenir un jour un homme libre et pouvoir demander votre main.

La déclaration fit naître en la jeune Noire une vague de chaleur et de bonheur. Elle regardait Andy, dont le visage se découpait sur un arrière-plan de cases enveloppées de brume.

— Quand ce jour viendra, je serai fière de dire oui.

— Dieu du ciel! s'exclama l'esclave. Je t'embrasserais s'il n'y avait pas tant de gens à nous regarder.

— Je ne vois personne, dit Jane en riant.

Elle déposa un léger baiser sur la joue d'Andy, entra prestement chez elle et s'appuya contre la porte en murmurant :

— Oh! mon Dieu.

Elle fut alors assaillie par une odeur de corps sale et d'alcool dont elle trouva aussitôt la provenance. Les yeux vitreux, Cuffey était appuyé contre le mur blanchi à la chaux.

— Comment oses-tu ? Sors d'ici !

Il ne bougea pas, la détailla avec un sourire narquois.

— J'ai entendu ce qu'il a dit, ce moricaud. Il t'aime, ricana l'esclave. (Sa main brune se porta à son entrejambe, commença à déboutonner la braguette.) Mais il te fera jamais ça aussi bien que moi. Tiens, regarde...

— Espèce d'ivrogne ! Sale vicieux...

Cuffey se précipita vers Jane, qui poussa un cri et chercha à tâtons la poignée de la porte. Il la saisit par l'épaule, la secoua si violemment qu'elle perdit l'équilibre. La porte, poussée de l'extérieur, la catapulta contre le mur du fond qu'elle heurta de la tête. Etourdie, elle ne vit pas Andy se ruer dans la case.

— Fous l'camp, négro, cracha Cuffey. Retourne lécher le cul de Meek, c'est ce que tu fais le mieux.

Baissant légèrement la tête, Andy s'avança vers Cuffey, qui remettait son sexe dans son pantalon. Faisant un brusque saut de côté, Cuffey prit un vieux tabouret, le souleva et l'abattit sur le crâne d'Andy. Un des pieds se rompit, du sang se mit à couler de la tempe droite d'Andy. A demi aveuglé par le liquide, il poursuivit sur sa lancée, décocha un puissant coup de poing. Cuffey l'évita facilement, essaya d'atteindre les yeux de son adversaire avec le pied fracassé du tabouret.

— Laisse-le, implora Jane. Attends de l'aide.

Si Andy l'entendit, il ne tint pas compte du conseil. Il continua à avancer comme un soldat allant à la bataille, le dos bien droit, effrayé mais ne vacillant pas. Cuffey lui donna un coup de pied dans le bas-ventre ; Andy se plia, gémit mais resta debout. Il leva ses mains jointes au-dessus de sa tête, frappa Cuffey à la base du cou. Projeté contre le mur, Cuffey émit un grognement.

— Il y a longtemps que tu le cherchais, haleta Andy.

Il brandit à nouveau la masse de ses poings, l'abattit sur le sommet du crâne de Cuffey, qui cette fois se mit à crier. Andy continua à le marteler, comme s'il enfonçait un clou.

— 'Tention, Andy ! prévint un esclave, v'là m'sieur Meek.

Jane se tourna vers la porte, vit les Noirs reculer et le régisseur s'approcher, un pistolet à la main.

— Qui est-ce qui se bat, ici ?

— Andy et Cuffey, répondit une femme.

Andy releva Cuffey en le tirant par sa chemise maculée de sang. L'ancien contremaître, qui saignait d'une oreille et du nez, cracha au visage de son ennemi un jet de mucus ensanglanté.

— Je te tuerai, négro, marmonna-t-il. Toi et tous ceux de la plantation.

— Lâche-le, Andy, ordonna Meek du seuil de la case.

Le Noir se retourna, relâcha son adversaire qui, saisissant sa chance, le poussa avec force. Andy tomba à la renverse sur le régisseur, Cuffey arracha le rideau en toile de sac que Jane avait accroché à la fenêtre du fond, enjamba le rebord.

— Ecarte-toi que je puisse tirer ! cria Meek en poussant Andy.

Cuffey empoigna Jane, l'interposa entre l'arme et lui. Le régisseur releva le pistolet, l'esclave sauta dehors et fila.

— Arrête-toi ! ordonna Meek.

Il tira une cartouche, Cuffey disparut derrière un chêne.

Le vieil homme jura, ce qui ne lui ressemblait guère, puis se tourna vers Andy.

— Que s'est-il passé ?

— J'étais... dehors, haleta le Noir. J'ai entendu Jane crier.

— Je l'ai trouvé dans ma case en rentrant, expliqua la jeune fille. Il m'a dit des obscénités, il a déboutonné sa braguette.

Dehors, les esclaves, surtout les femmes, manifestèrent leur indignation. Furieux d'avoir laissé échapper le coupable, Meek grommela :

— Si on vous châtrait tous, on aurait moins d'ennuis.

— Ecoutez un peu, protesta Andy.

Le régisseur était trop irrité par la fuite de Cuffey pour prêter attention à l'intervention. Au même instant, une voix s'éleva de la brume derrière la case :

— Je vous tuerai tous, vous m'entendez !

— Réunis des hommes, dit Meek à Andy. Une dizaine au moins. Avec le brouillard, ce ne sera pas facile de le rattraper mais il me le faut. Quand je l'aurai repris, je le vendrai.

La poursuite s'acheva trois heures plus tard, quand la brume fut devenue trop épaisse. Une torche à la main, Andy vint prévenir Jane de l'échec des recherches :

— Je crois qu'il a filé pour de bon. Vers Beaufort, probablement.

— Bon débarras, répondit-elle.

— Je ferais peut-être bien de monter la garde devant la porte jusqu'à demain.

— Il ne reviendra pas.

— Tu as entendu ce qu'il a crié après avoir sauté par la fenêtre.

— Cuffey n'est qu'un vantard. Nous ne le reverrons plus jamais.

— J'espère que tu as raison. Bon, alors, bonne nuit.

— Bonne nuit, Andy, dit Jane. (Elle lui caressa le visage sous la bande enroulée autour de sa tête pour protéger sa blessure.) Tu es un homme courageux. J'étais sincère en disant que je serai fière de t'épouser.

— Merci, répondit-il, les yeux brillants.

Il s'éloigna dans le brouillard, éteignit sa torche dès que Jane eut refermé sa porte, fit demi-tour et revint s'allonger devant l'entrée de la case de la jeune Noire.

76

Le 28 avril, tôt le matin, Billy écrivait à la lueur d'une bougie enfoncée dans une douille de baïonnette.

Lije F. et ton serviteur sont détachés avec une compagnie de volontaires aux trois corps d'armée du général Slocum. Nous faisons mouvement demain, en remontant le fleuve. D'aucuns pensent que nous contournerons les troupes de Lee pour le prendre à revers. Réguliers et volontaires préparent des rations pour huit jours ; deux mille mules bâtées remplaceront la plupart des chariots de ravitaillement — autre indice de la rapidité et de l'effet de surprise recherchés.

Il fait meilleur mais bien qu'il ait cessé de pleuvoir, les routes et les berges demeurent très boueuses par endroits. Nous devrons placer des planches aux passages les plus difficiles.

Près de la moitié des volontaires reçus en renfort remplacent des déserteurs ou des morts, des blessés et des malades. La plupart des nouveaux s'excitent comme des imbéciles à l'idée de se battre. Ils aiment mieux marcher sur l'ennemi que rester à l'arrière avec les troupes qui, apparemment, feront une démonstration devant les fortifications de Lee à Fredericksburg. Une de ces unités, la 11e, commandée par Howard, est constituée d'Allemands qui ont fui leur pays après les troubles de 1848. D'une façon générale, personne ne les apprécie parce que ce sont des extrémistes, des révolutionnaires. Presque tous ces Allemands ne jurent que par Abe et sa proclamation, alors que le reste de l'armée les critique violemment. Nous n'avons guère de tolérance — et je pointe d'abord sur moi un doigt accusateur. Hier, j'ai croisé deux Noirs en uniforme bleu et j'avoue que cette vue m'a troublé.

Ce soir, Lije a prié vingt minutes de plus que d'ordinaire et quand je lui ai demandé pourquoi, il m'a répondu : « N'oubliez pas qui nous affrontons à Fredericksburg. Deux des meilleurs : Bob Lee et le Vieux Jack. » Il a ajouté qu'il avait imploré le Tout-Puissant de jeter le trouble dans leur esprit mais qu'il l'avait fait à regret parce que ce sont de fervents chrétiens. J'aimerais l'être aussi, Brett. Cela m'apporterait peut-être quelque réconfort. Je suis écœuré par les tueries et ne peux me réjouir comme les volontaires de ce qui se prépare. Ce ne sont que des enfants, ils changeront avant la fin du printemps.

Le lendemain, Billy et un détachement de douze volontaires arrivèrent en fin de journée près d'une ferme flanquée d'une grange trapue et d'une autre dépendance plus petite d'où émanait une forte odeur de fiente de poulet.

— Qu'en pensez-vous, mon capitaine ? demanda le sous-officier du groupe.

C'était un jeune volontaire de Syracuse nommé Spinnington, devenu caporal parce qu'il semblait moins paresseux et stupide que les autres nouvelles recrues.

De la route, Billy étudia les bâtiments bien tenus entourés par un petit verger de pêchers. Le détachement s'était éparpillé autour d'un chariot réquisitionné dans une autre ferme. D'autres détachements équipés de chariots obtenus de la même manière parcouraient la campagne juste au-dessus du Rapidan. Protégée par la cavalerie de Stoneman, l'infanterie avait progressé en grand secret sans rencontrer de difficultés jusqu'au gué choisi. On pouvait encore traverser le fleuve gonflé par les pluies mais ses rives étaient transformées en bourbier.

— Mon capitaine ? insista Spinnington.

Billy continuait à examiner la ferme en songeant qu'il aurait aimé pouvoir donner l'ordre de repartir. Il se sentait mort de fatigue, moins du fait de la marche forcée depuis Fredericksburg qu'à cause de la tâche qui l'attendait.

Comme le caporal s'agitait, Billy Hazard laissa tomber :

— Allons-y.

Les nouvelles recrues foncèrent vers la maison en criant, sous un soleil bas dorant le fer d'une hache, le visage d'un jeune garçon porteur d'un pied-de-biche. Leurs ombres allongées dansèrent sur le côté de la ferme.

La porte de devant s'ouvrit, un homme sortit. Petit, avec une barbiche blanche et de grosses mains puissantes.

Billy s'approcha. Avant qu'il ait pu parler, une femme apparut derrière l'homme, qu'elle dominait de sa masse.

— Mr. Tate, rentre, fit-elle. Les soldats du général Hooker qui sont passés ont dit qu'on se ferait tirer dessus si on met le nez dehors.

— C'est de la blague, répliqua le vieux paysan. Ils ont peur qu'on traverse le Rapidan pour aller prévenir Bob Lee. Je bougerai sûrement pas d'ici, je dois protéger ma ferme. Il vaut mieux que je parle à ces soldats.

— Mr. Tate...

Ne tenant pas compte de son épouse, le fermier cria :

— Qu'est-ce que vous voulez, les gars ?

Billy ôta son képi.

— Monsieur, j'ai le regret de vous informer que nous avons mission de réquisitionner du bois de charpente. Nous en avons besoin pour permettre aux troupes de traverser au gué de Germanna, où les rives sont une vraie fondrière. Je vous serais reconnaissant de rentrer chez vous avec votre femme pour nous permettre de faire notre travail.

— Quel travail ? demanda le vieillard.

N'osant le regarder dans les yeux, Billy tourna la tête vers Spinnington.

— Allez-y, caporal. D'abord la grange. Si nous avons assez de planches pour emplir le chariot, nous ne toucherons pas au poulailler.

— Il m'a fallu toute une vie pour construire cette ferme, protesta le paysan, des larmes de colère aux coins des yeux. Vous comprenez ce que ça veut dire ?

— Je suis désolé, monsieur. Sincèrement désolé.

Un clou gémit, deux volontaires détachèrent la première planche, qu'ils portèrent au chariot.

Le fermier s'avança, Billy dégaina son arme. Le vieil homme hésita, s'arrêta, s'assit sur la dernière marche du perron et lança à Billy un regard que celui-ci n'oublierait jamais. Puis il baissa la tête et contempla ses chaussures tandis que les sapeurs volontaires démolissaient la grange. Pour les poutres, ils eurent recours à des scies passe-partout. Au crépuscule, leur travail terminé, ils repartirent, laissant les vaches et les chevaux désormais sans abri errer autour du poulailler. Billy, assis sur la banquette du chariot qui s'éloignait n'osa pas regarder derrière lui.

Pendant la nuit, il écrivit dans son journal la phrase suivante :

Je hais ce que je deviens à cause de cette guerre.

— C'est les Allemands, dit Spinnington d'un ton méprisant. Ces foutus Teutons se sont effondrés.

— La ferme, répliqua Billy.

Torse nu, il brandit la hache à deux mains, sentit un choc dans ses bras quand le fer entama le tronc de l'orme.

Il faisait à peine jour. Une heure plus tôt, alors qu'un incendie allumé par des obus ravageait la forêt du Wilderness, le détachement de Billy avait été en toute hâte au point de passage de Chancellorsville, en terrain relativement découvert. A en juger à la présence de sentinelles autour du grand bâtiment blanc et au nombre de messagers qui y arrivaient et en repartaient, le général Hooker était terré à l'intérieur. Ce qu'il faisait, personne ne prétendait le savoir mais une chose était sûre : le grand plon de Joe le Battant avait fait long feu.

Hooker avait pris position comme prévu dans la forêt de chênes nains et de broussailles, prêt à anéantir les arrières de Lee... et n'avait pas su profiter de son avantage. Pourquoi ? se demandait Billy, abattant sa hache chaque fois que revenait la même question rageuse. Pourquoi ?

La veille, le général avait envoyé ses troupes vers une meilleure position offensive : sur un endroit plus élevé, à la lisière du Wilderness, en terrain découvert. Lorsque ses hommes avaient essuyé le feu de l'ennemi, il avait arrêté leur progression. Les commandants des corps d'armée n'avaient pas caché leur colère et on avait rapporté à Billy cette réaction du général Meade, dont les propos s'étaient répandus partout, comme le feu dans la forêt : « S'il n'est pas capable de tenir le sommet d'une colline, comment peut-il espérer en tenir le pied ? »

C'était pourtant ce qu'ils s'apprêtaient à faire. Pourquoi ? Coup de hache. Pourquoi ? Coup de hache.

— Reculez ! cria Billy quand l'orme commença à s'incliner.

Les hommes se dispersèrent, l'arbre s'abattit ; les volontaires bondirent en avant à travers la fumée âpre, brûlante, provenant en partie du canon invisible, en partie de la forêt en flammes.

Vingt-quatre heures plus tôt, tandis que Hooker perdait en tergiversant l'occasion d'occuper une position plus favorable, Lee et Jackson s'étaient montrés plus habiles que lui. Le Vieux Jack avait à nouveau lancé ses hommes dans une de ses fameuses marches éclair, cette fois dans un mouvement tournant diablement risqué. Mais il était parvenu à ne pas se faire repérer et, à la tombée de la nuit, se tenait prêt à fondre sur la droite des armées de l'Union. Les Allemands de Howard prenaient tranquillement le repas du soir lorsque les paysans de Jackson s'abattirent sur eux en hurlant.

Le grand plan de Hooker avait commencé à sombrer. A présent, les rebelles attaquaient de toutes parts à travers le Wilderness. Nul ne savait d'où ils allaient surgir et c'était la raison pour laquelle les soldats de l'Union creusaient en toute hâte des trous de tirailleurs pour défendre le terrain découvert tandis que d'autres, munis de haches comme Billy et son détachement, abattaient des arbres devant les lignes.

Ils coupaient des branches, les taillaient et les fichaient dans le sol en dirigeant la pointe vers la fumée où étaient peut-être tapis les Sudistes. L'abattage d'arbres était une tactique défensive à laquelle n'avaient pas recours des troupes décidées à aller de l'avant et à vaincre. Peut-être Joe le Battant avait-il perdu l'avantage en ce même lieu mystérieux où il avait égaré sa fougue. Même les rumeurs selon lesquelles une balle rebelle perdue avait blessé ou tué Jackson ne parvenaient pas à dissiper la morosité des hommes, pas plus que la lumière du jour n'avait dissipé la fumée étouffante.

Spinnington maniait la hache à gauche de Billy, Farmer un peu plus loin. A droite, un volontaire dont il ne connaissait pas le nom courbait le dos de manière à offrir la plus petite cible possible à un éventuel tireur d'élite, position qui l'empêchait quasiment de travailler. Billy eut soudain envie de fracasser le crâne du couard d'un coup de hache, mais il présuma que Lije y verrait une objection.

La barbe blanche scintillante de gouttes de sueur, Farmer souleva sa lourde hache de la main droite comme un fétu de paille et la pointa vers un chêne de près de trente centimètres de diamètre.

— Ensuite, celui-ci, les gars. Il tombera sur la droite si on le coupe comme il faut. On le tournera de quatre-vingt-dix degrés puis on fixera des pointes aux branches de la cime pour embêter un peu l'ennemi.

Billy eut un rire las. Quel roc, ce Lije ! Il s'adressait toujours à ses hommes avec la force et la conviction d'un pasteur prononçant un sermon. S'il parlait haut, c'était aussi pour couvrir un vacarme continuel : roulements de tambour et sonneries de bugle, cris des hommes, meuglement de bœufs égarés dans les buissons épineux, coups de feu.

Les tirs d'artillerie avaient repris, ajoutant encore au bruit. Les batteries sudistes semblaient installées au sud de Chancellorsville et Billy se demandait si les rebelles n'avaient pas amené leurs pièces sur une autre position élevée nommée Hazel Grove, dont Hooker avait inexplicablement retiré Sickles.

Billy et Lije s'attaquèrent au chêne, chacun d'un côté. Le regard du jeune officier croisa celui de Farmer, qui eut un sourire paternel. Billy aurait voulu avoir la foi de son aîné. Si Dieu était avec l'Union, pourquoi Jackson les écrasait-il à chaque fois en les prenant par surprise ?

Ils avaient taillé un V blanc dans le tronc quand Billy entendit siffler un obus.

— Baissez la tête ! cria-t-il à ses voisins. Celui-ci ne va pas passer loin...

La terre se souleva autour de lui, le projetant en l'air dans un nuage de poussière et d'herbe. Il retomba sur le dos, étourdi, respira la fumée épaisse, toussa. Sur sa poitrine nue, il vit un gros morceau de bois jaune et blanc arraché au tronc du chêne.

Clignant des yeux, il tourna la tête vers l'arbre qui commençait à s'abattre. Lije, qui se tenait plus loin, vit aussi le chêne tomber, droit sur Spinnington. Le caporal, qui se frottait les yeux, n'entendit pas le craquement du bois couvert par le grondement de l'artillerie.

— Spinnington, attention ! prévint Billy.

Le sous-officier se tourna sans comprendre, l'air hébété. Le reste se passa très vite. Farmer se rua en avant et, de l'épaule, percuta le caporal afin de le pousser hors de la trajectoire de l'arbre et de tomber sur lui. Mais la botte gauche de l'officier se prit dans une plante grimpante ; il s'affala sur la poitrine, leva la tête, referma les mains sur une poignée de terre et poussa un cri juste avant de recevoir le chêne au creux de ses reins.

— Seigneur, murmura Spinnington.

Indemne, le caporal se tenait à un mètre de Farmer qui, la bouche ouverte, les yeux fermés, agrippait l'herbe de ses poings crispés. Billy courut vers lui en criant son nom ; les hommes se jetèrent à nouveau à terre, un deuxième obus explosa vingt mètres plus loin. La déflagration fit tomber Billy sur le derrière, cribla son visage de petits cailloux. L'un d'eux lui effleura l'œil gauche, un autre lui coupa la joue.

Il se remit debout, repartit en titubant vers Lije, qui ouvrait lentement les yeux. Un troisième obus tomba sur leur gauche, loin derrière. Un corps mutilé s'éleva dans l'air, retomba sur les trous de tirailleurs inachevés. Des cris et des gémissements s'ajoutèrent au vacarme.

— Je vais vous sortir de là, Lije.

Billy passa les mains sous le tronc, tira. L'arbre ne bougea pas.

— Venez m'aider, les gars !

— Inutile, murmura Farmer. (Il ferma les yeux, se passa la langue sur les lèvres.) Inutile, répéta-t-il. Battez en retraite, lieutenant. Le feu de l'ennemi devient trop nourri. Battez en retraite... C'est un ordre.

Malgré leur terreur, plusieurs volontaires accoururent, s'attaquèrent au chêne, réussirent à le soulever de quelques centimètres. Mais l'un des hommes lâcha prise, le tronc retomba. Billy entendit Lije grincer des dents.

— Battez en retraite, gémit le vieillard.

— Non, répondit Billy, qui commençait à perdre son sang-froid.

— William Hazard, je vous ordonne...

— Non, non, sanglota Billy. Je ne peux pas vous laisser mourir.

— Quel est l'homme qui ne verra la mort ?

— Ne me balancez pas de citations de la Bible ! cria Billy. Je ne vous abandonnerai pas ici.

— Je ne serai pas abandonné, dit Farmer d'une voix faible mais en articulant chaque syllabe. J'ai confiance en la promesse du Seigneur : « Celui qui entendra Ma parole... »

Dans une tranchée touchée par un obus, des hommes poussaient des plaintes aiguës d'enfant.

— « ... et croira en Celui qui M'a envoyé ne sera pas condamné mais passera de la mort à la vie. » Mon destin était de tomber ici. Le tien est de vivre et de conduire ces hommes...

Un obus tomba dans la forêt, projetant de la terre dans la fumée, couvrant de son fracas la voix de Lije.

— ... en lieu sûr. Je te l'ordonne.

— Bon Dieu, gémit Billy en pleurant. Bon Dieu.

— Ne blasphème pas. Je t'ordonne de vivre et de continuer à combattre. Je... je t'ai aimé comme un fils. C'était écrit.

« Non ! cria Billy en lui-même. Ce n'est pas la volonté de Dieu mais le hasard et ton stupide sacrifice de chrétien... »

— Venez, lieutenant... Lieutenant, il est mort.

Sentant des mains le tirer, Billy se leva. Il regarda les yeux clos de Lije, son visage lisse. Un filet de salive argenté coulait au coin de ses lèvres ; une sauterelle bondit dans sa barbe et y demeura, comme si le géant mort éveillait sa curiosité.

— Venez, lieutenant, répéta Spinnington.

Avec une douceur surprenante, le caporal et un autre volontaire imberbe prirent leur officier par le bras. Hébété, Billy marmonnait des propos indistincts.

— Nous reviendrons chercher son corps, ne vous en faites pas, dit une voix lointaine qu'il ne reconnut pas.

D'une main sale, il s'essuya les yeux et se laissa emmener.

Près du campement, un médecin fit boire à Billy deux gorgées de whisky qui le tirèrent de sa torpeur.

La retraite en direction du fleuve commença au milieu de la matinée, soldats, canons, ambulances refluant pêle-mêle devant la progression de l'infanterie rebelle. Billy, Spinnington et deux autres volontaires retournèrent dans la zone bombardée pour récupérer le cadavre de Farmer. Mais les canons installés à Hazel Grove avaient tiré tant d'obus mettant le feu à tant d'arbres que le corps de l'officier n'avait plus rien d'humain. Aucun d'eux, pas même Billy, ne fut capable de le toucher ni simplement de le regarder plus de quelques secondes. Abandonnant le tas de chair calcinée, ils repartirent.

77

Toute la nuit, des hommes fatigués accoururent au ministère de la Guerre, certains repartant, d'autres décidant de rester jusqu'à ce que des nouvelles parviennent par le télégraphe militaire. Stanley faisait partie de ces derniers, d'un petit groupe de personnalités que leur rang autorisait à attendre dans le bureau de Stanton. Le président s'y trouvait aussi, allongé sur son sofa préféré mais ne cessant de s'agiter.

— Où est Hooker, maintenant ? Où est le général Stoneman ? Pourquoi diable n'envoient-ils aucun message ?

Stanley se tenait les tempes, frottant du doigt ses yeux rougis. Les questions impatientes du chef de l'Etat l'irritaient, comme elles irritaient manifestement Stanton. D'une voix rauque, le ministre répliqua :

— Ils briseront leur silence au moment opportun, monsieur le président. Je pense que nos généraux sont occupés à consolider notre victoire.

L'aube approchait. Au cours des douze dernières heures, sur la base de rapports fragmentaires et de chiffres faisant état des pertes, ils en étaient venus à penser que Hooker avait remporté une victoire, en payant toutefois un prix élevé. Un homme ne partageait pas leur avis : Welles, personnage bourru qui détenait le portefeuille de la Marine et avait été journaliste dans le Connecticut.

— Peut-être gardent-ils le silence parce qu'ils n'ont que de mauvaises nouvelles à nous apprendre, fit-il observer. En cas de victoire, nous croulerions sous les rapports.

Le ministre de la Guerre le scruta longuement, Lincoln aussi mais avec un regard attristé fort différent de celui, chargé de fiel, de Stanton.

— Je commence à penser que vous avez raison, Gideon, approuva le président en se levant. (D'une main distraite, il lissa le devant de sa veste fripée et salie, mit un châle sur ses épaules.) Envoyez-moi un messager dès que vous aurez des nouvelles précises.

Les soldats montant la garde dans l'antichambre se mirent au garde-à-vous quand Lincoln franchit la porte en traînant les pieds.

Bien qu'il eût délibérément choisi une chaise dure, Stanley s'endormit et demeura dans le bureau jusqu'à huit heures et demie, heure à laquelle le ministère reprit ses activités quotidiennes. Avec la permission du ministre, Stanley utilisa son cabinet de toilette personnel pour s'asperger le visage d'eau tiède et le frictionner avec quelques gouttes de l'eau de Cologne de Stanton. Puis, la démarche mal assurée, il sortit prendre son petit déjeuner.

« Pourvu que Hooker ait remporté une victoire », pensait-il. Ce n'était pas d'une mais de plusieurs victoires que le parti avait besoin. Les élections présidentielles auraient lieu dans un peu plus d'un an et, si Lincoln sombrait, il entraînerait de nombreux autres avec lui. Cette éventualité effrayait Stanley, qui avait pris goût à son travail et au pouvoir qu'il conférait. Si Isabel devait se retirer à Lehig Station pour le reste de ses jours, elle l'en tiendrait pour responsable et lui rendrait la vie encore plus insupportable que d'habitude.

Malgré l'heure matinale, les camelots étaient déjà à pied d'œuvre. L'un vantait les qualités de savons empilés sur son présentoir ; un autre fourrait une lunette bon marché sous le nez de George Hazard. Chariots militaires, voitures privées, fiacres et cavaliers encombraient l'avenue, gênant le passage du tramway tiré par des mules. Le véhicule immobilisé était lui-même en travers du chemin de George, qui se rendait sur le trottoir d'en face. De mauvaise humeur (la veille, il avait discuté avec son fils de ses mauvaises notes en classe et avait mal dormi), il posa sur les passagers un regard renfrogné.

Un visage entraperçu au moment où le tramway redémarrait le stupéfia. Comme il demeurait planté au milieu de la chaussée, un cocher l'injuria, le moyeu d'une roue effleura les pans de sa veste. Il secoua la tête, se faufila à travers la circulation comme un homme ivre.

En entrant au restaurant du *Willard*, Stanley vit George prenant son petit déjeuner seul, à une table moitié au soleil moitié à l'ombre. Sa première réaction fut de ressortir. Il n'avait pas vu son frère depuis la défaite de Wade au Sénat et George ne manquerait pas de le narguer. A sa place, c'est ce qu'il aurait fait.

Mais la longue veille au ministère avait mis Stanley dans un état qui ne lui était pas habituel : il avait envie d'être en compagnie de quelqu'un n'appartenant pas à l'entourage de Stanton. Aussi, renvoyant le garçon qui l'invitait à s'installer à une autre table, il s'approcha de celle où George contemplait son assiette avec un regard que son frère trouva étrange. George ne releva la tête que lorsque Stanley toussota.

— Tiens, bonjour. D'où viens-tu ?

— Du bureau de Stanton. J'y ai passé la nuit à attendre des nouvelles de Virginie.

— Il y en a ?

— Très peu. Je peux m'asseoir ?

George désigna une chaise, Stanley prit place, tira son gilet sur le renflement de sa panse.

— Quelque chose qui ne va pas, George ? Des ennuis avec Constance ou les enfants ?

« Salaud », pensa George. Stanley avait pour spécialité de poser ce genre de question d'un ton plein d'espoir.

— Je viens de voir un fantôme. Il y a dix minutes.

— Quoi ?

— Monsieur ? dit le garçon, qui attendait depuis quelques instants la commande.

— Plus tard, répondit Stanley avec sécheresse. Explique-toi, ajouta-t-il à l'adresse de son frère.

— J'ai vu Virgilia. Dans un tramway.

Stupéfait, Stanley garda un moment le silence avant de murmurer :

— Je la croyais bien loin d'ici. Cela fait deux ou trois ans que je n'ai plus entendu parler d'elle.

— Je suis sûr que c'était elle — enfin, quasiment sûr. Tu sais qu'elle n'était pas portée sur la toilette et cette femme portait des vêtements élégants, sa coiffure avait du style. Mais en dépit de ces différences...

— Finalement, tu n'en es pas sûr du tout, coupa Stanley. Mais à supposer que ce soit elle, pourquoi t'inquiéter ? Qu'est-ce que cela changerait ? Rien pour moi ou Isabel, je te l'assure. Je n'ai en commun avec ma sœur que notre nom et notre haine du Sud.

— Tu ne t'es jamais demandé ce qu'elle était devenue ?

— Jamais. C'est une voleuse, une catin — et ce sont les termes les plus indulgents que je puisse employer. Je ne veux discuter ni de Virgilia ni de tout autre sujet déplaisant. Je n'ai pas fermé l'œil de la nuit, je désire prendre tranquillement mon petit déjeuner. Je peux m'installer à une autre table si tu le souhaites.

— Calme-toi, Stanley. Passe ta commande, je ne parlerai plus d'elle.

George n'en fit rien. Il piqua une frite, mordit dans un morceau de bifteck froid.

— Moi, je me le demande parfois, reprit-il. Où est Virgilia, je veux dire.

— C'est ton droit.

Stanley avait répondu comme s'il s'adressait à un homme envisageant de se jeter à l'eau. Ils échangèrent ensuite quelques banalités en mangeant puis quittèrent la salle. En sortant, Stanley s'arrêta pour saluer un individu pâle et voûté qui venait de faire son entrée avec un groupe. George reconnut en lui Stout, un représentant membre de la clique Wade-Stevens. Stanley et lui échangèrent des murmures comme de vieux compères mais George n'en continua pas moins à penser que son frère s'était ligué avec les extrémistes plus par opportunisme que par conviction.

Stout rejoignit ses amis, les frères Hazard sortirent dans la rue.

— Tu vas au bureau ? demanda Stanley.

George répondit qu'il avait l'intention de marcher d'abord jusqu'aux locaux de l'*Evening Star* pour voir s'il y avait des nouvelles.

— J'ai pris l'habitude de m'en remettre aux journalistes pour avoir un compte rendu exact de la situation, ajouta-t-il. Vous autres, de l'équipe Stanton, vous publiez ce qui est favorable et vous étouffez le reste.

L'accusation irrita Stanley mais aucune repartie ne lui vint à l'esprit. Comme son frère avait raison, il l'accompagna au siège du *Star*, un bâtiment faisant le coin de Pennsylvania Avenue et de la 11ᵉ Rue. Les deux hommes y trouvèrent une centaine de personnes se pressant autour de longues bandes manuscrites accrochées au-dehors :

Dernières nouvelles du théâtre d'opérations.

Le général Lee pris par surprise.

La cavalerie du général Stoneman

sème la confusion chez les rebelles.
L'ennemi menace Fredericksburg.
Nos correspondants en Virginie font
état de terribles combats samedi et
dimanche à Chancellorsville.

— C'est du réchauffé, marmotta George. J'ai lu tout ça hier. Bon, je dois partir...

— Attends un peu, dit Stanley. On en apporte une autre.

La foule s'agita et murmura en voyant apparaître un homme en manches de chemise portant à la main une longue bande de papier. Il mit une échelle en place, monta fixer la bande au fil tendu en travers du bâtiment.

Nouvelles sensationnelles du front !
Tout va bien pour Hooker !

Nos soldats ont déployé des prodiges
de courage. Des milliers d'ennemis faits
prisonniers.

Le général Stonewall Jackson serait
gravement blessé.

La réaction fut quasi immédiate :

— On a gagné ! Joe le Battant a réussi !

— Amenez les prisonniers qu'on les pende.

— Jackson l'a pas volé, tiens !

Stanley tambourina des doigts sur son gilet en disant :

— Si ces dépêches sont exactes...

George ne l'entendit pas. Pour la seconde fois de la matinée, il avait l'impression d'avoir reçu un coup. L'image brouillée du jeune presbytérien étrange et timide des collines de Virginie occidentale lui apparut. Même dans sa jeunesse, et en dépit de ses bizarreries, Jackson avait paru promis à un destin de grandeur.

La bande de papier bruissait dans le vent. « Serait », relut George, à qui ce conditionnel rappela que de telles nouvelles s'étaient souvent révélées fausses en tout ou en partie. Toutefois, celle-ci éveillait en lui un mauvais pressentiment. Se rendant compte que Stanley lui avait parlé, il demanda :

— Qu'est-ce que tu disais ?

— Si cette nouvelle est vraie, c'est une bénédiction pour l'Union.

— Garde tes stupides remarques pour la bande de revanchards avec qui tu t'entends si bien.

— Je dirai ce qui me plaît d'un traître qui...

— Non. C'était mon ami.

Stanley ouvrit la bouche mais la referma aussi vite. La tête légèrement baissée, son frère continua à le fixer un instant d'un œil noir puis fit demi-tour, le dos raide et disparut au coin de la rue.

Certains badauds avaient entendu l'échange et l'un d'eux eut un mouvement du menton en direction de Stanley.

— Qu'est-ce qu'il a dit, ce gradé ? Que Stonewall était son ami ?

— On devrait lyncher tous ceux qui disent ça, suggéra une grosse femme.

— Je suis bien de votre avis, approuva Stanley.

Regrettant d'avoir pris son petit déjeuner avec George, il se promit à nouveau de le signaler à l'attention du colonel Baker.

78

Virgilia savait qu'elle paierait plus tard les conséquences de ce voyage à Washington. Lorsqu'elle rentrerait à Aquia Landing, la femme récemment nommée à la tête des infirmières de l'hôpital lui reprocherait d'être partie alors que tant de blessés arrivaient de Chancellorsville. Virgilia avait découvert que, dans la capitale, peu de gens étaient au courant de l'échec de la grande offensive du général Hooker.

Si elle n'avait eu une raison impérieuse de partir, elle serait restée là-bas, comme sa conscience le lui dictait. Mais cela faisait près de quatre semaines qu'elle attendait d'obtenir un rendez-vous avec Miss Dix. Ses collègues pourraient bien la remplacer pendant un jour et demi. Et il fallait absolument qu'elle s'occupe de sa situation, qui devenait intolérable.

La nouvelle directrice des infirmières, Elvira Neal, avait une bonne formation puisqu'elle s'était rendue en Angleterre avant la guerre pour suivre les cours d'une des écoles de Nightingale. Au cours de l'entretien que Miss Dix lui accorda le matin de la rencontre inopinée avec George, Virgilia prit soin de louer les qualités professionnelles de Mrs. Neal, même si les mots lui arrachaient la gorge.

Puis elle en vint à l'objet de sa démarche : son transfert dans un autre hôpital. Choisissant ses termes avec précaution, Virgilia expliqua qu'il y avait conflit de personnalités entre elle et la veuve Neal. Elle estimait qu'elles seraient toutes deux plus efficaces en travaillant chacune de leur côté.

— Et c'est la raison pour laquelle vous quittez votre poste en ces heures critiques ? demanda Miss Dix. Pour formuler une requête personnelle ?

Virgilia perdit son calme :

— Je ne vois pas ce qu'il y a de mal à cela si c'est dans l'intérêt du...

— Moi, je le vois. Je prendrai votre demande en considération mais sans hâte et, je dois vous en avertir, sans la juger de façon positive. Vous avez un bon dossier, Miss Hazard, mais cette démarche y inscrit un mauvais point. Au revoir.

Virgilia sortit du bureau en traitant intérieurement Miss Dix de sale vache.

Elle reprit le tramway en sens inverse et recouvra peu à peu son calme. Elle ne regrettait pas de s'être abstenue de porter contre Mrs. Neal toutes les accusations qu'elle aurait pu lancer — et qui d'ailleurs avaient un caractère plus personnel que professionnel. La directrice était une sentimentale, une démocrate pacifiste qui ne tarissait pas d'éloges sur McClellan et ne cessait de critiquer des hommes comme Stevens et Stanton. D'emblée, les deux femmes avaient eu de l'antipathie et de la méfiance l'une pour l'autre. Leurs opinions politiques n'avaient fait qu'aggraver la situation.

En grondant, l'estomac de l'infirmière lui rappela qu'elle n'avait rien mangé depuis qu'elle s'était réveillée dans la chambre d'hôtel où elle avait passé la nuit. Elle descendit du tramway, se dirigea vers le *Willard* et s'approchait de la porte du restaurant quand un groupe d'hommes en sortit.

— Mr. Stout...

Il se retourna, Virgilia retint son souffle. L'avait-il reconnue ?

Oui ! Il abaissa le chapeau qu'il s'apprêtait à mettre sur sa chevelure brune ondulée.

— Messieurs, veuillez m'excuser. Une vieille amie.

Ignorant les gloussements entendus de ses compagnons, Sam Stout tendit la main à Virgilia.

— Miss Hazard. Comment allez-vous ?

— Je suis contente que vous vous souveniez de mon nom.

— Vous pensiez que j'aurais pu l'oublier ? Que faites-vous ici ?

— J'ai eu un entretien avec Miss Dix sur certaines questions administratives urgentes. Je ne voulais pas quitter l'hôpital mais c'était indispensable. Des nouvelles du général Hooker ?

— Aucune autre que celles des journaux. Mon ami Stanton veille jalousement sur son télégraphe.

En parlant, Stout parcourut le hall des yeux, examinant rapidement les clients avec une discrétion nonchalante qui renforça l'admiration que l'infirmière avait pour lui.

Elle était ravie de le voir. Au cours d'un voyage précédent à Washington, elle avait glané des renseignements sur la vie privée de Mr. Stout. Il n'avait pas d'enfant, sa femme — petite amie de jeunesse — étant stérile. La description de l'épouse en question avait aussi été du goût de Virgilia. C'était une grande maigre, plate comme une planche, et la sœur de George se félicitait d'avoir à offrir quelque chose que la femme de Stout ne possédait pas.

Le plus sérieusement du monde, le parlementaire déclara :

— J'aimerais beaucoup être informé de la situation actuelle des hôpitaux. Savoir si vous manquez de certaines choses...

L'habile homme. Reprenant le prétexte qu'elle avait utilisé le jour de leur première rencontre, il parlait à haute voix pour écarter toute éventuelle interprétation graveleuse de leur conversation. Virgilia remarqua qu'un des employés de la réception, qui avait sans doute reconnu Stout, tendait l'oreille à leurs propos.

— Je crois qu'il y a un salon tranquille au bout de ce couloir, Miss Hazard. Nous pourrions y bavarder si cela ne contrarie pas votre programme.

Le regard insistant du député exprimait clairement ce qu'il avait réellement en tête. Etourdie, Virgilia eut l'impression d'être comprimée dans ses vêtements. La prenant courtoisement par le bras, il la guida le long d'un couloir désert sentant la poussière et le renfermé comme tous les couloirs d'hôtel. Il n'y avait personne non plus dans le salon, meublé de quelques fauteuils et tables basses.

Stout eut l'intelligence de laisser la porte grande ouverte et de choisir toutefois une table où l'on ne pourrait les voir qu'en entrant dans la pièce. Il y posa son chapeau, ses gants couleur fauve et sa mince canne à pommeau d'argent. Ses cheveux pommadés dégageaient un parfum de citron vert. Il avait la peau plus blanche que dans le souvenir de

Virgilia et ses sourcils en accents circonflexes semblaient par contraste noirs comme du charbon.

— Je dois dire, Miss Hazard, que vous avez l'air resplendissante.

La voix chaude atteignait Virgilia au plus profond d'elle-même, la troublait...

« Attention, se dit-elle. C'est un homme marié. On ne peut pas le cueillir comme une pomme sur une branche basse. »

— Merci, monsieur le député.

Avec un geste en direction d'un fauteuil recouvert de peluche, il reprit :

— Asseyez-vous donc. Comment vont les choses, là-bas ?

— Le travail est dur mais vous savez à quel point je crois à la cause que nous servons.

— Je m'en souviens parfaitement. C'est l'une des nombreuses raisons pour lesquelles je vous admire.

Il examina sa bouche avec un petit sourire. Virgilia se sentit défaillir, il ne poussa pas plus loin.

— Nos besoins en... en médicaments et en vivres ne sont... jamais satisfaits, réussit-elle à dire.

— Votre travail n'en est que plus remarquable.

— Il ne le sera jamais assez, Mr. Stout.

— Sam.

— Bon. Moi, c'est...

— Virgilia. Un nom charmant.

— Vous avez une si belle voix que, dans votre bouche, tous les noms semblent magnifiques.

Stout regarda en direction de la porte : personne dans le couloir. Il parut réfléchir au prochain coup qu'il jouerait et les yeux de Virgilia l'encouragèrent.

— J'ai regretté que notre première rencontre se soit terminée sur une note plutôt décourageante, finit-il par déclarer.

— J'ai voulu être franche avec vous, malgré toute l'admiration que j'avais pour votre attitude envers les rebelles.

— Que vous aviez ?

— Ce temps passé est un lapsus. Món admiration n'a pas faibli, assura Virgilia en souriant.

Stout tourna à nouveau les yeux vers le couloir puis leva lentement sa main droite. Comme elle semblait langoureuse, cette main qui montait vers le corsage de Virgilia tel un oiseau blanc porté par un courant aérien ! Se mettant à trembler, l'infirmière pressa ses jambes l'une contre l'autre quand le pouce de l'homme se posa sur son sein gauche, que ses doigts en épousèrent le renflement.

Elle posa sa main droite sur la sienne, murmura doucement son prénom, ferma les yeux.

— Oh !...

Dans le couloir, quelqu'un remua un seau, Stout retira vivement sa main. La caresse n'avait pas duré plus de cinq secondes mais elle avait clarifié tout ce qui avait été sous-entendu auparavant.

Un vieux Noir portant la livrée de l'hôtel apparut, un seau à la main, et commença à ratisser le sable d'un cendrier situé juste à l'extérieur de la porte du salon. Son travail terminé, il s'en alla.

Virgilia avait le visage comme ébouillanté.

— Je voudrais vous revoir, murmura Stout en se penchant vers elle.

— Moi aussi.

— Notre prochaine rencontre devrait être plus intime, vous ne pensez pas ?

Perdant un instant la tête, elle fut tentée d'acquiescer puis se rappela ce qu'elle avait à perdre — ou à gagner. Elle répondit non, et le vernis de Stout s'écailla.

— Vous venez de dire...

— Je ressens... une profonde attirance pour vous, Sam. Mais je refuse de me laisser entraîner dans une... une liaison sordide.

— Le problème, c'est toujours ma femme ?

— Je le crains.

D'un ton froid, il repartit :

— Si vous vous imaginez que je pourrais l'abandonner pour vous ou une quelconque autre femme, vous vous trompez.

— Je ne vous ai pas demandé de...

— Vous n'avez pas eu besoin de le faire, ma chère, répliqua Stout, sarcastique. Votre plan était transparent. Je ne puis vous reprocher d'avoir essayé mais vos espoirs étaient mal fondés. Je ne sacrifierai jamais ma carrière — passée et future — en devenant l'objet de ragots. Savez-vous ce que feraient certains de mes électeurs de Muncie si j'étais mêlé à un scandale ? Ils me feraient perdre mon siège au Congrès — et m'attendraient à la gare avec du goudron et des plumes à mon retour.

Ayant obtenu l'effet qu'il recherchait, Stout se radoucit, prit la main de Virgilia.

— Pourquoi les conventions sociales devraient-elles être un obstacle ? Nous éprouvons l'un pour l'autre un désir que nous pouvons satisfaire discrètement sans nuire à nos intérêts particuliers.

— Vous semblez avoir une solide expérience en la matière, monsieur le député.

Le regard de Stout redevint glacial. Il prit sa canne, ses gants, son chapeau et déclara en se levant :

— J'ai un rendez-vous. J'ai été ravi de m'entretenir avec vous, Miss Hazard. Au revoir.

— Au revoir.

Comme il atteignait la porte, Virgilia se leva brusquement à son tour.

— Sam...

Il se retourna mais ne revint pas vers elle.

— Oui ?

— Rien, se força-t-elle à répondre au prix d'un immense effort. Mes conditions restent les mêmes.

— Elles sont excessives, j'en ai peur.

Il lui lança un sourire, dédaigneux cette fois, destiné à faire mal. Puis sa silhouette voûtée disparut dans le couloir.

79

— Tout est là, déclara l'albinos. Et l'argent ?

— En temps utile — en temps utile !

Les petits yeux de Bent se posèrent sur le document, son regard courut le long des feuillets écrits serrés. L'albinos, un jeune homme de dix-huit ou dix-neuf ans d'allure vulnérable, s'éloigna, l'air irrité. Il arracha un fétu de paille à l'une des balles entassées dans le hangar, le porta à sa bouche et laissa mollement retomber sa main droite.

Comme Bent continuait à parcourir les pages, l'albinos lui lança d'un ton plaintif :

— Tout y est, comme promis. Inventaire complet de tous les articles fabriqués par la Tredegar — canons, douilles d'obus, affûts, tôles pour les cuirassés de Mr. Mallory. Avec, pour chacun, la quantité en stock. Le, euh, l'ami qui a réuni ces informations était l'un des principaux adjoints de Joe Anderson.

— « Etait » ? répéta Bent, alarmé.

— Oui, Mr. Bascom, répondit l'albinos. (D'un geste délicat, il releva les mèches blanches de sa chevelure tombant sur les épaules de sa chemise sale.) Il a été renvoyé la semaine dernière. Des irrégularités dans les paiements.

— Quelle sorte d'irrégularités ?

— Il favorisait certains fournisseurs. Cela ne change rien au rapport, auquel vous pouvez totalement vous fier.

— Oh ! je n'en doute pas.

Bent replia les feuillets, les glissa dans une poche de sa veste ample comme une tente. Avec son costume neuf en alpaga noir, ses lourdes bottes, son chapeau noir à large bord et sa cravate de même couleur, il avait l'air d'un homme d'affaires respectable.

Il réfléchit. Dans son désir de plaire, l'infirme avait lâché une information qui le rendait à présent inutile. Bent devait en tirer les conséquences. Il n'avait pas à hésiter, Baker lui avait donné carte blanche.

Une cloche sonna sur un paquebot descendant lentement le James et le Kanawha Canal. On apercevait ses feux à travers les planches disjointes du hangar situé sur un terrain vague, au pied de Oregon Hill. Un peu plus bas, de l'autre côté du canal mais sur la même rive du fleuve, la fonderie Tredegar rougissait la nuit et l'emplissait de bruit.

Bien qu'appartenant depuis peu au service de Baker, Bent en avait déjà saisi la complexité, probablement parce que sa personnalité s'accordait parfaitement à la nature du travail. Il tira de sa poche une liasse de billets (de la monnaie de l'Union, pas de l'argent confédéré — l'albinos avait insisté) et, tout en comptant, fit silencieusement le point de la situation.

Un contact inutilisé était potentiellement dangereux. L'albinos savait que Bent était un agent de l'Union ; il pouvait, par dépit, le dénoncer aux autorités sans pour autant perdre une source de revenus déjà tarie. Ou encore, après le départ de Bent de Richmond, il pouvait parler inconsidérément, rendant le retour de Bent fort risqué.

— Vous savez, reprit l'albinos, cet ami qui m'a donné les informations, je ne lui appartiens pas. Si vous voulez...

— Une autre fois, répondit Bent.

Tenté un court instant, il préférait ne pas mélanger le travail et le plaisir. En outre, le petit pédé était peut-être malade, comme certains prostitués pitoyables qu'il avait vus proposant leurs charmes sous les arbres de Capitol Square.

— Voilà qui est réglé, dit Bent en tendant l'argent à l'albinos. Tu peux partir le premier, j'éteindrai la lanterne et je suivrai quelques minutes plus tard.

— D'accord, Mr. Bascom, répondit l'homosexuel, l'air déçu.

— A propos, ton ami est toujours à Richmond ?

Bent espérait une réponse affirmative. Cela ne changerait rien à sa décision concernant l'albinos mais pourrait avoir une influence sur la durée de son séjour. Il fut surpris d'entendre :

— Non. Il est rentré chez lui, à Charlottesville, pour se remettre. Son licenciement a été un coup très rude : il travaillait à la Tredegar depuis dix ans. Il avait commencé comme apprenti, à l'époque où l'usine fabriquait des locomotives.

— C'est triste, dit Bent avec une feinte compassion.

— Bon, eh bien ! Bonne nuit, Mr. Bascom.

— Bonne nuit.

Quand l'albinos se dirigea vers la porte sans se presser, Bent tira d'une de ses poches son couteau pliant et l'ouvrit silencieusement. La lame de six pouces brilla sous la lanterne accrochée à une poutre.

Entendant le bruissement des bottes de Bent dans la poussière, l'albinos regarda par-dessus son épaule mais avant qu'il ait pu crier, Bent lui passa le bras gauche autour du cou et enfonça le couteau dans son dos. La lame rencontra quelque résistance ; Bent continua à pousser jusqu'à ce qu'elle disparaisse totalement.

L'albinos saisit le bras gauche de Bent mais n'eut pas la force de le desserrer. Ses chaussures éculées raclèrent la terre battue puis son corps frêle finit par devenir mou.

Bent sortit le couteau couvert de sang, n'eut qu'un seul haut-le-cœur. Il était étonné et ravi d'avoir les qualités requises pour ce genre de travail. Comme il n'avait jamais rencontré l'ami de l'albinos, celui-ci ne pourrait pas remonter jusqu'à Mr. Bascom ou faire le rapport avec un certain Mr. Dayton, de Raleigh, en Caroline du Nord, descendu pour quelques jours dans un des garnis bon marché de la capitale.

Le lendemain, mercredi 13 mai, Orry Main, en grand uniforme — avec ceinture d'étoffe et sabre de Solingen — suivait avec de nombreux autres officiers un convoi funèbre.

Derrière eux venaient des centaines d'employés et fonctionnaires de la ville ou de l'Etat. Juste devant Orry, il y avait son supérieur hiérarchique, Seddon, son ami Benjamin et d'autres membres du Cabinet. Devant encore, la voiture du président tendue de crêpe noir. Les Davis suivaient des anciens combattants qui avaient servi sous les ordres de l'homme à qui on rendait un dernier hommage. Certains marchaient en s'aidant de béquilles, d'autres étaient portés sur des civières.

Devant les anciens combattants, l'escorte militaire officielle, deux compagnies de la division de George Pickett, l'une d'artillerie, l'autre de cavalerie. Leurs tambours battaient une lente marche funèbre.

Devant, menée par un seul soldat, la monture préférée du général, selle vide, étriers relevés. Enfin, tiré par des chevaux à plumets noirs et flanqué de quatre généraux, le corbillard transportant la dépouille de Thomas Jonathan Jackson.

Le Vieux Jack était mort le dimanche, après que les chirurgiens l'eurent amputé du bras gauche dans une vaine tentative pour stopper la gangrène. Le mardi, dans la résidence du gouverneur, on avait exposé son cercueil drapé de la bannière pour laquelle il avait combattu avec tant de loyauté et d'ardeur.

Tout le long du chemin emprunté par le cortège, Orry ne voyait que visages affligés. Même les enfants pleuraient. Rien, pas même la disparition de Pelham, n'avait porté un coup aussi terrible à la Confédération. La veille, devant le cercueil, Seddon avait murmuré à Orry que Lee était inconsolable.

On avait peine à croire que Jackson n'avait pas été tué par un Yankee mais par l'un des siens, un soldat confédéré qui demeurerait éternellement anonyme. L'homme ne savait probablement pas qu'il avait tiré la balle fatale.

Le sort avait aussi voulu que cette mort survienne juste après une nouvelle brillante manœuvre de Jackson et Lee. Face à l'avance surprise de Hooker, ils avaient décidé de diviser à nouveau leur armée et d'envoyer la « cavalerie à pied » de Jackson prendre à revers la droite de l'Union. Les troupes du Vieux Jack avaient balayé les Allemands de Howard et, ce faisant, avaient peut-être vidé Joe le Battant de tout esprit combatif. Pour une raison inconnue, Hooker avait perdu sa détermination, abandonné une bonne position offensive à un moment critique et n'avait ensuite cessé de céder du terrain. Jubal Early avait perdu Fredericksburg mais les Yanks avaient perdu la bataille de Chancellorsville. Orry considérait toutefois qu'une victoire ayant coûté la vie de Jackson ressemblait à une défaite.

Quand le cortège arriva à Capitol Square, Orry Main vit Madeline dans un groupe de femmes comprenant Mrs. Stannard, une des grandes dames de la société locale. Benjamin avait fait les présentations et Mrs. Stannard, se prenant aussitôt de sympathie pour Madeline, lui avait confié qu'elle n'aimait pas du tout la sœur d'Orry, Mrs. Huntoon, à qui elle n'avait fait qu'une seule fois les honneurs de son salon.

La vue de Madeline réconforta quelque peu son mari qui, en plus de la mort de Jackson, avait d'autres raisons d'être abattu. À l'ouest, Sam Grant maintenait la pression autour de Vicksburg ; à Richmond, les soldats ne baissaient même plus la voix quand ils discutaient de la mise en accusation de Davis par la Chambre ; et les hommes de Winder continuaient à infliger de cruels sévices aux détenus des prisons surpeuplées, malgré les fréquentes inspections et protestations d'Orry et d'autres.

Cooper était à Richmond depuis près d'un mois. Comme il avait un bureau dans le bâtiment de l'Institut de mécanique, Orry le rencontrait quelquefois par hasard. La mort de son fils l'avait tragiquement changé. Replié sur lui-même, se désintéressant totalement des tentatives de Madeline en vue de rétablir le contact par des invitations à dîner, il se plongeait dans son travail pour Mallory, le ministre de la Marine.

Dernièrement, Orry et Madeline avaient accueilli une visiteuse du comté de Spotsylvania : la veuve attrayante, intelligente et parfois vive dans ses propos avec qui le cousin Charles avait noué une idylle. Augusta Barclay avait quitté Fredericksburg pour s'installer sur le sofa du salon jusqu'à ce que la retraite de Hooker de l'autre côté du Rapidan devînt une certitude. Elle était repartie la veille, le souci de la ferme prenant le pas sur l'hommage public rendu à Jackson.

Charles était amoureux. La veuve Barclay n'en soufflait mot mais cela éclatait dans la façon dont elle parlait de lui. Si Orry appréciait peu sa manie de citer à tout propos les poètes anglais de l'école aphoriste, il la trouvait indéniablement jolie, serviable et sympathique. Avant son départ, elle l'avait invité à ne pas hésiter à faire appel à elle si elle pouvait lui rendre sa générosité d'une quelconque façon, et Orry croyait l'offre sincère.

Dans la Chambre des représentants flottait l'odeur douceâtre des couronnes entourant le cercueil et des lis blancs qui le recouvraient. A contrecœur, Orry suivit la file d'officiers s'avançant lentement vers la bière. Quand vint son tour de regarder le visage barbu reposant sur un coussin en satin, il vit un jeune bizuth de West Point, bizarre et cependant sympathique, non l'homme mûr dont l'esprit complexe — malade, disaient d'aucuns — avait valu à la Confédération tant de victoires. Baissant la tête, Orry se mit à pleurer.

Comme un éléphant qui se lève, Elkanah Bent sortit du lit vers une heure de l'après-midi. La veille, il s'était rendu dans une maison close et avait fait appel aux services d'une Noire. Puis il était retourné à son garni à l'aube, heure à laquelle personne n'était debout pour lui demander s'il assisterait aux funérailles de Jackson. Bent n'avait certainement pas l'intention de paraître à l'enterrement d'un traître, encore qu'il eût aimé jeter un coup d'œil au corps pour voir si Jackson avaient beaucoup changé depuis l'époque où il l'avait bizuté. Déjà à cette époque, Jackson montrait une certaine bizarrerie, notamment une préoccupation excessive pour la façon dont ses organes étaient accrochés à l'intérieur de son corps. Plus tard, ses collègues avaient raillé sa répugnance à livrer bataille le dimanche. Mais le vieux presbytérien fou avait écrasé impitoyablement ses ennemis les autres jours de la semaine.

En se rasant, Bent songea à la facilité surprenante avec laquelle il avait accompli sa mission jusqu'à présent. Bien sûr, il avait pris des précautions — emportant notamment en partant pour Richmond deux pistolets et un couteau — mais le reste avait été d'une simplicité renversante. Chaque fois qu'on l'avait arrêté, il avait montré le laissez-passer fabriqué par l'un des faussaires de Baker. Sa façon de parler ne présentait pas de problème car il se trouvait dans une partie du Sud où l'accent sirupeux des Etats cotonniers sonnait bizarrement. De plus, on trouvait dans toute la ville des Yankees — prostituées et spéculateurs, pour la plupart.

A ce propos, un barman lui avait conseillé : « Ne vous en faites donc pas pour Richmond avant de voir les putains de Baltimore acheter un billet de train. »

Le document sur Tredegar caché dans une poche spéciale de la doublure de sa veste, Bent gagna Capitol Square de sa démarche dandinante et prit la file des gens qui pleuraient le traître. Quand il fut devant le cercueil, il reconnut à peine l'homme qui y était étendu. Il s'efforça de prendre un air affligé et se tamponna les yeux avant de repartir.

En se retournant, il remarqua dans la queue un homme presque aussi gros que lui portant des lunettes rondes mais surtout une femme dont la beauté sombre lui parut familière. Il s'approcha d'un officier se tenant à l'écart.

— Pardon, major, connaîtriez-vous le couple qui se tient là-bas ? J'ai l'impression que la femme est une lointaine parente de mon épouse.

Le gradé ne put lui venir en aide mais un homme aux allures de haut fonctionnaire avait entendu la question et répondit :

— C'est Huntoon. Il vient de Caroline du Sud et occupe un poste subalterne aux Finances.

Bent tremblait presque d'excitation.

— De Caroline du Sud, dites-vous ? Le nom de jeune fille de sa femme ne serait-il pas Main ?

Il avait posé la question avec une telle flamme que les soupçons du civil s'éveillèrent.

— Je ne saurais vous le dire.

Bent s'éloigna. Intrigué par la ressemblance de l'inconnue avec Orry

Main, il décida de rester un jour de plus dans la capitale confédérée pour se renseigner.

Le lendemain matin, il se rendit au bureau de poste dès l'ouverture, se présenta comme un certain Mr. Bell, de Louisville, et persuada l'employé d'oublier la singularité de son accent en lui glissant un billet par-dessus le comptoir. L'homme ouvrit un gros registre, trouva l'adresse de James Huntoon.

Bent prit un fiacre, passa deux fois devant la résidence de Grace Street puis retourna dans le centre acheter une pièce de lin hors de prix dont on pouvait faire des bandes. Il passa le reste de la matinée et le début de l'après-midi dans son garni et, vers quatre heures, repartit à pied en direction de Grace Street. Quelques centaines de mètres avant d'arriver à destination, il tourna dans une ruelle, but une gorgée à la gourde plate qu'il portait sur lui, fit une écharpe avec une bande de lin et y glissa son bras gauche. Quelques minutes plus tard, il sonna chez James Huntoon, un domestique vint ouvrir.

— Oui, m'âme Huntoon est là mais elle attend pas de visite.

— Je suis de passage à Richmond. Dites-lui que c'est important.

— Votre nom, s'il vous plaît ?

— Bellingham. Capitaine Erasmus Bellingham, du corps d'armée du général Longstreet. (Unité que Bent avait choisie parce qu'elle se trouvait alors loin de la capitale.) Je suis en permission mais je dois bientôt repartir.

Homer conduisit le visiteur au petit salon, s'éloigna. Trop énervé pour s'asseoir, Bent se mit à faire les cent pas. Il entendit un bruissement de jupon dans le couloir ; Ashton Huntoon entra, l'air irritée et mal réveillée.

— Capitaine Bellingham ?

— Erasmus Bellingham, actuellement sous les ordres...

— Mon nègre m'a dit tout cela.

— Navré de vous déranger à l'improviste mais je reste peu de temps à Richmond. Je suis presque remis de la blessure que j'ai reçue au siège de Suffolk. Avant de rejoindre mon unité, je voudrais avoir des nouvelles d'une vieille connaissance.

— Vous n'avez pas l'accent du Sud, capitaine.

« La garce ! » pensa Bent en souriant.

— Oh ! il y a toutes sortes d'accents du Sud. Je n'ai pas celui de Virginie parce que je suis né et j'ai été élevé sur la côte est du Maryland. Je l'ai quittée dès que j'ai entendu l'appel aux armes de la Confédération.

— Très intéressant, marmonna Ashton sans chercher à cacher son ennui.

Bent expliqua qu'il avait appris qu'un de ses camarades de promotion de West Point se trouvait à Richmond.

— Hier, je bavardais avec un des clients de mon hôtel garni — un homme qui a des amis au ministère des Finances — et lorsque je lui parlai de mon camarade de l'Académie, il mentionna votre nom et celui de votre mari. D'après lui, vous êtes tous deux originaires de Caroline du Sud, comme mon camarade, et votre nom de jeune fille est le même que le sien.

— Vous parlez d'Orry Main ?

— Oui.

Ashton réagit comme si elle avait reçu le contenu d'un crachoir à la figure.

— C'est mon frère aîné.

— Votre frère. Comme c'est extraordinaire! Je ne l'ai pas revu depuis des années. Maintenant que j'y repense, je me souviens qu'il parlait de vous avec beaucoup d'affection.

Elle se tamponna la lèvre supérieure avec un mouchoir en dentelle.

— J'en doute.

— Dites-moi, c'est vrai qu'Orry est à Richmond?

— Oui, et sa femme aussi. Je ne les vois ni l'un ni l'autre. Par choix.

— Serait-il par hasard dans l'armée?

— Il est lieutenant-colonel au ministère de la Guerre. Vous désirez savoir autre chose? dit Ashton d'un ton impatient.

— Seulement son adresse, si vous avez l'amabilité de...

— Ils logent dans Marshall Avenue, près de la Maison Blanche. Je ne suis jamais allée chez eux. Au revoir, capitaine Bellingham.

Bien que grossièrement congédié, Bent réussit à cacher sa colère jusqu'au moment où il se retrouva dans la rue. Il se vit déchirant la robe d'Ashton Huntoon et soumettant la jeune femme à une punition perverse.

Sur le chemin du retour, il eut l'impression de marcher sur des nuages. Orry Main était dans la capitale, Bent avait à sa portée l'un des objets de sa haine. Il suffisait d'entrer au ministère de la Guerre, de trouver le bureau de Main, de lui tirer une balle entre les...

Non. Non seulement une réaction précipitée le mettrait en danger mais elle enlèverait toute saveur à sa vengeance. De plus, Baker l'attendait à Washington, il valait mieux que Bent passe prendre son cheval à l'écurie et parte immédiatement.

Il décida pourtant de rester un jour de plus pour se familiariser avec la capitale, où une autre mission le ramènerait sans doute. En outre, il désirait voir l'endroit où travaillait Orry Main.

Le lendemain, trouver le ministère de la Guerre se révéla facile. Bent examina le bâtiment pendant une demi-heure mais n'y pénétra pas. Trouver le domicile de Main dans Marshall Avenue fut un peu plus dur. Le faux capitaine offrit des piécettes à plusieurs enfants noirs avant d'en dénicher un qui connût le colonel et sa femme. Le gosse montra l'endroit où ils habitaient : une vaste maison manifestement divisée en appartements.

Il s'en approcha sur le trottoir d'en face, le bord du chapeau rabattu pour protéger ses yeux du soleil de mai. Après quelques minutes de surveillance, il éprouva un choc en voyant sortir de la maison une jolie femme tenant une ombrelle.

Son beau visage lui parut aussitôt familier parce qu'il l'avait souvent contemplé sur le tableau volé à La Nouvelle-Orléans. Le sien ou celui d'une femme qui lui ressemblait beaucoup.

Inondé de sueur, Bent monta péniblement les marches du perron, sonna. Une vieille femme ouvrit, Bent ôta son chapeau.

— Pardon, madame, je cherche une Mrs. Wadlington, que je ne connais pas. On m'a dit qu'elle habitait ce pâté de maisons et je viens de voir passer une dame correspondant à la description sommaire qu'on m'a faite. Comme elle est sortie de cette maison, je me demandais...

— C'est la femme du colonel Main. Jamais entendu parler d'une Mrs. Wadlington et pourtant je connais tout le monde. Mais vous, je ne vous connais pas!

La vieille claqua la porte. Ravi, le sang à la tête et le souffle court,

Bent s'éloigna. La chance avait enfin tourné. D'abord l'entrée dans les services de Baker et maintenant cette découverte. Orry Main, officier supérieur employé au ministère de la Guerre, était marié à une putain noire — Bent en avait la preuve. Quel usage en ferait-il ? Il était encore trop excité pour y réfléchir. Mais il l'utiliserait, de cela, il était...

« Mystérieux assassinat près du canal ! La victime poignardée ! »

Le cri du petit vendeur de journaux de Broad Street tira Bent de sa rêverie de vengeance. Il acheta un journal, le parcourut sans s'arrêter de marcher. Le froid de la panique chassa son exaltation. On avait déjà retrouvé le cadavre de l'informateur de Bent, quoiqu'on ne mentionnât pas son nom. « La victime est un jeune garçon blanc affligé d'albinisme », lut l'espion de Baker.

En moins d'une heure, Elkanah Bent fit sa valise, libéra sa chambre, sella son cheval et prit la direction du nord.

80

Ce même soir, Cooper Main pataugeait dans le James, dont l'eau lui montait aux genoux. Il éternua : il avait dû prendre froid. Aucune importance, il s'en moquait. Comme il se moquait de l'état de fatigue de son adjoint et de leurs deux aides.

— Une autre. Placez l'obus.

— Mr. Main, il fait presque nuit, protesta l'assistant.

C'était un garçon plein de bonne volonté mais médiocre nommé Lucius Chickering. Aristocrate de Charleston âgé de dix-neuf ans, il était entré à l'Ecole navale confédérée de Mallory, à laquelle le vieux bateau à aubes *Patrick Henry*, ancré sur le fleuve, servait de campus. Après avoir échoué aux examens d'astronomie et de navigation, Chickering avait été renvoyé de l'école, avec les regrets du lieutenant Parker. Mais l'influence paternelle avait sauvé d'un naufrage total le jeune Lucius, à qui l'on trouva un emploi peu glorieux au ministère.

Chickering avait un énorme nez bosselé, des incisives supérieures saillantes et des taches de rousseur. Curieusement, sa laideur contribuait à le rendre sympathique et Cooper l'aimait bien. D'ailleurs, Lucius avait raison : il était tard. Un coucher de soleil d'un rouge profond couvrait le James de reflets. Des oiseaux tournoyaient devant les nuages roses et, plus loin sur le fleuve, une péniche n'était déjà plus qu'une tache d'ombre percée du point jaune d'une unique lanterne.

— Nous avons le temps, répondit Cooper. Si vous êtes tous trop flemmards, je ferai le travail moi-même.

Il n'avait rien mangé de la journée. Depuis le matin, les quatre hommes barbotaient dans l'eau à deux kilomètres de la ville pour essayer les mines à bois flottant. Ils n'avaient pas réussi une seule fois et Cooper savait pourquoi. La conception même de l'engin était erronée.

Un berceau en bois récemment mis au point par le service recevait une boîte métallique de poudre présentant une petite ouverture dans son couvercle en dôme. Par cette ouverture passait une fusée à percussion. Berceau et boîte étaient peints en brun grisâtre, comme les morceaux de bois flottant auxquels on les fixait. Le problème, c'était qu'on ne pouvait contrôler le mouvement d'un morceau de bois dans le courant du fleuve — ou la marée. Et à chaque expérience, c'était le mauvais bout de la mine qui heurtait la cible — trois tonneaux ancrés au milieu du fleuve.

A dire vrai, la plupart des mines mises à l'eau n'avaient même pas touché les tonneaux.

— Mr. Main, je proteste, explosa Chickering. Vous nous avez fait travailler toute la journée comme des esclaves et vous voulez qu'on continue alors qu'on ne voit presque plus ce qu'on fait.

— Exactement, répliqua Cooper, dont le corps se dessinait comme un roseau noir dans le couchant. C'est la guerre, Mr. Chickering. Si l'horaire et les conditions de travail ne vous plaisent pas, donnez votre démission et retournez à Charleston.

Lucius Chickering regarda son supérieur d'un air maussade. Cooper Main l'intimidait et l'irritait. Bien qu'originaire de l'Etat au palmier nain, il se comportait en Yankee, patouillant dans la boue comme si les apparences importaient peu. Sous le regard des trois autres hommes, Cooper vissa soigneusement le détonateur dans la fusée de la boîte. Le pantalon et les manches de chemise trempés, il poussa la mine à bois flottant et la regarda tourner dans le courant. Cinq minutes plus tard, une flamme signala qu'elle avait explosé sur la rive opposée.

D'un ton sec, Cooper lança à l'un des aides :

— Prends une barque et ramène les tonneaux. Toi, dit-il à l'autre, range les outils dans le chariot.

Le soleil s'était couché, les grenouilles coassaient dans la nuit tiède. Avant de s'éloigner, le deuxième aide murmura à Chickering :

— Il faut dire à Mallory que l'idée est mauvaise. Comme celle des mines à radeau, ou des mines à baril, qu'on a essayées avant.

— Mr. Main, avec tout le respect que je vous dois..., commença Lucius, plus calme après son accès d'humeur. Pourquoi poursuivons-nous ces expériences inutiles ? Notre travail est si étrange que nous sommes la risée de tous les autres ministères.

— Les railleries font moins de mal que les balles.

Lucius s'empourpra en entendant Cooper suggérer qu'il devrait se réjouir d'être un planqué. Mais il ne protesta pas parce qu'on ne pouvait mettre en question l'autorité de Mr. Main, qui avait le soutien total du ministre. Pourtant, on murmurait que l'homme n'avait plus tout son bon sens depuis que son fils s'était noyé au cours du voyage Nassau-Wilmington.

D'un ton de maître d'école sans humour, Cooper poursuivit :

— Nous expérimentons ces curieux engins pour une seule raison : notre infériorité vis-à-vis de l'ennemi. Comme le répète souvent le ministre, nous sommes moins nombreux qu'eux, nous avons moins d'argent qu'eux, il faut donc avoir plus d'idées. Cela implique des expérimentations qui peuvent paraître ridicules aux jeunes gens à la mode que vous fréquentez. Mallory veut remporter une victoire, vous comprenez, pas seulement négocier la fin de la guerre. Moi aussi je veux une victoire. Je veux chasser ces fichus Yankees de l'Océan et des fleuves si nous ne sommes pas capables de le faire ailleurs. Maintenant, en route.

Sur le chemin du retour, Cooper regretta la dureté de ses propos. Subir l'influence des autres est le propre de la jeunesse et il n'y avait rien d'étonnant à ce que Chickering émette des critiques à l'égard d'un ministère à qui l'on reprochait constamment et partout ses dépenses excessives, sa désorganisation et ses toquades pour des idées qui semblaient avoir germé dans la tête d'un idiot. Comme tant d'autres, le jeune homme ne comprenait pas qu'il faut tamiser pour trouver une seule pépite — une seule idée pouvant faire pencher la balance.

Cooper s'était jeté dans la recherche avec une énergie farouche. Mallory avait fait l'éloge de ses activités en Angleterre et n'avait pas tardé à lui dire le fond de sa pensée. Pour le ministre, la guerre des fleuves était perdue ; il fallait sauver la situation sur le littoral atlantique. Des bateaux corsaires sudistes semblables à celui que Cooper avait fait venir de Grande-Bretagne avaient capturé ou endommagé un nombre étonnant de navires marchands yankees. Conformément aux prévisions, les primes d'assurance avaient atteint un niveau quasi prohibitif et plusieurs centaines de cargos étaient devenus propriété d'hommes de paille anglais. Toutefois, les Confédérés n'avaient pas réalisé leur objectif final : une réduction appréciable de l'escadre yankee assurant le blocus.

Au contraire, l'« Anaconda » du général Scott se resserrait, en particulier autour de Charleston, où des monitors de l'Union avaient attaqué en force au mois d'avril. Les batteries portuaires et côtières les avaient repoussés, mais chacun au ministère s'attendait à une nouvelle offensive. Non seulement Charleston était un port vital pour la Confédération mais c'était aussi la ville que les Yankees voulaient à tout prix prendre et détruire.

Comme le chariot approchait en cahotant des collines éclairées par des becs de gaz, Cooper se demanda quelle heure il pouvait être. Tard, sans doute. Judith serait fâchée. Une fois de plus. Bah ! aucune importance.

En ville, Chickering fut le premier à descendre.

— Soyez au bureau demain à sept heures, lui ordonna Cooper. Je veux un rapport sur les essais d'hier avant l'arrivée des autres.

— Bien, monsieur, dit Chickering, qui s'éloigna en marmonnant.

Le conducteur du chariot laissa Cooper devant l'Institut de Mécanique, dans la 9e Rue, et lui souhaita bonne nuit d'un ton acerbe. Cooper n'en eut cure. L'imbécile ne comprenait ni la situation désespérée de la Confédération ni les problèmes du ministère, que Mallory résumait en deux mots : « Jamais assez. » Jamais assez de temps, d'argent, de coopération. Ils improvisaient, survivaient en faisant fonctionner leurs méninges. Ils en tiraient une certaine fierté mais c'était exténuant.

Comme Cooper le présumait, Mallory se trouvait encore au deuxième étage du bâtiment. Tous les autres étaient partis, à l'exception d'un des trois assistants du ministre, le pimpant Mr. Tidball, qui fermait son bureau à clef au moment où Cooper arriva.

Tidball était un rond-de-cuir sans imagination mais possédant un sens de l'organisation exceptionnel. Il s'ajoutait aux deux autres membres du triumvirat assistant le ministre : le commodore Forrest, vieux bravache comprenant parfaitement les marins, et Cooper, dont la capacité d'invention prolongeait celle de Mallory.

— Il vous attend, dit Tidball, désignant une porte avant de partir.

Le ministre examinait des plans à la lumière d'une lampe à pétrole laissant dans l'ombre le pourtour de la pièce.

— Bonsoir, Cooper, dit Mallory.

C'était un quinquagénaire grassouillet né à la Trinité et élevé à Key West par une mère irlandaise et un père yankee originaire du Connecticut. Il avait un nez crochu, des joues rebondies et des yeux bleus qui étincelaient souvent d'excitation.

— La chance nous a souri ? demanda-t-il.

— Pas du tout, répondit Cooper en reniflant. Le problème est celui que nous avions décelé en étudiant les plans : une mine attachée à du bois flottant va à la dérive. Faute d'être guidée, elle ferait aussi bien une brèche dans Fort Sumter qu'un trou dans la coque d'un bateau yankee. Plus vraisemblablement, elle flotterait dans le port de Charleston pendant des semaines ou des mois sans exploser et constituerait un danger potentiel. Tout cela sera dans mon rapport.

— Vous recommandez d'abandonner l'idée ? fit le ministre, qui semblait exténué.

— Absolument.

— Voilà qui est net, au moins. Je vous suis reconnaissant d'avoir dirigé les essais.

— Le général Rains a prouvé l'intérêt des mines pour les opérations terrestres, dit Cooper en s'asseyant. Les Yankees peuvent les trouver inhumaines, elles sont efficaces. Elles le seront aussi pour nous si nous trouvons le moyen de leur faire toucher la cible et d'exploser.

— Tout à fait exact. Mais nos progrès sont bien minces en ce domaine.

— Nos services sont surchargés, Stephen. Peut-être faudrait-il créer un groupe séparé pour les essayer et les mettre au point sur une base systématique.

— Un bureau des Mines ?

Cooper acquiesça de la tête.

— Le capitaine Maury serait l'homme idéal pour le diriger.

— Excellente idée, approuva le ministre. Je parviendrai peut-être à trouver les fonds... (Il s'interrompit quand Cooper éternua.) Vous avez l'air bien souffrant.

— J'ai un rhume, c'est tout.

Mallory accueillit la réponse avec scepticisme en voyant le front brillant de sueur de son assistant.

— Il est temps de rentrer chez vous prendre un repas chaud. A ce propos, Angela tient absolument à vous avoir à dîner, Judith et vous. Quand viendrez-vous ?

Cooper se tassa un peu plus sur sa chaise en disant :

— Nous avons déjà refusé trois invitations de mon frère. Je dois d'abord remplir cette obligation.

— J'apprécie votre zèle mais vous devez vous réserver un peu de temps. Vous ne pouvez consacrer chaque minute au travail.

— Pourquoi pas ? J'ai une dette à rembourser.

— Comme vous voudrez. J'ai quelque chose d'autre à vous montrer mais cela peut attendre demain.

— Autant le faire tout de suite, suggéra Cooper en dépliant son long corps.

Il se leva, s'approcha du bureau et se pencha vers l'ovale de lumière. Le dessin de la partie supérieure du plan représentait un curieux navire dont la longueur, indiquée, était de treize mètres. Sa coupe verticale rappelait celle d'une chaudière à vapeur ordinaire mais, vu de profil, il avait plutôt l'air d'un cigare.

— Qu'est-ce que c'est ? Encore un submersible ?

— Oui, dit Mallory en montrant la banderole décorative dessinée dans le coin inférieur droit. (On y avait calligraphié l'inscription « H.L. Hunley ».) C'est son nom. La lettre d'accompagnement précise qu'un certain Mr. Hunley, prospère courtier en sucre, l'a conçu et a fourni une partie des fonds nécessaires à sa construction. Les travaux commencèrent à La Nouvelle-Orléans mais, avant la chute de la ville, le prototype fut expédié en toute hâte à Mobile, où ces messieurs finissent le boulot.

Mallory tapota la ligne située sous la banderole : « McClintock et Watson, ingénieurs de marine ».

— Ils l'appellent le bateau-poisson, continua-t-il. Il serait étanche, capable de plonger sous un navire ennemi en remorquant une mine qui exploserait quand le « poisson » serait à l'abri de l'autre côté du navire ennemi.

— Ah ! fit Cooper. C'est en cela qu'il diffère du *David*.

Le ministère s'efforçait de mettre au point un submersible pour les opérations côtières, et le petit torpilleur dont Cooper venait de parler transportait sa charge explosive à l'avant, sur une longue hampe.

— Son mode d'attaque aussi serait différent. Le « poisson » frapperait en immersion.

Le *David*, quoique submersible, était destiné à opérer en surface au moment de planter sa torpille.

L'idée d'un vaisseau sous-marin n'était évidemment pas nouvelle puisqu'un inventeur du Connecticut en avait conçu un avant la guerre d'Indépendance. Mais rares étaient les membres du Gouvernement convaincus que cette invention pouvait avoir une application. Il n'y avait pour la défendre que Mallory et son petit groupe de visionnaires résolus. « Brunel nous aurait compris, lui », pensa Cooper.

Après un moment de silence, il reprit :

— Seuls des essais indiqueront quelle est la meilleure conception, je suppose.

— Tout à fait. Nous devons encourager ces ingénieurs à achever la construction de leur « poisson ». Je vais leur écrire une lettre chaleureuse, enthousiaste, et j'enverrai une copie de toute la correspondance au général Beauregard, à Charleston. A présent, rentrez prendre un peu de repos.

— Mais j'aimerais voir plus en dét...

— Demain. Rentrez chez vous. Et soyez prudent : les rues sont de moins en moins sûres.

Cooper hocha la tête d'un air grave. Les temps étaient sombres, troublés ; les gens sombraient dans le désespoir.

Après avoir pris congé de Mallory, il gagna Main Street, où il eut la chance de trouver un fiacre devant un des hôtels du centre. La voiture le conduisit à Church Hill, où il avait loué une petite maison pour un loyer trois fois plus élevé qu'avant la guerre. Judith, assise un livre à la main, leva la tête lorsqu'il entra. Mi-compatissante mi-irritée, elle fit observer :

— Tu as l'air vanné.

— Nous avons pataugé dans le James toute la journée. Pour rien.

— La mine...

— Zéro. Il y a quelque chose à manger ?

— Du foie de veau *. Tu n'imagines pas le prix que je l'ai payé. Tout est froid, maintenant. Je ne pensais pas que tu rentrerais si tard.

— Pour l'amour de Dieu, Judith, tu sais que je suis débordé de travail.

— Même quand tu essayais de construire le *Star of Carolina*, tu ne

_____
* Que les Américains ne mangent pas d'ordinaire (n.d.t.).

rentrais pas si tard. Du moins pas tous les soirs. Et une fois rentré, tu souriais de temps en temps, tu disais des choses agréables...

— Le monde dans lequel nous vivons n'a rien d'agréable, répliqua Cooper, soudain froid et distant. (De sa manche trempée, il fit tomber la gouttelette qui tremblait au bout de son nez.) Comme le dit Stephen, on n'a pas envie de rire quand on voit le sort de la Confédération dans les mains de militaires à qui la vanité tient lieu d'intelligence.

— Stephen, soupira Judith en refermant son livre avec un claquement sec. C'est tout ce que tu sais dire : Stephen.

— Où est Marie-Louise ?

— Où veux-tu qu'elle soit à cette heure-ci ? Au lit. Cooper...

— Je n'ai pas envie de discuter.

— Tu as changé. On dirait que tu n'éprouves plus rien pour moi, pour ta fille, que tu ne t'intéresses qu'à ce fichu ministère.

L'une des fines mains de Cooper agrippa le chambranle de la porte du salon. Il éternua, la tête légèrement baissée, posa sur sa femme un regard effrayant.

— J'ai effectivement changé. A cause de la mort de mon fils. A cause de cette guerre, de la cupidité d'Ashton et de ton refus de rester à Nassau. Maintenant, laisse-moi manger tranquillement.

Dans la cuisine, assis près du poêle froid, il coupa le foie de veau, en mangea trois morceaux et jeta le reste. Puis il alla dans la chambre, alluma la lampe à gaz, se déshabilla et se coucha. Malgré les couvertures, il ne parvenait pas à se réchauffer.

Judith entra, se déshabilla à son tour, éteignit et s'étendit à côté de son mari en prenant soin de ne pas le toucher. Tourné vers le mur, il ne bougea pas quand elle se mit à pleurer et s'endormit en pensant aux plans du bateau-poisson.

Une fois par semaine, Madeline renouvelait son invitation à dîner et, vers la fin du mois de mai, Judith finit par convaincre Cooper de délaisser pour un soir le ministère de la Marine. Le jour convenu, il prévint dans l'après-midi qu'il serait en retard et son fiacre n'arriva pas à Marshall Street avant huit heures et demie.

En accueillant son frère dans une des vastes pièces de l'appartement, Orry fut consterné par le teint pâle et la tenue en désordre de Cooper.

— Comment vas-tu ? lui demanda-t-il.

— Beaucoup de travail au ministère.

— Quel genre de travail ? dit Madeline en conduisant ses invités vers la table décorée de bougies.

— Notre tâche consiste à tuer des Yankees.

Orry s'apprêtait à rire quand il se rendit compte que la réponse était sérieuse. Judith fixait le plancher sans parvenir à cacher sa détresse. Madeline coula à son mari un regard interrogateur comme pour lui demander : « Il est soûl ? »

Quand ils furent à table, elle le pria de servir à boire :

— Du bordeaux ou de l'eau, annonça-t-elle. Je refuse de toucher à cette infâme décoction de cacahuètes qu'on baptise café.

— On vend beaucoup de choses étranges, maintenant, fit observer Judith. Des baies noires pour faire de l'encre...

Elle s'interrompit en voyant son mari tendre son verre à Orry, qui l'emplit à moitié. Mais Cooper ne retira pas son verre et son frère, gêné, continua à verser.

— Certains..., commença Cooper. (Il avala d'un coup la moitié du vin, fit tomber quelques gouttes sur sa chemise déjà tachée.) Certains dans cette ville boivent du vrai café et écrivent avec de l'encre. Notre sœur, par exemple. Elle en a les moyens.

— Ah ! oui ? dit Madeline avec une désinvolture feinte.

Cooper avait le regard fixe, l'élocution difficile.

— Je t'accorde qu'Ashton habite une jolie maison, intervint Orry. Et les rares fois où je l'ai croisée dans la rue, elle portait toujours des vêtements chics. Je me demande comment elle se débrouille, avec le salaire de Huntoon.

Cooper prit bruyamment sa respiration, Judith se tordit les mains sous la table. On entendit par la fenêtre ouverte le cri d'un porteur d'eau puis le grincement de son chariot.

— Je vais te l'expliquer, Orry. Ashton et son mari sont des profiteurs.

Madeline ouvrit la bouche, son mari posa sa fourchette sur son assiette en disant :

— C'est une accusation grave.

— Le bateau qui nous a transportés appartenait à Ashton, bon Dieu !

— Chéri, fit Judith, nous devrions peut-être...

— Il est temps qu'ils sachent.

— Tu veux parler du forceur de blocus ? Celui que... ? demanda Orry.

— Oui, le *Water Witch*. Ashton et James en possèdent une part. Eux et les autres propriétaires exigeaient du capitaine qu'il prenne des risques pour passer à tout prix. C'est comme cela que mon fils est mort.

Cooper releva les mèches pendant sur son front et grommela :

— Bon sang, Orry, sers à boire ou passe le vin par ici.

Visiblement ébranlé, Orry emplit à nouveau le verre de son frère.

— Qui est au courant, à part nous ?

— Les autres armateurs, je suppose. Je ne connais pas leurs noms. Le seul qui, apparemment, détenait cette information était le capitaine, Ballantyne. Et il s'est noyé, comme...

Le visage de Cooper se tordit. Il s'interrompit, but une gorgée, fixa la flamme de la bougie se trouvant devant lui.

— J'aimerais la tuer, dit-il en reposant le verre si brutalement qu'il en brisa le pied.

Il se leva en faisant tomber sa chaise, marmonna une excuse, chancela, se retint au mur puis se dirigea vers le salon en titubant et parvint au divan avant de s'effondrer.

La pluie se mit à tomber, une brise soudaine agita la flamme des bougies. Judith s'excusa de la conduite de son mari, Orry assura que ce n'était pas grave.

— Mais j'espère qu'il ne pensait pas vraiment sa dernière phrase, ajouta-t-il.

— Je suis sûre que non. La mort de Judah nous a affligés tous les deux mais, sur lui, elle a eu un effet dévastateur.

Orry soupira :

— Toute sa vie, il a cru le monde meilleur qu'il n'était. Les idéalistes désillusionnés souffrent toujours plus que les autres. J'espère qu'il ne fera rien d'inconsidéré. Ashton a déjà échoué dans la poursuite de l'objectif qui lui tenait le plus à cœur : faire partie de la haute société de Richmond. Je suppose qu'elle finira aussi par être punie pour ses spéculations. Si Cooper la juge et la condamne... (par-dessus son épaule, il regarda le triste épouvantail allongé sur le divan), il ne réussira qu'à se faire mal à lui-même.

Une rafale de vent souleva les rideaux du salon, ébouriffa les cheveux de Cooper.

— J'ai essayé de le lui faire comprendre, dit Judith. Cela ne sert à rien. Il boit beaucoup, comme vous avez pu le remarquer, et j'ai peur que l'alcool ne lui fasse faire un jour une bêtise.

Silencieux, Orry et les deux femmes écoutèrent la pluie tomber sur le toit et les débris de la soirée.

Chaque semaine, des exemplaires du *Richmond Examiner* parvenaient au Winder Building. Dans l'un des numéros, George lut avec une curiosité mêlée de tristesse plusieurs longs articles décrivant les funérailles de Jackson. En page intérieure, le journal publiait la liste des officiers supérieurs ayant suivi le cortège et George Main découvrit parmi les noms celui de son meilleur ami.

— Là, dit-il le soir à Constance en lui montrant le journal qu'il avait ramené chez lui. Colonel Orry Main, avec d'autres officiers du minis-tère de la Guerre.

— Cela veut dire qu'il est à Richmond?

— Je le suppose. J'espère pour lui qu'il fait un travail plus important que recevoir des cinglés et déchiffrer des paragraphes de contrat écrits en tout petits caractères.

— Ton sentiment de culpabilité te reprend, dit Constance, une note de regret dans la voix.

— Oui, reconnut George en repliant l'*Examiner*. Il grandit chaque jour.

Homer entra dans la salle à manger, s'arrêta devant la vitrine contenant les splendides jaspes que le *Water Witch* avait amenés d'Angleterre à son avant-dernier voyage.

Huntoon ôta ses lunettes, marmonna :

— Mr. Main? Orry Main?

Comme toujours, ce fut à Ashton que le vieux Noir adressa sa réponse :

— Non, l'autre.

— Cooper? dit la jeune femme. Tiens! Je ne savais pas qu'il était à Richmond.

Le tonnerre gronda au nord-ouest; une lumière bleutée clignota au-dehors. Le mois de juin était étouffant, la rumeur d'une invasion prochaine du Nord par le général Lee agitait la ville.

— Il y est, fit une voix grave dans le couloir. Il y est bien.

Une silhouette effrayante s'avança sur le seuil de la pièce. C'était bien Cooper mais il avait terriblement vieilli depuis la dernière fois qu'Ashton l'avait vu. Il avait des cheveux gris, un teint de cire. Son haleine chargée de whisky envahit la salle à manger, se mêla au parfum des fleurs du vase posé sur la table.

— Et il est impatient de voir comment sa chère sœur et son mari profitent de leur fortune toute nouvelle, poursuivit-il.

Sentant un danger, Ashton eut un sourire mielleux.

— Ce cher Cooper...

Mais son frère ne lui permit pas d'en dire davantage.

— Jolie maison que vous avez. Magnifique mobilier. Les salaires doivent être plus élevés aux Finances qu'à la Marine. Bigrement plus élevés.

Les doigts tremblants, Huntoon agrippa les bras de son fauteuil. Cooper approcha de la vitrine, l'ouvrit. Ashton serra les poings en le voyant prendre d'une main désinvolte un des jaspes aux teintes délicates.

— Charmant, ce bibelot. Vous ne l'avez sans doute pas acheté ici. Serait-il venu à bord d'un forceur de blocus ? A la place des armes et des munitions dont l'armée a besoin ?

Cooper jeta violemment le jaspe, qui se brisa par terre. Un éclat écorcha le dos de la main de Huntoon, qui marmotta une protestation que personne n'entendit.

— Mon cher frère, j'ai peine à m'expliquer ta visite et ta conduite de rustre. En outre, si je te retrouve aussi désagréable que j'en avais gardé le souvenir, je m'étonne d'entendre dans ta bouche des divagations patriotiques. Autrefois, tu raillais James quand il faisait des discours en faveur de la sécession ou du droit des Etats. Voilà que tu parles comme un fervent partisan de Mr. Davis.

Ashton se força à sourire pour cacher la peur qu'elle éprouvait. Elle ne connaissait pas cet homme, ce fou dont elle n'arrivait pas à deviner les intentions. Par-dessus l'épaule droite de Cooper, elle vit Homer s'approcher silencieusement et s'efforça de ne pas le suivre des yeux. Les coudes sur la table, le menton sur les mains, elle prit une expression dédaigneuse.

— Peut-on savoir quand s'est opérée la transformation ?

— Peu après que mon fils s'est noyé, répondit Cooper par-dessus le grondement de l'orage.

— Judah ? Noyé ? s'exclama Ashton, stupéfaite. Cooper, je...

— Nous étions à bord du *Water Witch*, près de Wilmington. Il y avait clair de lune et l'escadre de l'Union était présente. En force. Je tentai de convaincre le capitaine Ballantyne de ne pas essayer de passer mais il n'en démordit pas. Les armateurs du navire avaient donné leurs ordres. De gros risques pour de gros profits.

Ashton eut l'impression que sa peau se glaçait.

— Tu connais le reste, continua Cooper. Mon fils a été sacrifié à ta...

Comme il s'avançait vers sa sœur, elle s'écria :

— Arrête-le, Homer !

Le vieux domestique saisit le visiteur par-derrière ; Cooper lui enfonça le coude dans l'estomac, se dégagea en hurlant :

— Ta cupidité !

Il fit basculer la vitrine, qui s'écroula sur la table, dont les pieds cédèrent sous le poids. Huntoon poussa un couinement quand le vase glissa vers lui. L'eau se renversa sur son pantalon tandis qu'il se débattait pour se dégager des débris. Deux autres domestiques accourus en renfort aidèrent Homer à traîner jusqu'à la porte un Cooper vociférant.

Ashton entendit la porte claquer et dit la première chose qui lui vint à l'esprit :

— S'il parle... ?

— Et alors ? répliqua Huntoon, cueillant des fleurs dans son entre-jambe mouillé. Il n'y a pas de loi contre ce que nous avons fait. Et nous sommes retirés des affaires, maintenant.

— Tu as vu comme ses cheveux sont gris ? Je crois qu'il est devenu fou.

— Il est dangereux, c'est sûr. J'achèterai des pistolets demain, au cas où...

Huntoon laissa sa phrase en suspens. Ashton examina ses jaspes, dont un seul était intact. Elle en aurait pleuré de rage.

— Oui, des pistolets, approuva-t-elle. Pour chacun de nous.

81

A sept heures du soir, ce même jeudi de la première semaine de juin, Bent se présenta au bureau de Baker. Un des détectives l'informa que le colonel, absent, s'était rendu à la prison de l'ancien Capitole pour interroger un journaliste.

— De là, il ira ensuite au champ de tir s'entraîner au pistolet. Il n'y manque jamais.

Bent s'installa pour attendre et se calma les nerfs avec l'une des pommes achetées à un marchand ambulant. Après deux bouchées, il regarda à nouveau l'insigne d'argent épinglé au revers de sa veste et portant l'inscription « Bureau national d'enquête ». C'était le symbole de son entrée officielle dans l'organisation après le succès de sa mission à Richmond. Le colonel avait été particulièrement content de récupérer l'argent versé à l'albinos. Bent avait expliqué qu'il avait mis l'informateur hors d'état de nuire parce qu'il ne servait plus à rien mais n'avait pas précisé qu'il l'avait tué. Baker n'avait pas posé de questions.

Malgré son admission au saint des saints, Bent se sentait morose depuis quelques jours. C'était sans doute l'humeur de la ville qui déteignait sur lui. La vaillance de Joe le Battant avait fait long feu, et si Lee avait beaucoup perdu avec la mort de Jackson, il avait non seulement remporté une magnifique victoire à Chancellorsville mais aussi fait forte impression sur de nombreux Nordistes, civils et militaires. Chaque jour parvenaient de Virginie des rumeurs selon lesquelles Lee faisait à nouveau mouvement. Dans quelle direction ? Personne ne le savait.

Bent mastiquait sa troisième pomme quand il vit par la fenêtre Baker arriver. Un planton prit la bride du cheval du colonel, un étalon gris fougueux.

L'officier entra dans son bureau en chantonnant, tendit à Bent une feuille de papier grossièrement imprimée.

— Tenez, Dayton, cela vous fera peut-être rire.

Sous les mots Auberge de Vicksburg, Bent lut le menu d'une ville assiégée :

> *Potage : soupe à la queue de mule*
> *Viande : selle de mule à la militaire*
> *Entrée : tête de mule farcie à la rebelle*
> *Dessert : tarte aux glands façon cuirassé*
> *Vins : Château Mississippi 1492.*

Les clients que ce régime de famine ne satisfait pas sont priés de s'adresser aux propriétaires Jeff Davis and Co.

— Très amusant, dit Bent, parce que Baker attendait ce genre de réaction. D'où vient ce menu, mon colonel ?

— O'Dell l'a rapporté hier soir de Richmond. A ce propos, il a vu d'importantes troupes faisant mouvement à l'ouest de Fredericksburg. Il y a donc du vrai dans les rumeurs : Lee prépare quelque chose...

Baker examina son courrier, mit dans sa poche une lettre de sa femme Jennie, qui vivait à Philadelphie avec ses parents. Le nom que le colonel avait prononcé était celui d'un autre agent, Fatty O'Dell.

— Je ne savais pas qu'il y avait quelqu'un d'autre en mission là-bas, dit Bent.

— Si, répondit Baker, sans donner d'autres précisions.

C'était son style : il était le seul à connaître tous ses hommes et à savoir ce que chacun d'eux faisait.

Il se renversa en arrière, noua les mains derrière la nuque.

— Ce menu éclaire les réactions d'une partie de la population à l'égard de Davis. Il corrobore certaines informations que Fatty a obtenues par ailleurs : un spéculateur nommé Powell dresse ouvertement l'opinion contre Davis.

Bent fit tomber un morceau de pomme collé à ses lèvres.

— Ce genre d'agitation existe depuis plus d'un an, non ?

— Tout à fait exact. Mais cette fois, il y a du nouveau. D'après Fatty, Mr. Powell parle de constituer un Etat confédéré indépendant dans quelque coin du pays.

— Bon Dieu ! oui, c'est du nouveau.

— J'aimerais que vous n'invoquiez pas en vain le nom du Seigneur. Je déteste cela autant que les livres dégoûtants que j'ai confisqués et fait brûler il y a quelques mois.

— Désolé, mon colonel, s'excusa Bent. Comment s'appelle ce spéculateur, disiez-vous ?

— Lamar Powell.

— Pendant mon séjour à Richmond, je n'ai pas entendu parler de lui. Ni d'une nouvelle confédération, d'ailleurs.

— Il ne s'agit peut-être que de rumeurs sans fondement. En mettant Davis en accusation, ces gens nous aideraient beaucoup, et je serais le premier à applaudir. Mais c'est probablement un vain espoir.

Baker ouvrit un tiroir de son bureau, en sortit un dossier portant le nom Randolph, le tendit à son subordonné. Bent l'ouvrit, découvrit plusieurs notes manuscrites émanant de différentes personnes, à en juger par l'écriture, et quelques coupures de journaux. L'un des articles était signé Eamon Randolph, notre correspondant au Capitole.

Bent referma le dossier, attendit. Baker se mit à parler d'un ton de confidence qui dissipa la morosité de son subalterne.

— Comme vous le découvrirez à la lecture de sa prose ordurière, Mr. Randolph ne soutient pas ceux pour qui nous travaillons. Il n'a aucune sympathie non plus pour Wade et Stevens, ni pour leur programme de réhabilitation de nos frères sudistes après la guerre. Le *Cincinnati Globe*, journal de Mr. Randolph, est farouchement contre le gouvernement, pour le parti démocrate. Encore faut-il préciser que seule l'aile pacifiste de ce parti suscite son admiration. Sans aller aussi loin que certains de ses amis — qui proposent le renversement de Mr. Lincoln par la violence — Randolph est résolument partisan de ne pas toucher à l'esclavage, même après la capitulation du Sud. Nous ne pouvons tolérer la propagation de telles idées en période de crise. Certains membres du gouvernement m'ont chargé de... disons, punir Mr. Randolph. De le réduire temporairement au silence. Non seulement afin de supprimer une source d'irritation mais pour prévenir d'autres individus de même tendance qu'un sort semblable les attend s'ils s'obstinent. Votre travail à Richmond m'a impressionné, Dayton. C'est pourquoi je vous ai choisi pour vous occuper de cette affaire.

82

Les trois médecins à l'uniforme crasseux s'assirent autour d'une table branlante. Ils avaient les mains couvertes de saleté et de sang, comme chaque fois qu'ils examinaient des blessures.

L'un d'eux se toucha le nez, le deuxième se massa l'entrejambe avec un sourire polisson, le troisième vida une bouteille d'alcool médical. Un blessé boitant pitoyablement fut introduit par un planton qui se conduisait en débile mental.

— Qu'est-ce que nous avons là ? dit celui qui avait englouti l'alcool. Apparemment, c'était le médecin-chef.

— Je suis blessé, major, dit le soldat. Je peux rentrer chez moi ?

— Pas si vite ! Nous devons vous examiner. Messieurs, je vous prie.

Les trois docteurs entourèrent le blessé, le tâtèrent, le palpèrent, s'entretinrent à voix basse, puis le médecin-chef exprima leur avis unanime :

— Désolé mais il faut vous amputer des deux bras.

Le blessé fit grise mine mais bientôt son visage s'éclaira.

— Alors, j'aurai une permission ?

— Sûrement pas, répondit le major qui s'était massé l'entrejambe. Il faudra aussi vous couper la jambe gauche.

— Oh ! gémit le soldat. Mais après, j'aurai ma permission ?

— Pas du tout, répliqua celui qui s'était gratté le nez. Quand tu iras mieux, tu conduiras une ambulance.

Éclats de rire.

— Messieurs, consultons-nous à nouveau ! cria le médecin-chef.

Après un bref échange de murmures entre les trois hommes, il poursuivit :

— Finalement, il faudra vous amputer la tête.

— Alors, là, je l'aurai, ma permission.

— Nenni. Nous manquons tellement d'hommes qu'on mettra votre corps sur les fortifications, pour tromper l'ennemi.

Des rugissements de rires s'élevèrent à nouveau de l'obscurité. Assis en tailleur sur l'herbe, Charles Main avait les larmes aux yeux. Sur la petite scène en planches éclairée par des lanternes et des torches, le soldat jouant le blessé courait en s'égosillant, poursuivi par les docteurs fous armés de scies. Finalement, ils disparurent derrière une couverture faisant office de toile de fond.

Des applaudissements nourris annoncèrent la fin du programme, qui avait duré quarante minutes. Les artistes — un chanteur, un joueur de banjo, un violoniste, un jongleur et un imitateur qui, avec la voix de l'intendant général Northrop, avait expliqué les effets bénéfiques de la dernière réduction de la ration de viande — revinrent saluer. Ce fut ensuite le tour des acteurs de la saynète, encore plus applaudis. *Le Corps médical*, œuvre d'un auteur anonyme de la brigade de Stonewall Jackson, faisait un triomphe dans toutes les unités.

La masse sombre des spectateurs remua, se sépara. Charles se leva, massa son dos raide. La douceur du soir de juin et les feux de camp brillant au loin dans les champs le firent songer à la ferme Barclay. A la ferme et à Gus.

Ab avait des pensées moins plaisantes :

— Faut que je trouve du cirage pour mes bottes. En entrant chez les éclaireurs, j'aurais jamais cru que je devrais faire autant de frais de toilette.

— Tu connais Stuart, dit Charles avec un haussement d'épaules résigné.

— Y a des jours où je préférerais pas le connaître. Aujourd'hui, par exemple. J'ai vraiment pas envie de défiler samedi devant les dames !

Les deux hommes traversèrent la voie ferrée, récupérèrent leurs chevaux au corral temporaire et repartirent pour le champ où ils avaient planté leurs tentes avec le régiment de Calbraith Butler. Un mouvement de troupes massif se préparait au sud du Rappahannock ; Ewell et Longstreet se trouvaient déjà à Culpeper avec des unités d'infanterie. Charles ignorait tout de la destination de l'armée mais on avait beaucoup parlé dernièrement d'une deuxième invasion du Nord.

Stuart s'était établi à Culpeper avec plus de cavaliers qu'il n'en avait eu depuis longtemps : près de dix mille. Certains d'entre eux montaient la garde aux gués du Rappahannock mais la plupart se préparaient pour la grande revue de samedi. En train ou en voiture, de Richmond et des villes voisines, les dames viendraient nombreuses pour y assister.

Le moment semblait à Charles mal choisi pour une parade alors que l'armée faisait mouvement et que les bêtes étaient harassées. De nombreux chevaux souffraient de supporter selle et cavalier seize ou dix-sept heures par jour. Dans la brigade de Robertson, certains animaux affamés mastiquaient frénétiquement la crinière et la queue de leurs compagnons ; dans celle de Jones (le général débraillé portant blue-jeans et chemise de grosse toile de coton), une demi-douzaine de soldats en étaient réduits à monter des mules.

Une odeur douceâtre de trèfle parfumait la nuit. Au camp, quelques hommes se reposaient, écrivaient des lettres ou jouaient aux cartes avec des jeux où généraux et hommes politiques remplaçaient rois et valets. Davis, populaire la première année de la guerre, figurait rarement dans les jeux les plus récents.

Toutefois, la plupart des hommes de troupe cousaient et astiquaient parce que Stuart avait ordonné à chaque homme de porter un uniforme correct pour la revue. Bien que l'idée déplût à Charles, il avait l'intention d'être aussi présentable que possible et avait même déballé son sabre de Solingen.

Brandy Station devait son nom à un ancien relais de diligence célèbre pour l'alcool de pomme qu'on y servait aux voyageurs. Si les pommes poussaient toujours dans les vergers des environs, la localité était maintenant desservie par la ligne Orange et Alexandria. Le samedi, les trains spéciaux arrivèrent de bonne heure, bondés de politiciens et de dames aux robes de couleurs vives venus assister à la revue du général Stuart et au bal donné le soir à Culpeper.

Dans les prés entourant le village, la cavalerie fit une démonstration aux visiteurs. Des colonnes de cavaliers chargèrent sabre au clair ; des attelages tirant des pièces d'artillerie filèrent devant la foule. Charles et les autres éclaireurs de Hampton apportèrent leur contribution en galopant sous le regard des invités et des officiers passant les troupes en revue. Au passage, Charles vit le plumet noir du chapeau de Stuart remuer : le général avait baissé la tête en reconnaissant une vieille connaissance de West Point.

Après la revue, longue et fatigante, Charles retourna au camp dans l'intention de faire un bon repas et de dormir. Le lendemain, il devait reconnaître le fleuve du côté du gué de Kelly. Il était en train de desseller Joueur quand une ordonnance s'approcha.

— Capitaine Main ? Le général Fitzhugh Lee souhaite avoir votre compagnie ce soir dans la tente de son quartier général. Le dîner y sera servi avant le bal, auquel le général n'assistera peut-être pas.

— Pourquoi ?

— Le général a été malade, mon capitaine. Savez-vous où se trouve son quartier général ?

— Oak Shade Church ?

— C'est exact, mon capitaine. Le général peut compter sur vous ?

— Je n'ai pas non plus l'intention d'assister au bal. Dites à Fitz — au général — que j'accepte son invitation avec plaisir.

Un beau mensonge, pensa Charles après le départ de l'ordonnance. Tout le monde savait que Fitz, le protégé de Stuart, supportait mal que Hampton eût un grade supérieur au sien du fait de son ancienneté. De leur côté, les partisans de Hampton méprisaient Fitz et prétendaient qu'il avait grimpé très vite uniquement parce qu'il était le neveu du Vieux Bob. « Il y a peut-être du vrai là-dedans », songeait Charles. Deux des cinq brigades de cavalerie étaient commandées par des Lee : Fitz, et Rooney, le fils du général.

— Heureux de te voir, Bison, dit Fitz. Mes rhumatismes me tourmentent, j'ai besoin de compagnie.

Il paraissait effectivement souffrant, parlait et se déplaçait lentement. Il se déclara surpris que son vieil ami n'eût pas l'intention de profiter de la compagnie des dames réunies à Culpeper, ce à quoi Charles répondit :

— J'ai une dame qui occupe toutes mes pensées. Je l'aurais invitée si j'avais pu la prévenir à temps.

— C'est sérieux ? Tu vas te ranger quand ce gâchis sera fini ?

— J'y songe, général.

— Pas de « général » ni de « capitaine » ce soir, dit Fitz en indiquant un siège à son ami.

Charles sourit, se détendit.

— D'accord.

La boule de feu du soleil était suspendue à l'ouest, au-dessus de collines basses. La tente, ouverte aux deux extrémités, était aérée et agréable. L'un des officiers de Fitz rejoignit les deux hommes pour le whisky, servi par une ordonnance noire. Le colonel Tom Rosser, jeune Texan de belle allure, aurait fait partie de la promotion 61 s'il n'avait quitté West Point pour se battre dans le camp du Sud. Au cours de la conversation, Rosser mentionna à deux reprises le nom d'un cadet de la même promotion demeuré avec l'Union.

— George Custer. Il est lieutenant, aide de camp de Pleasonton. Je le considérais comme un ami mais ce n'est plus possible maintenant, je suppose.

Pensant à l'amitié et à Hampton, Charles coula un regard oblique en direction du général. Pourquoi cette invitation ? Fitz désirait-il simplement dîner avec lui ?

— J'ai entendu dire qu'on le surnomme le Bouclé cinglé, s'esclaffa Lee.

— Pourquoi ? demanda Charles.

— Vous comprendriez en le voyant, reprit Rosser. Il a des cheveux jusqu'aux épaules, une grande écharpe écarlate autour du cou. Un vrai cavalier de cirque devenu fou !

Le colonel s'interrompit avant d'ajouter, comme à la réflexion :

— Il ne manque pas de courage, cependant.

— Ni d'ambition, paraît-il, enchaîna Fitz.

Dans la meilleure tradition de la cavalerie, les trois officiers discutèrent des points forts ou faibles d'autres adversaires. Pleasonton n'obtint qu'une note médiocre mais Fitz et Rosser semblaient impressionnés par les exploits d'un colonel Grierson, de l'Illinois, jusque-là inconnu. A la fin du mois d'avril, pour détourner l'attention sudiste de Grant, se trouvant à Vicksburg, Grierson avait entraîné mille sept cents cavaliers dans une chevauchée audacieuse de LaGrange, dans le Tennessee, à Baton Rouge, arrachant les voies ferrées, tuant et faisant prisonniers de nombreux soldats confédérés en chemin.

— Neuf cents kilomètres en un peu plus de deux semaines, marmonna Rosser. Ils prennent exemple sur nous, ma parole.

A mesure que la soirée s'avançait, Charles se sentait de plus en plus déprimé. Il parlait peu, regardait son ami avec un sentiment proche de l'envie. Pour un homme jeune, Fitz avait parcouru un long chemin — et pas seulement à cause de ses relations familiales. Il passait pour un bon officier et avait à coup sûr changé depuis l'époque de West Point où il aimait faire des pieds de nez au règlement.

Rosser se leva, mit son chapeau d'apparat.

— Je dois vous quitter, dit-il. Heureux d'avoir fait votre connaissance, capitaine Main. J'espère que nous nous reverrons bientôt.

Charles eut l'impression que le colonel avait prononcé ces derniers mots en adressant au général un regard entendu. Tandis que l'ordonnance noire apportait du bœuf et du rata dans des assiettes en fer-blanc, Fitz déclara :

— Tu perds ton temps avec le Vieux Hampton, tu sais. Un de mes colonels est mort de gangrène la semaine dernière. Son régiment est à toi si tu en veux.

Pris de court, Charles bredouilla :

— Fitz, je... C'est très flatteur.

— Au diable les politesses ! La guerre pose trop de problèmes pour que je perde mon temps en flatteries. Tu es un remarquable cavalier, un bon chef et, si je puis me permettre, tu n'as pas le supérieur que tu mérites — attends un peu. Ne te hérisse pas.

— Je suis sous les ordres de Hampton depuis deux ans. Je l'ai rejoint quand il a levé sa légion, à Columbia. Il a droit de priorité sur moi.

— Et c'est justice. Néanmoins...

— C'est un officier compétent et courageux.

— Personne n'en doute. Mais Wade Hampton n'est plus tout jeune. Et, en certaines occasions, il se montre quelque peu timoré.

— Fitz, n'en dis pas plus, je t'en prie. Tu es mon ami mais je n'ai jamais servi sous les ordres d'un meilleur officier que Hampton.

Le général se rembrunit.

— Ta remarque concerne aussi Stuart ?

— Je préfère ne pas développer, sauf sur un point. Certains trouvent timoré ce que d'autres jugent prudent — ou sage. Hampton concentre ses forces avant d'attaquer. Il cherche à remporter une victoire, pas à faire les gros titres des journaux.

Fitz faillit s'étrangler avec un morceau de bœuf.

— Amos ? fit-il en toussant. Apporte le whisky.

Tandis que le Noir versait à boire, le général considéra son invité d'un air dépité.

— Ta loyauté est peut-être louable, Charles, mais je maintiens que tu gâches ton talent. La plupart des officiers sortis de West Point en même temps que nous sont aujourd'hui colonels ou majors — au moins.

La remarque fit mouche. Piqué, Charles prit une profonde inspiration avant de répliquer :

— Il y a deux ans, j'étais parti pour une belle carrière quand j'ai commis des erreurs.

— Je connais ce que tu appelles tes erreurs. Elles sont moins graves que tu ne l'imagines. Jones et Robertson ont eux aussi perdu les élections au grade de colonel à cause de leur attachement à la discipline. Mais on leur a trouvé de nouvelles affectations...

— Fitz, je n'ai pas été suffisamment clair ? Ce que je fais me convient. Je ne veux pas d'une nouvelle affectation.

Le silence se fit sous la tente. Dehors, l'ordonnance noire s'affairait bruyamment autour de son fourneau de campagne.

— Je suis navré de ta réaction, Charles. Si tu refuses d'aller là où tu serais le plus utile, pourquoi te battre pour le Sud ?

Le ton légèrement méprisant de Lee irrita l'éclaireur.

— Je ne me bats pas pour le Sud si cela signifie l'esclavage, ou un pays séparé. Je me bats pour la terre où je vis. C'est dans cet esprit que la plupart des hommes se sont enrôlés, et je me demande parfois si Mr. Davis le comprend.

Fitz haussa les épaules, avala rapidement le reste du repas.

— Désolé de te presser mais je dois finalement me montrer au bal. A propos, le général Robert Lee a annoncé qu'il serait disponible lundi et le général Stuart a ordonné une nouvelle revue.

— Encore ? Mais à quoi pense-t-il ? Celle d'aujourd'hui a fatigué les chevaux et mis les hommes de mauvaise humeur. Nous ferions mieux de surveiller ce que font les Yankees au lieu de gaspiller notre énergie dans ces extravagances.

Fitz s'éclaircit la voix.

— Disons que ces remarques n'ont pas été prononcées. Merci d'être venu, Charles. Je dois partir, maintenant.

L'entrevue avait appris à Charles Main que Fitz et lui ne pouvaient plus être amis. Ils étaient séparés par leurs grades, leurs opinions et par toutes les combines politiciennes de la hiérarchie. Le lendemain, un incident près du gué de Kelly assombrit encore son humeur. Parti en reconnaissance avec Abner au nord-est du Rapppahannock, au-delà des avant-postes sudistes, Charles fit halte dans une petite ferme pour faire boire les chevaux et remplir les gourdes. Le fermier, vieux paysan décharné, engagea la conversation et raconta, l'air consterné que ses deux esclaves, un vieux couple, s'étaient enfuis l'avant-veille.

— Peux pas me faire à c't'idée, soupirait-il. Ils étaient si gentils. Souriants, serviables...

— En Caroline du Sud, on appelle ça « jouer la grand-messe », dit Charles.

— Comprends pas, marmonna le fermier en regardant droit devant lui. J' leur donnais à manger, j'leur faisais des cadeaux à Noël : du gâteau, de la confiture, des choses comme ça...

— Viens, Ab, fit Charles d'une voix lasse tandis que le vieillard continuait à fustiger l'ingratitude de ses esclaves.

Charles monta en selle, se gratta l'intérieur de la cuisse gauche. Les poux pubiens le tourmentaient mais c'était moins grave que la chaude-pisse que plusieurs éclaireurs avaient attrapée avec des demoiselles vivant au camp et passant pour « blanchisseuses ».

En retournant vers Brandy Station, il repensa au vieil imbécile de fermier avec consternation puis avec dégoût. Depuis quelque temps, Charles voyait de plus en plus « l'institution particulière » pour ce qu'elle avait toujours été. La réalité de l'esclavage — pour les Noirs, du moins — ne pouvait être que peur et rage sous un masque trompeur. Le masque que l'esclave devait porter s'il voulait survivre.

Aucune dame n'assista à la revue du lundi et l'événement fut moins agréable pour cette raison. Moins agréable aussi parce que quelque idiot avait invité John Hood, qui amena toute sa division d'infanterie. Les cavaliers expliquaient en grommelant ce qu'ils feraient si un fantassin osait leur lancer la plaisanterie familière : « Hé, m'sieur, où est votre mule ? »

Comme Charles le craignait, la revue épuisa les hommes — censés être prêts à repartir le mardi matin. Après avoir aperçu Bob Lee — toujours aussi bel homme mais grisonnant — Ab et Charles regagnèrent directement le camp de Hampton. Charles dormit d'un sommeil agité et s'éveilla brusquement au son des tambours battant l'appel.

Le jour se levait, une agitation intense régnait dans le camp. Ab surgit en courant du brouillard descendu pendant la nuit. A la façon dont il tenait leur pot à café, Charles devina qu'il n'avait pas pu le faire chauffer.

— Magne, Charlie. Stuart s'occupe trop des dames et pas assez des bleus. Y a toute une division de cavalerie de l'autre côté du fleuve, au gué de Beverly.

— Qui la commande ?

— Buford, paraît. Il a de l'infanterie en soutien et Dieu sait quoi encore. Les Yanks traversent peut-être aussi au gué de Kelly. Personne ne sait.

Un clairon sonna le boute-selle avec quelques fausses notes.

— Ils sont des milliers, reprit Abner en laissant tomber le pot émaillé. Ils ont jailli du brouillard et pris les sentinelles par surprise. On est censé partir avec Butler pour éclairer et protéger l'arrière.

Des fouets claquèrent. Comme de grands bateaux dans une mer de brume grise, les chariots du quartier général de Stuart apparurent à la lisière du camp : on les envoyait en lieu sûr, à Culpeper. « Bon sang ! pensait Charles. Se laisser surprendre comme ça. Cela ne serait pas arrivé sous le commandement de Hampton. » Il prit son fusil de chasse et sa couverture, jeta sa selle sur son épaule et courut derrière Ab Woolner.

Charles devinait, à son humeur noire, qu'Abner avait dû passer une mauvaise nuit. D'abord il s'en prit à quelques tire-au-flanc courant à l'infirmerie se plaindre de maux imaginaires — scène familière quand commençait la canonnade. Puis il jura en découvrant dans l'herbe une paire de bottes en parfait état, que leur propriétaire avait sans doute abandonnées pour échapper à une journée qui s'annonçait très mal.

Galopant dans la brume qui se levait, Charles et Ab devancèrent bientôt le détachement de Butler envoyé reconnaître les abords de Fleetwood Hill. Le quartier général de Stuart, installé sur une hauteur, était la cible manifeste de l'artillerie ennemie tirant du sud-est. Dans un bosquet de pins situé au-dessus de Stevensburg, Charles arrêta soudain son cheval : derrière les arbres, une demi-douzaine de soldats de l'Union approchaient sur un sentier longeant un champ de blé. Fait alarmant, ils n'étaient pas encombrés par l'habituelle montagne d'équipement que la cavalerie sudiste appelait avec dédain « les fortifications yankees ». Les ennemis portaient des armes, rien d'autre.

— Evitons-les, Ab. Nous parviendrons à Stevensburg plus vite.

— On se fait d'abord quelques Yanks, répondit Abner. Après, on ira à Stevensburg sans problème.

— Ecoute, nous devons seulement reconnaître les lieux et voir si...

— Qu'est-ce que t'as, Charlie ? T'as les foies à cause de ta chérie ?

— Sale con ! Tu...

Abner jaillissait déjà des pins au galop en faisant tonner son fusil de chasse à double canon.

Les Yankees affirmaient que tout Sudiste pris avec une telle arme serait pendu, mais les deux bleus que Woolner fit tomber de leur selle ne porteraient jamais d'accusation contre lui. La bouche sèche, Charles lança Joueur en avant d'une pression des genoux.

Des balles sifflèrent autour de lui. Dès qu'il fut à portée de tir, il vida lui aussi ses deux canons, ce qui porta à quatre le nombre de Yankees tués. Les deux derniers tournèrent à droite, s'enfoncèrent dans les épis de blé pour s'échapper. Ab reprit la direction de Stevensburg sans même jeter un regard en arrière. Charles en voulait à son ami parce que celui-ci avait eu raison.

Cet après-midi-là, sur la colline ensoleillée, la cavalerie de Jeb Stuart dut affronter des ennemis maniant le sabre et menant leur monture aussi habilement qu'un jeune Sudiste élevé en chasseur. Les Yankees délogèrent Stuart de Fleetwood Hill et lorsque Charles revint avec Woolner de Stevensburg, toutes les troupes sudistes disponibles s'efforçaient de reconquérir la colline. Hampton était de retour du gué de Beverly, où il avait vainement tenté d'arrêter Buford. Deux autres divisions de cavalerie nordistes avaient forcé celui de Kelly. Le fait n'avait rien de surprenant puisque ce secteur était commandé par le médiocre Robertson.

A Stevensburg aussi, c'était le désastre. Frank Hampton avait reçu un coup de sabre puis une balle qui l'avait achevé. Calbraith Butler tenait bon mais avait eu le pied droit presque arraché par un éclat d'obus. Mis en déroute, les soldats aguerris du 4e de Virginie avaient battu en retraite au galop, fuite confuse dans laquelle Charles et Abner s'étaient retrouvés.

A Fleetwood, les escadrons se regroupèrent et Stuart lança à ses hommes : « Faites-leur tâter du sabre, les enfants ! » Les bugles sonnèrent le trot, le galop puis la charge. Les cavaliers sudistes gravirent la pente sous un soleil bientôt masqué par la fumée et la poussière.

Bien qu'il ne pût voir Abner, Charles savait qu'il chevauchait non loin de lui. Ils s'étaient à peine adressé la parole depuis l'incident du bosquet de pins. Ab avait eu des mots durs parce qu'il était fatigué, tendu, mais l'accusation n'en était pas moins blessante.

Joueur galopait tête dressée, comme il le faisait toujours au son du canon. Charles sentait la nervosité du cheval — il éprouvait la même.

Homme et monture ne faisaient qu'un, dans une fusion que les cavaliers trouvaient normale après avoir longtemps monté une bête. Le sabre brandi, Charles poussait le cri des rebelles, qui jaillissaient de milliers d'autres poitrines.

Quand ils furent sur les hauteurs de Fleetwood, les formations se défirent en une mêlée indistincte. Charles combattait avec une fureur qu'il n'avait jamais connue. Parce qu'il voulait se racheter aux yeux d'Abner. Parce que l'ennemi avait changé.

Des gouttes de sang dans la barbe, il délaissa le sabre pour le fusil de chasse, le fusil pour le revolver, puis revint à l'arme du dernier recours quand il n'eut plus le temps de recharger.

Voyant une forme grise tombée à terre, il se baissa pour lui venir en aide. L'homme le frappa avec un refouloir qui faillit lui arracher la tête. Charles recula, enfonça son sabre dans la veste bleue du Yankee grise de poussière.

Comme la plupart des batailles, celle de la colline perdit bientôt toute forme organisée et se transforma en une série de petits affrontements sans grandeur ni beauté. Les rebelles reconquirent les hauteurs, les perdirent, se regroupèrent pour les reprendre. Montant la pente pour la seconde fois, Charles se jeta presque sur un groupe de soldats de l'Union. Il leva son sabre à temps pour parer celui d'un officier aux longs cheveux bouclés portant autour du cou une écharpe écarlate.

Pressant son arme contre celle de Charles, le lieutenant yankee ricana :

— Serviteur, monsieur le reb...

Charles lui cracha à la figure pour le surprendre et l'aurait sabré si le cheval du Yankee n'avait trébuché. « Un cavalier de cirque devenu fou », dit une voix dans la mémoire de Charles tandis que son regard croisait un instant celui du lieutenant.

Le cheval tomba, le Yankee disparut.

— Attention, Charlie ! cria Abner par-dessus le vacarme.

A travers les nuages de poussière, Charles vit la silhouette de l'éclaireur pointant le bras derrière lui. Il se retourna, vit un sergent de l'Union braquer sur lui un énorme pistolet.

Ab se précipita vers le Yankee en brandissant comme une massue son revolver déchargé. Le sergent changea de cible, tira dans la poitrine de Woolner à bout portant.

— Ab !

Le cri de Charles n'empêcha pas Abner de s'écrouler, les yeux ouverts mais ne sachant déjà plus où et qui il était. Le sergent disparut dans la mêlée.

Les dents serrées, Charles évita le sabre d'un cavalier bleu lançant son cheval contre Joueur. Le Yankee frappa une deuxième fois, des étincelles jaillirent du choc des deux lames. Le soldat ennemi — un jeunot d'à peine vingt ans, avec un sourire imbécile sous ses grosses moustaches rousses — reprit en main sa monture, qui s'était cabrée, et s'exclama :

— Je t'aurai, ce coup-ci.

Charles esquiva, enfonça son sabre dans la gorge du jeune soldat. Il l'en retira sans remords. Abner avait raison : Gus l'avait rendu plus vulnérable, moins dur. Il avait fallu cette sanglante journée de juin pour qu'il comprenne la vérité.

Repartant à l'assaut de la colline, il s'aperçut soudain qu'un cheval sans cavalier galopait à côté de Joueur. C'était celui d'Abner, Cyclone.

L'animal continuait à charger en direction des canons. Une boîte à mitraille éclata, lui creva un œil et le blessa à la tête. En courageux cheval aguerri, Cyclone ne hennit même pas et continua à foncer, malgré le sang et la souffrance, jusqu'à ce que ses blessures et la pente trop forte viennent à bout de sa vaillance. Il s'agenouilla sur ses jambes avant, incapable d'aller plus loin.

Charles donnait du sabre comme un dément, faisant tournoyer son arme si vite que personne ne pouvait le toucher. Un caporal yankee à la peau laiteuse et aux yeux bleus d'Irlandais se lança vers lui en jurant dans une langue qui devait être du gaélique. Charles l'affronta dans un duel qui dura près de quatre minutes avant de lui percer le ventre. Il sentit son arme toucher les côtes, la retira, frappa à nouveau.

Les chevaux se cabrèrent, retombèrent. L'Irlandais oscillait sur sa selle, Charles le frappa une troisième fois. « Pourquoi ne tombe-t-il pas ? » se demandait Charles. Pourquoi ne pouvait-on plus désarçonner facilement ces idiots maladroits ? Qui leur avait appris à monter à cheval et à se battre aussi farouchement ?

— Sale engeance de traître ! cria l'Irlandais blessé.

Il avait le même accent qu'un cadet du Maine que Charles avait connu à West Point. Les Yankees savaient-ils aussi faire des soldats avec des homardiers ? « Dieu nous aide s'ils sont capables de tels miracles ! » pensa Charles.

Un quatrième coup fit tomber le caporal, qui glissa sur le côté, la jambe droite prise dans l'étrier. Un affût d'artillerie roula sur sa tête, l'enfonça dans la glaise molle. Pendant plus d'une minute, Charles trembla de terreur.

Finalement, les Sudistes enlevèrent la colline et s'y maintinrent. Mais la percée nordiste avait atteint son objectif : trouver l'armée de Lee.

Les Yankees atteignirent aussi un autre objectif auquel ils n'avaient pas songé : entamer la confiance de la cavalerie confédérée.

Charles en avait ressenti les effets en affrontant l'Irlandais à l'accent du Maine.

Pleasonton ordonna une retraite générale avant la tombée de la nuit. Alors que le soleil se couchait, que le vent chassait fumée et poussière de la colline, des essaims de mouches bleues s'abattirent sur l'herbe piétinée et rougie. Des buses surgirent dans le crépuscule. Chevauchant parmi les débris de charges et de contre-attaques dont il ne pouvait se rappeler le nombre, Charles chercha le cadavre d'Abner et finit par le trouver à une centaine de mètres de l'endroit où il était mort. Charles chassa les charognards, qui s'étaient déjà attaqués au visage de son ami. Un des oiseaux s'envola, un morceau de chair rose dans le bec ; Charles dégaina son colt et l'abattit.

Il enterra Abner dans un bois situé au sud de la voie ferrée avec une pelle empruntée à un fantassin. En creusant, il essaya de trouver quelque réconfort dans le souvenir des bons moments qu'Ab et lui auraient passés ensemble. Il n'y en avait pas.

Il mit le corps dans le trou, s'agenouilla au bord. Une minute plus tard, il déboutonna sa chemise, fit passer par-dessus sa tête le lacet du sac contenant le livre percé d'une balle. Le bouquin ne l'avait pas protégé, il l'avait émasculé. Charles le jeta dans la tombe et entreprit de la recouvrir de terre.

Brandy Station fit la réputation de la cavalerie de l'Union et ternit celle de Stuart. La bataille montra aussi à Charles, quoiqu'un peu tard, le bien-fondé de ses appréhensions quant à ses relations avec Gus. En temps de guerre, un tel attachement n'était bon ni pour elle ni pour lui.

Remarqué pendant les combats, Charles fut cité à l'ordre de l'armée par Hampton et nommé major. Sur un plan personnel, Brandy Station l'incita à penser d'abord à son devoir. Il aimait Gus et continuerait à l'aimer, mais les pensées de mariage et d'avenir n'avaient rien à faire dans la tête d'un soldat. Elles gênaient sa concentration, le rendaient moins efficace.

Il devrait en informer la jeune femme. Comment ? quand ? Il se sentait trop las pour affronter tout de suite ces questions.

83

— Fais les valises, dit Stanley.

Moite de transpiration, agacée par la chaleur de ce lundi 15 juin, Isabel répliqua :

— Comment oses-tu débarquer ici en plein après-midi et me donner des ordres !

— Bon, reste. Moi, j'emmène les enfants à Lehig Station par le train de quatre heures pour Baltimore. J'ai payé les billets trois fois le prix normal — encore heureux que j'aie pu en avoir !

Soudain alarmée par le ton inhabituellement dur de son mari, Isabel demanda avec plus de modération :

— Qu'est-ce qui t'a mis dans un tel état, Stanley ?

— Ce que les marchands de journaux crient à tous les coins de rue : « Washington menacée ! » Il paraît que Lee est à Hagerstown, ou en Pennsylvanie. Demain matin, les rebelles auront peut-être encerclé la ville. J'ai décidé qu'il était temps de prendre des vacances. Si tu ne veux pas partir, c'est ton affaire.

Des rumeurs avaient effectivement fait état de mouvements de troupes en Virginie mais rien n'était sûr jusqu'à présent. Isabel pouvait-elle se fier au jugement de Stanley ? Il sentait le whisky ; dernièrement, il s'était mis à boire.

— Comment as-tu obtenu un congé ?

— J'ai raconté au ministre que ma sœur était gravement malade.

— Il n'a pas trouvé la coïncidence un peu curieuse ?

— Si, j'en suis sûr. Mais le ministère est sens dessus dessous ; personne ne fait plus rien d'efficace. Et Stanton a de bonnes raisons de me faire plaisir : c'est moi qui transmets ses instructions à Baker. Je sais à quel point il a les mains sales.

— Quand même, tu pourrais nuire à ta carrière en...

— Tu vas arrêter ? cria Stanley. Je préfère être un lâche vivant qu'un patriote mort. Tu t'imagines que je suis le seul haut fonctionnaire à partir ? Des centaines d'autres l'ont déjà fait. Si tu viens avec moi, occupe-toi des bagages. Sinon, ferme-la.

Isabel fut à nouveau frappée par la façon spectaculaire et pas entièrement souhaitable dont Stanley avait changé au cours des derniers mois. Le fait qu'il ait échappé aux purges dont Cameron avait fait les frais, sa position éminente chez les extrémistes et la fortune nouvellement acquise grâce à la fabrique Lashbrook se conjuguaient pour faire naître en lui une confiance qu'il n'avait jamais possédée auparavant. Parfois, il se conduisait comme si cette réussite le gênait.

Quelques semaines plus tôt, après avoir bu quatre punchs au rhum en une heure et demie, il avait baissé la tête en marmonnant qu'il ne méritait pas sa chance et s'était mis à sangloter sur l'épaule de sa femme, comme un enfant.

Isabel songea qu'elle ne devait pas se montrer trop dure. C'était elle, en définitive, qui avait créé le nouveau Stanley, et elle appréciait énormément certains aspects de son œuvre : l'argent, le pouvoir, l'indépendance par rapport à l'abominable beau-frère. Si elle voulait continuer à manœuvrer son mari, elle devait changer de style, adopter une technique plus subtile.

Feignant la soumission, elle baissa les yeux et murmura :

— Je m'excuse, Stanley. Tu as raison. Je serai prête à partir dans une heure.

Ce soir-là, un fourgon aux rideaux tirés tourna dans Marble Alley en se balançant sur ses ressorts. Le cocher l'arrêta en face d'une des jolies résidences bordant l'étroite rue reliant les avenues Pennsylvania et Missouri. Malgré la chaleur, toutes les fenêtres de la maison étaient masquées par des rideaux. On les avait toutefois laissées ouvertes, si bien qu'on entendait du dehors de la musique, de joyeuses voix de femmes et d'hommes. La « pension pour dames » de Mrs. Devore faisait de bonnes affaires malgré la panique régnant dans la ville.

Elkanah Bent, qui avait l'air d'une montagne de lard ambulante dans son costume de lin blanc, descendit du siège voisin de celui du cocher en soufflant et en grognant. Deux autres détectives du Bureau sautèrent du véhicule par le rideau arrière. Bent fit signe à l'un d'eux de prendre l'allée menant à l'arrière de la maison, l'autre le suivit en direction du perron.

Les trois hommes avaient longuement discuté de la meilleure façon de s'emparer de leur proie. Pas question d'arrêter dans la rue en plein jour un journaliste connu, avaient-ils conclu. Ils avaient envisagé de le « cueillir » à sa pension mais Bent, qui dirigeait l'opération, avait finalement opté pour le bordel. On pourrait utiliser la présence de l'homme en question dans un tel lieu pour contrer ses inévitables protestations indignées.

Bent sonna, l'ombre d'une femme à la chevelure relevée sur le sommet du crâne tomba sur le verre dépoli.

— Bonsoir, messieurs, dit l'élégante Mrs. Devore. Entrez, je vous prie.

Souriants, Bent et son compagnon suivirent la femme d'âge mûr dans un salon brillamment éclairé où des prostituées en robe du soir évoluaient devant un joyeux parterre d'officiers et de civils. L'un de ces derniers, qui portait moustaches et barbiche comme l'empereur français, s'approcha de Bent.

— Bonsoir, Dayton.

— Bonsoir, Brandt. Où ?

— Chambre 4, répondit l'homme en regardant le plafond. Il a pris deux filles, ce soir. Une Noire, une Blanche.

Mrs. Devore alla dire un mot à la harpiste et remarqua, en revenant vers la clientèle, un renflement sur la hanche droite de Bent.

— Tu t'occupes du rez-de-chaussée, Brandt, disait à mi-voix le faux Dayton. Personne ne sort avant qu'on l'ait eu.

Brandt acquiesça de la tête, Bent entraîna l'autre détective vers l'escalier.

Alarmée, Mrs. Devore, les arrêta :

— Messieurs, où allez...

— Tenez-vous tranquille, coupa Bent en relevant le revers de sa veste pour montrer son insigne. Nous sommes du Bureau national d'enquête. Nous voulons un de vos clients. Ne vous mêlez pas de ça.

Pour s'assurer de l'obéissance de la maquerelle, Brandt sortit son revolver. Bent monta l'escalier d'un pas lent, rejeta en arrière le pan droit de sa veste pour dégainer un Lemat calibre 40 flambant neuf fabriqué en Belgique. Utilisé surtout par les rebelles, c'était un revolver d'une grande puissance.

Dans le couloir du premier étage, des lampes à gaz éclairaient faiblement un papier mural pourpre. Le parfum lourd imprégnant l'air ne parvenait pas tout à fait à chasser une odeur de désinfectant. Les bottes de Bent firent un bruit sourd sur le tapis lorsqu'il passa devant des portes closes. Derrière l'une d'elles, une femme gémissait en cadence.

Devant la chambre 4, les détectives s'arrêtèrent, se postèrent de chaque côté de la porte. Bent tourna le bouton de la main gauche, se rua à l'intérieur.

— Eamon Randolph ?

Un homme d'âge mûr aux traits veules était étendu nu sur un lit à baldaquin. Une jolie Noire le chevauchait, une Blanche plus âgée se tenait derrière lui, les seins dansant à quelques centimètres de son nez.

— Qui êtes-vous, bon Dieu ? s'exclama le journaliste.

Les putains déguerpirent, Bent montra à nouveau son insigne.

— Bureau national d'enquête. J'ai un ordre de détention vous concernant signé par le colonel Lafayette Baker.

— Oh oh, dit Randolph en se redressant avec une expression pugnace. Alors, on veut me mettre à l'ombre comme Mahoney ?

Dennis Mahoney, journaliste de Dubuque professant des opinions proches de celles de Randolph, avait passé trois mois à la prison de l'ancien Capitole l'année précédente.

— Il y a de ça, répondit Bent.

La fille blanche tendit une main hésitante vers son déshabillé ; la Noire, moins effrayée, regardait la scène près de la fenêtre ouverte.

— Vous êtes accusé d'activités antigouvernementales.

— Bien sûr ! ironisa Randolph.

L'impression de mollesse que donnaient son menton fuyant et ses yeux protubérants ne cadrait pas avec son attitude. Au lieu de gémir, le reporter sauta vivement du lit et lança presque avec entrain :

— Excusez-moi, mesdames. Je dois m'habiller et accompagner ces gredins. Mais vous êtes libres de partir.

Bent agita son revolver en lorgnant la prostituée noire.

— Personne ne bouge. Tout le monde dans le fourgon.

— Mon Dieu ! soupira la Blanche en se couvrant les yeux.

Sa collègue passa un peignoir en soie ivoire puis demeura immobile, comme une chatte prise au piège.

— Il bluffe, les filles, dit Randolph. Partez.

— Mauvais conseil, riposta Bent. J'attire votre attention sur la nature de cette arme. C'est ce que certains appellent un revolver à mitraille. Il me suffit de relâcher le percuteur pour tirer la cartouche du canon inférieur. Elle est pleine de plombs de chasse. Vous imaginez ce que ça peut faire à un visage ?

— Vous n'oseriez pas, rétorqua Randolph. Vous autres, les sbires du gouvernement, vous n'avez rien dans le ventre. Quant à l'ordre de détention que vous prétendez porter, fichez-le dans le feu où Baker et Stanton ont brûlé le Cinquième Amendement. Maintenant, poussez-vous que je...

— Garde la porte, ordonna Bent à son compagnon.

Il brandit son revolver, l'abattit sur le journaliste qui, surpris, reçut le coup en plein visage. La peau éclata, du sang coula, tomba sur les poils gris de la poitrine.

La putain blanche fondit en sanglots mélodramatiques. On entendit dans le couloir des bruits de pas, des jurons, des questions. Bent enfonça le canon du Lemat dans le ventre nu de Randolph puis le frappa à nouveau à la tête et au cou. Les yeux exorbités, le journaliste s'affala sur le lit dont il macula les draps de sang.

L'autre détective tira Bent par la manche en murmurant :

— Doucement, Dayton, on veut pas le tuer.

Bent se dégagea.

— La ferme ! C'est moi qui commande. Quant à toi, vermine, lança Bent à Randolph, en route pour l'ancien Capitole. Nous avons une salle spéciale réservée aux séditieux de ton es...

— Attention !

Le collègue du faux Dayton bondit vers la prostituée noire, qui avait déjà enjambé l'appui de fenêtre, et qui disparut.

Des coups retentirent à la porte ; le détective passa la tête par la fenêtre et cria :

— Brandt ! Il y en a une qui se débine !

— Laisse-la filer, décida Bent. Ce n'est qu'une putain noire.

Il frappa Randolph à l'épaule, lui ordonna de s'habiller.

Cinq minutes plus tard, les deux détectives portèrent en bas le journaliste groggy, jetèrent son corps enveloppé dans une couverture à l'arrière du fourgon.

— Tu l'as frappé trop fort.

— Je t'ai dit de la fermer ! rétorqua Bent. (Haletant, il avait l'impression qu'il venait de posséder une femme.) J'ai fait le boulot, c'est tout ce qui intéresse Baker.

Brandt rejoignit les deux hommes et annonça :

— La négresse a décampé, Dayton.

Bent poussa un grognement. Sur le plancher du véhicule, le prisonnier émettait des gargouillis. Bent prit peur : avait-il vraiment frappé trop fort ?

Il était ridicule de s'inquiéter. Baker avait souvent fait bien pis au cours d'interrogatoires.

— Partons sinon nous aurons la police sur le dos ! cria-t-il.

Le cocher agita les rênes, le fourgon s'ébranla.

Brett lisait, étendue sur son lit en cache-corset. La lumière jaune et chaude du crépuscule inondait sa chambre. La jeune femme se sentait épuisée après avoir passé tout ce 29 juillet à frotter les planchers avec Mrs. Czorna. En rentrant à Belvedere, elle avait délibérément évité Stanley, Isabel et leurs insupportables fils qui jouaient aux boules sur le gazon entre les deux maisons.

Une des femmes de chambre frappa à la porte, annonça que le dîner serait servi dans une demi-heure. Brett se leva à contrecœur, s'aspergea le visage et les bras. A l'ouest, le soleil s'empourprait.

Elle n'aimait pas voir le soleil se coucher car la nuit avivait ses craintes pour Billy et le besoin qu'elle avait de sa présence. Au cours des deux semaines écoulées depuis l'arrivée inopinée — et toujours inexpliquée — de Stanley, la peur de la jeune femme s'était accrue du fait des menaces militaires pesant sur l'Etat de Pennsylvanie. Fonctionnaires et simples citoyens quittaient Harrisburg en emportant dossiers et objets de valeur. Le vendredi précédent, le gouverneur Curtain avait appelé la population masculine à s'enrôler pour trois mois afin de défendre la Pennsylvanie. Le samedi, l'invasion avait été confirmée. Des édiles terrifiés livrèrent la ville de York à Jubal Early et l'on vit l'armée de Lee à Chambersburg. La panique se répandait sur la frontière sud comme un feu de brousse et la fumée envahissait toutes les parties de l'Etat.

Quelques minutes plus tard, habillée et en nage, Brett s'avança sur la véranda de devant, où il n'y avait pas un souffle d'air.

— Brett ? Hou-hou ! J'ai des nouvelles importantes.

C'était la voix pâteuse de Stanley qui, en manches de chemise, agitait un journal sur le porche de sa propre maison. Ne pouvant se résoudre à être grossière, Brett décida de le subir jusqu'au dîner — qu'on ne tarderait d'ailleurs pas à sonner.

La lumière rouge embrasant l'ouest projetait sur la pelouse jaunie l'ombre de la jeune femme s'avançant vers son beau-frère. Elle s'arrêta au pied du perron, sentit une odeur de gin et remarqua le regard vitreux de Stanley. Oscillant légèrement de gauche à droite, il lui tendit un exemplaire du *Ledger Union* et bredouilla :

— Y a une dépêche de Washington dans le journal. Le président Lincoln a relevé Hooker de son com-command'ment. C'est le gén'ral Me qui prend sa place.

— Qui ça ?

— Me. M-e-a-d-e.

« Complètement soûl », pensa Brett.

— Je crains de ne connaître aucun de ces deux hommes et de ne rien savoir de leurs talents respectifs.

— Me, c'est un roc. Si quelqu'un peut arrêter l'invasion des rebelles, c'est lui. Vivement que tout soit fini !

Stanley se frappa la jambe avec le journal et son geste le déséquilibra. Il se retint à l'un des piliers de la véranda, l'air pitoyable.

— Je le souhaite aussi ardemment que vous, dit Brett, un instant saisie de pitié.

— Ze sais que vous voulez le retour de Billy. Moi aussi. 'turellement, c'est pas seulement pour des raisons familiales que je souhaite la fin de la guerre. J'ai aussi des raisons politiques. Rien de personnel, voyez, mais nous autres, les Républicains, nous allons changer pour toujours ce bon vieux Dixie Land.

De nouveau exaspérée par la suffisance de l'ivrogne, Brett demanda toutefois par curiosité :

— Et comment ?

Il prit une mine de conspirateur, porta un doigt à ses lèvres.

— Simple. Le parti 'publicain prétendra être l'ami de tous les nègres libérés. Une belle bande d'ignares, les nègres. Si on en fait des citoyens, ils voteront comme nous leur dirons. 'vec les voix des moricauds, notre parti aura la majorité avant que vous ayez le temps de faire ouf.

Comme il perdait à nouveau l'équilibre, Brett le prit par le bras et l'aida à poser son gros postérieur dans un fauteuil à bascule qui gémit sous son poids.

— Très habile, ce projet, Stanley. Ce n'est pas une invention au moins ?

— Je mentirais à ma po, à ma propre belle-sœur ? Nan, le plan a été préparé y a déjà un bout de temps. Par un certain petit groupe. Vaut mieux pas en dire plus.

Laissant éclater son indignation, Brett répliqua :

— Vous en avez assez dit. Vous allez exploiter ceux-là mêmes que vous prétendez défendre et alléguer leur libération pour...

— Alléguer, articula Stanley. *Al-léguer.* Très joli mot. Les nègres le comprendraient pas et ils comprendront pas non plus qu'on se sert d'eux.

— C'est une attitude scandaleuse.

— Jus' de la politique. Je...

— Veuillez m'excuser, interrompit Brett, à bout de patience. On m'attend pour dîner.

Stanley ouvrait la bouche pour répondre quand une sorte de bêlement s'échappa par l'une des fenêtres ouvertes du premier étage.

— Touche pas à mes affaires, sale voleur ! glapit un des jumeaux.

Brett s'empressa de rentrer. Bien qu'elle jugeât le frère de Billy vénal et stupide, elle craignait fort que le plan qu'il lui avait exposé pût réussir. A l'exception de quelques individus instruits comme Scipio Brown, les Noirs accorderaient logiquement leur confiance aux Républicains. Et si on leur donnait le droit de vote, ils pouvaient effectivement élire n'importe quel candidat choisi par leurs bienfaiteurs. Brett n'avait aucune sympathie pour le président yankee mais ne parvenait pas à le croire complice d'un plan aussi vil.

Irritée, accablée par la chaleur, elle dîna seule. Maude, l'une des servantes, rassembla son courage pour lui demander :

— Les combats viendront jusqu'ici ? Tout le monde parle d'une grande bataille.

— Je l'ignore, répondit Brett. Personne ne sait exactement où se trouvent les armées des deux camps.

84

Lee avait disparu en territoire ennemi ; une ville, un gouvernement, un pays tout entier retenait son souffle dans l'attente de bonnes nouvelles.

« Pas de nouvelles du front ouest », dit Orry à Madeline. Rosencrans faisait mouvement au Tennessee, Grant resserrait l'étau à chaque instant autour de Vicksburg. Le travail d'Orry se réduisait à une suite confuse de réunions, de rapports, de querelles constantes avec Winder et ses gardiens sur le nombre croissant de morts parmi les prisonniers de guerre.

Le soir, Madeline et lui se faisaient la lecture, s'interrogeaient parfois avec tristesse sur leur incapacité à avoir un enfant.

— Peut-être Justin n'avait-il pas tout à fait tort de m'accuser de stérilité, suggéra-t-elle un jour.

Ils reçurent la visite d'Augusta Barclay, qui leur parut très inquiète du sort de Charles. Elle prétendit être venue dans la capitale acheter une robe en mousseline puis avoua qu'elle voulait en fait avoir de ses nouvelles. Cela faisait deux mois qu'elle n'avait pas reçu de lettre ; elle craignait qu'il n'ait été blessé ou tué dans l'affrontement de cavalerie de Brandy Station.

Orry assura qu'il lisait chaque jour la liste des pertes et que le nom du major Charles Main n'y était pas apparu. Gus ignorait la promotion de Charles. Elle s'en déclara ravie, mais sans conviction.

Elle accepta leur invitation à dîner et, pendant le repas, la conversation roula à nouveau sur Charles et l'endroit où il pouvait être. Orry savait uniquement que la cavalerie de Hampton avait suivi Lee en Pennsylvanie. Gus prit congé des Main vers dix heures, résolue à voyager toute la nuit avec la seule protection du jeune Boz. Après son départ, Madeline dit à Orry :

— Il y a quelque chose qui ne va pas entre elle et Charles.

Orry approuva : comme sa femme, il avait remarqué la tristesse du regard de la visiteuse.

Il y avait aussi quelque chose qui n'allait pas chez Cooper. Orry avait rencontré son frère par hasard près de Capitol Square et celui-ci avait sèchement refusé une nouvelle invitation à dîner.

— Il est devenu un étranger pour moi, avoua Orry à Madeline. Un étranger pas très sain d'esprit, qui plus est.

Le lieutenant-colonel Main savait depuis plusieurs mois que le restaurant d'huîtres *Beauchamp*, de Main Street, servait de boîte aux lettres envoyées illégalement dans le Nord. A la fin du mois de juin, il écrivit à George une longue missive adressée à Lehig Station dans laquelle il demanda des nouvelles de Constance, de Billy et Brett. Il mentionna son mariage avec Madeline, l'affectation de Charles chez les Eclaireurs de fer, décrivit brièvement — et avec quelque amertume — son travail pour Seddon, ses conflits incessants avec Winder et ses gardes-chiourmes.

Un soir qu'il faisait une chaleur orageuse, il entra au *Beauchamp* vêtu du seul costume civil qu'il avait apporté de Mont Royal et tendit au barman une enveloppe cachetée à la cire ainsi que quarante dollars confédérés. Rien ne lui garantissait que la lettre ne finirait pas dans une quelconque poubelle, mais son vieil ami lui manquait, et il se sentait mieux de l'avoir exprimé par écrit.

La vague de chaleur de juin continua. L'attente aussi.

— Je suis inquiète, dit Ashton, le soir où Orry « posta » sa lettre.

— A quel sujet ? demanda Powell.

Torse nu, il examinait le titre de propriété d'une petite ferme que ses associés et lui avaient achetée. Elle était située sur les bords du James. près du Wilton's Bluff. Sans que son amant lui eût donné d'explications, Ashton savait que cette ferme avait quelque chose à voir avec le projet d'éliminer Davis.

— Mon mari, répliqua-t-elle, piquée par le ton désinvolte de Lamar.

La sentant irritée, Powell leva les yeux du document.

— Il m'interroge tous les matins sur mon emploi du temps de la journée. Hier, alors que je faisais des emplettes dans le centre, j'ai eu l'impression qu'on m'observait, et un peu plus tard, de l'entrée de *Meyers et Janke*, j'ai aperçu James sur le trottoir d'en face.

La brise chaude provenant du jardin souleva la première feuille de l'acte de propriété posé sur le bureau. Powell plaça dessus le Sharps à quatre canons en guise de presse-papiers.

— Et ce soir, il t'a questionnée ?

— Il n'était pas encore rentré quand je suis sortie.

— Mais tu penses qu'il sait ?

— Il a des soupçons. Je ne sais comment te le dire, Lamar, mais je crois que nous ferions mieux de ne pas nous voir pendant quelque temps.

— Dois-je comprendre que je t'ennuie ? rétorqua Powell, glacial.

Ashton courut vers lui, pressa les mains contre sa poitrine dure.

— Grand Dieu ! non, chéri. Non ! Mais James n'est plus dans son état normal. Aussi prudent sois-tu, il pourrait te surprendre un soir. Te faire du mal. (Elle lui caressa le ventre en appuyant son corps contre sa nuque.) S'il t'arrivait quelque chose, j'en mourrais.

Power guida la main plus bas en murmurant :

— Bon, tu as peut-être raison.

Il la laissa continuer un moment puis lui fit soudain signe de s'asseoir près de lui. Ashton s'exécuta.

— Ma sécurité personnelle est le moindre de mes soucis, reprit-il. Mais je ne veux pas que la tâche capitale entamée soit interrompue par un acte insensé et évitable. A dire vrai, moi aussi je suis préoccupé par ton mari. La semaine dernière, j'ai pensé à un moyen pour qu'il ne soit plus une menace. J'y ai réfléchi depuis et je suis convaincu que mon idée est excellente.

— Que comptes-tu faire ? Obtenir son renvoi du ministère ?

Powell ignora le sarcasme.

— J'ai l'intention de l'admettre dans notre groupe.

— C'est l'idée la plus ridicule, pour ne pas dire dangereuse, que...

— Tais-toi, laisse-moi finir.

Le ton froid de Powell calma Ashton.

— Bien sûr, cela paraît ridicule, poursuivit-il. De prime abord. Mais réfléchis un peu, tu trouveras des arguments logiques et convaincants en faveur de ma suggestion.

— Navrée, je ne les vois pas, répliqua la jeune femme.

— Dans toute entreprise de ce genre, il faut un certain nombre de... disons de simples soldats. D'hommes se chargeant des phases les plus dangereuses du plan. Dans le cas qui nous intéresse, ils doivent non seulement être dignes de confiance mais être résolument opposés à cette répugnante vomissure qu'est l'émancipation des nègres, parce que seules leurs convictions garantiront leur loyauté absolue. Nos soldats doivent haïr Davis ainsi que sa coterie de matamores de West Point et de bureaucrates juifs ; ils doivent approuver l'idée d'une nouvelle confédération. Ce dernier point mis à part — puisqu'il n'en sait encore rien — ton mari satisfait à toutes les conditions que je viens d'énumérer.

— Vu de cette façon, peut-être.

— Finalement, ne serait-ce pas mieux de l'avoir près de nous, là où on peut le surveiller, plutôt que de le laisser s'agiter seul, comme il le fait maintenant ?

La lumière faible d'une lampe à gaz projeta l'ombre de Powell sur Ashton lorsqu'il fit le tour du bureau, s'arrêta devant elle et enroula une mèche de la jeune femme autour d'un de ses doigts.

— Si ton mari est très occupé, nous pourrons nous voir plus facilement. Je ne le crois pas assez intelligent pour deviner le stratagème.

— Sur ce dernier point, tout à fait d'accord. D'autant que les échecs du président l'ont mis dans un tel état...

— Tu vois que mon idée n'est pas si insensée, finalement... Et si, malgré toutes nos précautions, il découvre quand même la vérité ; si sa réaction le rend dangereux... (Powell lâcha la mèche de cheveux, posa la main sur le Sharps à quatre canons.) je saurai m'occuper de lui.

Ashton regarda alternativement le visage de son amant et l'arme étincelante. Effrayée, heureuse, soudain excitée, elle lui passa les bras autour du cou et murmura :

— Lamar chéri...

— Alors pas d'objection à mon plan ?

— Non.

— A aucune de ses parties ?

Par-dessus l'épaule de Powell, Ashton regarda le Sharps posé sur le titre de propriété.

— Non, non. Tout ce que tu voudras pourvu que je reste avec toi. Toujours.

Elle sentit son membre durcir contre son jupon, tendit la main. Plus que de la chair, elle eut l'impression de toucher sa force, son ambition. Le pouvoir qu'ils finiraient par partager.

— Toujours, répéta Powell, la soulevant comme si elle ne pesait rien. Nous sommes donc d'accord sur une éventuelle liquidation de Mr. James Huntoon ?

Ashton répondit en l'embrassant à pleine bouche.

Le mercredi 1er juillet, tard dans la journée, Stanley descendit d'un wagon de première classe du train en provenance de Baltimore. Malgré l'aide de quelques lampées d'une bouteille de bourbon, il ne pouvait se faire à ce qui lui arrivait.

Au cours des dernières vingt-quatre heures, des rumeurs prédisant une bataille imminente étaient parvenues à Lehig Station. Isabel et Stanley faisaient leurs bagages pour se réfugier dans la villa familiale de Newport quand le télégramme de Stanton était arrivé. Stanley était aussitôt parti, il avait voyagé toute la nuit et toute la journée, dans un train bondé où on ne parlait que de la bataille qui allait commencer — si ce n'était déjà fait — près de la ville marché de Chambersburg. Recru de fatigue et à moitié soûl, il avait pénétré dans le saint des saints du ministre à six heures et demie. Après avoir subi pendant dix minutes la colère de Stanton, il avait pris un fiacre pour se rendre à la partie nord de Capitol Square.

Des boutiques et des baraquements misérables avaient poussé autour du vieux bâtiment en brique situé au coin de la 1re Rue et de la Rue A. Il avait été successivement Capitole national provisoire (après que les Anglais eurent incendié le Capitole officiel en 1814), résidence pour parlementaires (Calhoun y était mort) et, depuis 1861, prison accueillant un large éventail de détenus : espionnes travaillant pour la Confédération, voleurs et prostituées, journalistes, officiers portés sur les rixes comme Judson et Kirkpatrick et George Custer.

Stanley avait prévenu de sa visite et Baker l'attendait devant l'entrée, avec une nervosité manifeste. Il était en compagnie de Wood, le directeur de la prison.

— Où est-il ? demanda Stanley à ce dernier.

— Cellule 16. Là où on met toujours les journalistes.

— Vous en avez fait partir les autres ? Personne ne doit me voir, c'est impératif. Les journalistes me reconnaîtraient...

Après que le directeur eut assuré que cela avait été fait, Stanley reprit :

— Vous avez commis une belle bourde, Baker.

— Ce n'est pas ma faute, plaida le colonel.

Les trois hommes commencèrent à monter l'escalier sombre et puant.

— Ce n'est pas l'avis du ministre. Si nous ne parvenons pas à régler cette affaire, vous pourriez perdre vos précieux jouets : les quatre unités de cavalerie que vous avez persuadé Mr. Lincoln de vous donner.

Ils passèrent devant les salles où l'on interrogeait les prisonniers, parfois pendant des heures, parvinrent à la cellule 16. C'était une longue pièce sinistre percée d'une seule fenêtre crasseuse, éclairée par une unique lampe à gaz. Des toiles d'araignée festonnaient les coins du plafond ; des taches bizarres maculaient les parties des murs qui n'étaient pas cachées par des couchettes superposées aux couvertures sales.

Des bagages, des bouteilles vides, des vêtements jonchaient le sol. Le mobilier se composait de deux tables en pin encrassées et de bancs. On pouvait juger de la qualité de la nourriture de la prison à l'inscription écrite sur un mur au charbon de bois : « Ici on sert de la mule. »

— Couchette du bas, à gauche, murmura Wood.

Le plancher craqua quand les trois hommes s'approchèrent sur la pointe des pieds du petit détenu — presque un nabot — qui ronflait sur sa couchette. La partie visible de son visage était couverte de bleus ; son œil droit se réduisait à une fente boursouflée jaune de pus.

— Seigneur ! s'exclama Stanley.

Randolph remua mais ne s'éveilla pas. Stanley poussa Baker sur le côté, sortit de la cellule. En bas, dans le bureau de Wood, il dit aux deux hommes qui l'avaient suivi :

— Résumons. Une prostituée noire s'est enfuie au moment de l'arrestation, elle a envoyé un télégramme à Cincinnati. Les propriétaires du journal de Randolph sont des démocrates mais ont assez d'influence pour faire réagir un gouvernement républicain — je parle en particulier de Mr. Stanton. *Habeas corpus* ou pas, Randolph sort demain à la première heure.

Baker soupira :

— Alors, c'est réglé.

— Sûrement pas. Qui l'a battu de la sorte ?

— Dayton, l'homme que vous m'avez recommandé.

— Débarrassez-vous de lui.

— Pas de problème, assura le colonel en haussant les épaules.

— Des témoins aussi.

— Là, c'est plus délicat.

— Pourquoi ? Nous en avons un ici...

— Oui, la prostituée blanche, intervint Wood. Elle est avec les autres femmes.

— Obtenez de Mrs. Devore le nom de la négresse, ordonna Stanley à Baker. Trouvez-la et faites partir les deux femmes de la ville. Menacez-les, achetez-les — je les veux à mille kilomètres d'ici. Dites-leur de changer de nom si elles tiennent à leur peau.

Comme le colonel s'apprêtait à soulever une objection, Stanley haussa encore le ton :

— Débrouillez-vous, sinon vous ne commanderez plus le 1er de cavalerie du district of Columbia, ni aucune autre unité.

Marmonnant une réponse incompréhensible, Baker détourna la tête. Wood se gratta le menton.

— Reste Randolph, dit-il. Personne ne lui a coupé la langue, vous savez.

Stanley lança un regard noir au directeur pour lui rappeler que l'heure n'était pas à la plaisanterie.

— Mr. Stanton s'occupe de lui, il s'entretient en ce moment même avec le sénateur Wade. On espère qu'un parlementaire respecté interviendra bientôt auprès des employeurs de Randolph pour leur faire comprendre qu'ils ont intérêt à se taire et auraient toutes sortes d'ennuis s'ils ne le faisaient pas. Je pense qu'ils seront raisonnables. Dans ces conditions, si Randolph raconte son histoire, qui la confirmera ? Pas son journal ni les femmes — elles seront loin, Dayton aussi. Une rumeur de plus sur les excès du gouvernement ne changera pas grand-chose.

— Je parlerai demain à Dayton, promit Baker.

— Ce soir, corrigea Stanley sèchement.

— Je regrette, déclarait Baker à un Elkanah Bent mal réveillé.

Celui-ci avait été tiré du lit à onze heures par le détective O'Dell, qui avait prétendu ne pas connaître la raison de cette convocation urgente chez le colonel.

— Mais les faits sont les faits, Dayton. Vous avez blessé Randolph en le frappant à plusieurs reprises.

Bent crispa les mains sur les bras du fauteuil, se pencha en avant.

— Il résistait !

— Admettons. Il n'en est pas moins évident que vous avez usé de la force plus qu'il n'était nécessaire.

L'obèse frappa du poing sur le bureau.

— Wood et vous, qu'est-ce que vous faites pendant les interrogatoires ? Je suis allé à la prison, j'ai entendu les cris...

— Cela suffit, coupa Baker d'un ton menaçant.

— Vous voulez un bouc émissaire...

— Je ne veux rien du tout, Dayton. Vous êtes un homme compétent et je vous garderais si je le pouvais, croyez-moi. (Bent jura, Baker s'empourpra mais ne haussa pas la voix.) J'ai des ordres du ministère de la Guerre. Du ministre lui-même. Il faut arranger les choses et je regrette...

— De m'avoir choisi pour être l'os qu'on jette aux chiens ! interrompit Bent en criant presque.

Quelqu'un frappa à la porte, posa une question.

— Tout va bien, Fatty, répondit le colonel. Dayton, je comprends votre réaction mais vous avez intérêt à accepter la situa...

— Pas question. Je refuse d'être jeté à la poubelle par vous, Stanton ou qui que ce soit...

— Taisez-vous ! rétorqua Baker en se levant. Vous avez vingt-quatre heures pour quitter Washington. C'est sans appel.

Comme une baleine faisant surface, Bent se leva à son tour.

— C'est ainsi que le gouvernement récompense les loyaux services ?

Baker se rassit brusquement, ses mains s'activèrent sur les dossiers comme des araignées blanches.

— Vingt-quatre heures, répéta-t-il sans lever les yeux. Ou vous serez en état d'arrestation.

— Après quelle enquête ? sur ordre de qui ? vociféra Bent.

— Ne criez pas, ordonna le colonel, livide. Eamon Randolph a été roué de coups et il vous arrivera bien pire si vous faites le malin. Vous disparaîtrez derrière les murs de l'ancien Capitole et vous aurez une longue barbe grise quand vous en ressortirez. A présent, fichez le camp d'ici et de la ville. O'Dell !

La porte s'ouvrit, le détective entra, la main droite sous le pan gauche de sa veste.

— Emmenez-le. Fermez la porte à clef après son départ.

Instantanément réduit à l'impuissance, Bent cligna des yeux, murmura faiblement :

— Mais...

— Allez, Dayton, dit Fatty O'Dell, s'écartant de la porte.

Bent sortit d'un pas lourd.

Quelques heures plus tôt, un élégant cabriolet roulait sur la route longeant le Hollywood Cemetery, à l'ouest de Richmond. Des lumières brillaient dans les maisons lointaines ; les ombres des branches feuillues passaient rapidement sur les visages de James Huntoon et du conducteur de la voiture, Lamar Powell.

— Je n'arrive pas à y croire, murmura le mari d'Ashton.

— C'est pourtant vrai et je vous ai précisément amené ici, où nous ne risquons pas d'être entendus, afin de vous convaincre du contraire.

— Je comprends.

Huntoon sortit son mouchoir de sa poche pour essuyer ses lunettes, soudain embuées. Le cabriolet filait le long de monuments funéraires, de grandes croix et d'anges de pierre à demi cachés par le feuillage.

— Je sais que nous n'avons pas entamé sur de bonnes bases nos, euh, relations d'affaires, reprit Powell. Mais, en définitive, le *Water Witch* vous a assuré de gros profits.

— C'est exact. Malheureusement, ma femme m'a menti pour les obtenir.

— J'en suis désolé. Votre épouse paraît charmante mais je la connais peu. Aussi je ne me permettrai pas de faire des commentaires sur vos relations avec elle.

Powell gardait les yeux fixés sur la route. Il sentit le regard soupçonneux de Huntoon se poser un moment sur lui puis une exclamation incrédule lui indiqua que les pensées de l'homme de loi étaient revenues au plan qu'il venait de lui exposer.

— Vous paraissez sidéré par nos projets, dit l'amant au mari.

— Je le suis. L'assassinat est... non seulement un crime mais un acte de désespoir.

— Pour certains. Pas pour mon groupe. Nous prenons une mesure soigneusement étudiée et absolument nécessaire pour atteindre un objectif souhaitable : l'établissement de la nouvelle Confédération du Sud-Ouest. Organisée et gouvernée comme il convient. Libérée du gâchis qui a mené celle-ci à sa perte. Il y aura un gouvernement, bien sûr, et vous pourriez y jouer un rôle important. Vous avez le talent requis. Je me suis renseigné sur vos activités au ministère des Finances.

— Vraiment ? fit Huntoon, ravi.

— Pensez-vous que je vous parlerais comme je le fais si je ne m'étais pas renseigné ? Vous faites partie de ces nombreux hommes hautement compétents que le Roi Jeff a mal utilisés, qu'il a laissés végéter à des postes subalternes. Délibérément, bien sûr. Il rabaisse les hommes originaires comme nous des Etats cotonniers pour plaire à ces fichus Virginiens. En ce qui vous concerne, j'envisagerais un poste important à notre ministère des Finances, si cela vous dit. Sinon, nous pourrions vous offrir d'autres hautes fonctions.

Huntoon se demandait s'il devait croire à ce qu'on lui racontait. On lui ouvrait des perspectives splendides, semblables à celles auxquelles il avait aspiré au début mais que Davis lui avait toujours refusées.

« De hautes fonctions... » Ashton serait contente, elle ne le prendrait plus pour un incapable...

Mais c'était dangereux. Et Powell parlait de meurtre avec une telle légèreté... Hésitant, il répondit :

— Avant de me décider, j'aimerais avoir d'autres détails.

— Sans que vous vous engagiez ? J'ai peur que ce ne soit impossible, James.

— Alors, j'aimerais avoir le temps de réfléchir. Les risques encourus...

— ... Sont énormes, c'est indéniable, coupa Powell. Mais des hommes courageux et lucides peuvent les conjurer. Tout à l'heure, vous avez prononcé le mot de désespoir. Il est approprié mais bien plus pour eux que pour nous. La Confédération de Davis et consorts est déjà perdue, et ils le savent. Le peuple commence à le comprendre lui aussi. Le seul gouvernement qui puisse réussir est un nouveau gouvernement. Le nôtre. La question est donc simple : nous rejoignez-vous ou non ?

Des souvenirs envahirent l'esprit de Huntoon : les yeux pleins d'adoration d'Ashton quand elle avait accepté sa demande en mariage ; les applaudissements des foules à qui il avait prôné la sécession, d'une tribune ou juché sur un simple tronc d'arbre, là-bas dans son Etat. Depuis son arrivée dans cette maudite ville, il était privé de ces marques d'approbation.

— Votre réponse, James ?

— Je... J'aurais tendance à dire oui mais je voudrais réfléchir un peu avant de prendre une décision définitive.

— Certainement, mais pas trop longtemps, cependant. Les préparatifs ont déjà commencé.

Souriant, Powell dirigea le cabriolet sur le chemin du retour. Le poisson était bien ferré.

Après son renvoi du Bureau national d'enquête, Elkanah Bent perdit tout contrôle de soi et se rendit immédiatement chez Jasper Dills. En chemin, il passa devant le siège du *Star*, où une foule agitée lisait les nouvelles à la lueur de torches. Les armées avaient engagé le combat ou étaient sur le point de le faire à proximité de quelque obscure bourgade de Pennsylvanie.

Comme il l'avait fait à la mort de Starkwether, Bent cogna à la porte de Dills jusqu'à en avoir mal au poing. Un domestique austère finit par ouvrir et déclara :

— Mr. Dills est absent pour plusieurs jours.

— Lâche, grommela Bent tandis que la porte se refermait.

Comme tant d'autres, l'homme de loi avait fui à la première rumeur d'invasion.

Privé de son seul appui, Bent avait conscience qu'il ne pouvait rester à Washington. D'ailleurs pourquoi rester dans le Nord ? Il haïssait son armée, qui n'avait pas su reconnaître ses talents et l'avait empêché de faire la carrière qu'il méritait ; il haïssait son président, qui favorisait les nègres ; enfin, il haïssait son gouvernement qui le rejetait après s'être servi de lui.

Il retourna à son garni, chercha dans une malle le laissez-passer qu'il avait gardé après sa mission à Richmond. Froissé et sali, le document était cependant encore trop lisible pour lui être utile. Il n'avait ni le matériel ni l'habileté nécessaires pour falsifier la date.

Que faire, alors ? Recourir aux sources habituelles du Bureau ? Non, Baker pourrait l'apprendre et deviner sa destination. Bent devait franchir le Potomac sans papiers, sans passer par un pont. C'était possible. Il avait beaucoup appris en peu de temps dans les services du colonel.

Il fourra ses affaires dans la malle — sans oublier le portrait volé à La Nouvelle-Orléans — la chargea sur son épaule et sortit.

A l'aube, il prit la direction du sud dans un buggy de location. Son insigne du Bureau et quelques éclats de voix lui permirent de traverser les fortifications de la capitale. Il se dirigea ensuite vers Port Tobacco, où certains mariniers passaient pour être demeurés fidèles au Sud — à condition que cette fidélité fût récompensée en espèces.

Bent voyait à peine le paysage qu'il traversait. A présent que sa décision était prise, il cherchait de nouveaux arguments pour la justifier. Les dirigeants sudistes n'étaient peut-être pas aussi mauvais qu'il l'avait toujours cru. En tout cas, ils haïssaient les nègres, ce qui parlait en leur faveur. De plus, pendant son séjour à Richmond, Bent avait découvert qu'il pouvait se fondre dans la population de la ville sans éveiller les soupçons. Il devait absolument y avoir une place pour lui dans la Confédération puisqu'il n'y en avait plus dans le Nord.

Bent conservait cependant assez de réalisme pour juger de la situation dans laquelle il se mettait en passant dans l'autre camp. Ni le gouvernement ni l'armée sudistes ne voudraient l'employer. On se méfierait de lui, on ne lui offrirait au mieux qu'un tout petit poste. En second lieu, il ne pouvait révéler sa véritable identité ou trop parler de son passé. Cela susciterait des questions, des demandes d'explications.

Il faudrait donc trouver un autre moyen de survivre. Alors que la température montait et que la poussière de la route s'épaississait, il se rappela que Baker lui avait parlé d'un homme cherchant à établir une deuxième confédération. Quel était donc son nom ? Au bout de quelques minutes, il lui revint en mémoire : Lamar Powell. Selon Baker, ce n'était peut-être qu'un tissu de rumeurs mais Bent ferait bien de se renseigner.

Dans la ville somnolente de Port Tobacco, un vieux marinier au visage à demi paralysé par une attaque répondit à Elkanah Bent :

— Oui, je peux vous faire passer en Virginie pour ce prix-là. Quand reviendrez-vous ?

— Jamais, j'espère.

— Alors, je vous paie un verre pour arroser ça, dit le vieil homme avec une moitié de sourire. On traversera dès le coucher du soleil.

85

— Sus ! hurla Charles en lançant Joueur dans le chemin de campagne.

Le fusil de chasse dans la main gauche, il fonçait vers un groupe de quatre Yankees sorti d'un bosquet distant de huit cents mètres.

— Il faut en capturer un ! cria-t-il à son compagnon, qui le suivait à deux longueurs.

C'était une nouvelle recrue, un jeune paysan de dix-huit ans pesant cent vingt kilos. Joyeux, obéissant, il n'avait que deux ambitions : « Aimer un tas de filles du Sud et zigouiller un tas de Yankees. »

Jim Pickles avait été affecté dans les Eclaireurs parce qu'on l'avait jugé trop corpulent et fruste pour les troupes régulières. Il n'avait pas quitté le sillage de son supérieur — qui insistait pour se faire appeler Charlie et non major Main — depuis que Stuart et ses hommes chevauchaient en direction du nord, devant le gros des troupes que Longstreet conduisait en territoire ennemi.

Trois brigades — commandées par Hampton, Fitz Lee et le colonel Chambers — avaient traversé le Potomac dans la nuit du 27 juin et foncé droit au nord, à l'est des montagnes. Le général Lee leur avait donné des instructions plutôt vagues : contourner l'armée de l'Union — où qu'elle pût être —, récolter en chemin vivres et informations. Les hommes de Stuart s'étaient déjà procuré une bonne quantité des premiers en capturant cent vingt-cinq chariots. Mais d'informations, point, et ils allaient de l'avant sans connaître la position des forces de l'Union.

Dans les rangs, on ronchonnait, on murmurait que le général Jeb cherchait à soigner sa popularité par un nouveau coup d'éclat comparable à celui qui l'avait rendu célèbre dans la péninsule. Stuart avait terni sa réputation à Brandy Station en ordonnant tant de revues que ses soldats trop occupés n'avaient pas vu venir les troupes de l'Union. Peut-être pensait-il redorer son blason en tournant une deuxième fois l'armée yankee.

Les cavaliers de Stuart pénétrèrent en Pennsylvanie le 30 juin, trouvèrent les Yankees à Hanover et, après un engagement court et disputé, lurent dans les journaux locaux les premières informations sérieuses sur l'invasion de l'Etat par Lee et Longstreet.

L'histoire familière recommença : maigres rations, peu ou pas de sommeil, longues chevauchées pendant lesquelles les hommes s'endormaient sur leur selle. Et, pour Charles, des pensées contradictoires au sujet de Gus.

Ils poursuivirent vers Dover et Carlisle puis Gettysburg, où l'armée s'était plus ou moins laissé entraîner dans une bataille qu'elle n'avait pas voulue sur un terrain qu'elle n'avait pas choisi. On en rejeta la responsabilité sur Stuart qui, vagabondant par monts et par vaux, n'avait pas été capable de fournir à Lee des renseignements précis sur la position de l'ennemi.

On était à présent le 2 juillet. A huit kilomètres de l'endroit où Charles et Jim Pickles attaquaient les quatre Yankees, le canon tonnait. Derrière le bosquet d'où les soldats bleus étaient sortis s'élevait un gros nuage de poussière. Charles en conclut qu'une troupe de cavaliers ennemis importante faisait mouvement — sans doute en direction de Hunterstown, estima-t-il après avoir consulté une carte grossière. D'où son désir de capturer un Yankee pour avoir des informations précises.

Galopant vers les quatre ennemis surpris, il sentait la fatigue le quitter. Il n'avait pas fermé l'œil de la nuit et la matinée avait été agitée. Hampton, parti seul en reconnaissance tandis que ses cavaliers se reposaient un peu, était tombé sur un soldat du 6ᵉ Michigan, dont la cartouche avait fait long feu. Tel un gentilhomme chevaleresque se battant en duel, le général lui avait laissé le temps de recharger mais un autre Yankee s'approchant par-derrière avait frappé Hampton sur le sommet du crâne avec son sabre. Le premier Nordiste avait alors tiré, blessant légèrement le Sudiste.

Malgré la protection de son chapeau et de son épaisse chevelure, Hampton eut une entaille de quatre pouces au cuir chevelu. On soigna la blessure (de même que l'éraflure à la poitrine faite par la balle yankee) et, à midi, le général était à nouveau sur pied, fort désireux de savoir, comme Stuart, ce qui se passait au centre de la bataille.

Charles était donc parti avec Pickles et bien qu'il eût souvent cru, ces derniers jours, ne pas pouvoir faire un kilomètre de plus sans tomber de cheval, il galopait à présent vers les quatre ventres-bleus.

Les Yankees tournèrent un moment en rond sur le bas-côté de la route puis se mirent à tirer. Charles entendit une balle siffler sur sa gauche, poussa un de ces longs cris qui terrifiaient les soldats de l'Union. Pickles chevauchait derrière sur un rouan dont les flancs écumaient sous le poids du cavalier. Les bleus, délaissant leurs carabines, dégainèrent sabres et revolvers et lancèrent une contre-attaque.

— Maintenant ! ordonna Charles quand il les jugea à sa portée.

Il leva son fusil de chasse, tira les deux cartouches, fit faire à Joueur un léger écart et le ralentit un peu pour permettre à Pickles de passer et de faire feu à son tour. Deux Yankees tombèrent. Les deux autres firent demi-tour et repartirent au galop vers le bosquet.

— J'espère qu'il y en a un de vivant ! cria Charles.

Le cheval de l'un des hommes abattus s'éloignait au trot mais le deuxième animal frottait ses naseaux contre son cavalier gisant sur la route. Charles s'approcha au pas, le Yankee ne bougea pas. Bientôt des mouches se posèrent autour de la bouche de l'homme. Aucune information à tirer de ce côté-là, et l'autre bleu avait disparu.

Charles entendit du bruit dans les hautes herbes bordant la route puis un gémissement. Gardant un œil sur le nuage de poussière s'élevant à environ trois kilomètres au nord-ouest, il descendit de cheval, avança prudemment vers le bas-côté. Une goutte de sueur se détacha de son nez quand il tendit le cou et découvrit le soldat de l'Union. Barbu, la cuisse gauche tachée de sang, l'homme était assis au fond du fossé, le revolver dans son étui.

Charles posa son fusil par terre de la main gauche en dégainant son colt de la droite, descendit vers le blessé qui respirait bruyamment et avait l'air effrayé. Assis au bord du fossé, Pickles regardait avec des yeux d'écolier désirant ardemment apprendre.

— De quelle unité es-tu ? demanda Charles.

— Troisième division, général Kirkpatrick.

— Où allez-vous ?

Le Yankee hésita, Charles appuya le canon de son arme contre son front luisant de sueur.

— Où allez-vous ?

— Sur le flanc gauche de Lee ; Dieu sait où ça se trouve.

Charles se releva, examina la cime des arbres ployant dans le vent chaud. Au sud, le canon continuait à gronder. Avec un dernier regard au blessé, l'éclaireur sortit du fossé. Au moment où il reprenait son fusil de chasse, Pickles s'écria :

— Charlie ! Att...

Charles pivota, devina plus qu'il ne vit le mouvement de la main du Yankee et fit feu. La balle rejeta en arrière la tête du blessé. Charles souffla dans le canon de son colt, s'aperçut que le Yankee avait tendu la main gauche vers sa cuisse blessée, non la droite vers son arme.

— Bon, Jim. Allons porter la nouvelle à Hampton. Ce nuage de poussière là-bas, c'est Kirkpatrick qui essaie de nous prendre de flanc.

Quand les deux éclaireurs repartirent sur la route déserte, Pickles arborait un grand sourire.

— Bon Dieu ! Charlie, vous êtes quelqu'un. Froid comme un bloc de glace. Bien sûr, c'est bête pour ce Yank, il voulait seulement toucher sa blessure.

— La main doit parfois aller plus vite que le cerveau, répondit Charles en haussant les épaules. Si j'avais attendu, il aurait peut-être tiré son revolver. Mieux vaut se tromper qu'être mort.

— Vous m'épatez, gloussa le jeune homme. Les Eclaireurs, c'est des vraies machines à tuer.

— Il y a de ça. Chaque mort dans leur camp signifie des morts en moins dans le nôtre.

Au sud, à Gettysburg, le canon continuait à tonner.

Noir d'encre devant, noir d'encre derrière. La pluie ruisselait du chapeau de Charles et avait trempé sa cape depuis longtemps.

A de nombreux égards, c'était la plus effroyable nuit qu'il avait connue depuis qu'il était à l'armée. Les troupes de Stuart battaient en retraite vers le Potomac, en un long convoi de chariots réquisitionnés s'étirant sur des kilomètres.

Aux hommes de Hampton était échu l'honneur de former l'arrière-garde. Ou plutôt, selon Charles, de cheminer aux abords de l'enfer.

La veille, le 3 juillet, le général avait été blessé une troisième fois par un éclat d'obus au cours d'un combat acharné contre la cavalerie du Michigan et de Pennsylvanie, vaine tentative pour prendre Meade de revers. Certains accusaient ouvertement Stuart de la débâcle de Gettysburg et on continuait à affirmer que sa longue chevauchée loin de Lee avait privé l'armée d'yeux et d'oreilles.

Le 2e de Caroline du Sud était réduit à une centaine d'hommes. Interrogeant des soldats de son ancienne unité, Charles avait appris que Calbraith Butler, amputé après Brandy Station, passerait le reste de sa vie avec une jambe de bois. Monté sur Joueur, l'éclaireur suivait un des chariots sans ressorts où gémissaient des blessés entassés.

« Laissez-moi mourir, laissez-moi mourir. »

« Bon Dieu ! Ayez pitié. Tuez-moi. »

« Quelqu'un... Quelqu'un pour écrire à ma femme... »

Charles s'efforçait en vain de ne plus entendre les essieux grincer, les hommes sangloter comme des enfants.

— On est arrêtés, dit Pickles en remontant à la hauteur de son chef. Sûrement un chariot embourbé devant.

« Quelqu'un... pour prévenir Mary... »

Bouillonnant de fureur, Charles avait envie de dégainer son colt pour faire éclater la cervelle de l'homme qui geignait. Il passa la jambe gauche par-dessus sa selle, sauta dans la boue, tendit les rênes de Joueur à Pickles.

— Tiens-le.

Il grimpa à l'arrière du chariot, souleva la bâche, se fraya un chemin à travers la masse grouillante et puante des corps.

Il avait l'âme malade, écœurée par la folie et la bêtise consistant à tuer des hommes de l'autre camp pour sauver les siens. Pourquoi ne lui avait-on pas dit un traître mot sur ce genre de choses à l'Académie ?

Des mains effleuraient son pantalon, timides, comme celles de gamins effrayés. La pluie criblait la bâche du chariot et Charles dut élever la voix pour se faire entendre.

— Où est celui qui veut prévenir sa femme ? Je vais l'aider.

De la fenêtre du salon, Orry contemplait les faîtes des toits, les rangées de maisons rougies par le crépuscule. Un silence anormal enveloppait la ville depuis plusieurs jours pour des raisons que la population ne comprenait pas encore mais que lui connaissait.

— Certains crétins du ministère prétendent que Lee a atteint l'objectif visé : réapprovisionner l'armée en territoire ennemi, dit-il à sa femme.

Grave et silencieuse, vêtue de gris, Madeline attendit qu'il poursuive.

— La vérité, c'est que Lee bat en retraite, avec des pertes qui s'élèvent peut-être à trente pour cent.

— Mon Dieu ! murmura Madeline. Quand l'apprendra-t-on ?

— Tu veux dire quand les journaux en parleront-ils ? Dans un jour ou deux, je présume, répondit Orry. (Il se frotta les tempes pour soulager un soudain mal de tête dû à la chaleur étouffante.) On raconte que Pickett a chargé les positions de l'ennemi à Cemetery Hill en plein jour. Sans couverture. Ses hommes furent littéralement fauchés. Pauvre George ! Ah ! pourquoi nous sommes-nous lancés dans cette fichue guerre ?

Madeline s'approcha de lui, l'enlaça, posa la joue sur son épaule. Ils demeurèrent l'un contre l'autre dans la lumière rougeâtre s'assombrissant peu à peu.

Dans le bar crasseux proche des quais du fleuve, Elkanah Bent demanda une pinte de bière, qui se révéla chaude et éventée. Dégoûté, il la reposait sur le comptoir quand un homme aux cheveux blancs entra, des larmes sur les joues.

— Pemberton a capitulé. Le 4 juillet. L'*Enquirer* vient de sortir une édition spéciale. Grant l'a eu par la faim. Les Yanks ont pris Vicksburg et p't-être tout le fleuve. On tient même plus not' territoire.

Bent joignit ses lamentations à celles des autres clients accoudés au comptoir d'acajou. Au loin, des cloches se mirent à sonner. S'était-il glissé dans la capitale sudiste au moment où tout s'effondrait ? Raison de plus pour trouver le nommé Powell.

Mr. Jasper Dills souffrait d'un mal de tête pire encore que celui d'Orry Main. Cela avait commencé le 4 juillet, un samedi, jour de la fête nationale, quand la nouvelle de la stupéfiante victoire de Gettysburg était parvenue à Washington.

Ce matin-là, l'homme de loi était rentré de sa villa de Chesapeake Bay, où il s'était prudemment retiré dès les premières rumeurs d'une possible invasion rebelle. Les pétards que des gamins faisaient exploser devant sa demeure ne tardèrent pas à lui vriller les tympans.

Par surcroît, des fanfares jouaient dans les rues des marches patriotiques, une foule en joie avait envahi President's Park et le climat d'allégresse montait au fur et à mesure que tombaient les bonnes nouvelles : Lee écrasé, Vicksburg prise ; Grant, Sherman et Meade acclamés en héros.

Cependant, dans les jours qui suivirent, Meade commit la même erreur que ses prédécesseurs : ne poursuivant pas Lee avec assez d'opiniâtreté, il laissa passer sa chance d'anéantir la principale armée confédérée. Les illuminations des édifices publics de Washington s'éteignirent comme les feux de joie allumés aux coins des rues.

Le crâne toujours douloureux, Dills ruminait deux autres nouvelles déplaisantes entre lesquelles il y avait un lien manifeste. Selon le maître d'hôtel, Bent était venu tambouriner à sa porte comme un dément. Et Stanley Hazard l'informait dans une lettre au ton sec que son « protégé » avait failli provoquer une catastrophe en rouant de coups un journaliste sans en avoir reçu l'ordre. Stanton réclamant une tête, Ezra Dayton avait été chassé du service et de Washington, poursuivait la lettre. Mr. Dills serait-il à l'avenir assez aimable pour ne plus faire de recommandations ? Merci.

Pendant deux jours et deux nuits, des employés du cabinet juridique de Dills avaient fouillé la ville. Bent était effectivement parti, personne ne savait pour quelle destination. Assis dans son bureau, la douleur lui martelant les tempes, Dills songeait à l'allocation, à la source d'argent qui tarirait s'il perdait trace du fils de Starkwether.

— Une journée catastrophique, se plaignit Stanley au dîner, le mardi qui suivit la fête nationale. Le ministre est furieux parce que Meade refuse d'avancer et il me rend responsable de l'affaire Randolph.

— Je croyais que tu avais réussi à l'étouffer, répondit Isabel.

— Jusqu'à un certain point. Randolph — ou du moins son journal de Cincinnati — ne publiera rien sur l'incident. Mais il est sorti de prison, et les bleus de son visage en disent assez long sur ce qu'on lui a fait. Et cet après-midi, autre mauvaise nouvelle... Laurette ?

Stanley se tourna vers la servante, montra son verre vide.

— Tu en as déjà bu quatre ! protesta Isabel.

— Eh ben, j'en veux un cinquième. Laurette !

La jeune fille emplit le verre de Stanley, qui avala aussitôt une longue gorgée de vin. Isabel mit sa main devant ses yeux. Son mari changeait de façon bizarre, comme s'il ne se faisait pas à ses responsabilités nouvelles et aux énormes sommes s'accumulant sur leurs comptes en banque.

— Quelle autre mauvaise nouvelle ? finit-elle par demander.

— L'un des hommes de Baker a appris à Port Tobacco que Dayton, le détective qui a battu Randolph, serait passé à l'ennemi. Dieu sait quelles informations importantes il a emportées ! Toute cette affaire lamentable retombe sur le ministère. Personne ne reconnaît publiquement que nous donnons des ordres à Baker mais tout le monde le sait. Par-dessus le marché...

Stanley engloutit le reste de son verre, fit signe à la servante, qui le remplit après avoir jeté un regard anxieux à sa maîtresse.

— Par-dessus le marché, la loi sur la conscription entre officiellement en vigueur aujourd'hui. On a déjà signalé des manifestations, des incidents violents...

— Ici ?

— Surtout à New York.

— C'est loin. Pour une fois, tu pourrais te dire que tu as de la chance : tu ne partiras pas. Non seulement parce que tu travailles au ministère de la Guerre mais parce que tu as de toute façon les moyens de te payer un remplaçant.

Stanley sirotait son vin, l'air morose. Isabel renvoya Laurette à la cuisine, se leva, alla rejoindre son mari à l'autre bout de la longue table. Elle se plaça derrière lui, arrêta son geste quand il voulut porter une nouvelle fois le verre à ses lèvres, lui tapota le bras dans une inhabituelle démonstration d'affection.

— Tu devrais remercier le Congrès d'avoir prévu la possibilité de se faire remplacer, poursuivit-elle. Dieu merci ! c'est bien « une guerre de riches faite par les pauvres », comme on dit.

Nullement réconforté, Stanley songeait aux changements que sa vie avait connus depuis deux ans. D'une part, il buvait de plus en plus, ce qui pouvait ruiner sa carrière ; de l'autre, il devenait de plus en plus riche, ce qui la favorisait. Il devait faire de son mieux pour contrôler son besoin d'alcool et continuer à vendre des chaussures aux pauvres imbéciles qui mouraient pour des slogans dans les deux camps.

— Constance ?

Couchée avec son mari, le mercredi qui suivit Gettysburg, la femme de George grogna pour signifier qu'elle écoutait.

— Que vais-je faire ?

Question qu'elle attendait — qu'elle redoutait — depuis des mois.

— Tu veux dire pour ton travail ? demanda-t-elle, bien que la précision fût inutile.

— Oui. Je ne peux plus supporter la bêtise et les combines politiciennes, les fortunes bâties sur la mort et la souffrance. Dieu merci ! je ne m'occupe pas des contrats de Stanley, sinon je les lui ferais avaler jusqu'à ce qu'il étouffe.

Constance sentit une douleur sourde au sein. Elle en éprouvait souvent depuis quelque temps — dans les jambes, le haut du corps, derrière le front — et en attribuait la cause à ses inquiétudes. Elle se faisait du souci pour ses enfants, pour son père installé dans la lointaine Californie, pour le poids qu'elle prenait chaque mois. Et surtout pour George qui, chaque jour, ramenait ses tracas à la maison et les ruminait toute la soirée.

Au moins une fois par semaine, il citait à sa femme un exemple de l'entêtement de Ripley. Dernièrement, le général Rosencrans, ayant appris que le Matériel avait en stock des fusils à répétition du type « moulin à café », en réclama pour ses troupes de l'Ouest. Ripley refusa d'abord d'en envoyer un seul — il était contre la conception même de ces armes. Sous la pression, il finit par en expédier une dizaine, et Rosencrans, en retour, adressa à Lincoln un rapport enthousiaste. Le président pria instamment Ripley de considérer à nouveau l'achat d'autres fusils de ce type. Le chef du Matériel enterra la demande.

Constance connaissait par cœur les crimes de Ripley. Il continuait à mener campagne contre les fusils à chargement par la culasse et à répétition, qu'il ne livrait qu'aux troupes montées. Il s'efforçait d'annuler les contrats existants concernant ces fusils et barrait d'un grand « plus intéressé » les propositions des fabricants.

La veille encore, George avait explosé :

— Et pourtant, moins de quarante-huit heures après que les hommes du pauvre Pickett eurent été décimés en attaquant nos positions, nous avions reçu un rapport sur les déclarations d'un prisonnier rebelle ayant combattu face aux tireurs d'élite de Bredan à Little Roud Top. En vingt minutes, avec des fusils à un coup qu'on charge par la culasse, les soldats de Berdan avaient tiré chacun une centaine de balles. Le commandant du prisonnier rebelle pensait avoir affaire à deux régiments entiers.

— Ce n'était pas le cas ?

— Berdan n'avait que cent hommes. Et ce vieux salaud de Ripley continue à marquer « refusé » sur toutes les demandes de meilleures armes d'épaule.

Les récriminations de George n'avaient rien de nouveau. Le fait nouveau, c'était leur fréquence et l'agressivité avec laquelle il les exprimait. Constance estimait que le changement s'était produit un mois plus tôt, avec la chute de Vicksburg, quand un rapport sur des obus Parrott défectueux était arrivé sur son bureau. Après enquête, il avait découvert qu'ils avaient été livrés par une usine de Buffalo dont il avait examiné et refusé des échantillons : les douilles étaient trouées du fait d'une mauvaise coulée en sable. Constance se rappelait la fureur de George ce soir-là :

— Les scélérats avaient eu le culot d'essayer de cacher le défaut en bouchant les trous avec du mastic de même couleur que le métal !

Le lendemain, nouvel accès de colère :

— Ripley a annulé son refus, il a approuvé la marchandise. Il paraît que le fabricant est un parent éloigné de sa femme. Bon Dieu ! j'aimerais lui fourrer quelques-uns de ces obus dans l'arrière-train. Ce serait le plus grand service qu'on pourrait rendre à l'Union.

C'était l'amertume accumulée depuis qui avait poussé George à poser sa question. Immobile dans la pénombre, Constance savait qu'elle finirait par y répondre par une autre question.

— Qu'est-ce que tu voudrais faire ?

— Tu veux une réponse idéale ou réaliste ?

— Commence par la première.

— J'aimerais travailler pour Lincoln.

— Tu l'admires donc tant ?

— Oui. J'ai appris à le connaître depuis notre rencontre à l'arsenal. Il passe dans nos bureaux plusieurs fois par semaine, pose des questions, encourage les bonnes idées. Je reconnais qu'il a l'air d'un rustaud. Heureusement que les élections ne se jouent pas sur l'aspect extérieur du candidat, sinon il n'aurait jamais été élu à quelque fonction que ce soit. Il ne déguise jamais ses sentiments, et certains disent que c'est un défaut ; il ne dissimule jamais ses doutes, son abattement. Mais il a des qualités sacrément rares dans cette ville. Honnêteté. Idéalisme. Force. Oui, j'aimerais travailler pour lui à un titre ou à un autre mais les places sont prises.

— Tu t'es renseigné ?

— Discrètement. Je ne t'en ai pas parlé parce que j'étais sûr qu'il n'y avait aucune possibilité.

— Et la réponse réaliste ?

— Je pourrais entrer aux chemins de fer militaires si Herman Haupt veut de moi. C'est une excellente solution de rechange, elle me plaît beaucoup.

George avait parlé avec une telle flamme que Constance devina qu'il avait cette idée en tête depuis un moment. S'efforçant de garder un ton calme, elle fit observer :

— Tu serais près du front...

— Oui, parfois. Mais l'important, c'est que je ferais un travail dont je serais fier.

Il y eut un silence, brisé par l'inévitable grondement des chariots.

Sentant la tension de sa femme, George roula sur le côté, caressa la poitrine douce, ferme, dont la familiarité lui était d'un grand réconfort.

— Tu ne veux pas que je prenne cette décision ?

— George, tu sais bien que nous ne posons jamais ni l'un ni l'autre ce genre de question.

— Pourtant, j'aimerais savoir ce que tu...

— Fais ce que tu dois faire, répondit Constance.

Elle l'embrassa, battit des paupières pour qu'il ne sente pas les larmes de peur qui lui montaient aux yeux.

— Alors, Herman, vous accepteriez une nouvelle recrue ?

George posa la question le lendemain au général barbu assis à une table du *Willard*. Haupt semblait exténué. Il venait de rentrer de Pennsylvanie où il avait fait réparer la voie ferrée de Gettysburg.

— Vous connaissez la réponse. Mais est-ce que le ministre acceptera de vous libérer ?

— Il ferait bien, bon Dieu ! Je ne supporte pas de travailler à moins d'un kilomètre de cet homme.

George avala une huître avant d'ajouter :

— Je suppose que vous avez entendu parler de l'affaire Randolph ?

— Comme tout le monde. Je crois savoir qu'il n'a pas le droit d'écrire là-dessus dans son journal, mais il ne perd pas une occasion de raconter son histoire.

— Il a parfaitement raison. Quel scandale !

— Je vous conseille d'agir vite : Stanton veut ma tête. Il me déplaît autant qu'à vous et il le sait. Je refuse de m'accommoder de ses préjugés et de son arrogance — j'ai déjà bien assez des miens, fit Haupt avec un sourire froid.

Les deux hommes se partagèrent le reste des huîtres puis le général demanda à George comment il comptait obtenir son transfert.

— Cela ne marchera pas si je me contente de réclamer vos services.

— Je le sais. J'ai rendez-vous ce matin avec le général en chef.

— Halleck ? Le roi de la paperasse ? J'ignorais que vous le connaissiez.

— Je l'ai rencontré deux fois dans des réceptions. C'est un ancien de West Point...

— Promotion 39. Quatre ans après la mienne. Vous tablez là-dessus ?

— Oui, répondit George. J'ai appris comment les choses se passent, dans cette ville.

Henry Halleck, qui avait réservé au major Hazard dix minutes de son emploi du temps, ressemblait à un assemblage d'hémisphères : épaules rondes, front convexe, yeux protubérants. C'était plus un érudit qu'un militaire — quelques années plus tôt, il avait traduit un ouvrage de Jomini *— mais il avait des talents d'administrateur.

De la fenêtre où il se tenait dans sa posture familière, les mains derrière le dos, il déclara au visiteur :

— J'ai consulté votre dossier, major. Il est exemplaire. Vous tenez vraiment à quitter le service du Matériel ?

— Oui, mon général. J'ai besoin de me sentir plus utile. Le travail de bureau est devenu fastidieux pour moi.

— N'est-ce pas plutôt Ripley qui l'est devenu ? répliqua Halleck,

---

* Général suisse auteur d'ouvrages militaires (n.d.t.).

446

dans une de ses rares tentatives d'humour. Il est votre supérieur, c'est à lui que vous devriez demander votre transfert.

Conscient de ce qu'il risquait, George répondit :

— Il le refuserait certainement. Tandis que si vous m'accordiez la permission de m'adresser directement à l'adjudant général...

— Impossible.

George se dit qu'il avait perdu mais Halleck poursuivit :

— Je comprends toutefois votre situation. J'applaudis à votre désir d'avoir une action plus directe. Si vous voulez obtenir satisfaction, il faut faire les choses dans les règles.

Le général baissa la voix comme tout bon Washingtonien menant une intrigue ou accordant une faveur et continua :

— Transmettez votre demande à l'adjudant général par la voie hiérarchique — en ayant soin d'en envoyer une copie au général Ripley. De mon côté, j'interviendrai pour vous soutenir — officieusement, vous comprenez. Si nous réussissons, soyez prêt à ferrailler avec Mr. Stanton. Bonne chance, conclut Halleck en tendant la main.

George avait déjà préparé les papiers que le général en chef avait mentionnés. Il les envoya immédiatement et reçut une convocation du ministre plus tôt qu'il ne l'attendait.

Au siège du ministère de la Guerre où il se présenta le lundi à deux heures et demie, il régnait une atmosphère sinistre. Meade avait lambiné, Lee s'était enfui ; la loi sur la conscription provoquait de nouveaux troubles à New York ; le président était passé d'une période d'intense activité et d'espoir à une nouvelle dépression.

— Vous voulez travailler pour Haupt ? demanda Stanton avec aigreur. Mon cher major, savez-vous qu'il n'a jamais officiellement accepté son grade de général de brigade ? Qui peut dire s'il restera longtemps encore à la tête des chemins de fer militaires ?

Dans la voix du bouddha barbu, George sentit de l'antipathie et une mise en garde.

— Je tiens quand même beaucoup à cette mutation, dit-il. Je suis entré au Matériel sur la demande pressante de Cameron et je me suis efforcé d'accomplir loyalement ma tâche, même si je ne me suis jamais senti ni tout à fait qualifié ni très utile. Je veux un travail plus directement lié à la conduite de la guerre.

Stanton tripota la branche droite de ses lunettes, dont un jeu de lumière donnait aux verres une apparence opaque. Peut-être savait-il quelle inclinaison sa tête devait prendre pour obtenir cet effet déconcertant.

— Changeriez-vous d'avis si je vous confiais que le général Ripley pourrait prendre sa retraite prochainement ? demanda le ministre avec un sourire faux. Après tout, le général a soixante-neuf ans.

« Et il s'est opposé à toi une fois de trop », pensa George.

— Non, monsieur le ministre. Cela ne modifierait en rien ma requête.

— Je vais être franc avec vous, major Hazard. Depuis votre entrée dans ce bureau, je sens une certaine hostilité dans votre voix — non, je vous prie, épargnez-moi vos protestations...

George rougit. Il ne s'était pas rendu compte qu'il laissait voir ses sentiments aussi clairement.

— Votre détermination à partir se manifeste dans la façon dont vous vous y êtes pris pour présenter votre requête. Le général Halleck m'en a parlé personnellement hier. J'ai l'impression que vous n'aimez pas le ministère dans sa totalité. Je me trompe ? demanda Stanton en ôtant ses lunettes.

Bien qu'il sût qu'il aurait mieux fait de mentir, George, poussé par sa nature et sa conscience, répondit :

— Non, monsieur le ministre. Avec tout le respect que je vous dois, je ne suis pas d'accord avec certains aspects de la politique du ministère de la Guerre.

Stanton remit ses lunettes et demanda d'un ton de politesse glacée :

— Puis-je vous prier d'être plus précis, major ?

— Il y a l'affaire Eamon Randolph...

Le ministre coupa le visiteur :

— Je ne sais rien de cette affaire.

— Je crois savoir que ce journaliste a été battu par des détectives de votre Bureau d'enquête, uniquement pour avoir critiqué la politique du gouvernement — ce que je pensais être le droit de tout citoyen.

— Pas en temps de guerre, rétorqua Stanton, dont le sourire pincé s'effaça. (Il se pencha en avant, la lumière transforma à nouveau ses verres de lunettes en disques miroitants.) J'ajoute, major, que si vous eûtes jamais quelque espoir de faire carrière dans l'armée, vous venez de le briser par vos propos. Vous avez passé les bornes.

— Désolé, dit George, qui ne l'était aucunement. J'avais cela sur la conscience depuis un moment. De plus, tout le monde sait que Lafayette Baker travaille pour vous.

Le sourire froid et rusé revint.

— Fouillez tous les classeurs et même toutes les corbeilles à papier du ministère, mon cher major, vous ne trouverez pas l'ombre d'une preuve pour étayer cette affirmation. Maintenant, veuillez avoir l'amabilité de quitter cette pièce. Je serai heureux d'approuver votre requête : ce fou de Haupt et vous êtes taillés dans le même bois.

— Monsieur le mi...

— Dehors ! tonna Stanton en frappant le bureau du poing.

George entendit la porte s'ouvrir derrière lui. Quelqu'un se précipita dans la pièce.

— Votre frère s'apprête à partir, dit le ministre au nouveau venu.

George se retourna, découvrit Stanley.

— Veillez à ce qu'il le fasse sans tarder, poursuivit Stanton.

Stanley saisit le bras de son frère en disant :

— Allez, viens.

— Stanley, murmura George, je t'ai déjà rossé une fois. Tu veux que je recommence ? Lâche-moi.

Clignant des yeux, le visage luisant de sueur, Stanley obéit.

— Si, pour gagner la guerre, le gouvernement doit faire battre ou emprisonner tous ceux qui expriment la moindre critique, nous méritons de perdre.

Stanton se caressa lentement le dessous de la barbe mais il était livide.

— Major Hazard, je vous conseille de prendre congé si vous ne voulez pas passer en cour martiale pour sédition.

Quand la porte du bureau se referma derrière les deux frères, Stanley chuchota :

— Tu sais qui tu viens d'insulter ?

— Quelqu'un qui le mérite.

— Tu te rends compte des conséquences que cela peut avoir pour ta carrière ?

— Je ne fais pas carrière. On peut me renvoyer de l'armée demain, je retournerai avec plaisir à Lehig Station pour fondre des canons.

— Tu pourrais au moins penser à moi.

— C'est ce que je fais, rétorqua George, toujours furieux. J'espère bien que Stanton te limogera parce que ton frère tient des propos séditieux. Tu seras alors libre d'aller dans le Massachusetts vendre des bottines militaires. Aux deux camps, si j'ai bien compris.

— Espèce de sale menteur !

Stanley expédia son poing vers le visage de son frère mais le coup manquait de force et de vitesse. George n'eut qu'à lever la main gauche pour bloquer le bras et détourner le poing. Puis il enfonça son chapeau sur sa tête et sortit à grands pas du bâtiment.

Il se rendit directement au bureau de Haupt, ne l'y trouva pas et laissa un message :

Je viens de parler au ministre S. et j'ai ruiné toutes mes chances de faire carrière dans l'armée. J'ai l'intention de me soûler pour fêter cela. Ma mutation paraît assurée.

G. H.

86

Le train composé de deux wagons à plate-forme roulait en haletant vers le sud-ouest, en direction de Manassas. Le ciel était gris, l'air sentait la pluie.

Les branches des sapins bordant la voie effleuraient le visage de Billy, assis au bord d'un des wagons, jambes pendantes, carabine à portée de main. Sous sa chemise, le petit cahier dans lequel il tenait son journal. Son pantalon poussiéreux cachait en partie l'inscription U.S.M.R. * n° 19 peinte en blanc sur le côté de la plate-forme.

Bercé par le rythme lent du train, il pensait à Brett, à qui il mourait d'envie de faire l'amour, fût-ce une seule nuit ; à Lije, dont la mort était un tel gâchis ; aux nouvelles alarmantes de New York qu'il avait entendues juste avant le départ. La ville semblait prête pour de grandes manifestations, voire une vaste émeute, quand on tira les premiers noms des conscrits.

Les sapeurs avaient pris une si faible part à la bataille de Gettysburg qu'elle méritait à peine d'être mentionnée. Après avoir construit les habituels ponts de bateaux sur le Potomac, ils avaient attendu, le derrière par terre, avec d'autres troupes du quartier général, tandis que le gros de l'armée engageait le combat. On les avait ensuite renvoyés en Virginie puis Billy et six soldats avaient reçu pour mission de procéder à des relevés pour la nouvelle ligne qu'on avait l'intention de construire près du pont du Bull Run. Récemment, ce pont avait été détruit pour la sixième ou septième fois au cours d'escarmouches.

Un caporal blond étendu sur le dos chantonnait *All Quiet Along the Potomac Tonight* **. Un soldat appuyé contre un trépied replié reprit la mélodie avec son harmonica. La fumée du train flottait au-dessus des hommes détendus.

* Chemin de Fer militaires des Etats-Unis (n.d.t.).
** « R.A.S. sur le Potomac ce soir » (n.d.t.).

La première balle fit tinter la cloche de la locomotive, les autres sifflèrent autour d'eux.

— Où ils sont ? cria le caporal en saisissant son arme.

Billy, qui s'était jeté à plat ventre, entendit les ennemis avant de les voir. Ils surgirent de derrière le fourgon, huit hommes dépenaillés et hirsutes, montés sur des chevaux étiques, quatre de chaque côté du train.

Les sapeurs se trouvaient en principe dans une zone contrôlée par l'Union mais ce contrôle n'était que nominal. Ils traversaient en ce moment précis ce qu'on appelait la « Confédération de Mosby » et Billy se demanda si les cavaliers appartenaient aux hommes du Fantôme gris. Il fit feu, manqua sa cible.

Une balle s'enfonça à l'endroit où pendaient ses jambes l'instant d'avant ; une longue fente sépara les lettres U.S.M.R. Les assaillants en lambeaux poussèrent le cri rebelle en passant devant le fourgon.

— Reste couché, Johnson ! ordonna Billy au caporal.

L'homme aux cheveux blonds, qui venait de se dresser, cherchait à viser malgré les oscillations de la plate-forme. Le chef des cavaliers ennemis chevauchant du côté de Billy, un grand maigre portant un costume noir suranné, se baissa pour éviter une branche puis tira un coup de revolver qui projeta Johnson de l'autre côté de la voie.

Billy se releva sur un genou, vit le chauffeur de la locomotive grimpé sur le tender. Se tenant d'une main, l'homme tirait de l'autre avec son colt. Le mécanicien poussa la vapeur, le train accéléra. Un soldat abattit un des assaillants, ce qui mit fin aux longs cris des autres.

Le ciel s'assombrit, la pluie commença à fouetter le wagon ; les cavaliers se portèrent à sa hauteur. Billy pivotait sur lui-même pour faire feu quand il se sentit tiré par le bras.

L'homme au costume noir, qui s'était approché suffisamment pour le saisir, le fit tomber du train. Billy fut projeté contre le talus ; le souffle coupé, il vit la lanterne et les numéros blancs du fourgon s'éloigner.

Le sapeur se mit à quatre pattes, tendit une main vers sa carabine, tombée près du rail le plus proche.

— Touche-la et je te tue, dit une voix joviale.

Billy leva la tête, vit le grand maigre en noir braquer sur lui un gros pistolet d'arçon.

— On en a eu deux, en comptant le mien ! cria Costume-Noir en calmant sa monture. L'autre est vivant ?

— Naan, l'est crevé, répondit une voix.

Billy se rappela que Johnson allait être bientôt père d'un second enfant.

Sous la pluie battante, les cavaliers tirèrent une dernière salve en direction du train, réduit à la taille d'un jouet.

— T'es sûr ? demanda Costume-Noir à l'homme qui s'approchait, le cadavre de Johnson en travers de sa selle.

— Il est pas plus vivant qu'un tas de briques.

— Quelque chose à récupérer ?

— Ses dents en or, mais c'est tout.

— Lève-toi, Yank, ordonna Costume-Noir à Billy. Donne-moi ton nom et ton unité qu'on puisse t'enterrer dans les règles.

Billy ne parvenait pas à croire que l'homme était sérieux. Il avait une idée sur l'identité des cavaliers et craignait qu'elle ne fût juste.

— Ton nom et ton unité, répéta Costume-Noir avec irritation.

Debout sous la pluie, Billy répondit :

— Capitaine William Hazard, bataillon du Génie, armée du Potomac. Et vous, qui êtes-vous ?

Il y eut des ricanements, des murmures amusés puis une voix de taureau meugla :

— Il est en plein comté de Fairfax et il demande qui on est !

Gras et laid, l'homme fit avancer son cheval vers le prisonnier.

— Des partisans du major John S. Mosby, dûment mandatés par le Congrès confédéré pour des actions de guérilla, poursuivit-il, comme s'il récitait une leçon. Voilà ce qu'on est, fumier de Yankee !

Il frappa Billy de la crosse de son fusil. Furieux, le sapeur saisit l'arme mais Costume-Noir le tira par les cheveux et lui fit lâcher prise. Billy sentit l'odeur de corps malpropre dégagée par les cavaliers, remarqua leurs vêtements crasseux et conclut que l'homme ne lui avait pas menti. John Mosby avait quelque temps servi d'éclaireur à Stuart puis était devenu commandant d'une bande de partisans. Il surgissait la nuit, arrachait des rails, mettait le feu aux entrepôts de vivres, abattait des sentinelles. On le craignait d'autant plus qu'on le voyait rarement et on l'avait pour cette raison surnommé le Fantôme gris.

Un fantôme qui ne respectait pas les règles de la guerre, se rappela Billy, la gorge serrée. Costume-Noir lui tira à nouveau les cheveux, arma son pistolet.

— Les mains sur la tête, mon gars.

— Quoi ?

— J'ai dit les mains sur la tête. On va faire vite.

— Qu'est-ce qu'on va faire vite ?

Nouveaux ricanements.

— Il est vraiment con ! s'exclama un des cavaliers.

— Ton exécution, mon capitaine, répondit Costume-Noir. Avec ta permission, je vais faire ça en vitesse, j'ai autre chose à foutre.

Le prisonnier fixait d'un regard incrédule la maigre silhouette noire. Les sapins gémissaient, le vent filait dans le ciel sombre. Pourquoi le train n'était-il pas revenu ? Les autres avaient dû le croire mort, comme Johnson...

— Les mains sur la tête ! Et tourne-toi que je voie ton dos.

S'efforçant de parler d'une voix ferme, Billy répondit :

— J'ai le droit d'être traité en prisonnier de guerre et...

— Bon Dieu ! Perds donc pas ton temps, dit un autre cavalier.

Billy sut que c'était fini. « Bon, pensa-t-il. Tout ce que je peux faire, c'est partir sans m'effondrer devant eux. »

— Pour la dernière fois, Yank !

Le sapeur posa les mains sur ses cheveux trempés et ferma les yeux. Par-dessus le sifflement du vent, le renâclement des chevaux, le tintement du métal et le grincement des brides, il entendit au nord, le long de la voie ferrée, un bruit qu'il ne parvint pas à identifier. Comme si cela avait de l'importance...

Costume-Noir lança d'un ton joyeux :

— Adieu, mon capitaine du Génie.

— T'es impayable, s'esclaffa l'homme à la voix de taureau.

Billy, le corps crispé, attendit la balle.

Au même moment, un homme d'âge mûr au crâne chauve et dont le visage avait quelque chose d'angélique, attaquait une barricade. Ceux qui montaient à l'assaut avec lui n'étaient pas des soldats mais des civils, dont un tiers de femmes.

Ils avaient pour armes des bouteilles, des briques, des bâtons, des pieds de tables et de chaises volées dans des maisons mises à sac. Le chauve tenait à la main un large ceinturon noir qu'il avait pris sur un pompier assommé par un autre émeutier. S'en servant comme d'un fléau, Salem Jones avait déjà balafré le visage d'un des policiers d'Opdyke, le maire de New York.

Des nuages de fumée noire roulaient par-dessus les toits de Manhattan, dont les rues étaient une mer argentée de débris de verre. La barricade — charrettes, chariots et fiacres retournés — barrait Broadway d'un trottoir à l'autre juste après la 43ᵉ Rue. Comme la plupart des grandes artères de la ville, Broadway faisait l'enjeu de combats depuis le milieu de la matinée et les émeutiers s'en étaient emparés peu après-midi. Dans la 3ᵉ Avenue, les tramways ne circulaient plus de Park Row à la 103ᵉ Rue. Des canons avaient été mis en batterie autour de l'hôtel de ville et du quartier général de la Police, dans Mulberry Avenue. La foule attaquant la barricade venait de mettre le feu à l'orphelinat pour enfants noirs de la 5ᵉ Avenue. Les chefs des émeutiers, qui s'étaient désignés eux-mêmes, avaient décidé à la dernière minute d'évacuer les orphelins avant d'incendier le bâtiment.

Salem Jones fut parmi les premiers à grimper sur l'un des chariots renversés. La douzaine de policiers qui se trouvaient derrière s'enfuirent. Jones lança une brique qui atteignit l'un d'eux à la tête. Le policier s'effondra, le chauve lui prit sa matraque. Jones n'avait pas eu en main une bonne matraque depuis l'époque où il était régisseur à Mont Royal. Il se sentit à nouveau lui-même.

Quelques émeutiers pénétrèrent dans un restaurant, en ressortirent avec deux serveurs noirs. Un rugissement s'éleva. Deux ou trois policiers réfugiés au coin de la rue tirèrent des coups de feu qui ne calmèrent pas la foule. Quelqu'un apporta de la corde, un autre grimpa à un poteau télégraphique. Trois minutes plus tard, les deux Noirs, pendus, tournaient lentement dans la fumée.

Ce spectacle amena un sourire sur le visage rond de Jones. Depuis qu'Orry Main l'avait congédié, il avait erré de ville en ville pour aboutir à New York, où il n'était arrivé que dix jours plus tôt. Jones avait trouvé à Mackerelville un taudis où il dormait gratuitement. Dans les bars crasseux de la 2ᵉ Avenue, ils avaient écouté des dockers furieux licenciés après une récente grève. L'un des plus énergiques, docker le jour et maquereau la nuit, avait exposé les revendications des grévistes à une foule dans laquelle se tenait Salem Jones.

Tout ce que voulaient les dockers, c'était une augmentation de vingt-cinq cents l'heure. Etait-ce trop demander ? Non ! avait beuglé l'auditoire. Et qu'avaient fait les patrons ? Ils avaient licencié les Blancs et fait venir les nègres par chariots entiers. C'était juste, ça ? « Non ! »

Le lundi suivant, la conscription devait transformer en chair à canon ces mêmes Blancs, trop pauvres pour payer les trois cents dollars que coûtait l'exemption ou se trouver un remplaçant. « On nous envoie faire la guerre pour des nègres qui, eux, resteront ici, prendront notre boulot, violeront nos femmes. On va laisser faire ça ? »

« NON ! »

En entendant les cris, Jones avait compris qu'il y aurait du grabuge et avait décidé d'être de la fête.

Le docker qui avait harangué les clients du bar fut l'un des organisateurs d'une énorme manifestation qui commença tôt le matin. Portant des banderoles et des pancartes disant « Non à la conscription », quelque dix mille hommes défilèrent de la 6ᵉ Avenue à Central Park, où divers orateurs incitèrent la foule à se lancer dans des formes d'action moins modérées. L'un d'eux, remarqua Jones, avait un accent du Sud prononcé. Un agitateur sudiste ?

Après le rassemblement, la foule s'était fractionnée. Jones s'était joint à un groupe jetant des bouteilles pleines de sulfure enflammé dans les fenêtres des grandes maisons de Lexington Avenue. Avec une autre bande, il avait pénétré dans les bureaux où les noms des conscrits devaient être tirés mais n'y avait trouvé que des pièces vides : les fonctionnaires avaient eu la bonne idée de s'absenter. La foule l'avait ensuite entraîné jusqu'à l'orphelinat, qui flambait à présent. De Broadway, Jones apercevait les flammes au-dessus des bâtiments le cachant à sa vue.

Après la prise de la barricade et la pendaison des serveurs noirs, l'émeute tourna à la bacchanale. Les manifestants titubaient sous l'effet des bouteilles de toutes sortes qu'ils avaient vidées. Un homme ivre prit par la main une femme malpropre, soûle également, la tira vers la porte d'une boutique de brocanteur abandonnée, déboutonna sa braguette et sortit son membre durci sous les applaudissements de la foule — femme comprise. Bientôt il fut en elle, donnant de grands coups de reins. Les spectateurs restèrent un moment à regarder la scène puis, lassés, partirent à la recherche d'autres distractions.

Peu porté sur la boisson, Jones n'avait pas besoin d'alcool pour le stimuler. Il suivit l'émeute jusqu'à Broadway puis en direction de l'East River. Un groupe de manifestants entra dans un salon de thé, renversa chaises et tables, fracassa tasses et pots, terrorisa les clients. En sortant, Jones brisa la vitrine d'un coup de la matraque volée.

Non loin de l'eau, ils rencontrèrent un troupeau de vaches paissant dans un pré sous la surveillance de deux vachers noirs de quatorze ou quinze ans. Jones aida à soulever l'un d'eux pour le jeter dans l'eau puis regarda l'autre subir le même sort.

— Au s'cours ! au s'cours ! On sait pas nager...

Pour toute réponse, les Blancs leur jetèrent des pierres et les deux adolescents ne tardèrent pas à couler. En riant, les compagnons de Jones se plaignirent de la durée trop courte du spectacle.

Une heure plus tard, l'ancien régisseur de Mont Royal se retrouva dans un autre bar de Mackerelville et écouta un autre orateur :

— On est pas encore allés là où il faudrait. Sullivan, Clarkson, Thompson Street, c'est là qu'on trouvera les moricauds !

Ragaillardi par la bière que le bistrotier servait gratuitement — c'était sa façon de montrer qu'il désapprouvait la conscription — Jones glissa sa matraque sous sa ceinture et rejoignit un groupe d'hommes qui braillaient *Dixie* à pleins poumons sur un ton de défi en se dirigeant vers l'ouest.

Marchant bras dessus, bras dessous avec des inconnus, Jones songeait que, personnellement, il était pour la conscription — opinion que, naturellement, il se gardait bien d'exprimer. Il était pour parce que certains Etats versaient déjà des primes aux hommes qui s'engageaient, contribuant ainsi à remplir le quota demandé par le gouvernement fédéral. Bien que trop âgé, Jones avait l'intention de teindre sa couronne de cheveux blancs, de donner une fausse date de naissance pour empocher la prime. Ensuite, il déserterait.

Forte à présent d'une centaine d'hommes, la bande se heurta à une escouade de soldats dont la plupart portaient des bandages : la ville avait même fait appel aux Corps des invalides. Les émeutiers dispersèrent facilement les blessés et continuèrent leur route. Des cloches d'incendie sonnaient partout quand ils arrivèrent dans Clarkson Street, une rue bordée de taudis faits avec des planches de caisses.

— Où ils sont, les négros ?

Hormis deux petites filles jouant devant un énorme tas d'ordures où trottinaient de gros rats, il n'y avait personne en vue. Jones fouilla les baraques : vides.

Certains des émeutiers entreprirent de les démolir mais la plupart des Blancs voulaient quelque chose de plus excitant. Ils convergèrent vers le tas d'immondices, faisant fuir les rats et les petites filles. Soudain, Jones aperçut une tête à la fenêtre du troisième étage d'un immeuble en ruine.

— Là-haut ! cria-t-il. Y en a un.

La tête disparut. Dix hommes menés par Jones se ruèrent dans le bâtiment pouilleux, ouvrirent les portes à coups de pied, découvrirent un couple de jeunes Noirs et un bébé dormant sur une paillasse. Un Blanc souriant prit l'enfant, le berça quelques secondes puis le lança par la fenêtre ouverte.

La mère hurla, Jones lui abattit sa matraque sur la tête. Ses compagnons firent sortir le couple et, dans la lumière rougeoyante de la ville en flammes, le conduisirent à un arbre rabougri poussant près des ordures. On pendit les deux Noirs par les bras. Une Blanche s'approcha avec un couteau de boucher mais un homme la retint en disant :

— Te sers pas de ça. J'ai trouvé du pétrole lampant.

Il en arrosa d'abord le mari, qui supplia la foule d'épargner sa compagne, à moitié inconsciente et perdant son sang. Cela ne lui valut que des ricanements et des plaisanteries. Quelqu'un craqua une allumette, la jeta, sauta en arrière.

Le sourire aux lèvres, Salem Jones regarda la boule de feu envelopper les deux victimes.

Des chevaux. C'était ce qu'il avait entendu. Des chevaux trottant à travers les pins, le long de la voie ferrée. Les mains sur la tête, Billy ouvrit les yeux.

Six cavaliers, dont deux en uniforme, s'approchèrent. L'un d'eux, un officier mince d'une trentaine d'années, aux cheveux blonds sous son chapeau orné d'une plume d'autruche, portait une cape grise doublée de rouge. Il parut s'intéresser davantage à Costume-Noir qu'à Billy.

— Que se passe-t-il, ici ?

— On a fait tomber ce Yankee d'un train, commandant. On allait...

Costume-Noir n'acheva pas sa phrase et regarda nerveusement ses compagnons.

— L'exécuter ?

L'officier flatta l'encolure de son cheval pour le calmer.

— Oui, commandant, répondit Costume-Noir en rougissant.

— C'est contraire aux lois de la guerre, et vous le savez. Quelles que soient les calomnies que les journaux yankees publient à notre sujet, nous ne sommes pas des assassins. Vous serez puni.

L'air effrayé, Costume-Noir s'empressa de rengainer son pistolet.

— Baissez les bras, dit l'officier à Billy. Votre nom et votre unité, je vous prie.

— Capitaine William Hazard, bataillon du Génie, armée du Potomac.

— Eh bien, capitaine, vous êtes prisonnier des Partisans.

— Vous êtes...

Le gantelet se porta au bord du chapeau.

— Major John Mosby. On vous a fait tomber d'un train, paraît-il ? Vous n'avez apparemment rien de cassé. Je prendrai des dispositions pour vous envoyer à la prison pour officiers de Richmond.

Billy songea qu'il aurait dû reconnaître immédiatement Mosby, dont le plumet était presque aussi célèbre que celui de Stuart. Se tournant vers l'autre homme en uniforme — un sergent — l'officier lui ordonna :

— Veillez à ce que le prisonnier ne soit pas maltraité. Nous devons poursuivre notre route vers...

— Major...

L'air agacé, Mosby regarda Billy.

— Qu'y a-t-il ?

— Un de mes hommes a été abattu avant ma capture. Il gît là-bas dans l'herbe. Pourrait-il recevoir une sépulture chrétienne ?

— Certainement, répondit Mosby. (Il lança à Costume-Noir un regard furieux.) Occupez-vous-en.

Celui-ci garda le silence jusqu'à ce que Mosby et son groupe repartent au petit trop à travers le bois. Tandis que le sergent resté pour s'occuper du prisonnier desserrait la sangle de sa selle pour soulager son cheval, Costume-Noir murmura à Billy :

— Tu vas à la prison Libby. Quand tu verras comment on y traite les Yankees, tu regretteras que j'aie pas appuyé sur la détente.

87

La chaleur suffocante du mois d'août accablait Richmond, qui attendait un orage grondant au nord-ouest du Potomac sans se décider à venir soulager la ville. Il régnait dans la capitale un abattement quasi général : Le Mississippi était perdu et Gettysburg n'avait pas été le triomphe que le haut commandement avait proclamé dans un premier temps. La dégradation de la situation s'illustrait dans le taux du dollar yankee, dont plusieurs milliers circulaient dans la Confédération. Avant la débâcle de Pennsylvanie, il valait deux dollars confédérés. Il en valait maintenant quatre.

Vicksburg envoya des milliers de nouveaux prisonniers dans les camps déjà surpeuplés ; Gettysburg déversa un flot de blessés dans les hôpitaux bondés. Huntoon y songeait distraitement en bâclant un travail qui ne l'intéressait plus. Memminger * l'avait chargé de dresser la liste des établissements commerciaux, quasi innombrables, qui imprimaient et distribuaient illégalement de petites coupures.

La Confédération n'ayant pas de métal pour frapper les pièces de petite valeur, le Trésor avait autorisé les Etats, les villes et certaines

* Ministre des Finances confédéré (n.d.t.).

compagnies ferroviaires à imprimer des billets de cinq à cinquante cents pour rendre la monnaie. Mais des centaines d'autres entreprises avaient fait de même et la Confédération était à présent inondée de ces billets plus nombreux que les grenouilles et les sauterelles de la Bible. Ce matin-là, Huntoon ajoutait à sa liste des noms fournis par des informateurs de Floride et du Mississippi.

Les décisions du gouvernement, il ne s'en souciait plus. Ce qui le fascinait, c'était l'idée d'une nouvelle confédération. Il y pensait la nuit, il y rêvassait le jour à son bureau. Un midi, il étonna ses collègues à moitié assoupis en se ruant hors de la pièce, avec une expression d'exaltation folle.

En enquêtant dans les bars — Powell y était fort connu — Huntoon avait appris l'adresse du Géorgien. Il n'avait osé la demander à Ashton de peur qu'elle ne se trahît en révélant qu'elle la connaissait.

— Church Hill, lança-t-il au cocher du fiacre à travers le toit brûlant. Au coin de la 24ᵉ et de Franklin Avenue.

Des feuilles couvertes de poussière dépassaient du mur du jardin. Tout excité, Huntoon gravit le perron, frappa à la porte. Une minute plus tard, il recommença et la porte s'ouvrit enfin.

— Powell, j'ai décidé...

— Que faites-vous ici ? demanda Powell en nouant la ceinture de son peignoir émeraude.

— Je ne voulais pas vous déranger, s'excusa Huntoon, mal à l'aise.

— C'est fait. Je suis très occupé.

— Navré. J'ai pris une décision ce matin et comme vous teniez à être informé rapidement...

— Bon, je vous écoute.

— Je... je me joins à vous, si vous êtes toujours d'accord.

L'expression de Powell se radoucit.

— Bien sûr. C'est une excellente nouvelle.

— Pouvons-nous discuter des détails de...

— Pas maintenant. Je vous ferai signe.

Voyant Huntoon prendre mal son manque de courtoisie, Powell ajouta en souriant :

— Très prochainement. J'aurais été ravi de le faire aujourd'hui mais d'autres affaires réclament mon attention. Je suis heureux de vous avoir avec nous, James. Nous aurons besoin d'un homme courageux et lucide au ministère des Finances. Vous aurez de mes nouvelles dans un jour ou deux, c'est promis.

Le Géorgien referma la porte. Vexé, Huntoon se demanda pour quelles affaires privées Powell portait un peignoir à midi. Le soupçon qui l'effleura alors le tortura trop pour qu'il ne le chasse pas immédiatement.

— Ouf ! c'était juste, murmura Powell en ôtant son peignoir.

Ashton, complètement nue, finit par céder au fou rire qu'elle avait contenu pendant qu'elle était cachée derrière la porte.

— Tu as failli nous faire prendre.

— Oh ! il fallait que j'écoute, c'était trop excitant. Mon mari d'un côté de la porte, mon amant de l'autre.

— Ne recommence plus jamais, dit Lamar.

La jeune femme cessa de rire.

— Non, non — je suis désolée. Tu es content ? Maintenant, nous allons pouvoir le surveiller.

— Il ne faut surtout pas qu'il change d'avis. Dissipe ses derniers doutes s'il en a. Rends-le fier de sa décision en le récompensant.

Powell prit le menton de sa maîtresse, le serra à lui faire mal.

— Tu m'as compris, chérie ?

— Oui, oui. Je ferai ce que tu veux.

Il lâcha le menton, où ses doigts avaient laissé des marques rouges, sourit et donna à Ashton un baiser paternel.

— Comme toujours. Et c'est pour cela que je t'aime.

Ce soir-là, après avoir renvoyé les domestiques et fermé les portes de la salle à manger, Huntoon s'éclaircit la voix d'une façon indiquant qu'il avait une déclaration à faire. Hormis une balafre au papier mural, il ne restait plus aucune trace de la visite de Cooper. On avait changé les pieds de la table, mis de nouveaux jaspes dans la vitrine réparée.

Ashton prit un ton affecté pour demander :

— James, que se passe-t-il ? Tu as l'air si excité...

— J'ai de bonnes raisons de l'être. J'ai eu récemment une conversation avec Mr. Lamar Powell. (Huntoon repoussa son assiette de soupe au poisson, se leva, s'approcha de sa femme.) Il m'a fait une proposition sidérante, Ashton. Une proposition que j'ai acceptée parce que je la crois moralement juste — et aussi dans notre intérêt.

— Doux Jésus, murmura-t-elle en tâchant de mettre dans sa voix le mélange adéquat de surprise et de réserve. Il veut de l'argent pour armer un nouveau navire ?

— Non, non. Rien d'aussi prosaïque. Je vais t'expliquer mais prépare-toi. Ouvre ton esprit, n'hésite pas à penser... avec audace. Sans conformisme. Chérie... Mr. Powell et certains amis que je n'ai pas encore rencontrés ont l'intention d'établir... (Huntoon saisit le bras d'Ashton, se pencha vers elle) un nouvel Etat confédéré.

— Quoi ?

— Je t'en prie, parle plus bas. Tu m'as bien entendu. Une nouvelle confédération. Je vais t'expliquer.

Ahston fronça les sourcils, regarda son mari prendre une chaise et s'asseoir près d'elle. En écoutant ses « révélations », elle battit des cils, porta la main à sa poitrine, ouvrit la bouche de stupeur aux moments qu'elle jugea appropriés. Elle eut le sentiment de jouer remarquablement la scène, notamment lorsqu'elle sursauta en l'entendant prononcer pour la première fois le mot assassinat.

Quand Huntoon eut terminé, la soupe de poisson était froide.

— Maintenant, dis-moi, conclut-il. Ai-je commis une erreur ? Le Sud-Ouest, c'est loin, mais songe à la récompense. Je crois pouvoir être le ministre des Finances du nouvel Etat.

— Tout cela est un peu... renversant.

— Mais tu n'es pas fâchée ?

— James ! James ! s'exclama Ashton. (Elle couvrit de petits baisers le visage flasque de son mari.) Bien sûr que non. Je suis ébahie de ton courage, fière de ta lucidité, contente de te voir montrer autant d'intelligence et d'esprit d'initiative. J'ai toujours su que tu possédais ces deux qualités. Je sais aussi que notre séjour à Richmond a été pour toi une expérience frustrante et pénible. Je suis heureuse de constater qu'elle n'a pas tué ton ambition...

— La principale raison de mon ambition, c'est toi. Je veux que tu sois l'une des femmes les plus admirées de la nouvelle confédération.

— Oh ! chéri.

Ashton prit entre ses mains la face moite de Huntoon, l'embrassa, poussa sa langue dans sa bouche. Il grogna lorsqu'elle laissa tomber une main sur sa cuisse droite.

— Je suis si fière de toi.

Une servante sans doute intriguée par le temps que ses maîtres mettaient à manger la soupe frappa discrètement à la porte. Ashton lissa sa robe, plongea le regard dans les yeux bovins de son mari et lança d'une voix joyeuse :

— Entre, Della.

Huntoon regagna sa place. Mais à peine avaient-ils fini leur coupe de glace aux fruits insipides qu'il se rua à nouveau sur sa femme, fourragea sous sa robe, la supplia de passer tout de suite dans la chambre. Feignant d'être aussi excitée que lui, Ashton lui abandonna sa main pour se laisser conduire.

Déshabillée, elle le caressa sur tout le corps en roucoulant, l'amena à une érection démesurée. C'était nouveau, elle était impatiente d'en parler à Lamar.

Il y avait au nord de Richmond une auberge dont la façade à la couleur éteinte avait donné son nom au hameau de Yellow Tavern. Un kilomètre plus loin, un chemin partant de Telegraph Road aboutissait à un bois sur lequel tombait la lumière de la lune. Mais, sous les arbres, là où deux hommes se tenaient, l'obscurité était telle qu'ils ne pouvaient se voir. Par-dessus le bruit léger que faisaient leurs chevaux en frappant le sol de leurs sabots, l'un d'eux murmura :

— Je dois vous dire, pour notre bien à tous, que vous avez trop parlé et trop souvent. Il paraît que même Lafayette Baker connaît notre existence.

— Tant pis. Les hommes de mon Etat ne font pas mystère de leurs convictions. Le gouverneur Brown ne les cache pas, et moi non plus.

— Mais vous avez attiré l'attention sur vous, donc peut-être sur nous.

— Oh! je doute qu'on s'intéressera à une rumeur de complot de plus. Il y en a tant. En outre, je n'ai pas d'autre moyen pour recruter les hommes adéquats. Je ne peux que lancer l'hameçon et attendre. Cela a marché, avec vous.

— C'est vrai, je le reconnais.

— Courons-nous un danger immédiat ?

— Je ne le pense pas. Informé de la rumeur, Davis a ordonné au général de procéder à une enquête. Je me suis porté volontaire : ferveur patriotique, haine des traîtres — le boniment habituel.

— Habile. Vous pouvez bloquer l'enquête ?

— La ralentir seulement.

— Nous accélérerons le mouvement. Dans quelques mois, Davis sera mort.

— Sinon, c'est nous qui le serons.

— Et nous profiterons du soleil et de l'air pur du Sud-Ouest. Quoi qu'il en soit, merci de l'avertissement.

Les deux hommes se serrèrent la main, partirent dans des directions opposées. La lumière pâle de la lune éclaira les visages de Lamar Powell et d'Israel Quincy, l'agent du grand prévôt, lorsqu'ils sortirent du bois chacun de leur côté.

88

LIBBY & FILS
Approvisionneurs de navires

Poussé hors du chariot bâché à coups de canon de mousquet, Billy lut la pancarte qu'avait gardée l'entrepôt transformé en prison. Comme les quarante autres officiers nordistes amenés dans trois chariots, il avait faim, il était épuisé et surtout tendu.

Pour se rendre à la prison Libby, les chariots avaient traversé une zone d'immeubles commerciaux et de terrains vagues. En approchant, Billy avait d'abord remarqué les gardes postés autour du bâtiment en brique.

Dans la lumière matinale, la prison semblait sinistre. Les chariots s'étaient rangés du côté où l'entrepôt avait quatre étages. De l'autre, en haut de la rue en pente, il n'en comptait que trois. L'avertissement qu'on disait gravé au-dessus d'une des portes était connu dans toute l'armée de l'Union : « Vous qui entrez ici, abandonnez toute espérance. »

— Sur une file, sur une file, ordonnait un sergent en poussant les prisonniers.

La plupart des détenus semblaient supporter leur sort avec une détermination tranquille. Dans le wagon de marchandises qui les avait transportés, certains avaient trouvé la force de plaisanter, mais une fois le train arrivé à Richmond, ils s'étaient tus. Seul un capitaine d'artillerie de deux ou trois ans plus âgé que Billy paraissait véritablement brisé. Les yeux humides, il prit place dans la queue.

— Regardez là-bas, dit un officier.

Il montrait une péniche quittant une jetée proche de la prison. Des hommes émaciés en uniforme bleu sale occupaient tout le pont de l'embarcation. Sur le toit du rouf, un drapeau blanc flottait au bout d'un espar.

— Echange de prisonniers, expliqua un gardien. Ça devient rare, ces temps-ci. Vous serez pas du voyage avant une paye. Allez, avancez.

En franchissant l'entrée, Billy chercha des yeux la célèbre inscription et ne la vit pas, mais Libby avait de nombreuses autres portes. Les détenus grimpèrent un escalier grinçant en traînant les pieds, furent assaillis par une odeur âcre.

— Qu'est-ce qui empeste comme ça ?

— On brûle du goudron, répondit un garde sarcastique. Vous puez tant qu'il faut fumiger régulièrement les locaux.

Avançant dans la file, Billy s'efforçait de penser à Brett, de se rappeler les raisons qu'il avait d'espérer. Il entra dans une vaste pièce nue et mal éclairée où un soldat interrogea chaque prisonnier, marqua son nom, son grade et son unité dans un registre. Puis un caporal qui se tenait devant une fenêtre, les mains derrière le dos, aboya :

— En rang par huit ! A partir de là.

C'était un jeune homme au visage rose et ingrat, avec des boucles blondes et des yeux brillants comme un ciel d'octobre. Quand les prisonniers eurent formé les rangs — Billy se trouvait dans le deuxième — le sous-officier vint se planter devant eux.

— Messieurs, je suis le caporal Clyde Vesey, chargé de vous

accueillir à la prison Libby, dont vous avez sans doute entendu vanter l'hospitalité. Déshabillez-vous complètement pour que le soldat Murch et moi-même puissions vous fouiller.

Chemises et pantalons tombèrent ; des mains sales défirent les boutons de sous-vêtements moites de sueur. Personne ne se plaignit. Dans le train, les gardes avaient prévenu les prisonniers qu'on les fouillerait et que, selon l'humeur du personnel se chargeant de l'opération, on leur laisserait ou non argent et objets personnels.

— Ouvrez la bouche, ordonna Vesey à un major du premier rang.

Comme l'officier protestait, le caporal le gifla deux fois à toute volée. Dans la rangée suivante, le capitaine d'artillerie poussa un cri de frayeur.

— Ouvrez la bouche, répéta Vesey.

Le major obtempéra. Le caporal fourra deux doigts dans la bouche du prisonnier, en sortit un petit rouleau couvert de salive. Il déroula le billet de dix dollars, l'essuya sur sa manche, le glissa dans sa poche et passa à la rangée suivante. En arrivant devant le capitaine d'artillerie, le caporal, sentant une victime facile, se mit à sourire. Il inspecta la bouche, les aisselles, recula d'un pas.

— Tournez-vous et écartez les fesses.

— Qu-quoi ? Ecoutez, la décence ne...

— Ce n'est pas à vous de juger ce qui est décent ou non à la prison Libby. Cette décision appartient au lieutenant Turner, son directeur, et à ceux qui, comme moi, ont l'honneur d'être sous ses ordres.

Vesey saisit l'oreille de l'officier, la tordit ; le capitaine glapit comme une fille.

— Tournez-vous et écartez les fesses.

Le visage écarlate, le capitaine s'exécuta.

Billy se rappela ce qu'il avait entendu dire du directeur de Libby : c'était un pète-sec qui avait quitté l'Académie en première année, juste avant la chute de Fort Sumter.

Le caporal laissa un long moment le capitaine dans cette position embarrassante. Au bout d'une vingtaine de secondes, l'officier nordiste se mit à trembler et Vesey le gifla. L'artilleur poussa un cri, bascula en avant ; des prisonniers de la rangée suivante l'empêchèrent de tomber. Quand le capitaine commença à pleurer, Billy fit un pas vers lui.

— Si j'étais vous, je ne bougerais pas, lui lança Vesey.

Billy hésita, regagna sa place. La fouille reprit. La bouche sèche, Billy vit le caporal s'approcher de lui, se pencher pour examiner le tas de vêtements gisant à ses pieds.

— Qu'est-ce que c'est ? dit Vesey, ravi, en tirant un cahier de la poche de la veste.

— Mon journal. C'est personnel.

Le garde-chiourme se redressa, agita lentement le cahier sous le nez du prisonnier.

— Rien n'est personnel, à Libby. Les journaux intimes, c'est encore plus pernicieux que les romans. En tant que chrétien, j'ai le devoir non seulement de vous garder mais aussi de vous amender. « Je vous sortirai de l'ignorance », dit le prophète Ezéchiel. Car, vous les Yankees, vous n'êtes que des païens ignorants !

« Il est fou », pensa Billy, envahi par la peur.

— Murch ?

Vesey lança le cahier au soldat qui l'attrapa au vol et le mit dans sa poche. Après avoir adressé à Billy un bref sourire, le caporal passa au prisonnier suivant. Quand la fouille se termina, il revint se camper devant les détenus, mains derrière le dos.

— Messieurs, quelques remarques sur votre statut. Comme je l'ai dit à celui d'entre vous qui essayait de cacher son journal, nous ne vous considérons pas seulement comme des ennemis mais comme des païens. Vous...

Il s'interrompit, se précipita vers le capitaine d'artillerie, qui continuait à pleurer, le saisit par les cheveux.

— Ecoutez quand je parle !

L'officier s'efforça de maîtriser ses sanglots. Haletant, le visage rouge de colère, le caporal le lâcha et retourna à sa place.

— Vous n'êtes plus des officiers, reprit-il. Ici, vous êtes moins que des nègres et je vous le ferai sentir !

Il prit une longue inspiration, sourit.

— Montrez-moi que vous avez compris. A genoux.

— Mais qu'est-ce que..., commença Billy.

— Foutu connard de rebelle ! cria un autre officier derrière lui.

— Murch ? dit Vesey.

De la crosse de son pistolet, le soldat frappa l'homme, qui chancela. Un second coup le fit tomber sur le flanc, inconscient. Vesey eut un nouveau sourire.

— J'ai dit à genoux, murmura-t-il. Bande de sales nègres païens. A genoux !

Le capitaine d'artillerie fut le premier à obéir. Un autre prisonnier l'insulta ; Vesey se précipita sur le coupable, cogna pour le forcer à s'agenouiller. Les officiers nordistes, épuisés, échangèrent des regards anxieux. Lentement, ils s'agenouillèrent l'un après l'autre et il ne resta bientôt que trois officiers debout. Le caporal les regarda, s'avança vers le plus proche. Billy.

— A genoux, ronronna-t-il, les yeux brillants.

Le cœur battant, Billy répondit :

— J'exige que notre groupe soit traité conformément aux règles de la guerre.

Il vit la main voler vers son visage, tenta d'esquiver mais fut ralenti par sa fatigue. La gifle fit plus mal qu'il ne l'avait pensé. Il trébucha sur le côté, faillit tomber.

— Ici, il n'y a de règles que celles que je fais, dit Vesey. A genoux.

Il planta des ongles immaculés dans l'épaule nue de Billy.

— Bon Dieu, gémit le sapeur, les larmes aux yeux.

Les ongles entamèrent la peau, du sang perla.

— Vous blasphémez maintenant ! A genoux.

En dépit de ses efforts pour rester debout, Billy sentait ses jambes mollir. Sa tête commença à vibrer comme une pièce de machine défectueuse. Il serra les dents, résista à la pression...

Vesey le prit par surprise en le tirant brusquement en avant. Déséquilibré, Billy s'affala, ses genoux heurtèrent le sol, ses mains glissèrent sur le plancher ; une longue écharde s'enfonça dans sa paume droite. Il leva la tête, vit le caporal se tourner vers le soldat.

— Murch ?

— Caporal ?

— Comment s'appelle-t-il ?

— Main. William Main. Du Génie.

— Merci. Je m'en souviendrai, murmura Vesey, blême de rage.

Son regard passa aux deux autres officiers restés debout, qui s'agenouillèrent l'un après l'autre.

— Bien, fit-il.

Billy se redressa, s'assit par terre. Du sang coulait de son épaule entaillée par les ongles de Vesey. Il leva la tête, vit les yeux brillants comme un ciel d'octobre à nouveau posés sur lui.

Ce jour-là, à cinq heures de l'après-midi, le vent se leva, le ciel s'assombrit, la chaleur céda sous l'assaut d'une pluie furieuse accompagnée de roulements de tonnerre. Orry traversait la rotonde du Capitole quand l'orage éclata et, les lampes n'étant pas encore allumées, il se retrouva dans la pénombre. Il heurta un autre officier, se recula, stupéfait.

— George ? Je ne te savais pas à Richmond.

— Si, répondit son vieil ami Pickett d'une curieuse voix détachée. (Ses longs cheveux n'étaient pas peignés, des ombres cernaient ses yeux.) Pour le moment. C'est une affectation temporaire. Content de vous avoir vu, il faudra qu'on passe une soirée ensemble, jeta-t-il par-dessus son épaule en s'éloignant d'un pas pressé.

Un coup de tonnerre fit trembler les dalles de marbre.

« Il ne m'a pas reconnu », pensa Orry.

L'ancien planteur croyait savoir pourquoi. Il avait entendu dire que Pickett était un homme brisé depuis qu'il avait conduit ses hommes au massacre à Cemetery Hill. Immobile au centre de la rotonde, Orry sentit tout le bâtiment trembler, comme si les éléments voulaient l'abattre.

Le même jour à Washington, George reçut une enveloppe toute froissée portant pour tout affranchissement un timbre de trois cents collé à Lehig Station. Curieux. Il l'ouvrit, déplia la lettre qu'elle contenait, vit la signature et poussa un cri de joie.

Non seulement Orry se trouvait à Richmond mais il avait épousé Madeline. George secoua la tête d'étonnement en finissant de lire la lettre manifestement acheminée en Pennsylvanie par contrebande. Ironie du sort, les deux amis avaient suivi des routes semblables. Comme George, Orry supportait mal la plupart de ses obligations au ministère de la Guerre.

Malgré son ton mélancolique, la lettre amenait un sourire aux lèvres de George chaque fois qu'il la relisait. Et il la lut maintes fois, à voix haute pour Constance, silencieusement pour lui seul, avant de la ranger.

Aucun des clients du bar de l'hôtel ne riait et presque tous parlaient à voix basse. Quelle raison auraient-ils eue de se réjouir ? Pas même le temps. La vague de chaleur avait cessé mais l'orage qui y avait mis fin était si féroce qu'il semblait vouloir raser toute la ville.

Assis à une table du fond, Lamar Powell écrivait au contremaître de la Mexicaine que, dans quelques mois, il viendrait sur place prendre personnellement la direction de la mine.

Lorsqu'il eut terminé, il songea aux moyens de faire sortir la lettre de la Confédération. Il ne faisait pas confiance aux courriers illégaux opérant entre Richmond et Washington. C'étaient des individus douteux qui jetaient parfois leur sac de lettres dans quelque ruisseau avant de disparaître avec leurs maigres profits. Ils offraient toutefois le moyen le plus rapide et le plus direct d'envoyer une lettre de l'autre côté des lignes ennemies. Peut-être aurait-il quand même recours à un courrier mais en expédiant une copie de la lettre par un autre canal. Les Bermudes, via Wilmington. De cette manière...

Entendant des bottes grincer près de lui, il replia vivement sa feuille de papier, leva les yeux vers l'homme dont l'ombre tombait sur la table. C'était un obèse vêtu d'un costume démodé, avec des yeux sournois et un visage gras prenant des mines de conspirateur. L'inconnu s'humecta les lèvres.

— Ai-je l'honneur de parler à Mr. Lamar Powell ?

— Que voulez-vous ?

— Je vous cherche depuis plusieurs jours. Je m'intéresse à, euh, certains de vos projets. Puis-je m'asseoir ? Oh ! pardonnez-moi — je suis le capitaine Bellingham.

Ce soir-là, Bent fêta la rencontre en se soûlant dans sa chambre meublée. Mr. Lamar Powell était habile. Il n'avait pas prononcé un seul mot, pas même une syllabe, confirmant son implication dans un complot antigouvernemental. Pourtant, son expression, ses gestes et le ton de sa voix ne laissaient aucun doute : il participait effectivement à une conspiration et emploierait volontiers des recrues dignes de confiance — en particulier un Marylandais sympathisant avec la cause sudiste récemment blessé sous les ordres du général Longstreet.

Non seulement Bent avait dû débiter ces mensonges mais il avait fallu y ajouter certaines prises de position fondamentales — jeu extrêmement risqué mais indispensable pour convaincre Powell de sa sincérité. Bent avait déclaré qu'il ne supportait plus de voir le Roi Jeff Ier piétiner les grands principes et mener le Sud à la défaite. Il fallait se débarrasser du dictateur, par des élections ou un autre moyen.

Après avoir écouté, Powell avait répondu qu'il réfléchirait et joindrait le capitaine à son hôtel meublé si — si — il avait une raison de le faire. Powell l'avait ensuite interrogé avec insistance sur la façon dont il avait appris son nom mais Bent avait refusé de répondre. Etre intraitable sur ce point comportait naturellement un risque mais, par ailleurs, si Powell le croyait trop malléable, il ne voudrait peut-être pas de ses services.

Rentré à l'hôtel, Bent s'était préparé à attendre. Une semaine, un mois — le temps qu'il faudrait. Il en profiterait pour s'occuper d'Orry Main, qui ignorait sa présence à Richmond et qu'il pourrait prendre par surprise.

Ashton quitta la maison de Grace Street à six heures et demie le lendemain soir. Il faisait nettement plus frais, malgré les nuages noirs roulant encore dans le ciel au nord-ouest. Tirant sur ses gants, elle descendit le perron sans voir l'homme à moitié caché derrière l'un des piliers se dressant au pied des marches.

— Mrs. Huntoon ? dit-il en se mettant devant elle.

— Vous m'avez fait peur, espèce... Oh !

Elle avait reconnu le visage poupin sous le chapeau à large bord. L'homme — elle ne se rappelait plus son nom — s'était déjà présenté chez elle. Cette fois-ci, il portait sous le bras un morceau de toile cirée roulé :

— Excusez-moi, je ne voulais pas vous effrayer, dit-il en coulant un regard vers la maison. Y a-t-il à proximité un endroit où nous pourrions nous entretenir tranquillement ?

— Rappelez-moi votre nom.

— Capitaine Erasmus Bellingham.

— Ah ! oui. De l'armée du général Longstreet.

— A présent du Corps des invalides, malheureusement, précisa Bent avec une expression affligée.

— Vous étiez un ami de mon frère, m'avez-vous dit la dernière fois ?

— Si je vous ai donné cette impression, je le regrette. Pas un ami, une simple connaissance. Vous m'aviez vous-même confié que vos sentiments à l'égard du colonel Main étaient... disons peu cordiaux. C'est la raison pour laquelle je suis revenu vous voir. Je n'ai pu le faire avant, j'étais à l'hôpital...

— Capitaine, je suis en retard. Venez-en au fait.

Les doigts de l'obèse, grosses saucisses blanches, tambourinèrent sur le rouleau de toile cirée.

— J'ai là un portrait que je voudrais vous montrer. Je ne cherche pas à le vendre, Mrs. Huntoon, je ne veux pas m'en séparer. Je crois qu'il vous intéressera beaucoup.

Ce soir-là, Charles arriva à la ferme Barclay. Il avait emmené avec lui Jim Pickles, à qui il avait expliqué en chemin ses sentiments pour Augusta.

Gus embrassa Charles, le serra contre elle, et lorsqu'elle sortit pour dire aux affranchis de tuer deux poules pour le dîner, Jim poussa son supérieur du coude en murmurant :

— Vous en avez de la chance. Elle est drôlement chouette.

Le dîner commença dans une atmosphère joyeuse mais, inévitablement, la conversation se porta sur la guerre. Tout le monde s'attendait à un nouveau siège de Charleston. Dans l'Ouest, Rosencrans harcelait Bragg. Le vaillant Morgan, après un raid de vingt-cinq jours à travers le Kentucky et l'Indiana, avait été capturé à Salineville, dans l'Ohio. Il n'y avait rien de réjouissant dans tout cela.

Augusta déclara qu'elle ne pouvait se réjouir non plus des récentes émeutes de New York, qui avaient coûté la vie à de nombreuses personnes, Blancs et Noirs. Les troubles avaient fait plus de deux millions de dollars de dégâts avant que des unités de l'armée de Meade envoyées de Pennsylvanie ne rétablissent l'ordre.

— Tu devrais t'en réjouir, pourtant, dit Charles. Nous avons besoin d'aide, d'où qu'elle vienne.

— Tu n'es pas sérieux, j'espère ? C'était une vraie boucherie. Des femmes poignardées, des enfants lapidés...

— C'est moche, je le reconnais. Mais nous ne pouvons plus nous payer le luxe d'avoir le cœur tendre. Même lorsque nous gagnons, nous perdons. Chaque bataille coûte aux deux camps des hommes, des chevaux, des munitions. Les Yankees peuvent se le permettre, pas nous. S'ils arrivent à trouver un général qui le comprend, nous serons fichus.

— Tu m'as l'air bien sanguinaire.

— Et toi bien chamailleuse, répliqua Charles avec humeur.

Augusta remit en place les vieilles défenses de son sourire caustique.

— Mr. Pope et moi-même nous interrogeons sur les raisons de ton irritation.

— Mon irritation ne regarde...

Mais Augusta était déjà lancée dans sa citation :

— « Peut-être était-il malade, ou amoureux, ou n'avait-il pas dîné. »
Jim cessa de ronger une aile de poulet pour demander :

— Qui est Mr. Pope ? Un fermier du coin ?

— Le poète préféré de Mrs. Barclay, crétin !

— Charles, tu es méchant.

Il soupira.

— Oui. Désolé, Jim.

— Oh ! ça fait rien, répondit le jeune éclaireur en fixant son os.

— Je voudrais quand même savoir pourquoi tu es si désagréable, Charles.

— Je suis désagréable parce que nous sommes en train de perdre la guerre, bon sang !

En prononçant le dernier mot, il frappa sa pipe contre la cheminée avec une telle force qu'il en brisa le tuyau.

Les deux amants se réconcilièrent plus tard — sur l'initiative d'Augusta — et firent l'amour deux fois entre minuit et le lendemain. Mais la querelle avait laissé des traces.

Le ciel se dégageait quand les deux éclaireurs repartirent en direction du camp situé de l'autre côté du Rapidan, où l'infanterie avait battu en retraite sous la protection de la cavalerie. Cette dernière allait être réorganisée après examen de tous les commandements mais Charles s'en souciait comme d'une guigne.

Le ciel, de couleur orange en fin de journée, avait quelque chose de mélancolique, d'automnal. Chevauchant à côté du jeune éclaireur, Charles remarqua que la plume de dindon ornant son chapeau s'inclinait maintenant vers l'avant.

— Qu'est-ce qu'il y a, Charlie ?

— Le vent a tourné.

Effectivement, il soufflait à présent du nord-ouest, violent et froid. Trop froid pour l'été. Jim attendit une explication qui ne vint pas et se gratta la barbe. Un homme étrange, ce Charlie. Courageux comme le diable mais profondément malheureux.

Le dos giflé par le vent du nord qui couchait l'herbe et faisait craquer les arbres, ils continuèrent à chevaucher dans le couchant.

LIVRE CINQ

LA NOTE DU BOUCHER

> *Je ne peux décrire le changement ni dire
> quand il s'est produit, mais je sais que j'ai
> changé parce que je regarde maintenant le
> cadavre d'un homme avec autant d'émotion
> que si c'était celui d'un cheval ou d'un porc.*
>
> Un soldat confédéré, 1862.

89

L**A CLÉMENCE DE L'HIVER**
atténua quelque peu l'aspect torturé de la Virginie mais ne put l'effacer. Il y avait trop de champs nus ; trop d'arbres amputés de leurs branches, trop de routes crevassées par les sabots des chevaux et les roues des chariots. Dans trop de fermes aux murs criblés de balles de mousquet, une tombe récente apparaissait, tel un gâteau saupoudré de sucre, quand la neige se mettait à tomber.

Puis la neige fondait, les fossés se remplissaient. On voyait une tête de cheval flotter sur l'eau tranquille comme quelque mets délicat offert sur un plateau d'argent lors d'un festin médiéval. Le sol donnait d'étranges récoltes : douilles d'obus, essieux brisés, caleçons longs troués, tessons de bouteilles.

Les granges, les poulaillers, les garde-manger étaient vides. Vides aussi les chaises où s'asseyaient naguère un oncle ou un frère, un père ou un fils.

La terre, dont on avait trop exigé pendant trois ans, gardait des cicatrices. Les champs et les vallées, les ruisseaux et les étangs, les flancs des collines et les sommets des montagnes bleues exhalaient sous le soleil pâle une fine brume. L'haleine d'une terre malade.

Dans la cavalerie de l'armée du nord de la Virginie, Charles était devenu une sorte de légende. Sa bravoure, son altruisme le plaçaient un cran au-dessus des autres, son manque d'ambition un cran en dessous. On murmurait, derrière son dos, que la guerre lui avait dérangé l'esprit.

Il avait pris des habitudes bizarres, comme celle de passer des heures à étriller son hongre gris. On le voyait parfois tenir à l'animal de longues conversations. De temps à autre, il partait voir une fille qu'il connaissait, près de Fredericksburg et revenait invariablement morose et taciturne.

La mélancolie de Charles parvint aux oreilles de Hampton, nommé général de division au cours de la dernière réorganisation du commandement. (Fitz Lee, promu lui aussi, s'était vu confier l'autre division.) Un soir, Hampton invita Charles à dîner sous sa tente. Au menu, le bœuf salé du camp, que les deux hommes trouvaient immangeable.

A la lumière dorée des lanternes, le général semblait remarquablement frais et dispos compte tenu de la gravité des blessures dont il s'était rétabli. Sa barbe, épaisse et bouclée, était plus longue encore que celle de Charles et il cirait ses moustaches en pointe. Toutefois, l'éclaireur remarqua des rides que Wade Hampton n'avait pas quand il avait levé sa légion. Une nouvelle solennité enveloppait l'homme comme un manteau.

Ils bavardèrent un moment : de l'impopularité de Bragg, récompensé de ses défaites dans l'Ouest par un poste de conseiller militaire auprès du président ; de certains journaux exigeant la démission de Davis en faveur d'un dictateur militaire (on avait avancé le nom de Lee) ; de ragots selon lesquels John Hood était entré dans les bonnes grâces de Davis en faisant souvent du cheval avec lui à Richmond.

Charles eut l'impression que cet échange n'était qu'une entrée en matière et il ne se trompait pas.

— Je voudrais vous répéter quelque chose que beaucoup d'autres — y compris votre ami Fitz — vous ont déjà dit, je le sais.

Charles attendit, sur ses gardes. Hampton versa un fond de whisky dans son gobelet tandis que l'ordonnance noire emportait les assiettes en fer-blanc cabossées et les fourchettes tordues.

— Vous méritez à tout le moins le grade de général de brigade, continua-t-il. Vous avez l'expérience, le talent néces...

— Mais pas l'envie, mon général. J'en suis venu à détester cette guerre.

Hampton soupira :

— Personne ne veut la paix plus que moi. J'en échangerais volontiers les joies contre toute la gloire militaire de Napoléon. Mais nous ne devons pas nous abuser comme certains le font. Le vice-président Stephens et d'autres membres du gouvernement croient que la paix signifiera simplement la fin de la guerre. Ce n'est pas mon avis. Nous sommes allés trop loin. Trop de sang a coulé. Nous lutterons tout autant après, d'une manière différente.

Charles considéra un moment cette idée, nouvelle pour lui, la jugea à la fois réaliste et déprimante. Il répondit en haussant les épaules :

— Alors je m'enfuirai peut-être au Texas. J'y trouverai une cabane et un coin de terre.

— J'espère bien que non. Le Sud aura besoin après la guerre d'hommes forts et lucides. Dans cette vie, nous devons utiliser nos compétences avec esprit de responsabilité.

Le général étira ses puissantes jambes bottées, eut un des sourires qui lui valaient tant d'amis. Même Stuart commençait à se prendre de sympathie pour lui.

— De toute façon, conclut-il, nous ne devrons pas affronter la paix avant longtemps. Et je suis convaincu que nous gagnerons.

Charles demeura impassible. Les officiers généraux étaient tenus de débiter de tels mensonges et se laissaient rarement aller à la sincérité. Peu auparavant, Charles avait discuté de la guerre avec Tom Rosser, plus jeune que lui et néanmoins général de brigade. Le bouillant Texan, ayant bu un verre de trop, avait avoué qu'il ne voyait plus qu'une seule stratégie pour le Sud : tenir Atlanta, tenir Richmond et espérer que George McClellan battrait Lincoln aux élections de l'automne prochain. On pourrait alors négocier une paix juste.

Hampton, lui, continuait à parler de victoire. Après avoir caressé sa longue barbe, il reprit :

— Vous irez dans l'Ouest quand tout sera fini, dites-vous. Mais qu'en pense la jeune dame de Fredericksburg ? J'ai cru comprendre qu'il s'agissait d'une affaire sérieuse.

La remarque piqua l'éclaireur, qui répliqua :

— Non, mon général. Que ferais-je d'une femme ? J'ai déjà à peine le temps de m'occuper de mon cheval.

Les deux hommes se souhaitèrent bonne nuit. Hampton serra la main de Charles avec chaleur, insista à nouveau pour qu'il envisage d'accepter le commandement d'une brigade. Charles promit d'y réfléchir — uniquement par politesse.

Soufflant dans le noir une haleine blanche, il pataugea dans la boue éternelle pour aller voir Joueur. Bien qu'il eût parlé de Gus sur le ton de la plaisanterie, il pensait ce qu'il avait dit. La mort de Woolner et Brandy Station avaient déclenché en lui une réflexion maintenant arrivée à sa conclusion. Il aimait Gus plus qu'il n'avait jamais aimé quiconque, mais il fallait rompre, pour lui comme pour elle.

Charles n'était pas le seul Main à croire inévitable la mort de la Confédération. Cooper aussi en était persuadé, quoiqu'il ne le dît jamais, pas même à Judith.

Il s'était installé avec sa famille à Charleston, où Mallory l'avait envoyé en automne, et Lucius Chickering avait suivi son supérieur.

La ville n'était plus le charmant port de mer dont les becs de gaz, les carillons et les bonnes manières des habitants avaient séduit Cooper quand son père l'y avait exilé. Vivant encore dans la peur du grand incendie de 1861, Charleston était épuisé par le blocus et le siège, menacé par l'ennemi sur terre et sur mer. Plus que toute autre, la gracieuse vieille ville était haïe par les Yankees, qui voulaient à tout prix reprendre Fort Sumter ou le détruire pour des raisons plus symboliques que militaires.

Cooper avait découvert que la vieille compagnie maritime familiale n'existait plus en tant que telle. L'armée, qui l'avait reprise, avait agrandi les entrepôts et laissé les jetées à l'abandon parce qu'on ne pouvait plus ravitailler Charleston par mer. La haute maison fraîche de Tradd Street avait été épargnée par le feu, mais Cooper dut en chasser une demi-douzaine de squatters avec l'aide de Lucius. Il fallut ensuite la nettoyer et la repeindre pour lui redonner un peu de son charme. Efforts déployés en pure perte, pensa Judith moins d'une semaine après leur arrivée : son mari passait toute la journée et une partie de la nuit dans son bureau ou celui du général Beauregard à préparer le lancement du sous-marin *Hunley*.

Charleston vivait à l'heure du blocus fédéral, qui prenait la forme d'un premier anneau de monitors cuirassés, d'une chaîne puis d'un second anneau de navires en bois. Comme partout ailleurs, le blocus se révélait cruellement efficace, et pas seulement parce qu'il coupait le Sud de sources de ravitaillement essentielles ; les Yankees contrôlant quasiment l'Atlantique de la baie de Chesapeake à la Floride, le haut commandement sudiste jugeait nécessaire de maintenir un cordon de troupes tout le long de la côte afin de protéger les points pouvant être attaqués. L' « Anaconda de Scott » n'était plus une théorie dont on pouvait se gausser. Ses anneaux étranglaient le Sud.

Seconde source de tension, les efforts continuels des Yankees pour prendre la ville. Depuis son arrivée, Cooper avait entendu plusieurs fois la terrible histoire. Au printemps dernier, Du Pont avait tenté de s'emparer de Charleston par une offensive navale qui avait échoué. L'Union avait ensuite adopté une stratégie mixte. Début juillet, les troupes fédérales du général Quincy Gillmore avaient établi des têtes de pont sur l'île Morris et commencé à installer leurs batteries dans les dunes. Le 18, six mille fantassins yankees avaient passé les parapets de Battery Wagner, fortification dont les canons commandaient l'entrée du port.

Le soir, les Bleus avaient été repoussés sur leurs lignes avec une fureur d'autant plus grande que le 54e d'infanterie du Massachusetts — une unité de soldats de couleur — avait participé à l'assaut. La ruée de Noirs vers des bastions tenus par des Blancs avait rappelé à toute la ville des noms comme ceux de Nat Turner, Denmark Vesey.

Après ce nouvel échec, les artilleurs de l'Union peinèrent toute la journée sous un soleil brûlant, toute la nuit à la lumière de fusées au calcium, pour placer des mortiers de siège et des batteries de brèche dans le sable. Charleston redoutait particulièrement un canon Parrott de deux cents livres surnommé « l'ange des marais ». Ce monstre devait envoyer des bombes incendiaires droit sur la ville d'une distance de huit kilomètres. Cooper, qui en avait entendu parler à Richmond, songeait que l'ironie du sort voulait peut-être que « l'ange » ait été fondu par les forges Hazard.

Après plusieurs jours de tir d'entraînement, le bombardement de la ville commença à la mi-août et se poursuivit jusqu'en hiver. Sumter ressemblait à un tas de pierres, bien qu'une garnison de cinq cents hommes, armés de trente-huit canons, tînt encore les ruines. Quant à « l'ange des marais », il n'avait guère causé de dommages puisqu'il avait explosé peu après avoir tiré ses premiers coups.

La ville subissait les bombardements sans trop souffrir ; le drapeau confédéré et celui de l'Etat flottaient toujours sur Sumter. Mais l'ennemi, qui n'avait pas renoncé, se cachait toujours dans la brume, au-delà de l'île James où Cooper avait commencé à installer son futur chantier. Pour remonter le moral de la population, le président Davis s'était rendu à Charleston au mois de novembre, en rentrant d'une visite dans l'Ouest menacé. La foule avait chaleureusement applaudi Mr. Davis à chacune de ses apparitions. Cooper avait choisi de n'assister à aucune cérémonie : ce qu'il fallait maintenant, c'était des actes, pas des homélies patriotiques. Son travail à lui, c'était le *Hunley*.

Amené de Mobile en été, le bateau-poisson n'avait connu depuis que des déboires. Mouillant au bassin avec une écoutille ouverte, il avait été inondé au passage d'un navire beaucoup plus gros. Tout l'équipage — sept matelots — se trouvait à bord et seul le commandant, le lieutenant Payne, avait échappé à la noyade.

Au cours d'un essai de plongée, cinq hommes du nouvel équipage perdirent la vie. Bory décida de renoncer mais changea d'avis quand Mallory réaffirma sa confiance dans le projet et promit d'envoyer en renfort deux de ses collaborateurs pour superviser les essais.

Entre-temps, le *David* avait réussi à endommager le *New Ironsides*, vapeur de l'Union cuirassé sur les flancs. La torpille à hampe du *David* avait explosé deux mètres sous la ligne de flottaison du navire ennemi, et si la charge de soixante livres n'avait pas suffi à le couler, elle avait causé assez de dégâts pour l'envoyer se faire réparer à Port Royal.

Cooper et Lucius arrivèrent alors et firent valoir à Beauregard que le

Hunley avait sur le *David* l'avantage du silence. Les rapports officiels indiquaient en effet que le bruit du moteur du *David* avait alerté les Yankees du danger avant que la torpille n'explose. Beauregard répliqua qu'il n'avait pas eu le temps d'examiner attentivement les rapports et que, sinon, il serait parvenu à la même conclusion. Cooper soupçonna le petit créole pompeux de mentir mais tint surtout compte de ses promesses de coopération et de ses encouragements. Encouragements fort nécessaires, découvrit Cooper, puisque le *Hunley* avait déjà été surnommé « le cercueil ambulant ».

Hunley lui-même arriva quelques jours plus tard à Charleston pour diriger le prochain essai, prévu pour le 15 octobre. Il mourut à cette date avec le nouvel équipage venu de Mobile.

— Il a sombré en piquant du nez, selon un angle de trente-cinq degrés environ, expliqua Cooper ce soir-là, devant une assiette à laquelle il n'avait pas touché. Il repose à neuf brasses de fond.

— Ça fait combien neuf brasses, papa ? demanda sa fille.

— Quinze mètres.

— Brrr. Il n'y a que les requins qui descendent si profond.

« Et le cercueil ambulant », pensa Cooper.

— Mais vous l'avez déjà renfloué..., commença Judith.

— Renfloué et ouvert. Les corps étaient tordus dans d'horribles postures.

— Marie-Louise, tu peux quitter la table.

— Mais, maman, je veux écouter la suite.

— Va.

Après le départ de sa fille, Judith reprocha à son mari :

— Es-tu vraiment obligé de donner d'horribles détails devant elle ?

— Pourquoi enjoliver la vérité ? Marie-Louise est quasiment une jeune fille. Cette catastrophe n'aurait pas dû se produire ! Elle n'aurait pas dû ! Nous avons examiné soigneusement les cadavres. Hunley avait le visage noir, la main droite sur la tête. Il se trouvait près de l'écoutille avant et essayait manifestement de l'ouvrir quand il est mort. Deux matelots tenant des bougies à la main ont été retrouvés près des boulons fixant des barres de fer au fond de la coque. Ces barres sont un ballast supplémentaire, qu'on lâche pour remonter. Mais aucun des boulons n'était desserré, malgré les efforts des deux malheureux. Nous n'y comprenions rien. Et puis nous avons fait une découverte importante : le sas du ballast avant était encore ouvert.

— Ce qui explique quoi ?

— Comment il a coulé ! Un autre marin actionnait la pompe servant à vider les ballasts. Ça a dû être la panique. Quand ils ont manqué d'air, les bougies se sont éteintes. Ils essayaient de le faire remonter, tu comprends ? Mais le sas était ouvert, et dans le noir, avec la panique, Hunley a oublié d'ordonner sa fermeture. Ou bien le matelot qui en était responsable n'a pas pu le faire. C'est pour cette raison qu'ils sont morts. Sinon, ce sous-marin est fiable, capable de tuer un grand nombre de marins yankees. Nous allons l'essayer à nouveau et former un nouvel équipage.

— Franchement, je suis lasse de t'entendre parler de ta sainte croisade consistant à tuer des hommes.

— Judah ne signifie rien pour toi ? répliqua Cooper en fixant sa femme des yeux.

— Judah est mort à cause de ce qu'ont fait des gens de notre camp. Y compris ta sœur.

Cooper repoussa sa chaise de la table.

— Epargne-moi ton pacifisme patelin. Je retourne au bureau.

— Encore ? A cette heure-ci ?

— Tu parles comme si j'allais rigoler au bordel, ou dans un tripot ! cria Cooper. J'ai du travail urgent. Extrêmement important. Le général Beauregard ne mettra pas le *Hunley* en service si nous ne prouvons pas qu'il est sûr et si nous ne l'équipons pas d'une sorte de beaupré assez solide pour porter une charge capable de couler un cuirassé, pas seulement de l'endommager. Autrement dit, un espar portant au moins quarante-cinq kilos de poudre. Nous étudions en ce moment les matériaux et les structures nécessaires.

Il se leva avec une lenteur affectée, se pencha en avant.

— Si tu es satisfaite de mes explications et si tu n'as pas d'autres questions, puis-je avoir la permission de partir ?

— Oh ! Cooper.

Il se retourna et sortit.

A l'approche des fêtes de fin d'année, les choses empirèrent. Dans la maison de Tradd Street et dans la ville. Les tirs d'artillerie ennemis duraient parfois toute la nuit, projetant sur le plafond de la chambre des lueurs rouges qui réveillaient souvent Judith. Elle avait alors envie de se tourner vers son mari mais il n'était généralement pas là : il passait rarement plus de deux heures au lit.

La conversation de Cooper se réduisait à des propos abrupts. Juste avant Noël, quand Judith suggéra de remonter l'Ashley pour aller voir la plantation, il répliqua :

— Pour quoi faire ? C'est ici qu'est l'ennemi. La plantation peut bien tomber en ruine.

Un soir, il ramena à dîner Lucius Chickering — pour prolonger le travail, non par hospitalité — et Marie-Louise, âgée de douze ans, regarda le jeune homme avec adoration pendant tout le repas. Lorsque Judith et sa fille laissèrent les hommes prendre seuls le cognac, Lucius fit observer :

— Je crois que votre charmante fille est amoureuse de moi.

— Je ne suis pas d'humeur à perdre mon temps en plaisanteries faciles.

« Tu ne l'es jamais », pensa Chickering. Rassemblant son courage, il répondit :

— Mr. Main, je sais que je ne suis que votre assistant. Jeune, sans expérience. Mais je crois qu'un peu de légèreté n'est pas déplacée, même en temps de guerre.

— Dans ta guerre peut-être. Pas dans la mienne. Finis ton cognac qu'on se mette au travail.

Janvier arriva. Les arguments de Cooper, l'enthousiasme du nouveau commandant avaient fortifié la confiance vacillante de Bory dans le sous-marin. L'équipage avait été recruté à bord du bâtiment-caserne *Indian Chief* et Beauregard avait insisté pour que chaque matelot fût mis au courant des antécédents du *Hunley*.

Cooper était absolument certain que le submersible pouvait être efficace contre les navires ennemis bloquant le port. Par surcroît, s'il opérait comme il avait été conçu pour le faire, il répandrait une terreur sans commune mesure avec ses dimensions. C'était exactement ce que voulait Mallory. Innover, surprendre. Obtenir sur mer la victoire ou tout au moins une paix honorable pour le pays dont l'armée de terre accumulait les revers.

Aussi chaque matin, Cooper et Lucius montaient dans leur barque, passaient devant les casemates en ruine de Fort Sumter pour se rendre à la crique de l'île Sullivan où mouillait le « bateau-poisson ». Dur trajet, mais moins pénible que celui du commandant Dixon George (officier de l'armée de terre détaché du 21e régiment de volontaires de l'Alabama) et de l'équipage, qui commençaient leur journée par une marche de dix kilomètres.

Une jetée grinçante s'élançait de la plage de sable sous le soleil hivernal. Cooper, Lucius et Mr. Alexander, l'ingénieur britannique au corps noueux qui avait participé à la construction du submersible, y regardaient le *Hunley* plonger pour de courtes périodes.

A la fin du mois de janvier, par un après-midi plein de douceur, Dixon annonça enfin :

— Nous sommes prêts, Mr. Main. Le général Beauregard nous autorisera-t-il à attaquer ?

Les cheveux de Cooper flottaient dans le vent. Son visage, d'ordinaire pâle, avait la couleur d'un étang gelé.

— J'en doute, répondit-il. C'est trop tôt. Vous n'êtes restés en plongée que quelques minutes chaque fois. Nous devons prouver que le *Hunley* peut rester immergé beaucoup plus longtemps.

— Qu'entendez-vous par beaucoup plus longtemps ? demanda Alexander.

— Jusqu'à ce qu'il n'y ait plus d'air. Jusqu'à ce que l'équipage ait atteint le seuil d'endurance absolu. Nous devons trouver cette limite, Dixon. En fait, je désire remplacer un de vos hommes pour le prochain essai. J'ai obtenu la permission du Vieux Bory hier. Je fais cela pour dissiper ses doutes. Je dois prouver que le ministère de la Marine a confiance en ce bateau, que les accidents mortels survenus au cours des essais sont dus à des erreurs humaines, pas à une conception erronée.

— Mais, Mr. Main, protesta Lucius, cela pourrait être très dangereux pour vous...

Comprenant soudain que le commandant Dixon courrait les mêmes dangers, Chickering se tut en rougissant. Cooper, qui fusilla son assistant des yeux, fut surpris par la réaction du commandant.

— Mr. Chickering a raison. Vous êtes marié, vous avez une fille, Mr. Main. Votre femme est-elle d'accord pour que...

— J'ai besoin de la permission de Beauregard mais pas de la sienne, rétorqua Cooper. Je veux que le *Hunley* puisse au plus tôt couler des navires yankees et tuer des matelots de l'Union. Je participerai au prochain essai de plongée. Il aura lieu demain soir.

90

A la fin de son sixième mois à la prison Libby, Billy avait perdu quatorze kilos, sa barbe arrivait au milieu de sa poitrine. Il avait le visage gris, les joues hâves, mais il avait appris à survivre.

Il fallait plonger un doigt dans la nourriture, pour faire la chasse aux charançons, puis la sentir. Plutôt crever de faim que d'avaler certains aliments avariés servis aux prisonniers. Ils vous donnaient la diarrhée, vous forçaient à courir toute la journée au trou puant que les gardiens appelaient cabinet. On pouvait en mourir.

Pas de critiques de la prison ou de son administration dans les lettres qu'on vous permettait d'écrire. Afin d'économiser le papier, les lettres étaient réduites à six lignes. (Billy y voyait l'indice d'une dégradation de la situation des rebelles.) Il ne fallait d'ailleurs pas espérer que ces lettres parvenaient dans le Nord. Billy soupçonnait les gardiens d'en brûler quelques-unes — ou même toutes.

Il fallait ne dormir que d'un œil, au cas où des détenus d'une autre partie du bâtiment opéreraient une razzia. De toute façon, on dormait mal. Chacune des vastes salles de la prison accueillait entre trois et cinq cents hommes. Celle de Billy, située au dernier étage, était tellement surpeuplée que les prisonniers y étaient couchés l'un contre l'autre, comme des cuillers dans un écrin. Sans couverture.

Surtout ne pas s'approcher des fenêtres, même si on mourait d'envie de respirer une bouffée d'air frais pour changer des relents de fumigation. Dehors, les gardiens et même certains civils tiraient parfois sur les prisonniers se montrant aux fenêtres. Ces passionnés du tir au pigeon ne recevaient aucune remontrance du directeur.

On brisait la monotonie en prenant une pomme ou un biscuit dans le panier de Betsy la Folle puis on échangeait avec elle des propos anodins. C'était une femme maigre et nerveuse d'une quarantaine d'années qu'il fallait appeler Miss Van Lew. Les gamins jouant devant la prison la traitaient de sorcière quand elle y entrait et lui jetaient même parfois des pierres. Mais cela ne la dissuadait pas d'y venir fréquemment. Les autorités la laissaient faire parce qu'elle habitait Church Hill depuis toujours et contribuait à calmer les prisonniers avec ses menus cadeaux.

Vous deviez à tout prix chasser les pensées déprimantes. En jouant aux échecs, en racontant vos batailles, en apprenant le français ou le solfège dans l'une des classes organisées par les détenus. Si vous aviez du papier de reste, vous écriviez un article pour le *Libby Chronicle* et le remettiez à son rédacteur en chef, qui, deux fois par semaine, récitait tout un journal à une foule énorme réunie dans l'une des plus grandes salles.

Enfin, si vous vous appeliez Billy Hazard, vous évitiez toute rencontre avec le caporal Clyde Vesey.

Pendant les premières semaines d'emprisonnement de Billy, ce ne fut pas difficile. Vesey était toujours affecté au rez-de-chaussée, où il continuait à accueillir les nouveaux prisonniers et à tenir les dossiers des autres. Toutefois, une nuit, juste après Noël, dans la salle glaciale où Billy essayait de dormir parmi les détenus s'agitant autour de lui, Vesey apparut tel un spectre, une lanterne à la main.

— Ah! vous voilà, Hazard, dit-il en souriant. J'étais impatient de vous annoncer que je suis désormais chargé de cette salle, la nuit. Je pourrai m'occuper de vous comme vous le méritez.

Billy toussa derrière son poing; il avait pris froid. Après le spasme, il répondit :

— Merveilleuse nouvelle. Je chérirai chacune des précieuses minutes de votre présence, Vesey.

Toujours souriant, le caporal effleura du talon ferré de sa botte la main sur laquelle le prisonnier était appuyé.

— Je ne tolérerai pas vos manières arrogantes, dit-il en portant son poids sur la main. C'est clair, capitaine?

Billy serra les dents, battit des paupières; des larmes perlèrent au coin de ses yeux, un filet de sang coula de dessous la botte de Vesey.

— Fils de pute, murmura Billy.

Heureusement, Vesey avait déjà recommencé à parler :

— Comment ? Le courageux Yankee qui pleure ? Bravo, bravo.

Il pivota sur le talon de la botte et le détenu ne put étouffer une longue plainte. Vesey ôta son pied de la main ensanglantée.

— Je dois poursuivre ma ronde mais je reviendrai vous voir. Je vous donnerai régulièrement des leçons d'humilité jusqu'à ce que vous sachiez où est votre place. Plus bas que le plus bas des négros. Bonne nuit, Hazard.

Et le caporal s'éloigna en chantonnant.

Billy cligna des yeux, déchira un morceau de sa chemise en loques pour panser sa main. Ses voisins devaient être éveillés mais aucun d'eux n'avait bougé pendant l'altercation. Il ne le leur reprochait pas. Lui-même n'était pas sûr qu'il eût compromis ses propres chances de survie pour défendre un autre prisonnier assez malchanceux pour s'attirer la colère d'un gardien.

Au début du mois de janvier, la main de Billy s'était infectée et son rhume avait empiré. Vesey venait le tourmenter tous les soirs, l'insultant, lui faisant descendre et remonter l'escalier de la prison pendant deux heures. Un jour, il le força à se tenir dans un coin, sur la pointe des pieds, une baïonnette au creux des reins.

— Confessez-vous, conseilla le caporal d'une voix mielleuse. Vous devez avoir pris conscience de votre infériorité. De votre paganisme. De vos pensées coupables. Avouez que vous admirez le président Davis et considérez le général Lee comme le plus grand soldat de la chrétienté.

Les jambes tremblantes, les orteils meurtris, Billy rétorqua :

— Va te faire foutre.

Vesey arracha la chemise du Nordiste, lui balafra le dos avec la pointe de la baïonnette. Par chance, la blessure ne s'infecta pas comme celle de la main de Billy, gonflée, jaune de pus et de croûtes.

— Nous reprendrons cette conversation, promit Vesey au moment où le sergent l'appelait. Tu peux en être sûr, sale païen.

Peu de temps après, huit nouveaux furent envoyés dans la salle du haut occuper la place d'un capitaine mort dans son sommeil. L'un d'eux, un jeune officier au front haut et au teint jaune s'installa près de Billy. Il s'appelait Timothy Wann, s'était engagé à la fin de sa première année à Harvard et avait été promu sous-lieutenant après que trois autres hommes de son unité ayant ce grade eurent été successivement tués.

Le lendemain de l'arrivée des nouveaux, des officiers d'une autre salle firent une descente. Billy s'éveilla, vit trois barbus emmener le jeune officier vers les lavabos. Un quatrième défit la boucle de la ceinture de Wann en grommelant :

— Il a le cul bien maigre mais ça ira.

Billy connaissait l'existence de telles pratiques mais n'en avait jamais été victime ni témoin. Ne pouvant supporter qu'on s'en prît à quelqu'un d'aussi jeune, il se leva, se fraya un chemin entre les détenus assoupis et rattrapa les quatre officiers emportant un Wann terrifié.

— Lâchez-le, ordonna Billy. Allez faire ça dans votre salle mais pas ici.

L'homme aux cheveux gris qui avait ouvert la boucle de la ceinture de Wann la fit glisser hors des pattes du pantalon.

— T'as des droits sur le petit ? lança-t-il, menaçant. C'est ton chéri ?

Billy tendit la main vers le sous-lieutenant, que les trois barbus portaient sur leurs épaules comme un quartier de viande. Le quatrième recula d'un pas, cingla la joue de Billy avec la ceinture.

Bien que malade — il avait de la fièvre depuis la veille — Billy puisa de la force dans sa colère. Il arracha la ceinture à l'homme aux cheveux gris, la saisit par les extrémités, la passa autour du cou de son assaillant et tira. L'officier hoqueta, Billy tira plus fort.

Les trois barbus laissèrent tomber Wann, l'un d'eux le frappa.

— Retourne à ta place, dit Billy au sous-lieutenant.

Une lumière apparut dans le couloir.

— Qu'est-ce que c'est que ce tapage ? Qu'est-ce qui se passe ?

Vesey s'approcha, une lanterne dans une main, un pistolet dans l'autre. Billy lâcha un des bouts de la ceinture ; l'homme aux cheveux gris se dégagea, se frotta la gorge.

— Ce fou m'a sauté dessus, il a voulu m'étrangler. Tout ça parce qu'on l'avait réveillé en venant parler à des camarades...

— Votre accusation ne me surprend pas, déclara Vesey avec un hochement de tête compréhensif. Cet homme est violent, il ne cesse de semer la perturbation. Je m'occupe de lui, retournez tous dans votre salle.

— Oui, caporal, marmonnèrent deux des barbus, en s'éclipsant avec leurs compagnons.

— Qu'est-ce que nous allons faire de vous, Hazard ? soupira Vesey. Jusqu'ici mes leçons n'ont servi à rien. Peut-être qu'une dernière tentative dehors serait plus efficace.

— Je vais mettre mes chaussures si nous sortons...

— En avant ! beugla le Sudiste en saisissant l'officier de l'Union par le col.

Billy vit des têtes se lever çà et là dans la salle puis replonger aussitôt. Pourquoi avait-il eu l'idée stupide de vouloir aider Wann ? Voyant le jeune officier se redresser, il lui fit signe de ne pas intervenir et marcha devant Vesey.

Dehors, le caporal confia sa lanterne à la sentinelle gardant la porte, fit mettre le prisonnier à genoux, lui attacha les chevilles et les poignets ensemble derrière le dos. Au bout de quelques secondes, Billy commença à avoir mal aux épaules et aux jambes.

Une pluie fine se mit à tomber. Vesey fourra un chiffon puant dans la bouche de sa victime, noua par-dessus un autre morceau de tissu en fredonnant *Plus près de toi mon Dieu*.

Quand le caporal eut terminé, il pleuvait à verse et il se réfugia dans l'entrée. Trempé par l'eau glacée, Billy éternua.

— Je reviendrai dès que j'aurai trouvé mon manteau, Hazard. Il fait frisquet mais je tiens à assister un petit moment à la punition.

Ce soir-là, à Charleston, Judith déclara à son mari :
— Je ne te comprends plus.

Assis à l'autre bout de la table, Cooper était penché en avant, au-dessus d'une assiette à laquelle il n'avait pas touché, une fois de plus. Il fronça les sourcils.

— Si c'est encore pour te plaindre de mon manque d'ardeur...

— Certainement pas ! répliqua Judith. (Ses yeux étincelèrent mais elle parvint à se contrôler.) Je sais que tu es tout le temps fatigué — encore que j'aimerais que tu me traites de temps à autre comme ton épouse. Non, je ne parlais pas de cela.

Une brise venue du jardin fit danser la flamme des bougies et agita les rideaux des doubles fenêtres ouvertes.

— Alors, c'est à cause de l'essai, grommela Cooper. Cet idiot de Lucius a bu trop de vin !

— Ne le lui reproche pas. C'est toi qui as servi à boire.

Dans le salon voisin, Marie-Louise attaqua *The Bonnie Blue Flag* * à l'harmonium. A la demande de sa mère, elle avait emmené l'invité des Main dans la pièce voisine après qu'il eut par inadvertance révélé que l'essai auquel participerait Cooper aurait lieu le lundi suivant. Cooper n'en avait pas parlé à Judith pour éviter des réactions assommantes — pleurs pathétiques, supplications. D'un ton agressif, il demanda :

— Qu'est-ce que tu veux dire avec ton « je ne te comprends plus » ?

— C'est pourtant clair. Tu n'es plus l'homme que j'ai épousé. Pas même celui avec qui je suis allée en Angleterre.

Le visage tremblant d'une fureur spasmodique, Cooper joignit les mains, pressa les coudes sur la table à la faire craquer.

— Le monde aussi n'est plus le même, je te le rappelle, dit-il. La Confédération est dans une situation désespérée, qui appelle des mesures désespérées. Mon devoir me dicte de participer à cet essai. Si tu n'as pas l'intelligence de le comprendre ni le courage de le supporter, tu n'es plus non plus la femme que j'ai épousée.

« Hourra ! Hourra ! Pour les droits du Sud hourra ! » chantaient l'adolescente et l'invité dans le salon. « Hourra pour le beau drapeau bleu qui porte une seule étoile ! »

— Tu ne comprends pas, dit Judith, la bouche tordue en une petite moue amère. Ce n'est pas le risque que tu prends qui me bouleverse — Dieu sait que le risque est devenu une constante de notre vie ici. Je suis révoltée par ton manque total de cœur. Parce que tu forces sept malheureux à plonger dans ce cercueil en fer. Naguère tu haïssais cette guerre de toute ton âme. Maintenant, tu es devenu un barbare que je ne reconnais même pas.

— Tu as terminé ? demanda Cooper, glacial.

— Non. Annule cet essai. Ne joue pas avec des vies humaines à seule fin d'atteindre des objectifs malsains.

— Parce que mes objectifs sont malsains ?

— Oui ! répondit Judith en frappant sur la table.

— Le patriotisme, c'est malsain ? Défendre mon Etat natal, c'est malsain ? Empêcher cette ville d'être rasée ? Parce que c'est ce que veulent les Yankees, tu sais. Brûler Charleston, la réduire en ruine. C'est ce qu'ils veulent !

— Je m'en fiche, je m'en fiche ! cria Judith en se levant, secouée de sanglots. Tu te prends pour le sauveur de la Confédération ! Vas-y, tue-toi si tu veux pour ta cause sacrée, mais n'exige pas que d'autres vies soient sacrifiées pour apaiser ta colère. C'est indigne, c'est immoral. L'ancien Cooper l'aurait compris. Le Cooper que j'aimais, que j'aimais telle...

La phrase se brisa dans le silence. Dans le jardin, les feuilles de palmier nain bruissaient au vent. Comme un long serpent déroulant ses anneaux, Cooper se leva, le visage blême.

— L'essai aura lieu comme prévu, dit-il.

— Je le savais. A partir de maintenant, garde pour toi tout ce qui concerne le *Hunley*.

* Chant sudiste exaltant le drapeau de la Caroline du Sud (n.d.t.).

— Ce qui signifie ?

— Que tu peux prendre tes repas dans cette maison mais sans moi. Que tu peux coucher dans la chambre d'amis.

Ils se toisèrent un moment puis Cooper sortit.

Judith entendit dans le salon la voix sèche de son mari :

— Lucius, prends ton manteau. Nous pouvons encore faire des tas de choses ce soir.

— Oh ! papa, protesta Marie-Louise. Maman avait promis qu'on chanterait tous ensemble.

— Tais-toi.

Judith baissa la tête, plaqua ses mains devant ses yeux et pleura en silence.

91

Resté jusqu'au matin sous la pluie glacée, Billy boita pendant des jours après son épreuve. Il demeurait le plus souvent recroquevillé par terre, les bras enserrant ses genoux dans un vain effort pour contenir les frissons qui le secouaient. Chaque soir, Vesey venait l'insulter, lui enfoncer dans les côtes le canon de son mousquet.

Tim Wann devint l'ami de celui qui était venu à son secours. Bien que peu robuste, le jeune officier du Massachusetts avait l'esprit vif et, guidé par Billy, il apprit rapidement à survivre. Il était prêt à partager avec son ami tout ce qu'il possédait : une vingtaine de dollars, que le gardien de l'accueil lui avait permis de conserver en prélevant un billet au passage.

Avec de l'argent, on pouvait obtenir de menus trésors auprès des gardiens les plus coopératifs. Tim insistait souvent pour offrir quelque chose à Billy — n'importe quoi, ce qu'il voulait. Billy refusa jusqu'à ce qu'une de ses envies devînt trop forte.

— D'accord, Tim. Un peu de papier et un crayon. Pour que je puisse commencer un nouveau journal.

Le soir, en prenant livraison, le jeune officier protesta :

— Mais c'est du papier mural ! Comment écrire sur ces affreuses fleurs bleues ?

— Personne te force, répondit le gardien. C'est ça ou rien. Même Jeffy Davis a pas mieux, ces temps-ci.

Billy commença donc :

12 janvier, prison Libby. Je jure de survivre. Second objectif prioritaire, écrire à ma chère femme.

Il avait envie d'ajouter qu'on lui avait proposé de participer à l'évasion projetée par un groupe de détenus mais décida finalement qu'il valait mieux ne rien écrire à ce sujet, au cas où l'on découvrirait son journal. En outre, il fallait économiser le papier. Les trois feuilles carrées d'une trentaine de centimètres de côté avaient coûté trois dollars à Tim.

Chaque nuit où il était de service, Vesey venait harceler sa victime favorite. Billy réussit à supporter les piqûres de baïonnette, les coups de botte, les remarques insultantes sur son amitié avec l'ancien étudiant de Harvard. Il supporta tout cela jusqu'à ce qu'il eût écrit la lettre à Brett.

Tim se procura une enveloppe — un morceau de papier parcheminé graisseux, plié et collé. Billy y glissa un petit rectangle de papier mural portant un bref message : il était en bonne santé, il l'aimait, elle ne devait pas s'inquiéter.

L'enveloppe, laissée ouverte pour la censure, fut remise un midi à un gardien. Le soir même, Vesey la rapporta en souriant.

— La censure a refusé votre lettre, j'en ai peur, dit-il.

Il ouvrit la main droite ; l'enveloppe et son contenu, déchirés en petits morceaux, tombèrent sur le plancher.

Billy se leva lentement, fixa le caporal dans les yeux.

— Il n'y avait rien d'interdit dans cette lettre.

— Oh ! c'est au censeur de juger. Il y a quelques semaines, je lui ai demandé de s'occuper plus particulièrement des lettres que vous pourriez envoyer. C'est un ami. J'ai bien peur que votre style ne trouve jamais grâce à ses yeux. Votre chère femme continuera à s'inquiéter pour vous, elle vous croira enterré dans quelque tombe de païen.

— Le règlement...

La main du caporal saisit les cheveux du prisonnier, tira.

— Je vous l'ai dit et répété, murmura Vesey. Le seul règlement ici, c'est le mien. J'espère que le chagrin de votre femme deviendra insupportable. J'espère que ses parties intimes seront consumées d'un désir si ardent...

Il approcha son visage, ses yeux bleus brillant de plaisir.

— ... si dévorant qu'elle se mettra à forniquer comme une folle. Peut-être avec un vagabond, peut-être avec un nègre.

Billy, tremblant, essayait de ne plus voir l'énorme face, de ne plus entendre le murmure.

— Imagine un peu. Un grand costaud de nègre. Ils sont vos égaux, les moricauds, non ? Abe l'a dit, en tout cas. Imagine-le se vautrant sur le corps blanc de ta femme. Il pousse son gros membre noir si fort dans son ouverture délicate qu'elle en saigne. Penses-y. Pense à tout ce que tu aimerais écrire dans ces lettres qui ne sortiront jamais d'ici. Penses-y, mécréant, sale païen...

Poussant un cri, Billy frappa. Quand trois autres gardes se précipitèrent avec des lanternes, il avait pris la tête de Vesey à deux mains et la cognait contre le plancher. Un des gardes saisit le prisonnier par sa veste, le releva ; un autre lui expédia le pied dans le bas-ventre. Billy hoqueta, bascula sur le côté et s'écroula.

— Cette fois, tu y as droit, Yank, conclut le troisième gardien.

92

Bien qu'il y eût encore de la lumière à l'ouest, il faisait noir du côté de l'Atlantique. Cooper reverrait-il le jour ? Sa fille ? Sa femme ? Aussitôt que ces questions surgirent dans son esprit, il les jugea sentimentales et vaines et les chassa.

Lucius Chickering se tenait sur le quai avec Alexander, l'ingénieur. Le jeune homme serra la main de son supérieur, lui souhaita bonne chance. Cooper eut un bref hochement de tête, regarda le petit groupe de soldats et de villageois de Mount Pleasant venus assister à l'essai. L'un d'eux le contemplait avec une expression qu'on ne pouvait qualifier que de compatissante.

Alexander descendit par l'écoutille avant du *Hunley*. Une fois que

Cooper eut obtenu l'accord de Bory, l'ingénieur avait insisté pour prendre part à l'essai. Il en avait le droit, le *Hunley* était son submersible, disait-il.

Cooper sauta sur la coque du bateau, se pencha au-dessus de l'écoutille.

— Je peux descendre, George ?

— Allez-y, Mr. Main, répondit Dixon de sa voix traînante.

Cooper passa une de ses longues jambes par-dessus l'hiloire, se glissa à l'intérieur ; un matelot leva les bras, ferma l'écoutille arrière, en bloqua le volant, puis passa devant Dixon qui se tenait devant ses instruments : un indicateur de profondeur à mercure, un compas pour se diriger sous l'eau. Entre les deux, dans une tasse, la bougie allumée renseignant sur la quantité d'air et constituant la seule source de lumière.

Cooper se plaça derrière le commandant, courba le dos et s'assit sur un petit siège métallique fixé à la coque. Les six hommes d'équipage occupaient des sièges semblables, trois de chaque côté d'un arbre moteur avant-arrière, coulé avec des sections désaxées en forme d'U évasé. Elles servaient à faire tourner l'arbre et à propulser le submersible, à la vitesse maximum de quatre nœuds.

— Mr. Main, dit Dixon, auriez-vous l'amabilité d'expliquer le déroulement de l'essai à notre équipage ?

En parlant, l'officier avait vérifié le fonctionnement de deux manettes commandant le gouvernail fixé au logement de l'hélice et l'angle des barres d'immersion bâbord et tribord.

— C'est simple, répondit Cooper, le dos déjà douloureux. Ce soir, nous n'emploierons pas seulement la bougie pour savoir combien de temps ce bateau peut rester sous l'eau. Nous vous utiliserons, messieurs. Nous resterons en plongée une heure, une heure et demie, peut-être plus. Nous ne ferons surface que lorsque le premier d'entre vous annoncera qu'il est à bout. Chacun doit trouver lui-même les limites de sa résistance en n'étant ni trop confiant dans ses capacités d'endurance ni trop prompt à capituler devant un désagrément.

Ces derniers mots étaient chargés d'un tel mépris que Dixon fronça les sourcils.

— Quand l'un de vous criera le mot « surface », poursuivit Cooper, ce sera le signal de vider les ballasts et de remonter. Des questions ?

— J'espère seulement qu'on pourra remonter, fit un marin avec un rire nerveux. Y en a qui disent que vot' poisson devrait plutôt s'appeler *Jonas* que *Hunley*.

— Ne vous occupez pas d'eux, répondit Dixon.

Il monta la petite échelle, passa la tête au-dehors par l'écoutille avant. De l'endroit où il était assis, dans une position incommode, Cooper apercevait un ovale de ciel constellé de pâles étoiles.

— Larguez les amarres, ordonna le commandant.

Des dockers s'empressèrent d'exécuter l'ordre ; Cooper sentit aussitôt le *Hunley* dériver. Dixon redescendit, demanda au second :

— Réservoirs d'air ouverts, Mr. Fawkes ?

— Ouverts, commandant.

— En arrière, vitesse moyenne.

— En arrière, vitesse moyenne, répéta le second.

Avec des grognements, les matelots se mirent à faire tourner l'arbre. C'était une tache malaisée mais Dixon les y avait préparés. La flamme de la bougie vacilla, l'eau clapota contre la coque.

Dixon remonta, cria ses ordres au second, qui avait pris le gouvernail. Dès que le bateau se fut éloigné du quai, il repartit en avant et prit de la vitesse. Un filet de sueur coulait sur le menton de Cooper, qui se sentait enterré vivant et luttait contre la panique.

La tête toujours au-dehors, Dixon regarda autour de lui une dernière fois puis descendit et ferma l'écoutille.

— Paré à plonger.

Le cœur de Cooper battait si vite qu'il avait mal à la poitrine. Il éprouva un profond respect pour ces hommes, qui s'étaient portés volontaires, et eut l'impression de connaître un peu les souffrances de ceux qui avaient péri lors des précédents essais. Mais il se ressaisit aussitôt : voilà qu'il cédait de nouveau au sentimentalisme.

— Fermez les réservoirs d'air.

— Réservoirs d'air fermés, chantonna le second.

— Ouvrez le ballast avant.

Cooper entendit le gargouillis de l'eau ; la coque oscilla et s'enfonça à l'avant. Agrippant un montant, il pensa à Judith, à Marie-Louise. Pas moyen de s'en empêcher. Après tout, on surnommait le *Hunley* « le cercueil ambulant ».

Le bateau se posa au fond avec un bruit sourd et un tremblement. Les matelots s'adossèrent à la coque ou se penchèrent au-dessus de l'arbre. L'un d'eux déclara que la partie la plus dure du voyage était faite. Personne ne rit.

Dixon regarda le tube de mercure de son indicateur de profondeur ; Cooper luttait contre des phantasmes soudains et terrifiants : on lui enserrait la tête d'une bande de métal, on l'enfermait dans un placard obscur sans poignée à l'intérieur...

Alexander tapota son gilet en disant :

— L'un de vous a une montre ? Dans mon excitation, j'ai oublié la mienne, je crois bien.

Cooper tira de son gousset la montre plate en or qui ne le quittait jamais, souleva le couvercle.

— Il est sept heures dix, dit-il.

La cire de la bougie à la flamme bien droite formait en coulant de minuscules chaînes montagneuses. A la demie, la lumière de la bougie avait visiblement baissé et un matelot grogna :

— Ça commence à sentir mauvais.

— Quelqu'un a lâché un pet, expliqua un autre, suscitant des ricanements sans chaleur.

Cooper avait les yeux qui piquaient ; Dixon ne cessait de caresser ses favoris du bout de l'index.

— Combien ? demanda tout à coup Alexander.

Cooper se secoua. Ou sa vue faiblissait ou la lumière de la bougie, à demi consumée, avait encore baissé. Il dut approcher sa montre de son menton pour lire l'heure.

— Nous sommes en plongée depuis trente-trois minutes.

Il garda dans sa main la montre en or, dont le tic-tac semblait amplifié. Dans la pénombre, son esprit lui jouait des tours ; il avait l'impression que l'intervalle entre tic et tac s'allongeait démesurément.

Alexander se mit à fredonner un refrain cockney, Dixon le pria sèchement d'arrêter.

La bougie s'éteignit.

Un marin poussa un soupir effrayé, un autre jura. Dixon frotta contre la coque une allumette qui grésilla sans donner de lumière.

— Combien, Mr. Main? demanda la voix d'Alexander.

— Environ trois quarts d'heure quelques minutes avant que la bougie s'éteigne.

— L'air est encore tout à fait respirable, déclara Dixon.

Un matelot émit un grognement désapprobateur. Dans le noir, Cooper ne pouvait estimer le passage du temps. Il ressentait une pression croissante aux tempes et des diables, dans son esprit, le persuadaient qu'il suffoquait, que le métal de la coque craquait, que tout allait mal. Il passa du vertige à l'engourdissement, à la certitude absolue de sa mort imminente.

Il défit sa cravate, fit sauter son bouton de col. On l'étranglait...

— Surface!

Aussitôt des rires fusèrent. Cooper, essuyant son cou moite, crut un instant que c'était lui qui avait crié. D'une voix calme, Dixon ordonna:

— Mr. Alexander, actionnez la pompe arrière, je vous prie. Je m'occupe de celle-ci. Mr. Fawkes, Mr. Billings, détachez les barres de lest.

La tête contre la coque, Cooper pensait déjà à l'air de la nuit qui les attendait en haut. Il entendit le grincement des pompes, le tintement d'un écrou tombant sur du métal.

— Barres de lest détachées, commandant.

— L'avant remonte, grogna Dixon en actionnant la pompe.

Les hommes s'esclaffèrent, poussèrent des cris de joie, mais leur allégresse retomba aussitôt.

— Qu'est-ce qui se passe, Mr. Alexander? demanda un matelot. Pourquoi l'arrière remonte pas aussi?

— Commandant, le ballast est toujours plein, annonça le petit Britannique, effrayé. C'est la pompe.

— Nous allons mourir, murmura le marin se trouvant derrière Cooper.

— Qu'est-ce qu'elle a? dit Dixon.

— Elle est coincée, je crois. Probablement par des algues.

— Si on ne peut la faire marcher, pas moyen de remonter.

— On va mourir étouffés, reprit le voisin de Cooper. Mon Dieu, non! Non! Je ne veux pas! cria-t-il d'une voix aiguë.

Cooper tendit le bras dans le noir, saisit l'homme hystérique, le gifla.

— Arrêtez. Cela ne sert à rien.

— Lâchez-moi. Nous allons tous mour...

— Je vous dis d'arrêter!

Cooper gifla l'homme à nouveau, si fort que sa tête heurta la coque. Il lâcha le bras du matelot qui se mit à pleurer mais cessa du moins de crier.

— Merci, Mr. Main, dit le commandant.

Alexander eut une idée:

— Je vais démonter la pompe. Je crois que je suis capable de le faire dans le noir: je sais exactement comment elle est assemblée. Je trouverai peut-être la cause de la panne.

— Si vous la démontez, l'eau jaillira dans le bateau!

— Donnez-moi une autre idée, alors!

— Je n'en ai pas, avoua Dixon, d'un ton radouci. Allez-y.

Le cauchemar se poursuivait, plus angoissant à chaque seconde. Cooper avait l'impression qu'il ne pouvait plus respirer du tout et prenait pourtant de petites inspirations, à chaque fois plus douloureuses. Mais la douleur n'était-elle pas imaginaire elle aussi? Dans le silence presque palpable, chacun écoutait le tintement des pièces qu'Alexander démontait et se demandait ce que tel ou tel bruit voulait dire.

Cooper entendit un gargouillis ; un matelot s'écria :

— Dieu nous vienne en aide !

Un jet d'eau aspergea l'intérieur du bateau.

— Plus qu'une minute ! s'exclama Alexander. J'ai dégagé un gros paquet d'algues, je crois qu'il n'y en a plus. Maintenant, je dois remettre la pompe en place malgré la pression...

L'eau continuait à se répandre dans le submersible, inondant le sol. Le matelot que Cooper avait frappé se mit à gémir et Cooper regretta de l'avoir traité aussi brutalement. « Il a raison, pensa-t-il, nous allons tous mourir. »

Il se rassit pour attendre la fin, passa rapidement sa vie en revue, délaissant les moments pénibles ou honteux, s'attardant sur ceux d'intense plaisir, comme sa première rencontre avec Miss Judith Stafford, sur le pont du vapeur les emmenant tous deux à Charleston. Il composa un petit discours d'adieu pour lui dire à quel point il était heureux qu'elle l'ait épou...

— Ça y est ! annonça Alexander.

Cooper tourna la tête vers l'arrière, bien qu'on ne pût rien distinguer. Il entendit le couinement du piston de la pompe puis à nouveau Alexander :

— Elle fonctionne !

— Hourra ! cria Dixon.

L'équipage applaudit ; des larmes montèrent aux yeux de Cooper, qui luttait pour respirer. Il eut l'impression que l'arrière du *Hunley* se soulevait et le commandant lui en donna confirmation :

— On remonte !

Quelques minutes plus tard, le bateau surgit dans la lumière de la lune.

Dixon et Alexander s'attaquèrent aux écoutilles tels des déments cherchant à s'échapper d'un asile. Soudain Cooper vit des étoiles, il sentit et respira de l'air frais. Aussitôt les marins se mirent à faire tourner l'arbre de l'hélice comme si rien ne s'était passé.

Le commandant grimpa pour regarder par-dessus l'hiloire avant.

— Il n'y a plus qu'une personne sur la jetée. Vois pas qui c'est.

Lentement, le submersible retourna vers la jetée où Lucius Chickering sautait sur place en agitant les bras. Dixon lui demanda de cesser ses cabrioles pour amarrer le bateau.

— Il y a de quoi faire des cabrioles ! cria le jeune homme au commandant, qui lui lançait un cordage. Tout le monde est parti au bout de trois quarts d'heure, on vous croyait morts. Mais moi j'étais sûr que si je restais — si je ne renonçais pas — le bateau finirait par refaire surface. Dieu du ciel ! commandant, on peut dire que vous avez mis ma confiance à rude épreuve ! Vous savez quelle heure il est ?

Alexander, sorti du *Hunley* derrière Cooper, demanda :

— Combien de temps sommes-nous restés au fond ?

Cooper sauta sur la jetée, tira sa montre de son gousset et en dirigea le cadran vers la lune. Il crut avoir mal vu, regarda à nouveau la position des aiguilles. Non, il ne s'était pas trompé.

— Il est dix heures moins le quart. Nous sommes restés immergés deux heures trente-cinq minutes.

— Je vous l'avais dit, je vous l'avais dit ! piaillait Lucius. (Il saisit

Cooper par les épaules, le fit tourner.) C'est incroyable, non? Ça marche, vous aviez raison! Il faut — Oh! J'oubliais. Un soldat devait prévenir le général Beauregard que le *Hunley* avait à nouveau coulé. Avec tout l'équipage. Votre femme doit vous croire mort, Mr. Main.

— Mon Dieu! s'exclama Cooper. Bravo, Dixon. Il faut que je me sauve.

Il se précipita vers la barque, qui ressemblait à quelque oiseau de mer dégingandé trottinant sur la plage. Lucius courut derrière lui en criant:

— Attendez-moi, Mr. Main!

Lorsque Cooper arriva à la maison de Tradd Street, Judith pleura de soulagement. Contrairement à ce que pensait Chickering, personne ne l'avait prévenue. Elle serra longuement son mari contre elle mais préféra dormir encore seule cette nuit-là.

93

— Mon commandant, ce Yankee s'est jeté sur moi comme un animal enragé, expliqua Vesey. Sans que rien ne l'y incite si ce n'est sa nature mauvaise. Si je puis me permettre, votre devoir d'officier et de chrétien vous commande de me donner l'autorisation de le punir.

Hésitant, Turner réfléchit un moment avant de répondre:

— J'aimerais le faire mais c'est impossible, pour plusieurs raisons. Premièrement, il y a trop de ces foutus avocats de Philadelphie parmi les détenus. Ensuite, le foutu gêneur qui travaille pour Seddon nous surveille de près.

— Vous voulez parler du colonel manchot, mon commandant?

— C'est ça. Main. La conscience de nos prisons. Il est déjà venu fouiner dans le coin sans même demander notre autorisation. Vous avez dû le voir. (Vesey acquiesça de la tête.) Ces derniers temps, nous avons été privés de ses visites: une mauvaise grippe le retenait au lit. Mais vous pouvez être sûr qu'il reviendra dès qu'il sera rétabli.

Le caporal fit grise mine jusqu'au moment où il vit son supérieur esquisser un sourire.

— Naturellement, poursuivit le commandant de la prison, si vous trouviez un moyen de donner cette, euh, leçon disciplinaire hors du bâtiment, je vous délivrerais un ordre de sortie que vous détruiriez ensuite.

Le visage du sous-officier s'illumina.

— Au cas où vous auriez besoin d'aide, continua Turner, choisissez des hommes absolument sûrs.

— Pas de problème, mon commandant.

— Si le prisonnier porte des marques, elles devront pouvoir s'expliquer par un accident.

— J'y veillerai.

— Bon, je m'occupe du document. Avant de vous le remettre, je tiens à connaître votre plan en détail.

— Oui, commandant. Merci, commandant, dit Vesey en claquant des talons. Vous aurez toutes les informations. Merci encore, mon commandant.

— Je suis ravi de vous aider, Vesey. Vous êtes un sous-officier exemplaire.

Le lendemain, 1ᵉʳ février, le caporal, rayonnant, revint voir le commandant.

— Je vois que vous êtes prêt, dit Turner. Alors, comment comptez-vous faire ?

— Avec un caisson emprunté à un cousin artilleur. Un caisson et la plus mauvaise route que nous pourrons trouver. C'est mon cousin qui a eu l'idée. Il m'a raconté que les Yanks utilisent cette méthode pour punir les fautes graves de leurs prisonniers. Pourquoi pas nous ?

Vesey continua à fournir des explications, qui ravirent le commandant.

— Excellent ! s'esclaffa Turner. Vous aurez votre papier dans une heure. Il vaut mieux que vous fassiez sortir votre homme la nuit, il y aura moins de témoins. Vous direz qu'on l'emmène dans les services du général Winder pour interrogatoire urgent.

— C'est parfait, mon commandant, jubila Vesey. Nous serons plusieurs — mon cousin, quelques-uns de ses copains — mais rien que des hommes dignes de confiance.

— Je vous tiens pour responsable de leur discrétion. Ah ! je voudrais être de la fête. Pensez donc à moi en prenant du bon temps.

— Je n'y manquerai pas, mon commandant.

— C'est ça, les bureaux du général Winder ? demanda Billy.

Aussitôt après avoir posé sa question, il cracha mais sa salive retomba sur les rayons du fait de la position de sa tête.

— Ferme-la, Yank, grogna le cousin de Clyde Vesey.

Il tira la tête du prisonnier en arrière, la poussa à nouveau contre la roue. Les chevaux piaffaient et renâclaient dans l'air frais du matin. Le vent frémissait dans les arbres dénudés bordant la route déserte et semée d'ornières qui passait par une série de petites collines.

Billy était attaché, jambes et bras écartés, à une roue fixée à l'arrière du caisson d'artillerie, avec lequel elle faisait un angle de quarante-cinq degrés. Le dos nu piqueté de chair de poule, il avait le ventre pressé contre le moyeu. D'ordinaire, six chevaux tiraient le caisson mais Vesey, jugeant qu'un tel nombre de bêtes risquait d'éveiller les soupçons, en avait attelé seulement deux. C'était suffisant : débarrassé de ses casiers à munitions, le caisson était considérablement allégé.

Sous le regard de ses quatre compagnons, le caporal vérifia les nœuds des cordes attachant les poignets et les chevilles du prisonnier, dont le corps, presque vertical, s'inclinait suivant l'angle de la roue.

— Un quart de tour, les gars, dit Vesey. Il paraît que la promenade est encore plus agréable comme ça.

Les soldats firent tourner la roue de manière à placer Billy à l'horizontale puis fixèrent la roue dans cette position.

— Crawford ? lança le caporal à son cousin. A toi l'honneur d'être le postillon de tête.

Une sorte de nabot s'avança, grimpa sur le cheval le plus proche. Les joues roses sous le soleil hivernal, Vesey s'écarta pour que le détenu puisse le voir.

— Prêts, messieurs ? Nous pourrions peut-être commencer par prier pour l'âme de celui qui va partir. Pour l'enfer, où finissent tous les Yankees, ou simplement pour le royaume des éclopés — ce n'est pas à nous de décider.

Le sous-officier saisit les chevaux de Billy, tira jusqu'à ce qu'il le vît grimacer, approcha son visage du sien et murmura :

— En tout cas, tu n'oublieras jamais la balade.

L'officier nordiste passa sa langue sur ses lèvres craquelées, cracha et, cette fois, ne manqua pas sa cible.

Vesey lui cogna la tête contre un rayon, courut vers son cousin.

— Deux kilomètres et retour, Crawford.

Le nabot ôta son chapeau, en cingla le cheval qu'il encouragea aussi d'un long cri rebelle.

A chaque cahot du caisson, le corps de Billy s'écartait du moyeu puis revenait le heurter. Sa position horizontale le désorientait : son œil gauche voyait le ciel, le droit la route grise filant sous lui.

— Allez, vieilles rosses ! cria Crawford. Faites votre devoir !

Le visage de Billy s'écrasa sur un rayon, l'intérieur d'une de ses joues se fendit, du sang coula dans sa bouche. Un hématome apparut sur son crâne, à l'endroit où il entrait en contact avec la roue. Ce salaud de Vesey avait laissé aux liens juste le jeu nécessaire.

Le prisonnier connut un bref répit quand l'attelage ralentit pour faire demi-tour mais la souffrance redoubla quand le caisson reprit de la vitesse. Sa tête bourdonnait, il avait l'impression que la moitié de ses os au moins étaient brisés. Il commença à perdre conscience, vit le visage de Brett.

Le retour parut beaucoup plus long. Billy voguait sous des nuages d'hiver qui grossissaient, rapetissaient, s'estompaient. Du sang coulait de ses lèvres ; de son ventre, la souffrance se diffusait jusqu'à son crâne et ses orteils. Le caisson ralentit, s'arrêta enfin.

— Alors, cousin, qu'est-ce que t'en penses ? demanda Crawford en se grattant la tête.

Vesey se pavana devant sa victime et s'exclama :

— Oh ! je crois qu'il s'amuse trop. Je ne vois pas le moindre signe de repentir pour sa conduite de païen. On le détache et on le retourne, le dos contre le moyeu. Et cette fois, Crawford pousse jusqu'au pont avant de faire demi-tour. Cela fait au moins un kilomètre de plus dans chaque sens.

Le cousin repartit comme s'il chargeait l'ennemi dans une bataille. Les reins de Billy s'arquaient, retombaient sur le moyeu. Un filet de sang pendait à sa lèvre supérieure. Finalement, honteux mais incapable de se retenir, il poussa un cri.

Et sombra dans le noir.

Le docteur de la prison, un Virginien d'une soixantaine d'années porté sur la bouteille, n'avait que mépris pour le commandant de Libby. Le lendemain, en fin de journée, il entra d'un pas pesant dans le bureau de Turner, l'informa que des détenus du troisième étage lui avaient amené un nommé Hazard, en si piteux état qu'il ne pouvait ni se tenir debout ni parler distinctement. L'homme était maintenant à l'infirmerie, entre la vie et la mort.

— Il n'a pas la colonne vertébrale brisée mais ce n'est pas faute d'avoir été battu, déclara le médecin.

— Occupez-vous de sa santé, moi je me charge de trouver celui ou ceux qui l'ont rudoyé et de leur faire la leçon, promit Turner. D'ailleurs, docteur Arnold, nous découvrirons peut-être qu'il s'agit d'un accident. Un faux pas dans l'escalier, une chute... Certains prisonniers sont plutôt affaiblis et je n'y puis pas grand-chose. Oui, je parie qu'il s'agit d'un accident.

— Si vous croyez ça, vous êtes encore plus stupide que je ne le pensais. Il serait tombé d'un ballon dirigeable qu'il serait moins amoché, répliqua le docteur. (Il posa ses mains sur le bureau, poussa son gros nez vers le commandant.) Jeune homme, vous feriez bien de vous rappeler que nous ne sommes pas sous les ordres du Grand Inquisiteur. Ce sont des Américains qui sont détenus ici — et le sens de l'honneur sudiste signifie encore quelque chose. Trouvez le coupable ou je m'adresserai au président Davis en personne pour demander votre révocation.

L'affaire aurait pu se terminer ainsi sans l'émotion causée par la grande évasion.

Un colonel de Pennsylvanie nommé Rose s'était glissé dans une cheminée, l'avait descendue et avait découvert au sous-sol une cave abandonnée. Avec d'autres prisonniers, il avait creusé pendant plusieurs jours un tunnel passant sous le mur de l'ancien entrepôt. Le 9 février, cent neuf détenus empruntèrent cette galerie souterraine de près de vingt mètres de long pour s'enfuir.

Libby fut en ébullition, Turner dans une situation fâcheuse. Des inspecteurs spéciaux des services de Winder surgissaient à toute heure du jour ou de la nuit pour s'assurer que l'ordre du général de doubler le nombre des gardiens de service avait été exécuté. Turner multipliait les rapports dans lesquels il s'efforçait désespérément de rejeter sur d'autres la responsabilité de l'évasion. Billy, toujours à l'infirmerie, souffrait encore trop pour se rappeler qu'on lui avait proposé de faire partie de l'évasion.

Tim Wann venait le voir au moins deux fois par jour et interrogeait le médecin.

— Qui lui a fait ça, docteur ?

— Je n'arrive pas à le savoir. Les gardiens de cette prison sont tous de sales types. Ils se serrent les coudes.

Tim avait des soupçons :

— Quelqu'un est venu le chercher au milieu de la nuit. Moi, je dormais, je n'ai rien entendu.

Rongé par un sentiment de culpabilité, le jeune officier baissa les yeux vers le visage bouffi, décoloré posé sur le mince oreiller gris. Même en dormant, Billy grimaçait de douleur.

— Personne d'autre n'a rien vu ?

— Ils disent que non. Il était tard, il faisait noir. Ceux qui l'ont emmené n'ont probablement pas fait de bruit.

— Dieu nous damne tous pour ce que nous faisons au nom du patriotisme. Ils l'ont joliment esquinté. Comment ? Je n'en sais rien mais pas seulement avec leurs poings, en tout cas.

— Billy ne pourrait-il nous le dire ? Donner les noms ou du moins le signalement de ses bourreaux ?

Sur le lit de camp, le blessé s'agita, gémit doucement ; du sang s'écoula de sa narine gauche. Le docteur se pencha pour l'essuyer, puis lança à Tim un regard triste.

— S'il vit, murmura-t-il.

Des oiseaux de mer tournoyaient dans le ciel rougi par le crépuscule. L'air était calme et froid mais au nord, de gros nuages s'amoncelaient. Engoncé dans son pardessus, Cooper remarqua du brouillard se formant au-dessus de l'eau.

George Dixon finit d'inspecter le port et replia sa lunette télescopique.

— La brume nous aidera, dit-il. Nous aurons le reflux pour nous quand nous repartirons. C'est la meilleure occasion que nous ayons eue jusqu'à présent.

Il pivota pour appeler le second :

— Mr. Fawkes ? Faites mettre en place le bout-dehors de la torpille. Je veux que nous soyons rapidement prêts à partir.

— Bien, commandant.

— Quel navire prendrez-vous pour cible ? demanda Cooper.

— Je pense qu'il vaut mieux attendre d'avoir franchi la barre du port pour le choisir.

— J'ai l'intention de me rendre en barque à Sumter pour regarder, dit Cooper en tendant la main à Dixon. Bonne chance, George. Vous devriez être de retour vers minuit.

— Comptez sur moi, répondit le jeune officier avec un bref sourire. Je suis fier de cette mission. Vous devriez l'être aussi. Si nous réussissons, cette nuit passera peut-être dans l'histoire.

— Vous réussirez, assura Lucius, qui se trouvait derrière son supérieur.

— Bon, alors... au revoir.

Dixon descendit la jetée avec la confiance d'un marin qui avait grimpé dans la mâture lorsqu'il était mousse.

— Doucement avec la poudre, les gars. C'est pour couler un bateau yankee, pas le nôtre.

Cooper frissonna — et pas seulement à cause du froid. Ce moment justifiait tout : les risques qu'il avait courus, les soucis, les discussions avec Beauregard, et même la froideur de sa femme, qui ne comprenait pas l'importance de son travail.

Lucius monta le premier dans la barque. Dans le brouillard qui s'épaississait, ils ramèrent en direction du débarcadère du fort dévasté par les obus. Quand ils furent à mi-chemin, Lucius tendit le bras par-dessus l'épaule de Cooper.

— Ils sortent.

Cooper se tourna juste à temps pour apercevoir un reflet orangé sur la coque métallique du *Hunley*. Puis des nuages sombres cachèrent la lumière ; le léger renflement à la surface de l'eau disparut.

Du côté de Fort Sumter tourné vers la mer, ils virent la flotte du blocus disparaître rapidement dans la brume et l'obscurité. Seuls quelques feux indiquèrent l'endroit où les bateaux stationnaient. La nuit demeurait froide et tranquille. De plus en plus nerveux, Cooper consulta à nouveau sa montre : 20 h 47. Soudain, le brouillard apparut.

— Quel navire ? demanda Cooper.

— Le *Housatonic*, répondit le major du fort, venu le rejoindre, en lui passant sa lunette.

Cooper braqua l'instrument vers le large au moment où une lame de feu projetait dans le ciel morceaux de bois et gréement.

— Il est touché à tribord ! s'exclama Cooper d'un ton triomphant. Juste avant le grand mât, je crois. Je vois des matelots grimper dans la mâture... Oh ! il s'incline déjà ! Regarde, Lucius, dit-il en tendant la lunette à son assistant. Il coule !

Des lanternes s'allumèrent sur les autres bâtiments de l'escadre ennemie. Des appels s'élevèrent, grossis par les porte-voix. Le vapeur le plus proche du navire touché mit à l'eau des canots de sauvetage tandis que les soldats de la garnison de Fort Sumter se précipitaient au-dehors en demandant quel canon confédéré avait blessé à mort le sloop yankee.

— Aucun, répondit Cooper. Il a été coulé par notre submersible, le *Hunley*.

— Le bateau-cercueil de l'île Sullivan ?

— Le *Hunley* ne mérite plus ce surnom. Le commandant Dixon et son équipage seront décorés pour leur héroïsme.

Mais, à onze heures, le *Hunley* n'était pas encore rentré. Cooper et Lucius retournèrent en barque à la jetée et attendirent. A six heures du matin, Cooper murmura :

— Retournons à Charleston.

Ce fut un homme hagard qui remonta lentement Tradd Street et rentra chez lui. Personne en ville ne savait rien du *Housatonic* ou du *Hunley*. On disait seulement qu'une explosion s'était produite à bord d'un des vaisseaux de l'ennemi.

Quelques jours plus tard, après la capture d'une vedette de l'Union, Cooper put confirmer au général Beauregard que le *Housatonic* avait effectivement coulé. Il fut déçu d'apprendre que les Yankees n'avaient perdu que cinq hommes grâce à l'intervention rapide des canots de sauvetage.

— Deux de moins que le *Hunley*, dit-il à Lucius.

Cooper se mit à boire pour trouver un sommeil qui ne venait pas. La nuit, il errait dans la maison ou s'asseyait dans un grand fauteuil en rotin et regardait par la fenêtre le jardin trempé par la pluie d'hiver. Mais au lieu des arbres, il voyait son fils en train de se noyer, le visage de Dixon juste avant d'embarquer. Chose étrange, il voyait l'obscurité qui l'avait enveloppé à l'intérieur du *Hunley* pendant l'essai. Il la voyait, la palpait, la sentait et savait pleinement, douloureusement ce que Dixon et les autres avaient éprouvé en mourant.

Une nuit, Judith, qui était presque aussi épuisée que lui, s'approcha du fauteuil en rotin, une lampe à la main.

— Cooper, cela ne peut pas continuer. Essaie de te reposer, viens te coucher.

— Pourquoi irais-je au lit ? Je ne peux pas dormir. Le 17 février restera une date importante dans l'histoire de la guerre navale mais cette pensée ne me procure aucun réconfort.

— Parce que..., commença Judith.

Elle s'interrompit.

— Je sais ce que tu allais dire. Parce que je suis responsable de la mort de sept hommes.

Incapable de soutenir le regard de son mari, Judith lui tourna le dos et murmura, autant pour elle-même que pour lui :

— Je ne voulais aucun mal à ces pauvres garçons mais je suis contente que le *Hunley* ait coulé. Dieu me pardonne, je suis contente. Peut-être cela te purgera-t-il de la folie qui te tourmente...

— Tu choisis curieusement tes mots, coupa Cooper. La folie. J'ai accompli mon devoir du mieux que j'ai pu, c'est tout. D'autres tâches m'attendent et je les remplirai de la même façon.

— Alors rien n'est changé. J'avais espéré...

— Qu'est-ce qui aurait pu changer ?

— Tu ne me laisseras même pas finir une phrase ? répliqua Judith en haussant le ton.

— Pour quoi faire ? Je te le demande : qu'est-ce qui aurait pu changer ?

— Tu es plein de rage...

— Plus que jamais. L'ennemi doit payer pour la mort de Dixon et des autres. Dix fois le prix.

Le frisson qui parcourut Judith fit trembler la lampe dans sa main.

— Mais quand comprendras-tu que le Sud ne peut pas gagner la guerre ? Il ne peut pas.

— Je refuse de discuter de...

— Ecoute-moi ! Cette... soif de tuerie te détruit. Elle nous détruit.

Raide et silencieux, il détourna la tête.

— Cooper ?

Il ne bougea pas.

Elle sortit en emportant la lampe, laissant son mari contempler le jardin mouillé. Sur le visage de Cooper, la fureur creusait des rides profondes.

En passant près de l'escalier, Tim Wann remarqua la silhouette qui se tenait immobile sur le palier, quelques marches plus bas.

— Billy ?

Le prisonnier émacié leva la tête.

— Billy !

Tim poussa un cri de joie, se précipita vers son ami, qui s'appuyait sur une béquille.

— Tu vas mieux ?

— Assez pour revenir dans nos splendides quartiers. Je ne tiens pas très bien sur mes jambes et je me déplace lentement. J'ai mis dix minutes pour venir du rez-de-chaussée.

— Quelqu'un aurait pu t'aider.

— Turner ne veut pas trop gâter ses pensionnaires.

Tim passa un bras autour de Billy, qui s'appuya sur les épaules du jeune officier. Lorsqu'ils entrèrent dans la salle, on accueillit le convalescent par des exclamations de surprise et de bienvenue. L'un des gardiens de l'équipe de jour se dit même content de le voir.

Un lieutenant lui donna inconsidérément une tape dans le dos et Billy faillit s'écrouler.

— Bon Dieu, Hazard, je suis désolé.

— Ça va, hoqueta le blessé, soudain inondé de sueur. Aidez... moi à m'asseoir.

Lorsqu'il fut assis sur le plancher, il regarda les détenus qui l'entouraient et demanda :

— On est encore en février ? J'ai perdu la notion du temps, en bas.

— C'est le 1er mars, répondit un capitaine. Ils ont doublé la garde, dehors. Trois ou quatre mille de nos cavaliers sont quasiment aux portes de Richmond. Les rebelles craignent qu'ils ne soient venus nous libérer et raser la ville.

— Tu es au courant de l'évasion ? demanda un autre prisonnier.

Devant la réponse négative de Billy, l'homme expliqua qu'une quarantaine des évadés avaient été repris et que les autres avaient sans doute rejoint les lignes fédérales. Billy apprit ensuite que Vesey, redevenu simple soldat, avait été affecté à un poste moins agréable, devant l'une des portes de la prison.

Lorsqu'on lui posa des questions sur la façon dont on l'avait traité à l'infirmerie, sur la cause de ses blessures, il garda le silence et secoua la tête.

— C'était Vesey, non ? dit Wann. Il t'a torturé et c'est pour ça qu'il se retrouve à monter la garde dehors.

— Ne t'occupe pas de ça, répondit Billy. Je réglerai mes comptes moi-même si j'en ai l'occasion.

Il demanda à aller aux toilettes, se mit debout avec l'aide de ses camarades et s'éloigna en clopinant sur sa béquille, sous le regard perplexe des autres prisonniers.

Tim avait conservé le journal de son ami et, cette nuit-là, tandis que le canon tonnait au loin, le capitaine Hazard écrivit avec son morceau de crayon :

1ᵉʳ mars. Deux événements remarquables. Je suis en vie, alors que le docteur Arnold, le vieux sac-à-vin de l'infirmerie, était convaincu que je mourrais. Deuxièmement, le rebelle qui a cru de son devoir de me torturer m'a appris une leçon si fondamentale que je ne la saisis pas encore tout à fait. Ici, forcé d'obéir à tout ordre, aussi humiliant ou destructeur soit-il, j'ai enfin compris ce que ressentent les nègres réduits en esclavage. J'ai vécu un moment avec l'âme d'un homme noir dans les fers et j'en ai gardé l'empreinte dans la mienne, à jamais.

94

Stanley avait de plus en plus de mal à se faire aux changements qui affectaient sa vie. Pennyford continuait à lui envoyer un relevé mensuel des énormes profits de Lashbrook, dont Stanley prenait à chaque fois connaissance avec incrédulité. Les chiffres ne pouvaient pas être exacts et, s'ils l'étaient, personne ne méritait une telle fortune — en tout cas, pas lui.

Il éprouvait aussi des difficultés à s'adapter à la succession rapide des événements. Tout le Nord était à présent las de la guerre et le président avait hâté le processus avec sa Proclamation d'amnistie et de reconstruction*, faite en décembre. Lincoln proposait le pardon à tous les rebelles à l'exception des dirigeants gouvernementaux ainsi que des officiers de l'armée de terre et de la marine passés dans le camp sudiste.

Ce plan manquait de fermeté aux yeux de Wade, Stevens et consorts, donc à ceux de Stanley. Mais que pouvait-on attendre d'un négrophile que l'insomnie et la dépression rendaient à moitié fou ? Au lieu de penser sérieusement à l'ennemi et à la période d'après-guerre, Lincoln s'occupait de futilités, prononçait de pieux discours dans les cimetières et autres fadaises. A Gettysburg, en novembre, il s'était déchargé du poids d'une de ces homélies devant une foule mourant d'ennui.

A cause de ses positions de plus en plus favorables aux Noirs et de son impuissance à gagner la guerre, Lincoln était détesté. La capitale bruissait de rumeurs de complots visant à l'enlever ou l'assassiner.

De plus, des Républicains influents pensaient que le président avait causé un grand tort au parti en réclamant une nouvelle conscription d'un demi-million d'hommes pour le 1ᵉʳ février. Stanton avait d'ailleurs confié à Stanley qu'on en demanderait cent ou deux cent mille de plus à la mi-mars. Des êtres humains étaient broyés comme chair à saucisse parce que les généraux se révélaient incapables de remporter la victoire. En automne, Thomas avait tenu bon à Chickamauga — et le peuple l'avait rapidement surnommé le Roc — mais la bataille elle-

---

* Traduction consacrée par l'usage. Mais le mot anglais *reconstruction* signifie ici réorganisation et réintégration (n.d.t.).

493

même avait été un désastre, compensé en partie seulement lorsque l'armée de Bragg avait été délogée de Chattanooga, en novembre. Quasi désespéré par cette suite de revers, le Congrès avait remis en usage le grade de général de corps d'armée et l'avait donné à un homme choisi par Lincoln — cet ivrogne de Grant. En qualité de général en chef, il prendrait bientôt le commandement des opérations à l'est, Halleck étant rétrogradé au poste de chef d'état-major.

Aucune de ces mesures ne sauverait le président, Stanley le sentait. Lincoln perdrait les élections en automne — et il n'y aurait pas lieu de s'en plaindre — mais Stanley et ses amis s'inquiétaient du nombre de Républicains qu'il pouvait entraîner dans la défaite.

De plus en plus, Stanley éprouvait le désir de quitter Washington. S'il savourait encore le pouvoir qui allait de pair avec son emploi, il se sentait gêné par la philosophie et le programme de ceux avec qui il s'était allié pour survivre à la purge Cameron. En janvier, le Sénat avait proposé un amendement constitutionnel pour abolir l'esclavage — mesure, selon Stanley, bien trop radicale, et prise trop précipitamment. Il y avait déjà trop de nègres libres échappant à tout contrôle. Partout dans la ville, soldats noirs et affranchis se pavanaient, gonflés de leur importance toute nouvelle.

Un matin, juste après son arrivée au bureau, Stanley fut convoqué par le ministre, qui remarqua les cheveux en broussaille, la cravate de travers et l'air hagard de son collaborateur.

— Qu'est-ce qui vous arrive ? demanda Stanton en caressant le dessous de sa barbe parfumée.

Avant de partir de chez lui, Stanley avait bu en cachette quelques gorgées de whisky qui lui délièrent la langue.

— Je marchais dans l'avenue quand il m'est arrivé une chose incroyable, révoltante. Je me suis retrouvé face à face avec sept affranchis qui m'ont obligé à descendre du trottoir pour les contourner. Ils ont refusé de me céder le passage !

L'alcool donna à Stanley le courage de ne pas tenir compte du froncement de sourcils de son supérieur.

— Je comprends qu'ils ont été opprimés, poursuivit-il, mais je trouve qu'ils prennent maintenant trop de libertés. Ils se promènent en bombant le torse, avec l'assurance d'hommes blancs.

A travers ses petites lunettes rondes, Stanton regarda son assistant avec l'air patient d'un maître reprenant un disciple trop emporté.

— Il faudra vous y faire, que cela vous plaise ou non. Comme l'écrit saint Paul aux Corinthiens : « Les trompettes sonneront et nous serons changés. »

« Pas moi », pensa Stanley, encore bouillonnant de colère quand il quitta le ministre. « Pas moi », Mr. Stanton.

Il savait pourtant qu'il nageait à contre-courant. Quand il se retrouva seul dans son bureau, il ouvrit un tiroir fermé à clef, en sortit une bouteille de bourbon.

Un coup d'œil autour de lui. Personne. Un rayon de soleil poussiéreux se refléta dans la bouteille quand il l'inclina ; l'horloge au tic-tac bruyant indiquait dix heures moins vingt.

La nouvelle — « Porté disparu au combat » — avait frappé les Hazard comme un coup de tonnerre à la fin de l'année précédente. A la mi-février, George avait enfin appris quelque chose de précis sur le sort de Billy et, avec un soulagement mêlé d'inquiétude, il avait télégraphié à Lehig Station : « Votre mari figure sur dernière liste détenus de prison Libby, Richmond. »

Dès réception du télégramme, Brett avait fait ses bagages et pris le premier train pour Washington. Lorsque la jeune femme, amaigrie par des mois d'anxiété, arriva à la maison de Georgetown, sa première question fut :

— Que pouvons-nous faire ?

— Officiellement, très peu de chose, répondit George. Le système d'échange de prisonniers a quasiment cessé de fonctionner. Trop de rancune de part et d'autre. Chaque camp reçoit des rapports selon lesquels l'autre maltraite et affame les détenus. Le ministère de la Guerre est furieux parce que les rebelles n'observent pas le règlement quand ils capturent des soldats des régiments noirs. Ils les traitent comme des esclaves en fuite et les remettent dans les fers. Les officiers blancs commandant ces unités risquent d'être flagellés ou pendus.

— Effectivement, vous ne proposez pas grand-chose ! s'emporta Brett.

— J'ai précisé « officiellement », répliqua George. J'ai une autre suggestion.

Constance se plaça derrière le fauteuil où son mari était assis, tendit les bras et lui massa doucement les épaules. Ces derniers temps il dormait mal, se faisait du souci pour son frère et pour sa mutation aux chemins de fer militaires, qui n'arrivait pas.

— De son poste à Richmond, Orry pourrait peut-être nous aider, continua George. Winder est directement responsable de Libby, Belle Isle et autres... (Il faillit dire « lieux de torture », se reprit à temps.) autres endroits. Mais Seddon a le pas sur Winder, et Orry travaille pour Seddon.

— Tu crois qu'il pourrait faire libérer Billy ? demanda Constance d'un ton plein d'espoir.

— Il a sans doute prêté serment de fidélité au gouvernement central et je ne voudrais pas lui demander de se parjurer. Plus important encore, Orry est mon meilleur ami. Je ne prendrai jamais le risque de le mettre en danger en le faisant intervenir directement.

— Billy est votre frère ! s'indigna Brett.

— Orry est le vôtre. Voulez-vous avoir l'amabilité de me laisser finir ?

George ôta les mains de Constance de ses épaules, se leva et quitta la table du petit déjeuner.

— Je peux par contre lui demander de recueillir tous les renseignements possibles sur le sort de Billy.

— Comment le feras-tu ? intervint Constance, sceptique.

— Comme lui lorsqu'il m'a écrit l'année dernière. En violant la loi.

Portant un manteau sombre par-dessus des vêtements civils, il partit à cheval sous la neige deux jours plus tard. Parvenu à Port Tobacco, il versa vingt dollars-or à l'homme édenté qui l'attendait, lui tendit la lettre adressée à Orry en soulignant :

— Vous devrez la remettre au colonel Main sans attirer l'attention.

— Craignez rien, major Hazard. Vous seriez étonné du nombre de lettres que j'ai portées en douce dans les bureaux de Capitol Square.

Avec un clin d'œil de vieux profiteur, l'homme sortit de la taverne par la porte de derrière.

Grant était arrivé à Washington le 1er mars et sa poigne se faisait déjà sentir. Le Nord lancerait au printemps une grande offensive — la dernière, peut-être. Les échanges de prisonniers seraient encore réduits parce que ralentir le rythme des libérations ou y mettre fin totalement nuirait davantage au Sud qu'au Nord.

Pendant ce temps, Brett, Constance et George attendaient. Celui-ci n'avait rien dit de la lettre illégale à Stanley qui, informé en automne de la capture de Billy, n'avait montré qu'une affliction de pure forme.

George voyait de plus en plus rarement son frère aîné, dont la guerre avait fait un personnage immensément riche et assez influent au sein de l'aile extrémiste républicaine. Elle avait aussi fait de lui, inexplicablement, un homme presque constamment sous l'empire de l'alcool. Stanley aurait été révoqué pour ivrognerie s'il n'avait été aussi riche. La plupart des gens le toléraient ; les autres l'évitaient, et George faisait partie de ces derniers.

L'ancien maître de forges avait aussi perdu le contact avec Virgilia. Il lui avait écrit à son hôpital d'Aquia Creek pour l'informer du sort de Billy. Elle n'avait pas répondu. Au cas où la première lettre se serait égarée, il en avait envoyé une seconde et, ne recevant toujours pas de réponse, avait conclu que le silence de sa sœur était délibéré.

A l'approche du printemps, George eut un souci de moins : il reçut l'ordre de se présenter au corps de construction des chemins de fer militaires le premier du mois.

— Je travaillerai pour McCallum au lieu de Herman mais, au moins, je serai sur le théâtre des opérations, dit-il à Constance le soir où il apprit la nouvelle. (Elle était couchée près de lui et, la sentant frissonner, il l'attira contre lui.) Sois sans crainte, je ne courrai aucun danger.

— Bien sûr que si.

Le ton insolite de Constance avertit George qu'il se passait quelque chose d'inhabituel. Il lui toucha la joue, la sentit humide.

— Mais je feindrai de croire le contraire, ajouta-t-elle en prenant la main de son mari. Je ferai les bagages et je retournerai à Lehig Station, comme une bonne épouse.

Elle le surprit en posant la main qu'elle venait de saisir sur sa poitrine.

— Si tu me fais l'amour, j'arriverai peut-être à dormir cette nuit, murmura-t-elle.

George enfouit son visage dans son cou.

— Avec plaisir, chère madame.

— Toute grosse que je suis ?

— Si tu te trouves grosse, alors les grosses sont parfaites.

— Oh ! George chéri. Tu es parfois entêté, tu as mauvais caractère, il t'arrive aussi d'être vain. Et je ne peux pas m'empêcher de t'aimer.

— Hé, une minute, protesta George, appuyé sur un coude. Depuis quand je mérite le qualificatif de vain ?

— Tu sais aussi bien que moi que ta vue baisse avec l'âge. Chaque soir, je te regarde lire le *Star* le nez collé contre le journal. Mais tu ne veux pas reconnaître que tu as besoin de lunettes. Prends ce que je viens de dire comme un compliment. J'essayais simplement de te faire comprendre que tu pourrais avoir un millier de défauts au lieu d'un ou deux seulement, je t'aimerais quand même.

Il s'éclaircit la voix, regarda sa femme. Elle entendit un sourire dans sa voix quand il se détendit et l'attira vers lui en grommelant :

— Encore heureux. Vite, une preuve.

George explosa quand l'homme édenté se présenta au Winder Building le lendemain matin.

— Bon Dieu ! qu'est-ce qui vous prend de venir ici ?

Il conduisit le messager vers son bureau en passant devant l'habituelle collection de quémandeurs de contrats et de sauveurs de l'Union qui traitaient le ministère comme leur résidence secondaire.

— Pa'sque j'ai pensé qu'y valait mieux vous apporter ça tout de suite, répondit l'édenté en agitant une enveloppe froissée et tachée devant son client. Elle attendait avant-hier à la « boîte » de Richmond.

— Moins fort, chuchota George, écarlate.

Un général de brigade les croisa en lançant un regard soupçonneux au visiteur peu soigné.

— Vous comptiez sans doute aussi recevoir quelque chose en supplément ? ajouta le major Hazard.

— Je dois dire que j'y ai pensé. Mais la guerre, c'est ça, hein ? L'occasion de se faire une pelote pour l'avenir...

— Sortez d'ici, répliqua George en fourrant des billets dans la main du contrebandier.

— Hé ! mais c'est des fafiots. Je prends seulement...

— C'est cela ou rien.

George saisit la lettre d'Orry, se précipita dans son bureau, mais n'osa pas l'y ouvrir. Après avoir laissé au messager le temps de quitter le bâtiment, il sortit à son tour et se rendit au *Willard*. Installé à une table du fond devant une bière dont il n'avait pas envie, il déchira l'enveloppe d'une main tremblante.

Stump, (Orry avait eu l'intelligence d'utiliser le surnom que George portait à l'Académie.)

La personne en question est bien à Libby. Je l'ai vue avant-hier, mais de loin seulement pour ne pas attirer l'attention sur l'intérêt que je lui porte. Je dois malheureusement t'informer qu'il semble avoir été maltraité par les brutes qui gardent la prison. Il marche avec une béquille et porte des traces de coups.

Mais il est vivant, et entier. Réjouis-t'en. J'essaierai de prendre contact avec une relation qui nous est commune et je verrai avec elle ce que nous pouvons faire. Les vieux liens d'amitié doivent compter, même en ces jours funestes.

D'ici là, il ne serait pas prudent de nous écrire à nouveau, à moins que l'un de nous ne le juge absolument nécessaire. Ne sois donc pas alarmé si mon silence se prolonge. Des efforts seront faits.

Ma chère femme se joint à moi pour t'exprimer notre profonde affection et notre espoir que nous survivrons tous à cette terrible lutte. Je crains parfois que le pays ne demeure déchiré pendant des années après la capitulation — si ce mot te surprend, sache que je ne l'emploie pas à la légère. Le Sud est battu. Les pénuries, la discorde, les désertions en masse attestent de la véracité de cette déclaration, que je ne ferais pourtant à nul autre qu'à toi.

Nous parviendrons peut-être à retarder encore l'échéance, causant ainsi de nouvelles souffrances, mais, fondamentalement, l'affaire est entendue. Ton camp a gagné. Nous ne pouvons plus que vous faire chèrement payer la victoire. Triste situation.

J'espère de tout cœur que le gouffre qu'ouvrira peut-être la capitulation ne sera jamais assez profond pour que toi et moi, et nos familles, ne puissent le combler.

Bouleversé par ce qu'il lisait, George avala d'un trait la bière dont il n'avait pas envie. Dans sa tête surgirent des images de la terrible nuit d'avril 1861. La maison dévastée, les corps brûlés et boursouflés, des dégâts qu'on ne pouvait espérer réparer. La peur à nouveau s'insinua en lui et il dut attendre un moment avant de trouver le courage d'achever la lecture de la lettre.

Dieu te protège, toi et les tiens. Nous ferons tout ce qui est en notre pouvoir pour la personne en question.

Amitiés.
Stick.

— « Des efforts seront faits », murmura Brett. (Elle cessa de lire, pressa la lettre contre sa poitrine.) Oh ! George, c'est écrit là, de la main d'Orry. « Des efforts seront faits » !
— A condition qu'il puisse trouver Charles. Orry laisse entendre que cela pourrait prendre du temps.
Le visage de la jeune femme se rembrunit.
— Je ne sais pas comment je tiendrai jusqu'à ce que nous recevions des nouvelles.
— Si Orry est capable de courir le risque, vous serez capable de supporter l'attente, dit George, sévère comme un père grondant un enfant étourdi.
Il avait le pressentiment qu'il s'écoulerait beaucoup de temps avant qu'ils n'apprennent quelque chose.

95

George embrassa ses enfants après avoir prononcé un petit discours sur la façon dont ils devaient se conduire pendant son absence. Puis il serra contre lui Constance, qui luttait pour retenir ses larmes. Elle lui remit une brindille de laurier de montagne séchée entre les pages d'un livre et il l'embrassa une fois de plus, tendrement, pour la remercier. Puis il glissa le laurier dans sa poche, coiffa son chapeau, promit d'écrire rapidement et sortit.
Le temps était gris et lourd. Une averse se mit à tomber quand le train s'ébranla en direction de Long Bridge, pont assez large pour accueillir une voie ferrée et une route parallèle. Des sentinelles qui se tenaient près d'une pancarte recommandant de mettre son cheval au pas firent signe de la main à George, debout sur la plate-forme arrière du fourgon. Il avait choisi de s'installer là pour le voyage parce qu'il faisait étouffant à l'intérieur.
Il porta la main à son chapeau pour rendre le salut puis agrippa la rambarde et se pencha sous la pluie pour regarder les collines vertes et les solides maisons en brique de la bourgade bâtie au bord de l'eau. Forsythias et jonquilles, azalées et fleurs de pommier coloraient le jour sombre. C'était la Virginie. C'était la guerre. De sa mémoire jaillirent des images tragiques du Mexique et de Manassas, de la maison du contremaître en flammes. Il était quand même content de partir.

Après avoir cherché près d'une heure, il trouva le colonel Daniel McCallum, le remplaçant de Haupt, dans la rotonde de la ligne Orange et Alexandria. D'origine écossaise, McCallum, qui passait pour un excellent directeur de chemins de fer, portait la barbe en éventail qu'affectionnaient nombre d'officiers supérieurs. Il fit aussi à George l'impression d'un homme passablement irritable. Manifestement, l'arrivée du visiteur l'interrompait dans son travail.

— Je n'ai guère de temps à vous consacrer, dit le colonel en invitant George à le suivre.

Les deux hommes sortirent de la rotonde surmontée d'une vaste coupole, passèrent devant des piles de rails — dont certains provenaient des forges Hazard — et entrèrent dans l'une des nombreuses baraques provisoires éparpillées sur le périmètre du dépôt. McCallum en claqua la porte d'une façon qui en disait long sur son humeur.

Assis sur l'unique chaise du minuscule bureau, il déroula le sac contenant l'ordre de mutation de George, lissa le document de ses mains puissantes. Il tourna les pages — trop vite pour pouvoir vraiment les lire. George n'avait point besoin d'être particulièrement perspicace pour comprendre qu'il n'était pas le bienvenu.

Cela ne le surprenait pas : sa mutation était accompagnée d'une lettre de recommandation de Haupt et on disait à Washington que McCallum avait intrigué contre l'ami de George, qu'il avait tout fait pour gagner la faveur de Stanton et le dresser contre Haupt de manière à finir par obtenir la direction des chemins de fer.

McCallum remit les papiers dans le sac, qu'il rendit à George avec un mouvement raide de l'avant-bras.

— Major, vous n'avez aucune expérience pratique de la construction ferroviaire. Autant que je puisse en juger, votre qualification essentielle pour notre corps semble être votre amitié avec mon prédécesseur.

George referma la main sur le sac en réprimant une forte envie de boxer le visage du colonel. McCallum retroussa son nez, regarda par une petite fenêtre sale l'averse printanière tombant sur une pile de rails. Au bout de quelques instants, il daigna accorder à nouveau son attention à l'homme qui se tenait devant lui :

— Le général Grant désire que la ligne Orange et Alexandria demeure ouverte jusqu'à Culpeper, son camp de base, pour l'offensive de printemps. C'est un ordre difficile à cause des partisans confédérés, qui opèrent le long d'une bonne partie du côté droit de la voie. Le pont du Bull Run a été reconstruit sept fois. Je veux dire que nous n'avons pas de temps à perdre dans la formation de débutants.

— Je sais manier la pelle et la pioche, colonel. Je n'ai pas besoin de formation.

McCallum offensait George parce qu'il ne dissimulait pas son mépris pour Haupt, et donc pour les amis de ce dernier. George ne voulait pas prendre part à ces jeux politiciens, il désirait seulement travailler, et il se moquait bien de devoir lui-même offenser quelqu'un pour s'installer au poste auquel ses ordres lui donnaient droit.

Par-dessus le bruit de la pluie, une locomotive siffla. Le silence de McCallum exprimait une hostilité grandissante. Soudain George se rendit compte qu'il avait peut-être un ou deux atouts en main.

— Je sais que vous avez besoin d'officiers dans votre corps de construction, colonel. Beaucoup de Blancs refusent d'avoir des « marchandises de contrebande » sous leurs ordres. Moi, j'accepte.

La bouche de McCallum prit un pli amer.

— Suggestion intéressante, mais que notre système d'organisation ne permet pas, je le regrette. Notre corps a pour unité de base l'escouade de dix hommes, commandée par un seul officier. Un lieutenant. (La moue amère devint méprisante.) Vous êtes trop instruit...

George ne manqua pas de sentir la pointe contre West Point et eut plus de peine encore à se retenir de frapper le vieux saligaud.

— ... trop qualifié, si vous voyez ce que je veux dire. Avez-vous envisagé de demander une affectation à l'état-major du général Grant ?

George abattit sa carte maîtresse.

— J'ai été à West Point avec Sam Grant. J'ai fait la campagne du Mexique avec lui, de Vera Cruz à Mexico. Peut-être pourrais-je lui demander de démêler ce sac de nœuds. J'ai été muté aux chemins de fer militaires et je découvre qu'on ne veut pas de moi.

En quelques secondes, le visage de McCallum devint aussi gris que le ciel.

— Non, non. Inutile de faire intervenir les huiles. Aucun problème n'est insurmontable. On peut modifier légèrement le règlement, vous trouver une place... Vous êtes vraiment disposé à commander des hommes de couleur ? demanda le colonel en posant sur George un regard cauteleux.

— Je vous l'ai dit.

Vingt-quatre heures plus tard, le major Hazard prit le commandement de ses deux escouades et commença à perdre l'assurance avec laquelle il avait parlé. Tendu, il examina les soldats noirs, qui le détaillèrent en retour. Si son regard reflétait de l'intérêt et de la curiosité, le leur était soupçonneux, voire hostile pour quelques-uns.

Physiquement, ils présentaient autant de différences que tout groupe d'hommes pris au hasard — à un détail près, que George ne tarda pas à remarquer : tous les Noirs sauf un étaient plus grands que lui.

Pour cette rencontre, il avait choisi sa tenue avec soin : vieux pantalon de velours non réglementaire pris dans des bottes boueuses, veste de treillis. Il ne portait aucun galon, juste un insigne représentant un château à tourelles entouré d'une couronne, fixé au col de sa veste. Le métal argenté indiquait qu'il était officier mais rien de plus.

Il avait cependant meilleure allure que ses hommes, aux pantalons de forme et de couleur variées. Tous portaient cependant la chemise de travail réglementaire sans poignets, dont la flanelle avait dû être blanche il y avait bien longtemps, au sortir de la manufacture. Trois hommes avaient des chaussures à la semelle décollée et George se demanda si elles ne provenaient pas de l'usine de Stanley.

Se préparant à prendre la parole, George claqua des mains derrière son dos et se dressa inconsciemment sur la pointe des pieds. Un des Noirs le remarqua et ricana. George se mit aussitôt à parler, d'une voix forte :

— Je m'appelle Hazard. Je viens d'être affecté au Corps de construction. A partir de maintenant, vous travaillerez pour moi.

— Non, m'sieur, dit le seul soldat plus petit que George, un gringalet aux poignets fins comme de jeunes pousses. J'obéis à vos ordres mais je travaille pour moi.

Sa vivacité d'esprit amusa George, qui résolut cependant de ne pas le montrer.

— Voyons si j'ai bien compris. Tu veux dire que tu es un homme libre et que tu as choisi ce travail ?

Le Noir eut un grand sourire.

— Vous êtes drôlement futé — pour un patron blanc.

Des rires fusèrent ; George ne put s'empêcher de s'esclaffer lui aussi. Ces hommes ne poseraient pas de problème.

96

Burdetta Halloran avait poussé son enquête aussi loin que possible. A présent, il fallait faire intervenir les autorités, mais à qui transmettre les informations qu'elle détenait ?

La question demeura sans réponse pendant les terribles raids effectués par deux unités de la cavalerie de l'Union, commandées par le général Judson Kirkpatrick et le colonel Ulric Dahlgren, fils de l'amiral yankee du même nom. Les hommes de Kirkpatrick s'étaient avancés à moins de cinq kilomètres de Capitol Square avant que la milice de Custis Lee, le fils de Robert, ne les repousse avec l'aide de Wade Hampton.

La seconde unité — les cinq cents cavaliers de Dahlgren — fonça sur Richmond par le comté de Goochland. Un jeune garçon de treize ans trouva sur le corps de Dahlgren, tué par l'ennemi, un document de la main même du colonel exposant les objectifs du raid :

« Libérer les prisonniers. Incendier Richmond. Exécuter le président Davis et tous les membres de son cabinet. »

La capitale confédérée, qui avait tremblé de peur à l'approche de la cavalerie nordiste, frémit de rage quand fut divulgué le contenu du document. Aussitôt, les menteurs de Washington prétendirent qu'il s'agissait d'un faux intégral.

Pendant l'alerte, la vie de la veuve aux cheveux auburn changea peu extérieurement. Burdetta Halloran continua à mener sa guerre quotidienne contre l'escalade des prix, la canaille envahissant les rues et la certitude se répandant partout que les armées de Grant fondraient sur la Confédération dès les premiers beaux jours.

Mais ce qui préoccupait avant tout Mrs. Halloran, c'était la manière dont elle pouvait mettre sa vengeance en branle. Si elle attendait trop longtemps et si Richmond était assiégé, les autorités seraient peut-être trop occupées pour l'écouter. A qui s'adresser ?

Elle se posait toujours la question quand une amie se vanta devant elle d'avoir été invitée à l'une des réceptions, de plus en plus rares, organisées à la Maison Blanche. A force d'insister, Mrs. Halloran obtint de son amie qu'elle intervienne pour la faire inviter elle aussi. La veuve avait alors rejeté l'idée de s'adresser à la personne dont le choix semblait pourtant le plus logique : le général Winder.

Il y avait à cela plusieurs raisons. L'homme avait un caractère exécrable et passait pour mépriser les femmes. Son personnel se composait en grande partie d'anciens criminels illettrés. De plus, il agissait souvent avec tant de brutalité et de précipitation qu'on ne comptait plus les arrestations suivies d'une remise en liberté ni les poursuites suspendues. Mrs. Halloran voulait avoir affaire à quelqu'un capable d'utiliser à bon escient les informations qu'elle détenait.

Le soir de la réception — à la fin du mois de mars — plus de cent personnes se pressaient à la Maison Blanche. Vêtue de velours bleu foncé — un peu lourd mais somptueux —, Mrs. Halloran ne tarda pas à quitter son amie pour circuler seule parmi les invités.

Elle prit une tasse de « thé » aux feuilles de sassafras — pas d'alcool ce soir, elle voulait avoir les idées claires — et, par-dessus le bord, étudia la foule de hauts fonctionnaires et d'officiers supérieurs accompagnés de leurs épouses. Une joyeuse bande, si l'on songeait à la situation. Mrs. Halloran repéra alors Varina Davis.

La femme du président, qui n'avait pas quarante ans, en paraissait vingt de plus tant elle semblait fatiguée. Le fardeau de son mari était devenu le sien. Le président lui-même, aimable comme toujours avec ses invités, avait l'air aussi épuisé que son épouse. Pas étonnant, pensa Mrs. Halloran. Davis était attaqué de tous côtés. Parce qu'il s'obstinait à garder Bragg et à rejeter Joe Johnston ; parce que l'argent n'avait plus de valeur et que les prix grimpaient ; parce que son gouvernement allait d'échec en échec depuis trois ans.

Gardant son objectif à l'esprit, Burdetta Halloran s'approcha d'un groupe où Seddon, le ministre, racontait comment les cavaliers de Dahlgren avaient mis le feu à sa propriété du comté de Goochland. Elle poursuivit son chemin vers le suave et rondouillard Benjamin, qui avait beaucoup plus d'auditeurs que Mr. Seddon.

— Je soutiens que la Confédération ferait peut-être bien de prendre exemple sur Lincoln et d'adopter in extenso son programme d'émancipation.

Les réactions — stupeur, colère — ne troublèrent pas Benjamin qui, levant une main soigneusement manucurée, poursuivit :

— C'est une proposition qu'on pourra taxer d'extrême, je ne l'ignore pas. Mais réfléchissez : nous pourrions d'un seul et même coup renforcer notre armée affaiblie en y incorporant un grand nombre de Noirs et couper court instantanément aux arguments moraux que ne cessent de rabâcher les Républicains négrophiles.

— Les nègres ne se battront jamais pour ceux qui les ont enchaînés, fit observer un invité d'un ton méprisant.

Benjamin hocha la tête avec un sourire triste.

— C'est bien entendu le grand défaut de ce plan. Quoi qu'il en soit, le président m'a prié de ne pas soutenir ma thèse en public. Je lui obéis. Je vous demande de considérer que nous avons une conversation privée, entre amis proches. Je m'efforce toujours d'être un loyal serviteur.

Une de ses mains grassouillettes prit une huître sur un plateau d'argent et la porta à ses lèvres. « Tu t'efforces aussi de surnager, à ce qu'il paraît », se dit Burdetta en s'éloignant.

Elle remarqua à l'autre bout de la salle un grand officier, bel homme dans le genre maigre. Il attirait l'œil à cause de sa manche gauche vide et relevée sur l'épaule.

La veuve s'approcha, l'entendit exposer un point de la situation militaire à trois autres personnes, dont une jolie femme de type espagnol ou créole qui lui tenait le bras. Sa femme ?

L'homme l'impressionnait. Mrs. Halloran continua à déambuler parmi la foule, posa des questions ici et là, obtint bientôt une réponse.

— C'est le colonel Main, un des adjoints de Mr. Seddon. Ses fonctions ? Variées. Notamment de surveiller cette brute de Winder.

— Merci infiniment, dit Burdetta avec un sourire radieux.

Ses recherches étaient terminées. Elle échangea sa tasse vide contre un verre de vin blanc.

On l'introduisit dans le bureau d'Orry au ministère de la Guerre le lendemain matin à onze heures et demie. Courtois et d'une aisance surprenante malgré son handicap, il approcha d'elle un fauteuil.

— Veuillez vous asseoir, Mrs... Halloran, je crois ?

— Oui, colonel. Ne pourrions-nous nous entretenir dans un endroit plus discret ? L'affaire qui m'amène est à la fois grave et hautement confidentielle.

Une lueur sceptique s'alluma dans les yeux sombres d'Orry. Malgré ses dehors aimables, il était tendu — il l'était depuis deux semaines. Chaque matin, il s'éveillait avec l'espoir que, aujourd'hui, il verrait le cousin Charles entrer dans son bureau. Aussitôt après avoir reçu la lettre de George et s'être rendu à Libby, il avait écrit à Charles, le priant de venir le voir d'urgence.

Bien entendu, Charles avait sans aucun doute été fort occupé, pour user d'un euphémisme, quand la cavalerie yankee avait attaqué. Mais l'alerte était passée et il aurait au moins pu envoyer un mot. Des courriers reliaient fréquemment Richmond et le quartier général de campagne. Ce silence signifiait-il que Charles était blessé ? En ce cas, toute la responsabilité tombait sur Orry...

Il dut faire un effort pour ramener son attention sur la question qu'on lui avait posée.

— Voyons si notre petite salle de réunion est libre.

Elle l'était. Orry y fit entrer Mrs. Halloran, ferma la porte. La visiteuse tira de son sac une feuille de papier, la déplia. C'était une carte dessinée à la main représentant le James et la région de Wilton's Bluff, en dessous de la capitale. Montrant quatre petits carrés situés sur la rive du fleuve, la veuve expliqua :

— Ce sont les bâtiments d'une ferme abandonnée. Abandonnée — pas par tout le monde : certains individus s'y réunissent la nuit. Si vous menez une enquête, vous découvrirez qu'elle sert de quartier général à une cabale dirigée par un nommé Lamar Hugh Augustus Powell, de Georgie.

Orry tambourina de ses longs doigts sur la table étincelante. Que voulait cette femme séduisante ? Il y avait en elle une dureté désespérée que trahissaient ses gestes, ses yeux, sa voix pourtant maîtrisée.

— Powell, dit-il. Je crois avoir déjà entendu ce nom. Un spéculateur, n'est-ce pas ?

— De profession. Sa vocation, c'est de trahir.

Rapidement, elle lui révéla le reste. Les conjurés se réunissaient et stockaient des armes dans la ferme de Wilton's Bluff. De l'ongle, elle indiqua un rectangle situé juste au bord d'une ligne représentant la falaise.

— C'est le hangar où l'on rangeait autrefois les outils. De ce côté-ci, la falaise descend à pic jusqu'au James, mais on peut facilement y accéder par ce champ, là, au nord, ou par...

— Un moment, s'il vous plaît. Navré de vous interrompre mais, avant d'aller plus loin, il faut me dire l'objectif de la conjuration. Il n'y a rien d'illégal dans le fait de posséder et de stocker des armes.

— L'objectif est d'assassiner le président Davis et un ou plusieurs membres du cabinet.

Orry demeura un moment immobile. Sa stupeur dissipée, il dit à la visiteuse :

— Mrs. Halloran, avec tout le respect que je dois à l'esprit patriotique qui vous amène ici, avez-vous une idée du nombre de rapports faisant état de projets d'attentat contre Mr. Davis que nous recevons chaque semaine ? Un ou deux, au minimum.

— Je n'y peux rien. Mes informations sont exactes. Si vous fouillez le hangar, vous y trouverez des fusils, des revolvers, des machines infernales...

— Des bombes ? fit Orry, ébranlé. De quel type ? Comment doivent-elles être utilisées ?

— Je ne peux vous répondre, je n'en sais rien. Mais je vous assure qu'il y a dans la ferme des engins explosifs. Faites une descente, vous les trouverez. Vous trouverez peut-être aussi les conjurés. Ils s'y réunissent fréquemment.

— Quand la tentative doit-elle avoir lieu ?

— Je n'ai pas réussi à le savoir.

— Comment êtes-vous entrée en possession des informations que vous détenez ?

— Il m'est impossible de vous le révéler. J'ai fait des promesses...

— Manifestement, votre enquête a dû vous prendre beaucoup de temps...

— Des mois.

— Et de détermination.

— Je suis patriote, colonel.

Sans savoir pourquoi, Orry en doutait. La belle Mrs. Halloran lui faisait l'effet d'être une de ces personnes qui gardent jalousement cachés leurs sentiments et leurs motifs véritables. A cet égard, elle lui rappelait Ashton.

Il s'éclaircit la voix avant de reprendre :

— Je n'en doute pas un seul instant. Néanmoins, il me serait fort utile d'avoir une idée de la façon dont vous vous êtes procuré ces informations.

— J'en ai recueilli une grande partie moi-même. Une personne en qui j'ai confiance m'a aidée pour d'autres éléments — la surveillance de la ferme pendant la nuit, par exemple. Je ne peux en dire plus. D'ailleurs, quelle importance ? Ce qui compte, c'est le plan, la menace !

— D'accord. Permettez-moi une autre question.

— Je vous en prie.

— Ne vous est-il pas venu à l'idée que le grand prévôt est la personne la plus indiquée pour entendre ce que vous venez de me dire ? Oh ! mais peut-être avez-vous déjà...

— Non, coupa Mrs. Halloran avec une moue. Je n'ai jamais rencontré le général Winder mais je le méprise, comme tous les citoyens sensés. La population civile ne trouve pas de quoi manger et il s'obstine avec sa ridicule réglementation des prix qui met les paysans en colère et aggrave la situation. Je ne veux pas avoir affaire à un homme qui nous a causé autant de mal que n'importe quel général ennemi.

Orry se remit à tambouriner sur la table puis demanda :

— Y a-t-il autre chose que vous voudriez ajouter ?

— Seulement ceci : je vous promets que si vous faites une enquête, vous découvrirez que tout ce que j'ai dit est vrai. Si vous ne me croyez

504

pas, pour une raison ou une autre, vous aurez la mort du président sur la conscience.

— Lourd fardeau, commenta Orry, montrant pour la première fois quelque agacement.

— C'est le vôtre, colonel. Au revoir.

— Un instant, dit Orry, comme la visiteuse se levait de sa chaise. Nous n'avons pas terminé. Je vais vous conduire à l'un de mes collaborateurs, qui prendra votre nom, votre adresse et autres renseignements utiles. C'est la règle avec les personnes qui aident le ministère de la Guerre.

La tension de Burdetta Halloran fondit sous un flot de soulagement et de joie. Le long visage creusé de rides du colonel, ses manières patientes, et surtout son irritation quand elle avait chatouillé sa conscience, lui disaient qu'elle avait frappé à la bonne porte.

— Merci, colonel. Je coopérerai pleinement avec vous tant que je pourrai rester dans l'anonymat.

— Je ferai de mon mieux pour respecter votre désir mais je ne peux rien promettre.

Elle hésita, songea à Powell, murmura :

— Je comprends. J'accepte vos conditions. Que commencerez-vous par faire ?

— Cela, je n'ai pas le droit de vous le dire. Mais je puis vous assurer que nous tiendrons compte de vos déclarations.

Mrs. Halloran comprit à l'expression du colonel qu'il était inutile d'insister. Aucune importance. Elle avait mis la machine en marche, Powell était perdu.

— Naturellement je lui ai répondu que nous tiendrions compte de ses déclarations, raconta Orry à Madeline ce soir-là. Qu'aurais-je pu dire d'autre à quelqu'un prétendant être sincère ? Je ne lui ai pas dit ce que nous comptions faire d'abord parce que je n'en avais pas la moindre idée. Les dénonciations de ce genre sont fréquentes, mais celle-là... Comment expliquer pourquoi elle me paraît différente ? Pas parce que cette femme m'a impressionné. Je crois qu'elle en veut à quelqu'un. A Powell, probablement. Non, ce qui me chiffonne, c'est l'abondance des détails. Pourquoi en inventer autant si une heure d'enquête peut révéler qu'ils sont entièrement faux ? Est-elle stupide ? Non. Elle cherche manifestement à se venger mais son histoire est peut-être vraie.

— Powell, dit Madeline. Celui avec qui Ashton était en affaire ?

— Précisément.

— Si complot il y a, elle pourrait être impliquée ?

Orry ne réfléchit qu'un instant.

— Non, je ne le pense pas. Ashton n'est pas du genre à s'enflammer pour une cause. Ceux qui cherchent à changer le cours de l'histoire par le meurtre sont affligés de deux sortes de démence. D'abord, ils justifient le crime ; c'est la folie la plus évidente. Ensuite, ils se moquent complètement des conséquences que leur acte pourrait avoir pour eux. Ashton n'a jamais songé à se sacrifier pour quoi que ce soit. Elle se soucie exclusivement d'elle-même. Je crois James capable de se risquer dans une machination politique insensée mais pas ma sœur.

— On dirait qu'autre chose te préoccupe.

— Oui. La décision de cette femme de ne pas s'adresser à Winder. Ses explications étaient parfaites, données avec le ton juste. Mais c'est pourtant lui qu'elle aurait dû aller trouver d'abord. Winder est du genre à arrêter Powell, à le faire enfermer et à examiner ensuite les inculpations pesant sur lui. Mrs. Halloran est venue au ministère de la Guerre en sachant que nous serions plus lents à agir que le grand prévôt. Il est vrai que, chez nous, l'instruction est conduite avec soin, ce qui n'est souvent pas le cas chez Winder. A une petite vengeance immédiate, elle semble préférer des résultats plus substantiels, qu'elle paraît sûre d'obtenir. C'est cela qui me tracasse — cela et les détails. Nous entendons sans cesse parler de complot mais rarement avec précision. Ici, nous avons le lieu même où se prépare la cabale, indiqué sur une carte que j'ai enfermée dans un tiroir de mon bureau. Un autre détail me trouble plus encore.

— Lequel ?

— Les bombes. C'est la première fois que j'entends parler de machines infernales dans le cadre d'un projet de meurtre. Des couteaux, des pistolets, oui, mais pas de bombes.

Orry leva la main, rapprocha lentement son pouce de son index.

— C'est le genre de détail qui m'empêche de dormir — indépendamment de la responsabilité que je prends si je ne bouge pas et que quelque chose arrive.

— Tu as l'intention d'en parler au ministre ?

— Pas encore. Et à Winder non plus. Mais j'irai peut-être prochainement faire une promenade à cheval du côté du fleuve.

Madeline s'agenouilla à côté de son mari, posa la joue sur son bras.

— Cela pourrait être dangereux, dit-elle.

— Cela pourrait être désastreux si je ne le fais pas.

97

— Et puis...

Charles interrompit son récit pour tirer une bouffée de son cigare, dont l'odeur devenait plus forte à mesure qu'il rapetissait. Gus, qui la supportait mal, se tourna sur le côté en s'éloignant de la hanche nue de son amant et remonta sur son ventre la légère couverture. La lueur du cigare s'estompa, la tache pâle de la poitrine de Charles disparut dans le noir.

Il ne réagit pas en la sentant s'écarter, ne lui prit même pas la main, et elle en fut blessée. Petite blessure mais il y en avait tant dernièrement. Augusta en souffrait, elle n'était plus capable de se cuirasser avec des mots. Elle semblait ne pas pouvoir relever les défenses qu'elle avait abattues.

— Et puis Hugh Scott, Dan et moi avons mis des rondins à l'eau. Nous nous y sommes accrochés et nous avons traversé en battant des jambes. Le fleuve était glacé, et l'obscurité n'arrangeait rien.

Charles parlait à voix basse, d'un ton songeur, comme s'il était seul avec ses pensées — ce qui, en un sens, n'était pas loin de la vérité.

Pendant la plus grande partie de l'hiver, il avait bivouaqué à Hamilton's Crossing. Bien que ce ne fût pas très loin de la ferme, Augusta ne le vit pas plus souvent pour autant. La plupart du temps, il était parti en mission. Ce soir comme les autres soirs, il avait surgi chez elle à l'improviste, juste après la tombée de la nuit. Il avait englouti le repas qu'elle avait hâtivement préparé puis lui avait pris la main et l'avait conduite au lit avec la même brusquerie. Il restait à peine trace de sa politesse d'autrefois mais c'était un détail. La guerre avait produit en lui des changements autrement importants.

Charles racontait des événements qui s'étaient déroulés pendant le raid contre Richmond, le mois précédent. Gus l'incita à poursuivre en demandant :

— Tu as traversé le fleuve pour aller sur la rive où se trouvait l'ennemi ?

— C'est généralement ce que font les éclaireurs. Tu devrais le savoir depuis le temps que je t'en parle.

— Excuse ma mémoire défaillante.

La jeune femme regretta aussitôt son ton amer. Regret inutile : Charles ne le remarqua même pas. Il se redressa, s'adossa un peu plus haut sur la tête de lit grinçante et tourna le visage vers la fenêtre ouverte, la lente et majestueuse danse des rideaux éclairés par la lune. La nuit d'avril sentait la terre que Washington et Boz avaient labourée ce jour-là. Derrière la grange, dans la pâture où la pluie avait créé de petites mares, des crapauds coassaient.

— Nous avons fait bien plus que traverser le Rappahannock, reprit Charles avec un gloussement qui soulagea Gus. (Il y avait longtemps qu'elle ne l'avait pas entendu rire.) Nous avons continué, complètement trempés, jusqu'à ce que nous ayons trouvé la colonne yankee. C'était bien Kirkpatrick. Nous nous sommes cachés, nous avons pris trois de ses chevaux de réserve quand ils sont passés. Nous les avons enfourchés, à cru, et nous avons fait un brin de conduite à la colonne.

— Vous vous êtes glissés parmi les cavaliers de l'Union ?

— Dans le noir, personne n'a rien remarqué. Et c'était plus facile pour les compter. Nous avons traversé le fleuve à gué avec eux. J'aurais aimé descendre quelques-uns de ces salopards mais il fallait d'abord ramener nos informations à la division. Nous les avons donc quittés au sud du Rappahannock, toujours sans que ces abrutis remarquent quoi que ce soit, et nous avons regagné le gros des troupes au triple galop. Voilà pourquoi le général Hampton était prêt quand le petit Kil s'est montré.

— Quelle histoire ! fit Augusta en tapotant le bras nu de Charles.

Aussitôt, il roula sur le côté, souleva un des rideaux, jeta son mégot dans la cour.

— J'en ai d'autres, dit-il en bâillant, mais je les garde pour demain.

Il remonta la couverture, déposa un petit baiser sur la joue de Gus, se tourna sur le flanc gauche et, moins d'une minute plus tard, se mit à ronfler.

Les rideaux se soulevaient et retombaient, dansaient un quadrille sous la lune. Gus enfonça plus profondément sa tête dans le traversin et tira à nouveau la couverture sur ses seins. Elle se frotta la joue, étonnée et furieuse.

« Il en a assez de moi et je ne sais pas pourquoi, pensa-t-elle. Il veut rompre et n'en a pas le courage. »

Il lui avait fait l'amour sans tendresse, la pénétrant brusquement et hâtivement. Que pouvait-elle faire ? Elle n'avait pas le choix. Elle ne pouvait ni arrêter ce qui se passait en lui ni cesser de l'aimer.

Augusta pleura un moment en silence et finit par s'endormir. Lorsqu'elle se réveilla, elle se reprocha sa faiblesse. Elle aimait Charles mais si le prix de leur liaison était une souffrance constante, elle refusait de le payer. Les tourments de la guerre ne finiraient pas de sitôt, c'était à elle de forcer Charles à se reprendre.

Il avait besoin d'un choc, d'un puissant remède. Elle le lui administrerait dès le matin.

Charles entra dans la cuisine peu après l'aube en fourrant les pans de sa chemise grise dans son pantalon. Augusta lui avait à peine dit bonjour qu'il déclara :

— J'aurais voulu te parler de Richmond, hier soir. D'un jour à l'autre...

— Les combats reprendront. Tu dois me prendre pour une idiote qui attend toujours les instructions du mâle omniscient. Je sais que les forces de l'Union sont à Culpeper Court House et qu'elles marcheront bientôt sur nous. Ce n'est pas à toi de décider quand je dois chercher refuge dans la capitale, dit Gus en frappant de sa cuillère en bois le bord de la cuisinière.

Charles accrocha de la pointe de sa botte le pied d'un tabouret, le tira de dessous la table et s'assit en allumant un cigare.

— Qu'est-ce qui te prend ?

Elle jeta la cuillère sur la cuisinière, vint se camper devant son amant.

— Une forte envie de mettre les choses au point. Si tu tiens à moi, montre-le par ton comportement. J'en ai assez que tu débarques ici quand cela te chante. Pour t'offrir un bon repas — et le reste — en grommelant sans arrêt.

— Ma présence ne vous plaît pas, Mrs. Barclay ?

— Epargne-moi tes sarcasmes. Tu me traites comme si j'étais à la fois une cuisinière, une blanchisseuse et une putain.

— En pleine guerre, on n'a pas le temps de se faire des amabilités, répliqua Charles en se levant.

— Dans cette maison, on en fait. Chaque fois que tu viens ici, tu te conduis comme si tu aimerais mieux être ailleurs. Si c'est le cas, dis-le et qu'on en finisse.

Dans la cour, le coq pourchassait deux poules caquetantes ; Boz fendait du bois en chantonnant. Charles fixa Gus de ses yeux cernés, où la jeune femme vit soudain apparaître une expression d'innocence étonnée. Elle n'osa sourire mais pensa, ravie, qu'elle avait percé sa carapace. A présent, ils pouvaient parler, sauver leur...

On frappa à la porte, Washington s'avança sur le perron.

— Des cavaliers viennent d'entrer dans la cour. Ils font le tour par-derrière.

Charles saisit son fusil accroché au dos d'une chaise, dégaina son colt. Il s'accroupissait quand un visage rond coiffé d'un chapeau mou passa devant la fenêtre. Charles se releva, ouvrit la porte de la cuisine.

— Qu'est-ce que tu fais là, Jim ?

— Désolé de vous déranger, Charlie, mais ce truc est arrivé pour vous hier soir à dix heures. 'jour, m'dame Barclay.

Jim Pickles toucha le bord de son chapeau avec une lettre qu'il tendit ensuite à Charles.

— Bonjour, Jim.

Augusta essuya lentement une main puis l'autre à son tablier. L'occasion était perdue.

— Il est marqué dessus « Ministère de la Guerre. Personnel et confidentiel », précisa Jim. C'est drôle, hein ?

— On dirait qu'elle a traîné par terre, fit remarquer Charles.

— Presque. Elle était dans un sac qu'on a retrouvé dans les bois, près d'Atlee's Station, à côté d'un macchabée. Le gars était mort depuis quèque temps, apparemment. C'est p't-êt' les cavaliers de Kirkpatrick qui l'ont eu. En tout cas, la lettre est restée un moment en rade, comme on dit.

Charles précisa pour Gus :

— Atlee's Station, c'est l'endroit où le général Hampton et trois cents d'entre nous ont tendu une embuscade à Kirkpatrick le 1er mars. Nous avons hurlé si fort qu'il a cru que nous étions trois mille.

Il brisa les sceaux, déplia la feuille de papier.

— Tu as raison, Jim. Elle a été écrite en février. C'est de mon cousin Orry, le colonel...

Il lut la lettre, la donna à Gus et, tandis qu'elle la lisait, expliqua à Jim :

— Billy Hazard est à la prison Libby. A moitié mort, d'après mon cousin.

— Billy Hazard ? un Yank ?

— Mon vieux copain de West Point. Je t'en ai parlé.

— Ah ! oui. Et vous êtes censé faire quoi ?

— Aller voir Orry à Richmond immédiatement. Je prends mon paquetage.

Charles commença à se retourner pour rentrer dans la cuisine, s'arrêta, tendit le bras vers Jim.

— Oublie ce que je viens de dire, compris ? Tu n'as pas entendu un mot.

Il disparut à l'intérieur. Jim Pickles descendit de cheval, s'étira au soleil, se gratta l'aisselle, regarda les cardinaux voleter autour des chênes roux.

— Ça tombe bien, c'est calme en ce moment, dit-il. Charlie pourra partir sans problème. Hampton est retourné à Columbia lever trois nouveaux régiments pour que Butler et quèques autres anciens soufflent un peu. Dites, m'dame Barclay, je peux vous montrer quèque chose ?

Augusta parvint à détacher son regard de la cuisine vide.

— Bien sûr, Jim.

De la poche de sa chemise grise, l'éclaireur tira un étui métallique.

— Je l'ai reçu y a deux jours. J'en suis drôlement fier. C'est mes sœurs qui se sont cotisées pour le payer. (Il ouvrit l'étui, révélant la photo d'une femme mûre, à l'expression grave vêtue d'une robe noire.) C'est ma mère. Elle nous a élevés seule après la mort de papa. J'avais quatre ans quand il a eu une jambe arrachée à la chasse. Depuis un an, m'man est pas en bonne santé. Ça me tracasse. J'aime personne au monde plus qu'elle et j'ai pas honte de le dire. Je marcherais dans le feu pour lui faire plaisir.

— C'est un sentiment louable, Jim.

Charles apparut avec sa veste rapiécée et son chapeau, le petit sac en toile dans lequel il mettait son rasoir et ses cigares. Il pressa doucement le bras d'Augusta, l'embrassa sur la joue.

— Pense à ce que je t'ai dit, pour Richmond.

Malheureuse d'avoir manqué l'occasion d'arranger les choses, Gus rétorqua :

— Je ne suis pas une nouvelle recrue à qui on donne des ordres. Je prendrai moi-même une décision, je te l'ai dit.

— Bon. Nous réglerons cette question la prochaine fois.

C'était plus un avertissement qu'une promesse et la jeune femme répliqua :

— Si je suis là.

— Décidément, tu as la langue acérée, ce matin.

— Toi aussi. Et je m'étonne de ta sollicitude pour ton ami yankee. Je croyais que tu voulais tuer tous ceux de l'autre camp.

— Je me rends seulement à Richmond parce que c'est Orry qui me le demande. Ça te suffit comme explication ? Viens, Jim, allons chercher mon cheval.

Augusta rentra dans la cuisine, claqua la porte derrière elle. Lorsqu'elle entendit des sabots résonner dans la cour, elle demeura immobile devant la cuisinière. Quand le bruit s'éloigna, elle courut à la fenêtre, les larmes aux yeux, mais ne vit que de la poussière là où la route de Fredericksburg disparaissait dans la campagne.

A mi-chemin de la capitale, Charles s'arrêta près d'un ruisseau pour reposer Joueur et relut la lettre d'Orry pendant que l'animal buvait. Quelle raison avait-il de répondre à l'appel de son cousin ? Aucune. La guerre avait changé bien d'autres choses que sa liaison avec Gus.

Assis sur un rocher à moitié enfoui, il relut la lettre une troisième fois et des souvenirs, des émotions commencèrent à saper son sens rigide du devoir. Les Main et les Hazard n'avaient-ils pas juré que leurs liens d'amitié et d'affection survivraient aux coups de boutoir de cette guerre ? Ce n'était pas au sujet d'un Yankee quelconque qu'Orry lui avait écrit. Il s'agissait de son meilleur ami. Du mari de sa cousine Brett.

Honteux de sa première réaction, Charles remit la lettre dans sa poche. Pour cette raison et pour de nombreuses autres, il n'avait plus beaucoup d'estime pour lui-même.

98

Plus tard, Judith se rendit compte qu'elle aurait dû s'attendre à la catastrophe, annoncée par maints signes avant-coureurs.

Cooper dormait rarement plus de deux heures par nuit. Souvent, il ne rentrait pas du tout et étendait une couverture sur le sol de son bureau. Il imposait son rythme démentiel à Lucius, et le jeune homme, à bout de forces, s'était résigné à faire appel à Judith. Elle lui promit d'essayer de remédier à la situation. Elle parla à son mari avec douceur et tact mais ne fit que provoquer un accès de colère qui le retint trois jours loin de la maison de Tradd Street.

Comme sa fureur explosait sans aucune raison logique, il était impossible de prévoir et d'éviter les circonstances à même de la déclencher. Judith ne pouvait guère que faire régner le calme et le silence dans la maison quand Cooper s'y trouvait. Elle interdit à Marie-Louise de jouer de l'harmonium ou de chanter, ne convia plus personne à leur table et refusa le peu d'invitations qu'ils recevaient.

Elle parvint ainsi à maintenir une tranquillité tendue jusqu'à la mi-avril, date à laquelle on annonça que Beauregard quitterait Charleston pour prendre le commandement de la région Caroline du Nord et sud de la Virginie. En fait, on lui confiait la responsabilité des lignes de défense de Richmond. On organisa à la hâte une soirée d'adieux à laquelle Cooper décida d'assister. Le jour de la réception, Judith s'efforça de le faire changer d'avis — il avait dormi moins d'une heure la veille — mais quand il prit son chapeau haut de forme gris, ses gants assortis et sa plus belle canne, elle comprit qu'elle avait perdu la partie.

En franchissant la grille de la maison, Judith glissa son bras sous celui de son mari qui, l'expression absente écoutait sonner les cloches de St. Michael. L'air doux, la lumière rassurante des réverbères et les ombres bleues de la nuit faisaient croire à une paix illusoire. Mais Judith savait que son mari n'était pas en paix. Les lèvres crispées, le regard vide, il n'avait pas prononcé un mot depuis qu'ils avaient quitté la maison.

Aux abords de St. Michael, ils virent approcher une vingtaine de prisonniers yankees gardés par trois soldats dont aucun n'avait plus de dix-huit ans. Les Nordistes riaient et bavardaient comme s'ils n'étaient pas mécontents de leur captivité. Un sergent ventru remarqua Judith, sourit et murmura quelque chose à son voisin.

Cooper se rua vers lui, le fit sortir du rang, et le secoua, sous le regard stupéfait des trois jeunes gardiens.

— Je t'ai vu lorgner ma femme! Garde pour toi tes pensées dégoûtantes.

Plusieurs voix s'élevèrent en même temps.

— Je suis sûre qu'il n'a pas voulu..., commença Judith.

— Monsieur, vous ne devez pas..., intervint l'un des gardiens.

— Ecoutez, il a rien dit, assura le voisin du sergent.

— Je sais bien que si! répliqua Cooper d'une voix aiguë en frappant le prisonnier de sa canne. Je l'ai vu.

— Vous débloquez, mon vieux, dit le sergent en reculant. Hé! empêchez ce cinglé de...

— J'ai vu ton expression! Tu as fait une remarque dégoûtante en la regardant! brailla Cooper par-dessus les protestations des autres détenus et le bruit des cloches.

— Monsieur, arrêtez, plaida vainement le gardien.

— Tu vas t'excuser! Je veux des excuses!

Excédé, le sergent répliqua :

— T'auras rien d'autre que ma main sur la gueule, sale traître!

La canne s'éleva, brilla dans la lumière du bec de gaz. Judith poussa un cri quand Cooper l'abattit sur le crâne du prisonnier puis sur sa tempe droite. Le sergent, bras levés pour parer les coups, se mit à beugler :

— Empêchez-le!

Cooper cogna deux fois de plus sur l'homme, qui tomba à genoux. Son voisin tenta d'intervenir; Cooper lui enfonça le bout ferré de sa canne dans la gorge puis se remit à frapper le sergent. La canne se brisa.

— Arrête! s'écria Judith en essayant de tirer son mari en arrière.

La bave aux lèvres, Cooper assena le pommeau d'argent de la canne sur le crâne du sergent. Du sang apparut dans la chevelure du prisonnier. Judith saisit à nouveau le bras de son époux mais il se dégagea avec un grognement animal.

Deux prisonniers joignirent leurs efforts à ceux des gardiens affolés pour protéger le sergent. Cooper parvint à les bousculer et, serrant sa canne à deux mains, brandit le pommeau au-dessus de sa tête. Le prisonnier à genoux porta une main à son œil droit; le sang coulant sur son front lui inonda les doigts.

— Tu as tué mon fils! clama Cooper, frappant à nouveau.

Finalement, plusieurs prisonniers réussirent à le maîtriser et à lui faire lâcher le morceau de canne. Il se débattait, donnait des coups de pied, mordait.

— Laissez-moi! Il a tué mon fils!

Les Nordistes firent tomber Cooper, qui entendit le bruit des cloches de St. Michael exploser dans sa tête.

— Laissez-moi passer. Il n'est pas dans son état norm...

Les Yankees penchés sur Cooper ne prêtèrent pas attention à Judith. Elle vit l'un d'eux écraser du pied la main de son mari.

— Je suis sa femme! Laissez-moi passer!

Ils finirent par s'écarter et elle tomba sur lui en répétant son nom dans l'espoir de le calmer. La bouche écumante, Cooper agitait la tête en geignant :

— Arrêtez les cloches. C'est trop fort, je ne le supporte pas.

— Quelles cloches ?

— Là, dans le clocher de l'église. Là...

— Mais il n'y a plus de cloches, Cooper. On les a enlevées il y a plusieurs mois. On les a envoyées à Columbia pour que les Yankees ne puissent pas les prendre.

Il ouvrit la bouche et les yeux, regarda sa femme, le clocher, puis de nouveau sa femme.

— Mais je les entends, Judith, gémit-il avec une voix d'enfant. Je les entends.

Il lui prit la main, se raidit soudain. Ses yeux se refermèrent, son corps se détendit ; sa tête roula sur le côté, la joue contre le trottoir.

— Cooper ?

99

Andy crut avoir entendu une branche craquer jusqu'au moment où la balle siffla à ses oreilles. Le coup venait des buissons situés sur sa gauche, du côté de la route le plus éloigné de l'Ashley. Il enfonça les talons de ses vieilles chaussures dans les flancs de sa mule en essayant de repérer le tireur. L'homme se leva derrière les broussailles, épaula un mousquet, visa. Il portait une veste bleue de soldat de l'Union ouverte sur sa poitrine noire. Andy fut frappé de stupeur en reconnaissant le visage gras et gonflé.

— Allez! ordonna-t-il à la mule en donnant à nouveau du talon.

L'animal trotta sur le tournant de la route. Le mousquet tonna, la balle sectionna une feuille de palmier nain à une dizaine de mètres derrière la mule et son cavalier.

En arrivant à Mont Royal, Andy se rendit directement au bureau de Mr. Meek. Le régisseur examinait des factures d'un air indécis comme s'il se demandait laquelle il devait choisir de payer avec l'argent dévalorisé que rapportait la plantation. La bouche sèche, l'esclave annonça la mauvaise nouvelle puis ajouta :

— Il visait pour tuer, Mr. Meek. Et il avait deux mousquets : il n'aurait pas pu tirer une deuxième fois aussi vite s'il avait dû recharger.

Par-dessus les lunettes, les yeux du vieillard, larmoyants et inquiets, rencontrèrent ceux du Noir. Les soucis — le gouvernement qui achetait les récoltes à bas prix, les esclaves qui s'enfuyaient — avaient creusé de nouvelles rides dans le visage du régisseur, qui paraissait dix ans de plus que le jour de son arrivée à la plantation.

— Tu es sûr que c'était Cuffey ?

— Je connais trop bien sa tête. C'était lui. J'avais entendu dire qu'il avait rejoint une bande de fugitifs mais je ne le croyais pas. Il est devenu gras comme un crapaud : ils doivent bien manger, ses nouveaux copains.

— En effet. Ce sont des voleurs. Qui, à ton avis, nous a pris six poules la semaine dernière ? Il vaut mieux nous préparer à bien les recevoir s'ils reviennent. Il faut mouler des balles, vérifier si nos deux barils de poudre ne sont pas humides.

— Je m'en occupe, promit Andy.

— Et le sel pour les conserves ?

— On n'en trouve plus, Mr. Meek. Je suis même allé chez Mr. Cooper avec l'idée de lui en emprunter mais il n'y avait personne. Du moins, personne a répondu. Ça m'embête de revenir les mains vides.

— Je sais que tu as fait de ton mieux. Demain, tu iras chez Francis LaMotte. Je n'aime pas demander service à ce petit coq prétentieux mais j'ai entendu dire qu'il a ramené du sel de Wilmington lorsqu'il est revenu chez lui en permission. Merci, Andy.

En partant, le Noir vit Meek ouvrir la Bible qu'il gardait sur son bureau, se pencher sur une page, remuer silencieusement les lèvres avec une expression désespérée. Andy s'éloigna en songeant que le désarroi du vieillard n'avait rien de surprenant. Il régnait un climat de tension dans le district et à la plantation à cause de la bande qui se cachait dans les marais. Trente à cinquante fugitifs. Dont Cuffey.

Ils quittaient leur tanière pour voler de la nourriture, tuer et détrousser les voyageurs qu'ils surprenaient sur les petites routes désertes. Le mois dernier, on avait retrouvé morts deux Blancs des plantations de l'Ashley. En janvier, on avait vu la bande mettre le feu à Resolute, la grande maison abandonnée où Madeline avait vécu avec Justin LaMotte.

— Bonsoir, Miss Clarissa, dit Andy en arrivant devant la maison.

La mère d'Orry ne répondit pas. Immobile, elle contemplait la rangée d'arbres menant à la route avec un sourire décontenancé. Elle leva la main droite, l'agita devant son visage comme pour chasser un moustique invisible.

Andy soupira, entra dans la maison et se guida au bruit du marteau pour trouver Jane. Elle aidait un domestique à clouer de vieilles planches sur une fenêtre du rez-de-chaussée dont un orage avait récemment cassé les carreaux. On ne pouvait acheter à Charleston ni vitres ni planches neuves.

La jeune fille sourit en le voyant, devina à son expression qu'il se passait quelque chose. Andy l'attira à l'écart, rapporta l'incident de la route en en minimisant le danger.

— Ce fou de Cuffey prépare sûrement un mauvais coup contre la plantation, murmura-t-il. On pourrait peut-être sauter par-dessus les balais *et déguerpir...

— Non. J'ai donné ma parole à Miss Madeline que je resterais. Et je ne veux pas sauter par-dessus les balais. Toi et moi nous nous marierons comme des êtres libres. Ce ne sera pas long. Un an. Peut-être moins.

* Ce qui tenait lieu de cérémonie de mariage pour les esclaves (n.d.t.).

513

Le lendemain, comme Andy s'apprêtait à partir pour la maison de Francis LaMotte, Meek lui remit un petit revolver en disant :

— Il est chargé. Cache-le bien au cas où tu croiserais des Blancs en route. Et laisse-le dans les broussailles avant d'entrer dans la propriété de LaMotte. Tu pourrais être pendu si on le trouvait sur toi.

— Vous pourriez être pendu pour me l'avoir donné, Mr. Meek.

— J'en cours le risque. Je ne veux pas qu'il t'arrive quelque chose.

Le sourire d'Andy se crispa.

— Vous avez peur de perdre votre meilleur négro ?

— Je ne veux pas perdre un homme de valeur, répliqua le régisseur, irrité. Monte sur ta mule et file avant que je te botte les fesses.

Le Noir poussa un long soupir.

— Désolé d'avoir dit ça. L'habitude...

— Je sais.

Les deux hommes se serrèrent la main.

La mule trottait le long du raccourci menant chez Francis LaMotte. Andy sifflotait *Dixie's Land* en songeant que le vieux Meek n'était pas un si mauvais bougre lorsqu'il aperçut une forme sombre, semblable à un tas de vieux vêtements, au milieu du sentier envahi par les broussailles.

Il arrêta sa monture, tendit l'oreille, entendit des chants d'oiseaux et le bruissement de la forêt. Il descendit de sa bête et, revolver à la main, s'approcha lentement de la forme sombre.

C'était un Noir en haillons, immobile. Deux trous bordés de rouge perçaient son front, comme une paire d'yeux supplémentaires.

Andy frissonna, inspecta les alentours. A droite du sentier, l'herbe était piétinée sur une grande surface. Il s'avança, fit s'envoler une demi-douzaine de corbeaux, jura à mi-voix.

Francis LaMotte, vêtu de son uniforme des *Ashley Guards* — ou de ce qu'il en restait — tournait dans la brise humide, pendu par les poignets à la branche d'un chêne. On lui avait pris ses bottes et ses chaussettes ; il avait les pieds nus.

On eût dit quelque oiseau au plumage coloré. La veste d'un vert brillant était lacérée ; le gilet et le pantalon jaune canari montraient des taches rouges encore humides. Andy cessa de compter les blessures quand il arriva à trente.

Ce même jour d'avril, Orry arriva dans la soirée à proximité de la ferme que Mrs. Halloran avait dessinée sur son plan. De fins nuages voilaient la lune et les étoiles : il serait plus facile de traverser le champ à l'abandon, comme l'avait suggéré l'informatrice.

Orry portait le costume de drap noir qu'il avait rangé en arrivant dans la capitale. Hormis le poignard glissé dans le fourreau fixé à sa botte droite, il n'avait pas emporté d'arme. S'il était découvert, il pourrait prétendre être un voyageur égaré.

Il attacha son cheval à un arbre au bord du champ le plus éloigné des quatre bâtiments surplombant la falaise. La vieille maison, la grange principale et le poulailler dressaient leur masse noire, à peine distincte. Par contre, le hangar à outils, perché au bord de la falaise, semblait strié de lignes verticales jaunes : la lumière d'une lanterne filtrant à travers les planches.

Orry passa la main sur sa lèvre supérieure moite, entama une lente marche silencieuse vers le bâtiment. Lorsqu'il fut au milieu du champ envahi d'herbes, creusé çà et là par une rigole, il crut voir une allumette flamber au-delà de la maison, à une assez bonne distance sur la gauche. Une sentinelle sur la route ? C'était plus que probable.

Il entendit des chevaux frapper doucement du sabot. Une bande d'herbes hautes d'une dizaine de mètres de large séparait le hangar du bord du champ, où Orry s'accroupit et compta les bêtes : quatre chevaux de selle, un cinquième attelé à un buggy à la capote relevée. Apparemment, le groupe révolutionnaire de Mr. Lamar Powell était minuscule. Mais Orry avait lu *Jules César* dans sa jeunesse et savait qu'une armée n'était pas nécessaire pour commettre un attentat politique.

Toujours accroupi, il s'approcha du côté du bâtiment d'où filtrait la lumière, avançant prudemment pour faire le moins de bruit possible. A mi-chemin, il entendit des voix étouffées, dont celle d'une femme. Surpris, il ne fit pas attention où il posait le pied et écrasa une brindille, qui se brisa avec un craquement.

— Attendez, Powell. J'ai cru entendre du bruit, dehors.

— Probablement un lapin — ou un rat. L'endroit en est infesté.

— Je vais voir ?

— Non, inutile. Wilbur monte la garde sur la route.

Orry rampa jusqu'au hangar, colla l'œil à une fente. L'homme qu'on avait appelé Powell lui tournant le dos, Orry ne vit qu'un pantalon jaune, une veste de velours marron, des cheveux grisonnants pommadés. Des bottes apparurent sur la gauche dans son champ de vision : un homme, assis, venait d'étendre les jambes.

— Notre principal chargement d'armes est arrivé hier, poursuivit Powell.

Il se dirigea vers les caisses empilées sur le sol couvert de paille, se retourna quand il fut devant elles et prit une pose théâtrale, une main fine serrant le revers droit de sa veste. D'un grand geste, il indiqua une caisse rectangulaire sur laquelle était peint le mot « Whitworth ».

— Comme vous pouvez le voir, nous disposerons du meilleur armement.

— Les Whitworth sont sacrément chères..., commença quelqu'un.

— En effet, coupa Powell. Mais ce sont les meilleures carabines de précision du monde. La Whitworth de calibre 45 a une déviation radiale de moins de trente centimètres à huit cents mètres. Si nous ne sommes qu'une poignée à tirer sur l'ennemi, nous devons être le plus précis possible.

Ces quelques phrases de Powell suffirent à alarmer Orry. A la différence de nombreux déments, l'homme avait l'air intelligent et n'échouerait pas par stupidité.

— Je ne pense pas que vous teniez à savoir combien de pots-de-vin il a fallu verser pour les obtenir, continua Powell. Moins vous en saurez, moins vous courrez de risques — et nous risquerons bien assez tôt la corde.

— Je n'ai pas parcouru un long chemin à cheval pour entendre des plaisanteries, Lamar.

Orry ouvrit grand la bouche : la voix appartenait à James Huntoon.

— Venons-en aux faits, poursuivit celui-ci. Quand et comment tuerons-nous Davis ?

— Et qui mourra avec lui ?

Cette fois, Orry crut avoir perdu l'esprit : la femme qui venait de parler était sa sœur, Ashton. Afin d'identifier éventuellement d'autres conspirateurs, il changea de position pour découvrir une autre partie de l'intérieur du hangar. Un homme était adossé au mur donnant sur le fleuve, entre deux fenêtres encadrant chacune un rectangle de nuit terni par la saleté des vitres.

Pour en avoir plus, Orry posa la main contre le mur, colla son autre œil à la fente. Une planche craqua.

— Il y a quelqu'un dehors ! s'écria Huntoon.

Orry recula, faillit perdre l'équilibre.

— Eteignez les lanternes, ordonna Powell.

Les raies jaunes verticales disparurent. Orry se redressa, courut vers le champ. Une porte s'ouvrit, des voix retentirent au-dehors.

— Wilbur ? appela Powell. Par ici ! On nous espionne.

Orry se trouvait au milieu du champ quand il entendit un cheval galoper sur la route en terre battue menant à la ferme. Le cavalier se tourna vers lui, tira.

La balle passa dans l'herbe à moins d'un mètre d'Orry. Il se prit le pied dans une rigole, trébucha, tomba à genoux. Il se releva, se remit à courir vers son cheval, monta en selle au moment où son poursuivant atteignait le milieu du champ.

Orry lança sa bête dans le sentier par lequel il était venu ; des branches basses lui cinglèrent les joues et le front. Derrière lui, l'homme tira et le manqua à nouveau. Orry débeula sur la route de Richmond et sema son poursuivant. Du haut d'une colline, il vit dans le ciel une lueur indiquant la proximité de la capitale.

Rentré chez lui vers minuit, il raconta l'expédition à sa femme. Assise au bord de leur lit, les bras croisés sur le devant de sa chemise de nuit, elle le regarda arpenter la chambre en faisant tomber de ses bottes des plaques de boue. Lorsqu'il eut achevé son récit, Madeline demanda aussitôt :

— Mais comment Ashton s'est-elle laissé entraîner dans une histoire pareille ?

— J'ai d'abord pensé que c'était à cause de James mais je n'en suis plus si sûr. Enfin, peu importe. Je suis le seul à savoir qu'une menace pèse sur la vie du président. Et d'autres personnes...

Saisissant une des colonnes du lit, Orry continua :

— Je dois en informer Seddon. Et Winder. Le prévôt a les moyens d'arrêter discrètement les conspirateurs. C'est bien la première fois que je me réjouis de l'échec de Stephens dans sa croisade au Congrès.

En février, malgré les efforts du vice-président, l'*habeas corpus* avait été de nouveau suspendu.

— Tous les conspirateurs ? demanda Madeline. Y compris ta sœur ?

— Elle fait partie du complot. Pourquoi mériterait-elle un sort à part ?

— Tu le sais bien. Je ne l'aime pas, moi non plus, mais elle est de la famille.

— La famille ! Je préférerais avoir Butler la Brute pour parent ! Ma sœur a essayé de faire assassiner Billy Hazard, Madeline.

— Je ne l'ai pas oublié mais cela ne change rien à ce que je viens de dire. C'est ta sœur. En outre, aucun crime n'a encore été commis.

— Tout ce que je peux faire — et elle ne le mérite certainement pas — c'est m'abstenir de prononcer son nom.

— Il faudrait faire la même chose pour James.

— Je ne lui dois rien.

— C'est le mari d'Ashton.

Un long silence, un soupir écœuré.

— Bon, grommela Orry. Mais c'est tout ce que je ferai pour eux. Je dénoncerai Powell et personne d'autre. S'il parle de Huntoon ou de ma sœur, tant pis pour eux.

— Nous sommes découverts, nous allons être arrêtés ! Lamar, qu'est-ce qu'on peut faire ?

Le ton geignard de Huntoon dégoûtait Ashton. Devant les autres conjurés sortis du hangar, Powell empoigna James par le col.

— D'abord ne pas pleurnicher comme des gosses.

Il repoussa Huntoon quand Wilbur, la sentinelle, s'approcha au trot.

— Je l'ai perdu.

— Tu as pu le voir ?

— Non.

— Incapable !

Powell tourna le dos à Wilbur, se frotta le menton en plissant le front.

— Ils seront ici demain matin, non ? dit un autre conjuré.

— Peut-être pas, répondit Huntoon. Si c'était juste un jeune moricaud cherchant à voler des poules...

— C'était un Blanc, intervint Wilbur. Ça, j'ai pu le voir.

— Mais il ne nous voulait peut-être aucun mal...

— Imbécile ! lança Powell. Il s'est approché furtivement, il nous a espionnés à travers une fente. De toute façon, vous vous imaginez sérieusement que je vais attendre ici pour savoir s'il nous voulait ou non du mal ? Ce qu'il faut, c'est mettre au point une riposte adaptée à la situation. Si nous réfléchissons et gardons la tête froide, nous nous en tirerons sans dommages.

Profondément effrayée, Ashton s'accrochait à sa confiance en Powell mais cette foi fut ébranlée quand il ajouta en souriant :

— Faisons appel à l'aide de Mr. Edgar Poe, mon auteur favori. Combien d'entre vous connaissent *la Lettre volée* ?

— C'est vous qui êtes un imbécile ! s'exclama Huntoon. Parler d'écrivaillons à un moment pareil !

Pour une fois, Ashton donna silencieusement raison à son mari. Sans un mot d'explication, son amant lança à Huntoon un regard méprisant et passa devant lui en riant.

A l'aube, Orry gravit le perron de la résidence de Seddon et cogna le heurtoir contre la porte avec une telle force qu'il réveilla sans doute tout le voisinage. En l'espace de quelques minutes, Winder fut convoqué chez le ministre. Le général arriva de fort méchante humeur et résista une demi-heure avant de céder aux pressions de Seddon : malgré le peu de confiance qu'il avait en Main, il enverrait des hommes enquêter à Wilton's Bluff avant midi.

— Je me rends immédiatement chez le président, déclara le ministre, remis du choc causé par les révélations d'Orry. Tous les membres du Cabinet seront alertés. A vous le privilège, colonel Main, de jeter le filet pour prendre le plus gros poisson.

Peu après dix heures, un fourgon fila vers Church Hill et tourna dans Franklin Street. Orry en sauta, prit le commandement d'un groupe d'hommes armés qu'il dirigea vers le perron. Une deuxième escouade, descendue un peu plus tôt, s'était déjà déployée dans le jardin.

Etonné que la porte de devant ne soit pas fermée à clef, Orry entra

dans la maison, l'inspecta, ne trouva ni vêtements ni affaires personnelles.

Lamar Powell avait disparu.

Le soir, seconde surprise. Dans le saint des saints de Winder,
l'homme au long nez, vêtu de noir, affirma :

— Je n'ai rien trouvé. Aucune trace d'habitants et encore moins de
caisses d'armes. A mon avis, colonel, personne n'a mis le pied dans
cette ferme depuis des mois. Les voisins, que j'ai interrogés, le
confirment.

— Impossible, s'exclama Orry.

Piqué, l'homme aux allures de prêtre répliqua ; en désignant la
porte :

— Demandez donc aux deux détectives qui m'ont accompagné. Je
m'en tiens au rapport que vous venez d'entendre. S'il ne vous
convient pas, retournez là-bas en faire un autre.

— Je n'y manquerai pas, promit Orry.

Israel Quincy lui tourna le dos, s'approcha de la fenêtre et contempla le coucher de soleil.

La lumière rouge du crépuscule faisait miroiter le fleuve et éclairait le visage lugubre d'Orry. Il avait fouillé le hangar et, selon les
prévisions de Quincy, n'y avait rien trouvé. Dans la terre battue, il
n'avait vu aucune empreinte de pied de femme, juste des traces de
bottes masculines : les siennes, celles des agents de Winder, probablement. Quant à celles des conjurés, comment savoir ?

Se sentant humilié, bafoué, il avait quitté le bord de la falaise pour
inspecter la ferme, la grange et le poulailler. Là encore, rien que de
la poussière et des rats. A la tombée de la nuit, il remonta en selle,
prit un raccourci menant à la route qui longeait le champ qu'il avait
traversé la veille. Le noir de la terre labourée n'était pas plus sombre
que son humeur.

Rentré chez lui, Orry toucha à peine à son frugal dîner.

— Quincy a été acheté, dit-il à Madeline. Winder aussi, j'en ai
l'impression. Mrs. Halloran est tombée par hasard sur une conspiration qui doit bénéficier de complicités en haut lieu. J'ai l'intention de
découvrir jusqu'où ses ramifications remontent.

— Mais le président ne court plus aucun danger, maintenant. Il a
été averti...

— Je veux quand même savoir ! En ce moment, Seddon doit
probablement s'interroger sur ma santé mentale. Est-ce que je bois ?
est-ce que j'ai des visions ? Je te jure que...

— Je te crois, chéri. Mais que peux-tu faire ? Apparemment, on a
ouvert et classé le dossier le même jour.

— Moi pas. Et je connais quelqu'un qui se trouvait à la ferme.
Ashton est encore à Richmond — j'ai vérifié avant de rentrer. Dès
demain, je fais une enquête sur ma chère sœur.

Mais Orry ne tint pas son engagement. Une heure plus tard, on
sonna à la porte de la rue. Il descendit ouvrir : ce ne pouvait être que
pour lui, la propriétaire ne recevait jamais de visites à cette heure
tardive.

Couvert de poussière, la tête émergeant comme un pic montagneux
de nuages de fumée de cigare, Charles se tenait sur le seuil.

— Ta lettre a fait un détour par Atlee's Station mais j'ai fini par la recevoir. Je suis venu aider Billy.

100

Stephen Mallory arriva à Charleston dans la soirée après un pénible voyage dans l'une des voitures sales et non chauffées des chemins de fer du Sud. Il répondait à un télégramme de Lucius Chickering lui demandant de venir d'urgence.

Cooper n'en savait rien. Après l'incident avec les prisonniers nordistes, des soldats de la prévôté l'avaient porté chez lui sans trop de douceur. Depuis, il était au lit, sans bouger, sans parler, sans toucher à la nourriture que Judith lui présentait.

Il tourna cependant la tête vers la porte quand sa femme l'ouvrit après avoir frappé.

— Chéri? Tu as de la visite. Ton ami Stephen, le ministre.

Immobile sous les couvertures, Cooper ne répondit pas.

— Puis-je rester seul un moment avec lui? sollicita Mallory.

Judith regarda son mari, qui les fixait de ses yeux ronds et vides.

— Bien sûr. Si vous avez besoin de moi, secouez la clochette qui se trouve sur la table de chevet. Vous la voyez?

Mallory acquiesça, tira une chaise près du lit. Judith posa un regard triste sur la clochette dont Cooper ne s'était pas servi une seule fois depuis qu'on l'avait porté chez lui. Elle sortit, ferma la porte derrière elle.

Le ministre s'assit, examina son collaborateur, qui fixait à présent le plafond.

— On dit que vos nerfs ont craqué. C'est vrai? demanda Mallory d'un ton abrupt.

Il avait parlé sans enrober ses propos d'ouate, comme on le fait généralement dans la chambre d'un malade, et Cooper réagit en clignant des yeux.

— Si vous m'entendez, poursuivit le ministre, ayez la courtoisie de me regarder. Je n'ai pas fait un long voyage pour parler à un cadavre.

Lentement, la tête de Cooper s'inclina vers le visiteur mais le regard demeura vide.

— Vous avez commis un acte scandaleux. Scandaleux, il n'y a pas d'autre mot. L'ennemi nous considère déjà comme des barbares — non sans raison, je regrette de devoir le dire. Un haut fonctionnaire qui se conduit comme un garde-chiourme pris de folie, et en public, qui plus est! Il se trouve peut-être dans tout le Sud quelques brutes qui approuveraient votre conduite mais ils ne sont pas nombreux. Je serai sans détour, Cooper. Vous avez gravement nui à notre cause. Et à vous-même.

Cooper battit des paupières, pressa les lèvres.

— Comme je ne pouvais dormir dans ce fichu train, j'ai essayé de trouver une manière courtoise de réclamer votre démission immédiate. Il n'y en a pas. J'ai donc...

— Ils ont tué mon fils.

Mallory sursauta.

— Quoi? Les prisonniers que vous avez assaillis? Cela ne tient pas debout.

Les mains du malade se tordirent sur la courtepointe, telles des araignées blanches remuant sans but, sans toile à tisser. Il cligna à nouveau des yeux, murmura d'une voix rauque :

— Les profiteurs ont tué mon fils. La guerre l'a tué.

— Une mort tragique et fort affligeante, je n'en disconviens pas. Mais, en ces temps cruels, la mort est devenue banale.

Cooper se souleva, les yeux emplis de colère. Mallory le repoussa doucement en disant :

— Bien sûr, la mort d'un fils n'est jamais banale pour un père. Mais connaissez-vous les chiffres ? Des centaines de milliers de pères ont perdu leur enfant dans tout le Sud. Dans le Nord aussi, d'ailleurs. Après une période de deuil, la plupart ont repris leurs activités. Ils ne sont pas restés à pleurnicher dans leur lit.

Le ministre s'interrompit. Sa tentative de secouer Cooper mettait ses propres nerfs à dure épreuve et, surtout, ne donnait aucun résultat. Il tira un mouchoir de sa manche, s'épongea le front, sentit l'odeur du pot de chambre glissé sous le lit. Un dernier essai :

— Au service du ministère de la Marine, vous avez été plus que compétent. Vous avez fait preuve d'imagination et, dans le cas du *Hunley*, d'une grande bravoure. Si vous êtes resté celui qui, pendant deux heures et demie, a surmonté sa peur de mourir étouffé au fond du port de Charleston, j'ai encore besoin de vous. Nous n'en avons pas fini avec cette guerre. Soldats et marins continuent le combat. Moi aussi. Je serais donc plutôt enclin à vous infliger un blâme qu'à demander votre démission. Mais pour reprendre le travail, dit Mallory en se levant, il faut quitter le lit. Veuillez me faire parvenir votre décision dans les jours qui viennent.

Il sortit de la chambre, se força à claquer la porte.

En bas, il rejoignit Judith et murmura en s'essuyant à nouveau le front :

— Cacher ma compassion à ce malheureux est une des choses les plus pénibles que j'aie dû faire. J'ai le cœur brisé de le voir dans cet état.

— Cela vient de loin, Stephen. Une accumulation de fatigue, de rancœur, de chagrin. Je ne parviens pas à l'en tirer, ni avec de la gentillesse ni avec de la colère. C'est pourquoi je vous ai prié de lui parler comme vous l'avez fait.

— Tout n'est pas faux dans ce que je lui ai dit. On m'a effectivement réclamé sa démission. Avec insistance et en haut lieu.

— Je n'en suis pas surprise.

— Nos ressources s'épuisent, nos armées sont au bord de la famine. Il ne nous reste guère que l'honneur. Aussi ne pardonne-t-on pas facilement à un homme qui se conduit comme votre mari...

Mallory prit son chapeau sur un tabouret, le tritura en ajoutant :

— Mais je me ferai un plaisir d'ignorer ceux qui le critiquent si je réussis à lui faire reprendre le travail.

Judith serra la main du ministre pour exprimer sa reconnaissance.

— Voulez-vous manger quelque chose ? Une tasse de café ? On fait sécher des glands puis on les grille dans un peu de graisse de lard. C'est buvable.

— Merci mais je préfère retourner à l'hôtel dormir une heure ou deux.

— C'est moi qui dois vous remercier.

Elle embrassa Mallory sur la joue ; il rougit.

— J'espère que la brutalité de mes propos servira à quelque chose, dit-il en se dirigeant vers la porte.

Après son départ, Judith se tourna vers l'escalier, prit soudain conscience qu'elle mourait de faim. Il ne restait à manger que des huîtres frites, ou du moins ce qui en tenait lieu : des beignets faits avec une pâte collante obtenue en mélangeant du maïs vert râpé, un œuf et quelques autres ingrédients fort rares. Moins rares cependant que les vraies huîtres, que les Yankees accaparaient ou que des pêcheurs cupides vendaient à un prix exorbitant. On ne trouvait plus d'huîtres au marché ; on ne trouvait plus grand-chose.

Elle rejoignit Marie-Louise dans la cuisine, où l'adolescente, faute de colle enduisait des morceaux d'assiette cassée d'un mélange de farine de riz et d'eau. Elle leva les yeux, lança à sa mère un regard douloureux comme pour protester contre une peine de travaux forcés. Après avoir mangé, Judith écrivit à Mont Royal pour demander des vivres et colla sur l'enveloppe de la lettre un timbre rose à dix cents. Comme elle en avait assez de voir le visage du président sur tous les timbres !

Elle s'assit ensuite devant l'harmonium et commença à jouer, lentement et d'une main experte *The Vacant Chair**. Comme tant d'autres chansons de guerre composées dans le Nord, l'air était populaire dans les deux camps. Les paroles convenaient à l'humeur sombre de Judith, qui chanta bientôt d'une jolie voix de soprano :

> *Nous nous réunirons mais lui nous manquera.*
> *Il y aura une chaise vide.*

Un bruit la fit sursauter. Elle s'interrompit, leva les yeux vers le plafond. Avait-elle imaginé... ?

Non. Faiblement mais distinctement, la clochette sonna à nouveau.

Pleurant d'espoir, elle grimpa les marches quatre à quatre, ouvrit précipitamment la porte de la chambre. Dans la pénombre, elle ne put distinguer Cooper mais l'entendit demander d'une voix claire :

— Judith, pourrais-tu ouvrir les rideaux pour laisser entrer un peu de lumière ?

Le vent soufflant de la mer chassa l'odeur de renfermé de la pièce.

En fin d'après-midi, Cooper but la moitié d'une tasse de bouillon de dinde et un peu du « café » de Judith. Puis il se reposa, la tête tournée vers les hautes fenêtres ouvertes par lesquelles on voyait un grand chêne et le toit de la maison voisine.

Il se sentait faible, comme au sortir d'une fièvre forte et prolongée.

— Mais j'ai l'esprit clair, dit-il à sa femme. Je n'éprouve plus la même colère qu'avant la visite de Stephen.

Elle s'assit contre la tête du lit, attira doucement son mari contre sa maigre poitrine et passa un bras autour de ses épaules.

— Quelque chose en toi a explosé comme une chaudière quand tu t'es jeté sur ce prisonnier. Tu as longtemps condamné l'esclavage et lorsque tu as pris position pour le Sud, il y a trois ans, tu l'as fait avec autant de ferveur. C'était louable, mais des forces terribles ont commencé à s'affronter en toi. La mort de Judah a aggravé les choses, de même que les longues heures de travail pendant lesquelles tu essayais d'en faire trop avec trop peu de moyens. Quelle que soit la raison de ton rétablissement, j'en remercie Dieu. Si j'étais catholique, je demanderais la canonisation de Stephen.

* La Chaise vide (n.d.t.).

— Je ressens une honte profonde. Comment va l'homme que j'ai attaqué ?

— Il a une commotion cérébrale mais il s'en remettra.

Cooper poussa un soupir de soulagement.

— Tu as raison, il y a une lutte qui se déroule en moi. Encore maintenant. Je sais que la guerre est perdue mais je me sentirai tenu de reprendre le travail si le ministère me le demande. Où est Stephen, à propos ?

— A l'hôtel, il se repose. Quant à reprendre le travail... Moi, je réfléchirais. Mon opinion sur la guerre n'a pas changé. Lorsque Fort Sumter est tombé, tu la partageais.

Cooper détourna les yeux.

— Cette guerre est mauvaise, poursuivit Judith. Non seulement parce que toute guerre est mauvaise mais parce qu'elle est menée pour une cause immorale — non, laisse-moi finir, s'il te plaît. Je connais par cœur toute l'argumentation sudiste et toi aussi. Ce ne sont pas les tarifs douaniers ou l'arrogance nordiste qui sont cause de toutes ces souffrances. C'est ce que nous avons fait, soit directement, soit en nous rendant complices par notre silence. Nous avons volé la liberté d'autres êtres humains, nous avons sur ce vol bâti des fortunes, et nous avons même proclamé en chaire que Dieu nous approuvait.

Il lui prit la main, avoua d'une voix d'enfant apeuré :

— Tu as raison, mais je ne sais pas ce que je dois faire, maintenant.

— Survivre à la guerre. Travailler pour Stephen s'il le faut. Quoi que tu décides, ce sera bien car tu as retrouvé ta lucidité. Mais promets-moi — et promets-toi — que tu œuvreras tout autant pour la paix quand le Sud aura perdu. Tu sais ce qui se passera après l'arrêt des combats. L'animosité persistera dans les deux camps mais les perdants la ressentiront davantage. Tu sais ce que la haine fait à un homme, tu es passé par là.

— La haine se nourrit d'elle-même. Elle croît, elle engendre plus de haine encore et de nouvelles souffrances.

Bouleversée, Judith laissa couler ses larmes et serra son mari contre elle.

— Oh ! Cooper, comme je t'aime ! L'homme que j'ai épousé avait disparu mais je crois l'avoir retrouvé.

Il la prit dans ses bras. Judith continua un moment à pleurer de joie puis lui demanda s'il désirait voir Mallory lorsqu'il reviendrait. Cooper acquiesça, promit de mettre une chemise de nuit propre, de passer un peignoir et de descendre pour le dîner. Judith battit des mains et courut prévenir Marie-Louise.

En voyant son père au pied de l'escalier, Marie-Louise demeura un moment figée puis s'élança vers lui en pleurant. Plus tard, quand Mallory arriva, Cooper lui déclara :

— Stephen, j'aurai toute ma vie une dette envers vous. Votre visite m'a sauvé. Elle m'a sauvé de beaucoup de choses mais surtout de moi-même. Je vous admire profondément, je continuerai à le faire. Mais je ne puis plus travailler pour vous. Quelque chose a changé. J'ai changé. Je veux la fin de la guerre, la fin des tueries. J'ai donc l'intention de consacrer mon temps à l'action en faveur d'une paix négociée honorable, assortie de l'émancipation de tous les Noirs encore asservis.

Le visage du ministre refléta des sentiments mêlés : incrédulité, mépris, colère. Finalement il se reprit et demanda :

— Et où comptez-vous mener cette noble croisade ?

— De Mont Royal. Ma famille et moi rentrons chez nous.

101

Le pétrole brûlait dans la lampe tandis que Charles et Orry dressaient leurs plans.

— Je peux rédiger un ordre de libération pour le faire sortir de...

— Tu veux dire commettre un faux, coupa l'éclaireur, le mégot de cigare pour un instant hors de sa bouche.

Il avait ôté ses bottes et posé ses pieds aux chaussettes puantes sur le bord de la table que son cousin utilisait comme bureau.

— D'accord, un faux, puisque cette libération serait illégale.

— Que nous faut-il d'autre ?

— Un uniforme gris pour remplacer le sien. Un cheval...

— Je m'en occupe, assura Charles.

— Et finalement un laissez-passer. Je peux aussi m'en charger. A lui de se débrouiller pour traverser le Rapidan. Un autre whisky ?

Charles vida son verre, le tendit à son cousin, qui était frappé par la façon dont le temps et la guerre avaient changé leurs relations. Il n'y avait plus un homme et un jeune garçon, un maître et un élève mais deux adultes, deux égaux. En remplissant les verres, Orry précisa :

— Je t'accompagnerai à la prison. Je ne te laisserai pas courir seul ce risque.

— Oh ! si, cousin, répliqua l'éclaireur en reposant bruyamment ses pieds sur le plancher. J'irai seul.

— Je ne...

— Tu oublies un petit détail. Les gardes pourraient se souvenir de toi et donner plus tard ton signalement. Je ne tiens pas à ce qu'on se mette à ma poursuite une semaine après t'avoir retrouvé. Cette opération doit s'accomplir en solo.

Charles avait trouvé cet argument en venant à Richmond : c'était le seul moyen d'épargner à son cousin d'autres dangers que ceux qu'il courrait déjà en fabriquant des faux. L'éclaireur s'efforça de dissimuler son véritable mobile sous un sourire froid en posant les yeux sur la manche vide d'Orry.

— J'insiste sur ce point, poursuivit Charles. (Il se retourna sur sa chaise.) Et vous, qu'en dites-vous, Madeline ?

La jeune femme, debout près d'une desserte, avait écouté en silence la conversation.

— Je suis de votre avis, approuva-t-elle.

— Encore un complot, grommela Orry.

— Il y en a d'autres ? demanda Charles.

— Façon de parler. On entend sans cesse parler de conspirations imaginaires contre le gouvernement.

Il ne restait qu'un point à régler et ce fut Charles qui l'aborda :

— Quand ?

— Je peux me procurer les formulaires et, euh, me livrer à mes travaux d'écriture demain matin.

— Alors je le ferai sortir demain soir.

Charles attacha Joueur à l'un des poteaux en fer de la 21e Rue, en face de l'entrée principale de la prison. Une odeur de poisson portée par un vent fort montait du canal, où une sentinelle montait la garde. Il savait qu'il y en avait d'autres, tout autour du bâtiment.

Il caressa son cheval, marmonna sans ôter de sa bouche son mégot de cigare :

— Repose-toi. Tu auras bientôt une double charge à porter.

Du moins, Charles l'espérait. Il remonta le trottoir en pente menant à Cary Avenue, la barbe inondée de sueur. Son vieux colt de l'armée battait contre sa cuisse dans un étui presque totalement caché par le poncho indien qu'il avait emprunté à Jim Pickles. Le vêtement était trop chaud mais retiendrait l'attention des gardiens, qui oublieraient tout le reste. Là encore, ce n'était qu'un espoir.

Tournant le dos au vent soulevant des nuages de poussière dans l'avenue, il gravit le perron de la prison, passa devant un jeune gardien aux yeux d'un bleu de porcelaine qui le regarda avec insistance.

A l'intérieur, Charles plissa le nez à cause de la puanteur en présentant le faux ordre de libération au caporal de service.

— Prisonnier William Hazard, dit l'éclaireur en indiquant de son cigare éteint l'endroit où était inscrit le nom. Je dois le conduire aux bureaux du général Winder pour interrogatoire.

Sans accorder d'attention particulière au document, le caporal le posa sur le livre à couverture jaune qu'il était en train de lire. Un des ouvrages pornographiques vendus dans le camp, devina Charles. Le caporal prit un cahier aux pages cornées, le feuilleta en suivant du doigt les noms écrits à l'encre. D'autres gardiens passèrent ; l'un d'eux dévisagea longuement le visiteur mais ne s'arrêta pas.

— Hazard, Hazard... Le v'là. Vous le trouverez au dernier étage. Demandez à la salle de garde, en haut de l'escalier.

Le caporal ouvrit un tiroir, prit le faux et s'apprêtait à l'y mettre quand Charles claqua des doigts.

— Donnez-le-moi. On me le redemandera peut-être là-haut.

Le sous-officier s'exécuta sans réfléchir — exactement comme Charles l'escomptait. Celui-ci le remercia d'un vague salut en agitant le document, se retourna et monta la première volée de marches grinçantes.

La prison Libby respirait et murmurait comme une maison hantée. Les lampes à gaz, très espacées et donnant une lumière faible, accentuaient cet effet. Les sons aussi : sanglots lointains, rires caverneux, chuchotements de voix qu'on eût dites désincarnées. A l'extérieur de l'ancien entrepôt, un volet ou quelque autre chose claquait dans le vent.

Dans les couloirs s'étendant à droite et à gauche des paliers, des prisonniers à l'aspect pitoyable le regardèrent passer en silence. Charles sentit des odeurs de vêtements non lavés, de blessures infectées, de latrines bouchées. Avant d'arriver au dernier étage, il rabattit son chapeau sur ses yeux pour dissimuler ses traits, s'avança dans le rectangle de lumière se découpant sur le plancher devant la porte de la salle de garde. Il montra à nouveau l'ordre de libération, répéta ce qu'il avait dit en bas.

— Z'auriez dû prendre une civière, répondit un garde avec une expression d'ennui. Il marche pas très bien, Hazard, en ce moment. (L'homme se tourna vers l'autre soldat occupant la salle.) Va le chercher, Sid.

— Tiens, merde ! C'est ton tour.

En bougonnant, le premier garde passa devant Charles.

— C'est une drôle d'heure pour un interrogatoire.

— Si vous désirez faire part de vos objections au général Winder, je serai heureux de les lui transmettre. Avec votre nom, répliqua l'éclaireur d'un ton sec.

— Pas la peine, grogna le garde. Merci quand même, ajouta-t-il avec un ricanement nerveux.

A l'entrée de la grande salle où s'entassaient des centaines de prisonniers, il s'arrêta et cria :

— Hazard ? Où est William Hazard ?

— Billy, dit un détenu en secouant son voisin.

Charles retint sa respiration tandis qu'une maigre silhouette se levait lentement, s'appuyait sur une béquille. « Comme il a l'air faible », pensa l'éclaireur en regardant s'approcher le prisonnier en haillons. Quand Billy fut à un mètre de la porte, Charles remarqua des bleus sur son visage, une coupure à l'oreille. Son ami avait été battu.

Le garde montra le visiteur du pouce en disant :

— Cet officier t'emmène chez Winder. Qu'est-ce que t'as encore fait ?

— Rien du tout.

Billy posa sur Charles des yeux que ses joues creusées faisaient paraître immenses. Il demeura un moment bouche bée puis balbutia :

— Bison ?

« *Ne dis rien !* » criait silencieusement Charles. L'expression de Billy indiqua qu'il avait immédiatement compris son erreur.

— Comment y vous a appelé ? demanda le garde, soupçonneux.

— D'un nom que vous n'oseriez pas répéter devant votre mère, répondit Charles. (Il saisit Billy par la manche.) Encore un mot et je te conduis chez le prévôt en petits morceaux ! J'ai perdu un frère à Malvern Hill à cause de salauds comme toi.

Rassuré, le garde reprit :

— Me demande pourquoi on les chouchoute comme ça. Y aurait qu'à foutre le feu à la baraque — en les laissant dedans.

— C'est aussi mon avis.

Charles donna au prisonnier une bourrade trop forte qui faillit le faire tomber. Billy se retint au mur, lança à son ami un regard noir. « Bien », pensa Charles en lui faisant signe d'avancer.

Le garde s'arrêta devant la porte de sa salle, regarda l'officier commencer à descendre l'escalier avec le prisonnier. Charles s'inquiétait de la lenteur et du manque d'équilibre de Billy, qui ne pouvait manifestement se passer de la béquille. Plus ils resteraient dans l'enceinte de la prison, plus ils risqueraient d'échouer.

— Bison ? murmura Billy, appuyé contre le mur taché, sous une lampe à gaz émettant un sifflement. C'est vraiment...

— Tais-toi, chuchota Charles. Si tu veux sortir d'ici, fais comme si tu ne me connaissais pas.

Deux gardes apparurent sur le palier, montèrent vers eux.

— Presse-toi, sale Yankee ! cria l'éclaireur en poussant Billy.

Ils continuèrent à descendre, une marche à la fois. Cramponné à sa béquille, Billy gémissait parfois. Que lui avait-on fait ? En Charles, la colère devint rapidement aussi grande que la peur d'être découvert.

Au premier étage, Billy eut du mal à respirer. Sous le regard d'autres gardiens, Charles tira son revolver de son étui, l'enfonça dans le dos de son ami.

— Remue-toi, salopard, sinon je t'arrache la tête !

Rez-de-chaussée. Le caporal de service se leva, tendit la main.

— Je récupère l'ordre de libération, s'il vous plaît.

Charles le tira de sa poche, le lui remit. L'homme le rangea dans un tiroir et revint assister au départ du prisonnier, l'expression indéchiffrable.

Six pas encore pour arriver à la porte.

Quatre.

Deux.

Billy appuya la tête contre le mur d'un vert bilieux, haleta :

— Un moment...

« Vite ! » l'implora Charles du regard. D'un pas vif, il gagna la porte pour pouvoir se retourner et surveiller le caporal. Celui-ci fronçait les sourcils, sentait peut-être quelque chose d'anormal.

— Dépêche-toi ou je te traîne par les jambes ! menaça Charles.

Billy avala sa salive, se remit à avancer. Charles ouvrit la porte en continuant à regarder le caporal, qu'il considérait comme le danger le plus grand. Il découvrit son erreur quand le jeune garde aux yeux bleu de porcelaine qui se tenait à l'extérieur lui demanda :

— Où emmenez-vous le prisonnier ?

— Il faut que tout le monde réponde à vos questions, Vesey ? bredouilla Billy.

Sentant l'animosité particulière existant entre les deux hommes, Charles rétorqua :

— Je n'ai pas de compte à rendre à un minable deuxième classe.

— Hé, Bull, où on l'emmène ? cria Vesey au caporal.

— A la prévôté. Pour interrogatoire.

— A la prévôté ? répéta Vesey tandis que Charles faisait descendre à Billy la première marche du perron. Mr. Quincy est passé il n'y a pas une heure, pendant que tu dînais. Il n'a pas parlé d'un prisonnier devant être interrogé là-bas.

L'ex-caporal se retourna, braqua son mousquet vers Charles.

— Vous ! Attendez. Je connais tous les gars du général Winder, vous n'en faites pas partie. Il y a quelque chose de...

L'éclaireur abattit le canon de son colt sur le crâne de Vesey.

102

Le tortionnaire poussa un cri, s'affala contre le bâtiment en lâchant son arme, qui dégringola les marches. A l'intérieur, le caporal donna l'alarme.

— Vite, traverse, dit Charles à Billy juste avant d'être assailli par Vesey.

L'éclaireur repoussa le gardien contre la porte, empêchant du même coup le caporal de l'ouvrir. Lorsqu'il se rua vers le perron, Vesey tenta à nouveau de l'arrêter et creusa de ses ongles un sillon sanglant dans sa joue. La douleur, la colère, le désespoir firent aussitôt réagir Charles : il braqua le colt vers la poitrine du garde, tira.

L'ex-caporal gémit, mourut en basculant par-dessus la rampe du perron. Charles se précipita vers Billy, tombé en bas des marches.

— Viens, dit-il en relevant son ami.

A l'intérieur, le caporal continuait à brailler, sans se douter qu'il pouvait à présent ouvrir la porte. Une sentinelle apparut au coin de la 22e Rue et de Cary Avenue en brandissant son mousquet. C'était un soldat jeune, inexpérimenté, dont les hésitations firent gagner aux fuyards quelques secondes. Charles dirigea Billy vers le coin opposé, où ils faillirent se cogner dans une autre sentinelle qui venait de surgir de la 21ᵉ Rue. Charles leva le colt vers le visage du soldat.

— File ou tu es mort, jeunot.

La sentinelle lâcha son mousquet et s'enfuit.

Mais un troisième garde accourait du côté du bâtiment donnant sur le fleuve. Charles détacha rapidement Joueur, mit le pied à l'étrier, monta en selle, fit feu pour arrêter le soldat fonçant vers eux. Maîtrisant d'une main son cheval nerveux, il tendit l'autre à Billy et dégagea son pied gauche de l'étrier.

— Monte !

Billy agrippa la main de son ami, passa un pied dans l'étrier. Charles le hissa derrière lui, tira à nouveau vers la sentinelle.

— Tiens-toi, Bunk ! cria-t-il, utilisant sans y penser le surnom de Billy à West Point.

Le hongre gris fila vers l'avenue. Trois sentinelles s'arrêtèrent au coin de la rue pour tirer sur les fuyards et les manquèrent.

Dans une ruelle située à bonne distance de la prison, Billy mit le pantalon et la chemise que Charles sortit de la couverture roulée sous la selle.

— Bon Dieu ! soupira l'éclaireur en tendant la veste grise.

— Qu'est-ce qu'il y a ?

— J'ai tué ce garde sans même y penser.

— Tu mérites une médaille.

— Pour avoir descendu un jeunot ?

— Tu as rendu service à tous les prisonniers de Libby. C'est lui le salaud qui m'a mis dans cet état.

— Vraiment ? Je me sens mieux. Allons-y.

Billy attendit dans l'obscurité avec Joueur tandis que Charles allait chercher la mule qu'il avait louée pour la nuit.

— Ramenez-la sans faute à huit heures demain matin, dit le garçon d'écurie en bâillant. J'ai un autre client.

— Promis, dit Charles en emmenant l'animal.

Avec le laissez-passer de Charles et le faux qu'Orry avait établi pour Billy, ils remontèrent vers le nord et traversèrent sans incident les lignes de défense. Ils s'arrêtèrent dans un verger et Charles remit à son ami un petit paquet.

— C'est du pain et du jambon que Madeline a préparés pour toi. Si j'avais un fusil à te donner, tu ressemblerais plus à un soldat en permission.

— Je me débrouillerai comme ça.

— J'aurais aimé t'emmener voir Orry et Madeline mais il vaut mieux mettre quelques kilomètres entre toi et Richmond avant le lever du jour. Avec un peu de chance, tu devrais t'en tirer, même si on t'arrête et si on t'interroge. Quand tu approcheras de tes propres lignes, n'oublie pas de jeter la veste et le képi.

— Je n'oublierai pas. Et j'avancerai les bras levés, tu peux me croire.

L'un et l'autre s'efforçaient de minimiser les épreuves attendant Billy : de longues heures à cheval, la rencontre de patrouilles, la faim, l'angoisse. Tout cela aggravé par sa condition physique.

Le vent arrachait aux arbres fruitiers des pétales qu'il faisait tournoyer autour des deux amis, que de longues années de séparation avaient rendus étrangers l'un à l'autre.

— Bison.

— Mmm ? fit Charles, les yeux fixés sur la route de Richmond.

— Tu m'avais déjà sauvé une fois. Je ne m'acquitterai jamais de ma dette, maintenant.

— Echappe-toi, cela suffira. J'en serai très heureux.

— Le plus gros problème, ce sera sûrement mon accent. Si je dois répondre à des questions...

— Parle lentement, dis que tu es de l'Ouest. Personne en Virginie ne sait comment cause un rebelle du Missouri.

— Bonne idée, approuva Billy en souriant. J'ai été en garnison à St Louis, ça ira. Dis, en chemin, tu m'as parlé du mariage d'Orry et d'un tas d'autres choses mais pas un mot sur toi. Dans quelle unité es-tu ? Comment cela s'est passé pour toi ?

— Je suis éclaireur pour la cavalerie du général Wade Hampton et tout va bien, mentit Charles. Ça ira encore mieux quand la guerre sera finie, ce qui ne saurait tarder.

Il songea à mentionner Gus mais à quoi bon parler d'une liaison sur le point de se terminer ?

— J'aimerais bavarder toute la nuit mais il faut que tu partes, ajouta-t-il.

— Oui, tu as raison.

Billy s'assura que le laissez-passer était bien dans sa poche puis, avec des mouvements lents et pénibles, il monta sur la mule. Charles ne l'aida pas ; Billy devait maintenant se débrouiller seul.

— Remercie Orry. Je sais quels risques il a pris pour m'aider. Et toi aussi.

Charles eut un rire forcé.

— Les anciens de l'école se serrent les coudes, non ?

— Ne plaisante pas, Bison. Je ne pourrai jamais te rendre la pareille.

— Je n'y compte pas. Contente-toi de ne pas te mettre sur la trajectoire de nos balles pendant les huit ou dix mois qui viennent et nous nous retrouverons en Pennsylvanie ou en Caroline du Sud. Va, maintenant.

— Dieu te bénisse, Bison.

Billy éperonna la mule, l'encouragea d'une voix étonnamment ferme et sortit rapidement du verger.

L'horloge sonna quatre heures. Les pieds nus sur un coussin, Charles fit tourner dans son verre son fond de bourbon et l'avala.

— J'ai pris peur et je l'ai tué. La panique, c'est le seul mot qui convient.

— J'imagine que ce n'est déjà pas facile de tuer un ennemi, fit observer Madeline.

— Oh ! on s'habitue, répondit Charles. (Il ne vit pas le regard que la jeune femme et Orry échangèrent.) Quoi qu'il en soit, c'était le gardien qui avait torturé Billy. Ce qui m'ennuie, c'est que j'ai perdu le contrôle de moi-même ; j'ai pourtant été assez souvent au feu pour garder mon sang-froid dans des situations délicates.

— Mais c'est la première fois que tu aides un prisonnier à s'évader, argua Orry.

— Oui, c'est sûrement ça, dit Charles sans conviction. Orry, tu pourrais dédommager le propriétaire de la mule ? Il ne la reverra jamais.

Orry promit de s'en charger. Charles bâilla. Il était fatigué, honteux d'avoir craqué et surtout attristé par ses retrouvailles avec Billy. Leur conversation avait été banale, difficile à entretenir. Chacune de leurs phrases hésitantes avait tacitement exprimé qu'ils étaient à la fois amis et ennemis.

— Un dernier verre et je vais me coucher, dit-il. J'aimerais partir tôt demain matin, nous serons bientôt à nouveau en campagne. Tu sais que Grant fait venir un commandant de cavalerie de l'Ouest ? Phil Sheridan. Je l'ai connu à West Point. C'est un petit Irlandais coriace, grand jureur devant l'éternel. Sa venue en Virginie ne me plaît pas beaucoup mais en même temps...

Charles vida son bourbon d'un trait avant de poursuivre :

— Ce sera plus vite fini.

Orry l'observa un moment puis demanda :

— Tu ne crois pas que nous puissions gagner ?

— Et toi ?

Orry fixa sans répondre le dessin du tapis. Charles s'étira, bâilla à nouveau.

— Je ne suis même pas sûr que nous puissions obtenir une paix honorable. Pas avec Grant.

— Je le connais, fit Orry, songeur. Nous avons bu quelques bières ensemble au Mexique.

— Comment est-il ?

— Oh ! il y a des années que je ne l'ai pas revu. Nos journalistes sudistes, d'une perspicacité aiguë, raillent son dos rond et sa mise débraillée. Des considérations capitales, n'est-ce pas ? Demande à Pete Longstreet ou à Dick Ewell ce qu'ils pensent de Grant. Il y a trois ans, Ewell disait qu'un obscur ancien de West Point végétait au Missouri et qu'il espérait que les Yankees ne découvriraient jamais ses mérites. Il le craignait plus que tous les autres officiers de l'Union réunis.

— Dieu nous protège, marmonna Charles.

Lorsqu'il se réveilla, le lendemain matin, une odeur de faux café flottait dans l'appartement de Marshall Street. Après s'être aspergé le visage, Charles s'assit en face de son cousin devant la tasse que Madeline venait d'emplir pour lui.

— J'ai encore une mauvaise nouvelle à t'apprendre, annonça Orry d'un air sombre. Nous avions tant d'autres choses à nous dire hier soir que je n'ai pas eu le temps d'en parler.

— Des ennuis à Mont Royal ?

— Non. Ici. J'ai découvert un complot visant à assassiner le président et plusieurs membres du Cabinet. Quelqu'un de la famille est impliqué.

— Qui ?

— Ta cousine.

— Ashton ?

— Oui.

— Sapristi ! fit Charles, pas plus étonné que s'il venait d'apprendre que la solde aurait encore du retard.

Il était endurci au point que peu de choses pouvaient encore l'atteindre. Orry lui raconta les événements depuis la visite de Mrs. Halloran jusqu'à la mystérieuse disparition du chef de la conjuration et des armes.

— Pendant quelques jours, j'ai cru avoir perdu l'esprit puis je me suis dit que l'homme avait peut-être des amis haut placés qui l'avaient aidé à couvrir ses traces. En tout cas, le complot existe et Ashton y est mêlée.

— Que comptes-tu faire ?

— La prendre au piège.

103

Ils le surprirent au lever du jour, près du ruisseau. Sans doute s'étaient-ils approchés sans bruit pendant qu'il dormait. Aucun des trois hommes ne se présenta et il les surnomma la Balafre, Pouce-Coupé et Face de chien. Tous portaient des uniformes confédérés en lambeaux.

Pour ne pas éveiller leurs soupçons, il partagea avec eux le reste du pain et du jambon et les écouta raconter ce qu'ils venaient de vivre.

— Grant a aligné cent mille hommes contre nos soixante mille, dit Pouce-Coupé. Dans la forêt de broussailles en feu, nos gars sont morts étouffés par la fumée ou brûlés par les branches qui leur tombaient dessus.

— Les lignes sont loin ? demanda Billy.

— Trente, quarante kilomètres, répondit Face de chien. Mais nous, on va dans l'autre sens, on retourne en Alabama.

Il fixa Billy, attendant une réaction.

— Ça tourne au vinaigre, reprit Pouce-Coupé. Pete Longstreet, il a reçu une balle des nôtres, exactement comme Stonewall il y a un an. Et il paraît que le gosse de Jeff Davis est dégringolé d'un balcon de la Maison Blanche il y a quelques jours. Ça l'a tué. Ouais, ça tourne au vinaigre.

La Balafre, le plus âgé, essuya ses lèvres grasses.

— C'est drôlement gentil de partager ta bouffe avec nous, Missouri. On va encore te demander un petit effort, dit-il en dégainant son pistolet, qu'il braqua sur Billy. Tu comprends, on a besoin d'un coup de main pour rentrer chez nous.

Les trois hommes disparurent cinq minutes plus tard, emportant la mule et le laissez-passer.

Les lanternes se reflétaient sur les torses nus des Noirs ; la nuit de mai résonnait de cris, du fracas métallique de rails déchargés d'un wagon plate-forme, de coups de masse, de coassements de grenouilles dans les marais proches du Potomac. Les hommes de George soulevaient un rail, couraient, le lâchaient sur des traverses qu'on venait juste de poser puis s'écartaient pour faire place à d'autres soldats munis de marteaux et de rivets. C'était le 10 mai. Les travaux de réfection de la ligne Aquia Creek-Fredericksburg jusqu'à Falmouth avaient commencé la veille.

Les combats dans les broussailles du Wilderness avaient été une boucherie. Lee s'était retranché à Spotsylvania et l'armée de l'Union faisait probablement mouvement dans cette direction. George devinait pourquoi la majeure partie de la ligne Orange-Alexandria avait été abandonnée le matin même où Grant avait lancé sa machine de guerre de l'autre côté du Rapidan, pourquoi le Corps de construction avait été transféré à l'est. Bientôt des trains de morts et de blessés circuleraient sur la voie qu'il était en train de réparer.

George vit l'un de ses meilleurs hommes, un jeune colosse noir nommé Scow, trébucher tout à coup et s'arrêter.

— Je vais m'écrouler, haleta-t-il en regardant son commandant.

George se glissa derrière lui, prit le poids du rail sur son épaule.

— Repose-toi dix minutes. Et reviens. Quand nous aurons fini de poser ces vingt kilomètres de voie, il y aura le pont de Potomac Creek à réparer.

— Si vous continuez à remplacer vos nègres comme ça, c'est vous qui allez vous écrouler.

— Ne t'occupe pas de ça, file.

L'air à la fois admiratif et soupçonneux, Scow s'essuya la bouche.

— Vous êtes un drôle de patron, déclara-t-il.

Il s'éloigna, laissant George se demander comment il devait prendre la remarque. Que dirait le Noir s'il savait que son commandant possédait une grande usine métallurgique et une banque prospère ?

George prit la place de Scow dans l'équipe de porteurs de rail.

— Allez ! cria-t-il, étourdi, au bord de la nausée.

Les hommes repartirent en courant, s'arrêtèrent, lâchèrent le rail, sautèrent du ballast tandis que les masses s'élevaient et retombaient, puis retournèrent chercher un autre rail.

Billy tomba à genoux sur la route de Brock et se jeta dans un fossé quand un obus siffla dans l'air. L'explosion souleva une gerbe de pierres et de poussière ; des éclats de roche plurent sur le cou nu du sapeur qui gisait dans l'herbe, à bout de forces.

De tous côtés lui parvenaient les bruits innombrables de la bataille, qui semblait particulièrement violente à l'est. Quelques heures plus tôt, il s'était frayé un chemin dans les rues pleines de fumée de Spotsylvania et avait réussi à gagner la route sans se faire remarquer. Mais lorsqu'il se remit péniblement debout, titubant de fatigue, de souffrance et de faim, un capitaine monté sur un cheval — et appartenant sans doute à l'une des unités de Jubal Early — surgit de la fumée épaississant la grisaille du matin.

L'officier barbu passa devant Billy, arrêta sa bête, descendit et tira son sabre de son fourreau.

— Pas de traînard ! cria-t-il en frappant le dos de Billy du plat de son arme. Le front, c'est par là.

Marmonnant pour cacher son accent, Billy répondit :

— Mon capitaine, j'ai perdu mon mousquet...

— Tu ne le retrouveras pas en te planquant ici. Allez, avance !

Billy cligna des yeux, réfléchit : « Je vais devoir traverser à un moment ou à un autre, se dit-il. Autant le faire maintenant. »

— Les lâches de ton espèce me répugnent, continua le gradé. Nous avons perdu un grand homme, et tout ce que tu trouves pour rendre hommage à sa mémoire, c'est te conduire en couard ?

— On a perdu qui, mon capitaine ?

— Le général Stuart, imbécile ! La cavalerie de Sheridan nous a contournés pour foncer sur Richmond. Les Bleus ont tué le général avant-hier à Yellow Tavern. Maintenant, avance, ou je te fais arrêter.

Billy partit en direction des retranchements qu'il apercevait au loin. Un obus fit éclore au-dessus de lui une fleur noire. Se couvrant la tête des mains, il avança en trébuchant, souffrant davantage à chaque pas.

A Potomac Creek, le fleuve faisait cent trente mètres de large d'une falaise à l'autre. Les Confédérés avaient détruit le pont suspendu reliant les deux rives à vingt-cinq mètres au-dessus de l'eau. Haupt l'avait reconstruit, Burnside l'avait à nouveau démoli pour empêcher l'ennemi de s'en servir, et le Corps de construction entreprenait de le remettre en état une nouvelle fois.

Au bord de la fosse, George et ses hommes coupaient et posaient des rondins pour la fondation de l'ouvrage. Haupt n'était plus là mais ses plans et ses méthodes demeuraient. En quarante heures, ils édifièrent une réplique du pont à chevalets que Mr. Lincoln avait qualifié de « puissant assemblage de perches à haricots et d'épis de maïs ».

Sacrifiant leur sommeil, ils mirent les bouchées doubles parce que, selon les hommes revenant du champ de bataille, les pertes fédérales et confédérées s'accumulaient comme bois de stère en automne. Les hôpitaux provisoires de Spotsylvania ne pouvaient accueillir que les blessés les plus graves. Pendant la reconstruction précipitée du pont, huit hommes tombèrent, quatre moururent. En guise de funérailles, on les cacha hâtivement sous une bâche.

A présent les rails étaient posés, les gros câbles tendus en travers du pont. On amena la locomotive.

« Hisse ! » criaient en même temps soldats noirs et officiers blancs en tirant sur les cordes reliées à la locomotive. « Ho... hisse ! »

Comme l'avaient fait avant eux les volontaires du Wisconsin et de l'Indiana dirigés par Haupt, ils halèrent la locomotive vide de l'autre côté du pont sous un ciel d'orage. Un éclair déchira l'horizon ; le pont oscilla, craqua.

Mais il tint.

« Maintenant. Maintenant... »

Il se répétait ce mot depuis dix minutes pour s'encourager et savait qu'il devrait finalement obéir à cette injonction muette. Serrant d'une main le mousquet confédéré qu'on lui avait donné, Billy se hissa en haut du remblai et bascula de l'autre côté sous une pluie torrentielle.

— Hé ! Missouri, t'es dingue. Tu vas te faire descendre si tu continues !

C'était quelque sous-officier rebelle criant des fortifications en terre que Billy venait de quitter. Il se remit debout, avança dans l'herbe glissante avec le peu de forces qui lui restaient. Son képi n'abritait guère son visage de la pluie violente.

Il perdit l'équilibre, tomba les bras en croix sur un soldat mort regardant sans le voir l'éclair zébrant le ciel. Quand la lueur s'éteignit et que l'obscurité revint, il lâcha son mousquet, ôta le képi. L'éclair suivant le surprit alors qu'il luttait pour enlever sa veste grise, ouvrant et refermant la bouche avec des hoquets de douleur silencieux. Il fut repéré par ceux-là mêmes qui l'avaient accueilli peu auparavant sans trop poser de questions : les combats avaient dispersé et mêlé diverses unités le long des lignes confédérées. La voix du sous-officier s'éleva à nouveau :

— Ce fumier monte pas à l'assaut. Il se débine chez les autres. Abattez-le !

— Tout juste, je me débine, haleta Billy pour conjurer sa peur.

Des coups de feu retentirent derrière lui ; les poumons en feu, il continua à s'enfuir, l'épaule droite se soulevant et retombant au rythme de son clopinement. Un nouvel éclair fit apparaître des arbres couverts de bourgeons et briller une baïonnette de l'Union, qu'on eût dite chauffée à blanc.

La sentinelle — un des hommes de Burnside se trouvant devant la position sudiste — repéra la silhouette couverte de boue. Derrière, d'autres fusils tonnèrent, aussi fort que ceux des rebelles.

— Ne tirez pas! hurla Billy, les bras levés. Je suis un officier de l'Union échappé de...

Il trébucha sur une pierre, battit des mains, tourna sur lui-même, si bien qu'il ne sut pas de quel camp provenait la balle qui le toucha et le fit tomber face contre terre avec un cri étouffé.

George en apprit davantage sur l'offensive de printemps en lisant les journaux de Washington qu'en discutant avec ceux qui y avaient participé. Tout le monde parlait de la campagne de Grant et louait la bravoure de ses hommes alors que le véritable commandant de l'armée du Potomac était le général Meade. Mais Grant était le général en chef des armées qui se mirent en campagne et Meade fut relégué à un rôle subalterne. La guerre devint la guerre de Grant et la stratégie suivie la sienne. Délaisser Richmond. Anéantir l'armée de Lee. Ensuite, le château de cartes s'écroulerait.

Toutefois, les journaux lui reprochaient les pertes consenties. A mesure que l'armée décimée recevait des renforts, reformait ses rangs et se lançait dans la nuit à la poursuite de Lee, qui battait en retraite, les titres tombaient, presque tous semblables : « Enormes pertes chez les rebelles, lourdes pertes dans les deux camps. »

George et le jeune Scow regardaient un train de cadavres remontant vers le nord sur la ligne Aquia Creek-Alexandria rouverte. Ils reconnaissaient les trains emportant les morts parce qu'ils roulaient toujours plus vite que ceux transportant des blessés ou des prisonniers. Des centaines d'étincelles semblables à des lucioles voletaient au-dessus de la locomotive, qui disparut rapidement.

— Vingt, vingt et un, compta Scow au passage du dernier wagon. Ça fait un sacré tas de cercueils.

— Il y en aura d'autres, dit George d'un air sombre.

— Combien, à votre avis ?

— Autant qu'il en faudra pour remporter la victoire.

Il était fier du travail que ses soldats noirs et lui-même, si différents par l'aspect et la personnalité mais unis par un même objectif, avaient accompli ensemble. Toutefois, la raison qui motivait ce travail lui faisait horreur.

Il donna à Scow une tape amicale sur l'épaule en songeant qu'un officier ne devait pas se livrer à ce genre de familiarités. Il s'en moquait. Son unité était vraiment particulière.

— Allons chercher à manger.

George s'assit en tailleur près de Scow devant un feu de camp où brûlaient des poutres brisées. Il prenait une cuillerée de haricots dans son écuelle en fer-blanc quand un coup de sifflet annonça le passage d'un autre train en provenance de Falmouth. Scow et son commandant regardèrent à travers un dédale de souches en direction de la voie, située à quatre cents mètres. Le nord de la Virginie était devenu un pays de souches, où ne se dressaient plus que quelques arbres non coupés.

George suivit des yeux le faisceau blanc du fanal de tête, qui glissa le long d'une courbe, jaillit au-dessus des souches comme une lame et éclaira un moment la peau brune de Scow.

Estimant sa vitesse, George grommela : « Des blessés » et revint à ses haricots tandis que le wagon transportant son frère passait dans un bruit de ferraille.

104

Virgilia et huit autres infirmières prirent le train d'Aquia Creek à Falmouth, où on avait établi un hôpital de campagne provisoire s'ajoutant à ceux déjà installés dans des églises, des écuries et des maisons de Fredericksburg. Les blessés affluaient de Spotsylvania et les cas les plus graves, ceux qui n'auraient pas survécu à un court voyage en train, étaient soignés à Falmouth.

Dans le wagon des infirmières, les sièges avaient été remplacés par des lits de camp dégageant une odeur familière de saleté et de sang. Les fenêtres étaient condamnées par des planches à l'exception de celles se trouvant à chaque extrémité du wagon, pour l'aération. Les vitres de ces deux dernières étaient brisées depuis longtemps et la pluie tombait à l'intérieur de la voiture filant vers le sud. Une lanterne accrochée à la portière arrière jetait une lumière blême sur les femmes en pèlerine assises le plus dignement possible sur les couchettes.

Le groupe était placé sous la responsabilité de Mrs. Neal, à laquelle Virgilia avait essayé d'échapper à trois reprises. Chaque fois, Miss Dix avait rejeté la demande de mutation et Virgilia soupçonnait Mrs. Neal d'être pour quelque chose dans ces refus. La directrice reconnaissait la compétence de Virgilia mais prenait plaisir à la frustrer. De son côté, Virgilia méprisait sa supérieure mais ne pouvait se résoudre à démissionner. Son travail lui procurait toujours de profondes satisfactions. Elle guérissait et réconfortait des dizaines d'hommes qui souffraient, et la vue des corps mutilés, des soldats agonisants entretenait sa haine du Sud.

— Il paraît que les combats de Spotsylvania ont été terribles, dit une plantureuse vieille fille nommée Thomasina Kisco. (Le bord de son bonnet de voyage noir jetait une ombre sur son visage.) Et les pertes énormes.

— Cela assurera la défaite de Mr. Lincoln en novembre, enchaîna Mrs. Neal. Puisqu'il refuse de mettre fin à la boucherie, les électeurs le feront à sa place.

La directrice faisait campagne pour McClellan et les Démocrates pacifistes.

— C'est vrai qu'on amène les blessés confédérés à cet hôpital ? demanda Virgilia.

— Oui, répondit Mrs. Neal d'un ton aussi froid que son regard.

— Je ne soignerai pas de soldats ennemis, Mrs. Neal.

— Vous ferez ce qu'on vous ordonnera, Miss Hazard, répliqua la directrice. Vous êtes une excellente infirmière mais apparemment incapable de vous plier à la discipline du service. Pourquoi y restez-vous ?

« Parce que, grosse vache ignare, je suis un soldat moi aussi, à ma manière », pensa Virgilia, qui se contenta de détourner les yeux.

L'année précédente avait été difficile pour elle à cause de la directrice. Maintes fois, Virgilia avait été sur le point de faire ce que Mrs. Neal souhaitait, donner sa démission. Elle s'était accrochée non seulement parce qu'elle tirait satisfaction de son travail mais parce qu'elle y excellait, qu'elle en savait plus que nombre de charlatans posant à l'éminent médecin. Chaque fois qu'elle se sentait envahie par l'envie de démissionner, elle la combattait en se rappelant que Grady était mort sans avoir été vengé, et que Lee, alors officier de l'Union, avait commandé le détachement qui avait mis fin à la lutte courageuse de John Brown.

Le wagon oscillait, le vent hurlait, la pluie s'engouffrait par les fenêtres. Miss Kisco leva vers le ciel un regard chargé d'appréhension en murmurant :

— Le tonnerre est vraiment fort.

— Ce sont les canons de Spotsylvania, corrigea Virgilia.

La pluie d'orage criblait les grandes tentes de l'hôpital de campagne installé près de la gare de Falmouth. Les plaintes des blessés, les jurons des médecins, les cris des conducteurs d'ambulance se faisaient entendre par-dessus un bruit de fond constant de wagons, de cloches, de coups de sifflets aigus.

Virgilia et Miss Kisco furent affectées à une tente accueillant des hommes qui, bien que gravement blessés, n'avaient pas besoin d'une intervention chirurgicale immédiate. On usait du bistouri et de la scie dans la tente voisine, où officiait la directrice. Une fois par heure, Mrs. Neal venait inspecter le service de Virgilia.

— Par ici, Miss Hazard, dit le médecin-chef de la tente.

Ventru, la voix sifflante, il la guida vers un lit de camp sur lequel des brancardiers avaient placé un lieutenant mince et jeune aux cheveux châtains. Bien que le lit occupât le coin le plus sombre de la tente, on distinguait clairement la couleur de l'uniforme du blessé inconscient.

— Cet homme est un rebelle, dit Virgilia.

— C'est ce que j'ai conclu de sa veste grise, répliqua le docteur avec irritation. Il est également blessé, ajouta-t-il en montrant la cuisse droite du lieutenant. Enlevez ce pansement, je vous prie.

Le médecin s'avança vers le côté gauche du lit, où une feuille de papier était épinglée à la couverture. Il la détacha pour la lire.

— Balle logée contre l'artère fémorale... C'est un gars du Mississippi, de la brigade du général Nat Harris. Capturé au saillant du Fer à Mule. Je n'arrive pas à déchiffrer son nom...

Il inclina la feuille vers la lanterne la plus proche tandis que Virgilia se forçait à ôter le pansement de la jambe de pantalon déchirée. Dans l'allée suivante, un jeune soldat sanglotait. Tant de souffrances ! Et elle soignait un de ceux qui en étaient responsables...

La blessure du rebelle avait été correctement nettoyée et pansée par les brancardiers. La jambe nue et pâle parut un peu froide quand elle la toucha. Cela expliquait l'absence d'hémorragie : le sang avait cessé de couler quand la température était tombée.

— O'Grady.

— Je vous demande pardon ? dit Virgilia en sursautant.

— Je dis qu'il s'appelle apparemment O'Grady, grogna le médecin-chef. Je ne savais pas qu'il y avait des mangeurs de patates * dans le Mississippi. Laissez-moi regarder.

Le docteur fit le tour du lit ; Virgilia demeura immobile, le regard fixe.

— Reculez-vous, enfin !

Virgilia obéit en maugréant une excuse. Sa tête toucha le toit en pente de la tente. O'Grady. Elle haïssait deux fois plus le jeune lieutenant parce qu'il portait ce nom. Saisissant son tablier, elle se mit

* Irlandais (n.d.t.).

à le tordre, doucement d'abord, puis avec une violence croissante.

— Miss Hazard, vous vous sentez mal ?

La voix sifflante arracha l'infirmière à son angoisse.

— Excusez-moi, docteur. Que disiez-vous ?

— Sortez de vos pensées et prêtez quelque attention à ce blessé, s'il vous plaît. Nous devons ligaturer l'artère et essayer d'extraire...

— Docteur ! appela Miss Kisco à l'autre bout de la tente. Par ici, une urgence.

Le médecin s'éloigna aussitôt en lançant à Virgilia :

— Je m'occuperai de lui dès que je pourrai. Mettez un nouveau pansement et surveillez son état.

Virgilia alla prendre des tampons de gaze dans la boîte laquée située au milieu de la tente et revint au chevet du lieutenant O'Grady. Elle se demanda combien de soldats de l'Union il avait abattus. Une chose était certaine : il n'en tuerait plus un seul. Quelle ironie que son nom ressemblât autant à celui de son amant mort !

Elle remarqua Mrs. Neal en conversation avec un autre docteur à l'entrée de la tente. La directrice observa un moment Virgilia, qu'elle essayait toujours de prendre en faute. Lorsque Mrs. Neal ramena son attention sur le médecin, Virgilia refit le pansement avec soin et douceur.

Sans que rien dans ses gestes ou son expression ne traduise son excitation, elle remonta la couverture du jeune lieutenant, en chercha une autre et ne put retenir un petit sourire en la posant au-dessus de la première. Puis elle caressa d'une main apaisante le front froid du blessé et s'éloigna.

Un coup de canon fit trembler la tente, où toutes les lanternes oscillèrent. Dehors, deux ambulances arrivèrent sous la pluie, réduite à un simple crachin. Virgilia estima que l'aube approchait — les infirmières s'étaient mises immédiatement au travail en descendant du train. Elle ne pouvait s'empêcher de jeter des coups d'œil au Sudiste inconscient en s'affairant auprès des blessés qu'on venait d'amener.

Pendant les vingt minutes qui suivirent, le médecin-chef n'eut pas le temps de revenir voir le lieutenant O'Grady mais Virgilia délaissa un moment les nouveaux arrivants pour s'approcher du rebelle.

Avec précaution, elle souleva les couvertures, vit le pansement taché d'un sang artériel rouge vif. Le blessé respirait plus fort, péniblement — comme elle l'avait prévu. Elle lui prit le poignet : le pouls était plus rapide — comme elle l'avait prévu aussi. Les couvertures avaient fait monter la température, déclenchant une hémorragie secondaire — comme Virgilia l'avait escompté.

Elle posa deux autres tampons de gaze sur les premiers, remonta les couvertures et les glissa sous le menton du jeune homme, sans le moindre remords. L'homme était un ennemi, elle un soldat. Grady avait longtemps crié vengeance.

— Miss Hazard !

Elle retourna au centre de la tente, d'où le médecin-chef l'avait appelée. Les brancardiers venaient d'amener sur une civière un capitaine gravement blessé à la poitrine. Il ne restait qu'un lit vacant dans le coin le plus sombre, à côté de celui d'O'Grady.

Le cœur battant, Virgilia se glissa entre la couchette du rebelle et celle du nouveau venu. Le médecin débordé eut un mouvement du menton pour désigner O'Grady et demanda :

— Celui-là, comment va-t-il ?

— Son état était satisfaisant la dernière fois que je l'ai examiné.

— Il respire avec difficulté, dirait-on. Jetez donc un coup d'œil.

— Bien.

Terrifiée, Virgilia commença à se retourner.

— Non, pas maintenant. Quand vous aurez fini de m'aider.

Ils s'occupèrent ensemble du capitaine pendant quelques minutes puis le médecin épuisé partit répondre à un nouvel appel de Miss Kisco, qui accueillait les blessés d'une troisième ambulance. Virgilia prit des tampons dans la boîte, retourna d'un pas vif près d'O'Grady. Elle souleva les couvertures, vit deux petites étoiles d'un rouge brillant sur la gaze blanche. Avec un sourire presque sensuel, elle cacha les taches sous de nouveaux tampons, remonta les couvertures sur l'homme qui se vidait de son sang. « Dans une demi-heure, il sera mort », estima-t-elle. Elle remit dans la boîte les tampons non utilisés et reprit son travail avec un sentiment de satisfaction.

Trois quarts d'heure plus tard, elle revint dans le coin sombre avec une poubelle, ôta les tampons trempés de sang, les remplaça par un seul pansement — le dernier dont elle aurait besoin. Puis elle remit la poubelle à sa place et alla s'occuper d'autres blessés. Malgré la puanteur de la tente, Virgilia connut pendant une vingtaine de minutes un état quasi euphorique dont elle fut brutalement tirée par un cri.

Mrs. Neal, revenue inspecter la tente, se tenait dans le coin obscur. Sa silhouette trapue se dessinait sur la toile éclairée par la lumière de l'aube. De la main droite, elle soulevait les couvertures du lieutenant O'Grady.

— Docteur, docteur! Ce garçon est mort. Qui était chargé de le surveiller?

105

— Nom et grade du prisonnier?

— Soldat Stephen McNaughton.

— Capturé où?

— A environ cinq kilomètres au nord, major, répondit le sergent d'une voix coassante. On l'a piqué à cause de ça, ajouta-t-il en montrant le pantalon écossais souillé du prisonnier.

La lanterne accrochée au toit de la tente se reflétait dans les yeux du major commandant le régiment, un homme deux fois plus jeune que le prisonnier.

— Avancez, ordonna-t-il en roulant légèrement les r à la manière des Ecossais.

Salem Jones fit deux pas en direction du bureau.

— De la racaille, nous n'avons plus que cela, marmonna l'officier.

Ses propos furent approuvés d'un hochement de tête par l'un des deux caporaux qui avaient aidé le sergent à ramener le captif au quartier général du régiment.

— Jamais aucune armée n'a accueilli pour sa honte des êtres aussi dépravés, endurcis par le vice, poursuivit le major.

Toute inquiétude mise à part, Jones n'avait aucun désaccord fondamental avec cette déclaration. Lorsqu'il s'était engagé comme remplaçant dans son dernier régiment — une unité de réserve de Pennsylvanie — on l'avait gardé trois jours dans une forteresse de Philadelphie, sous la surveillance constante de gardes armés. Les autres recrues ainsi confinées lui avaient inspiré une profonde terreur. C'étaient de toute évidence des criminels, des hommes qui l'auraient poignardé ou étranglé pour lui faire les poches s'il n'avait déjà perdu au poker sa prime d'engagement.

— Qu'étiez-vous dans le civil, soldat McNaughton ? Tricheur ? voleur ? assassin ? reprit l'officier. Peu importe, je connais la réponse. Vous êtes un opportuniste, un lâche. Vous faites honte à ce régiment, à l'armée des Etats-Unis, à l'Etat de New York, à l'Amérique et à la terre de vos ancêtres.

« Pauvre petit couillon », pensa Jones en imaginant plusieurs façons atroces d'assassiner le major. Quel manque de chance d'avoir choisi un pseudonyme écossais et de tomber sur un commandant de même origine ! Jones avait l'impression qu'il s'en tirerait moins facilement cette fois.

La colère de l'officier s'expliquait par le grand nombre de désaxés et de gibiers de potence qu'on ramassait dans tout le Nord pour alimenter la machine de guerre du général Grant. Le major fit le tour de son bureau, se planta devant Jones.

— Combien de fois avez-vous empoché la prime d'engagement et filé ? Plusieurs fois, je gage. Eh bien, McNaughton — si c'est votre nom, ce dont je doute — ce ne sera plus aussi facile désormais.

Les jambes de Salem Jones flageolèrent.

— Prévenez le barbier de faire chauffer son fer, poursuivit le commandant. Et chassez de ma vue ce rebut de la société.

D'abord la tondeuse puis le rasoir, appliqué avec peu de crème et sans douceur. Le sous-officier qui faisait officieusement fonction de barbier coupa deux fois le crâne de Jones en le rasant. Le prisonnier n'osa pas protester de peur de l'irriter.

Assis sur un tabouret, il laissa le barbier enlever le reste de cheveux ceignant sa tête chauve. Une trentaine de soldats étaient venus assister au châtiment et les simagrées de certains d'entre eux provoquaient la colère de Jones. C'étaient des hommes qui s'étaient engagés comme lui sous un faux nom pour toucher la prime, avec l'intention de déserter à la première occasion. Jones avait renouvelé l'opération quatre fois dans l'année depuis que l'idée lui en était venue au plus fort des émeutes de New York. Il connaissait des types qui avaient exploité la combine sept ou huit fois sans se faire prendre. Lui n'avait pas eu cette chance — il n'avait jamais eu de chance.

Une chouette hulula dans la nuit tiède de mai. Devant le grand feu, le sergent au torse nu annonça :

— Prêt.

Le cercle des spectateurs s'ouvrit, les caporaux poussèrent Jones vers le feu tandis que le sergent saisissait d'une main protégée par un épais gantelet la poignée du fer. L'extrémité qui sortit des braises était chauffée à blanc.

Plusieurs soldats empoignèrent Jones, d'autres le forcèrent à boire une longue rasade de tord-boyaux en lui enfonçant la bouteille entre les lèvres. Puis ils l'approchèrent du feu, le menton dégouttant d'alcool, un filet de sang coulant autour de son oreille gauche.

Le sergent couvert de sueur souleva le fer. « Salauds ! hurla silencieusement Jones. Je vous tuerai. »

— Tenez-le bien, marmonna le sous-officier.

Le fer monta vers ses yeux, grossit de plus en plus. Jones se débattit, supplia :

— Non, non !

Un visage familier apparut à côté de l'intense lumière : le major était venu assister au spectacle.

— Tenez-le, bon sang ! protesta le sergent.

Des mains immobilisèrent la tête de Salem Jones, qui se mit à hurler quelques secondes avant que le sous-officier n'applique le fer sur son visage.

Il jeta le brandon vers la tente et s'enfuit.

Il descendit un talus herbeux, pénétra dans un verger, courut encore quelques mètres avant d'oser se retourner. Agrippant d'une main une branche basse, il vit des flammes s'élever de la tente, entendit des cris. Il n'espérait pas vraiment faire périr le major dans le feu mais au moins lui flanquer la trouille. Jones se remit à courir.

Trois jours après sa punition, on l'avait réincorporé parce que l'armée se préparait à faire mouvement — de nuit, ce qui semblait être désormais la règle — et que ces imbéciles croyaient l'avoir dressé en lui rasant la tête et en le marquant au fer. Mais, surtout, ils avaient besoin de chair à canon pour leur guerre. Il faisait l'affaire, tout comme les immigrants, les malandrins, les infirmes et autres magnifiques spécimens que l'armée de l'Union comptait désormais dans ses rangs.

Débordant de rage, Jones avait volé un pantalon à un soldat d'un régiment voisin et arraché tous les boutons de sa veste crasseuse. Pour se procurer de l'argent, il avait triché au jeu. Il ne portait ni arme ni papiers, rien qui pût l'identifier à part la marque qui lui cuisait le visage. Il était prêt pour sa dernière désertion.

Même s'il avait pu s'engager à nouveau pour toucher encore une fois la prime, il ne l'aurait pas fait. La guerre était devenue trop sanglante. Lee avait contenu Grant le Boucher dans le Wilderness et lui avait porté des coups terribles à Spotsylvania. (Pendant ce dernier combat, Jones avait joué les traînards, évitant les secteurs les plus dangereux.) Mais Grant ne renonçait pas. Le major qui avait puni Jones avait rassemblé le régiment pour apprendre à ses hommes que le général avait envoyé à Washington un télégramme exprimant sa détermination à vaincre en Virginie. Selon le major, ce message avait été repris par tous les journaux afin d'élever le moral de la population civile : « J'ai l'intention de poursuivre le combat sur ce front même si cela doit prendre tout l'été. »

Ben, il le ferait sans Salem Jones, bon Dieu ! Finies les combines pour empocher la prime. Jones filait vers le sud, aussi vite et aussi loin qu'il le pourrait. Jusqu'en Caroline du Sud, peut-être. Ah ! il aimerait être là-bas quand la Confédération tomberait — ce qui ne manquerait pas d'arriver maintenant que la machine sanglante de Grant était en branle. Jones songeait avec amusement à ce qu'il pourrait faire à Mont Royal et à ceux qui l'avaient congédié, quand la Caroline serait province conquise...

Le déserteur continua sa course à travers le verger puis se glissa entre les postes des sentinelles. La lune de mai apparut dans le ciel, majestueuse, et inonda de lumière le « D » de cinq centimètres de haut imprimé dans la chair de Jones, sous son œil droit.

Vingt-quatre heures après l'arrivée des infirmières, les conditions s'étaient améliorées à l'hôpital de campagne. Des chariots de la

Commission sanitaire, poursuivis par des bandes de jeunes Noirs joyeux, apportèrent de la morphine, de l'opium, du chlorure de calcium et des vivres.

Au milieu d'une agitation constante et d'une confusion occasionnelle, Virgilia parvint à rassembler son courage et ses esprits pour la confrontation devenue inévitable dès le moment où Mrs. Neal avait soulevé les couvertures du lieutenant mort. Elle soupçonnait la directrice de vouloir s'adresser d'abord à elle avant d'aller trouver le médecin-chef. Mrs. Neal tenait certainement à cette petite satisfaction.

A la fin de la première journée de travail de Virgilia, il y eut une accalmie. Pas de nouveaux blessés, rien de plus à faire pour ceux qui étaient déjà là. Elle essuya un gobelet en fer-blanc à son tablier, y versa du café brûlant. N'ayant dormi qu'une heure dans l'après-midi, elle se sentait vannée.

Elle fit quelques pas au-dehors. La nuit tombait. Les souches et les troncs d'arbres noircis par le feu qui entouraient l'hôpital dégageaient encore une odeur de bois brûlé. Virgilia sentait une douleur sourde des pieds au creux des reins d'être restée si longtemps debout. Elle tourna le coin de sa tente, se raidit en entendant une robe froufrouter derrière elle. Sans se retourner, elle s'assit sur une souche, écarta une mouche de la main.

— Miss Hazard ?

L'expression composée, Virgilia changea de position pour montrer qu'elle avait entendu.

— Je dois discuter avec vous d'une question extrêmement grave, poursuivit Mrs. Neal. Nous savons toutes deux de quoi il s'agit, je le crains.

« Tu le crains ? pensa Virgilia avec colère. Tu t'en réjouis, oui. »

La directrice s'arrêta derrière une souche et regarda sa subordonnée comme un juge présidant un tribunal.

— Vous avez laissé ce jeune Sudiste saigner à mort, n'est-ce pas ? En d'autres termes, vous l'avez tué.

— C'est l'accusation la plus ridicule, la plus insultante...

— Inutile de riposter par des protestations indignées, coupa Mrs. Neal. Vous aviez explicitement déclaré dans le train, devant témoins, que vous ne soigneriez pas un ennemi blessé. Votre haine du Sud est notoire. Vous avez couvert ce jeune officier en sachant parfaitement que la chaleur déclencherait à nouveau l'hémorragie.

— Je reconnais avoir commis cette erreur. Dans la confusion... Les blessés qui réclamaient de l'aide, les médecins qui criaient tous en même temps...

— Allons donc ! Vous êtes l'une des meilleures infirmières que je connaisse. Si je n'ai jamais eu de sympathie pour vous, je ne sous-estime pas vos compétences. Vous ne commettriez pas ce genre d'erreur sans le vouloir.

Virgilia se leva. Elle avait pensé qu'avouer une faute rendrait plus crédibles ses dénégations quant au reste mais Mrs. Neal ne marchait pas. Sans regarder la directrice, elle risqua un coup de bluff :

— Si je reconnais une erreur de jugement, vous aurez bien du mal à prouver qu'il y a eu autre chose.

— Je peux toujours essayer. Je déclarerai dans mon rapport que vous avez couvert le blessé en pleine connaissance de cause, que vous avez ensuite caché l'hémorragie en recouvrant la gaze ensanglantée avec d'autres tampons...

— Non ! C'est faux !

Mrs. Neal leva plusieurs mentons, toisa Virgilia.

— Qui, alors ?

— Je ne sais pas. Un des brancardiers...

— Absurde !

— Je reconnais avoir couvert le blessé, rien d'autre.

— Il ne sert à rien de poursuivre cette discussion mais je sais ce que vous avez fait et j'en référerai à Miss Dix. Je veillerai à ce que vous soyez punie. Je vous conseille de passer la soirée à préparer votre défense.

La directrice s'éloigna en coulant vers Virgilia un regard satisfait.

Son laissez-passer était en règle, elle prit sans problème le premier train à destination d'Aquia Landing. Au lever du soleil, elle monta à bord d'un vapeur remontant le Potomac.

Elle ne retournerait jamais à l'hôpital de campagne — ni à celui-là ni à un autre. Mais elle ne se cacherait pas. Devant la grande tente où l'attendait le médecin-chef, qui avait demandé à la voir, elle avait pris conscience que le seul moyen d'échapper à une enquête était de faire intervenir une personne influente.

Enveloppée dans sa pèlerine, Virgilia était assise sur le pont du bateau, ses valises entre les jambes. Malgré tout, elle ne regrettait rien. Les Sudistes étaient responsables de la mort de Grady, elle avait appliqué la loi du talion — comme les Confédérés eux-mêmes. Elle se sentait triste pourtant de ne plus pouvoir être infirmière. Ce travail avait donné à son existence un sens dont elle était dépourvue depuis la débâcle de Harper's Ferry. Du moins avait-elle mis un terme à sa carrière comme tout bon soldat doit le faire. En tuant un ennemi.

Il fallait maintenant en affronter un autre. Dans la fraîcheur du petit matin, elle débarqua sur la jetée, le visage calme et résolu. Son plan était arrêté : dès qu'elle aurait trouvé une chambre et fait un peu de toilette, elle chercherait à joindre Sam Stout, le parlementaire.

106

De son lit à l'hôpital pour convalescents de Harewood, Billy écrivit :

Dimanche, 5 juin. Temps chaud. La nuit, nous devons tous nous protéger du cocon d'une moustiquaire pour ne pas être dévorés. Des tulipiers ombragent notre pavillon aux heures les plus étouffantes de la journée mais rien ne peut nous délivrer de l'odeur de charnier qui flotte sur la ville depuis que le général G. s'est mis en campagne. Les morts sont partout, innombrables.

Ne parviens pas à avoir des nouvelles sûres mais ai appris par les brancardiers qu'une grande bataille se déroule à une dizaine de kilomètres de Richmond. Ce sera peut-être la dernière et je pourrai te retrouver, ma chère femme. Sinon, je retournerai en Virginie dans quelques jours. La balle Minié qui m'a touché au mollet a traversé le muscle sans faire trop de dégâts.

Je ne veux pas retourner au front et cet aveu ne fait pas de moi un lâche. La seule raison qui pourrait m'y pousser, en cas d'échec de G. devant Richmond, c'est qu'il faut poursuivre nos efforts pour mettre à jamais fin à cette boucherie.

Abe sera désigné la semaine prochaine à Baltimore comme candidat d'un parti d'union nationale, dont la création hâtive vise apparemment à démontrer qu'un objectif commun unit les Républicains modérés et les démocrates favorables à l'Union. La victoire de L. n'est aucunement assurée. Il compte de nombreux adversaires et l'armée de ses ennemis grossit chaque jour. Un officier a ouvertement déclaré ici que la nation serait mieux servie si quelqu'un assassinait le président. Sombrerons-nous plus profondément encore dans la folie avant la fin de la guerre ?

Le jour où Lincoln fut désigné comme candidat — avec comme colistier le gouverneur du Tennessee, le Démocrate Johnson — Isabel partit avec les jumeaux pour passer de longues vacances à la villa de Newport. La vie à Washington était devenue insupportable. Toutes les heures, les trains et les vapeurs transportant les morts arrivaient dans la capitale. Les croque-morts déambulaient l'œil hagard, épuisés. Dix-huit à vingt mille blessés s'entassaient dans les hôpitaux militaires du district. Ils envahissaient même les beaux quartiers et les odeurs pestilentielles avaient raison des parfums les plus forts.

Stanley ne souleva pas d'objection au départ de son épouse. Cela lui permit de voir plus facilement une jeune femme dont il avait fait la connaissance un soir d'avril en se rendant avec des compères républicains aussi soûls que lui au *Varieties*, le grand music-hall de la 9ᵉ Rue. La façade de l'établissement était couverte de drapeaux et éclaboussée de couleurs par une roue transparente tournant devant une lampe au calcium.

Le public était presque exclusivement masculin. Avant les solistes interprétant des chansons d'amour et le contorsionniste chinois, des filles peu vêtues se trémoussaient au rythme d'airs patriotiques. La joliesse d'une des danseuses, jeune femme d'une vingtaine d'années à la poitrine épanouie, incita Stanley à grimper sur un banc et à crier comme les dizaines de soldats puant la sueur et mastiquant leur chique qui l'entouraient.

Un verre de mauvais whisky dans chaque main, Stanley ne quitta plus des yeux la danseuse et fit sa connaissance quelque temps après dans les coulisses. La fille n'eut plus rien à lui refuser lorsqu'elle apprit qu'il était l'ami du ministre Stanton, du sénateur Wade et du député Davis, entre autres.

Ces deux derniers faisaient la une des journaux. Avec leur loi Wade-Davis, récemment adoptée par la Chambre des représentants, ils étaient ouvertement partis en guerre contre le programme de reconstruction modéré du président. Cette loi stipulait qu'un gouvernement civil pourrait être rétabli après la guerre dans un Etat rebelle uniquement si la moitié des électeurs prêtait serment de fidélité — alors que le plan de Lincoln fixait la barre à dix pour cent seulement. Les autres dispositions de la loi Wade-Davis étaient aussi dures et le président avait fait savoir qu'il l'enterrerait par le système de la « poche restante » *si le Sénat la votait également.

Furieux, Wade riposta en déclarant publiquement : « L'autorité du Congrès est souveraine. Elle doit être respectée par tous — et cela vaut aussi pour la créature tourmentée qui hante la résidence présidentielle et fait honte à ses fonctions et à son pays. »

---

* *Pocket veto :* le président « oublie » de signer une loi dans les délais légaux, ce qui équivaut à un veto implicite (n.d.t.).

Stanley, qui assistait à la réception au cours de laquelle le sénateur avait tenu ces propos, avait applaudi en criant « Bravo ! » Toutefois, il n'était pas allé jusqu'à participer à la convention scissionniste de Cleveland, où une fraction républicaine avait désigné le général Frémont comme candidat. Mais il consacrait tous ses efforts à l'évincement de Lincoln, comme il le révéla, entre autres confidences, à sa nouvelle petite amie.

Miss Jeannie Canary — pseudonyme qu'elle avait adopté pour remplacer le nom imprononçable hérité d'un père levantin — était aussi impressionnée par les relations de Stanley que par sa fortune. Le soir de la désignation de Lincoln, ils étaient tous deux au lit dans la chambre minable de Miss Canary, que Stanley avait promis de remplacer bientôt par un logement plus agréable.

Agréablement étourdi par le bourbon qu'il avait bu, Stanley, étendu sur son gros ventre, jouait du bout des doigts avec les mamelons sombres de sa maîtresse. D'ordinaire, elle souriait tout le temps mais pas ce soir-là.

— Chéri, je veux voir les illuminations, je veux entendre la fanfare de la Marine jouer *Tramp ! Tramp ! Tramp !*

— Jeannie, répondit Stanley d'un ton patient, comme s'il s'adressait à un enfant peu éveillé, ces festivités sont un camouflet pour mes amis les plus proches. Comment pourrais-je y assister ?

— Oh ! c'est pour ça que tu dis non, rétorqua la jeune femme.

Elle se retourna, montrant à Stanley son postérieur rebondi. Derrière les rideaux sales de la fenêtre, une fusée monta dans le ciel, explosa en une pluie argent. D'autres suivirent, de toutes les couleurs. Vers Georgetown, de nombreux ballons dangereusement éclairés par les lanternes de leurs nacelles dérivaient dans l'air.

Miss Canary se toucha la joue de l'index comme une mauvaise actrice dans une attitude pensive.

— La vraie raison, c'est que tu veux pas qu'on te voie avec moi.

— Tu ne dois pas t'en offenser. Je suis connu dans cette ville. Et je suis un homme marié.

— Alors, t'as rien à faire ici. Si tu veux pas me sortir, c'est pas la peine de me louer un appartement. Ou de revenir me voir dans les coulisses.

Les yeux sombres et la moue de la danseuse eurent raison des résistances de Stanley. Il sortit du lit, trouva la bouteille de bourbon, en vida le fond.

— Bon, d'accord, on y va. Mais une heure seulement... J'espère que tu apprécies les risques que je prends, maugréa-t-il en tendant la main vers son pantalon démesuré.

— Oh ! oui, trésor, oh ! oui ! piailla Jeannie.

Elle passa ses bras parfumés autour de son cou, écrasa ses seins contre le corps pâle et mou. Dans de tels moments, Stanley oubliait son âge et chassait totalement Isabel de ses pensées. Il se sentait jeune.

Ils sortirent, prirent un fiacre — Stanley ne se faisait jamais conduire par son propre cocher dans le quartier de sa maîtresse — et il lui expliqua en chemin pourquoi ses amis et lui méprisaient Lincoln. Il commença par lui parler des divers plans de reconstruction, vit son sourire se figer, indice sûr qu'elle allait à nouveau se fâcher, et passa aussitôt au domaine militaire.

— Le président a choisi Grant mais la campagne de ce dernier s'est quasiment enlisée. Cold Harbor fut un désastre dont nous découvrons seulement maintenant l'ampleur. Le général a perdu quelque cinquante mille hommes — près de la moitié des forces avec lesquelles il avait franchi le Rapidan, et presque autant que toute l'armée de Lee. La nation ne tolérera pas que le boucher présente une note aussi élevée alors que Richmond n'est toujours pas prise.

— Je sais pas où c'est exactement, Richmond, chéri. Là-bas près de la Caroline du Nord ?

Stanley tapota la main de Jeannie en soupirant. Elle était gentille et drôle mais d'une intelligence limitée. Il ne faut pas trop attendre d'une danseuse, supposait-il.

— Je veux descendre, exigea-t-elle quand le fiacre fut bloqué par la foule.

Il tenta de la persuader de n'en rien faire puis la suivit craintivement lorsqu'elle se lança parmi les badauds. Des fusées multicolores zébraient le ciel ; des lumières éclairaient d'immenses portraits transparents de Lincoln, de Johnson — quasiment inconnu — et de Grant, la mâchoire crispée. Accrochée au bras de Stanley, Miss Canary poussait des petits cris qui faisaient se retourner les gens.

— Bonsoir, mon cher Hazard.

Pâlissant, Stanley fit volte-face et vit le député Henry Davis, du Maryland, soulever son chapeau, poser un regard perçant sur la danseuse et s'éloigner.

Charles aurait voulu pleurer Beauty Stuart mais aucune larme ne montait à ses yeux. Il ne lui venait que des souvenirs, des débris étincelants de la grande légende de Stuart, façonnée par ses admirateurs, ses détracteurs et par l'homme lui-même. Au bout du compte, Charles put pardonner l'attitude soupçonneuse et dédaigneuse de Stuart à l'égard de Hampton au début de la guerre et ne retenir que sa façon extraordinaire de chanter. On racontait que, agonisant, il avait demandé à ses amis de chanter *Rock of Ages* à son chevet.

Général de brigade, Hampton aurait logiquement dû recevoir le commandement de la cavalerie. On lui accorda en partie la responsabilité du poste mais pas l'avancement. Charles, Jim Pickles et tous les autres anciens savaient pourquoi : Lee croyait Hampton trop âgé pour supporter le fardeau d'un commandement aussi important.

Charles trouvait cela ridicule. Hampton s'était depuis longtemps montré capable de résister à des épreuves, des intempéries, de longues chevauchées, des campagnes qui auraient brisé nombre d'hommes plus jeunes que lui. On semblait néanmoins décidé en haut lieu à continuer à lui faire passer des examens et Charles soupçonnait que cette attitude était aussi due au fait que Fitz Lee désirait le poste.

De retour de Richmond, l'éclaireur n'eut pas le temps d'aller voir Gus, à laquelle il pensait souvent. Il avait décidé de refroidir leurs rapports, voire d'y mettre définitivement fin, et la guerre l'y aidait.

En même temps, il s'inquiéta pour la jeune femme quand les combats reprirent avec férocité dans le Wilderness. Il savait que les Fédéraux avaient repris Fredericksburg, dont de nombreux habitants avaient fui. Dans une lettre répondant à un mot de Charles, Orry écrivait que Gus et ses affranchis n'étaient pas à Richmond ou, du moins, qu'ils n'avaient pas cherché refuge chez lui. Charles en déduisit qu'Augusta se trouvait toujours à la ferme. Il aurait voulu s'assurer qu'elle allait bien mais ne le pouvait.

Valait-il mieux savoir ou pas ? Jim Pickles recevait des lettres de chez lui qui le déprimaient chaque fois davantage. Sa mère était clouée au lit, le docteur pensait qu'elle ne finirait peut-être pas l'année.

— Il faut que j'y aille, annonça Jim un jour.

— Impossible, répondit Charles d'un ton autoritaire.

Jim réfléchit un moment avant de marmonner sans conviction :

— Ouais, vous avez sûrement raison.

L'armée de Grant roula sur ses morts à Cold Harbor, apparemment dans l'intention d'investir le nœud ferroviaire stratégique de Petersburg. La cavalerie de Phil Sheridan lança vers Charlottesville une opération de diversion qui contraignit Lee à envoyer Hampton à sa poursuite. Près de Trevilian Station, Charles aperçut brièvement le Yankee aux cheveux bouclés — maintenant général — qui l'avait impressionné à Brandy Station.

Les Fédéraux étaient sur le point de partir avec chariots, ambulances et environ huit cents chevaux. La brigade de Calbraith Butler étant engagée ailleurs, Hampton envoya au galop les cavaliers de Texas Tom Rosser. Charles chevauchait avec eux lorsqu'il vit le jeune général, qu'il reconnut d'abord à son foulard rouge. L'éclaireur tira sur lui, le manqua ; Custer riposta et s'éloigna. Il n'avait probablement pas reconnu Charles, qui ressemblait plus maintenant à un bandit barbu qu'à un soldat.

Le lendemain après-midi, l'éclaireur avait mis pied à terre derrière les fortifications élevées hâtivement le long de la voie ferrée de la Virginia Central. De l'autre côté des rails, les cavaliers de Sheridan se mirent en formation et avancèrent à pied tandis que des cuivres jouaient *Garryowen*.

Jim Pickles, qui avait rejoint avec Charles les troupes de Butler, baissa la tête quand une balle Minié passa non loin de lui.

— Z'avez déjà entendu un raffut pareil ?

— Le petit Phil aime la musique, répondit Charles. (Il vida son revolver sur l'ennemi, s'accroupit pour recharger.) On dit qu'il fait donner la fanfare pour couvrir nos cris.

Il se hissa sur la barrière surmontant le remblai, prit son arme à deux mains, visa, appuya lentement deux fois sur la détente. Un jeune soldat en uniforme bleu s'écroula sur les rails. Avec un grognement de satisfaction, Charles chercha une autre cible.

— Y en a, de la musique, dans c'te guerre, fit observer Jim. En tout cas, je m'attendais pas à ce que ça soye comme ça.

Devant la mire de son arme, Charles vit apparaître l'image d'une route où des cavaliers pimpants faisaient trotter leurs chevaux bais dans un paysage printanier.

— Personne ne s'attendait à ça, murmura-t-il.

Et il perça d'une balle la jambe d'un autre jeunot. Il avait découvert qu'il tirait avec plus de précision s'il considérait les Yankees comme de simples cibles d'argile animées dans un stand de tir.

Les ennemis continuaient à attaquer en faisant feu de leur carabine appuyée contre leur hanche. Le dernier assaut eut lieu peu avant le coucher du soleil. Lorsqu'il fut repoussé, Sheridan replia ses hommes, qui commencèrent à battre en retraite vers le North Anna pendant la nuit. Charles et les autres éclaireurs, qui participèrent à la poursuite, furent ceux qui découvrirent la scène d'horreur.

Jim tomba dessus le premier, près d'un camp fédéral abandonné, et partit au galop prévenir Charles. Avant de pouvoir détourner la tête, il vomit sur son fusil de chasse, sa selle et son cheval étonné.

Charles, qui chevauchait dans une pâture ensoleillée, sentit le charnier avant de le voir. Il l'entendit aussi : battement d'ailes de charognards dans l'herbe, bourdonnement d'un millier de mouches. Deux minutes plus tard, les dents serrées, il fit tourner Joueur et lança la bête efflanquée au trot vers le quartier général temporaire de Hampton.

Le général se rendit sur les lieux et contempla les sculptures fantastiques que composaient les cadavres de chevaux couverts de mouches empilés les uns sur les autres.

— Vous les avez comptés ? demanda-t-il à Charles dans un souffle.

— Il y en a tant ! Quatre-vingts, quatre-vingt-dix, au moins. Jim en a découvert autant si ce n'est plus là-bas près des arbres. J'ai cherché des traces de blessure autres que celles des balles qui les ont tués, je n'en ai pas trouvé. Les Yankees doivent avoir décidé qu'un troupeau de chevaux ralentiraient leur retraite.

— J'ai abattu des chevaux blessés mais jamais des bêtes fourbues. Tuer cyniquement un animal en bonne santé est encore pire. C'est un péché.

« Et enchaîner un nègre ? » pensa Charles.

— Qu'ils soient maudits, conclut Hampton.

Charles contempla ce que des hommes avaient fait, considéra ce qu'il était devenu et songea que l'imprécation du général venait un peu tard. Dieu s'était déjà occupé de la majeure partie de la population.

Cold Harbor secouait à nouveau les vitres de Richmond. La nuit, Orry et Madeline se tenaient enlacés, incapables de dormir à cause des canons.

Ils les avaient aussi entendus en mai, quand Butler avait remonté le James jusqu'à une dizaine de kilomètres de la ville. Ils les avaient entendus encore pendant les nuits étouffantes de juin, lorsque les combats avaient commencé à Cold Harbor. A présent, la bataille faisait rage à Petersburg. Après avoir vainement tenté pendant quatre jours d'enlever les fortifications de la vieille Ligne Dimmock entourant la ville, l'armée du Potomac mit fin à ses attaques et s'installa pour assiéger Petersburg.

— Lee a toujours répété qu'une fois le siège commencé, nous serions fichus, dit Orry à Madeline. S'ils le veulent, les Fédéraux peuvent acheminer des renforts et du ravitaillement par leur base fluviale de City Point jusqu'à la fin du siècle. Nous devrons capituler.

— Cooper l'avait prédit depuis longtemps, n'est-ce pas ?

— Il avait raison, murmura Orry avant d'embrasser sa femme.

Partout il décelait des signes d'une dégradation de la situation. La cavalerie de Sheridan avait presque atteint la lisière nord de la ville et l'infanterie de Butler avait failli parvenir à celle du sud. Joe Johnston — qu'on surnommait méchamment Joe la Retraite — se repliait sur Atlanta face à l'avance inexorable de Sherman. Sigel, autre général de l'Union, ravageait la vallée.

Rares étaient les forceurs de blocus parvenant encore à Wilmington. L'argent confédéré devenait rapidement du papier sans valeur. Avec Cold Harbor, des scènes de panique semblables à celles de la campagne de la Péninsule se répétèrent mais il y eut cette fois peu d'ardeur au combat et d'esprit de résistance. Les grands généraux étaient tombés : le vieux Jack, camarade de promotion d'Orry ; Stuart, le cavalier chantant. Et le plus grand de tous, Marse Bob, ne parvenait pas à vaincre.

Un matin après Cold Harbor, Pickett apparut au ministère de la Guerre. Le regard morne, l'air exténué, il marchait comme un cadavre ambulant. Il portait encore sur l'épaule ses longs cheveux bouclés et parfumés mais on y voyait à présent de nombreuses mèches blanches. Orry se sentit pris de pitié pour son ami, qui essayait maladroitement de garder l'air jeune et désinvolte alors qu'il n'avait plus en lui une once de jeunesse ou d'insouciance.

Dans la chaleur poussiéreuse, Orry confia ses préoccupations personnelles à George, qui lui répondit :

— Il y aura toujours une place pour toi à l'état-major de ma division si l'envie te prend de commander sur le champ de bataille.

Le ton sombre sous-jacent de la voix de Pickett laissait entendre qu'Orry ferait bien de réfléchir avant de prendre une telle décision. Se souvenait-il de la charge vaine de Gettysburg qui avait fait de lui un vieil homme en un seul jour ?

— J'y songe, déclara Orry. Je n'en ai pas discuté avec Madeline mais je me souviendrai de ta proposition. Je t'en suis infiniment reconnaissant.

Il y avait eu enquête officielle sur l'évasion de Libby d'un prisonnier de l'Union, aidé par un officier confédéré dont on avait seulement retenu qu'il était exceptionnellement grand et barbu, signalement qu'on pouvait attribuer à plusieurs milliers d'hommes se trouvant encore dans l'armée. La menace militaire pesant sur Richmond contribua à réduire l'importance de l'affaire et, peu à peu, de l'enquête.

Mallory rendit visite à Orry et lui annonça avec raideur que Cooper avait donné sa démission après avoir fait part de son intention de quitter Charleston pour Mont Royal.

— Il a totalement changé, expliqua le ministre. Sa position, condamnable selon moi, consiste maintenant à rechercher la paix à tout prix.

Irrité, Orry répliqua :

— C'est la position consistant à rechercher la guerre à tout prix qui était condamnable, Mr. Mallory.

Orry écrivit à Cooper et envoya la lettre à la plantation sans trop espérer qu'elle y parviendrait. Il était content de savoir son frère là-bas. Toutefois, la signification implicite de la nouvelle attitude de Cooper le déprimait tout autant qu'un incident survenu le lendemain de la visite de Mallory.

— Qui est cette femme qui vient de solliciter un laissez-passer ? demanda-t-il à un employé du ministère.

— Mrs. Manville. Elle est arrivée de Baltimore en 61 pour ouvrir une maison de prostitution. Elle l'a fermée depuis peu.

— Elle retourne au Maryland ?

— Oui, par un moyen ou un autre. Elle y est résolue et nous n'avons aucune raison de l'en empêcher.

— C'est la première prostituée qui demande un laissez-passer ?

— Non, colonel. Il y en a eu une douzaine depuis Cold Harbor.

Ce soir-là, dans l'appartement de Marshall Street, Orry révéla à Madeline :

— Les femmes de mauvaise vie, comme on dit, quittent la ville. Aucun doute, le rideau commence à tomber.

Orry était toujours tourmenté par le mystère de la cabale, qui s'était évanouie comme si elle n'avait jamais existé. Seddon avait averti le président, Judah Benjamin et d'autres membres du Cabinet mais ne pouvait rien faire de plus faute de preuves. Powell avait disparu, ou du moins il n'avait pas reparu à la ferme. Sur l'insistance d'Orry, Israel Quincy était retourné deux fois sur les lieux et n'avait rien trouvé. De sa propre poche, Orry avait payé un employé du ministère pour qu'il aille vérifier sur place. Sans résultat.

Pourtant il avait bien vu les caisses d'armes. Et James Huntoon. Et Ashton. Mais les événements déconcertants qui avaient suivi son expédition nocturne lui faisaient parfois douter de sa propre raison. Chaque fois qu'il pensait à ce mystère, son humeur s'assombrissait. Si Ashton avait trempé dans un complot contre la personne du président, il fallait lui demander des comptes. Mais comment? Le ministère n'avait pas les hommes disponibles pour la surveiller nuit et jour et Orry ne pouvait s'en charger lui-même.

La frustration et la colère qu'il ressentait finirent par se manifester avec éclat au cours d'une réception donnée par Memminger, le ministre des Finances, qui avait annoncé son intention de démissionner dès qu'il aurait terminé deux ou trois tâches importantes. Il comptait avoir quitté le ministère en juillet.

Plusieurs Sud-Caroliniens de la capitale aidèrent le personnel des Finances à préparer la réception. La liste des invités incluait tous les membres des services de Memminger et les personnes originaires de son Etat natal. Huntoon, doublement qualifié, se rendit à la soirée avec Ashton.

Et Orry y amena Madeline.

La personnalité dépourvue d'humour du ministre garantissait une réception sinistre. Le lieu choisi également. On ne pouvait servir d'alcool au ministère des Finances et les invités n'eurent droit qu'à un punch de couleur brune au goût vaguement citronné. Les épouses des employés avaient préparé des toasts aux légumes, principalement des carottes ou de pitoyables rondelles de concombre.

Mâchonnant un sandwich, Orry laissa Madeline bavarder avec quelques dames et se dirigea nonchalamment vers sa sœur. Ashton était, inévitablement, la seule femme d'un groupe de six personnes comprenant son mari. Gonflant les joues comme un crapaud, Huntoon écoutait un chef de service déclarer:

— Au diable le gouverneur Brown et ses opinions! Je maintiens que recruter des gens de couleur est le seul moyen de poursuivre la guerre.

Huntoon ôta ses lunettes pour souligner la vigueur de ses convictions:

— Alors, autant capituler.

— C'est ridicule, riposta un autre invité. Les Yankees ne s'embarrassent pas de ces considérations. Mon beau-frère m'a raconté qu'il y a des soldats noirs à la pelle autour de Petersburg.

Ashton, vêtue à ravir mais le visage blême — Orry remarqua aussitôt qu'elle avait maigri — releva la tête d'un air dédaigneux.

— Que peut-on attendre d'autre d'un pays de métis? Je suis de l'avis de James. Plutôt tout perdre que d'accepter un compromis. En l'occurrence, la Confédération est déjà au bord du désastre.

En s'approchant, Orry se demanda où et à qui sa sœur avait emprunté ce ton écœuré et fanatique. A Huntoon? Non. A Powell, plus vraisemblablement.

Ashton vit son frère, quitta le groupe où la discussion se poursuivait.

— Bonsoir, Orry. Comment vas-tu? demanda-t-elle d'un ton signifiant que la question n'était que de pure forme.

— Plutôt bien. Et toi ?

— Oh ! Je m'occupe d'un millier de choses. Tu sais que Cooper a démissionné ? (Orry acquiesça.) Je crois que si j'avais le Sphinx pour frère, je le comprendrais mieux que Cooper.

— Il n'est pourtant pas si difficile à comprendre, répondit Orry avec calme et sang-froid. (Il se répétait qu'Ashton était le gibier qu'il traquait, pas seulement sa sœur.) Cooper a toujours eu des idéaux élevés...

— Très élevés quand il s'agit de disposer du bien des autres. Il partage cette qualité avec certains de nos dirigeants.

Orry acheva sa phrase comme s'il n'avait pas été interrompu.

— ... fondamentalement opposés à la démagogie. Et à la tromperie.

Aussitôt sur ses gardes, Ashton prit son frère par le bras et l'emmena dans un coin plus tranquille en demandant :

— Tu parles de tromperie. C'est une allusion ?

— Peut-être. Elle pourrait s'appliquer à Mr. Powell, ton associé, par exemple.

La jeune femme lâcha le bras d'Orry.

— Cooper t'a mis au courant ? Cela ne m'étonne pas, il se prend pour un petit saint.

— Rien à voir avec Cooper. Je ne parlais pas de ta petite entreprise maritime mais du groupe qui se réunissait auparavant à la ferme.

Elle sembla un instant stupéfaite mais se ressaisit.

— Tu connais certainement l'endroit dont je veux parler, poursuivit Orry en se redressant de toute sa hauteur pour paraître plus menaçant. Wilton's Bluff, là où sont stockées les carabines de précision, les Whitworth calibre 45.

Ashton eut un rire forcé.

— Vraiment, Orry, je n'ai jamais entendu de telles extravagances. De quoi diable s'agit-il ?

— De ton implication dans un complot. Je suis allé à la ferme, je t'y ai vue.

— C'est absurde, lâcha-t-elle avec dédain en s'écartant. Tiens, voilà Mr. Benjamin.

Orry se retourna et vit le suave petit personnage rondouillard, déjà entouré de plusieurs admirateurs. Il leur préféra sans doute la compagnie d'une jolie femme puisqu'il se dirigea droit vers Madeline.

Remarquant le départ de sa femme, Huntoon quitta le groupe et alla la rejoindre au moment où elle s'exclamait :

— Ce que tu dis est ridicule.

— J'en ai vu et entendu assez pour connaître le but de vos réunions, menaça Orry. Dieu sait comment tu as pu te retrouver mêlée à une affaire pareille...

Huntoon se figea en comprenant de quoi sa sœur et son beau-frère parlaient.

— Vous avez fait disparaître vos traces, continua Orry. Mais nous vous aurons.

Il avait sous-estimé sa sœur et ne s'attendait pas à la contre-attaque qu'elle lança avec un sourire charmant.

— A moins que tu ne te fasses avoir avant, mon cher. J'attendais le moment opportun de te parler de ton propre petit secret. Ta ravissante femme a, paraît-il, des origines obscures — et même carrément noires.

Orry pâlit, regarda autour de lui. Dans la salle, le bruit des conversations s'était réduit ; certains invités avaient remarqué la querelle, quoique la seule personne qui pût entendre les protagonistes fût Huntoon.

— Passons un marché, mon cher frère, proposa Ashton en frappant de son éventail le poignet d'Orry. Tu gardes un silence discret et moi aussi.

Une veine apparut sous la peau recouvrant la tempe droite du colonel.

— Ne me menace pas. Je veux savoir où se trouve Lamar Powell.

Avec une suavité venimeuse, Ashton répondit :

— Va au diable.

Benjamin entendit ces derniers mots, Madeline aussi. Autour d'eux, les conversations moururent, les têtes se tournèrent.

— Ashton, gronda Orry avec colère.

— Je voulais te demander comment tu t'y es pris pour cacher la vérité aussi longtemps, reprit la jeune femme d'un ton désinvolte. Tu m'as bien eu, vieux renard. Mais un certain capitaine Bellingham m'a montré un portrait accroché naguère dans une maison de La Nouvelle-Orléans...

Bellingham ? un portrait ? Le nom propre ne dit rien à Orry mais la mention d'un portrait lui rappela brutalement une confidence que Madeline lui avait faite. Fabray, son père, lui avait révélé avant de mourir qu'il existait un portrait de sa mère.

Sentant la victoire proche, Ashton se hissa sur la pointe des pieds, saisit l'avant-bras d'Orry et lui murmura :

— Tu vois, je sais tout au sujet de ta femme. Il y a plus qu'une tache noire dans sa lignée. Tu as eu grand tort de m'accuser.

Elle enfonça ses ongles dans la manche grise puis se retourna tout à coup et, soulevant ses jupons, se dirigea vers le groupe de Madeline et Benjamin.

— Chérie, dites-nous tout, minauda-t-elle comme une coquette réclamant un secret de beauté. Quand mon frère vous a épousée, savait-il que votre mère était une quarteronne de La Nouvelle-Orléans travaillant dans une maison mal famée ?

Benjamin lâcha la main de Madeline ; une invitée s'écarta d'elle en plissant le front ; une autre se mit à gratter nerveusement un grain de beauté qu'elle avait sur la joue. Madeline, les larmes aux yeux, regarda son mari. Il ne l'avait jamais vue perdre ainsi son sang-froid.

— Allons, chérie, insista Ashton. Mettez-nous dans la confidence. Votre mère était-elle une prostituée noire ?

Orry empoigna Huntoon par l'épaule.

— Faites-la sortir avant que je ne m'en charge.

De toute la force de son unique bras, il traîna son beau-frère à travers la foule. Huntoon perdit ses lunettes, faillit marcher dessus. Ashton bouillait de dépit : son imbécile de mari venait de lui voler la vedette.

Les lunettes remises en place mais de guingois, Huntoon s'approcha d'elle.

— Nous partons.

— Non. Je n'ai pas...

— Nous partons.

Huntoon avait failli crier. Il la poussa vers la porte et, comme elle protestait, la poussa plus violemment encore. Ashton comprit qu'il était hors de lui et dangereux. En ne lui obéissant pas, elle risquait de perdre tout ce qu'elle avait gagné. Elle adressa à son frère un sourire glacial, se libéra de l'étreinte de son mari et sortit.

Huntoon s'empressa de la suivre en frottant fébrilement son pouce contre son index.

— Bonsoir, excusez-nous, bonsoir, marmonnait-il.

Au loin, l'artillerie se déchaîna, le lustre de la salle se mit à osciller. Memminger posa sur Orry un regard froid et méditatif tandis que Benjamin, retrouvant son sourire suave, entreprenait de réconforter Madeline :

— Je n'ai jamais vu une conduite aussi scandaleuse. Vous avez toute ma sympathie. Je suppose naturellement que les accusations de cette jeune effrontée sont dénuées de fondement...

Madeline tremblait. Le ministre quitta son rôle d'ami pour celui de représentant du gouvernement en ajoutant ces trois mots :

— Le sont-elles ?

— Monsieur, répondit la jeune femme, la loi exige-t-elle que je réponde à votre question discourtoise ?

Jamais Orry n'avait éprouvé autant d'amour et d'admiration pour Madeline.

— La loi ? Certainement pas, dit Benjamin avec des yeux de chat en maraude. Et je n'ai pas voulu être discourtois. Néanmoins, votre refus de répondre pourrait être interprété par certains comme un aveu...

La femme au grain de beauté intervint :

— Moi, en tout cas, j'aimerais avoir une réponse. Il serait honteux qu'un membre du ministère de la Guerre soit marié à une femme de couleur.

— Allez au diable, sale hypocrite ! s'écria Madeline.

La femme recula comme si on l'avait piquée ; Orry rejoignit son épouse. Parvenant à maîtriser les sentiments contradictoires — surprise, anxiété, colère, confusion — que la scène avait fait naître en lui, il la prit par le bras et dit d'une voix calme et forte :

— Par ici, chérie. Il est temps de rentrer pour nous aussi.

La voyant sur le point de s'effondrer, il la soutint par la taille. Ensemble, ils passèrent devant les invitées fronçant les sourcils dans leur robe de l'année précédente, les employés endimanchés, Memminger, le contrôleur adjoint du Trésor serrant les mâchoires devant le saladier de punch.

Dehors, un vent chaud chargé de sable fit tourbillonner papiers et autres débris à travers Capitol Square, soulevant une poussière si épaisse qu'elle estompait les lignes des bâtiments.

— Comment l'a-t-elle appris ? demanda Madeline.

— Dieu sait ! Elle a mentionné un certain capitaine Bellingham, dont je n'ai jamais entendu parler. Ce grade peut signifier qu'il appartient à l'armée de terre ou à la marine — à moins que l'homme ne se soit décerné lui-même ses galons. Je consulterai les archives, bien qu'il y règne maintenant une telle pagaille que nous ne connaissons même pas les noms de la moitié des effectifs actuels. Mais sois sûre que j'essaierai de retrouver ce salopard.

— Je n'avais pas à répondre à Benjamin, il n'avait pas le droit de me poser une telle question !

— Aucun droit.

— Cela pourrait compromettre ta situation ?

— Bien sûr que non, mentit Orry.

— Est-ce que mon refus de répondre équivalait vraiment à un aveu ? demanda Madeline.

Comme il gardait le silence, elle le saisit par les épaules et le secoua.

Des mèches brunes se détachèrent de ses épingles à cheveux et s'agitèrent dans le vent tandis qu'elle criait :

— Réponds, Orry. Dis-moi la vérité !

Le vent hurla dans le silence.

— Oui, murmura Orry, j'ai bien peur que oui.

107

Bien qu'elle fût presque à court d'argent, Virgilia demanda une des meilleures chambres du *Willard*.

— Nous en avons de moins chères, suggéra l'employé de la réception. Avec des lits plus petits.

— Non, merci. J'ai besoin d'un grand lit.

Pour économiser son pécule, elle ne descendit pas ce soir-là au restaurant. La faim et l'énervement la tinrent longtemps éveillée mais elle finit par s'endormir. Le lendemain, elle se priva de petit déjeuner et sortit vers dix heures. Dans l'avenue, elle se fraya un passage parmi les Noirs, les marchands ambulants, les employés et les soldats blessés devenus partie intégrante du paysage de Washington. Elle remarqua qu'on avait enfin enlevé l'échafaudage du dôme du Capitole et la statue de la Liberté en armes qui le couronnait resplendissait sous le soleil de juin.

La matinée était tiède. Sous ses vêtements trop lourds, Virgilia fut rapidement baignée de sueur quand elle monta les marches du bâtiment, y pénétra et se glissa dans la galerie de la Chambre des représentants. Après avoir cherché quelques instants, elle repéra Sam Stout, assis sur un des bancs, ses longues jambes maigres étendues devant lui.

« Viendra-t-il ? » se demanda-t-elle en quittant la galerie.

Elle laissa au bureau du député une enveloppe cachetée sur laquelle elle avait inscrit « Personnel ». Puis elle sortit et fit nerveusement les cent pas sur l'esplanade où des vaches broutaient une herbe rare. Finalement, elle retourna au *Willard,* se jeta sur le lit, posa l'avant-bras sur ses yeux mais ne parvint pas à s'assoupir, pas même à se détendre.

A midi, elle acheta deux petits pains rassis à un marchand ambulant, en mangea un dans sa chambre pour son déjeuner. A trois heures, elle prit un bain, passa une jupe sombre et une blouse en lin avec des manches bouffantes, des boutons sur le devant et un ruban qui se nouait en cravate. Elle s'occupa de ses cheveux pendant trois quarts d'heure puis dévora le second petit pain.

Elle essaya de lire le *Star* acheté la veille, eut du mal à se concentrer. La dépêche officielle du ministère de la Guerre, signée par Stanton et traitant de Petersburg, aurait tout aussi bien pu être écrite en chinois. Virgilia ne cessait de voir la vindicative Mrs. Neal murmurant à l'oreille de hauts responsables gouvernementaux.

Son attention fut aussi distraite par des bruits provenant de la chambre voisine : grincement du lit, cris stridents et répétés d'une femme. Virgilia eut l'impression d'étouffer. Elle essuya son cou moite, ramassa une miette sur le couvre-lit, alla à la fenêtre regarder sans les voir les chariots qui passaient dans la rue.

Dans son mot, elle lui avait donné rendez-vous à sept heures. A neuf heures et demie, assise sous la lampe à gaz devant une petite table, elle se frottait lentement le front, accablée. Quelle bêtise de croire qu'il...

— Quoi ? fit-elle en sursautant.

Le cœur battant, elle se leva, remit hâtivement sa blouse chiffonnée sous sa ceinture, lissa le tissu sur ses seins et se précipita vers la porte en tapotant ses cheveux.

— Oui ?

— Ouvrez, vite. Je ne veux pas être vu.

Troublée par la voix profonde, elle tourna la clef dans le mauvais sens, finit par ouvrir.

Il n'avait pas changé. Ses sourcils ressemblaient toujours à des accents noirs sur la blancheur de son visage. Ses cheveux enduits d'une brillantine parfumée reflétèrent la lumière lorsqu'il baissa légèrement la tête pour entrer. Il aimait faire remarquer sa haute taille.

— Je m'excuse de mon retard, dit-il en refermant la porte.

— Je vous en prie, Samuel. Je vous suis reconnaissante d'être venu, répondit Virgilia, se retenant à grand-peine de le toucher.

— J'avais envie de vous revoir. Et dans votre lettre, vous parlez d'une affaire extrêmement urgente.

Il s'assit, croisa ses longues jambes en souriant. Virgilia avait oublié qu'il avait les dents de travers mais le trouva beau quand même. Le pouvoir n'est jamais laid.

— Le travail de la commission devient de plus en plus lourd, c'est la raison de mon retard, expliqua-t-il. Mais venons-en à votre affaire. Il s'est passé quelque chose à Aquia Creek ?

— A Falmouth. Je..., commença Virgilia. (Elle prit une inspiration, le lin épousa plus encore la forme de ses seins.) Autant tout vous dire franchement : j'ai quitté le service des infirmières. A l'hôpital de campagne de Falmouth, on avait amené un jeune officier confédéré, gravement blessé... Je l'ai laissé mourir. Délibérément.

Stout sortit sa montre, l'ouvrit, la referma avec un bruit sec après y avoir jeté un coup d'œil, la remit dans son gousset. Virgilia crut continuer à entendre son tic-tac énervant dans le silence.

— Je pensais faire mon devoir ! s'écria-t-elle au bout d'un moment. Si on l'avait guéri, échangé, il aurait tué d'autres soldats de notre armée...

Sa voix se brisa.

— Vous vous attendez à ce que je vous blâme ? Je vous félicite, Virgilia. Vous avez bien agi.

Elle se précipita vers lui, s'agenouilla près de sa chaise.

— Mais on va me punir !

Lui caressant la jambe sans s'en rendre compte, elle lui parla de Mrs. Neal et de ses menaces. Stout écouta avec une telle placidité qu'elle crut l'importuner. C'était tout le contraire.

— Vous vous faites du souci pour une satanée *copperhead* ? Il n'y aura pas d'enquête, je parlerai à une ou deux personnes que je connais, promit-il en glissant une main dans les cheveux de Virgilia. Ne pensez plus à cette histoire.

Elle posa la joue sur sa cuisse.

— Oh ! merci, Sam. Je vous serais tellement reconnaissante si vous m'évitiez des ennuis.

La scène se déroulait exactement comme Virgilia l'avait espéré. Stout lui prit le menton, lui releva la tête.

— Je suis heureux de pouvoir vous aider. Mais en politique, vous le savez sans doute, il est de règle qu'un service en appelle un autre. Je suis toujours marié, je songe toujours à ma carrière. Si vous voulez mon aide, ce doit être à mes conditions, pas aux vôtres.

Virgilia se rendit compte qu'elle n'avait d'autre solution que capituler. D'ailleurs, pourquoi pas ? Elle était certaine que Sam Stout poursuivrait son ascension, accroîtrait son pouvoir et contribuerait à écarter les dirigeants faibles comme Lincoln et consorts. Avoir la moitié d'un tel homme, c'était mieux que rien.

— Eh bien ? Quelle est votre réponse ? demanda-t-il en lui tapotant la main.

Elle se leva, défit le ruban de sa blouse.

— C'est oui, mon chéri.

108

Le lendemain de sa rencontre inopinée avec Davis, Stanley écrivit à Jeannie Canary qu'il partait en voyage pour affaires urgentes. Il joignit à sa lettre un chèque de cent dollars afin d'adoucir la peine de la danseuse et partit pour Newport.

A son étonnement, Isabel ne parut guère surprise en le voyant descendre d'un cheval de louage devant la grille de Fairlawn. Quand elle lui demanda comment il avait réussi à se libérer, il répondit qu'il avait raconté qu'un des jumeaux s'était blessé. Ce mensonge risquait de devenir vrai : sur la pelouse, les deux garçons essayaient de se fendre le crâne en se lançant des fers à cheval.

La nuit, il se réveilla lorsque sa femme traversa sa chambre pour gagner la sienne.

— Il y avait quelqu'un à la porte ? grogna-t-il.

— Oui. Quelqu'un qui s'était trompé de maison, répondit-elle d'une voix curieusement tendue.

Tôt le lendemain matin, avant le petit déjeuner, Isabel lui tendit sa veste en disant :

— Emmène-moi à la plage, s'il te plaît.

Bien que la demande fût formulée poliment, le ton ne lui laissait pas le choix. Quelques minutes plus tard, ils marchaient au bord de l'eau où des maubèches cherchaient leur pâture en donnant du bec. Le soleil transformait l'Atlantique en un tapis de perles argentées.

Isabel prit soudain la parole avec une agressivité inattendue :

— J'aimerais te parler de ta nouvelle amie.

— Quelle amie ? bredouilla Stanley avec un sourire niais.

Isabel montra ses dents.

— Ta catin, la danseuse du *Varieties*. Ce n'était pas une erreur, hier soir. On a apporté ce télégramme.

Elle sortit de la poche de sa jupe un morceau de papier chiffonné.

« Déjà ? » pensa Stanley.

— Qui t'a... ?

— Aucune importance, j'étais au courant depuis des semaines.

Elle parlait avec un calme absolu qui, curieusement, rendait son attaque d'autant plus menaçante. Stanley se mit à tourner en rond comme les oiseaux de mer en se mordant les jointures.

— Si tu es au courant, d'autres doivent l'être aussi. Je suis fini !

— Ne dis pas d'idioties. Personne ne voit d'inconvénient à ce que tu aies une maîtresse pourvu que tu sois discret. Les autres s'en moquent, et moi aussi. Tu sais que le côté physique du mariage m'a toujours fait horreur, de toute façon. Je veux que tu fasses très attention à ce que je vais te dire, Stanley !

Elle leva le poing, baissa lentement le bras avant de poursuivre :

— Tu es libre de faire ce que tu veux en privé. Mais si tu te montres à nouveau en public avec cette grue — une heure après que vous soyez allés voir la fête, toute la ville en parlait — j'engage une armée d'avocats pour te prendre jusqu'à ton dernier sou. Tu m'as comprise ?

Un postillon jailli de la bouche d'Isabel toucha Stanley, qui s'essuya la bouche du dos de la main.

— Oui, j'ai compris. Tu te moques totalement de moi. La seule chose qui t'intéresse, c'est mon argent, ma situation...

Isabel parut peinée puis haussa les épaules et répondit d'une voix ferme :

— Oui. La guerre a changé beaucoup de choses. C'est tout ce que j'ai à dire.

Stanley était trop bouleversé pour remarquer la démarche incertaine de sa femme quand elle s'éloigna de lui. Après quelques mètres, elle s'arrêta, se retourna. Le soleil éclaira ses yeux, leur donna un peu de l'éclat de l'Océan.

— Pourtant, tu me plaisais plutôt lorsque nous étions fiancés.

Elle repartit, fit s'envoler quelques oiseaux de mer. Stanley erra un moment sur la plage puis plongea la main dans la poche intérieure de sa veste... Ah ! elle y était encore ! Soulagé, il sortit la bouteille, ôta le bouchon, avala une gorgée de bourbon et alla s'asseoir sur un rocher.

Il vit apparaître un bateau de pêche sortant de Narragansett Bay et traînant des mouettes dans son sillage. Stanley se sentait sur le point de tomber malade, victime d'une grave affection qu'aucun docteur ne pourrait guérir ou même identifier. Des mots qu'Isabel avait prononcés émergèrent de ses pensées tourbillonnantes. Oui, la guerre avait changé beaucoup de choses, et trop vite. La protection de Cameron, une occasion inattendue de gagner de l'argent, de gros profits réalisés sans l'aide de son frère George.

Le changement chevauchait à travers le pays comme un cinquième cavalier de l'Apocalypse. Une meute de nègres libérés avait été lâchée pour effrayer les Blancs craignant Dieu et, plus grave encore, bouleverser l'ordre économique. Le mois précédent, un affranchi avait impudemment sollicité un emploi de balayeur à la fabrique Lashbrook et Dick Pennyford l'avait engagé. A la fin de sa première journée de travail, le nègre fut attendu à la sortie de l'usine et rossé par six ouvriers blancs. Peiné et furieux, Pennyford écrivit à Stanley qu'il avait compris la leçon. Il ne recommettrait pas la même erreur.

Stanley savait qui était responsable de ce genre d'incidents et de cet aplomb des Noirs : ses amis. Leur programme, qu'il devait feindre d'admirer s'il voulait conserver et étendre son influence à Washington. Tiraillé dans des directions contraires, il avait les nerfs à vif.

Il vida le reste du bourbon, jeta la bouteille à l'eau dans un vain geste de rage et se mit à pleurer.

Stanley aurait été étonné de savoir que sa femme, qu'il considérait comme un être froid et calculateur, pleura elle aussi ce matin-là. Quand elle eut épuisé ses larmes, elle réfléchit. Son mari était perdu pour elle. Tant pis. Il avait été son instrument pour accumuler une fortune avec laquelle elle pourrait maintenant financer une ascension sociale sans précédent à Washington et dans le pays. S'il était impossible d'imaginer qu'il pût devenir un jour une personnalité politique nationale, il possédait déjà assez d'argent pour acheter de tels hommes. Comme elle guiderait toujours son choix, c'est elle qui détiendrait véritablement le pouvoir.

Oubliant son bref et regrettable accès de sentimentalité, Isabel songea aux jours de gloire qui l'attendaient. Elle les vivrait pour peu qu'elle sût empêcher Stanley de boire et lui garder la faveur des Républicains. La réussite l'avait détruit, pour une raison qu'elle ne comprenait pas.

Aucune importance. Maintes reines avaient gouverné à travers un roi faible.

109

Le jour où Billy rejoignit le bataillon du Génie, il écrivit dans son journal :

16 juin, à six kilomètres de Petersburg. Voyage en vapeur jusqu'à City Point sans incident mais par une chaleur torride. Vu le grand pont de bateaux de Broadway Landing, à un kilomètre de la jetée où j'ai débarqué. Comme j'aurais aimé revenir à temps pour participer à la création d'une telle merveille ! Le major Duane, qui m'a cordialement accueilli à mon arrivée au camp, m'a appris qu'aucune armée n'avait jamais construit pont de bateaux plus long. L'ouvrage fait près de huit cents mètres d'une rive à l'autre et une partie mobile fonctionnant comme un pont-levis permet le passage de canonnières. Le général Benham et les 15ᵉ et 50ᵉ régiments de sapeurs de N. Y. (Vol.) l'ont construit dans le temps record de huit heures.

Le bataillon avait traversé le pont peu avant que je le voie. Notre camp se trouve à Bryant House, l'hôpital temporaire de la 2ᵉ division, mais nous devons bientôt repartir. Reçu un chaleureux accueil de nombreux vieux camarades. Ils voulaient tous entendre le récit de mon évasion de Libby et j'ai répondu qu'elle avait été arrangée par des sympathisants inconnus de la cause de l'Union. La vérité pourrait encore maintenant nuire à C., je ne veux pas risquer de mettre en danger un ami aussi dévoué.

Penser à lui m'attriste. Il n'est plus le garçon rieur que j'avais rencontré pour la première fois en Caroline et que j'avais appris à connaître à W. P. La guerre l'a blessé. Si j'avais des talents littéraires, je chercherais une métaphore. Une sorte de charme a transformé l'ourson en loup.

J'ai faim, continuerai plus tard. X X X

Quand j'ai déclaré au major D. que je me sens tout à fait rétabli (ma jambe me fait encore mal mais j'ai moins de peine à marcher), il m'a répondu que lorsque nous serions plus près des fortifications de l'ennemi, il me chargerait de procéder à des relevés. Il m'a ensuite révélé les grandes lignes du plan du siège :

Par Petersb., ville de moins de 18 000 habitants, passent toutes les grandes voies ferrées ennemies venant du S. et du S. O. sauf une. La gare de P. est donc le terminus sud de la dernière ligne de ravitaillement de Richmond. S'en emparer — ce que G. a déjà essayé une fois — c'est faire mourir R. de faim. X X X

J'ai été interrompu par un grondement terrible qui m'a fait me précipiter dehors. C'est « Dictateur », aussi surnommé « L'Express de Petersburg », un gros mortier de huit tonnes et demie. Monté sur un wagon plate-forme renforcé, il tire des obus explosifs sur la ville d'un endroit situé sur la ligne Petersburg-City Point.

Je note un changement surprenant dans l'armée du Potomac : un grand nombre de soldats noirs là où il n'y en avait aucun auparavant. J'ai entendu faire l'éloge de leur courage et de leur intelligence. Hier encore, les T. C. (troupes de couleur) de E. W. Hinks ont attaqué avec succès un secteur des lignes de défense ennemies.

Mon emprisonnement à Libby m'a appris ce que doivent éprouver des hommes longtemps réduits en esclavage. Je brûlais de tuer Clyde Vesey et je me suis cyniquement réjoui quand C. l'a abattu au cours de l'évasion. J'accepte maintenant l'émancipation des Noirs comme la seule voie que ce pays peut suivre.

Pourtant, sur certains points, je résiste. Ainsi, je suis encore incapable de considérer les soldats noirs comme les égaux des Blancs portant le même uniforme. J'ai honte de cette réserve — de cette faiblesse ? — qui est bien réelle. La journée s'est terminée par un incident désagréable relatif à cette question.

Le bataillon avait marché vingt-huit kilomètres par une chaleur impitoyable et les hommes étaient de méchante humeur. Deux sergents noirs d'un régiment de la 4ᵉ division (T. C.) du général Ferrero passèrent avec des documents officiels qu'ils portaient à City Point. Il n'était pas anormal qu'ils demandent à boire un peu d'eau par cette température, mais on la leur refusa. Trois de nos soldats les plus irritables conduisirent les sergents devant les tonneaux ; deux d'entre eux les empêchèrent de s'en approcher tandis que le troisième dansait autour des Noirs en leur agitant la louche sous le nez. Les sergents demandèrent à nouveau poliment de l'eau, essuyèrent un refus et ordonnèrent aux Blancs — qui leur étaient inférieurs en grade — de s'écarter. Les soldats dégainèrent alors leurs armes et exigèrent des Noirs ce que l'un des membres du trio appela « un petit pas de danse ». Il tira deux balles dans le sol pour se faire obéir et les malheureux sergents eurent la sagesse de s'enfuir. Le plus révoltant, c'est qu'une douzaine d'autres sapeurs assistèrent avec grand plaisir à la déconfiture des Noirs, et ceux qu'elle ne fit pas rire approuvèrent cette conduite indigne en ne faisant rien pour l'empêcher. A ma grande honte, je dois avouer que je fis partie de ceux qui se turent.

Je pourrais invoquer la fatigue ou quelque autre excuse, mais, dans ce journal, j'essaie de parvenir à la vérité. Une vérité en l'occurrence fort pénible. En définitive, je me suis tu parce que je considérais ces deux hommes noirs comme inférieurs à moi.

J'ai depuis de cuisants remords. J'ai eu tort — comme ont tort des milliers d'autres soldats de cette armée qui pensent et se conduisent de la même façon. Libby continue à me changer. Des pensées et des impulsions nouvelles s'agitent en moi, si troublantes que je ne peux m'empêcher de souhaiter qu'elles disparaissent. Mais elles demeurent — comme demeure la question noire. Même si des millions d'entre nous le veulent encore, nous ne pouvons plus pousser le Noir derrière quelque porte et l'enfermer hors de notre vue, contents de croire que sa couleur le rend indigne de notre commisération et nous libère de la responsabilité de le traiter en être humain comme nous.

C'est honteux, ce que j'ai fait — ou plutôt, ce que je n'ai pas fait — cet après-midi. L'écrire m'apporte une certaine aide. C'est un premier pas, mais il ne soulagera pas ma conscience.

Toutefois, je suis convaincu qu'il y en aura d'autres. Où mèneront-ils ? Je ne saurais le dire, si ce n'est d'une manière très générale. Je crois que je *m'élance sur une route que je n'ai jamais parcourue ni même entrevue auparavant.*

110

Sur les bords de l'Ashley, ceux qui étaient assez vieux pour se rappeler la guerre du Mexique et le jour où Orry Main en était revenu crurent que l'histoire se répétait avec le frère aîné. Orry avait perdu un bras, Cooper un fils. Pertes peu comparables mais qui, étrangement, avaient des conséquences similaires. Tous deux en étaient changés, repliés sur eux-mêmes, et les moins charitables parlaient de graves troubles mentaux.

Cooper n'accablait plus les occasionnels visiteurs du domaine de Mont Royal en les forçant à écouter ses propos extrémistes. On supposait qu'il avait conservé ses opinions bien qu'on ne pût en être sûr puisqu'il limitait sa conversation à des plaisanteries ou des généralités. Et quoique l'immense armée de Sherman marchât sur Atlanta, il se refusait à discuter de la guerre.

Elle était pourtant souvent présente dans son esprit, comme ce soir de juin où il s'enferma dans la bibliothèque après le dîner.

Il aimait cette pièce, son odeur de cuir fin mêlée à l'inévitable remugle du bas-pays. Dans un coin, il y avait le vieil uniforme d'Orry ; au-dessus de la cheminée s'étalait la fresque de ruines romaines que Cooper contemplait avec ravissement, assis sur les genoux de son père, quand il était enfant.

Bien que le crépuscule teintât encore d'orange le mur opposé aux volets mi-clos, il alluma une lampe et s'installa sur une chaise avec une écritoire. Bientôt la plume de métal gratta si fort qu'il n'entendit pas la porte s'ouvrir. Judith entra un journal à la main.

— Chéri, il faut que tu jettes un coup d'œil au *Mercury*. Il contient une dépêche de l'étranger arrivée avant-hier via Wilmington.

— Oui ? marmonna Cooper en levant les yeux du mémoire qu'il était en train de rédiger.

Il avait l'intention d'envoyer au gouvernement de l'Etat un document proposant d'arrêter les tueries au moyen d'un cessez-le-feu et de négociations de paix immédiates. Son ton distrait indiquant qu'il ne tenait guère à interrompre son travail pour lire le journal, Judith précisa :

— Il s'agit de l'*Alabama*, qui a sombré dimanche dernier dans la Manche. C'est un navire de l'Union, le *Kearsarge*, qui l'a coulé.

— Et l'équipage ? demanda aussitôt Cooper.

— D'après la dépêche, un grand nombre de matelots ont survécu. Le capitaine du *Kearsarge* en a repêché soixante-dix et un yacht britannique ayant quitté Cherbourg pour assister au combat en a sauvé trente autres.

— Rien sur Semmes ?

— Il fait partie des rescapés.

— Bien. Les hommes comptent plus que le bateau.

Il avait fait cette déclaration avec tant de chaleur que Judith ne put s'empêcher de s'élancer vers lui et de le prendre dans ses bras. Le *Mercury* tomba sur les feuilles froissées que Cooper avait jetées par terre.

— Chéri, je t'aime tant ! Tout n'est que désarroi autour de nous ;

Mont Royal n'a jamais paru aussi triste ; il n'y a pas assez à manger et tout le monde a peur de ces hommes qui vivent dans les marais. Pourtant je suis heureuse d'être ici avec toi.

— Moi aussi.

— Pardonne-moi de t'avoir interrompu. J'ai pensé que tu aimerais savoir ce qu'est devenu ce bateau.

Il tapota la main de Judith, contempla, au-delà de la fresque romaine, des paysages marins appartenant au passé.

— C'était un beau bâtiment. Mais il servait de mauvais maîtres.

Il se leva tout à coup, donna à Judith un long baiser ardent qui la laissa pantelante, la coiffure en désordre.

— Maintenant, chérie, si tu m'aimes vraiment, reprit-il avec un sourire taquin, laisse-moi retourner à mon labeur. Je dois terminer ce mémoire, même si nos héroïques dirigeants ne feront que le déchirer. Et ceux qui n'ont jamais entendu les canons tonner de colère seront les plus acharnés à le réduire en morceaux.

— C'est probable, mais je suis fière que tu l'écrives quand même.

— J'ai découvert que, dans ce monde, rien n'est acquis d'avance. C'est l'effort qui compte le plus.

Judith laissa son mari griffonner dans les dernières lueurs orange du couchant. Elle avait travaillé dur toute la journée — depuis leur retour, elle avait repris une grande partie des responsabilités de Madeline — et avait passé une heure avec Clarissa en fin d'après-midi. Bien que la mère de Cooper fût invariablement d'humeur charmante, son état mental rendait de telles visites éprouvantes et, quand vint l'heure du dîner, Judith était épuisée. Mais en fermant la porte de la bibliothèque, elle se sentit légère comme un filament de graine de pissenlit emporté par le vent. Insouciante. L'armée de Sherman aurait aussi bien pu marcher sur la lune.

Pour la première fois depuis le départ de Charleston, elle en avait la certitude : son mari bien-aimé était guéri.

Ce fut Benjamin qui abattit la hache de velours. Après coup, Orry trouva ce choix logique du fait des manières suaves et diplomatiques de l'homme. L'entrevue eut lieu quelques jours après la réception donnée au ministère des Finances.

— Je dois tout d'abord préciser que je parle au nom du président, déclara Benjamin à Orry, assis avec raideur devant le bureau du ministre. Il espérait pouvoir vous parler personnellement mais ses obligations...

Un geste souple de la main tint lieu d'explications.

— Le président tient à vous exprimer sa gratitude pour votre sollicitude à son égard, continua Benjamin. En particulier, pour vos révélations sur ce complot contre sa personne... Sans parler d'un certain nombre de membres du Cabinet, ajouta-t-il avec son sourire doucereux.

Orry sentit la sueur perler sous son col. Dans l'air chaud de l'été, les voix paresseuses de fonctionnaires du Département d'Etat bourdonnaient derrière la porte fermée. Ce fut à cet instant que l'image de la hache de velours lui vint à l'esprit.

— Ce complot était sans nul doute semblable aux nombreux autres dont nous avons entendu parler : des élucubrations de bravaches de café, prenant leurs désirs pour des réalités. Néanmoins, Mr. Davis a pris note de votre zèle et de votre loyauté, dont il a fait l'éloge. Il... Quelque chose qui ne va pas ?

L'expression tendue d'Orry répondait à la question. Ainsi le gouvernement ne croyait toujours pas à son histoire. Il décida aussitôt de prendre une mesure que jusqu'à présent il n'avait fait qu'envisager : avec ses propres fonds, il engagerait un homme pour mettre à exécution le plan qu'il avait en tête.

— Non, non, se força-t-il à dire. Poursuivez.

— Je vous ai donné le sens du message du président, reprit le ministre, qui respirait la sincérité. Maintenant, j'ai une ou deux questions de nature personnelle à vous poser. Etes-vous satisfait de votre poste au ministère de la Guerre ?

Comme Orry hésitait, Benjamin lui suggéra :

— Soyez franc. Cela restera entre nous.

— Alors, la réponse est non. Je crois que nous connaissons tous deux l'issue probable de cette guerre. (Orry n'attendait aucune confirmation et n'en reçut effectivement pas.) Je ne veux pas passer les derniers mois à délivrer des laissez-passer aux prostituées et à contrôler les méfaits d'une baderne.

— Ah ! oui. Winder. Est-ce à dire que vous préféreriez être affecté sur le champ de bataille ?

— J'y ai songé. Le général Pickett m'a proposé un poste à l'état-major de sa division.

— Pauvre Pickett ! Je n'ai jamais vu un homme aussi changé par un événement...

Benjamin semblait sincère mais il reprit aussitôt son ton officiel. Après s'être éclairci la voix, il poursuivit :

— Il y a un autre sujet dont, à mon grand regret, je dois discuter avec vous. L'accusation de votre sœur contre votre charmante épouse.

Les mots pénétrèrent en Orry comme un stylet de glace. Il s'attendait à ce que la question soit abordée sous une forme ou une autre ; il s'était tourmenté sur la meilleure façon d'y répondre et avait pris une décision qui l'affligeait parce qu'elle heurtait sa conscience. Mais Madeline comptait plus pour lui.

Le dos parfaitement droit, en une posture constituant une manière de défi, il demanda :

— Oui ? Eh bien ?

— Pour parler carrément... Est-ce vrai ?

— Non.

Benjamin ne montra ni soulagement ni réaction d'aucune sorte et continua à étudier son visiteur. « Suis-je un menteur aussi transparent ? » pensa Orry.

— Vous comprenez bien que c'est au nom du gouvernement que je me suis vu contraint de vous poser la question, plaida le ministre. Le Cabinet — et en fait toute la Confédération — est divisé sur le problème de l'incorporation des Noirs dans notre armée. La simple mention de cette idée pousse certaines de nos personnalités les plus influentes à une conduite incohérente. Vous imaginez donc l'embarras et l'affrontement potentiel si l'on venait à découvrir que la femme d'un haut fonctionnaire du ministère de la Guerre...

Orry ne put en supporter davantage.

— Et Madeline ? explosa-t-il. Vous croyez que cette histoire ne l'embarrasse pas, elle ?

Imperturbable, Benjamin para l'attaque :

— Je comprends ses sentiments, mais l'accusation a des implications qui vont au-delà des questions de personne. Si elle s'avérait, c'est la confiance en tout le gouvernement qui serait ébranlée. Mr. Davis, voyez-vous, refuse de considérer que l'enrôlement de gens de couleur...

— Je connais la position de Mr. Davis, coupa Orry en se levant. Avec tout le respect dû au président, là n'est pas la question. Il s'agit d'une accusation que ma sœur a portée pour une raison précise. Elle m'en veut depuis longtemps.

— Pourquoi ? demanda Benjamin d'un ton de procureur.

— Il n'y a pas lieu d'entrer dans les détails. C'est une affaire de famille.

— Vous soutenez que la rancune serait l'unique mobile de Mrs. Huntoon ?

— Exactement. Puis-je partir, maintenant ?

— Orry, calmez-vous. Il vaut mieux apprendre les mauvaises nouvelles de la bouche d'un ami. Car je suis votre ami, croyez-moi. Rasseyez-vous, je vous en prie, invita Benjamin avec un geste de la main.

— Merci, je préfère rester debout.

Le ministre soupira, laissa s'écouler quelques secondes avant de reprendre :

— Pour créer le moins d'embarras possible à *toutes* les personnes concernées, le président prie Mrs. Main de quitter Richmond au plus tôt.

La main d'Orry se referma sur le dossier du fauteuil réservé aux visiteurs ; ses jointures avaient la couleur de la craie.

— Ainsi vous ne croyez pas à ma réponse...

— Si fait. Mais je suis membre du Cabinet et j'ai pour devoir d'accéder aux requêtes du président, pas de les mettre en cause.

— De manière à garder votre poste et à déguster votre cherry pendant que la Confédération s'écroule ?

Les joues olivâtres perdirent toute couleur ; d'une voix basse qu'un petit sourire froid rendait étrangement menaçante, Benjamin répliqua :

— Disons que je n'ai pas entendu cette remarque. Le président espère que sa requête sera satisfaite avant...

— Sa requête ? Son ordre, plutôt.

— Un ordre courtoisement présenté sous forme de requête.

— C'est bien ce que je pensais.

— Mon cher Orry, ne me tenez pas personnellement pour responsable de..., commença le ministre.

La porte claqua derrière Orry avant que Benjamin pût achever sa phrase.

Vers midi, la colère d'Orry retomba. Il put à nouveau se concentrer, expédier des affaires courantes et répondre de façon cohérente aux questions de ses collègues. En partant déjeuner, Seddon passa devant le bureau d'Orry mais le ministre fit en sorte de ne pas le regarder. « Il sait ce qu'exige Davis, pensa Orry. Il le savait probablement avant que Judah m'en informe. » L'officier résolut de demander à Pickett si son offre était toujours valable.

Il ne doutait pas de la réaction de Madeline à cette décision. S'ils en discutaient, il devrait la présenter comme une possibilité encore en considération et n'ayant rien de définitif. De la sorte, il épargnerait des tourments à Madeline. De toute façon, le plus urgent n'était pas d'assurer sa mutation mais de prouver à Judah, à Seddon, au président lui-même que le complot était réel.

Il jeta un coup d'œil au bureau occupé par Josea Pilbeam, jeune civil affligé d'un pied-bot. Célibataire, Pilbeam s'était chargé de plusieurs missions un peu spéciales pour le ministère au cours de l'année précédente. Orry s'approcha, le salua aimablement et demanda à le rencontrer dans la soirée. En dehors du bureau.

Pendant le reste de la journée, Orry apposa sa signature sur des laissez-passer et examina le quota quotidien de rapports de Winder faisant son propre éloge, sans cesse de penser au diktat présidentiel et à la façon dont il devait réagir. Sa première impulsion fut de se retrancher et de refuser d'obéir.

D'un autre côté, si Madeline restait à Richmond, elle serait mise en quarantaine. Et avec Grant qui assiégeait Petersburg, la capitale n'était plus un endroit sûr. Orry ne tenait pas à ce que sa femme se trouve dans la ville lorsqu'elle se rendrait. Tout indiquait en effet que la capitulation était relativement proche.

Aussi, bien qu'il répugnât à l'admettre, il se rendait compte qu'il valait mieux que Madeline parte.

Ce qui soulevait un autre problème : où pouvait-elle aller ? Il réfléchit longuement et, en fin d'après-midi, il avait élaboré un plan qui semblait présenter un minimum de risques.

A l'heure de la fermeture, il quitta le bureau avec Josea Pilbeam, l'emmena au *Spotswood*, choisit une table tranquille et en vint directement aux faits :

— Je soupçonne ma sœur Ashton — Mrs. James Huntoon — de trahison. Je voudrais que vous surveilliez sa maison de Grace Street le soir, que vous la suiviez si elle sort. Je désire savoir où elle va, qui elle rencontre. Vous me ferez un rapport chaque matin. Rester debout une partie de la nuit après avoir travaillé toute la journée ne sera pas de tout repos, mais vous êtes jeune, en bonne forme physique... (Le regard plongeant dans la mousse de sa bière, Pilbeam gratta le plancher de sa semelle épaisse de dix centimètres.) Je vous paierai de ma propre poche. Dix dollars par nuit.

L'employé but une gorgée de bière.

— Merci de votre offre, colonel, mais je dois refuser.

— Pourquoi, grand Dieu ? Auparavant, vous ne voyiez pas d'objection à ce genre de surveillance.

— Oh ! il ne s'agit pas du travail.

— De quoi, alors ?

— Mon salaire m'est versé en dollars confédérés et nous savons tous deux ce qu'ils valent : à peu près autant que les déclarations gouvernementales selon lesquelles nous pouvons encore gagner la guerre. Je ne veux pas faire des heures supplémentaires pour de la monnaie de singe.

Soulagé, Orry promit :

— Je me débrouillerai pour trouver des dollars de l'Union — à condition que vous commenciez votre surveillance demain soir.

— Marché conclu, dit Pilbeam en serrant la main de son supérieur.

Pour le dîner, Madeline avait préparé une petite alose pour deux et garni chaque assiette de deux minuscules navets bouillis. C'était tout ce qu'elle avait pu acheter ce jour-là.

Orry lui raconta qu'il continuait à chercher dans les archives toute mention d'un officier nommé Bellingham et qu'il n'avait rien trouvé jusqu'à présent. Après le repas, Madeline proposa de lire de la poésie à voix haute mais il secoua la tête :

— Nous devons discuter.

— Quel ton solennel! Et de quoi ?

— De la nécessité pour toi de quitter Richmond pendant que c'est encore possible.

Une expression froissée se peignit sur le visage de la jeune femme.

— La soirée a déjà des répercussions.

Orry s'enfonça dans le mensonge, pour le bien de Madeline.

— Non, il n'y a rien eu, à part quelques plaisanteries insidieuses. Les deux raisons pour lesquelles tu dois partir n'ont rien à voir avec la soirée. D'abord, la ville va tomber. Si ce n'est cet été, alors en automne ou en hiver. C'est inéluctable. Je ne veux pas que tu t'y trouves à ce moment-là. Moi, j'ai quitté le Mexique avant que notre armée ne pénètre dans la capitale mais George m'a décrit par la suite les atrocités qui y furent commises. Même si les commandants ont d'excellentes intentions, même s'ils mettent sévèrement leurs troupes en garde, la situation échappe invariablement à tout contrôle pendant quelque temps. On pille des maisons, on tue des hommes. Quant aux femmes... tu m'as compris. Je ne veux pas t'exposer à ce danger.

Immobile sur sa chaise, Madeline demanda :

— Et la deuxième raison ?

— J'en ai assez du ministère. Je songe à me faire muter à l'état-major de George Pickett.

— Oh! non.

Retraite rapide :

— J'y songe simplement, je n'ai encore rien décidé.

— Pourquoi risquer ta vie pour une cause perdue ?

— La cause n'a rien à voir là-dedans. Pickett est mon ami. J'ai soupé de la paperasse et on a désespérément besoin d'officiers sur le terrain. Mais ne t'inquiète pas, je n'en suis qu'au stade de la réflexion.

— J'espère que cela en restera là. De toute façon, je n'ai pas l'intention de partir.

— J'insiste pour que tu partes.

— Pas question! s'écria Madeline en se levant. Si tu veux bien m'excuser, il faut que je raccommode encore une fois tes chaussettes. On n'en trouve plus dans les magasins.

Elle sortit précipitamment. Plus tard, chaque fois qu'il essaya de reprendre la discussion, elle refusa de l'écouter. Ils se couchèrent sans se parler mais, vers trois heures du matin, elle se pressa contre son dos et l'éveilla en le secouant doucement.

— Chéri ? Je me suis conduite comme une harpie. Tu me pardonnes ? J'étais en colère contre moi, pas contre toi. Je sais que je t'ai apporté la honte...

Orry se retourna, toucha la joue de sa femme.

— Jamais tu ne me feras honte. Je t'aime pour ce que tu es, tout ce que tu es. Je veux seulement que tu sois en sécurité.

— J'ai le même souci pour toi. Je ne peux me faire à l'idée que tu rejoignes George Pickett. Défendre une ville assiégée, c'est dangereux.

— Ce n'est qu'une éventualité, je te l'ai dit. D'autres considérations passent avant.

Madeline soupira.

— Alors, tu veux que je retourne à Mont Royal ?

— Ce serait l'idéal mais je pense que c'est à la fois peu pratique et trop risqué. En descendant vers le sud, tu tomberais sur toute l'armée de l'Union, étirée de City Point à la vallée de la Shenandoah. Les routes et les voies ferrées sont l'objet d'attaques incessantes. Tu réussirais peut-être à passer mais je crois avoir une solution plus sûre. A première vue, ce n'est pas l'impression que cela donne mais j'y ai beaucoup réfléchi : c'est faisable. Je veux que tu partes dans l'autre sens, pour Lehig Station.

La stupeur de la jeune femme n'aurait pas été plus grande s'il avait dit Constantinople ou Zanzibar.

— Orry, notre foyer est en Caroline du Sud.

— Attends un peu. Brett se trouve à Belvedere, elle serait heureuse d'avoir ta compagnie. De toute façon, tu ne resterais pas longtemps là-bas. Pas même un an, si j'analyse correctement la situation.

— Je devrais traverser les lignes ennemies...

— Au nord de Richmond, c'est un no man's land. Lorsque Grant a poursuivi Lee jusqu'à Petersburg, il a emmené le gros de son armée. Les rapports que nous recevons indiquent qu'il n'y a pas de concentrations de troupes importantes autour de Fredericksburg, par exemple. Un régiment de cavalerie ou d'infanterie passe dans le coin à l'occasion mais c'est tout. De plus, il serait facile d'aller à Washington. Il te suffirait de dire que tu sympathises avec la cause de l'Union et on te prendrait pour une femme de mauvaise vie qui a décidé de...

— Quel genre de femme ? fit Madeline en feignant l'indignation.

— Au pire, tu risquerais quelques insultes et une brève détention. Une heure ou deux. Juste le temps de vérifier si cette poitrine dont je raffole fait « ping » quand on la frappe.

— « Ping » ? Qu'est-ce que tu racontes ?

— Les femmes moins, euh, moins gâtées que toi par la nature utilisent des faux seins métalliques.

— Depuis quand t'intéresses-tu aux faux seins métalliques ?

— Depuis que celles qui ne les emplissent pas naturellement passent en fraude des médicaments et de l'argent dans, euh, dans les espaces vides. Pas de « ping », pas de fouille.

Orry avait l'impression d'être un acteur jouant la légèreté parce que la pièce l'exigeait. Il ne voulait pas que sa femme sache quoi que ce soit de l'ordre du président, qu'elle ait honte de quelque chose à quoi elle ne pouvait rien. Sang noir ou pas, elle valait plus que mille Ashton, que mille Davis.

— Qui plus est, continua-t-il, si Augusta Barclay n'a pas abandonné sa ferme, tu ne ferais pas le voyage seule jusqu'à Washington. Un des affranchis d'Augusta t'accompagnerait jusqu'aux lignes de l'Union. Rappelle-toi, elle a promis de nous rendre service si nous en avons besoin un jour.

— Quand iras-tu la voir ?

— Ce week-end.

— Je ne vois guère un colonel confédéré chevaucher tranquillement jusqu'à Fredericksburg... Et si tu tombes sur une unité yankee ?

— Crois-moi, je n'ai pas l'intention de faire savoir à quiconque que je suis colonel. Ne t'inquiète pas.

— Facile à dire...

Orry connaissait une méthode éprouvée, classique mais extrêmement agréable, pour mettre fin à ce genre de conversations et libérer les angoisses. Il se mit à embrasser Madeline...

Il remplaça son uniforme par son costume en drap noir, coiffa un chapeau sombre à large bord acheté chez un fripier et glissa la Bible de Madeline dans une de ses poches. Dans une autre, il mit un laissez-passer qu'il avait préparé pour lui-même — c'est-à-dire pour le révérend O. O. Manchester.

Il partit sur une haridelle de louage dont les jointures gonflées indiquaient un cas d'éparvin. Orry espérait que l'animal résisterait à la soixantaine de kilomètres séparant Richmond de Fredericksburg.

Il avait lu des rapports sur l'état dévasté de la ville mais la réalité se révéla pire encore : chariots brûlés, cadavres en décomposition dans les champs des alentours. Orry aperçut dans un bois un petit groupe d'hommes se serrant autour d'un feu de camp. Des déserteurs probablement. Fredericksburg même avait l'air abandonné. La moitié des maisons étaient vides et la plupart des boutiques masquées par des planches. L'artillerie avait détruit plusieurs bâtiments dont il ne restait que les fondations. Des moellons, des briques jonchaient les rues creusées de cratères.

Sa Bible bien en vue sous le bras, Orry demanda à un vieillard comment se rendre à la ferme Barclay. Il y parvint une heure plus tard, consterné par ce qu'il découvrit. Charles lui avait décrit l'endroit en détail et les chênes roux ainsi que la grange avaient disparu. Des premiers, il ne restait dans la cour que deux souches.

Boz et Washington le saluèrent tandis qu'il descendait de sa monture vacillante. Les deux Noirs labouraient un champ piétiné : l'un guidait la charrue, l'autre remplaçait le cheval.

Orry trouva Gus dans la cuisine, battant nonchalamment le beurre. Sa robe délavée la serrait à la taille et elle lui parut plus boulotte que dans son souvenir. Elle avait aussi le visage plus marqué, en particulier autour des yeux. Une fois revenue de sa surprise, elle raconta :

— Plus de la moitié des gens de la ville ont fui à l'arrivée des Yankees. Nombre de ceux qui sont restés ont dû prendre des ennemis blessés chez eux. Moi, j'ai eu un capitaine du Maine, un homme poli couvert de bandages mais pas du tout abattu. Comme il refusait de me laisser l'aider à changer ses pansements, je l'ai fait surveiller par Boz. En fait, il n'était pas blessé du tout. Il avait dû jouer la comédie pour ne pas aller au combat. Je l'ai flanqué à la porte et remplacé par deux vrais blessés, de jeunes Irlandais de New York, très gentils, qui n'avaient jamais combattu auparavant. L'un est parti au bout de huit jours, l'autre est mort dans mon lit.

Augusta se remit à battre lentement.

— Je ne sais pas pourquoi je m'accroche encore ici, soupira-t-elle. Par entêtement, je suppose. Et si je partais, Charles ne saurait pas où me trouver. Vous... vous l'avez vu ?

— Une fois, avant la campagne de printemps.

Assis à une table noyée de soleil, devant une tasse de faux café sans goût, Orry fit le récit de l'évasion de Billy.

— Remarquable, commenta Gus quand il eut terminé. C'est tout à fait Charles, l'ancien Charles.

La curieuse précision étonna Orry.

— J'imagine qu'il n'a pas eu le temps de venir jusqu'ici, poursuivit la jeune femme. Avez-vous eu des nouvelles de lui depuis l'évasion ?

— Aucune, mais je suis sûr qu'il va bien. J'examine toujours soigneusement la liste de nos pertes, je n'ai pas vu son nom.

Orry s'abstint d'ajouter que de nombreux morts n'étaient pas identifiés.

Un peu réconfortée, Augusta le taquina sur son déguisement.

— Ah! mais il me protège des dangers de ce monde — et des Yankees, répliqua-t-il. (Il lui montra le poignard caché dans une de ses bottes.) J'ai aussi un vieux colt de la marine dans ma sacoche de selle. Augusta, je suis venu parce que j'ai besoin de votre aide. Plus exactement, je voudrais qu'un de vos affranchis escorte Madeline jusqu'à Washington.

— Washington? Vous avez oublié dans quel camp nous sommes?

— Non. Je dois lui faire quitter Richmond, et avec Grant assiégeant Petersburg, il sera beaucoup plus facile et moins dangereux de l'envoyer en Pennsylvanie, chez mon ami George, qu'en Caroline du Sud.

Orry fournit des détails supplémentaires de son plan et Gus accepta volontiers de l'aider. Elle insista même pour que Boz l'accompagne à Richmond pour aider Madeline à faire ses bagages. Après avoir mangé du pain rassis et du fromage fait à la ferme — les envahisseurs avaient aimablement permis à Gus de garder une vache — Orry se prépara à partir.

— Monte d'abord, je marcherai, dit-il à Boz. Cette rosse ne peut pas nous porter tous les deux.

Il s'éventa avec son chapeau puis serra la main de Gus en promettant :

— Je reviendrai avec Madeline dès qu'elle aura les papiers nécessaires. Cela prendra peut-être deux semaines.

Il n'en fallut pas même une tant on était pressé en haut lieu de voir partir Mrs. Main. Bien qu'on fût écrasé de travail au ministère (les nouvelles de Georgie étaient mauvaises : Sherman s'était avancé jusqu'à proximité de Marietta et pouvait d'un moment à l'autre donner l'assaut à Joe Johnston, retranché sur le Kennesaw), Benjamin tenait à ce qu'Orry ne s'occupe que du départ de sa femme, avec l'autorisation de Seddon.

Le couple et l'affranchi se mirent en route à la fin du mois de juin, alors que les nouvelles continuaient à empirer. Davis, à bout de ressources, informa les journaux qu'il avait envoyé à Joe la Retraite tous les renforts disponibles. Désormais, ce qui se passerait aux portes d'Atlanta serait de la responsabilité de Johnston. En même temps, le président tenta de convaincre la presse et l'opinion que la situation s'améliorait en Virginie puisque Grant n'avait ni écrasé Lee ni pris Richmond.

Personne ne le crut.

Le Révérend Manchester repartit donc pour Fredericksburg avec sa Bible, son poignard et son colt calibre 36. Ses compagnons et lui voyagèrent dans un vieux buggy dont Orry préférait oublier le prix d'achat. Pour un essieu brisé, le charron lui avait réclamé cinq fois le prix que la réparation aurait coûté avant la guerre.

L'avant-dernier jour du mois, Orry et Madeline se dirent au revoir sur la véranda de la ferme Barclay. Le temps était idéal pour l'occasion. Au nord-ouest, des nuages d'onyx roulaient au-dessus de la terre éventrée dans un étrange ciel gris perle. Le vent se leva, les premières rafales soulevèrent la poussière de la cour. Orry réfléchissait à grand-peine à tout ce qu'il devait dire en si peu de temps.

— Une fois à Washington, sers-toi de tes dollars de l'Union pour télégraphier à Brett.

— Oui, nous avons déjà vu cela ensemble plusieurs fois, chéri. Boz me conduira à l'un des ponts du Potomac ; tout ira bien. Trouve un moyen pour me donner de tes nouvelles. Je vais me faire du souci. Au moins, tu ne parles plus de cette idée folle de te faire muter sur le champ de bataille.

— Parce que j'en suis toujours au même point. Je n'ai rien fait à ce sujet.

Il y avait dans cette réponse une tromperie délibérée, dont Orry avait choisi les mots avec soin pour dissiper les craintes de Madeline. Espérant qu'elle ne s'apercevrait pas du subterfuge, il ajouta rapidement :

— Je t'enverrai une lettre par courrier dès que possible.

Elle s'approcha de lui. Des mèches de cheveux détachées par le vent flottaient autour de son petit chapeau de voyage. Les larmes aux yeux, elle murmura :

— Sais-tu combien tu me manqueras ? Combien je t'aime ? Je sais pourquoi tu m'envoies au loin.

— Parce que ce serait de la folie de rester dans...

— Des milliers d'autres femmes restent à Richmond, coupa Madeline. Ce n'est pas la vraie raison — et je t'aime plus que jamais de vouloir me le faire croire. Tu as cherché à me ménager. (La poussière les enveloppa, la lueur d'un éclair blanchit le paysage.) Tes supérieurs croient à l'accusation d'Ashton. Ne prends pas la peine de nier, je sais que c'est vrai. Un officier du ministère de la Guerre marié à une négresse, c'est intolérable. Il faut donc se débarrasser de moi. Si tu n'allais pas me manquer autant, je ne serais pas particulièrement triste de partir. Je ne me suis jamais plu dans le rôle de dame d'honneur à une cour d'hypocrites.

Elle l'embrassa rapidement, ardemment, et conclut :

— Mais je t'aime parce que tu as tenté de m'épargner la vérité.

Les nuages éclatèrent, la pluie tomba en grondant.

— Qui t'a mise au courant ? demanda Orry.

— Mr. Benjamin, lorsque je l'ai rencontré par hasard dans Main Street, avant-hier.

— Cet infâme...

— Il n'a pas dit un mot, Orry.

— Alors... ?

— Il m'a vue venir et a traversé la rue pour m'éviter. J'ai soudain tout compris.

Submergé de colère et de peine, il l'enlaça.

— Comme je hais cette guerre et ce qu'elle nous a fait !

— Ne la laisse pas faire pis. Donner ta vie maintenant serait la gaspiller pour rien.

— Je serai prudent. Toi aussi, tu me le promets ?

— Bien sûr, acquiesça Madeline, le visage rayonnant à nouveau de confiance. Je sais que nous traverserons ces épreuves et que nous serons à nouveau réunis à Mont Royal, plus tôt peut-être que nous ne le pensons.

Orry contempla un moment les grosses souches battues par la pluie avant de déclarer :

— Je dois partir.

— Attends qu'il pleuve un peu moins.

— Oui, tu as raison, répondit-il en songeant aussitôt qu'il perdait son temps en banalités. (Il la prit par la taille, l'embrassa pendant près d'une demi-minute, avec passion.) Je t'aime, mon Anabel Lee.

— Je t'aime, Orry. Nous nous retrouverons.

— Oui, j'en suis sûr, maintenant, dit-il en souriant.

Elle demeura sur la véranda jusqu'à ce que la pluie lui cache le buggy s'éloignant sur la route.

Orry commença à éternuer durant son retour, et lorsqu'il arriva à Richmond, le lendemain à midi, il avait la tête lourde. L'absence de Madeline rendait sinistres les pièces silencieuses de l'appartement de Marshall Street. En endossant son uniforme pour se rendre au ministère, il se promit de passer le moins de temps possible chez lui et de se plonger dans le travail jusqu'à l'obtention d'une mutation. Il pourrait même au besoin dormir sur l'un des sofas du bureau. Seddon n'y verrait pas d'objection. Après tout, il s'était conduit en collaborateur modèle en le débarrassant de la négresse gênante.

Dieu, quelle amertume ! Il n'y pouvait rien. Il n'avait plus la moindre envie de combattre ou de mourir pour les principes en faillite de Mr. Jefferson Davis. Il avait même peine à croire qu'il l'avait voulu trois ans plus tôt. Rejoindre Pickett n'était pas une question de patriotisme mais de survie. « Je me battrais presque avec les Yankees pour sortir de cette ville », pensa-t-il en quittant l'appartement.

Il travaillait depuis moins de dix minutes quand un bruit lui fit lever la tête. Traînant son pied-bot, Josea Pilbeam s'approcha du bureau d'Orry et murmura :

— Il faut que je vous voie tout de suite. C'est urgent.

Dans une cage d'escalier sombre et humide après l'orage, Pilbeam révéla :

— Hier soir, la dame et son époux ont quitté la ville pendant près de quatre heures.

— Où sont-ils allés ?

— A l'endroit que vous m'aviez décrit. Ils y ont retrouvé un homme corpulent que je n'avais jamais vu.

Ainsi, ils utilisaient à nouveau la ferme ; la patience d'Orry était récompensée. Il montrerait à Seddon, à Benjamin et à tous les autres qu'il n'était pas fou.

— Les avez-vous entendus prononcer son nom ? demanda-t-il avec excitation.

— Non.

— Où exactement se sont-ils rencontrés ?

— Dans le bâtiment situé au bord de la falaise. Au bout d'un quart d'heure, ils furent rejoints par quelqu'un que j'ai bien reconnu, cette fois. Il est venu dans nos bureaux.

Orry pressa un mouchoir contre son nez humide pour réprimer un éternuement.

— Qui était-ce ?

— Israel Quincy, l'un des vauriens de Winder.

111

« Diaboliquement simple », pensait Orry en traversant le champ par le même chemin que la première fois. Depuis sa conversation avec Pilbeam, il s'émerveillait de la beauté du stratagème, efficace parce que trop évident pour être décelé : l'enquêteur du service de Winder n'avait trouvé aucune preuve du complot parce qu'il en faisait partie.

C'était une nuit sans lune et sans un souffle d'air. Sous la veste de drap, la chemise d'Orry était déjà trempée. A mi-chemin du hangar à outils, il s'arrêta pour regarder le champ à la lueur rouge palpitante accompagnant les bombardements fédéraux.

La terre autour de lui avait été récemment creusée, piétinée. Faisant appel à sa mémoire, il se rappela que, la première nuit, le champ était envahi d'herbe. Lorsqu'il était retourné à la ferme, la seconde fois, il avait découvert...

Quoi ? Il se concentra en reniflant, étouffa de la main un éternuement qui avait failli le surprendre. Il se souvenait distinctement, à sa seconde visite, d'avoir vu des sillons. Curieux. Pourquoi labourerait-on le champ d'une ferme aband... ?

Idiot ! Idiot ! Là encore, il n'avait pas vu ce qui crevait les yeux. Il savait à présent comment les armes et les munitions avaient disparu : on les avait cachées sous le nez de tout le monde.

— Sous les pieds, corrigea-t-il dans un murmure.

Le truc venait tout droit de *la Lettre volée*, la célèbre nouvelle policière d'Edgar Poe, et Orry, qui aimait beaucoup cet auteur, s'en sentit doublement humilié. « Et je parie, pensa-t-il, que Mr. Quincy s'est chargé d'inspecter cette partie de la ferme. Mr. Quincy s'est promené dans le champ fraîchement labouré sans rien remarquer. »

Powell lui-même se cachait-il aussi à la ferme ? Avec la complicité de Quincy, c'était tout à fait possible. Orry essuya son nez avec un mouchoir humide tandis que, au sud, une lumière rouge embrasait à nouveau l'horizon. Il tira le colt de la marine du gros étui attaché à sa cuisse gauche, releva le percuteur et se remit à avancer prudemment.

En approchant du hangar, il distingua un buggy et deux chevaux de selle près du bâtiment principal. Il colla l'œil à la même fente que la fois précédente et vit, perché sur une des caisses de Withworth déterrées, James Huntoon.

Il avait ôté sa veste, remonté les manches de sa chemise et tenait devant sa panse une grande feuille de papier de manière que les autres personnes présentes puissent la voir. Un plan, sans doute.

— Votre attention, s'il vous plaît, réclama quelqu'un. Voici l'engin que Mr. Powell a décrit avant de s'absenter quelques jours pour régler d'autres questions.

Orry fronça les sourcils. L'homme qui parlait et qu'il ne pouvait voir avait une voix familière. Il changea de position pour avoir un autre angle de vue, découvrit sur la caisse, à côté de Huntoon, une lanterne à la lumière vive. A droite, appuyé contre un pilier, se curant les dents avec un brin de paille, le bon Mr. Quincy.

Orry reconnut ensuite la voix de sa sœur :

— Etes-vous certain qu'il marchera, capitaine Bellingham ?

« Bellingham ? » Avait-il retrouvé l'homme qui avait montré le portrait à Ashton ?

— Ma chère Mrs. Huntoon, les machines infernales inventées par le général Rains au Bureau des torpilles ont un palmarès éloquent.

Le dos de l'homme qui parlait entra dans le champ de vision d'Orry. Il était gros, marchait en se dandinant, et sa silhouette sembla à Orry aussi familière que sa voix. Montrant le bloc de charbon qu'il tenait dans les mains, il poursuivit :

— Un engin semblable fut caché dans la soute du *Greyhound*, le forceur de blocus capturé, lorsqu'il mouillait sur le James. Un chauffeur le projeta dans la chaudière avec sa pelle, et si Ben Butler et l'amiral Porter s'étaient trouvés un peu plus près quand l'engin a explosé, il y aurait deux Yankees de plus en enfer.

Orry identifia la silhouette et la voix. Il repensa à sa première année à West Point, puis au Texas.

— C'est à s'y méprendre, capitaine, déclara Israel Quincy. On dirait vraiment un morceau de charbon.

— Il faut le toucher pour découvrir que ce n'en est pas un, renchérit l'obèse en approchant l'engin de Quincy. Regardez la forme, la texture, la couleur parfaite. Génial.

Orry vit alors le profil de l'ancien officier de l'Union qui, étrangement, se retrouvait impliqué dans un complot confédéré. Pour avoir une certitude absolue, il examina le triple menton, les cheveux clairsemés, le petit œil sombre. Aucun doute. Il regardait Elkanah Bent, alias Bellingham.

Si Orry ne l'avait pas reconnu, la suite aurait peut-être été différente. Il serait peut-être retourné à Richmond pour revenir avec toute une compagnie de la prévôté avant que les Withworth ne soient à nouveau enterrées. Mais la vue de celui qui ne vivait que pour sa vengeance (et l'avait en partie assouvie en faisant des révélations à Ashton) provoqua un déclic dans l'esprit d'Orry. Une digue se rompit brusquement.

Il n'y avait que trois hommes dans le hangar mais y en eût-il eu trente que cela n'aurait rien changé pour Orry. Il se releva, fit le tour du bâtiment. Le colt à la main, il poussa la porte d'un coup de botte.

— Personne ne bouge.

Ashton porta les mains devant sa bouche ; Huntoon lâcha la feuille de papier, glissa de la caisse.

— Orry Main ! bredouilla Bent, interdit.

Réagissant en professionnel, Quincy plongea la main droite sous sa veste de pasteur. Orry se tourna vers lui, tira. Projeté contre le pilier par la balle, le détective parvint à sortir son arme, appuya plusieurs fois sur la détente en glissant vers le sol. Le dernier projectile arracha la pointe de la botte gauche de Quincy au moment où il s'effondrait par terre.

Le faux bloc de charbon dans les mains, Bent tremblait comme un enfant surpris avec une friandise chapardée. Orry vit Ashton couler vers son mari un regard qui devait signifier : saute-lui dessus, ou il nous aura tous. Courbant l'échine, Huntoon secoua lentement la tête.

— Capitaine Bellingham ? fit Orry d'une voix rauque. J'ignore comment tu es arrivé ici mais je sais où tu vas aller, avec tes amis. En prison, pour complot contre la personne du président.

Bent revenait peu à peu de sa surprise. Comme Orry, il ne comprenait pas comment avaient pu se produire ces stupéfiantes retrouvailles, mais il en saisissait les conséquences potentielles.

Un poing pressé contre son giron, Huntoon gémit :

— Mon Dieu ! Il sait. Il sait tout !

— Seddon et le président aussi, ajouta Orry. Ils tenaient à vous prendre la main dans le sac. Vous êtes fichu, James. Toi également, ma chère traîtresse de sœur...

Huntoon prit la lanterne par sa poignée, la lança. Orry se baissa pour l'éviter ; l'objet se brisa derrière lui contre le mur. Des gouttes de pétrole aspergèrent les planches et le sol de terre battue ; des brins de paille se mirent à fumer.

Orry crut voir Ashton passer devant lui, tirant son mari par la main comme un enfant. Il ne put leur prêter attention parce que Bent se ruait vers lui en brandissant à deux mains le bloc de charbon. « Bon Dieu ! il va nous faire tous sauter... »

Le faux Bellingham visa le crâne d'Orry, qui esquiva. L'engin lui écorcha la tempe gauche, la seule explosion fut celle de la douleur.

Bent abattit la bombe sur le moignon de son adversaire, qui tomba à genoux.

— Salaud, haleta l'obèse.

Il assena sur l'oreille droite de son adversaire un coup qui l'assomma presque. Du sang se mit à couler du cuir chevelu entamé d'Orry, qui n'y voyait plus guère. Il sentit une chaleur derrière lui : le hangar brûlait.

— Sale Carolinien prétentieux ! marmonna Bent.

Il souleva à nouveau l'engin, le tourna pour diriger une de ses arêtes vers le crâne d'Orry.

— J'ai attendu ça des années...

Le bloc descendit vers Orry, qui leva son colt et fit feu. La balle arracha au poignet gauche de Bent des lambeaux de chair et des éclats d'os. L'obèse hurla, lâcha la bombe, qui effleura le bras amputé d'Orry et tomba près des flammes s'élevant de la paille jonchant le sol.

La haine décuplait les forces des deux hommes. De toute sa vie, Orry ne l'avait jamais éprouvée avec une telle intensité. Des images défilèrent dans sa tête. Il se vit montant la garde dans le blizzard à cause de Bent ; gisant à l'infirmerie de West Point à cause de la sollicitude de Bent ; il vit la lettre de Charles parlant d'un officier qui le persécutait, le visage d'Ashton prononçant le nom d'un certain capitaine Bellingham...

Il se redressa, prit son arme par le canon, l'abattit sur le crâne de Bent. L'obèse couina, recula en chancelant.

Orry frappa à nouveau. L'ancien officier de l'Union porta une main puis l'autre devant son visage pour se protéger. Débitant inconsciemment un flot de jurons, Orry continua à cogner. Bent, couvert de sang, bascula vers la droite.

« Cela suffit, il a son compte. »

Par-dessus le crépitement du feu, Orry entendit claquer un fouet, grincer des roues : Huntoon et Ashton s'enfuyaient. Aucune importance. Seul comptait le gros lâche qui se recroquevillait sous ses coups — et la rage effrénée d'Orry, la réaction à des années de persécution maniaque.

Bent continuait à chanceler. « Fais-le prisonnier, il ne peut plus se battre. »

N'écoutant pas la faible voix qui s'élevait en lui, Orry frappa encore.

— Ah ! ah ! gémit Bent dont le cri de souffrance ressemblait curieusement à un rire. Main, pitié...

— Quand en as-tu montré, de la pitié ?

Orry expédia son genou droit dans les parties génitales de son ennemi, qui fit un pas en arrière, un second, un troisième...

Trop tard, Orry s'élança pour le retenir. Le dos de Bent fit voler en éclats une des fenêtres ; des centaines de minuscules incendies brûlèrent un instant dans les morceaux de verre projetés en l'air. Bent bascula en criant.

Orry entendit un bruit sourd, se précipita vers la fenêtre. Le corps de l'obèse, après avoir rebondi sur une saillie, continuait à choir le long de la falaise. Il heurta un autre rocher en surplomb, rebondit à nouveau et tomba dans l'eau avec un grand éclaboussement. Des vagues agitèrent un moment le fleuve puis disparurent.

Orry essaya d'apercevoir le cadavre de Bent mais le courant l'emportait déjà sans doute vers les lueurs rouges palpitant à l'horizon.

Une demi-minute s'écoula. Orry prit conscience de la chaleur, de la fumée qui s'épaississait. Un pan de mur s'écroula en débris incandescents. Des flammes couraient au plafond le long des poutres ; le feu brûlait la paille du sol à quelques centimètres de l'engin explosif. Orry le saisit, le jeta par la porte ouverte.

Il aurait voulu ouvrir une caisse pour emporter quelques carabines qui lui serviraient de preuve mais il eut à peine le temps de rengainer son colt, de ramasser le plan que Huntoon avait laissé tomber et de le fourrer dans sa poche. Courbé en deux, respirant avec difficulté, il traîna vers la porte le corps d'Israel Quincy.

L'un des piliers du bâtiment disparut dans les flammes ; la poutre qu'il soutenait ploya, se brisa, fit pleuvoir sur Orry une gerbe d'étincelles· et d'éclats de bois enflammés. Haletant, sentant ses cheveux brûler, il réussit à sortir le cadavre.

A l'intérieur, une boîte de cartouches explosa. Orry ramassa la bombe, s'écarta du bâtiment dont les lueurs rouges faisaient pâlir celles montant de Petersburg. D'autres munitions explosèrent et les détonations se répercutèrent dans la nuit comme l'écho d'une fusillade.

Bent. Elkanah Bent. Quelle route tortueuse l'avait conduit de l'armée des Etats-Unis à la ferme ? Comment s'était-il retrouvé impliqué dans le complot ?

De ce complot, Orry détenait deux preuves. Il posa la bombe par terre, sortit le plan de sa poche, l'examina à la lumière de l'incendie. Encore sous le choc, il ne comprit pas tout d'abord ce que représentaient les grands rectangles qui en entouraient de plus petits puis comprit qu'il s'agissait des différents étages du ministère des Finances.

Il remarqua des croix tracées à l'encre accompagnées d'une légende. Celles de la cave précisaient « Blocs de charbon explosifs ». Dans une enfilade de pièces du second étage portant les initiales J.D., on avait écrit « engin incend ».

Orry se dirigea vers la maison, la fouilla rapidement. Au grenier, il découvrit un endroit que l'on avait aménagé pour pouvoir y vivre : quelques meubles, un tapis, un sofa près duquel étaient posés des livres — dont *les Contes* d'Edgar Poe et un exemplaire relié cuir des minutes des conventions de sécession de la Georgie et de la Caroline du Sud.

Israel Quincy n'avait pas non plus découvert la cachette de Powell au cours de sa « fouille ». Orry ignorait si celui-ci serait pris. Peut-être pas. Mais la conspiration avait été déjouée une seconde fois et, surtout, Orry avait maintenant des preuves de son existence.

Il ressortit de la maison, retourna au hangar dont il ne restait qu'un tas de cendres rougeoyantes. Il récupéra les preuves, retraversa le champ, monta sur son cheval et repartit vers Richmond.

Vêtu d'une chemise de nuit à rayures, l'air encore endormi, Seddon écarquillait les yeux en fixant l'homme dont les coups de heurtoir l'avaient éveillé. Orry lui montra le plan et le morceau de charbon en déclarant :

— Voici deux preuves de ce que j'avance, le cadavre de Quincy en est une troisième. Il faisait partie du complot. Quand l'incendie sera éteint, on retrouvera probablement des pièces non fondues de carabines Whitworth. Cela devrait suffire, conclut-il en laissant percer son amertume.

— C'est sidérant. Entrez donc me donner plus de précisions sur...

— Plus tard, coupa Orry. J'ai encore une question à régler avant d'en avoir terminé avec cette affaire. Faites attention avec ce morceau de charbon ; si vous essayez de le brûler, vous ferez sauter votre poêle.

En dégainant son colt vide devant la maison de Grace Street, Orry remarqua des taches brunes sur la crosse. Le sang de Bent. Comment pouvait-il être à la fois aussi content de la mort d'un homme et aussi honteux de l'avoir causée ? Avec un frisson, il prit l'arme par le canon et frappa à la porte. Ses coups de sonnette n'avaient rien donné.

— Ouvrez ! cria-t-il en direction des fenêtres du premier étage. Sinon, je défonce la serrure.

La porte s'entrouvrit, Orry glissa l'épaule dans l'ouverture, poussa. Au lieu de Huntoon, il découvrit le vieux domestique, tenant une lampe à la main.

— Dis-leur que je veux les voir, Homer. Tous les deux.

— Mr. Orry, ils ne sont pas...

Ecartant le vieillard, Orry s'approcha de l'escalier.

— Ashton ? James ? Descendez, bon Dieu !

L'écho de sa voix lui fit prendre conscience de son état : il était à nouveau sur le point de perdre toute maîtrise de soi. Il agrippa la rampe, la serra, se calma un peu. Une lueur apparut en haut des marches, puis le visage de Huntoon. Ashton suivit, une lampe à la main. Ni l'un ni l'autre ne s'étaient déshabillés pour se mettre au lit.

Orry regarda sa sœur.

— La scène se répète, non ? lança-t-il. Je t'ai chassée un jour de Caroline du Sud et je vais le faire maintenant de Virginie. Cette fois, les enjeux sont plus élevés. Si tu restes, tu n'auras pas seulement ma colère à redouter, tu seras arrêtée.

Huntoon hoqueta, s'éloigna de la plus haute marche. Ashton le saisit par la manche.

— Avance, lâche. J'ai dit : avance !

Elle le frappa de la main mais il ne bougea pas.

— Ecoutons la suite, mon cher frère, reprit-elle en se tournant vers Orry.

Il haussa les épaules.

— C'est simple. J'ai remis à Mr. Seddon des preuves suffisantes pour vous faire pendre tous les deux. A savoir un faux morceau de charbon et un plan des bureaux du président. J'imagine que les hommes du prévôt sont déjà en route pour la ferme, où ils trouveront ce qu'il reste des armes, quelques affaires personnelles de Powell et le cadavre d'Israel Quincy. Quant à ton informateur, celui qui se faisait appeler Bellingham, il est mort lui aussi. Noyé dans le fleuve.

— Vous avez fait ça ? murmura Huntoon.

— La seule chose que je n'ai pas encore faite, c'est vous impliquer tous les deux. Je ne sais d'ailleurs pas pourquoi. Vous avez une heure pour quitter la ville. Si vous restez, je vous accuserai de trahison et de tentative d'assassinat.

— Seigneur Dieu! s'exclama Homer, dont Orry avait oublié la présence.

— Sors d'ici, sale fouineur de nègre! glapit Ashton.

Le vieillard déguerpit. Avec un effort grotesque pour cacher sa rage sous un sourire, la jeune femme plaida :

— Orry, rien que pour faire nos bagages, il faut...

— Une heure, laissa tomber son frère en montrant une horloge dont le cadran brillait dans la pénombre. Vous méritez d'être tous pendus, y compris votre ami Powell. Vous le serez si je vous trouve encore ici quand je reviendrai.

Le lendemain après-midi, plusieurs versions de la tentative d'assassinat circulaient dans les bureaux de Capitol Square. Vers quatre heures, Seddon s'approcha du bureau où Orry, le regard fixe, faisait semblant de lire un dossier. Le ministre toussota, sourit.

— Orry, j'ai d'excellentes nouvelles. Je viens de parler au président, qui désire vous décerner une décoration...

Une expression de dégoût mêlé d'incrédulité apparut sur le visage d'Orry et le ministre poursuivit d'un ton moins assuré :

— Mr. Davis aimerait vous la remettre demain dans ce bureau. Pouvons-nous convenir d'une heure ?

— Je ne veux pas de sa foutue médaille. Il a chassé ma femme de Richmond.

— Voulez-vous dire, colonel, que vous refusez l'honneur que...

— Oui. Cela causera sans doute un autre scandale, n'est-ce pas ? Ma femme et moi en avons l'habitude.

— Votre amertume est compréhensible mais...

Une lueur matoise dans le regard, Orry coupa :

— Je refuserai... à moins que Mr. Davis et vous me promettiez une affectation immédiate à l'état-major du général Pickett. J'en ai assez de ce bureau, de ce travail, de ce gouvernement plein de fange...

Du bras il balaya les papiers se trouvant sur son bureau, se leva et sortit.

Des têtes se tournèrent, les employés échangèrent des murmures. Le visage de Seddon perdit son expression conciliante.

— Je ne doute pas qu'on puisse arranger votre mutation, lança-t-il d'une voix forte.

112

Après l'affaire Eamon Randolph, Jasper Dills commença à se faire du souci pour son allocation : il n'avait plus aucune nouvelle d'Elkanah Bent. Il savait seulement que Baker avait renvoyé le fils de Starkwether pour brutalité envers le journaliste. Bien que débordé de travail, l'homme de loi décida à la fin du mois de juin de rendre visite au chef du Bureau d'enquête.

— Je ne sais pas ce qui est arrivé à Dayton, répondit sèchement Baker. Et je m'en moque.

— Enfin! colonel, vous devez bien avoir des informations. Est-il encore en ville ? Me forcerez-vous à m'adresser à Mr. Stanton et à lui dire que vous refusez de m'aider ?

Aussitôt, Baker devint plus coopératif.

— Je tiens de source sûre que Dayton se trouvait à Richmond il y a un mois.

— Richmond! Pourquoi?

— Je n'en sais rien.

— Est-il possible qu'il soit passé dans l'autre camp?

— Il était réellement furieux quand je l'ai chassé, répondit le colonel en haussant les épaules. C'est un déséquilibré, je regrette beaucoup qu'il soit passé dans nos services. Je connais votre réputation, Mr. Dills, je sais que vous comptez beaucoup d'amis au gouvernement. Mais je ne comprends pas pourquoi vous vous intéressez autant à Dayton.

Dills conclut qu'il n'obtiendrait aucune aide de Baker, qu'il devrait s'adresser plus haut.

— Je n'ai pas à satisfaire votre curiosité, colonel. Au revoir.

Le jour d'*Independence Day**, un lundi, Dills s'adressa effectivement plus haut en se rendant au ministère de la Guerre. Bien que ce fût jour férié et que le Congrès s'apprêtât à clore sa session, de nombreux services gouvernementaux demeuraient ouverts du fait des pressions de la guerre et de la politique. Sur l'un et l'autre front, les choses n'allaient pas bien. Le président avait fini par accepter la démission que Chase, le ministre des Finances, lui avait présentée une première fois l'hiver précédent. Selon la rumeur, Chase, encouragé par les mêmes extrémistes anonymes qui avaient participé à la rédaction de la lettre collective de Pomeroy, appelant à la défaite de Lincoln, prenait du recul pour devenir candidat aux élections présidentielles.

Les dépêches en provenance de la Shenandoah faisaient état d'une intensification de la guérilla — voies ferrées arrachées, ponts brûlés — et d'une retraite régulière des forces de l'Union vers Harper's Ferry. Personne dans le Nord n'avait encore surmonté le choc des pertes énormes de la campagne de printemps. Il s'y était ajouté en mai l'humiliation de New Market, lorsque Sigel fut à nouveau écrasé, cette fois par des troupes rebelles comprenant deux cent quarante-sept jeunes cadets de V.M.I., l'école militaire où Jackson avait enseigné.

Parvenu à destination, Dills descendit de voiture, se fraya un chemin à travers une foule de « marchandises de contrebande » dont il évita soigneusement le contact. Les Noirs flânaient devant President's Park, tournant des yeux affamés et envieux vers le pique-nique qui s'y déroulait. Des balançoires pendaient aux branches des arbres; de grandes tables à tréteaux installées entre le ministère de la Guerre et la résidence présidentielle disparaissaient sous les plats et les boissons. Avec l'autorisation et les encouragements du gouvernement, ce pique-nique était organisé afin de collecter des fonds pour une nouvelle école d'enfants noirs dans le district de Columbia. La foule des invités se composait essentiellement de civils bien vêtus appartenant à la communauté noire de la ville. Dills repéra çà et là quelques visages blancs, ce qui l'écœura plus encore que l'initiative même.

L'homme de loi avait rendez-vous avec Stanley Hazard, le larbin de Stanton. Bien que médiocre, Hazard était riche et avait d'une façon ou d'une autre réussi à se faire des amis influents. Probablement par la méthode habituelle, supposait Dills. En les achetant. Ce qui était inhabituel, c'était sa capacité à demeurer en équilibre sur le pivot de la balançoire politique. Hazard frayait avec des politiciens voulant battre

---

* Fête nationale, 4 juillet (n.d.t.).

Lincoln aux élections et travaillait cependant pour un homme considéré comme l'ami et le plus farouche partisan du président. C'était d'autant plus étonnant que, selon les rumeurs, Hazard était soûl tous les jours à dix heures du matin.

Sur ses petits pieds, le petit avocat monta l'escalier conduisant au bureau de Stanley. Dans un coin de la pièce, des bâtonnets d'encens brûlaient sur un trépied en cuivre. Pour chasser l'odeur de l'alcool ?

En tout cas, l'encens ne cacha pas l'expression éméchée de Stanley lorsqu'il invita Dills à s'asseoir. Avec un coup d'œil vers la fenêtre, l'homme de loi se permit une plaisanterie :

— Je dois dire que, en traversant la foule, je me suis demandé si j'étais à Washington ou dans les jardins du palais d'Haïti.

Stanley s'esclaffa.

— Dites plutôt dans un village africain. Vous avez remarqué ce qu'ils mangent, les moricauds ? Une effigie de Bob Lee en barbecue !

Dills avança les lèvres, ce qui équivalait pour lui à un rire hystérique.

— Je sais que vous êtes très occupé, Mr. Hazard, et j'irai droit au but. Vous souvenez-vous d'un nommé Ezra Dayton, à qui vous avez accordé un rendez-vous ?

— En effet, répondit Stanley en se redressant sur son siège. Vous l'aviez recommandé mais il a été renvoyé. Très déplaisant...

— Je le regrette beaucoup. Je ne pouvais prévoir. Je suis ici parce que j'ai besoin d'avoir des nouvelles de Dayton, pour des raisons que je ne puis révéler.

— Secret professionnel ?

— Il y a de ça, oui. En échange de votre aide, je suis prêt à apporter une généreuse contribution financière au candidat de votre choix. Dans le camp républicain, j'espère.

— Naturellement, répondit Stanley, qui ne haussa même pas les sourcils pour mettre en doute l'honnêteté de la proposition. Voyons ce que nous avons.

Il fit venir un collaborateur, lui expliqua ce qu'il voulait. L'homme s'absenta dix minutes, laissant Stanley et son visiteur poursuivre avec embarras une conversation ponctuée de longs silences. L'employé revint, murmura quelques mots à l'oreille de son supérieur, sortit.

— Nous n'avons absolument rien, soupira Stanley. Désolé. J'espère que cela ne change rien à votre généreuse proposition puisque je l'avais acceptée de bonne foi.

Dills sentit la menace derrière le sourire trop cordial. Il fut surpris quand Stanley ajouta :

— Mille dollars, ce serait très bien.

— Mille ? Je pensais à beaucoup m... Très bien, je vous enverrai la somme demain.

— Payable à ce compte, précisa Stanley en griffonnant sur un morceau de papier.

— Merci de cet entretien, Mr. Hazard.

Au moment de refermer la porte derrière lui, Dills vit Stanley se pencher vers le dernier tiroir de son bureau. Le politicien releva la tête, l'homme de loi s'éclipsa.

Ainsi Bent avait disparu — et cette information lui avait coûté mille dollars. Si Dills ne dénichait pas un autre moyen de retrouver le fils de Starkwether, plus d'allocation. L'humeur sombre, il sortit du bâtiment et traversa le parc en direction de sa voiture.

De sa canne, il chassa des enfants noirs jouant et courant autour de lui.

A Lehig Station, les fossoyeurs creusaient de nouvelles tombes pour les nouveaux cercueils apportés par les trains de marchandises. Au lieu de participer aux cérémonies du 4 juillet, Brett passa la journée avec les orphelins noirs, à qui elle apprenait à compter. D'ailleurs, l'heure n'était plus à la ferveur patriotique mais aux paniques soudaines. L'armée de Jubal Early avait encerclé Washington, coupé la voie ferrée et les liaisons télégraphiques avec Baltimore. Les troupes d'Early étaient parvenues à Silver Spring, en vue des fortifications fédérales de Rock Creek ; elles avaient presque encerclé Washington avant d'être repoussées vers la Pennsylvanie.

On détestait Lincoln de plus en plus. Oserait-il, comme il l'avait annoncé, enrôler cinq cent mille volontaires de plus avant la fin du mois pour alimenter la machine de guerre du général Grant ? Le pays las de la guerre, l'heure était au cynisme, au découragement. Le cousin de Lute Fessenden faisait sa pelote en fournissant des remplaçants aux conscrits pour une somme allant de huit cents à mille dollars.

Tout ceci composait une toile de fond réelle mais en quelque sorte immatérielle à un événement capital pour Brett. Avec l'aide de Charles Main, Billy s'était échappé de la prison de Libby, avait traversé le territoire ennemi et rejoint les lignes de l'Union pendant la bataille titanesque de Spotsylvania. Une balle l'avait légèrement blessé à une jambe mais, d'après ses lettres, il était complètement rétabli et avait réintégré son unité à Petersburg.

Savoir Billy sain et sauf emplissait de joie l'existence de Brett, qu'égayaient aussi les visites de Scipio Brown. Toutes les deux ou trois semaines, il amenait un nouvel enfant au refuge de Lehig Station, à présent désespérément bondé. Et Brett accordait son amour à chacun des bambins café-au-lait, bruns ou noirs.

Brown lui-même se montrait impatient de rejoindre une unité militaire avant la reddition du Sud.

— Un poste d'officier dans un régiment de cavalerie noir, c'est tout ce que je demande.

— J'espère que vous l'obtiendrez, Scipio. Vous êtes un cavalier accompli. Pourquoi ne vous prennent-ils pas ?

Brett avait quitté la Caroline du Sud depuis trois ans et ne s'offusquait plus en pensant que, une fois dans l'armée, Brown aurait le même statut que n'importe quel Blanc. Elle trouvait la chose banale, parfaitement naturelle, parce qu'il n'était plus pour elle qu'un homme présentant une combinaison unique de traits de caractère, pour la plupart sympathiques. Elle savait bien sûr qu'il était noir, mais la couleur de sa peau ne jouait plus de rôle dans ses sentiments pour lui.

Constance observait avec surprise et amusement cette transformation.

— Brett, tu es toujours plus heureuse quand Scipio arrive que lorsqu'il part.

— Vraiment ? (Sourire, haussement d'épaules.) Peut-être. Je l'aime bien.

Les deux femmes furent stupéfaites quand Madeline leur adressa un télégramme de Washington.

— Nous devrions envoyer quelqu'un là-bas pour l'aider à faire le voyage, déclara aussitôt Brett. Je suis prête à y aller.

— Nous irons toutes les deux, décida Constance.

Ainsi, alors que le siège de Petersburg se prolongeait, que Sherman paraissait arrêté devant Atlanta, les deux femmes firent en train le long voyage jusqu'à la capitale. Comme la plupart des autres passagers, elles regardèrent nerveusement de temps à autre par la fenêtre de la voiture roulant dans un bruit de ferraille : selon certaines rumeurs, des hommes de Jube Early rôdaient encore le long de la frontière.

Mais elles ne virent aucun rebelle entre Lehig Station et Washington. Madeline les accueillit dans une petite chambre sombre au milieu d'un tas de vêtements déchirés qu'elle était en train de trier.

— Comme je suis contente de vous voir ! s'écria Constance après l'avoir embrassée. Orry a bien fait de ne pas vous envoyer dans le Sud, où il y a tant de danger.

— Nous prendrons soin de toi, promit Brett. Tu as l'air épuisée.

— Je me sens beaucoup mieux maintenant que vous êtes là.

— C'était dur ? demanda Brett.

— Oui. Regarde, dit Madeline en montrant les robes et sous-vêtements déchirés. Un officier de l'Union les a mis dans cet état pour se convaincre que je n'étais ni une contrebandière ni une espionne. Il ne me faudra qu'une dizaine de minutes pour refaire mes bagages. Je suis impatiente de partir. Nous avons de grosses punaises de palmier en Caroline du Sud mais elles paraissent minuscules à côté de celles qui infestent cet endroit.

Constance s'esclaffa, sincèrement heureuse qu'Orry ait confié son épouse à des Nordistes. Cela signifiait que les liens d'amitié unissant les deux familles, bien que distendus et fragiles, demeuraient intacts. George avait parfois craint que la guerre ne les rompe, elle le savait.

Elle remarqua alors un changement dans l'expression de Madeline, qui semblait pensive, voire attristée. La jeune femme s'assit sur le lit, les mains sur les genoux, regarda alternativement Brett et Constance.

— Avant de partir, je voudrais vous expliquer pourquoi j'ai dû quitter Richmond. D'autres personnes avaient appris ce qu'Orry sait depuis que je me suis enfuie de Resolute. Je...

Silencieuse, elle paraissait écrasée par un fardeau dont elle se débarrassa en se redressant soudain.

— J'ai du sang noir. Ma mère était une quarteronne de La Nouvelle-Orléans, révéla-t-elle calmement comme si elle récitait une leçon. Vous savez ce que cela signifie dans la Confédération. Une seule goutte de sang fait de vous une Noire... Est-ce que ce sera pareil à Lehig Station ?

— Absolument pas, répondit Constance. Personne ne le saura. Vous n'aviez pas besoin de nous le dire.

— Je m'y sentais obligée.

Etourdie, Brett ne savait ce qu'elle éprouvait au juste en se débattant avec l'idée que la femme qui partageait le lit et l'amour de son frère, qui portait le nom de la famille, était noire. Elle n'en avait pas l'air mais comme Madeline elle-même l'avait souligné, être noir n'était pas une question d'apparence mais de lignage. Brett se sentit envahie par des émotions enracinées dans son enfance et jetant le trouble dans son esprit.

— Etes-vous certaine que cela ne change rien ? demanda Madeline.

— Oui, répondit Brett, qui aurait bien voulu être sincère.

— Si j'étais resté sur la route, ils m'auraient eu, expliqua Andy à Philemon Meek. Ils ont surgi des palmiers, sur des mules, mais je connais des sentiers qu'ils connaissent pas. C'est comme ça que je me suis sauvé.

— Tiens, assieds-toi, proposa le régisseur, quittant son propre fauteuil. Repose-toi. Je suis content que tu t'en sois tiré.

L'air lourd d'un crépuscule de juillet flottait dans le bureau de la plantation. Meek se mit à faire les cent pas en balançant ses lunettes au bout de son index replié. « Comme il a vieilli ! » pensa Cooper, qui se tenait dans un coin, bras croisés.

Lorsque Andy était apparu dans l'allée, l'air effrayé, le régisseur avait insisté pour qu'ils se réunissent tous les trois dans cette pièce plutôt que dans la grande maison : personne ne surprendrait leur conversation et ils n'alarmeraient ni Judith, ni Marie-Louise, ni les domestiques. C'étaient surtout ces derniers qui préoccupaient Meek. Il ne voulait pas qu'ils s'enfuient.

Cooper approuva le vieillard bien qu'il nourrît moins d'illusions que lui. Les gens de la maison savaient déjà que la bande campait à proximité et que ses rangs grossissaient chaque semaine. La seule à ignorer le danger, c'était Clarissa.

— Si j'avais su que tu courais de si grands risques pour une simple commission, je ne t'aurais pas envoyé, assura Meek. J'espère que tu me crois.

— Oui, Mr. Meek.

Cooper était sidéré. Les excuses de l'un, la réponse de l'autre illustraient l'immense changement que la guerre avait fait subir à la plantation.

Le régisseur arrêta de balancer ses lunettes.

— Soyons clairs. Cette fois, c'étaient des Blancs.

— Oui. Deux en uniforme gris de l'armée régulière, trois en vestes teintes à la noix cendrée.

Le régisseur exprima ce que les trois hommes pensaient :

— Si des déserteurs blancs rejoignent les nègres, nous avons doublement lieu d'être inquiets.

Se tournant vers celui qui, en dernière instance, détenait l'autorité, il poursuivit :

— Ils vont nous attaquer, Mr. Main, c'est certain. Mont Royal est la plus grande plantation encore exploitée dans le district. Je pense que nous devrions armer quelques-uns des esclaves — à supposer qu'on trouve des armes pour le faire. L'attaque ne se produira peut-être pas avant un moment mais nous devons nous tenir prêts.

— Est-ce le seul moyen ? répliqua Cooper. Se battre ?

La stupeur réduisit momentanément le vieillard au silence. Au bout de quelques secondes, il marmonna :

— Si vous en connaissez un autre, je serai heureux de l'apprendre.

Des insectes bourdonnèrent dans l'air calme. Près de la maison, une femme chantait un hymne ; au loin, une corneille poussa son cri rauque. Andy jeta au-dehors un regard anxieux.

Reconnaissant sa défaite, Cooper soupira :

— Bon. J'irai à Charleston voir si je peux trouver des fusils d'occasion.

— Ne tardez pas trop, dit Meek d'un ton pressant.

Le lendemain, à Richmond, Orry emballa les derniers bibelots avec lesquels Madeline et lui avaient égayé l'appartement de Marshall Street. Il les rangea ensuite dans une caisse dont il cloua le couvercle en se demandant s'il la reverrait un jour. Il se sentit abattu par sa réponse négative.

Il mit ses uniformes et affaires personnelles dans une petite malle fort abîmée pour laquelle il avait payé fort cher. Il y colla une étiquette, la tira sur le palier. En fin d'après-midi, un cocher noir à cheveux blancs et au dos rond comme un point d'interrogation vint la prendre. Orry voulut lui donner un pourboire mais l'homme refusa avec un regard offensé.

A la tombée du jour, Orry revêtit son plus bel uniforme gris, ferma l'appartement et remit la clef à la propriétaire. Un sac de voyage à la main, il se rendit à la gare de triage où l'attendait un chariot à destination de Chaffin's Bluff, où la division de Pickett tenait la partie droite de la Ligne intermédiaire, une des cinq lignes de défense ceinturant la capitale.

Le conducteur invita Orry à s'asseoir à côté de lui mais il préféra s'installer à l'arrière, avec les caisses, sa malle, son sac et ses pensées. Il était content de quitter Richmond mais la perspective de rejoindre l'état-major de Pickett ne le réjouissait pas autant qu'il l'avait espéré. Il était encore sous le choc de la trahison d'Ashton et de la mort d'Elkanah Bent. Depuis le départ de Madeline, il sombrait dans le découragement. Il espérait qu'elle était arrivée à Washington et continuerait à croire qu'il travaillait toujours au ministère de la Guerre.

Quels seraient leur avenir et celui de la Confédération ? Jusqu'à ce jour, le Sud s'était conduit en cancre obstiné, refusant d'apprendre la leçon malgré les coups du maître. La Confédération connaîtrait une fin peu glorieuse à cause de cette même rigidité de pensée, de ce même refus du changement qui l'avaient engendrée.

Oui, c'était cela le défaut fatal des Confédérés. Des esprits de pierre, agressivement fiers de leur attachement au passé.

Les exemples abondaient. Le Sud manquait désespérément d'hommes mais on traitait toujours de fous ceux qui réclamaient l'enrôlement de Noirs.

Les droits de chaque Etat ne passaient-ils pas avant tout ? Bien sûr que si. Et le gouverneur de Georgie n'avait pas besoin d'autre argument pour exempter du service trois mille officiers de la milice et cinq mille employés gouvernementaux. Usant de la même justification, le gouverneur de Caroline du Nord stockait des milliers d'uniformes, de couvertures et de fusils affectés à la défense de son Etat. Ces hommes imbus de leurs principes faisaient au Sud plus de mal que Sam Grant.

Orry n'était pas versé dans la stratégie mais crut avoir trouvé une des causes probables d'une défaite inévitable dans les personnalités opposées des deux présidents. Au début de la guerre, Davis et Lincoln avaient tous deux dirigé eux-mêmes les opérations militaires. Abe avait même indiqué à McClellan le jour précis où il devrait marcher sur la péninsule.

Les pertes sévères subies par le Nord avaient amené Lincoln à ne plus se prendre pour un stratège, un juge infaillible des capacités des généraux. A Capitol Square, on savait que le président de l'Union avait en quelque sorte reconnu ses limites en confiant la machine de guerre à un homme qui, depuis, la conduisait à sa façon : Samuel Grant.

Davis, au contraire, n'avait pas appris à reconnaître ses lacunes personnelles, à admettre ses erreurs, à s'adapter aux circonstances, à changer.

Orry songea cependant qu'il ne devait pas trop accabler les siens. Des esprits de pierre, on en trouvait aussi ailleurs que dans le Sud. Il y en avait un bon nombre au Congrès yankee, et même un ou deux dans la famille Hazard, notamment Virgilia.

Il devenait clair qu'un monde nouveau, entièrement différent surgirait à la fin de la guerre. Le Sud ne pourrait y survivre qu'en acceptant ce qui s'était passé. En acceptant qu'aucun Noir ne peine plus jamais pour le profit d'un Blanc. En acceptant le changement.

Orry doutait que la plupart des Sudistes en soient capables. Beaucoup d'entre eux continueraient sans nul doute à haïr le Nord et à résister, en affirmant qu'ils avaient eu moralement raison — ce qu'Orry ne croyait plus. Mais là encore, autant de Yankees s'accrocheraient probablement à leur hostilité envers le Sud et à leur désir de représailles. Les Sudistes n'étaient peut-être pas les seuls à n'avoir pas su tirer les leçons de l'histoire. Peut-être était-ce le lot de tous les hommes, à toutes les époques.

« Lorsqu'on refuse d'apprendre, voilà le résultat », pensa Orry en regardant le paysage que traversait le chariot : des terres à l'abandon, des fermes désertées, des existences en danger.

Des ruines.

Des ruines et de la tristesse, comme celle qui se lisait sur le visage de George Pickett quand le général accueillit Orry au quartier général de la division.

— Te voilà enfin. Je suis content.

— Je suis content moi aussi, mon général.

Pickett eut un sourire mélancolique :

— J'espère que tu le penseras encore après avoir passé quelques semaines face à notre vieille connaissance de West Point. Nous avons cette fois affaire à un homme qui, lorsqu'il est battu, ne s'en aperçoit pas ou qui se fiche de perdre toute son armée pourvu qu'il nous batte. Il n'y a aucun moyen de résister très longtemps à ce genre de personnage.

« Il y en a un », pensa Orry, mais il ne commit pas l'erreur de gâcher les retrouvailles en soulevant la question de l'enrôlement des Noirs.

113

Trois femmes à table.

Constance avait remplacé les lampes à gaz par des bougies en pensant que cela donnerait au dîner une atmosphère plus chaude. Elle obtint le résultat escompté mais le gâcha à sa première tentative pour lancer la conversation :

— Eh bien ! voilà... Un dîner de trois veuves de guerre.

— Pourquoi dites-vous une chose pareille ? s'exclama Brett.

— Pardon, ma chérie. C'était une simple plaisanterie. Je m'excuse.

— On ne plaisante pas sur un sujet aussi grave, rétorqua Brett au moment où Bridgit et une autre servante apportaient des bols fumants de soupe à la tortue fantaisie.

— Je comprends votre intention, dit Madeline à Constance. Toutefois je partage l'avis de Brett.

La femme d'Orry portait une robe propre et s'était recoiffée mais n'avait pas perdu l'air hagard dû au long voyage. Elle goûta la soupe, s'efforça de réconforter Constance d'un sourire.

— C'est délicieux.

— Merci, répondit la maîtresse de maison d'une voix tendue.

Elle orienta la conversation sur son problème de poids dans l'espoir de se faire pardonner en se moquant d'elle-même mais ses efforts ne furent guère couronnés de succès.

Madeline lui demanda des nouvelles de son père, Patrick Flynn. Il se trouvait à Los Angeles et améliorait son espagnol afin de se faire des clients parmi les Californiens d'origine en plus de ceux de la communauté de colons.

— Et Virgilia ?

— Je suppose qu'elle est toujours infirmière.

— J'aurais cru qu'elle montrerait plus de reconnaissance pour votre hospitalité et vos conseils, dit Brett à Constance. Elle pourrait écrire de temps en temps, ne serait-ce que par politesse.

Constance prit un couteau, se mit à couper le pain chaud en souriant.

— Hélas ! je ne pense pas que nous puissions mettre la gratitude au nombre des qualités de ma belle-sœur.

— En a-t-elle une seule ? riposta Brett, avant de manger sa soupe en silence.

« Mon Dieu ! s'émut Constance. Tout cela à cause de ma gaffe ? » Il semblait bien que oui. Plus elle repensait aux sinistres implications de sa plaisanterie inconsidérée, plus elle se sentait déprimée.

Pour dissiper la tension, Madeline demanda à Brett :

— Parle-moi donc de cette école pour orphelins noirs.

— Si tu veux, je t'y emmènerai demain.

— Volontiers.

Brett aussi avait honte de son accès d'humeur, dû principalement à son anxiété. Le *Ledger-Union* faisait état de nombreuses pertes au siège de Petersburg...

Mais pour être franche, elle devait reconnaître que son irritation avait une autre cause. Les révélations de Madeline avaient non seulement stupéfié Brett mais aussi déclenché en elle une réaction émotionnelle inattendue. Elle regardait à présent sa belle-sœur d'une façon différente.

Elle n'y pouvait rien, c'était une réaction dont la cause remontait à son enfance. Elle en avait honte mais ne parvenait pas à l'éliminer ou à l'empêcher d'affecter sa conduite.

Madeline avait pris conscience de la réserve avec laquelle Brett la traitait depuis la conversation de Washington. Chaque fois qu'elle en ressentait du dépit, elle se rappelait que la sœur d'Orry vivait loin de son Etat natal depuis plus de trois ans, que son mari avait été capturé, emprisonné, blessé. C'était pour elle comme pour n'importe quelle épouse un écrasant fardeau.

« La réaction de Brett aux révélations entre curieusement en contradiction avec son travail auprès des orphelins noirs », songeait Madeline. Car elle se souciait sincèrement de ces enfants, la passion avec laquelle elle parlait d'eux en témoignait. C'était un changement — un changement remarquable pour une jeune femme élevée dans les traditions souvent arrogantes du bas-pays de Caroline. La guerre changeait chacun et chaque chose de quelque façon. Dommage qu'elle ne pût pas modifier les anciennes attitudes à l'égard du sang noir.

Madeline espérait que Brett serait finalement capable d'oublier ce qu'elle considérait maintenant comme une tare. Sinon... les relations familiales en seraient à coup sûr altérées. Madeline pensait parfois que Dieu avait soumis les Américains à une épreuve cruelle, peut-être insurmontable, en permettant aux Hollandais d'amener la première cargaison d'esclaves sur la côte de Virginie, il y avait tant d'années. L'homme noir venu d'Afrique avait maintes fois mis à nu les faiblesses de l'homme blanc. C'était peut-être une façon d'expier le moment où les fers s'étaient refermés.

« Trois veuves de guerre. » Heureusement, Orry avait abandonné son idée de rejoindre Pickett. Il devrait jouir d'une sécurité relative à Richmond jusqu'à ce que la ville tombe. Ensuite, il serait peut-être emprisonné un moment, voire maltraité, mais il survivrait à cette épreuve. C'était un homme fort, courageux.

Pour relancer la conversation, Madeline s'adressa de nouveau à Brett :

— Ton ami, celui qui s'occupe des orphelins, je pourrai faire sa connaissance ?

— Je pense que oui. Il viendra probablement nous voir une dernière fois avant d'entrer dans l'armée. Je suis certaine qu'il te plaira.

« En tout cas, il te plaît beaucoup, pensa Madeline. Lui, tu l'acceptes pour ce qu'il est, et moi pas. Est-ce parce que tu m'as longtemps crue différente ? »

Pour balayer la rancœur qu'elle sentait à nouveau poindre en elle, Madeline se tourna vers Constance et lui posa cette fois une question frivole sur la mode. Les bougies se consumaient, la conversation reprenait son essor mais Constance donnait l'impression de se forcer à répondre. Comme les trois femmes finissaient leur glace au citron et leurs macarons à la noix de coco, elle annonça abruptement :

— Je crois que je vais descendre en ville.

— Voulez-vous de la compagnie ? proposa Madeline.

— Non, merci. Je vais à l'église.

Elle n'eut point à préciser pourquoi elle en éprouvait le besoin.

Constance conduisait elle-même la voiture le long de la route sinueuse dans la nuit éclairée par les lueurs des forges. Sous la direction de Wotherspoon, l'usine continuait à tourner vingt-quatre heures sur vingt-quatre — et n'avait jamais autant rapporté.

En atteignant les premières rues de la ville, Constance sentit le vent se lever et souffler de la poussière. Des lampes brûlaient encore dans le bureau de recrutement de l'armée. En passant devant, elle remarqua non loin de l'entrée un solide jeune Noir, fils d'un ouvrier des forges. Entre le jeune homme et la porte, le cousin de Lute Fessenden échangeait des murmures et des plaisanteries avec quelque compère.

Lorsque plusieurs Noirs de la ville avaient tenté de se présenter devant le sergent recruteur, des incidents avaient éclaté. Pour en empêcher un autre, Constance ralentit et s'apprêtait à parler au fournisseur de remplaçants quand le jeune Noir tourna et disparut dans une ruelle. Le sens de la présence des deux Blancs devant le bureau ne lui avait pas échappé.

Écœurée, Constance poursuivit jusqu'à la petite chapelle catholique nommée, dans un accès de piété poétique, Sainte-Margaret-du-Val. La vallée, où la suie et les cendres noircissaient tout ne méritait pas cette appellation littéraire mais c'était un mot très prisé de la petite communauté catholique de Lehig Station.

A cause de la chaleur du soir, les portes de Sainte-Margaret étaient restées ouvertes. Constance attacha son cheval à un poteau en fer forgé — l'usine en avait gracieusement installé une rangée de huit — et se glissa à l'intérieur avec l'espoir que la méditation et la prière dissiperaient l'anxiété diffuse qui s'était insinuée en elle pendant le dîner. Elle fit une génuflexion, se dirigea vers la gauche.

En s'agenouillant, elle remarqua de l'autre côté de l'allée, une femme d'âge mûr, corpulente, les épaules couvertes d'un châle bon marché. Elle priait, le front appuyé sur ses mains jointes. Constance la connaissait : son fils unique était mort sous une tente-infirmerie à Cold Harbor.

Le vent chaud s'engouffrant dans l'édifice fit vaciller la flamme des cierges. Le christ de trois mètres, peint et doré, jetait du haut de sa croix un regard plein de pitié. Doucement, Constance se mit à prier.

« Trois veuves de guerre... »

Depuis qu'elle avait prononcé cette remarque stupide, le pressentiment l'habitait que pour l'une des trois femmes, ces mots deviendraient vrais.

Elle en était sûre, et tourmentée par une peur qu'aucune prière ne pouvait chasser. Une autre rafale de vent éteignit une demi-douzaine de cierges plantés dans de petites coupelles rouges comme du sang.

114

Charles souffrit d'une grave maladie intestinale pendant les dix premiers jours de juillet. Le onzième, bien qu'encore trop faible pour quitter le lit, il se leva, obtint un laissez-passer et entama une dangereuse chevauchée en direction de Fredericksburg.

C'était la dernière fois qu'il se rendait à la ferme Barclay, il en avait pris la décision alors qu'il gisait au lit, les genoux ramenés contre son ventre percé par la douleur. A l'infirmerie, il avait eu le temps de réfléchir. Le Sud mourrait en combattant et il mourrait avec lui ; c'était désormais son unique devoir.

Il ne pouvait nier qu'il aimait Gus mais elle méritait un homme à l'avenir moins sombre. Chaque jour diminuait les chances de Charles d'échapper à la balle fatale. Gus souffrirait au début mais lorsqu'elle aurait trouvé quelqu'un de mieux — un homme à qui la guerre n'aurait pas tordu l'esprit — elle le remercierait.

L'éclaireur arriva à la ferme à la fin d'une averse. Le soleil, qui brillait à nouveau, disparaissait par moments derrière les nuages filant au-dessus des champs et des bois. Il était cinq heures et demie du soir.

— Major Charles ! s'écria Washington, qui réparait des harnais sur le perron de derrière. Seigneur Dieu ! le pauv' Joueur a l'air aussi affamé que vous. On vous attendait pas. Je vais prévenir Miz Augusta...

— Je vais le faire moi-même, répondit Charles, la mine grave.

Il poussa la porte de derrière sans frapper, appela, entra dans la cuisine sans remarquer l'expression peinée du vieil affranchi.

La pièce était vide. Une marmite contenant un unique gros os chantonnait sur la cuisinière.

— Gus ? Mais où es-tu, bon sang ?

Elle surgit du couloir, une brosse à la main. Son visage s'illumina, elle jeta ses bras autour du cou de Charles.

— Chéri !

Il pressa sa joue barbue contre la sienne mais s'écarta quand Augusta commença à l'embrasser. Il enjamba le dossier d'une chaise, s'assit, tira de la poche de sa chemise un cigare à demi fumé et des allumettes. Sa froideur alarma la jeune femme qui, pour se donner une contenance, alla remuer la soupe. Elle se retourna pour lui faire face.

— Tu n'as pas l'air bien, mon amour.

— J'ai encore eu mal aux intestins. Je ne sais pas ce qui est le pire : être étendu sur un lit de camp, le ventre en feu, ou parcourir à cheval plus de la moitié de la Virginie avec le général Hampton.

— C'était donc si dur ?

— Nous avons perdu plus d'hommes et de chevaux que tu ne peux l'imaginer. Au moins trois unités entières du 6e de Caroline du Sud sont mises au rancart, faute de remontes.

Gus jeta un coup d'œil par la fenêtre.

— Toi, tu as encore Joueur.

— Plutôt ce qu'il en reste.

— Cela me peine de te voir si maigre, si pâle, dit la jeune femme en remontant une mèche blonde. Et si abattu.

— On ne peut guère être autre chose ces temps-ci.

Charles sentait croître sa nervosité. Il avait d'abord pensé passer la nuit à la ferme — faire l'amour une dernière fois — mais il s'aperçut qu'il n'aurait pas le front de faire cela à Gus. Ni la force de le supporter. Brusquement, il décida d'en finir vite.

Il mordit dans son cigare, craqua une allumette sur le fond de la chaise, tendit le bras vers la fenêtre.

— La ferme est dans un triste état.

— A cause des Yankees. Il ne se passe pas de jour sans que Boz ou Washington ne tire une salve d'avertissement sur quelque déserteur rôdant dans les parages.

— Tu n'aurais pas dû rester ici, tu ne devrais pas y être en ce moment. Comment peux-tu faire pousser quoi que ce soit ? Comment parviens-tu à survivre avec tes nègres ?

— Charles, tu sais que je n'aime pas ce mot. Surtout quand on parle de mes affranchis.

— J'avais oublié, dit-il en haussant les épaules.

Augusta tira sur le devant de sa robe en regardant son amant. Il avait la tête baissée, les yeux sur la flamme qu'il approchait de son cigare. Une fumée bleue s'enroula autour de sa barbe quand il souffla l'allumette.

— On dirait que tu cherches une scène, murmura Gus.

— Ecoute. J'ai fait une longue route pour venir ici...

— Puis-je te rappeler que personne ne t'en avait supplié ?

Charles la regarda, vit dans ses yeux de la confusion et de la colère. Il faillit faire machine arrière puis songea à Ab Woolner, à Sharpsburg, à de nombreux événements — si nombreux qu'il ne semblait guère possible qu'ils se soient tous produits en l'espace de trois ans. Ou que quiconque ait pu y survivre. Il avait survécu, pourtant, mais il n'était pas indemne.

Avec plus de douceur, elle demanda :

— Combien de temps peux-tu rester ?

— Je dois repartir à la tombée de la nuit.

— Tu veux... ?

La question inachevée et le léger mouvement vers la porte de la chambre étaient empreints d'une gêne d'adolescente qui ne lui ressemblait pas.

— Je dois faire boire Joueur, répondit-il, bien qu'il mourût d'envie de porter Gus au lit.

Elle entendit le refus tacite.

— Je te donnerai à dîner quand tu auras fini.

Avec un hochement de tête, il sortit.

Charles mangea deux bols de soupe et quatre tranches d'un délicieux pain bis. Gus se servit aussi un peu de soupe mais n'y toucha pas. Le menton appuyé sur ses mains jointes, les coudes posés de part et d'autre de son bol, elle scrutait le visage de son amant pour tenter d'y déceler ce qui n'allait pas. De temps à autre, elle lui posait une brève question.

Charles affirma que la guerre était perdue. Il parla du taux élevé de désertion, du manque de confiance de Lee en Wade Hampton, à qui il n'avait pas confié le commandement de la cavalerie. Il prononça des noms que Gus ne connaissait pas.

— Dans la vallée, Hunter a incendié la maison du gouverneur Letcher, à Lexington. Et aussi l'Institut militaire. A Silver Spring, juste devant Washington, Jube Early aurait pillé des fermes et des maisons en guise de représailles. A présent, il rôde en Pennsylvanie — et Dieu sait ce qu'il y fait. Au début, la guerre me faisait penser à un tournoi de Caroline du Sud : de belles dames, de courageux cavaliers, des joutes. C'est devenu une tuerie, avec des bouchers et du bétail des deux côtés. Elle est bonne, cette soupe, conclut-il hypocritement en repoussant son bol.

« Maintenant, s'exhorta-t-il. Ne fais pas traîner les choses. »

— Je suis venu te dire..., commença-t-il. (Il s'éclaircit la voix.) Avec la situation qui s'aggrave, je ne sais pas quand je pourrai revenir.

Gus releva la tête d'un mouvement vif, farouche, comme pour répondre à une gifle.

— La semaine prochaine ou plus jamais, c'est toi qui décides. C'est toujours toi qui as décidé. Je...

Elle s'interrompit, secoua la tête.

— Continue.

D'une voix plus forte, elle reprit :

— J'espère que tu ne t'attendais pas à un flot de larmes. Je ne suis pas sûre de vouloir te voir quand tu es dans cet état d'esprit. Parler des horreurs de la guerre, ce n'est ni nouveau ni profond. Et tu sembles oublier que les hommes ne portent pas seuls le fardeau. Tu crois que c'est plus facile d'être une femme qui a un fils ou un mari à l'armée ? de regarder des hommes jouer au soldat en dévastant un potager — tout ce qu'il vous restait à manger —, en saccageant une ferme comme des voyous ? Je sais que la guerre t'a meurtri. Je le vois dans tes yeux, dans ce que tu dis, dans tout ce que tu fais. Tu sembles enragé...

Charles repoussa brutalement sa chaise et se leva, le cigare aux lèvres. Il l'avait allumé après le repas en se promettant de partir dès qu'il l'aurait fumé. Finalement, il ne resterait peut-être pas aussi longtemps.

— Inutile d'étaler ton agressivité, poursuivit la jeune femme, bouillante de colère. J'en ai assez. Qu'est-ce qui t'autorise à te frapper la poitrine plus longtemps et plus durement que les autres ? Je t'aime, comme une idiote, et j'ai de la peine pour toi. Mais je refuse d'être traitée comme un stupide animal qui s'est mal conduit. Je ne veux pas de coups de pied, Charles. Si tu choisis de revenir ici, sois l'homme dont je suis tombée amoureuse. C'est celui-là que je veux.

Les secondes s'égrenèrent. Charles ôta son cigare de sa bouche.

— Il est mort.

Augusta soutint son regard et murmura doucement, sans colère :

— Je crois qu'il vaut mieux que tu partes.

— Je le crois aussi. Merci pour le repas. Prends soin de toi.

Il sortit, monta sur son cheval et s'éloigna sous les nuages de la nuit.

Pendant une demi-heure, Gus resta assise à la table de la cuisine, sans bouger, les mains sur le ventre. Washington frappa à la porte de derrière, elle ne répondit pas.

L'obscurité envahit la pièce. Quand la jeune femme finit par se lever, ce fut pour allumer une lampe. Elle se força à bouger, essuyant ici la poussière, remettant là de l'ordre. Remuer, travailler — faire n'importe quoi pour engourdir la souffrance. Elle fit chauffer de l'eau sur la cuisinière, prit des plats propres sur les étagères, les lava, les essuya et les remit en place.

On frappa à nouveau à la porte et, cette fois, Washington entra sans attendre de réponse.

— Miz Augusta, il est près de minuit. Faut aller vous coucher.

— Le plancher est sale, je vais le frotter.

L'affranchi plissa le front.

— Le major Charles n'avait pas l'air bien...

— Il a été gravement malade. La dysenterie.

— Il est pas resté longtemps.

— Non.

— Il revient bientôt ?

Gus dut mentir :

— Je ne sais pas. Peut-être.

Plissant toujours le front, Washington se mordit la lèvre inférieure.

— Si vous voulez vraiment laver le plancher à cette heure, laissez-moi vous aider.

— Je veux le faire moi-même, je n'ai pas sommeil. Merci quand même.

La porte se referma sur le visage perplexe du Noir.

Augusta emplit un seau d'eau, chercha la brosse. Elle n'arrivait pas à croire qu'on pouvait souffrir autant. Le départ de Charles en était la cause mais la plus coupable, c'était elle ; elle avait abattu ses défenses, s'était ouverte à l'amour.

Si c'était à refaire, refuserait-elle de l'aimer ? Elle n'eut pas à réfléchir pour répondre immédiatement « non », avec force. Mais, Seigneur ! comme elle avait mal !

Pourtant, elle s'enorgueillissait encore d'être une femme indépendante. Elle avait supporté cette satanée guerre et continuerait à le faire. Elle supporterait aussi la douleur, aussi longtemps qu'elle durerait. Ce qui signifiait jusqu'à l'heure de sa mort.

Doucement, elle posa une main sur son ventre. Puis quand l'horloge sonna minuit, elle s'agenouilla et se mit à frotter.

115

Le soir de la bataille du Cratère, Billy écrivit :

Dimanche 31 juillet. Inspection de routine de la compagnie. Tout est calme sur les lignes de siège après les ravages de la veille.

Réveillés le samedi à 2 heures du matin, nous avons marché en bras de chemise jusqu'au Ft Meikel, d'où nous avons assisté à l'explosion de 4 000 kg de poudre dans le boyau de mine en forme de T, long d'environ 200 m, creusé dans le plus grand secret par les Vol. du 48ᵉ de Penn. du Lt-col. Pleasants, pour la plupart des mineurs de charbon. Je regrette de devoir dire que l'idée des mineurs avait d'abord été rejetée par le gén. Meade et notre propre chef, le major Duane. Mais leur réticence fut surmontée et le travail accompli par des hommes travaillant nuit et jour pendant un mois. Les mineurs ne suffoquèrent pas grâce à un ingénieux système refoulant l'air vicié du tunnel au moyen d'un feu et d'une cheminée secrète. La compagnie A de notre bataillon de sapeurs effectua une partie du travail en construisant une voie d'accès couverte jusqu'à l'entrée de la mine. Celle-ci se terminait à trois mètres sous les fortifications rebelles s'étendant le long du Saillant de Peagram. La charge explosa avec une force prodigieuse, soulevant une masse énorme de terre. Le plan connut une réussite totale jusqu'à ce que le IXᵉ corps du gén. Burnside, qui se tenait en ordre de bataille dans une ravine proche, commençât à avancer vers le cratère fumant.

Pour des raisons encore obscures, l'assaut s'embourba, les hommes se trouvant au fond et sur les pentes de l'entonnoir furent bloqués par ceux qui continuaient à s'y engouffrer. Bientôt pris au piège, ils offrirent une cible facile au feu mortel de l'ennemi. Ce massacre prépara le terrain à la contre-attaque du gén. Mahone, qui transforma une brillante opération en défaite.

Ce que je juge singulier, outre la construction même de la mine, c'est le courage déployé par les troupes de couleur du gén. Ferrero. A l'origine, elles devaient ouvrir l'assaut, mais craignant qu'on ne l'accusât de traiter les Noirs comme de la chair à canon si l'attaque échouait, Grant les tint en réserve. Lorsqu'elles furent engagées, elles se conduisirent avec une telle vaillance que tous font à présent leur éloge.

Pendant la bataille, notre bataillon se tint prêt à intervenir (nous nous étions rendus sur les lieux avec un chariot à outils) mais on ne fit pas appel à nous et nous retournâmes à notre campement actuel, près de la route de Jerusalem, où nous reprîmes nos activités ordinaires.

Les miennes consistent aussi à faire campagne parmi mes camarades pour la réélection de Mr. Lincoln. La législation de leur Etat permet à certains soldats de voter sur le champ de bataille — ceux de Penn. font partie de ces veinards — mais les autres devront retourner chez eux, les pauvres. Les uns et les autres montrent, à l'exception des plus flegmatiques, un intérêt fort vif, voire violent, pour la prochaine bataille électorale.

Un dur combat attend notre président. D'aucuns raillent ses défauts de chef de guerre et sa politique à l'égard de la race noire. J'ai discuté avec des défenseurs déclarés de l'Union qui espèrent que les Démocrates désigneront le gén. McC. comme candidat en août parce qu'ils jugent L. coupable de nombreux crimes : la conscription, le renforcement d'un pouvoir fédéral centralisé, l'arrestation arbitraire et l'emprisonnement de gens critiquant le gouvernement, etc.

Si beaucoup partagent cet avis, je ne trouve pas l'armée aussi « McClel-

lanisée » qu'elle l'était il y a un an. Grant sacrifie des hommes presque cyniquement mais la certitude se répand qu'il a enfin façonné une armée qui vaincra. En même temps que les plaintes attendues sur la « note du boucher », une fierté nouvelle émerge au sein de l'armée du Potomac. La plupart des soldats pensent d'un commun accord que la victoire n'est qu'une question de temps. Cette opinion milite en faveur de Lincoln, pour qui je n'épargnerai aucun effort.

Le siège se poursuit sans grand succès. G. se trouve maintenant à City Point, dans le Corps de construction des chemins de fer chargé d'entretenir notre ligne de ravitaillement par rail, en particulier les nombreux ponts construits au-dessus des ravins, cours d'eau, etc. Jusqu'ici, je n'ai pas eu le temps d'aller le voir. Chaque jour, on confie une nouvelle tâche à notre bataillon. Depuis mon arrivée, j'ai commandé un groupe chargé de procéder à des relevés près des lignes de défense rebelles — et nous avons à cette occasion essuyé le feu de l'ennemi pendant dix minutes. J'ai ensuite pris la tête de détachements creusant des puits et construisant des abris avec des branches d'arbre pour les mules de nos chariots. J'ai enseigné à des fantassins noirs la technique du gabion et de la fascine.

Nous avons aussi abattu des arbres pour faire de nouvelles plates-formes d'artillerie, remplacé les gabions endommagés par les pluies d'orage, bâti des abris à l'épreuve des bombes, ménagé de nouvelles embrasures dans les ouvrages existants et, d'une façon générale, renforcé les lignes de siège. Celles-ci se composent essentiellement d'une succession de redoutes reliées par des tranchées et construites de telle sorte que ses canons puissent non seulement atteindre l'ennemi mais aussi les forts voisins, au cas où ils seraient attaqués.

Une grande partie de ce travail s'effectue à proximité des fortifications rebelles, ce qui exige de faire preuve d'une extrême prudence et, souvent, d'opérer sans se montrer. Nous travaillons fréquemment la nuit, dans un silence total si possible. Chaque homme sait qu'un faux mouvement, un commandement trop fort, un bruit malencontreux peut déclencher un tir d'artillerie ou une fusillade qui mettra fin pour lui à la guerre. Pas étonnant que nous recevions une ration journalière de whisky. Notre tâche est éprouvante, dangereuse, et je n'hésite jamais à boire l'alcool qu'on nous distribue. J'ai tout lieu d'espérer que je verrai bientôt mon frère à City Point — et toutes les raisons de faire mon possible pour survivre à chaque nouvelle journée. Je tiens par-dessus tout à échapper aux tueries pour pouvoir te serrer à nouveau dans mes bras, ma très chère femme.

Avec ses couleurs changeantes, l'automne apporta de meilleures nouvelles à Lehig Valley. Le 2 septembre, Sherman avait pris Atlanta et cette victoire, ainsi que les exploits de Petit Phil, mettait le Nord en fête. Ripostant avec mépris aux pacifistes faisant campagne pour McClellan, les Républicains surnommèrent fièrement Sheridan « l'Emissaire de la paix ».

L'automne amena aussi Scipio Brown à Belvedere pour la dernière fois. Avec une joie d'enfant, il tourna devant Brett pour lui faire admirer son pantalon bleu clair à bande jaune et sa veste bleu foncé sans insigne de sous-lieutenant.

— Lieutenant Brown, 2e régiment de cavalerie des troupes de couleur des Etats-Unis. Je remplace un officier blessé à Spring Hill.

— Oh! Scipio, c'est exactement ce que vous désiriez. Vous êtes superbe.

Constance et Madeline approuvèrent. Les trois femmes s'étaient réunies au salon pour accueillir Brown et lui offrir du cherry avec des petits gâteaux. Madeline, qui trouvait que l'officier à la taille mince et à la peau ambrée avait fière allure, lui demanda :

— Où et quand rejoindrez-vous votre unité ?

— A City Point, lundi prochain. J'espère qu'il n'y aura pas autant de problèmes que lorsque j'ai prêté serment. Quatre Blancs, dont deux vétérans, n'entendaient pas voir des gens de couleur dans leur armée et ont tenté de m'arrêter.

Perché sur sa chaise tel un échassier sur un nid trop petit, Brown eut un de ses sourires contagieux en agitant la main.

— Mais je me suis frayé un chemin.

— Nous avons de ces individus à Lehig Station, fit observer Brett.

Elle remarqua en parlant que la paume de Brown était presque aussi blanche que la sienne. La chaise du Noir craqua et il se leva, ce qui lui permit de faire à nouveau admirer l'uniforme qu'il portait avec une fierté évidente.

— Avez-vous d'autres nouvelles récentes de la capitale ? dit Constance.

— Il paraît que, avec l'aide de Mr. Lincoln, le Territoire du Nevada deviendra un Etat le 1er novembre. Cela lui fournira les deux derniers votes nécessaires pour ratifier l'amendement.

Il était inutile de préciser : pour Brown, il n'y avait qu'un amendement, le treizième*.

S'inclinant devant les dames, le Noir annonça :

— Je dois aller dire au revoir aux enfants. Mon train part à six heures.

— Je vous accompagne, déclara aussitôt Brett.

Madeline lança à Brett un regard commentant en silence l'empressement de la jeune femme et la réaction satisfaite de Brown. Constance sourit pour indiquer qu'elle avait remarqué les mêmes choses.

A l'école, Mrs. Czorna pleura, les dix-sept orphelins noirs sautillèrent et dansèrent autour de Scipio en admirant la splendeur de son uniforme : boutons étincelants, pas une tache ou un faux pli. Il informa le couple hongrois que la Commission chrétienne de Washington continuerait à recueillir des enfants perdus et à les envoyer à Lehig Station.

— Ce sera plus pareil, sanglotait Mrs. Czorna. Oh ! non, plus pareil.

« Elle a raison », pensa Brett, à la fois triste et fière.

Scipio embrassa chaque enfant puis redescendit la colline avec la jeune femme. Les forges soufflaient leur fumée dans le ciel d'octobre, obscurcissant le soleil d'automne ; de chaque côté du chemin, le laurier bruissait au vent. Brown regarda sa montre.

— Déjà cinq heures et demie. Il faut que je me presse.

Sous le porche de Belvedere, Brett dut s'appuyer d'une main à un pilier sculpté pour garder l'équilibre. Dans la lumière aveuglante, elle cligna des yeux pour voir Brown.

— Je ne sais que dire..., commença-t-il. Vous m'avez été d'une grande aide...

— Je l'ai fait avec plaisir, je n'ai pas besoin de remerciements. Ces enfants, je les aime de tout mon cœur.

— Lorsque vous éprouverez autant d'amour pour un adulte de leur

---

* Complétant la Proclamation d'émancipation, il rendait l'esclavage illégal et anti-constitutionnel sur tout le territoire des Etats-Unis (n.d.t.).

race, vous serez au terme du voyage. Mais vous avez déjà fait un long chemin. Vous êtes... une femme merveilleuse. Je comprends que votre mari soit fier de vous.

Inconsciemment, Brett tendit la main pour le toucher.

— Soyez prudent. Ecrivez-nous.

Ce fut seulement quand Brown fit un pas en arrière qu'elle s'aperçut qu'elle avait posé la main sur son bras.

— Bien sûr, si j'en ai le temps, répondit Brown avec une raideur soudaine.

Il détacha son cheval de louage, monta en selle avec grâce et partit au petit trot sur la route. La lumière du couchant flamboyait au-dessus des toits des premières maisons ; dessous, tout n'était qu'ombre. Brett vit la silhouette à cheval disparaître dans la masse bleu sombre et resta un moment à la chercher, la main en visière au-dessus des yeux.

Elle comprit alors qu'elle avait touché Brown sous l'impulsion de sentiments mêlés : une peine profonde, une vive affection et, ce qui était le plus stupéfiant, une forte attirance. Elle ne parvenait ni à croire totalement à la réalité de cette émotion ni à nier la trace qu'elle en gardait. Pendant un très bref instant, la jeune femme, en qui la longue absence de Billy avait fait naître un sentiment de solitude et de vide, s'était sentie unie par le désir à l'officier lui faisant ses adieux.

Et la couleur de la peau de Scipio Brown n'avait eu alors aucune importance.

Cette émotion s'était à présent dissipée mais son souvenir demeurerait. Elle avait été infidèle à son mari, et bien que cette trahison eût été silencieuse et brève, Brett avait trop de sens moral pour ne pas en ressentir de la honte. Mais cela n'avait rien à voir avec le fait que Scipio fût noir. Il était digne de l'amour de n'importe quelle femme.

En bas, près du canal, une locomotive poussa une longue plainte solitaire. « Son train », pensa Brett. Elle essuya les larmes qui lui montaient aux yeux et se rappela une phrase que Scipio avait prononcée :

« Lorsque vous éprouverez autant d'amour pour un adulte de leur race, vous serez au terme du voyage. »

— Oh ! murmura-t-elle en se précipitant à l'intérieur de la maison. Madeline ! Madeline !

Elle courut de pièce en pièce, finit par trouver sa belle-sœur assise au salon, lisant un livre de poésie. Madeline se leva, Brett se jeta dans ses bras, se mit à pleurer.

— Que se passe-t-il ? demanda la femme d'Orry, sur ses gardes.

— Je te demande pardon !

— De quoi ? Tu ne m'as rien fait.

— Si, pardonne-moi.

Madeline tapota le dos de la jeune femme, qui continuait à sangloter. Elle éprouva d'abord de la gêne puis comprit, sans savoir exactement pourquoi, que Brett avait besoin d'une absolution.

116

Les bombardements avaient partiellement détruit la redoute et contraint la 11e batterie du Massachusetts à l'abandonner. Deux nuits sans lune d'affilée, Billy conduisit sur les lieux un groupe chargé de réparer le fortin pour qu'il pût être réoccupé.

Il faisait lourd pour un mois d'octobre. Billy travaillait torse nu, les bretelles pendant sur un pantalon trempé de transpiration. Sa blessure au mollet, totalement guérie, ne le gênait plus dans ses mouvements, même si l'endroit où était entrée la balle le faisait parfois souffrir la nuit.

Billy avait sous ses ordres des soldats d'une unité d'infanterie noire — main-d'œuvre à laquelle il avait souvent eu recours au cours des dernières semaines. Le lieutenant et un caporal de l'escouade montaient la garde sur une partie reconstruite du parapet, selon la procédure habituelle.

On n'y voyait pourtant guère et Billy distinguait à peine les abattis s'étendant devant la redoute, encore moins les fortifications rebelles parallèles à celles de l'Union et dont une centaine de mètres seulement les séparaient. De temps à autre, une allumette craquait, quelqu'un parlait dans l'autre camp. Les sentinelles yankees et confédérées dialoguaient beaucoup. Récemment, elles avaient établi un protocole selon lequel, dans un camp comme dans l'autre, on ne tirerait qu'en cas d'attaque imminente. Comme les assauts étaient rares, les sentinelles — et les équipes comme celles de Billy — n'avaient pas la plupart du temps à craindre une balle perdue. Restait toutefois la possibilité de se faire tirer dessus par quelque excité ou d'être la cible d'une avalanche soudaine de plus gros projectiles. Les soldats du front étaient rarement avertis des bombardements.

Le Noir commandant les hommes de Billy était un sergent corpulent d'allure placide répondant au nom de Sebastian. Il avait la peau café-au-lait, un gros nez crochu et des yeux légèrement en amande qui ne cadraient pas avec le reste de ses traits. N'épargnant pas sa peine, il attendait de ses soldats qu'ils en fassent autant. Billy et lui s'échinaient à soulever et à mettre en place de lourds poteaux.

Après en avoir planté un, Billy se recula, de la terre collée à sa peau moite. Il estima qu'il devait être deux ou trois heures du matin. Epuisé, il respira profondément et demanda au sergent :

— D'où êtes-vous ?

— Je vis à New York mais mon grand-père était de Caroline du Sud. Il s'est sauvé de la ferme où il était le seul esclave. Un sacré mélange, mon grand-père. Une « cheville de cuivre », comme on dit : un peu de Blanc, un peu de Noir, un peu d'Indien.

Cela expliquait le contraste entre divers traits du visage.

— Il s'appelait comme moi, le grand-père, continua le sergent. Il...

Une lumière écarlate éclata dans le ciel au-dessus de Petersburg. Le long des abattis, les sentinelles jurèrent. Billy lança à ses hommes l'ordre superflu de se jeter à terre. La plupart d'entre eux l'avaient déjà fait quand il se plaqua lui-même contre le sol, quelques secondes avant qu'un obus ne tombe sur le parapet à moitié relevé.

Protégeant sa tête des deux bras, Billy entendit le caporal crier :

— Sergent Sebastian ? Le lieutenant Buck est touché.

Aussitôt, le sous-officier se releva tandis que, au loin, d'autres batteries ouvraient le feu.

— Je vais le chercher, dit-il.

Plié en deux, il se mit à courir le long de la redoute en criant par-dessus son épaule :

— Restez dans la tranchée, les gars.

Billy se hissa hors du trou, se rua derrière Sebastian. Effrayé par le bombardement, une sentinelle de l'Union tira un coup de feu.

— Hé, qu'est-ce que vous foutez, les Yankees ? protesta avec colère un Confédéré invisible.

Aussitôt, les tireurs d'élite rebelles exercèrent des représailles contre ce qu'ils considéraient comme une violation de la trêve.

Des balles sifflèrent, s'enfoncèrent dans la redoute à quelques centimètres de Billy, qui avançait en rampant. Un autre obus tomba à deux mètres derrière lui, expédiant des morceaux de bois et de la terre dans toutes les directions. Billy suffoquait tant la fumée était épaisse. Il vit devant lui Sebastian, les bras tendus vers le parapet où gisait l'officier noir.

— Passe-le-moi, Larkin, cria le sergent au caporal.

Accroupi, Billy ne pouvait voir nettement ce que faisait le sous-officier mais il y avait un problème.

— Vous l'avez, sergent ?

— Non.

— Je ne vous entends pas. Vous l'avez ?

— Non, répéta Sebastian, plus fort.

Un soldat de l'autre camp l'entendit, tira au jugé. Le sergent tressaillit, poussa un faible cri, enfonça ses doigts dans la terre du côté non reconstruit de la redoute. Un obus explosa à cinquante mètres sur la gauche. Touchés, plusieurs hommes restés dans la tranchée se mirent à hurler. A la lueur de l'explosion, Billy aperçut le sergent à genoux, l'épaule ensanglantée.

Le visage grimaçant de douleur, Sebastian se remit debout. Une balle effleura un poteau, lui arracha un éclat qui se planta dans le cou de Billy. La bouche sèche de peur, il rejoignit le sergent.

— Caporal Larkin ?

— Oui, capitaine.

— Où est blessé le lieutenant ?

— A la poitrine.

— On essaie encore. Descendez-le doucement, les pieds d'abord. Sebastian, je sais que vous êtes touché. Retournez avec les autres.

— Vous pourrez pas le porter seul. Non, ça ira.

— Bon. Je le prendrai par les jambes. Vous êtes plus grand que moi, vous lui prendrez les bras.

— Larkin ? haleta le sergent. T'as entendu ?

— Oui, répondit le caporal, apeuré. Je vous l'envoie.

Lentement, ils firent descendre le lieutenant blessé, le basculèrent en position horizontale puis entreprirent de le porter vers les tranchées. Billy ouvrait la marche, sous un feu ennemi de plus en plus nourri. Il courbait le dos tout en se disant que c'était ridiculement vain vu le nombre d'obus et de balles qui pleuvaient autour de lui. Des gouttes de sueur tombaient de son menton ; son cœur battait follement ; la peur ne le quittait pas. Il en eut honte quand il pensa au sergent portant le blessé malgré la balle rebelle logée dans son épaule. Sebastian émettait un bref grognement guttural chaque fois qu'il faisait un pas.

— Nous y sommes, murmura Billy au bord de la tranchée. Prenez-le, les gars. Doucement ! doucement ! C'est ça... Oh !

Sebastian lâcha les bras du lieutenant, vacilla. D'autres soldats noirs ayant déjà saisi les jambes de l'officier, Billy pivota, tenta de retenir le sergent mais la « cheville de cuivre » bascula sur le côté, hors de portée, et s'effondra dans le trou.

Deux de ses hommes essayèrent de le rattraper. En vain. Il heurta le fond de la tranchée avec un bruit sourd quelques secondes avant l'explosion de trois autres obus. Billy sauta dans la fosse, les yeux larmoyants à cause de la fumée. Le bombardement devint intense et incessant.

— Va chercher des brancardiers ! ordonna-t-il à l'un des soldats. Vite, bon sang !

Les efforts déployés ne furent qu'à moitié utiles. Le médecin réussit à extraire une balle Minié de la poitrine du lieutenant et à le rafistoler mais Sebastian mourut à l'aube alors que la fumée des derniers obus s'élevait au-dessus des fortifications. Le caporal Larkin, resté à plat ventre pendant tout le bombardement, regagna la tranchée, indemne.

Dans l'après-midi, Billy coucha sur le papier quelques réflexions inspirées par la mort du sergent :

Les soldats noirs font face au danger avec autant de bravoure que n'importe quel Blanc. Pendant le bombardement — si absurde, en un sens, si typique de ce que cette guerre est devenue — Sebastian montra un courage exceptionnel. Comme j'ai eu tort de croire que les hommes de sa race m'étaient inférieurs ! Il ne sert à rien d'expliquer que mes opinions et ma conduite furent semblables à celles de la plupart des membres de cette armée. Il est possible que l'égarement soit contagieux, qu'un grand nombre d'hommes commettent la même erreur sur une même question. La mort de la « cheville de cuivre » m'a plongé dans un océan de doutes.

Le train de ravitaillement roulait en haletant vers le sud-ouest. Engoncé dans son manteau, George se tenait sur un wagon plate-forme. C'était un samedi gris et maussade ; lundi, ce serait le 1er novembre. Il flottait dans l'air une odeur de neige, l'impression que le siège de Petersburg retomberait dans le calme après l'assaut manqué du jeudi. L'offensive, qui avait pour objectif de couper la voie ferrée du sud, avait été repoussée par Heth, Mahone et quelques unités de Wade Hampton. Ce dernier avait reçu en août le commandement de toute la cavalerie rebelle. Charles lui servait-il encore d'éclaireur ? Orry se trouvait-il encore à Richmond ? songeait George.

Il plongea la main dans une poche, joua avec les nouvelles pièces de deux cents que Chase avait fait émettre avant de donner sa démission. Chacune d'elles portait l'inscription *In God We Trust**, devise qui apparaissait pour la première fois sur la monnaie américaine. George se demandait si cette affirmation n'était pas aussi un cri tacite contre des temps sombres, un manque de foi dans la capacité des hommes à sortir du dédale de misère et de cupidité de la guerre. Nous faisons confiance à Dieu — mais pas aux généraux, aux hommes d'affaires, ni même aux présidents.

Il semblait toutefois que Lincoln obtiendrait un second mandat. Les extrémistes républicains, jugeant qu'une candidature de division ne pouvait donner la victoire, avaient de mauvaise grâce conclu une trêve avec le président. La prise d'Atlanta par Sherman, l'écrasement de Jubal Early par Phil Sheridan à Cedar Creek avaient complètement renversé le courant politique. Les élections d'octobre en Pennsylvanie, Ohio et Indiana avaient donné une forte majorité au parti d'union nationale. George avait voté au camp et Billy de même — il l'avait précisé dans une lettre arrangeant enfin une rencontre entre les deux frères. L'un et l'autre avaient donné leur voix au tandem Lincoln-Johnson.

* Nous faisons confiance à Dieu (n.d.t).

D'autres Etats devant encore se prononcer, des ministères, et en particulier celui de Stanley, faisaient tout pour influer sur les résultats. George remarqua que les officiers connus pour soutenir McClellan attendaient longtemps les promotions auxquelles ils avaient droit. Chaque jour, des vapeurs quittaient City Point, emportant à leur bord des hommes envoyés en permission dans les secteurs où une victoire républicaine semblait incertaine. George espérait cette victoire, il la jugeait indispensable mais n'en détestait pas moins les méthodes primitives utilisées pour l'assurer. Il imaginait Stanley flanquant joyeusement au feu les propositions d'avancement d'officiers démocrates.

Un colonel d'artillerie vint s'asseoir au bord de la plate-forme à côté de George et bientôt les deux hommes discutèrent d'un fermier du comté de Dinwiddie qui se faisait appeler le diacre et commandait une bande de partisans à cheval — de ces hommes que le Congrès rebelle désavouait publiquement et dont il faisait l'éloge en secret. La semaine précédente, les cavaliers de Follywell avaient capturé trois sentinelles de l'Union et les avaient pendues.

— Quand nous les prendrons, nous leur infligerons le même traitement, déclara le colonel, d'un ton qui ne souffrait aucune contradiction.

Le train tourna, les arbres mutilés par les bombes firent place à un campement surpeuplé. Sur le sol gelé, parmi des tentes blanches, des fantassins noirs faisaient l'exercice sous le regard de George et de son maussade compagnon.

— Regardez-moi ça, grommela le colonel. Il y a cinq ans, aucun bon chrétien n'aurait cru cela possible.

George se tourna vers lui, fronça les sourcils pour marquer non seulement sa surprise mais sa désapprobation. Prenant sa réaction pour de l'intérêt, le colonel poursuivit :

— Tout homme sensé sait pourquoi les fibres morales de l'armée et de la nation se désagrègent. (Il se pencha en avant.) C'est un complot des éléments les plus pernicieux de la société.

— Ah ? fit George par-dessus le sifflement du vent. De quels éléments s'agit-il ?

— Réfléchissez, mon vieux. C'est évident. Les journalistes fêlés, les philosophes de l'amour libre et les pervers de la Nouvelle-Angleterre, énuméra-t-il en comptant sur ses doigts gantés. Les immigrants qui envahissent nos côtes, les usuriers juifs qui s'y trouvaient déjà. Les politiciens extrémistes. Les milieux bancaires new-yorkais. Ils sont tous dans le coup.

— Vous voulez dire que les banquiers de New York considèrent les Noirs des plantations du Sud comme des clients potentiels ? Ça alors !

Le colonel était trop passionné par son sujet pour sentir la raillerie.

— Ils ont conspiré pour asservir l'homme blanc au nègre. Et je peux vous dire quel sera le résultat. Du sang dans les rues. Plus de sang que cette guerre n'en a répandu parce que les Blancs ne se laisseront pas réduire en esclavage.

— Ça alors ! répéta George. Je croyais que l'esclavage se terminait, pas qu'il commençait. Je vous remercie de vos lumières, colonel.

— Par Dieu, vous vous moquez de moi. Quel est votre nom, major ?

— Harriet Beecher Stowe, répondit George avant de sauter de la plate-forme.

Sous les premiers flocons de neige, il marcha vers le camp du bataillon du Génie.

Le camp résonnait du bruit des haches car la venue soudaine du temps froid avait avancé la construction des huttes. Les sapeurs avaient tracé trois allées parallèles et construit une douzaine de cabanes, toutes différentes.

Un planton du quartier général informa George qu'il trouverait Billy dans un atelier situé à la lisière du camp. En pénétrant dans la cabane obscure, le major découvrit un groupe d'hommes accroupis autour d'un feu brûlant dans une fosse peu profonde creusée dans le sol en terre battue. Chacun d'eux tenait dans les flammes, avec un bâton ou une pince, une boîte de conserve.

Billy vit son frère, sourit, agita la main et passa sa pince à son voisin. « Comme il est maigre et pâle ! pensa-t-il en le regardant approcher. Ai-je l'air aussi mal en point ? Probablement. »

Les deux hommes s'étreignirent puis George demanda avec un grand sourire :

— Comment vas-tu ? J'aurais dû venir te voir plus tôt mais la voie ferrée a continuellement besoin d'être réparée. Que diable faites-vous autour de ce feu ?

— Nous faisons fondre la soudure des boîtes avant de les dérouler. Avec les feuilles obtenues, nous fabriquons des poêles. C'est un gars du bataillon qui en a eu l'idée. Il faut se chauffer d'une façon ou d'une autre. J'ai bien l'impression que nous passerons tout l'hiver à Petersburg. Viens au mess prendre un café, tu me donneras les nouvelles.

La neige avait cessé de tomber, les nuages se dispersaient ; des rayons de soleil formaient des mares de lumière sur le paysage désolé. Assis devant une table à tréteaux graisseuse dans une cabane froide construite avec du bois de charpente non peint, George éprouva un choc en voyant la main gauche couturée de son frère.

— Un souvenir de Libby, expliqua Billy avec un curieux sourire. J'en ai plusieurs.

Après qu'il eut fait le récit de son emprisonnement et de son évasion, les deux frères abordèrent d'autres sujets : la défaite quasi certaine du Sud, les exploits de Sherman, la razzia de bétail opérée par les Confédérés.

— Je présume que l'affaire suscite encore quelque embarras, commenta George.

— Quelque embarras ? Dis plutôt qu'elle fait scandale.

En septembre, Texas Tom Rosser et quatre mille cavaliers s'étaient lancés dans une aventure digne de Stuart. Encerclant totalement les arrières fédéraux, ils s'étaient emparés de deux mille cinq cents bœufs dans un corral de Coggins Point, au bord du James puis avaient amené le troupeau aux défenseurs affamés de Petersburg — et fait trois cents prisonniers au cours de l'opération.

— Certains trouvent cela plutôt drôle, ajouta Billy. Le fantôme du Vieux Jeb qui vient chatouiller le nez de Grant. Moi, ça ne m'amuse pas beaucoup. Je ne vois plus rien de drôle dans cette guerre. Et je n'ai plus guère d'enthousiasme pour le métier de soldat. Je ne suis pas certain de rester dans l'armée si je m'en sors.

— La dernière fois que j'ai rencontré Herman Haupt, il parlait de l'Ouest. Il prévoit que la construction ferroviaire y connaîtra un boom après la guerre. On relancera sans aucun doute l'idée d'une voie ferrée transcontinentale. Selon lui, il y aura de belles occasions à saisir pour des ingénieurs compétents.

— C'est une possibilité à envisager, dit Billy en hochant la tête. Si nous obtenons un jour la reddition de Bob Lee.

— Le siège s'éternise, c'est vrai. Il paraît que les rebelles crèvent de faim, qu'ils n'ont qu'une poignée de maïs par jour — et encore. Je sais que ce sont eux qui ont tiré les premiers ; je sais qu'il faudra les écraser pour qu'ils renoncent. Mais tu as raison : faire cette guerre remplit à la longue d'amertume. J'ai voulu être affecté sur le front. Mon travail me satisfait, j'ai sous mes ordres des soldats noirs qui forment de bonnes équipes, mais, certains jours, je suis plus abattu que je ne l'ai été de ma vie.

Billy plongea le regard dans le gobelet vide qu'il tenait entre ses mains écorchées et rougies.

— Tant de choses ont changé, murmura-t-il. Des Noirs en uniforme ; des voies ferrées sillonnant le paysage, des trains transportant des régiments entiers ; des morts empilés comme des rondins — personne n'avait prévu tout cela. Je me demande s'il restera quelque chose du passé. Y compris notre amitié avec les Main.

George gratta son menton hérissé de barbe. Il partageait ces craintes, que l'épuisement aiguisait. Mais il était l'aîné et, pour quelque fichue raison, l'ordre des choses voulait que l'aîné soit toujours fort et sage. Il s'efforça de l'être :

— Je me pose la même question quand je suis découragé et je réponds positivement. Les hautes valeurs survivront à tous les changements. L'amitié, l'amour de nos proches dureront plus que tout et nous aideront à nous en sortir. Ne t'inquiète pas.

George décela dans le regard de son frère une lueur sceptique : Billy ne croyait pas à ce qu'il venait d'entendre.

Eh bien, lui non plus. Il avait trop vu de choses révoltantes à Washington et à Petersburg. Il avait entendu le tocsin d'incendie dans la nuit d'avril, il y avait très longtemps.

117

Le grattement de sa plume et les coups sourds des vagues contre la coque — c'étaient les seuls bruits qu'elle entendait dans sa cabine exiguë et minable.

Ashton était assise à la table minuscule qu'elle avait poussée contre la cloison, sous l'unique lampe. Etendu sur la couchette du bas, Huntoon la regardait d'un air renfrogné. Après le départ de Hamilton, il avait passé la première journée à vomir dans un seau toutes les demi-heures. Le second jour, il avait pu aller jusqu'au bastingage mais l'odeur de vomi flottait encore dans la cabine. Un grief de plus qu'Ashton avait contre lui.

La jeune femme avait perdu quatre kilos depuis la nuit où Orry les avait chassés de Richmond. Elle rêvait d'une occasion de se venger de son frère mais, pour le moment, elle avait des objectifs plus importants. Survivre. Gagner Montréal puis le Sud-Ouest. Recouvrer sa beauté — elle était devenue horrible.

Elle avait surtout besoin de retrouver Powell.

Les vagues secouaient le vapeur canadien *Royal Albert* qui, étant neutre, longeait la côte américaine d'aussi près que l'osait son capitaine. En novembre, on connaissait généralement ce genre de mer houleuse dans l'Atlantique Nord.

De sa couchette, Huntoon demanda d'un ton geignard :

— Quelle heure est-il ?

Sans cesser d'aligner des chiffres sur son carnet, Ashton répondit :

— Regarde ta montre.

Il poussa un gémissement pathétique pour indiquer à quel point cet effort le faisait souffrir.

— Presque onze heures ? Tu n'éteins pas ?

— Je n'ai pas terminé.

— Que fais-tu ?

— Je calcule nos intérêts composés.

La banque de Nassau où, sur l'insistance d'Ashton, tous les profits du *Water Witch* avaient été déposés, ne saurait pas où envoyer les relevés trimestriels avant que Powell n'établisse le nouveau gouvernement. A Hamilton, Ashton avait pu retirer un peu d'argent, juste assez pour les frais du voyage. Le reste demeurait en sécurité sur leur compte.

Rapidement, elle additionna les chiffres, se retourna en agitant son carnet.

— Près d'un quart de million de dollars, annonça-t-elle. Voilà de quoi nous consoler.

La transpiration embuait les lunettes de James, qui murmura :

— Lamar nous en demandera peut-être une partie.

— Oh ! non, affirma Ashton en refermant le carnet, qu'elle rangea dans son sac. Il n'aura pas un sou avant que le nouveau gouvernement soit en place — et encore. Dans cette entreprise, il met l'or de sa mine ; nous, nous mettons nos personnes.

— J'aime mieux perdre mon argent que ma vie, riposta Huntoon d'un ton que sa femme trouva pleurnichard. D'ailleurs, si l'on considère la question honnêtement, Powell risque plus que son or. Il fait face aux mêmes dangers que nous...

— C'est normal, c'est son plan.

Ashton ne voyait pas de contradiction entre sa réponse et son amour pour Powell. Le premier complot avait échoué, un second pouvait connaître le même sort. Curieusement, l'échec n'avait pas aigri Lamar, même s'il avait dû se cacher dans le grenier pendant des semaines puis s'enfuir à Wilmington après avoir découvert que la ferme était aux mains de la prévôté.

Sur l'insistance de sa femme, Huntoon avait laissé une lettre cachetée dans l'un des bars que fréquentait Powell. Celui-ci avait ainsi appris ce qui s'était passé et la destination du couple. De Wilmington, il s'était rendu à Nassau puis avait rejoint les Huntoon à Hamilton. La découverte du complot, la fuite précipitée, la peur d'être poursuivi avaient étrangement renforcé la détermination de Powell. Cette fois, il réussirait, il ferait naître un nouvel Etat.

Le besoin s'en faisait sentir plus que jamais. Lee était bloqué, Sherman fonçait vers la mer ; la Confédération s'écroulait. Powell avait raconté que, à Nassau, des Sudistes l'avaient invité à rejoindre des agents rebelles se trouvant déjà à Toronto. Cette ville était devenue le quartier général où s'élaboraient de nouvelles conspirations pour plonger le Nord dans l'agitation, empêcher l'élection de Lincoln et l'ouverture de négociations de paix. Un des plans dont Powell avait entendu parler impliquait des *copperheads* de l'Illinois censés s'emparer de Camp Douglas afin de libérer un grand nombre de prisonniers confédérés. Un autre, plus insensé encore, prévoyait l'incendie de tous les grands hôtels de New York.

— Le Roi Jeff use de stratagèmes de la onzième heure pour sauver un régime qu'il a déjà détruit. Je n'aiderai pas un homme aussi fou et aussi désespéré. Voilà ce que j'ai répondu aux types de Nassau et, comme cela ne leur plaisait pas, je leur ai dit d'aller au diable.

Powell avait tenu ces propos la veille, pendant le déjeuner, alors que Huntoon s'agitait sur sa couchette. Ashton s'était sentie terriblement frustrée d'être assise en face de son amant et de ne pas même pouvoir lui serrer la main. Ils n'avaient pas joui d'un moment d'intimité depuis le départ du bateau ; ils étaient toujours dérangés par un matelot ou un passager. Le vapeur transportait plusieurs hommes d'affaires canadiens et trois couples revenant de vacances automnales sous les tropiques. Au restaurant, Powell se refusait avec dédain à leur adresser la parole.

Ashton se leva, lissa le devant de sa jupe, entrevit son reflet dans un petit miroir fendillé fixé au mur. C'était épouvantable : chevelure terne, bras osseux, poitrine en voie de disparition. Elle se raccrochait à un avenir imaginaire où, redevenue belle, elle partagerait le lit de Powell à la résidence présidentielle.

De temps en temps, elle le pressait de questions sur le nouvel Etat. Où le créerait-il ? sur quelle étendue de territoire ? combien de colons espérait-il et combien faudrait-il d'hommes armés pour le défendre ? Lamar prétendait avoir toutes les réponses mais préférait les garder pour lui — raison supplémentaire pour Ashton de lui donner son corps mais pas son argent. Pas encore.

— Ohhh, se lamenta Huntoon en étreignant son ventre. Je crois que je vais mourir.

« Si cela pouvait être vrai ! » pensa sa femme.

— Je vais devenir folle si tu ne cesses pas de te plaindre comme un enfant.

— Mais je me sens si mal...

— Tu me l'as clairement fait comprendre. Geindre, geindre, geindre ! A Wilmington, tu te plaignais de l'hôtel au lieu de te réjouir d'avoir eu la chance d'arriver là-bas sans te faire prendre. Avant, tu gémissais sur la cupidité du gredin qui nous avait vendu de faux passeports à un prix exorbitant. Ensuite, tu ne voulais pas aller aux Bermudes à bord d'un bateau de pêche, même si on ne trouvait aucun autre navire. Maintenant, tu te plains du vapeur, des Canadiens, de la mer — qu'est-ce qui te rendrait heureux ?

— Retourner en Caroline du Sud, en finir avec cette histoire, répondit Huntoon en ôtant ses lunettes. J'y ai réfléchi, longuement. Je ne supporte pas la tension dans laquelle nous vivons. Le danger, la menace de la mort me rongent.

— Tu penses que nos pauvres soldats, sur le champ de bataille, éprouvent autre chose ? Tu t'es enrôlé quand il y avait des promesses de gloire, et maintenant tu veux déserter ? Eh bien, tu ne peux pas. Il y aura une nouvelle Confédération, et tu y joueras un rôle important. Très important.

— Ashton, je ne sais si j'ai le courage...

— Si, répliqua-t-elle. (Elle le prit par les épaules, le secoua.) Sinon, tu ne seras plus mon mari. A présent, dors, je vais prendre l'air.

Elle prit une cape, éteignit la lampe, ferma derrière elle la mince porte de lattes.

La colère d'Ashton n'était pas dissipée lorsqu'elle monta l'escalier raide menant au salon. Elle n'y trouva qu'un seul passager chauve dormant dans un fauteuil, un vieil exemplaire du *London Times* sur la panse. Elle traversa la salle à pas de loup, arriva devant une porte donnant sur le pont, lutta contre la poussée du vent pour l'ouvrir.

Powell était appuyé au bastingage. Une forte rafale agita ses cheveux, où le gris dominait à présent sur le châtain. Il avait épuisé sa provision de pommade colorante et n'avait pu en retrouver dans aucune des boutiques d'apothicaire de Nassau.

— Ashton, tu ne devrais pas sortir d'un temps pareil. Fais attention, le pont est gliss...

Le *Royal Albert* roula sur bâbord, les jambes d'Ashton se dérobèrent sous elle. Elle poussa un cri aigu, tomba vers le bastingage. Seul le corps de Powell, avec qui elle entra en collision, l'empêcha de passer par-dessus bord.

Elle se retint à lui, prise de nausée, terrifiée par les énormes vagues à crêtes blanches qu'on distinguait à la lueur des hublots du navire. Quand le bateau se redressa, le contact de Powell excita soudain Ashton, qui pressa ses seins contre lui à en avoir mal. Il attira sa tête contre son épaule et elle ne le vit pas sourire.

Ils demeurèrent un moment immobiles puis se séparèrent tout à coup. Un marin en ciré passa près d'eux, les mit en garde contre le danger de rester sur le pont par ce temps.

— J'ai besoin d'air, je ferai attention, promit Ashton à la silhouette qui s'éloignait.

Agrippée des deux mains à la barre vernie, elle dit à Powell :

— Mais j'ai surtout besoin de ne plus entendre James. Il me rend folle avec ses jérémiades. Lamar, je n'en puis plus de ne pas pouvoir t'embrasser ou même te toucher. (Elle tendit la main vers son bas-ventre, le caressa.) C'est ça que je veux. C'est avec ça et rien d'autre que tu m'as enchaînée comme une jeune négresse de plantation. Tu m'en as rendue esclave et puis tu m'l'as retiré.

Ravi, Lamar répondit :

— Je te l'ai retiré, comme tu dis si plaisamment, par nécessité. Qu'est-ce qui te met dans cet état ?

— Te désirer !

— Rien d'autre ? James t'aurait-il forcée à...

— Tu crois que je le laisserais faire ? répliqua Ashton avec un rire mal assuré. Mais, Seigneur ! tu n'imagines pas à quel point lui résister éprouve ma capacité à mentir ! J'ai eu recours à l'impossibilité mensuelle dont on ne parle pas, à la migraine, à l'énervement, aux vapeurs — à tout un arsenal d'excuses. Tu penses si je me suis réjouie quand il a eu le mal de mer ! Cela rendait presque tolérable l'odeur du seau. Tu vois où j'en suis...

— Patience, murmura Powell en s'écartant parce que le marin revenait. Patience.

— Je n'en ai plus ! s'écria sa maîtresse, au bord des larmes.

Après le passage du matelot, Lamar reprit :

— Sois patiente, c'est capital. Nous avons encore besoin de James un moment. Israel Quincy est mort, Bellingham aussi — il était curieux, ce type, mais il aurait fait un excellent aide de camp. Il me faut au moins un homme pour m'accompagner à Virginia City et m'aider à ramener l'or de la mine.

Ils s'étaient déjà violemment querellés à propos du plan de Powell prévoyant qu'Ashton se rendrait de son côté jusqu'à la destination qu'il n'avait pas encore révélée.

— Je peux recruter des gars coriaces au Nevada, ajouta-t-il, mais ils ne seraient pas aussi loyaux, dignes de confiance — et malléables — que ton mari.

Ashton s'apprêtait à dire que la loyauté de James s'était évaporée mais résolut finalement de se taire. Les choses allaient déjà assez mal.

Le vapeur roula encore ; des embruns les aspergèrent, mouillant la chevelure d'Ashton et ses joues. Auprès de Powell, elle n'en avait cure. Il inspecta le pont, se baissa vivement vers elle et fourra sa langue entre ses lèvres. Les jambes molles, elle s'agrippa de nouveau au bastingage. Au bout de quelques secondes, il se recula en souriant.

— Ce dont tu parlais il y a un instant, chérie, sera bientôt à sa place, promit-il.

— Je ne peux plus vivre sans toi, Lamar. James est plus qu'écœurant... il est faible. Richmond l'a changé, il n'est plus l'homme que j'ai épousé ni même la baudruche qui bravait tous les dangers du haut d'une tribune. Ne lui fais pas trop confiance.

— Ashton, mon trésor, je ne fais confiance qu'à moi-même. James n'est qu'un pion. Lorsqu'il ne pourra plus ou ne voudra plus exécuter mes ordres...

— Tu veux dire que tu...

— Sans l'ombre d'une hésitation.

— Oh ! Je t'aime, Lamar.

Elle lui saisit le bras, appuya sa joue humide contre son épaule. Ce fut le moment que choisit le commissaire du navire pour passer la tête par la porte du salon.

— Monsieur, madame, vous prenez vraiment de grands risques en restant sur le pont d'un temps pareil.

Powell jeta à l'homme un regard dédaigneux, souhaita bonne nuit à Ashton et s'éloigna sur les planches glissantes sans chercher de point d'appui. Lasse, trempée mais pleine d'une confiance nouvelle, Ashton retourna au salon.

Quelques jours plus tard, Cooper revint de Charleston sur une haridelle empruntée à un voisin. Bien qu'il détestât les armes à feu, il avait emporté un petit pistolet sur l'insistance de Judith.

On ne pouvait guère qualifier de fructueuse sa visite d'un jour à la ville assiégée. Il n'avait pu acquérir que deux Hawken vieux de vingt ans et couverts de rouille. Des munitions de calibre 50 pour ces fusils se chargeant par la gueule, il n'en avait pas déniché mais il s'était procuré un moule et quelques barres de plomb. Le tout arriverait par l'Ashley avec le prochain vapeur. Il n'avait pas trouvé de poudre non plus ; il faudrait se contenter de ce qui restait à Mont Royal.

L'après-midi était lourd et le tunnel naturel formé par les arbres bordant la route plus sombre que d'ordinaire. Plus Cooper et sa rosse s'approchaient de la plantation, plus les cris des corneilles devenaient fréquents. Pourtant, lorsqu'il scrutait les buissons ou la cime des arbres, Cooper n'en repérait aucune.

A Charleston, il avait longuement cherché de menus cadeaux pour sa femme et sa fille et n'avait pu acheter que des sachets parfumés. Il en sortit un de son emballage, le porta à ses narines. L'odeur, déjà faible dans la boutique, s'était presque totalement volatilisée. De la camelote.

Surpris par les croassements qui s'élevèrent soudain autour de lui, il faillit laisser tomber le sachet.

— M'sieur Cooper ? fit une voix.

Il sortit son petit pistolet de la poche de sa veste.

— Qui est là ?

— Vous pouvez pas me voir, mais, moi, je vous vois bien.

Une expression de stupeur se peignit sur le visage de Cooper quand il reconnut la voix.

— Cuffey ? C'est toi ?

Des feuilles de palmier nain bruissèrent à gauche de la route ; des cris de corneille s'élevèrent à nouveau de plusieurs endroits.

— On m'avait dit que vous étiez de retour, reprit la voix d'un ton rageur. J'vais vous dire une chose : le dessous du panier tardera pas à être dessus.

— Montre-toi, Cuffey, si tu es un homme... Cuffey ?

— Et ceux qui sont au-dessus aujourd'hui seront écrabouillés. Liquidés. Vous pouvez me croire.

Cooper braqua son arme vers la gauche, vers la droite, ne trouva pour cible qu'un scinque à tête gonflée filant sur la route devant le cheval effrayé. Les buissons frémirent une dernière fois puis ce fut le silence. Il baissa les yeux sur son pistolet, le contempla avec dégoût et le remit dans sa poche avec une telle violence qu'il fit craquer la doublure.

Il lança le vieux cheval au galop et s'éloigna, poursuivi par des cris de corneille qui ressemblaient à des ricanements.

118

Des loups gris se glissèrent furtivement dans les tranchées de Petersburg, creusèrent une tanière dans la boue et attendirent en grognant.

Ils vivaient de maïs grillé mais voulaient boire du sang. Les louveteaux avaient des yeux de fauves aguerris par des centaines de tueries.

Emportant un gobelet, une couverture, un fusil et une cartouchière, ils avaient traversé l'Etat au prix de maintes épreuves, quittant leur plantation, leur ferme, leur ville pour gagner le dernier rempart. Pieds nus, déguenillés, le ventre vide, ils n'avaient plus que leur courage et leur réputation. Les loups gris étaient déjà entrés dans la légende quand les premiers flocons de neige commencèrent à tomber. Ils formaient l'armée du Nord de la Virginie.

Le bruit s'éleva à droite de la route et cessa avant qu'Orry pût l'identifier. Il tira sur la bride de son cheval, les deux jeunes Virginiens qui l'accompagnaient firent de même. C'étaient de nouvelles recrues de la brigade provisoire de Montague, montant la même bête l'un derrière l'autre. La pratique était fréquente à Petersburg du fait du manque de chevaux.

Après avoir combattu au nord du James, la division avait été envoyée plus loin encore de la ville assiégée, à l'extrême gauche des lignes sudistes. Elle avait pris position de la batterie Dantzler — du nom d'un soldat de Caroline du Sud tombé au combat — jusqu'à Swift Creek. C'était un vendredi matin, la veille de Noël.

Les chevaux, nerveux dans l'épais brouillard, renâclaient et refusaient de rester immobiles. Celui d'Orry trébucha dans une ornière de la route défoncée, bordée de part et d'autre de bois inquiétants : troncs d'arbres noirs, branches dénudées, buissons sombres. La brume blanche étouffait les sons et s'insinuait partout.

— Vous avez entendu ? demanda Orry, la main sur la poignée de son sabre de Solingen.

Il revenait avec les deux soldats du quartier général du 1er corps d'armée quand le bruit l'avait arrêté. Les deux Virginiens examinèrent les arbres, hochèrent la tête.

— Un appel à l'aide, mon colonel, répondit l'un d'eux. Du moins, je crois que j'ai entendu le mot « aide ».

— Vous voulez qu'on aille voir, mon colonel ? suggéra l'autre.

L'instinct conseillait à Orry de n'en rien faire. Retenus au quartier général, ils étaient en retard, et de plus, le brouillard offrait à l'ennemi un excellent camouflage. Il cachait peut-être un Yankee — ou une douzaine, postés en embuscade. Il essaya de se rappeler le bruit. Comme les soldats, il avait cru entendre un cri mêlé de souffrance.

— Je passe devant, décida-t-il.

Les Virginiens s'écartèrent, dégainèrent leur revolver ; Orry fit de même, dirigea son cheval vers les arbres, au pas, en regardant autour de lui.

L'atmosphère de cette matinée maussade le déprimait, tout comme la perspective de passer Noël sans Madeline. Enfin, il serait sûrement auprès d'elle, à Mont Royal, pour celui de l'année suivante. En Georgie, Sherman avançait vers l'Océan ; Fort Fisher serait sans aucun doute le prochain objectif de la marine de l'Union et, avec sa chute, le Sud perdrait son dernier port libre ; Bob Lee ne disposait que de soixante-cinq mille hommes affamés et épuisés pour défendre une ligne s'étirant sur soixante kilomètres de la route de Williamsburg au Hatcher's Run, au sud-ouest de Petersburg. Personne ne parlait plus sérieusement de vaincre mais seulement de tenir et de terminer cette triste histoire sans déshonneur.

Orry prit une profonde inspiration. Curieusement, la forêt embrumée semblait sentir l'olive, une odeur associée dans son esprit à la Caroline du Sud et au retour à la maison.

Un gémissement fit tressaillir son cheval. Il calma l'animal, arma son revolver, contourna le gros arbre se dressant devant lui et découvrit un hongre couché à terre, une blessure au flanc. La bête leva la tête, agita faiblement les jambes. Orry examina la selle, le harnachement. Aucun doute, c'était un cheval de l'Union.

— Où êtes-vous ? cria-t-il dans le brouillard.

Dans le silence, il entendit des gouttes tomber, des buissons craquer au passage du cheval des Virginiens, puis une voix.

— Ici.

Orry avança un peu plus, lança par-dessus son épaule :

— Le cheval est fichu. Achevez-le.

Une détonation retentit, son écho roula dans la brume par-dessus le bruit que fit le dernier tressaillement du hongre, puis le silence retomba.

Orry passa devant un autre arbre et découvrit l'homme, assis contre un tronc humide, une jambe tendue, l'autre repliée. Il posa sur Orry un regard plein de souffrance mais méfiant. C'était un jeune soldat de l'Union au front bas et à l'air coriace, les joues hérissées d'une barbe de plusieurs jours. Sa main droite reposait sur la jambe tendue, la gauche était plaquée sur une déchirure ensanglantée de sa veste bleu sombre. Un pansement taché de brun et de jaune entourait le haut de son bras gauche. Autant qu'Orry pouvait en juger, le Yankee n'avait pas d'autre arme que le sabre émergeant de son fourreau.

— Je l'ai trouvé, annonça-t-il sans se retourner.

Les Virginiens s'approchèrent, le Nordiste à demi conscient les regarda avec une expression mauvaise.

— Que l'un de vous prenne son sabre, ajouta Orry.

Le soldat monté derrière son camarade descendit de cheval, s'avança en faisant passer son revolver dans sa main gauche. Le sabre glissa hors du fourreau avec un bruit métallique.

— Seigneur ! qu'il est sale ! s'exclama le Sudiste. Du sang, du pus et Dieu sait quoi d'autre. (Il se tourna vers Orry.) Méchante blessure, mon colonel.

— Ton nom et ton unité, Billy Yank, demanda l'autre Virginien.

Le blessé s'humecta les lèvres, Orry intervint :

— Plus tard.

Le soldat grogna en descendant de cheval.

— Vaudrait mieux l'achever lui aussi, non ? proposa-t-il. Avec cette blessure au ventre, il a aucune chance.

C'était vrai. Orry épargnerait le temps et les efforts des médecins sudistes débordés en tirant une balle dans le cœur du Nordiste. Ce serait plus humain que le laisser souffrir et, d'un autre point de vue, peut-être aussi plus prudent : Orry n'aimait pas l'expression du regard du Yankee.

Il eut soudain honte de sa méfiance. Quelle sorte de monstre était-il devenu ? Lentement, il remit son revolver dans son étui, sous son manteau, descendit de cheval et fit l'effort de se redresser, silhouette étrangement altière malgré son uniforme élimé à la manche épinglée sur l'épaule.

— Autant laisser les docteurs estimer ses chances de survivre, déclara-t-il.

Il s'approcha du Nordiste qui ne montra aucune gratitude, aucune émotion. Bon, Orry comprenait que la fatigue et la souffrance pouvaient vider un homme de tout sentiment. Sa méfiance se mua en commisération lorsqu'il regarda l'homme dans les yeux.

Il s'avança entre le blessé et ses soldats, se tourna vers ceux-ci :

— Voyez si vous pouvez faire une civière avec des branches et sa couverture de selle. Ensuite...

Il entendit un bruit derrière lui, vit au même instant une expression de stupeur et d'effroi apparaître sur le visage d'un des Virginiens. Le corps d'Orry s'était brièvement interposé entre les soldats et le Nordiste, qui en avait profité pour saisir un colt caché sous sa cuisse droite. Il le braqua vers la nuque de l'officier ennemi et tira.

Le coup arracha le dessus du crâne d'Orry. Comme il tombait à genoux, déjà mort, les deux Virginiens criblèrent le blessé de balles en jurant. Les projectiles le firent tressauter telle une marionnette devenue folle. Quand la fusillade cessa, il s'inclina vers la droite avec un soupir paisible et s'allongea, comme s'il dormait. Les soldats tremblants abaissèrent leurs armes lorsque le silence retomba.

Le même jour, peu avant midi, Madeline quitta Belvedere pour se promener dans les collines. Il régnait dans la maison un air de fête dû aux nouvelles transmises dans la matinée par le télégraphe et colportées dans tout Lehig Station en moins de deux heures. Trois jours auparavant, le général Sherman avait écrit au président :

« Je vous prie d'accepter en cadeau de Noël la ville de Savannah. »

Madeline ne pouvait partager la joie générale et Constance, qui en avait conscience, s'abstenait de trop commenter l'incroyable marche à la mer de Sherman. Pourtant, il n'était pas difficile de voir qu'elle était ravie. Même Brett semblait contente, et Madeline en éprouvait une certaine rancœur.

Elle n'était pas très fière de ce sentiment, qu'elle s'efforçait de chasser en gravissant un sentier menant à l'une des hauteurs couvertes de laurier. Le soleil de décembre donnait à la journée une chaleur bienvenue, presque automnale.

Du sommet, elle entendit une cloche sonner. Celle de Sainte-Margaret-du-Val, estima-t-elle. En quelques semaines, elle avait appris à reconnaître les cloches des diverses églises. Elle avait aussi beaucoup appris sur la ville, qui lui demeurait pourtant étrangère. Malgré son application, elle ne parvenait pas à créer l'illusion qu'elle y était à sa place.

Une à une, les autres cloches se mirent à sonner en l'honneur de la nouvelle. Tête baissée, Madeline détourna les yeux de la ville et de l'usine. Une seule pensée l'obsédait : comme elle aurait voulu qu'Orry soit avec elle pour Noël !

Elle releva les yeux, vit dans le ciel au nord-ouest une grosse masse grise. Il fit soudain plus froid. Resserrant son châle autour de ses épaules, elle se dit que les victoires de l'Union ne devaient pas l'aigrir mais la réjouir puisqu'elles hâtaient ses retrouvailles avec Orry. Considéré ainsi, le bruit des cloches apportait un message d'espoir.

Toute rancœur dissipée, elle s'attarda sous le ciel de plus en plus gris pour écouter la musique discordante et cependant étrangement belle montant des clochers. Envahie par la paix de cette période de fêtes, Madeline songea aux nombreux autres Noëls qu'elle passerait avec son cher Orry. Heureuse, elle redescendit vers la maison.

LIVRE SIX

LES JUGEMENTS DU SEIGNEUR

Mon opinion est que nos hommes sont las de la guerre, qu'ils se savent vaincus et ne se battront pas. Notre pays est envahi.

Général Joe Johnston à Jefferson Davis après Appomatox, 1865.

119

Mr. Lonzo Perdue,

employé de la Poste, citoyen de Richmond de la troisième génération, était accablé de misères. Des kyrielles de petits signes annonçaient le début de l'agonie de la Confédération — et donc de la ville. Mr. Perdue aurait aimé mettre sa femme et ses filles bien-aimées en lieu sûr, mais où trouver un lieu sûr avec les Yankees si proches ? Et s'il y parvenait, comment assurer la subsistance de sa famille ? L'argent que le gouvernement lui versait n'avait pas de valeur. Si on avait la chance de dénicher une paire de bottes d'occasion, il fallait débourser quinze cents dollars confédérés, plus cinq cents de pourboire à la vendeuse.

C'était le mois de janvier le plus froid dont Lonzo Perdue se souvînt. Le dessus du panier — couche sociale dans laquelle personne n'eût rangé Mr. Perdue, fût-ce par mégarde — continuait à organiser des réceptions, dont les journaux se faisaient dûment l'écho. On les appelait désormais des « soirées-famine » parce que les notables qui y assistaient buvaient du café de pissenlit tiède et croquaient des morceaux de glace du James servis dans des assiettes à dessert.

En plus des flocons de neige, le désespoir flottait dans l'air glacé. Le brigand Sherman écumait les Carolines, incendiant, violant et pillant comme il l'avait fait en traversant la Georgie. L'amiral Porter assié-geait Fort Fisher avec une flottille de l'Union et obtiendrait bientôt une capitulation — si ce n'était déjà fait. Depuis quelque temps, les nouvelles de la guerre circulaient avec la lenteur d'un sirop de maïs resté dehors toute une nuit.

Mr. Perdue en devinait la cause : les nouvelles étaient mauvaises et ce gaffeur égotiste de Davis n'en laissait parvenir au peuple que le strict minimum. Au bureau, Lonzo Perdue entendait naturellement des rumeurs. Les principales concernaient le président, dont on disait qu'il recherchait désespérément la paix en secret. Il faisait bien : selon l'*Enquirer*, il ne resterait plus au printemps qu'un soldat sur deux dans les tranchées de Petersburg.

Les signes avant-coureurs de l'effondrement étaient partout. Mrs. Perdue, fort attachée aux bonnes œuvres, partageait son temps entre l'Association de la soupe, dont les cuisines dispensaient aux affamés de l'eau quelque peu épaissie par de la farine de pommes de terre, et une société de dames de la paroisse de Saint-Paul qui récupérait les vieux tapis, les découpait et les envoyait au front en guise de couvertures.

En se rendant à son travail, Mr. Perdue ne s'arrêtait plus pour bavarder avec les connaissances rencontrées dans la rue. Son seul manteau, il l'avait donné — stupidement, il s'en rendait compte maintenant — à des soldats faisant la collecte de vêtements pour l'armée, en automne.

D'ailleurs, il ne croisait plus tellement de gens qu'il connaissait, ces temps-ci. Des soldats blessés, oui — en grand nombre. Et des nègres en vagabondage. Mais les honnêtes gens avaient déserté les rues. Mr. Perdue ne s'aventurait plus dehors après la tombée de la nuit car la ville appartenait alors aux bandits qui tenaient les tables de faro, aux vauriens multipliant rixes et vols, aux attelages des spéculateurs qui se régalaient encore de champagne et de foie gras — les traîtres !

Homme sérieux et intègre depuis toujours, Lonzo Perdue était devenu un individu soupçonneux, aigri, flairant trahisons et complots partout. Il en avait assez de ne manger que des haricots blancs avec, une fois par semaine, un morceau de dinde légèrement faisandée et un petit verre d'alcool de pommes. Lui qui adorait les huîtres, il n'en avait pas goûté depuis un an mais supposait que le Roi Jeff continuait à en faire régulièrement ses délices.

Perdue haïssait les puissances occultes qui avaient réduit sa femme et ses filles à la misère. Lorsqu'elles avaient besoin d'épingles, elles se contentaient d'éclats de bois de palmier ; faute de boutons, elles cousaient à leurs robes de petits morceaux de courge teints. En décembre, pour le onzième anniversaire de sa fille Clytemnestra, il n'avait trouvé comme cadeau correspondant à ses moyens qu'un petit collier de fleurs argentées fait avec des écailles de poisson. Prix : trente dollars.

Les journaux confirmaient à leur manière que la fin approchait : les théâtres jouaient à guichet fermé, la populace se payant une dernière fois du bon temps ; les avis de recherche d'esclaves en fuite devenaient rares car leurs propriétaires savaient qu'ils avaient peu de chances de récupérer leur bien.

Les oreilles de Mr. Perdue lui disaient aussi que la fin était proche. Rares étaient les jours ou les nuits sans au moins un bref tir d'artillerie des lignes de défense du sud. La canonnade faisait à ce point partie de la vie quotidienne qu'on s'inquiétait si d'aventure on ne l'entendait plus.

Ce matin-là, plus ensoleillé que la veille mais néanmoins très froid, Mr. Perdue semblait plus amer encore que d'ordinaire lorsqu'il arriva à Goddin Hall, le bâtiment en brique de quatre étages situé au coin de la 11e Rue et de Bank Street, juste après Capitol Square. La Poste y partageait le premier étage avec le Bureau des brevets et divers services de l'armée. Mr. Perdue ôta ses gants troués, les fourra dans sa poche et se mit au travail à côté de son collègue Salvarini, fils d'un boucher qui avait récemment fermé boutique parce qu'il se refusait à dépecer et à vendre chats et chiens.

Salvarini avait déjà posé sur le comptoir deux gros sacs de courrier à trier.

— La jaunisse de ma femme a empiré, annonça-t-il à son ami en faisant tomber d'un des sacs des enveloppes faites avec toutes sortes de papier. Il faut que je trouve un docteur.

— Ils sont tous dans les tranchées, répondit Mr. Perdue. Ses mains commençaient à se réchauffer et il glissait les lettres dans les casiers se trouvant devant lui avec sa dextérité habituelle. Le mieux que tu puisses faire, c'est de l'envoyer chez un vétérinaire.

— Ce n'est pas risqué ? Ils sont propres, au moins ?

— En tout cas, ils sont disponibles. Des dizaines d'entre eux passent des annonces dans les journaux. D'après Mrs. Perdue, celui qui reçoit en face de l'*American Hotel* passe pour l'un des plus dignes de conf... Hé ! Qu'est-ce que c'est que ça ?

Lonzo Perdue tenait à la main une enveloppe qui avait ceci de remarquable qu'elle était précisément une enveloppe, une vraie, proprement fermée par un cachet de cire bleu foncé et portant une adresse écrite d'une main ferme. Dans le coin supérieur gauche, l'expéditeur avait inscrit son nom : « J. Duncan, Esq. »

— Les adresses sont de plus en plus vagues, se plaignit Mr. Perdue. Tiens, regarde.

Il tendit la lettre à Salvarini, qui déchiffra ce qui y était écrit :

— « Maj. Ch. Main, corps de Cavalerie de Hampton. A.E.C. » En plus, il n'y a pas de timbre.

— Oui, j'ai vu. Je parie qu'un satané Yankee l'a envoyée par courrier illégal et que le type à qui il l'a confiée n'a même pas pris la peine de l'affranchir avant de la poster dans le Sud. Pas question de m'occuper du courrier de l'ennemi.

Salvarini se montra plus charitable :

— Elle a peut-être été envoyée par un Sudiste qui n'a pas de quoi acheter un timbre.

— Le règlement, c'est le règlement, grommela Mr. Perdue, mari respectable, père inquiet, patriote trahi.

— Mais tu ne sais pas ce qu'elle contient. Suppose que ce soit important ? L'annonce du décès d'un parent, par exemple ?

— Eh bien ! le major Main l'apprendra autrement, décida Lonzo Perdue.

D'une chiquenaude, il expédia l'enveloppe dans une caisse en bois déjà à moitié pleine de lettres à l'adresse insuffisante, de paquets portant une inscription délavée par la pluie — courrier non distribuable qui serait conservé puis finalement détruit.

120

Charles se sentait de plus en plus seul dans un combat à présent perdu sans l'ombre d'un doute. Même Hampton n'avait plus confiance, même s'il jurait de verser son sang jusqu'à la dernière goutte avant de renoncer. Le général était aigri et, selon certains, obsédé de vengeance depuis que son fils et aide de camp Preston avait été tué près du Hatcher's Run, en octobre.

L'éclaireur montait à cheval et tirait comme une machine tandis que son moi véritable vivait à l'écart des événements, dans quelque monde mental que ses amis et connaissances quittaient un par un. Après sa promotion, Hampton était passé à l'état-major et Charles ne le voyait plus que de loin. Calbraith Butler, dont la division avait chevauché toute la nuit sous une tempête de neige pour aider à repousser l'assaut du 5ᵉ corps d'armée de Warren contre la voie ferrée de Weldon, était maintenant reparti en Caroline du Sud pour chercher des remontes et, surtout, défendre l'Etat contre les hordes de Sherman.

Plus déprimé que jamais, Charles était obsédé par une pensée qui trottait dans son esprit jour et nuit, aussi impossible à arrêter que la machine de guerre de Grant. Il commençait à croire que, en quittant Gus, il avait commis la plus grande erreur de sa vie.

Sa barbe, striée de blanc, lui arrivait au milieu de la poitrine et il dégageait une odeur qui offensait ses propres narines : depuis l'automne, l'armée n'avait plus de savon. Pour lutter contre le froid glacial, il se fit un poncho avec des chiffons et des lambeaux d'uniforme — ce qui lui valut un nouveau surnom.

Il portait ce vêtement bigarré lorsque, par une nuit noire de janvier, il se chauffait près d'un petit feu en compagnie de Jim Pickles. Les deux hommes prenaient leur seul repas de la journée : une poignée de maïs séché et mal grillé.

— Gipsy ? *

Charles leva la tête, Pickles plongea une main gantée sous sa vareuse sale.

— J'ai eu du courrier, aujourd'hui.

Charles ne répondit pas. Comme il n'attendait plus aucune lettre, il ne cherchait pas à savoir quand passait le vaguemestre. Jim tenait entre l'index et le majeur une feuille de papier froissée.

— Elle est partie de chez moi il y a six semaines environ, dit-il. Ma mère est mourante... ou même déjà morte.

Pickles regarda son ami pour voir comment il réagirait à ce qu'il allait ajouter.

— Je m'en vais.

Bien qu'il ne s'attendît pas à cette déclaration, Charles répondit froidement :

— C'est de la désertion.

— Et alors ? Il n'y a plus personne là-bas pour s'occuper des petits.

— C'est ton devoir de rester, déclara Charles en secouant la tête.

— Ne me parle pas de devoir alors que la moitié de l'armée a déjà pris la route du Sud.

— Cela n'y change rien, dit Charles d'une étrange voix morne. Tu ne peux pas partir.

— Cela ne change rien non plus si je reste, répliqua Jim, qui jeta le reste de sa maigre ration dans le feu. On est fichus, Gipsy. Foutus ! Jeff Davis le sait, Bob Lee aussi, Hampton aussi — tout le monde le sait sauf toi.

— Tu ne peux quand même pas partir, fit Charles avec un haussement d'épaules. Je ne te le permettrai pas.

Pickles frotta ses mitaines contre son visage piquant de barbe. Au-delà du périmètre éclairé par le feu, Joueur hennit de faim. Faute de fourrage, les chevaux mangeaient du papier ou la queue de l'animal voisin.

— Répète un peu ça, Gipsy.

— C'est simple. Je ne te laisserai pas déserter.

Jim bondit sur ses pieds.

— Espèce de...

Il s'interrompit, recouvra son sang-froid. Au-dessus de lui, de grosses branches dénudées gémirent ; d'autres petits feux trouant çà et là la nuit vacillèrent dans le vent.

* Bohémien, gitan (n.d.t.).

612

— Ne te mêle pas de ça, Charlie. Je t'en prie. Tu es mon meilleur ami mais bon Dieu, si tu essaies de m'arrêter, je cogne, c'est juré.

Charles continua à fixer le feu sous le bord crasseux de son vieux chapeau. Il portait son colt sous son poncho mais ne chercha pas à le prendre. Il demeura immobile, assis parmi les plaques de neige.

— Quelque chose t'a rendu cinglé, Charlie. Tu ferais mieux de te secouer avant de commencer à t'en prendre à nous.

Charles contemplait les flammes. Jim frotta nerveusement ses mitaines l'une contre l'autre.

— Salut, murmura-t-il.

Le panache blanc de son haleine disparut quand il se retourna et s'éloigna d'un pas lent. Depuis décembre, Pickles fourrait du papier dans sa botte droite, dont la semelle était percée, pour empêcher la boue et l'humidité d'y pénétrer. Charles remarqua dans les traces de pas de son ami des morceaux de papier détrempé. Et des taches rouges, brillant sur la neige.

Il entendit le cheval de Jim partir au trot. Assis près du feu mourant, il délogea de la pointe de la langue un peu de résidu de maïs grillé collé à ses gencives enflammées. « Quelque chose t'a rendu cinglé. » La liste n'était pas difficile à dresser : la guerre, l'amour de Gus.

Et sa dernière erreur, catastrophique.

Deux jours plus tard, Charles et cinq autres éclaireurs, tous vêtus de capotes de Yankees capturés, partirent à nouveau observer la gauche de l'armée de l'Union, qu'ils atteignirent en contournant les fortifications confédérées devant le Hatcher's Run, près de l'intersection des routes de White Oak et de Boydton. Dans la demi-clarté précédant l'aube, sous la neige, ils décrivirent un grand arc de cercle en direction du sud-est, de la voie ferrée de Weldon. La neige s'arrêta de tomber, le ciel s'éclaircit et ils se dispersèrent pour couvrir plus de terrain, chaque homme hors de vue de ses camarades.

Charles estima sa position et dirigea Joueur à nouveau vers le nord dans l'intention de reconnaître les ouvrages de l'Union construits jusqu'au Hatcher's Run. Il passait devant un bosquet désert quand le soleil, perçant les nuages, glissa des rais de lumière entre les épais troncs d'arbre. Avançant au pas, dans le silence, le fusil de chasse en travers des cuisses, il pouvait presque imaginer qu'il pénétrait dans quelque fantastique cathédrale blanche.

Des cris brisèrent l'illusion. Des cris de douleur, s'élevant de l'épaisse brume qui s'étendait devant lui.

Il arrêta son hongre famélique, qui avait entendu les plaintes lui aussi. L'éclaireur tendit l'oreille : pas de coups de feu. Curieux. Il était certain d'être à proximité, peut-être un peu à l'est des dernières tranchées yankees situées à gauche de la ligne de siège.

Une seconde voix se joignit à la première ; Charles murmura un ordre, Joueur se remit à avancer au pas. Quand l'animal eut franchi deux cents mètres environ, son maître aperçut dans le brouillard des taches orange. Il entendit à nouveau des cris perçants, un craquement, et sentit de la fumée.

Il continua à s'approcher, discerna des hommes à cheval se découpant sur la lumière d'un bâtiment en flammes. Mais pourquoi les cris ?

Plus près, il s'arrêta et, à demi caché par un arbre, compta dix hommes en uniformes gris ou teints à la noix cendrée. Il vit un chariot au dessus blanc et six autres hommes, vêtus de bleu, qui se tenaient devant, sous la menace des pistolets, des fusils de chasse et des carabines des premiers. L'un des dix fit tourner son cheval, révélant à Charles une veste d'officier avec des soutaches dorées, un col de pasteur à rabat.

Le déclic se fit dans l'esprit de l'éclaireur : il connaissait cette bande de partisans.

Derrière, une ferme en partie démolie brûlait. Charles décida qu'il valait mieux signaler sa présence mais il devait d'abord ôter sa capote de l'Union. Il se débattait encore avec une manche quand il vit le cavalier au col ecclésiastique lever une main gantée. Deux de ses hommes descendirent de cheval, coururent autour des Yankees effrayés, en saisirent un et le firent avancer en lui collant leurs armes dans le dos.

— Allez, Yank. Comme les autres.

Le prisonnier commença à hurler avant que les flammes ne le touchent. L'un des partisans lui taillada les jambes avec une baïonnette et il s'écroula la tête en avant, englouti par le feu. Ses cheveux s'embrasèrent puis la fumée l'enveloppa.

Charles fit sortir Joueur du bosquet, agita son fusil de chasse en criant :

— Major Main, de la cavalerie de Hampton. Ne tirez pas !

Il fit bien d'ajouter ces derniers mots car, en l'entendant approcher, les partisans se retournèrent en levant leurs armes. Il arrêta son cheval au milieu de civils malpropres à l'air mauvais, le genre de troupes irrégulières dont les méfaits étaient devenus un scandale dans la Confédération. Cette bande-ci était commandée par le gredin efflanqué portant un col de pasteur, un sabre d'apparat pris à un prisonnier et une veste grise à soutaches dorées.

— Qu'est-ce qui se passe, ici ? demanda Charles, bien que la fumée, les cris et l'odeur écœurante de la chair brûlée le lui eussent fait comprendre.

— Colonel Follywell, se présenta le chef des partisans. Et vous, qui êtes-vous au juste pour nous poser des questions sur ce ton arrogant ?

— Le diacre Follywell, marmonna Charles, dont les soupçons se trouvaient confirmés. J'ai entendu parler de vous. Je vous l'ai dit, qui je suis. Major Main, éclaireur du général Hampton.

— Vous avez les moyens de le prouver ? riposta Follywell.

— J'ai ma parole. Et cela, ajouta Charles en soulevant son fusil de chasse de sa main gantée. Qui sont ces prisonniers ?

— Des sapeurs ennemis, d'après l'officier qui les commande. (Charles ne tourna pas le regard dans la direction indiquée par le diacre.) Nous les avons surpris en train de profaner cette propriété abandonnée...

— On prenait du bois, c'est tout, espèce d'assassin ! s'écria un des prisonniers.

Un partisan à cheval donna un coup de crosse de carabine au Yankee, qui tomba à genoux, agrippa les rayons d'une roue de chariot.

— ... et comme nous le faisons d'habitude, nous exerçons des représailles contre les atrocités yankees tout en tenant la promesse de l'apôtre Paul aux Thessaloniciens : « Le Seigneur viendra du ciel avec les anges de Sa puissance, dans un feu flamboyant, pour tirer vengeance de ceux qui ne connaissent pas Dieu et qui n'obéissent pas à l'Évangile de notre Seigneur Jésus. »

Les lèvres de Charles se plissèrent en une moue de dégoût. Une lueur menaçante dans ses yeux marron larmoyants, Follywell poursuivit :

— Je pense que nous nous sommes fait comprendre. Avec votre permission, nous reprendrons donc notre besogne.

Charles sentit à nouveau l'odeur nauséabonde s'élevant de la ferme en flammes. Il était capable de tirer sur un Yankee aussi froidement que s'il lui crachait dessus, mais si le Sud devait s'appuyer sur des défenseurs de cette espèce — sur ces méthodes — sa cause méritait amplement de perdre.

Joueur souleva son sabot avant droit, le reposa doucement dans la neige.

— Vous n'avez pas ma permission, diacre, déclara Charles. Pas pour brûler vifs des prisonniers. Je vais m'occuper d'eux.

Il espérait que les partisans seraient sensibles au fait qu'il était officier de l'armée régulière — Follywell s'était à coup sûr décerné lui-même son grade de colonel. Il comprit son erreur quand le diacre dégaina son sabre et en appuya la pointe contre la poitrine de Charles.

— Essayez, major, et vous serez le prochain à rôtir.

Charles comprit immédiatement que le seul moyen de sauver les Yankees et d'empêcher d'autres meurtres était de passer avec eux une alliance temporaire. Il examina pour la première fois le reste des prisonniers, tressaillit : l'officier barbu qui les commandait était Billy Hazard.

Lui aussi l'avait reconnu — Charles le lut dans son regard stupéfait — mais prit garde de ne pas le montrer.

Que feraient les autres Yankees ? Combattraient-ils ? L'éclaireur conclut affirmativement : ils n'avaient guère le choix. Pourraient-ils venir à bout d'hommes deux fois plus nombreux qu'eux ? Peut-être — si Charles réduisait sensiblement l'écart.

— Ne me menace pas, paysan ignare ! lança-t-il au chef des partisans. Je suis officier breveté de la Confédération, et j'emmène ces hommes à...

— Faites-le descendre de cheval, ordonna Follywell à deux de ses vauriens.

Le cavalier se trouvant à droite de Charles tendit le bras vers lui ; l'éclaireur tira à bout portant. Les plombs du fusil de chasse criblèrent le visage du partisan ; du sang jaillit des orbites et des autres trous. Follywell rugit, brandit son sabre et eut droit à l'autre cartouche. Le coup le souleva de sa selle, la tête pendant sur son cou arraché.

— Billy, les autres, courez !

Charles avait réduit l'écart à huit contre cinq, mais les partisans avaient des armes et les prisonniers, abasourdis, furent lents à réagir. Les chevaux du chariot frappèrent le sol du sabot et hennirent lorsqu'un partisan lança sa bête vers Charles, qui dégaina vivement son colt. Deux des Yankees bondirent sur un autre homme du diacre tandis que le plus proche de Charles levait l'avant-bras gauche et y appuyait le canon de son revolver.

Des cris, des jurons retentirent au moment où l'homme faisait feu. Charles aurait été touché sans la stupidité d'un troisième larron qui s'élança et frappa l'éclaireur par-derrière avec la crosse de sa carabine.

Charles bascula vers la gauche, dégagea sa botte droite de l'étrier. Le partisan à la carabine hoqueta : le coup tiré par son camarade avait transpercé son épaule droite.

Tombant à la renverse, Charles ne parvint pas à dégager son pied gauche. Ses épaules et sa nuque heurtèrent le sol. Il tira sur le premier partisan, le manqua. Sentant un poids inhabituel sur l'étrier gauche, Joueur s'agita, fit un écart.

Un homme de Follywell descendu de cheval écrasa du pied le bras droit de Charles, qui lâcha son revolver. Le partisan se jeta sur lui, le saisit à la gorge de la main gauche, pressa de la droite le canon d'un pistolet contre sa poitrine. Charles attendit la balle. Il vit dans le soleil le premier partisan faire avancer son cheval pour pouvoir tirer lui aussi.

Soudain, une ombre jaillit de la gauche, percuta l'homme agenouillé sur Charles. Le coup partit, quelqu'un cria. Charles comprit seulement alors que Billy s'était jeté sur le partisan et avait reçu la balle qui lui était destinée.

Le partisan à cheval fit feu, une bête gémit.

— Joueur ! cria Charles.

Billy, blessé, luttait contre le Sudiste sous le ventre du hongre gris. Donnant coups de pied et coups de poing, soulevant la neige et la terre, les deux hommes s'affrontèrent jusqu'à ce que Billy eût retourné le pistolet contre son propriétaire en lui tordant le poignet. Le Nordiste appuya sur le doigt de son ennemi, le forçant à tirer dans son propre estomac.

Charles regarda l'épaule gauche de Joueur, là où la balle avait pénétré. « Pas très profondément, pensa l'éclaireur. Mon Dieu, pourvu que ce ne soit pas trop profond... »

Il récupéra son colt, roula sur la gauche. Le partisan à cheval tenta de lui tirer dessus mais fut trop lent. Tenant son arme à deux mains, Charles abattit l'homme, dont le cheval partit au galop à travers les rayons de lumière.

Haletant, Billy se releva, une tache rouge sur le devant de son uniforme. Charles se remit debout, vit du sang couler de l'épaule de Joueur et tomber sur son ami.

— File, dit Billy. Pendant que tu le peux... (Il serra les dents pour lutter contre la douleur.) C'est... une de moins que je te dois.

— Tu ne me dois plus rien, déclara Charles. (Il tendit la main, pressa brièvement le bras de Billy.) Prends soin de toi.

Pendant ce temps, les sapeurs affrontaient au corps à corps les hommes de Follywell. Charles mit le pied à l'étrier, sauta en selle, sentit Joueur fléchir sous son poids. Il fallait fuir, la fusillade attirerait bientôt des renforts yankees. Mais d'abord, il devait aider encore un peu les prisonniers à survivre. Il tira deux fois, deux partisans s'écroulèrent, l'un mort, l'autre blessé. Des sapeurs s'emparèrent des armes tombées au sol et le reste des partisans, abandonnant leur chef mort, détala dans la brume montant de la terre qui se réchauffait.

Le hongre se mit à trotter.

— Tu y arriveras, Joueur ? demanda Charles d'une voix tendue.

L'animal passa au-dessus d'une plaque de neige et son maître, en se retournant, vit une traînée de taches de sang. Il comprit que le cheval ne survivrait pas.

Dans la mêlée, il avait laissé tomber son fusil de chasse et l'avait oublié. C'était sans importance. Rien ne comptait plus que cette bête courageuse qui l'avait porté si longtemps, si fidèlement, pour recevoir une balle dans une escarmouche insignifiante qui ne mériterait même pas une note en bas de page dans les archives officielles.

— Seigneur, murmura Charles en fermant presque les yeux. Seigneur.

616

Joueur semblait savoir qu'ils avaient une bonne distance à couvrir avant d'être en sécurité. Il galopait avec l'exubérance d'un poulain, soulevant la neige et la boue de ses sabots. Charles quitta la route pour pénétrer dans une pâture, entendit derrière lui un grondement qui se rapprochait. On le poursuivait.

Par-dessus son épaule, il vit deux hommes du diacre Follywell fonçant vers lui. Le premier lâcha sa bride pour tirer un coup de carabine. La balle s'enfonça dans un fossé devant Joueur, qui vira avec la sûreté d'un vieux cheval de guerre et sauta l'obstacle en le tachant de son sang.

Le soleil froid dessinait sur le champ les ombres pâles des cavaliers. Charles, qui haletait presque autant que son cheval, cherchait à se réfugier dans les bois s'étendant devant lui mais savait que chaque effort de son cheval faisait couler un peu plus de sang de sa blessure. La crinière de Joueur flottait à l'horizontale, comme pétrifiée par le vent.

Une autre balle tirée par les partisans toucha un arbre au moment où cheval et cavalier plongeaient dans le bois. Charles découvrit soudain devant lui un ruisseau couvert de glace, éperonna les flancs du hongre. Joueur s'enleva, laissant derrière lui un ruban rouge.

Une branche entailla la joue droite de Charles. Il entendait son cheval respirer avec peine, le sentait faiblir. Joueur ne put sauter le Hatcher's Run, il le traversa au galop en soulevant des gerbes d'eau. L'instant d'après, Charles aperçut les fortifications confédérées.

Il agita son chapeau, cria le mot de passe, montra du doigt ses poursuivants et les soldats postés derrière les défenses commencèrent à tirer. Les partisans firent demi-tour, battirent en retraite.

Charles arrêta sa monture, sauta à terre, essuya le sang coulant de sa joue, conduisit Joueur au pas derrière les fortifications en lui murmurant sa gratitude. Beaucoup de ses camarades l'avaient raillé parce qu'il traitait son cheval comme un être humain, mais Joueur venait précisément de se conduire en être humain, comprenant que Charles était en danger, donnant tout, absolument tout, pour le sauver. L'éclaireur avait envers son cheval une dette aussi grande qu'envers Billy.

Le hongre trébucha, faillit tomber. Son maître le mena près d'un buisson où l'animal se coucha lentement sur le flanc et demeura immobile, pantelant. Une écume rose le recouvrait du garrot au ventre.

Deux sentinelles dépenaillées s'approchèrent sur la pointe des pieds.

— Trouvez-moi une couverture, demanda Charles sans se retourner.

— Mon capitaine, y a pas de couvertures ici...

— Trouvez-moi une couverture !

Cinq minutes plus tard, on apporta un morceau de tapis que l'éclaireur étendit doucement sur Joueur. Le cheval gris ne cessait d'essayer de lever la tête, comme s'il voulait voir son maître. Charles s'agenouilla dans le sol humide, caressa l'encolure de l'animal en murmurant :

— Le meilleur cheval au monde. Le meilleur cheval au monde.

Vingt minutes plus tard, Joueur expira.

Toujours agenouillé, Charles pressa ses mains sales contre son visage. Il aurait voulu pleurer mais ne le pouvait pas : il en était incapable depuis Sharpsburg. Il demeura longtemps immobile, sous le regard de jeunes soldats squelettiques qui l'observaient d'un abri. Nul d'entre eux ne se moqua de l'homme à la joue balafrée agenouillé tête nue près du cheval.

Charles finit par se relever et remettre son chapeau. Il se sentit différent. Purgé. Mort. Il s'approcha lentement de l'abri et dit à l'un des soldats décharnés :

— J'ai besoin d'une pelle, maintenant.

— Alors je l'ai enterré, racontait Charles à Fitz Lee. J'ai creusé une fosse moi-même, je l'y ai mis et je l'ai recouvert de terre, puis j'ai empilé quelques pierres pour marquer l'endroit. Ce n'est pas une tombe digne du meilleur cheval que j'aie jamais monté.

Fitz, ayant appris la mort de Joueur, avait invité Charles sous sa tente pour prendre un whisky. Le général, barbu et corpulent, paraissait à présent beaucoup plus que son âge. Montrant le gobelet posé sur son bureau, il suggéra :

— Bois donc. Tu te sentiras mieux.

Bien qu'il sût que l'alcool ne l'aiderait pas, l'éclaireur en avala une gorgée pour être poli. C'était un méchant tord-boyaux, qui arrachait le palais.

— Ainsi c'est Bunk Hazard qui t'a sauvé la vie ? dit Fitz.

— Sans lui, je serais mort. J'espère qu'il s'en est tiré. Il avait l'air salement touché.

Le général secoua lentement la tête.

— Un malheur n'arrive jamais seul. D'abord ton cousin...

— Mon cousin ? marmonna Charles, interloqué.

— Le colonel Main, de la division Pickett. Je te croyais au courant...

— Au courant de quoi ?

— Il s'est arrêté pour porter secours à un Yankee blessé mais l'homme avait une arme cachée sous lui.

— Orry est... ?

— Mort. Quasiment sur le coup d'après les soldats qui l'accompagnaient.

Un jour, à West Point, Charles avait disputé un combat de boxe à mains nues contre un adversaire plus petit mais plus expérimenté et plus agile, qui ne cessait de passer sous sa garde. Après une vingtaine de minutes, chacun des coups causa à Charles une douleur étrangement agréable puis il ne sentit plus rien du tout : il avait passé le seuil de la souffrance.

C'était la même chose maintenant. Fixant le sol entre ses bottes éculées, il songea à tout ce qu'il devait à Orry, qui avait su sentir ce qu'il y avait de bon dans le jeune vaurien que Charles avait été. C'était Orry qui l'avait convaincu d'essayer d'entrer à l'Académie, qui lui avait donné un précepteur pour le préparer au concours.

— Charles, je suis profondément désolé de t'apprendre cette nouvelle tragique de façon aussi maladroite. Si j'avais soupçonné que...

— Cela ne fait rien, murmura l'éclaireur avec un geste vague de la main.

Après un moment de silence, Fitz demanda :

— Tu as des projets ?

— En tout cas, je ne veux pas être mis au rancart faute de monture. J'ai l'intention d'obtenir un laissez-passer pour aller dans le Sud chercher une remonte.

— Je doute que tu puisses trouver un seul cheval dans toute la Virginie.

— En Caroline du Nord, alors.

— Là non plus.

Avec un haussement d'épaules indifférent, Charles reprit :

— Le général Butler en aura peut-être un pour moi. Il est en Caroline du Sud.

— Cump Sherman aussi.

— Oui, dit simplement Charles.

Cela ne l'alarmait pas — rien ne l'alarmait plus. Avec un soupir, il se leva de sa chaise, prit son poncho bigarré, sentit l'odeur de son cheval en y passant la tête. Comme il regrettait que la source de ses larmes se fût mystérieusement tarie !

— Merci pour le verre, Fitz. Sois prudent maintenant que la fin est si proche.

Cette acceptation implicite de la défaite ne plut pas à Fitz Lee, mais il contrôla son irritation et serra la main de Charles en disant :

— Toutes mes condoléances pour ton cousin. Je suis également désolé pour ton cheval.

— Je les ai perdus tous deux pour rien.

— Pour rien ? Comment peux-tu...

— Je t'en prie, Fitz, coupa Charles sans animosité, ne prends pas ce ton d'officier supérieur avec moi. Nous avons combattu pour rien. Nous avons perdu des parents, des amis — des centaines de milliers d'hommes — et pour quoi ? Jamais nous n'avons eu la moindre chance de vaincre. Les meilleurs d'entre les Sudistes l'avaient prédit mais personne n'a voulu les écouter.

L'ami de Charles tenait à son rôle de général :

— Peut-être. Mais le devoir sacré de tout Sudiste reste de...

— Allons, Fitz. Tuer quelqu'un, cela n'a rien de sacré. As-tu regardé de près un cadavre, dernièrement ? Ou un cheval mort ? Cela ressemble plutôt à un blasphème.

— Le devoir exige...

— Ne t'en fais pas, je ferai mon devoir. Je le ferai jusqu'à ce que ton oncle ou Davis ou quiconque d'un peu sensé comprenne qu'il est temps de hisser le drapeau blanc et de mettre fin au massacre. Mais tu ne réussiras jamais à me convaincre qu'il y a quelque chose de grand ou de noble là-dedans. Bonsoir, mon général.

Deux jours plus tard, Charles arriva à pied près de la voie ferrée de Weldon, située au sud de Petersburg. Silhouette dépenaillée avec un revolver à la hanche, un sabre de cavalerie enveloppé de toile sous le bras, un bout de cigare entre les dents, il sauta dans un train de marchandises roulant lentement. Le wagon où il s'installa était percé de deux gros trous d'obus, fenêtres par lesquelles on voyait le paysage éclairé par la lune. Cela ne l'intéressait pas. En ce qui le concernait, on pouvait détruire tout l'État de Virginie — et c'était d'ailleurs presque fait.

Des bruits à l'intérieur du wagon lui apprirent qu'il n'était pas seul à descendre vers le sud. Les autres passagers avaient peut-être des laissez-passer comme lui ou avaient déserté. Il s'en moquait.

Il se tenait au bord de la portière ouverte quand le train passa devant une gare où des lampistes de l'armée agitaient des lanternes. Charles tira une dernière bouffée de son cigare avant de le jeter. L'air de la nuit l'enveloppait d'un froid aussi vif que celui qu'il sentait à l'intérieur de lui-même.

121

Ashton souffrait de dormir chaque soir dans un nouveau lit, où elle s'efforçait d'éviter tout contact avec le corps adipeux de son mari. Comme elle était écœurée de devoir dissimuler sans cesse ! Avec son mari et avec des inconnus qui les interrogeaient continuellement sur leur accent.

« Oui nous sommes des Sudistes, mais d'une sorte particulière. Des Kentuckiens, fidèles à l'Union. »

Comme c'était exaspérant de répéter ce mensonge, d'être forcée de subir les remarques grossières des aubergistes le long d'un voyage qui semblait interminable ! Avec leurs faux papiers, ils s'étaient rendus de Montréal à Windsor, puis Detroit, Chicago et maintenant Saint-Louis, où leurs chemins se sépareraient. Powell et James iraient droit vers l'ouest avec la diligence ; Ashton prendrait la patache desservant Santa Fe deux fois par semaine.

L'après-midi de début février précédant le départ d'Ashton, Powell sentit l'abattement de sa maîtresse et prit le risque de l'inviter à une promenade sur la digue pendant que Huntoon faisait la sieste. Celui-ci avait bu trop de bourbon la veille et passé la journée dans un état d'hébétude.

— Je suis désolé que nous devions nous séparer un moment, dit Powell tandis qu'ils marchaient le long du fleuve, sans se toucher. Je sais que le voyage a été pénible.

— Abominable. Ces lits malpropres et cette nourriture infecte, j'en suis malade.

Présumant que personne ne faisait attention à eux, Powell prit la main d'Ashton et la posa sur son bras. Sur les quais, nul ne les connaissait et Huntoon dormait quand ils avaient quitté leur hôtel minable.

— Je comprends, murmura Lamar. Et d'autres jours difficiles nous attendent.

Il caressa la main de la jeune femme, chez qui ce geste fit naître un curieux sentiment de gêne et des picotements derrière la nuque.

— Mais ensuite, reprit son amant, nous commencerons à bâtir notre enclave pour les gens de mérite. Ceux qui croient à la seule aristocratie véritable — celle de l'argent et de la propriété. Egalitaristes et négrophiles s'abstenir !

Ashton ne sourit pas ; rien ne l'amusait ce jour-là.

— L'idée de partir seule ne me dit vraiment rien.

— Tu seras en sécurité dans la voiture. En cas d'urgence, tu as de l'argent...

— Ce n'est pas la question. Encore un long voyage exténuant...

— Tu crois que le mien sera plus facile ? riposta Powell. Au contraire. A Virginia City, il faudra charger la marchandise en secret sur les chariots, se méfier constamment des voleurs. Ensuite, nous devrons rouler des centaines de kilomètres à travers un désert infesté de sauvages hostiles pour gagner le Territoire du Nouveau-Mexique. Vu les risques que je courrai, tu pourrais m'épargner tes jérémiades à propos d'un voyage relativement tranquille en diligence.

— Tu as raison, je m'excuse, murmura Ashton en baissant la tête pour reconnaître l'autorité de son amant. Mais tu n'imagines pas à quel point je souffre de me mettre au lit tous les soirs avec James en regrettant que ce ne soit pas toi.

Un bateau remontant lentement le large fleuve fit mugir sa sirène

— Nous en avons discuté à bord du *Royal Albert*, répondit Powell. James nous est nécessaire pour le moment. Mais du Comstock * à notre destination, la route est longue. Avec ces terres arides à traverser et la menace des Indiens, il pourrait lui arriver quelque chose.

Soulagée, Ashton se mit à rire. Elle éprouva pour son pauvre mari un vague sentiment de pitié, qui se dissipa aussitôt.

A une centaine de mètres de la digue, caché dans l'ombre d'un haut bâtiment commercial, Huntoon secoua la tête, passa un mouchoir sous ses lunettes et s'essuya les yeux. Il se remit à suivre Ashton et Powell, qui disparurent derrière une pyramide de barils.

Hébété, furieux, il battit des cils pour chasser les larmes qui lui montaient à nouveau aux yeux. Il n'était pas surpris, il avait des soupçons depuis plus d'un an et avait plus d'une fois vu les deux amants échanger des regards furtifs.

Il ne blâmait pas Lamar, qu'il admirait encore. Tout était de la faute de la garce qu'il avait épousée. A présent qu'il avait, en l'espionnant, obtenu une preuve formelle de son infidélité, il allait écrire une deuxième lettre, dans laquelle il parlerait à Ashton de la première.

James fit demi-tour, regagna l'hôtel d'un pas vif avec une expression si étrange — presque folle — que deux Indiens assis contre la roue d'un chariot le suivirent longtemps du regard.

Dans l'agitation du départ, Huntoon embrassa la joue d'Ashton et lui glissa une enveloppe cachetée dans la main. Des voyageurs montaient déjà dans l'élégante diligence Abbot-Downing en forme d'œuf reposant sur des soupentes en cuir épaisses et larges. A la demande de leur client, les fabricants de Concord, dans le New Hampshire, l'avaient peinte en bleu foncé et avaient décoré les portières de portraits romantiques d'une jolie fille admirant une colombe posée sur sa main. Ashton se souciait moins d'esthétique que du nombre des bonnes places, qui seraient bientôt toutes prises.

— Qu'est-ce que c'est ? demanda-t-elle avec agacement.

— Juste... des sentiments personnels, répondit Huntoon en évitant le regard de sa femme. S'il m'arrivait quoi que ce soit, ouvre-la. Mais pas avant. Jure-le-moi, Ashton.

N'importe quoi pour contenter ce gros crétin et monter en voiture.

— Bien sûr, chéri. Je te le jure.

James se colla contre Ashton, ce qui permit à la jeune femme de lancer un dernier regard plein de désir à Powell, très élégant ce matin-là.

Le conducteur de la diligence s'approcha des voyageurs déjà installés. Il avait une longue barbe blanche en éventail et une veste perlée qu'il avait dû rincer dans un baquet de soupe aux légumes.

— Y en a combien qu'ont déjà voyagé dans une Concord ? demanda-t-il.

Une seule main se leva.

— Vous verrez, c'est très confortable, poursuivit-il. Mais si vous allez jusqu'à Santa Fe, j' dois vous prévenir qu'on passera par des routes tortueuses. Ça tourne tellement par endroits que les canassons peuvent bouffer dans le caisson à bagages.

* Nom du gisement de Virginia City (n.d.t.).

Ayant fait sa plaisanterie habituelle, il toucha son chapeau, monta sur son siège et entreprit de séparer les rênes de l'attelage composé de quatre mustangs.

Ashton repoussa son mari avec impatience.

— Je dois partir.

— Bon voyage, mon amour.

Elle réussit à se glisser à la dernière place de la banquette faisant face à l'arrière, si bien qu'il ne resta plus que les durs strapontins du milieu pour deux retardataires, un bouvier aux vêtements élimés mais propres et un commis voyageur avec sa mallette d'échantillons.

Elle examina l'enveloppe, y vit son nom, Ashton, et trois gros cachets de cire. James tenait apparemment beaucoup à ce qu'elle tienne sa promesse pour l'avoir cachetée avec tant de soin. Elle glissa la lettre dans son sac et, malgré la perspective d'un voyage éprouvant, se sentit d'humeur joyeuse : elle soupçonnait qu'il ne s'écoulerait guère de temps avant que les circonstances ne l'autorisent à ouvrir l'enveloppe.

Chaque fois que George avait dû se réfugier dans un abri ou une tranchée, la saleté et la puanteur lui avaient donné la nausée. Partout les hommes étaient accablés par la maladie, l'ennui, la peur et la boue. Si c'était là la guerre d'un type nouveau dont parlait le professeur Mahan, George plaignait la génération de son fils et les suivantes.

Le siège minait l'équilibre et le sens moral des hommes. De temps à autre, on entendait parler d'échanges de bons procédés entre les deux camps, qui troquaient par exemple du café contre des journaux ou du tabac. Mais le plus souvent, ils n'échangeaient que des balles et des injures. George se félicitait d'avoir rejoint les rangs du Corps de construction des chemins de fer militaires. Il n'aurait sans doute pas supporté une affectation au front — la responsabilité d'envoyer des jeunes gens de dix-sept ans se poster en sentinelles dans la zone contestée criblée de trous d'obus séparant les tranchées.

Un matin de janvier, il inspectait les réparations que son équipe avait faites sur le treillis métallique d'un pont enjambant une ravine sur la ligne de City Point. Satisfait, il remarqua tout à coup que des gouttes tombaient de la glace recouvrant le bord du chevalet.

L'hiver se terminait, le printemps apporterait peut-être la fin de la guerre. George le souhaitait de toute son âme, même si les lettres que lui envoyait régulièrement Wotherspoon faisaient état des énormes profits que les forges Hazard tiraient de la production de guerre.

Au-dessus de lui, des maillets s'abattaient avec régularité. Il remonta la pente boueuse de la ravine, cligna des yeux dans le soleil jusqu'à ce qu'il eût trouvé l'homme qu'il cherchait.

— Scow ? Je vais au ruisseau boire un peu d'eau. Je reviens tout de suite.

— Bien, major, répondit le Noir.

En s'éloignant, George détacha son gobelet de sa ceinture et défit la patte maintenant son arme dans son étui. Le cours d'eau, invisible de la voie ferrée, serpentait à quelques centaines de mètres du saillant confédéré. Mais il était très tôt et George ne prévoyait pas de danger.

Des plaques de neige fondaient de chaque côté du ruisseau qui bouillonnait avec une allégresse printanière. George crut entendre un bruit suspect dans le bois situé à quelque distance et s'immobilisa derrière un érable. Au bout d'un moment, ne voyant rien de louche, il marcha jusqu'à la berge, s'accroupit pour emplir son gobelet. Il le portait à ses lèvres quand un homme surgit de derrière un arbre sur la rive opposée.

George lâcha le gobelet, plongea la main vers son arme. Le rebelle, qui portait une veste déchirée et un képi, tendit vivement les bras devant lui.

— Doucement, mon gars. Tout ce que je veux, c'est boire, comme toi.

Retenant sa respiration, George demeura accroupi, la main sur son revolver. Le Sudiste, à peu près de son âge, avait un teint maladif, des joues rasées de près dont les coupures soulignaient encore la pâleur. Il tenait sa carabine avec désinvolture, le canon braqué vers le ciel.

— Juste boire ? marmonna George. (Le rebelle acquiesça.) Tiens.

Sans réfléchir, il ramassa son gobelet et le lança de l'autre côté du ruisseau.

— Merci beaucoup.

Le Sudiste s'approcha en boitant du bord de l'eau, lança un dernier regard à son ennemi (George remarqua ses yeux verts de chat) avant de poser sa carabine par terre. Il s'accroupit lui aussi, rinça le gobelet avant de l'emplir, ce qui arracha un sourire à George.

Puis il but goulûment, bruyamment. Les maillets frappant les poutrelles du pont semblaient à des kilomètres de distance. George se dit que si c'était une embuscade — si d'autres rebelles se cachaient dans le bois — il ne survivrait probablement pas. Curieusement, cette réflexion contribua à le calmer. Repoussant en arrière sa casquette d'ouvrier, il chercha sur l'uniforme du rebelle un galon ou un quelconque indice de son grade. Il n'en trouva pas et conclut que l'homme n'était qu'une simple sentinelle.

Soudain, un éclair dans le soleil : le gobelet lui revenait. Il le prit, le plongea dans le ruisseau, but à son tour. Le rebelle se releva, essuya ses lèvres d'un doigt.

— Merci encore, Billy Yank. Tu es d'où ?

George se mit debout lui aussi, raccrocha le gobelet à sa ceinture.

— De Pennsylvanie.

— Mon frère vit **dans le Nord** — dans l'Indiana. Il a quitté Charlottesville pour s'établir dans une petite ferme, près d'Indianapolis, il y a huit ans. Il fait partie d'un régiment d'infanterie de volontaires, je ne sais pas lequel. Tu le connais peut-être : Hugo Hoffman, avec deux F.

— Non, je ne crois pas. C'est grand, l'armée de l'Union.

— Beaucoup plus grand que la nôtre, renchérit Hoffman sans répondre au sourire de George.

— Cela doit être dur d'avoir un frère chez nous. Je sais que ce n'est pas rare. Les cousins, les amis sont eux aussi divisés par la guerre. Tiens, mon meilleur ami est colonel dans ton armée.

— C'est quoi, son nom ?

— Oh ! tu ne le connais sûrement pas. Il est à Richmond, au ministère de la Guerre.

— Comment il s'appelle ?

« Têtu, le Teuton », pensa George.

— Main. Orry Main.

— Mais je le connais — enfin, j'ai entendu parler de lui. Je m'en souviens parce que c'est pas un nom courant. L'automne dernier, il y avait un Orry Main à l'état-major du général Pickett.

— Il y avait ? murmura George.

— Il s'est fait descendre par un blessé à qui il portait secours — un cavalier de ton camp, précisa Hoffman avec une pointe de rancœur. (Ses yeux gris devinrent moins cordiaux.) On en a beaucoup parlé chez nous ; c'était une preuve de la barbarie des troupes de Grant.

— Quand tu dis descendre, cela signifie...

— Qu'il s'est fait tuer ? Bien sûr. Sinon, on n'en aurait pas autant parlé. Bon, Billy, merci pour le gobelet et la causette. Il faut que j'y aille, maintenant. Tout ça ne durera plus très longtemps, je crois bien. J'espère ne pas me faire moucher avant la fin. Désolé pour ton copain, et bonne chance. Salut.

George murmura un « au revoir » si faible que le rebelle ne put probablement pas l'entendre par-dessus le bouillonnement du cours d'eau. Il retourna lentement vers la voie ferrée, aveuglé par le soleil. « Tiens bon, s'exhortait-il. Tiens bon. »

Il marcha sans rien voir en direction du bruit des maillets, trébucha à deux reprises. Au moment où le pont lui apparut, il dut retourner dans le bois pour pleurer son ami.

Les réparations furent terminées avant midi. Le dimanche au mess, George déjeuna seul, sans prendre la peine de se présenter à d'autres officiers, comme il le faisait d'ordinaire. L'endroit se trouvait derrière l'une des redoutes devant lesquelles il était passé pour venir prendre un repas dont il n'avait pas envie. Les fortins et les tranchées voisines, où s'entassaient des soldats écrasés de fatigue et d'ennui, dégageaient des odeurs de plus en plus malsaines à mesure que la température s'élevait. Le regard sur son assiette, George songeait à une perte qu'il ne pouvait encore accepter ni même croire.

Une musique lointaine montant des lignes lui fit lever la tête. Un fifre, bientôt rejoint par un cornet et un tambour, jouait *Dixie's Land*.

— Ils remettent ça, se plaignit un capitaine à ses voisins de table.

D'une tranchée, une voix lança :

— Hé ! Johnny, arrête ta rengaine. Retourne chez toi frapper tes nègres, s'il t'en reste.

En réponse s'élevèrent des cris rebelles, à présent plus amusants qu'effrayants. George se couvrit le visage des mains, les laissa aussitôt retomber sur son giron quand il songea qu'on l'observait peut-être.

— Les voilà ! annonça quelqu'un au-dehors. Laissez-les passer, les gars.

Des acclamations fusèrent ; plusieurs officiers avalèrent hâtivement une dernière bouchée et sortirent. Soudain les premières mesures de *John Brown's Body*, jouées par une clique plus nombreuse, couvrirent la musique sudiste. Des applaudissements saluèrent ces représailles musicales.

Seuls ou en groupes, d'autres officiers quittèrent le mess, jusqu'à ce que George fût le dernier à demeurer assis devant une des tables graisseuses. Il se leva lentement, sortit en traînant les pieds. Les deux groupes de musiciens jouaient le plus fort possible, pour tenter de noyer l'autre camp sous les flots de leur musique. George fut stupéfait de voir des soldats en manches de chemise assis sur les parapets des redoutes ou au bord des tranchées, prenant le soleil, savourant la fumée de leur pipe ou quelque raillerie lancée à ceux d'en face.

Il s'approcha des tranchées puantes et aperçut, de l'autre côté d'une bande de terrain piétinée et creusée de cratères, de petites silhouettes grises sorties de leurs fortifications.

Le conflit musical se transforma bientôt en tintamarre, chaque mélodie massacrant l'autre. Tout à coup, George entendit des invitations à faire silence ; les deux groupes se turent.

Des notes douces et perçantes s'égrenèrent. La main en visière, George en chercha la source, finit par la trouver. Le joueur de cornet, peu doué ou plus probablement très jeune, s'était hissé sur une redoute à demi démolie. Sa chemise en lambeaux flottait autour de lui ; son instrument étincelait au soleil.

George reconnut la chanson avant d'entendre les voix des soldats ennemis sortant des tranchées pour entourer le cornettiste. C'était un air qu'on jouait et qu'on chantait très souvent dans les deux camps. Près de lui, un sergent entonna :

Aussi humble notre demeure soit-elle
Elle est à nulle autre pareille

Un baryton se joignit à lui, un ténor l'imita. Les voix s'enflèrent, dans le camp de l'Union et chez les Confédérés, s'unirent en un seul chœur.

Billy Yank ou Johnny Reb, ils se tenaient sous le regard de ceux qui, en d'autres lieux, à d'autres heures, s'appliquaient à les tuer. Deux ou trois soldats de l'Union firent signe aux hommes d'en face qui, çà et là, leur rendirent leur salut. Mais surtout, ils chantaient, avec la ferveur d'une assemblée de fidèles dans une église, comme si ces Américains accusés de tirer sur d'autres Américains proclamaient que, au fond de chacun d'eux, quelque chose luttait contre cette idée atroce. Ils le disaient avec les clichés d'une chanson sentimentale — et avec des larmes, comme George s'en aperçut soudain. Il vit au moins une douzaine de soldats pleurer en chantant :

O douce maison
Tu es à nulle autre pareille

Les voix moururent, le cornet fit entendre sa dernière note. George remit sa casquette, tira sur la visière. Il se sentait redevenu en partie lui-même, conscient de ses responsabilités. La chanson lui avait rappelé Belvedere, Madeline, qui ignorait probablement la mort de son mari.

George répugnait à l'idée de lui apprendre la nouvelle mais il serait encore plus cruel de n'en rien faire. Aucun message de Richmond ne parviendrait en Pennsylvanie — et il n'était même pas sûr que Madeline eût été informée si elle était restée dans le Sud. George avait entendu dire que tout allait à vau-l'eau dans l'autre camp. C'était lui qui devait se charger de cette tâche.

En partant rejoindre ses hommes — qui avaient mangé avec les soldats d'un des régiments noirs — il décida qu'il fallait écrire immédiatement. Il enverrait la lettre à Constance, s'en remettrait à elle quant à la meilleure façon de mettre Madeline et Brett au courant.

Riant et plaisantant, les Nordistes continuaient à prendre le soleil dans l'air doux de l'après-midi. Un coup de feu retentit.

— C'est vraiment moche, ça, Johnny ! s'écria un soldat bleu.

Les hommes s'abritèrent avec une rapidité remarquable. L'intermède était terminé, le concert des fusils allait reprendre.

122

Février. Dans l'obscurité pesant sur Washington, un effroyable orage se déchaînait. Les éclairs donnaient d'étranges reflets au gros pendentif que Jeannie Canary portait entre ses petits seins pointus. Etendue nue sur le lit moite, elle jouait joyeusement avec son nouveau joyau.

Stanley noua la ceinture de son peignoir en velours bleu roi, vida dans son verre le fond de la carafe de whisky. Chaussé de mules en peluche, il alla à l'office de l'appartement de cinq pièces où il avait installé sa maîtresse, revint avec une bouteille et emplit son verre à ras bord.

— Tu picoles sec, ce soir, trésor, commenta Miss Canary.

— Du carburant pour la machine à penser, expliqua Stanley.

Et une défense contre la peur constante de tout perdre : sa petite danseuse, les six millions de dollars inscrits dans la colonne profits de Lashbrook, son influence dans les milieux républicains. Il lampa d'un coup la moitié de l'alcool.

Miss Canary était trop avisée pour critiquer plus qu'il ne fallait la source de son bien-être. Elle abandonna le sujet de la boisson pour revenir à une requête familière :

— J'aimerais tant assister avec toi à l'inauguration de Mr. Lincoln.

— Je te l'ai déjà dit, c'est impossible.

Isabel rentrerait pour la circonstance d'un long séjour a Newport. Elle avait dépensé sans compter afin de transformer Fairlawn en un lieu de résidence permanente et s'y était installée sans demander l'autorisation d'aucun membre de la famille. Les trois frères Hazard possédaient la propriété en commun mais Isabel n'en avait pas tenu compte lorsqu'elle l'avait occupée, l'automne précédent, après avoir placé les incorrigibles jumeaux dans un pensionnat du Massachusetts. Cet établissement soutirait de grosses sommes aux parents voulant chasser leur progéniture de leur vue et de leurs pensées.

Stanley et Miss Canary avaient discuté plusieurs fois de la cérémonie d'entrée en fonctions du président, prévue pour le premier samedi de mars. Pour compenser son refus de l'y emmener, Stanley avait offert à la danseuse le pendentif — du verre, mais elle était incapable de s'en apercevoir. Par gratitude, elle s'était livrée une heure plus tôt à un acte dont la seule mention eût plongé Isabel dans un état catatonique.

Mais à présent, Miss Canary revenait à la charge :

— J'ai tellement envie de voir le président de près. Je l'ai jamais approché.

— Tu n'as rien perdu, crois-moi.

— Toi, tu le rencontres souvent, hein ? C'est vrai qu'il se baigne jamais ?

— C'est une remarque fort exagérée.

— Mais on dit que les femmes l'évitent parce qu'il sent, reprit la danseuse en se grattant.

— Certaines femmes l'évitent parce qu'il raconte des histoires salées. De l'humour de fermier de l'Ouest, lâcha Stanley avec dédain. Mais elles l'évitent surtout à cause de son épouse. Mary Lincoln est une harpie jalouse. Elle se met dans tous ses états si son mari reste seul plus de cinq secondes avec une autre femme.

— Tu veux dire seul avec une femme, comme nous en ce moment ? gloussa Miss Canary.

« Décidément, elle a la cervelle qui va avec son nom », soupira Stanley intérieurement.

— Non, trésor, répondit-il en commençant à s'habiller. Je parlais des femmes à qui il parle pendant les réceptions, les cérémonies officielles.

— Tiens, ça me rappelle un truc que j'ai entendu au théâtre. Il paraît que certains acteurs — je connais pas leurs noms — voudraient enlever ou tuer le président. C'est des prosudistes, ces types.

Stanley étouffa un rot en boutonnant sa chemise.

— Si on me donnait un penny pour toutes les histoires de ce genre qui courent en ville, nous aurions bientôt assez d'argent pour nous rendre en Egypte.

— Tu veux m'emmener en voyage ?

Il leva précipitamment la main.

— C'était juste un exemple.

Cette pauvre fille mettait parfois sa patience à rude épreuve mais il lui pardonnait toujours quand elle faisait montre de ses talents sexuels.

— Faut vraiment que tu partes, chéri ?

— Oui, je reçois quelqu'un à neuf heures et demie.

— A propos de recevoir, j'attends toujours le chèque de ce mois-ci pour le loyer.

— Ah bon ? Je vais tirer les oreilles de mon comptable. Tu l'auras demain sans faute.

Elle lui fit longuement goûter sa langue pour montrer sa satisfaction. Après une dernière lampée de whisky, Stanley enfila son manteau et sortit. La voiture qui l'attendait le conduisit par des rues mouillées de pluie à la grande maison de la rue I. Depuis le départ d'Isabel, il y passait peu de temps ; ses vastes pièces vides lui faisaient parfois même regretter les jumeaux, mais il ne laissait jamais ce sentiment stupide avoir longtemps le dessus.

Les domestiques avaient allumé les lampes à gaz et servi des rafraîchissements pour l'invité, qui n'arriva qu'à onze heures moins le quart.

Ben Wade se débarrassa de sa cape trempée, que le maître d'hôtel ramassa par terre. Stanley fit signe au domestique, qui sortit et ferma la porte derrière lui. Wade se mit à marcher de long en large devant la cheminée pour se réchauffer.

— Désolé de ce retard, s'excusa-t-il. J'ai attendu le retour de la *River Queen*. (Il se frotta les mains avec une satisfaction évidente.) Mr. Seward et notre chef bien-aimé ont effectivement rencontré les émissaires confédérés à Hampton Roads, mais on m'a dit qu'il n'y aurait pas d'armistice.

— Toujours les mêmes points d'achoppement ?

Wade acquiesça :

— La question d'une seule nation. Le président continue à insister sur ce point, Davis s'obstine à refuser. Cela signifie que vous aurez encore quelques mois pour vendre des bottines à l'armée, conclut l'homme politique avec un sourire malicieux. (Il s'éloigna de la cheminée, prit une assiette et une fourchette, piqua un morceau de dinde dans un plateau d'argent.) J'ai d'autres nouvelles.

— Celles que j'attends, j'espère. .

— Pas tout à fait. Je ne vous apporte pas le poste de directeur du Bureau d'assistance aux affranchis.

— Pourquoi ? Le Congrès refuse d'établir cet organisme ?

— Oh ! non. Ce sera fait ce mois-ci — le mois prochain au plus tard.

La question du Bureau était débattue depuis que la défaite de la Confédération paraissait assurée. Il devait s'occuper de toutes les questions concernant les millions de Noirs libérés dans le Sud, depuis la distribution des terres jusqu'à l'installation de colonies. Cela représentait un pouvoir considérable mais dont Stanley soupçonnait à présent qu'il n'aurait pas une miette — s'il interprétait correctement l'attitude du sénateur.

— Ben, j'ai donné au parti de sacrées sommes, plaida-t-il. En automne encore, des milliers de dollars rien que pour essayer d'évincer le candidat en fonction — ce qui se révéla d'ailleurs impossible. J'estime que ma contribution me donne au moins le droit de poser une question : pourquoi ne puis-je obtenir ce poste ?

— Eh bien..., commença Wade, qui semblait hypnotisé par le morceau de dinde fiché sur sa fourchette.

— Répondez franchement, Ben.

— Bon. Ils veulent un homme ayant plus d'expérience. Un général, par exemple. Oliver Howard semble bien placé.

Stanley avait compris : le groupe de Républicains extrémistes qui décidaient à présent de toutes les questions importantes — les hommes qui se vantaient en privé de ne pas avoir besoin d'un assassin pour neutraliser le président parce qu'ils l'avaient déjà fait — le jugeaient incompétent.

Bien entendu, dans la bouche de Wade, le mot « ils » était inapproprié car le sénateur faisait partie du groupe. Il avait lui aussi donné son avis. Malgré les chiffres s'alignant dans la colonne bénéfices de l'usine Lashbrook, malgré la frénésie avec laquelle Stanley s'étourdissait auprès de danseuses de music-hall, malgré la quantité de whisky qu'il engloutissait, il ne pourrait jamais se masquer ce qu'il était. Cela faisait mal, et il se versa un autre verre de son médicament.

— Le général Jake Cox est aussi sur les rangs, ajouta Wade. Dieu protège les rebelles s'il obtient le poste ! Vous savez ce que Sam Stout et lui proposent, non ?

— Je ne le pense pas, répondit Stanley d'une voix éteinte.

Pour le tirer de sa morosité, Wade poursuivit avec entrain :

— De faire de la Caroline du Sud une sorte de Liberia américain, peuplé et gouverné par des nègres — que, bien entendu, nous encouragerions à s'y installer. Il y a quelque chose dans cette idée, je dois dire.

Wade conclut par un ricanement auquel Stanley ne se joignit pas. Essayant une tentative plus directe, le sénateur prit amicalement son hôte par les épaules.

— Ecoutez, Stanley, il n'a jamais été garanti que je pourrais vous obtenir ce poste. Je veillerai à ce que vous soyez parmi les adjoints, si vous le désirez. De toute façon, le vrai pouvoir est à ce niveau, dans les mains de ceux qui rédigent les documents et assurent le fonctionnement journalier du Bureau. Un mollasson comme Howard ne sera là que pour le décor. Voilà pourquoi je soutiens sa candidature au poste. Lorsqu'il l'aura obtenu, nous serons ceux qui, en coulisse, feront réellement danser les Noirs au son d'un air républicain le jour des élections. Et tout le pays dansera bientôt aussi. En un an, de parti minoritaire nous pouvons devenir parti unique — si nous accordons la liberté aux nègres sans cesser de les contrôler.

L'éclat du regard de Wade, la ferveur tranquille de sa démonstration apaisèrent et convainquirent Stanley.

— D'accord, Ben. Je prendrai le plus haut poste qu'on m'offrira au sein de ce Bureau.

— Formidable !

Wade n'eut pas le temps de donner une tape dans le dos de Stanley, qui se dirigeait déjà vers la desserte et les bouteilles.

— Mon vieux, je m'excuse de vous en faire la remarque mais vous buvez beaucoup ces temps-ci, dit le sénateur. Cela fait jaser.

Stanley souleva le verre qu'il venait de se servir, regarda son invité à travers le disque miroitant du whisky.

— Si on sait distribuer son argent à bon escient, personne n'écoute ce genre de ragots. Personne ne veut prendre le risque de tarir le flot de pactole. N'est-ce pas, Ben ?

Défié, Wade choisit de capituler.

— En effet, s'esclaffa-t-il, avant de lever vers Stanley son propre verre vide.

La bande de Cuffey comptait maintenant cinquante-deux membres (dont près d'un tiers de déserteurs blancs) qui vivaient sur un terrain fortement boisé et relativement ferme à la lisière d'un des marécages de l'Ashley. Ils avaient des armes à feu prises aux Blancs assassinés sur les routes et se nourrissaient de ce qu'ils volaient dans les petites fermes et les plantations de riz du district.

Trois fois Cuffey avait conduit ses pillards dans le poulailler de Mont Royal. La maison même, il la réservait pour un jour spécial. Il scrutait le ciel à la recherche de fumées révélatrices et envoyait régulièrement un de ses Blancs à Charleston pour savoir ce qui se passait là-bas.

Pendant l'année écoulée, il s'était découvert un talent inné pour mener les hommes, quelle que soit leur couleur. Il avait de l'assurance, de la ruse, aucune pitié. Comme il prenait plaisir à se gaver des vivres pris aux Blancs, son ventre s'était arrondi et son visage ressemblait à une roue de fromage.

Au cours des journées brèves et fraîches de début février, il observa le ciel avec une impatience croissante. Il savait que Sherman, général dont il admirait les méthodes et la réputation, était passé par Beaufort puis Pocataligo et remontait à présent vers le nord, avec probablement Columbia comme objectif final. Bientôt, le général confédéré de Charleston devrait affecter précipitamment la plupart de ses troupes à la défense de la ville, raisonnait Cuffey. Tout le district de l'Ashley serait alors sans protection — attendant le bon plaisir de l'ancien esclave.

Un soir de la seconde semaine du mois, il était nonchalamment étendu près d'un feu où rôtissait une colombe embrochée sur un bâton, et repensait aux cuisses blanches de la femme avec qui il avait pris son plaisir une heure plus tôt. La bande avait recruté deux Blanches, souillons de plus de quarante ans, ainsi que deux jeunes mulâtresses pour satisfaire les besoins des hommes. Cuffey se grattait l'entrejambe en se demandant si la catin ne lui avait pas transmis sa vermine quand des cris s'élevèrent sous les chênes bordant un côté du campement. Il laissa tomber par terre l'oiseau empalé, se mit debout d'un bond en criant :

— Qu'est-ce que c'est que ce raffut ?

— Un prisonnier, répondit un jeune blond barbu en veste grise. On l'a ramassé sur la route.

Le barbu, déserteur georgien, aimait tuer, ce qui faisait de lui un des meilleurs hommes de Cuffey. Les mains sur la panse, ce dernier le regarda traîner vers le feu, avec l'aide de deux Noirs, un petit chauve terrorisé.

— Amène-le par ici, Sunshine, ordonna Cuffey au Georgien avec l'autorité qu'il avait appris à mettre dans sa voix et ses gestes.

Le barbu surnommé Sunshine piqua le dos du prisonnier avec une baïonnette qu'il tenait comme une dague. Lorsque le captif sortit de l'ombre, Cuffey ouvrit la bouche toute grande.

— Seigneur Dieu ! Mr. Jones.

— C'est... Tu n'es pas... ? bredouilla Salem Jones, qui ne parvenait pas à croire à sa chance.

Autour d'un autre feu, une demi-douzaine d'hommes entonnèrent le chant dont l'armée de Sherman accompagnait sa marche depuis Savannah :

> *Salut, Columbia, ville heureuse,*
> *Que je sois pendu si je ne te brûle pas !*

— Oui, Mr. Jones, c'est bien moi, dit Cuffey.

Il eut un sourire destiné à entretenir un instant l'illusion du prisonnier puis saisit soudain l'oreille droite de l'ancien régisseur et la tordit sauvagement.

— Le petit nègre que tu battais et injuriais. C'est moi le patron, maintenant. Le chef de cette foutue bande. Montre-moi donc un peu de respect.

Cuffey accentua la torsion, Jones tomba à genoux en beuglant. Les chanteurs s'interrompirent, le prisonnier se frotta l'oreille, ensanglantée au lobe. Le Noir ricana, ramassa la colombe et, avec quelque difficulté due à son embonpoint, s'accroupit à nouveau devant le feu.

— Qu'est-ce que tu es revenu faire en Caroline du Sud, Mr. Jones ? Je croyais que tu t'étais sauvé chez les Yankees.

— Il s'est sauvé aussi de chez eux, gloussa Sunshine.

De la pointe de sa baïonnette, il toucha le D rouge sombre imprimé dans la joue gauche de Jones.

— J'avais entendu dire qu'il y avait une bande quelque part dans les marais, expliqua l'ancien régisseur. Je la cherchais mais je savais pas que t'en étais le chef.

— Ça, je m'en doute, que tu le savais pas ! s'exclama Cuffey en remettant la colombe à rôtir. Mr. Jones, tu es tombé sur une bonne bande. On vit comme des coqs en pâte, ici. Et dès que le général Hardee quittera Charleston, on se paiera vraiment du bon temps, le long de la rivière. On ira faire un petit tour dans une plantation appelée Mont Royal. Ça te rappelle quelque chose ? Sale fumier de Blanc !

Cuffey leva soudain son bâton et appliqua la colombe brûlante contre le cou du prisonnier, qui tomba sur le côté en hurlant. Le Noir gloussa, remit l'oiseau au-dessus des flammes.

— Pour Mont Royal, j'ai préféré attendre qu'on soit plus embêtés par les soldats rebelles. Il y en a plus pour longtemps, maintenant. Oh ! ce sera une belle fête. Mr. Cooper est là-bas, avec sa femme, sa petite fille, et une garce prétentieuse à la peau noire. J'ai toute une bande de paillards qui sont impatients de les voir. En attendant...

Cuffey passa la langue sur ses incisives cariées.

— On va s'amuser un peu avec toi. Pas vrai, Sunshine ?

— C'est sûr, patron, gloussa le jeune Georgien.

Jones s'agrippa aux jambes du Noir en gémissant :

— Je t'en prie, me fais pas mal. Laisse-moi entrer dans ta bande.

— Quoi ? qu'est-ce que tu racontes ?

— Je les hais, ces gens. Je hais toute la famille autant que toi. Orry Main m'a mis à la porte, traîné dans la boue. Ecoute, je sais que je t'ai pas bien traité mais les temps ont changé.

— Ça, tu peux le dire, approuva Cuffey. C'est nous le dessus du panier, maintenant.

— Laisse-moi faire partie de ta bande, plaida Jones. Je sais me servir d'un fusil. J'obéirai aux ordres, je le jure. Je t'en prie.

L'ancien esclave toisa l'homme agenouillé devant lui, eut un sourire nonchalant et lança un regard interrogateur à Sunshine, qui haussa les épaules.

— Bon, dit Cuffey en allongeant le mot pour tourmenter le prisonnier. Peut-être. Mais faudra le demander mieux que ça, Mr. Jones. Faudra me supplier un sacré moment avant que je dise oui.

Il avait cependant déjà décidé d'accepter. La perspective de marcher sur Mont Royal et de raser la plantation, de la faire disparaître à jamais avec l'ancien régisseur dans sa petite armée le séduisait trop pour qu'il laisse passer l'occasion.

123

Le lendemain matin, Charles arriva vers dix heures à l'endroit où la route longeant la rivière coupait l'allée menant à la grande maison. Son poncho pesait lourdement sur ses épaules et lui donnait trop chaud. Il fuma un bout de cigare — le dernier qu'il avait — en contemplant la ligne familière du toit, les terrasses, la glycine montant à l'assaut de la cheminée.

De la fumée s'élevait du bâtiment des cuisines, dont une jeune Noire sortit pour se diriger vers la résidence principale. Une corneille passa devant lui, piquant vers le sol. S'il avait été moins las, Charles aurait ri. Il était chez lui.

L'avant-veille, il était passé près de la route suivie par l'armée du général Sherman et avait vu des lueurs dans le ciel : la cavalerie de Kirkpatrick ouvrait la marche et signalait sa position à l'infanterie, lui avait expliqué un paysan apeuré. Les hommes de Kirkpatrick chevauchaient vers Columbia le long d'une route bordée de pins en flammes. C'était cet incendie qui embrasait le ciel la nuit et l'obscurcissait le jour de panaches de fumée résineuse.

— Je les ai entendus parler, ces types, avait ajouté le fermier tandis que Charles se désaltérait à son puits. Ils disent qu'ils vont faire disparaître le berceau de la sécession. C'est ici que la trahison a commencé, c'est ici qu'elle va finir, qu'ils disent.

— Ils ne parlent pas à la légère, avait prévenu Charles. A votre place, je conseillerais aux femmes de la maison de se cacher et je m'attendrais au pire. Merci pour l'eau.

En définitive, Sherman avait continué droit vers le nord, laissant de côté le district de l'Ashley. Charles remonta l'allée d'un pas lent, promenant autour de lui un regard étonné : Mont Royal semblait ne pas avoir été touché par la guerre. Il remarqua ensuite que les bâtiments étaient mal entretenus et les esclaves invisibles. Combien d'entre eux s'étaient enfuis ?

Les indices se multipliaient à mesure qu'il avançait. De hautes herbes avaient envahi les pelouses ; un chariot sans roues avant était abandonné près du bureau du régisseur. Spectre sale et barbu portant un revolver à la hanche, Charles continua jusqu'à la maison sans qu'une porte ou une fenêtre ne s'ouvrît.

Des buissons d'azalées entourant la glycine montraient des boutons précoces : le temps avait été exceptionnellement chaud pour la saison. En parvenant au demi-ovale de l'allée, Charles découvrit une femme qu'un pilier du porche lui avait cachée jusque-là. A son approche, elle se leva de son fauteuil avec un vague sourire.

Il s'arrêta, pensa avec plaisir qu'il pourrait bientôt ôter ses bottes et baigner ses pieds couverts d'ampoules. A la petite femme boulotte s'avançant sur la terrasse, il dit simplement :

— Bonjour, tante Clarissa.

Elle fronça les sourcils, l'examina, regarda plus particulièrement son revolver et le sabre enveloppé de toile qu'il portait sous le bras. Puis elle plaqua ses mains sur son visage et, morte de peur, se mit à crier.

Cette façon d'annoncer le retour de Charles fit bouger les occupants de la maison. Deux des domestiques sortirent en courant pour s'occuper de Clarissa. « Comme ils sont vieux et voûtés ! » pensa Charles, attendant d'être reconnu.

— Charles ? Charles Main ?

Il rabattit son chapeau en arrière mais ne parvint pas à sourire.

— Oui, Judith, c'est moi. Que faites-vous ici ?

— Je brûle de vous poser la même question.

La femme de Cooper se précipita vers lui pour le prendre dans ses bras, le sentit se raidir à son contact. Il portait des vêtements sales, puants.

L'un des deux vieux Noirs aidant Clarissa à rentrer jeta au nouveau venu un regard curieux mais ne le salua pas. Charles savait que l'homme l'avait reconnu. Jadis, un maître sévère aurait châtié à coups de fouet un tel manque de respect. Les choses avaient certainement changé.

— J'ai perdu mon cheval à Petersburg, répondit-il à Judith. Je suis venu jusqu'ici chercher une remonte.

— Les trains roulent ?

— Quelques-uns, mais j'ai surtout marché. Quand j'ai quitté la Caroline du Nord, je pensais trouver un cheval — ou au moins une mule — avant d'aller si loin. Erreur, conclut Charles au moment où le frère aîné d'Orry s'avançait sur la terrasse.

En manches de chemise, une règle sous un bras, Cooper reconnut son cousin et cria son nom joyeusement. Mari et femme conduisirent Charles dans la maison si chère à son cœur et qu'il regardait pourtant à peine. Une pensée l'obsédait : savent-ils, pour Orry ?

De l'autre côté de l'allée d'où Charles avait découvert Clarissa, un mouvement agita un buisson mais personne, dans l'excitation causée par l'arrivée de Charles, ne le remarqua.

Lorsque la porte de la maison se referma, un jeune homme à la peau café-au-lait s'éloigna en rampant dans les herbes. Il était pieds nus et son pantalon de toile élimé portait à l'endroit des fesses une étoile jaunissante. Quand le fond du vêtement avait été usé, la mère du jeune homme, morte depuis, l'avait raccommodé avec de la flanelle blanche et de l'imagination. Elle avait cousu sur le pantalon de son fils, alors encore esclave, l'étoile du Nord — l'étoile de la liberté.

Le jeune Noir envoyé à Mont Royal estimer le nombre d'hommes restés à la plantation y était né et avait passé la majeure partie de sa vie au village des esclaves. A présent, il avait de vraies nouvelles à donner.

Charles se baigna dans un grand baquet en zinc dans la chambre de Judith et Cooper — la vaste pièce où avaient dormi Tillet et Clarissa puis, sans doute, Orry et Madeline.

Il passa une chemise et un pantalon empruntés à Cooper, descendit au rez-de-chaussée, où son arrivée avait causé une grande agitation. Des nègres allaient et venaient dans toute la maison — presque comme s'ils étaient les égaux de Judith et Cooper, pensa Charles sans animosité. Il constatait simplement un autre changement remarquable. Il fit la connaissance d'un contremaître musclé nommé Andy et d'une jolie Noire appelée Jane, qui lui serra la main gravement en disant :

— J'ai entendu parler de vous.

Son regard assuré, ni hostile ni amical, déclarait clairement : je sais que vous appartenez à l'armée qui combat pour maintenir mon peuple dans les fers.

Philemon Meek, le nouveau régisseur, entra d'un pas traînant pour prendre avec eux le repas de midi — aussi consistant que possible, expliqua Judith avec embarras. Chaque assiette contenait un peu de riz au safran, des pois, une mince tranche de pain de maïs et deux petits morceaux de poulet réchauffés pour la deuxième ou la troisième fois.

— Ne vous excusez pas, dit Charles. Comparé à ce qu'on nous donne là-haut, c'est un festin.

La salle à manger, dont les riches boiseries miroitaient, était pour Charles à la fois familière et réconfortante. Il se mit à engloutir la nourriture sous le regard de Meek, par qui il apprit l'existence d'une bande opérant dans les parages. Esclaves en fuite et déserteurs de l'armée, ils se conduisaient comme les pillards traînant dans le sillage des troupes de Sherman.

— Mais cette bande-ci s'est installée dans le bas pays, précisa le régisseur. Leur chef est un de vos vieux camarades — un nègre commé Cuffey.

Surpris, Charles cessa de mastiquer, commença à s'essuyer les lèvres du dos de la main, s'aperçut que Marie-Louise, devenue une jolie jeune fille, l'observait. Au-dessus de sa barbe, ses joues s'empourprèrent tandis qu'il prenait furtivement sa serviette.

— Cuffey, répéta-t-il. Ça alors... Vous pensez qu'il pourrait attaquer Mont Royal ?

— Nous nous sommes préparés à cette éventualité, répondit le vieillard.

— Il me semble qu'il ne reste pas beaucoup d'hommes à la plantation. Excepté votre contremaître, tous ceux que j'ai vus ont des cheveux gris.

— Ils ne sont plus que trente-sept, admit Cooper. Ce qui suffit à peine à faire tourner le domaine. J'ai envisagé un moment de fermer complètement la rizerie mais comment survivrions-nous ? Je ne parle pas seulement de la famille, je pense à tout le monde. En particulier les vieux nègres, trop usés et effrayés pour s'enfuir.

— Ce qu'ont fait les autres, je présume ?

Cooper acquiesça de la tête.

— La liberté est un aimant pour les hommes. L'un des plus puissants de la création. C'est une réalité que j'ai souvent soulignée à mon père, sans résultat. Je l'ai moi-même oubliée un moment, j'ai honte à l'avouer. Ah ! ne remuons pas le passé. Donne-nous plutôt des nouvelles de Virginie. As-tu vu Orry et Madeline, à Richmond ?

Assise à la gauche de Charles, Clarissa n'avait pas touché au maigre repas. Les mains jointes sous la table, elle le regardait avec des yeux d'enfant effrayé depuis qu'ils avaient pris place à table.

Le poulet recuit, succulent l'instant d'avant, eut soudain pour Charles un goût de papier mâché. Considérant Clarissa, il se dit que la folie avait au moins un avantage : elle ne comprendrait pas. Lentement, il posa sa serviette à gauche de son assiette.

— Je ne m'attendais pas à être le porteur de la mauvaise nouvelle.

Judith se pencha en avant.

— L'un d'eux est malade ? Madeline, peut-être ?

Des souvenirs défilèrent dans la tête de Charles, notamment ceux de l'époque où Orry le préparait à l'examen d'entrée à West Point. Le précepteur allemand que son cousin avait engagé le forçait à lire les Evangiles pour leur valeur littéraire comme pour leur contenu religieux. Charles se rappela un passage qu'il n'avait jamais totalement compris jusqu'alors : le moment où le Christ demande avant d'être crucifié : « Mon Père, s'il est possible, que cette coupe passe loin de moi. »

— Charles ? murmura Cooper, d'une voix quasi inaudible.

Naturellement, Charles dut boire la coupe.

Salem Jones, agenouillé, entendit le brouhaha derrière la couverture tendue le long d'une plante grimpante pour donner un peu d'intimité. Il se retira de la femme blanche sale et soûle qui roulait la tête d'un côté à l'autre en l'implorant de recommencer. Mais il reboutonnait déjà son pantalon.

Il ramassa sa chemise, fit le tour du grand chêne auquel il avait attaché l'extrémité de la liane. Les habituels feux du soir soufflaient de la fumée et des étincelles vers les étoiles. Jones avisa Cuffey assis sur la souche où il aimait trôner comme un foutu chef de tribu d'Afrique, pensa l'ancien régisseur avec rancœur. Il s'approcha pour connaître la raison de l'agitation régnant dans le camp.

Des hommes se pressaient autour de Cuffey ; Sunshine, qui revenait d'une mission de reconnaissance dans les environs de Charleston, et un jeune Noir au teint clair dont Jones ne connaissait pas le nom parlaient tous deux en même temps.

— Hardee s'est mis en marche, je l'ai vu, déclara le blond barbu. A cette heure, y a plus de troupes du tout dans la ville.

— C'est ce que j'attendais, dit Cuffey en souriant. Hé, Jones, t'as entendu ?

— Oui, oui.

— C'est pas tout, ajouta Cuffey. Lon (il désigna le jeune Noir au pantalon orné d'une étoile de flanelle) a repéré un vieil ami ce matin à Mont Royal. Le cousin Charles... On était copains lui et moi, dans le temps, fit le chef de bande avec une expression pensive. On allait à la pêche ensemble. On faisait de la lutte, aussi.

Il cracha dans les flammes. Autour de lui, les hommes se poussaient du coude en ricanant : ils sentaient la fin d'une ennuyeuse période d'inaction. Cuffey se leva, glissa ses pouces sous la ceinture de son pantalon et fit le tour du feu en se rengorgeant.

Jones le contempla en grattant distraitement le D marquant son visage. Il haïssait le jeunot ignorant surnommé Sunshine mais avait une certaine reconnaissance à l'égard de Cuffey, qui l'avait épargné et lui avait permis de s'intégrer à la bande en prévision de la prochaine grande razzia.

— On attend encore un jour, annonça le chef. Peut-être deux. Jusqu'à ce qu'on soit sûrs que les soldats sont partis.

A travers les flammes bondissantes, il regarda Salem Jones et poursuivit :

— Alors on ira à Mont Royal. On rasera la maison et on tuera tout ce qui respire.

— Le jeune Charles nous donnera peut-être du fil à retordre, argua l'ancien régisseur.

— J'espère bien, répliqua Cuffey. Si on s'affronte une dernière fois à la lutte, je sais qui perdra.

124

Renvoyé chez lui avec une blessure à la poitrine, Billy dormit longtemps. Il n'était pas encore réveillé quand Constance, le teint blafard, apporta la lettre à Brett dans la bibliothèque.

— C'est de George. Assieds-toi avant de la lire.

La nouvelle de la mort d'Orry s'abattit sur la jeune femme avec la force d'une masse. Elle sentit tout son corps mollir, eut peine à trouver sa respiration. Avec de petits gémissements, elle agita la feuille de papier d'un air perdu puis la laissa retomber sur ses genoux en secouant la tête.

— Je ne comprends pas. D'après Madeline, il était resté à Richmond.

— C'est ce que nous pensions toutes.

Brett se mit à sangloter. Au bout d'une minute, elle s'arrêta de pleurer avec une soudaineté surprenante. Son visage prit une expression dure et Constance tourna la tête pour voir ce que sa belle-sœur regardait : le précieux météorite, à sa place sur la table de la bibliothèque.

— Qu'ils soient maudits, murmura la jeune femme. Avec leurs grands discours sur leurs droits. Avec leurs armes !

Elle se leva. Constance fut trop lente pour l'empêcher de saisir le météorite, dont tout le monde dans la maison connaissait la signification. Pivotant sur elle-même, Brett le lança vers la fenêtre la plus proche.

Le projectile brisa la vitre, continua sa trajectoire au-dessus de la pelouse baignée de soleil. Prise de panique, Constance pensa : « George ne me pardonnera jamais si on ne le retrouve pas. Il faut que j'aille le chercher tout de suite. » Elle eut aussitôt honte de sa réaction : rester avec la sœur d'Orry était plus important.

Brett s'effondra sur une ottomane, se remit à pleurer.

— Je suis... désolée, hoqueta-t-elle. J'irai... j'irai le rechercher. Je sais que George y tient beaucoup. Mais je n'ai pas pu...

Constance ne saisit pas le reste de la phrase entrecoupée de sanglots.

« Quelle femme admirable Billy a épousée, pensa-t-elle une demi-heure plus tard. Dans la même situation, me serais-je montrée aussi forte ? » Brett avait séché ses yeux gonflés, relevé quelques mèches défaites et ramassé la lettre en disant :

— Il faut que je monte parler à Madeline. Elle est dans son boudoir ?
Constance acquiesça :

— Elle avait envie de lire un peu. Veux-tu que je t'accompagne ?

— Merci, mais je crois qu'il vaut mieux que j'y aille seule.

Lentement, Brett fit le tour de la table où le météorite avait retrouvé sa place sur le bois luisant. En un instant, la jeune femme avait conçu pour cet objet — pour ce qu'il signifiait , pour ce qu'il rendait possible — une haine qui durerait jusqu'à sa mort.

Dans le vestibule, elle tendit la main vers la rampe de l'escalier, leva les yeux vers le premier étage. Elle refoula de nouvelles larmes, des images d'Orry surgissant dans sa tête, et posa le pied sur la première marche.

La montée parut durer des heures. Enfin, elle arriva en haut, descendit le couloir vers le boudoir de Madeline, dont la porte était entrouverte. Par l'entrebâillement, elle vit un coin de tapis inondé de soleil. La pièce donnait sur les collines couvertes de laurier, derrière la maison. D'une main tremblante, Brett frappa.

— Oui, entrez, répondit Madeline d'un ton enjoué.

« Entre, s'ordonna Brett. Entre ! »

— Qui est là ?

Dans un froufrou de jupons, Madeline alla ouvrir la porte toute grande. Elle tenait à la main un mince livre à tranche dorée et portait une de ses robes préférées, en soie d'un bleu si profond qu'il en paraissait presque noir.

— Brett ! Entre donc. Je relisais un poème de Poe qu'Orry aime beaucoup, lui aus... Ma chérie, que se passe-t-il ? L'état de Billy s'est aggravé ?

— Il ne s'agit pas de Billy mais d'Orry.

Les yeux sombres de Madeline s'emplirent d'appréhension. Elle posa le livre contre sa poitrine, comme un bouclier. Voyant la lettre que sa belle-sœur lui tendait, elle demanda :

— Il y a des problèmes à Richmond ?

— Orry n'est pas — n'était pas — à Richmond, dit Brett.

Pourquoi ne se décidait-elle pas ? Attendre ne ferait que prolonger leur angoisse à toutes deux.

— George a écrit. De très mauvaises nouvelles.

Madeline prit la lettre, s'approcha de la fenêtre. Brett, demeurée près de la porte, la regarda lire le recto, tourner la feuille. La première réaction fut la colère :

— Petersburg ? Comment a-t-il fait pour se retrouver sur le front ?

— J'aimerais pouvoir te répondre.

Madeline reprit sa lecture, lâcha soudain son livre, qui heurta le tapis avec un bruit sourd. Sa main froissa la lettre.

— Orry ! s'écria-t-elle avant de s'écrouler dans un bruissement de soie.

— Kathleen ! appela Brett dans le couloir. Kathleen, vite, des sels !

Des voix provenant d'en bas lui firent comprendre qu'on l'avait entendue. Brett se retourna, regarda Madeline gisant sur le magnifique tapis d'Orient. Elle avait repris conscience après un très bref évanouissement mais ne tentait pas de se relever. Couchée sur le flanc, la bouche à demi ouverte, elle tremblait. Lorsqu'elle posa son regard sur Brett, elle ne parut pas la reconnaître.

Paralysée, la femme de Billy fut un moment incapable de porter secours à sa belle-sœur ou même de lui parler. Billy avait été épargné mais Orry était mort. La douleur, impitoyable, devait encore être plus terrible pour Madeline. Comment trouverait-elle la force de survivre ?

Ou même une raison d'essayer ?

125

Charles s'éveilla à l'aube le dimanche 19 février. Il avait rêvé de Gus — cela lui arrivait souvent.

Ouvrir les yeux ne chassait pas la mélancolie du rêve ni l'image de la jeune femme. Augusta était une présence constante, s'insinuant fréquemment chaque jour dans ses pensées.

En bâillant, il prit son sabre de cavalerie, descendit aux cuisines. Il y trouva un pot de faux café concocté avec Dieu savait quoi — et pas un seul Noir. Il but la moitié du breuvage, qui avait un goût de sciure, jeta le reste et se mit en quête d'un chiffon.

Il retourna ensuite à la vieille demeure, appuya une chaise branlante contre un mur, sur la terrasse. De cet endroit, il découvrait l'allée ombragée d'arbres menant à la route et la route elle-même, brillante de soleil. Il ramassa une poignée de sable, en laissa tomber un peu dans le chiffon, l'humecta avec de la salive jusqu'à obtenir une consistance satisfaisante. Puis il se renversa contre le dossier de la chaise, tira le sabre de son fourreau et entreprit d'astiquer la lame ternie.

Le silence ressemblait à une attente. On vivait dans l'expectative depuis la veille, depuis que des rumeurs faisant état de l'incendie de Columbia s'étaient répandues dans le district.

Vers huit heures, chariots et hommes venant de Charleston commencèrent à passer sur la route. Parfois, de jeunes soldats en uniforme venaient quémander à boire et Charles les dirigeait vers le puits après les avoir interrogés :

— Que se passe-t-il là-bas ?

— Ça brûle. Le maire a remis la ville à ce fichu Teuton, le général Schimmel-machin-chose. On rentre tous à la maison. Le Sud est vaincu.

« J'aurais pu te dire ça un an plus tôt », pensa Charles. Il n'en fit rien, l'homme paraissait déjà assez malheureux comme cela. Cooper avait lui aussi l'air abattu lorsqu'il sortit sur la terrasse en pantoufles et en peignoir.

— Qu'est devenu Sumter ? demanda-t-il à l'un des soldats en guenilles.

— C'est plus qu'un tas de pierres. Les Yanks voulaient à tout prix le détruire.

— J'avais une maison dans Tradd Street. Vous croyez que l'incendie l'a épargnée ?

— Je pourrais pas vous dire, mais, à votre place, j'y compterais pas trop. Bon, si ça vous dérange pas, on va boire un coup, maintenant.

Après le départ des soldats, Cooper rentra dans la maison en secouant la tête. Charles se rassit sur la terrasse et se remit à fourbir la lame d'acier. Les fleurs gravées, le cartouche contenant les initiales C. S. et, de l'autre côté, l'inscription : *A Charles Main, sa famille qui l'aime. 1861.* Ce Charles-là était un autre, appartenant à un autre monde.

Vers midi arriva un cabriolet délabré conduit par Markham Bull, voisin et membre d'une famille importante. Agé d'une cinquantaine d'années, il semblait très agité. Il se trouvait à Columbia pour s'occuper des affaires d'une sœur récemment décédée lorsque Sherman était entré dans la ville. Il avait réussi à s'enfuir après l'incendie du vendredi soir, dont il donna confirmation :

— Toute la ville a flambé, ou peu s'en faut. Les Yankees prétendent que c'est Wade Hampton qui a craqué la première allumette pour détruire le coton plutôt que de les laisser s'en emparer. Vous imaginez la conduite de la soldatesque nordiste ! En comparaison, les Goths et les Vandales étaient des modèles de courtoisie. Ils ont même mis le feu à Millwood.

— La propriété de Hampton ? s'indigna Charles.

— Avec les portraits de famille, la magnifique bibliothèque — tout.

— Où est le général, maintenant ?

— Je l'ignore. J'ai entendu dire qu'il projetait de passer à l'ouest du Mississippi pour poursuivre le combat mais ce n'est peut-être qu'une rumeur sans fondement.

« Ce qui est sans doute vrai, c'est qu'il veut continuer la lutte », songea Charles tandis que Bull remontait dans son cabriolet. La perte de Millwood n'avait pu qu'accroître l'amertume du général, déjà éprouvé par la mort de son fils. Charles avait le pressentiment que beaucoup de Sudistes sombreraient eux aussi dans l'amertume au cours des prochains mois. Selon le degré de loyauté à l'égard du Sud, on verrait dans l'issue de la guerre un châtiment ou un malheur, mais dans un cas comme dans l'autre, la rancœur serait grande.

A mesure que la journée avança, les soldats en déroute se firent plus rares. De légers nuages voilèrent le soleil puis le cachèrent. Charles continuait à polir son sabre. Vers quatre heures, il avait redonné à la lame presque tout son éclat originel. Il cracha dans les azalées, s'étira, huma l'odeur marécageuse du vent. Une corneille croassa quelque part derrière la maison et il lui vint à l'esprit que les oiseaux étaient bien bruyants depuis une heure.

Vers la fin de l'après-midi, Cooper réapparut, pâle et tendu.

— Charles, viens donc voir.

Dans la bibliothèque, l'éclaireur découvrit Andy et un jeune Noir tout excité.

— C'est Jarvis, le fils de Martha, déclara Cooper. Répète ce que tu as vu, mon garçon.

— J'ai vu un tas de Blancs et de Noirs dans les marais, à un kilomètre des cases. Ils s'amenaient par ici.

— C'est combien, un tas ? demanda Charles.

— Quarante. Cinquante, peut-être. Ils ont des fusils. Ils se pressaient pas, ils rigolaient. Y en avait un sur une mule, gras comme un raton laveur en été.

— C'est sûrement Cuffey, suggéra Andy.

Charles remercia le garçon, Cooper fit de même et ajouta :

— Attends.

Il plongea la main dans une de ses poches, en sortit une pièce qu'il donna à Jarvis. Charles s'étonna de la persistance de vieux schémas de pensée chez un homme aussi libre d'esprit que son cousin. La scène avait été observée par la jeune Noire nommée Jane, apparue silencieusement sur le seuil de la bibliothèque. Elle s'écarta pour laisser sortir le garçon et posa sur Cooper un regard méprisant.

Charles se sentit à la fois tendu et soulagé : l'attente avait pris fin.

— Je me demande quand ils attaqueront, murmura Cooper.

— A la place de Cuffey, j'attendrais demain matin, quand nous serons fatigués d'avoir monté la garde toute la nuit, dit Charles. Il vaut mieux sortir les deux Hawken et tout ce qui peut servir d'arme.

Andy remua les lèvres en silence, comme s'il hésitait à donner son avis, et finit par le faire :

— Il serait peut-être plus sage de partir, Mr. Cooper.

— Non, répondit celui-ci d'une voix dont la fermeté et le calme surprirent Charles à nouveau. C'est chez moi, ici. Ma famille a bâti Mont Royal, je ne l'abandonnerai pas sans combattre.

— C'est aussi mon sentiment, approuva Charles. (Il eut un sourire las.) Même si ce n'est pas très intelligent.

— Et les autres sont censés risquer leur vie pour sauver un domaine où vous les considériez comme votre propriété ? explosa la jeune Noire.

— Jane..., commença Andy en s'avançant vers elle.

Cooper parut irrité mais sut maîtriser sa réaction :

— Personne n'est forcé de rester. Ni toi ni aucun autre.

— La plupart le feront, assura Andy. Moi, je reste. Mont Royal a quelques bons côtés.

— Oh ! oui, dit Jane, d'un ton démentant son approbation.

Elle passa devant Charles, s'approcha d'une rangée de livres, promena l'index sur les titres gravés en lettres dorées dans le cuir luxueux des reliures.

— En voici un exemple, poursuivit-elle. *Notes sur l'Etat de Virginie*, par Mr. Jefferson. De judicieuses remarques sur les esclaves et l'esclavage. Si le Sud en avait tenu compte, vous n'en seriez pas là.

— Vous nous ferez un cours plus tard, Miss Jane, intervint Charles, avec d'autant plus de sécheresse qu'il partageait l'opinion de la jeune fille. Pour le moment, nous devons rassembler les hommes.

— Et mettre les femmes et les enfants en lieu sûr, ajouta Cooper. Andy, tu y vas ?

Le Noir acquiesça, prit Jane par le bras et la fit sortir de la bibliothèque — trop énergiquement au goût de la jeune fille, qui se dégagea. Charles les entendit discuter en sortant de la maison.

Cooper jeta un coup d'œil à l'uniforme d'Orry avant de se laisser tomber dans un fauteuil. Il posa sur son cousin un regard sombre.

— Nous sommes dans de sales draps, n'est-ce pas ?

— J'en ai peur, répondit Charles. Ils sont supérieurs en nombre. Le mieux que nous puissions faire, c'est peut-être d'utiliser un vieux truc d'Indien que j'ai appris au Texas...

Il fronça les sourcils en découvrant qu'un des fils de cuivre entourant la poignée de son sabre était cassé. Il releva la tête, s'aperçut que Cooper attendait la suite.

— On tue le chef, et parfois le reste de la bande renonce.

— Cela me semble un espoir bien mince.

— En effet. Tu vois une autre solution ?

— Partir.

— Tu ne viens pas de dire que...

— Si. Je veux sauver Mont Royal, et pas seulement pour des raisons sentimentales. Nous en aurons besoin pour survivre après la capitulation. Si nous nous enfuyons, ils détruiront tout.

— Alors, c'est réglé. Nous restons.

— Toi, tu n'es pas obligé de le faire.

— Quoi ?

— Je parle sérieusement, Charles. Tu es venu chercher une remonte, pas te battre.

— Cousin, je ne sais pas faire autre chose que me battre. Les désagréments que nous avons connus m'ont rendu inapte à toute activité civilisée.

Les deux hommes se regardèrent, sans sourire. Charles se sentait nerveux, impatient, plein de l'excitation précédant la bataille. Au loin, une corneille lança un cri auquel un autre oiseau répondit.

126

Chaque fois que Virgilia entendait un attelage dans la 13e Rue, elle se précipitait à la fenêtre et était déçue. Pourquoi Sam avait-il tant de retard ? Un ennui à la maison ?

Une fois de plus, elle laissa retomber le rideau. Dehors, le soir de février tombait sur les Northern Liberties, banlieue où se trouvait le cottage de quatre pièces que Sam avait fait repeindre après l'avoir offert à Virgilia. Deux énormes chênes et une clôture de piquets blancs flambant neufs mettaient en valeur la petite bicoque.

Devenue la maîtresse d'un parlementaire, Virgilia faisait constamment l'expérience de rôles qu'elle n'aurait jamais imaginé jouer, même un an plus tôt. Ce soir-là, une délicieuse odeur de caneton rôti flottait dans la maison. Virgilia avait toujours détesté les travaux ménagers et ne serait jamais une cuisinière accomplie mais elle faisait son apprentissage. Son amant appréciait la bonne chère et le vin.

Elle était vêtue avec soin, ce qui n'avait rien d'inhabituel. Sam aimait les femmes bien habillées en tout lieu — excepté la chambre à coucher. Aussi Virgilia avait-elle passé quarante minutes à arranger sa coiffure, se parfumer, mettre sa plus jolie robe en bombasin lie-de-vin sur un impitoyable corset comprimant sa taille et faisant ressortir sa poitrine.

A son immense satisfaction, Virgilia jouait aussi le rôle de conseillère privée de son amant. Il discutait avec elle des affaires du Congrès et lui demandait même son avis sur certaines questions. Sur le bureau du salon, il avait laissé pour elle à sa dernière visite plusieurs feuillets d'une écriture serrée : le brouillon d'un discours qu'il devait prononcer à une réunion du parti républicain, quelques jours après l'inauguration de Lincoln. Sam entendait profiter de l'occasion pour prendre ses distances avec le chef de l'exécutif et voulait l'avis de sa maîtresse sur ce qu'il avait écrit.

Il n'était pas pareillement secondé par sa femme, dont il ne souhaitait d'ailleurs pas l'aide. S'il se refusait à la quitter, il la considérait comme une personne insignifiante et asexuée. Il la soupçonnait de connaître sa liaison avec Virgilia mais pensait qu'elle ne lui ferait jamais d'ennuis. Il s'en assurait en lui répétant fréquemment que sa situation d'épouse était précaire, qu'il pouvait la quitter à tout moment — ce qui était faux.

A huit heures, le caneton était trop cuit et Virgilia inquiète. En entendant un bruit de sabots, elle cessa de faire les cent pas et courut ouvrir la porte.

— Sam ? Oh ! je me faisais du souci...

Du haut du siège du buggy, Stout expliqua :

— J'ai dû conduire Emily à la gare : son père, qui vit à Muncie, est malade. Elle a emmené les enfants et sera absente au moins une semaine... Je peux passer la nuit ici si on m'y invite.

— Chéri, c'est merveilleux !

Pendant qu'il rangeait la voiture dans la remise située derrière la maison, Virgilia réchauffa le caneton, les haricots et les ignames. Il entra par la porte de derrière en époussetant de la main les manches de sa redingote noire.

— Il y avait un monde fou à la gare. La moitié du pays est venue assister à l'inauguration. Ce midi, au *Willard,* un garçon m'a raconté qu'on installe des lits de camp et des matelas dans le hall. Si tu laissais des gens camper dans la cour, tu te ferais une fortune.

En riant, elle lui passa les bras autour du cou, l'embrassa. Il aimait sentir la langue de Virgilia dans sa bouche, et ailleurs. A la fin d'une longue étreinte, elle demanda :

— Mangeons-nous maintenant ou plus tard ? Le caneton est déjà brûlé, j'en ai peur.

— Goûtons-le quand même. Nous aurons ensuite toute la soirée pour faire ce qui nous plaira.

Virgilia lui adressa un chaud sourire, un tantinet égrillard, avant qu'il ne descende à la cave chercher du vin. Pendant qu'elle préparait les plats, il déboucha la bouteille et décanta le nectar.

A table, ils se portèrent mutuellement un toast. En admirant son amant par-dessus le bord de son verre, l'ancienne infirmière songea que, à de nombreux égards, elle était mieux lotie qu'une épouse. La nature illicite de leurs relations donnait à tous les moments qu'ils passaient ensemble un piment qui manquait sûrement à la plupart des couples mariés. Elle avait connu le même genre d'excitation perverse et provocante en vivant avec un Noir.

Après avoir savouré le vin, Stout déclara :

— Quelle affaire, ce bal pour l'inauguration présidentielle ! Tu es au courant ?

— Où est le problème ? Dix dollars pour dîner et danser au Bureau des brevets, c'est formidable, non ?

— Oui, mais un certain nombre de nos frères de couleur ont exprimé le désir d'y assister. La nouvelle a atterré plusieurs épouses de parlementaires, dont la mienne. Emily a pesté pendant une heure à l'idée que Fred Douglass ou quelque autre babouin pourrait lui demander une valse. Le comité d'organisation du bal a publié précipitamment une déclaration aux termes courtois mais clairs : pas de billets pour les nègres.

— C'est une honte.

— Ne confonds pas liberté et égalité, Virgilia. Passe pour la première, elle permet de gagner des voix aux élections. Mais la seconde ne sera jamais admise — du moins, pas de notre vivant.

Ils parlèrent pendant quelques minutes de sujets plus plaisants. Le vin détendait Virgilia, lui donnait une humeur enjouée qui n'était pas dans son caractère.

— Et la place pour la cérémonie ?

— Je te l'ai obtenue. Section réservée près de la tribune officielle, devant le portique est.

— Merveilleux ! Merci, Sam.

— Ce n'est pas tout. J'ai aussi réussi à t'avoir une invitation pour la galerie du Sénat, où ce lourdaud de Johnson prêtera serment à midi. Lincoln sera en bas, et sa femme dans une partie réservée, pas loin de toi. Tu verras de près tout ce qui se passera. Quand on sortira pour le serment et le discours du président, Emily et moi prendrons place à la tribune officielle.

Etourdie par le vin, Virgilia prononça des mots qui la surprirent elle-même :

— Je vous ferai peut-être signe.

Stout se renversa sur sa chaise.

— Je n'apprécie pas ce genre de remarque.

— Sam, je plaisantais...

— Moi pas.

Apeurée et dégrisée, Virgilia dit hâtivement :

— Je suis désolée, chéri.

Il lui était pénible de s'excuser mais elle le devait si elle voulait garder Sam, ce qui était le cas.

— Je sais que nous ne devons pas montrer en public que nous nous connaissons, poursuivit-elle. Je ne ferai jamais la moindre chose qui puisse menacer ta réputation ou ta carrière. Elles sont devenues pour moi aussi importantes que pour toi. Tu me crois ?

Silence alarmant. Quand il jugea qu'elle avait été assez punie, il laissa les traits de son visage se détendre.

— Oui, répondit-il.

Virgilia relança la conversation dans une autre direction :

— Je ne tiens pas le moins du monde à entendre le Gorille prononcer un discours mais je suis curieuse de le voir de près. Est-il vraiment aussi laid qu'on le dit ?

— Il a l'air d'une momie. Il est trop maigre, souffre d'un rhume perpétuel. Certains murmurent qu'il est atteint d'une maladie mortelle. Malheureusement, son état de santé n'a réduit en rien son obstination à faire admettre ses opinions et son programme.

Stout découpa le caneton craquant, en goûta un morceau.

— Excellent.

— Je sais que c'est faux mais c'est gentil de mentir.

— Je le fais bien, n'est-ce pas ? Je m'entraîne chaque fois que je m'adresse aux électeurs. Tu as lu mon discours ? Qu'est-ce que tu en penses ?

Virgilia reposa sa fourchette.

— Tu m'as confié que, à ton avis, le discours d'entrée en fonction de Lincoln serait conciliant envers le Sud...

— D'après ce que j'ai pu savoir, ce sera le ton général, oui.

— Ton brouillon a le même, j'en ai peur.

— Vraiment ? Tu le trouves trop mou ?

— Pas seulement. Il est aussi trop vague quant à tes positions.

Se sentant en terrain sûr, elle alla de l'avant :

— Le texte s'écarte de son objectif. Le président a une conception de la reconstruction, tes amis et toi en avez une autre. Il faut faire plus qu'établir cette différence et ton appartenance à l'aile intransigeante du parti. Tu dois te présenter avec plus de clarté et de vigueur comme membre d'une élite qui dirigera la reconstruction, et repousser le plan du président en le qualifiant de divagations de couard. Le public doit connaître ton nom, Sam ; il doit devenir pour lui synonyme d'engagement total en faveur d'une paix dure. Pas de pardon pour les traîtres. Tu ne dois pas seulement suivre le bon défilé, tu dois montrer que tu le conduis.

— Je croyais l'avoir fait avec mon texte.

— Tu veux que je sois franche, n'est-ce pas ? Il est trop général, trop courtois. On n'y trouve rien qui ressemble, fût-ce de loin, aux déclarations de Sherman promettant de « faire hurler » la Georgie. Les gens doivent voir en toi l'homme qui fera hurler tout le Sud pendant des années afin qu'il expie ses crimes. C'est ce genre d'idées simples, frappantes qu'il faut mettre dans ton discours et répéter à chaque occasion. Si tu le fais, c'est ton nom qui viendra en premier à l'esprit des gens quand ils penseront aux hommes politiques.

Stout eut un petit rire.

— L'objectif est ambitieux.

— Et tu ne le réaliseras que si tu cherches à l'atteindre. Si tu échoues ? Bon, ton nom viendra en second dans l'esprit des gens. Mais tu ne seras rien du tout si tu vises moins que la première place.

Stout rit à nouveau, prit la main de Virgilia dans la sienne et lui caressa la paume avec le pouce.

— Tu es une femme remarquable. J'ai de la chance de t'avoir comme amie.

— Pour aussi longtemps que tu le voudras, chéri. Nous revoyons ton discours ?

Le pouce de Sam pressa plus fort la paume de Virgilia.

— Pas maintenant.

— On finit de manger, alors ?

— Non plus.

— Le repas sera froid...

— Nous pas.

Il faillit renverser la table dans sa hâte à se lever, à passer derrière Virgilia pour l'étreindre. Elle demeura assise, se renversa contre son bas-ventre durci, tendit le bras et le saisit en gémissant faiblement. Sam posa la main sur ses seins. Ils passèrent dans la chambre en titubant, se déshabillèrent l'un l'autre fébrilement. Les cheveux défaits, Virgilia s'écroula sur le lit, laissa son amant dénouer d'une main le lacet du corset en agaçant de l'autre les mamelons recouverts de dentelle. Les seins jaillirent, libres et lourds ; il s'agenouilla au bord du lit pour les embrasser puis promena ses lèvres sur d'autres parties du corps de sa maîtresse, qui noua ses bras autour de son cou.

Elle ne le laisserait jamais partir. Elle l'aiderait, elle lui prodiguerait réconfort et conseils — elle serait sa femme à tous égards, excepté sur le plan légal.

Il la coucha sur le dos, le jupon encore autour des chevilles. Les bras tendus, elle l'appela en criant. Son membre lui parut aussi gros qu'un canon Parrott quand il la pénétra. Sam était un homme puissant, et pas seulement sur le plan physique. Avec lui — à travers lui — elle vengerait le pauvre Grady et des millions d'autres victimes.

C'est elle qui ferait hurler le Sud.

Dans l'état de langueur qui suivit, il lui vint une étrange nouvelle pensée. La guerre avait changé en elle bien davantage que son aspect physique ou la façon dont elle se voyait. Sa haine du Sud demeurait aussi profonde, le châtiment des Sudistes restait son objectif de tous les instants.

Pourtant, à cet égard aussi elle avait changé. Virgilia désirait maintenant autant les moyens que la fin ; elle voulait le pouvoir en soi, pour défendre sa cause ou n'importe quelle autre. En raison d'une chaîne d'événements, apparemment sans rapport entre eux — ils avaient un sens, un caractère inéluctable qu'elle discernait clairement — le pouvoir se trouvait à sa portée, aussi proche que le corps de son amant assoupi à côté d'elle.

Si ces perspectives nouvelles étaient le résultat de la guerre, alors la guerre n'était pas l'enfer, comme Sherman passait pour l'avoir dit, mais un des plus grands miracles de Dieu. Pour la première fois peut-être de sa vie adulte, Virgilia s'endormit satisfaite.

127

Le lendemain matin, lorsque les aiguilles des horloges de Mont Royal indiquèrent la minute précédant six heures, une vive lumière décrivit un arc de cercle dans l'obscurité puis redescendit dans une traînée d'étincelles.

— Les voilà ! s'écria Philemon Meek.

Sans réfléchir, il saisit la lampe mise en veilleuse posée sur la table de la salle à manger et courut à l'une des hautes fenêtres. Charles repoussa sa chaise en s'exclamant :

— Eloignez-vous de là !

Effrayé et excité, le régisseur ne l'entendit pas ou ne tint pas compte de l'avertissement. Il écarta le rideau pour mieux voir.

— Ils ont mis le feu au bâtiment des cuisines, dit-il. Ils se dirigent vers...

Une volée de plomb fracassa la vitre, projeta Meek en arrière. La lampe, brisée, laissa s'échapper du pétrole qui prit aussitôt feu. Charles se leva en jurant.

Des cris s'élevèrent dans le noir. L'éclaireur se précipita vers le vieillard dans un effort inutile : le devant de la chemise de Meek était criblé de taches rouges faites par la décharge qui l'avait tué.

Charles arracha un des rideaux, le jeta sur le feu qui s'attaquait déjà au parquet brillant puis piétina l'étoffe pour étouffer les flammes. Nouvelle détonation. La balle invisible s'enfonça dans le mur faisant face à la fenêtre brisée.

Une odeur âcre se dégageait du rideau roussi. Charles s'accroupit, vit des silhouettes bondissantes se profiler devant les cuisines en feu. Andy entra, suivi de Cooper, un des vieux Hawken à la main. L'autre, celui de Meek, était resté sur la table, à côté du sabre de Solingen dans son fourreau.

— Prends-le, maintenant, Andy, dit Charles en montrant le fusil. Monte au premier, trouve-toi un bon endroit d'où les canarder... Et dont tu pourras aussi filer rapidement s'ils mettent le feu à la maison.

— Oui, major.

Le Noir saisit l'arme et deux des petits sacs en flanelle que Judith avait cousus pour y mettre de la poudre et des balles. Charles ne perdit pas de temps à considérer ce que le fait d'armer un esclave dans une plantation de Caroline avait de singulier. Il avait d'autres choses en tête, avant tout survivre.

— Un dernier point, Andy. Tu connais Cuffey, essaie de le repérer. C'est lui qu'il faut mettre hors de combat.

— Si je le connais ! Il paraît qu'il est gras à lard et s'est dégoté une mule : il ne doit pas être difficile à trouver. J'espère que c'est moi qui l'aurai.

Après le départ d'Andy, Charles rampa jusqu'à la fenêtre, s'aperçut que le bureau brûlait aussi.

— Il vaut mieux nous poster dans l'entrée, dit-il à Cooper. Tu surveilles la porte côté rivière, je me charge de celle qui donne sur l'allée.

Du vestibule, ils couvriraient aussi les portes fermées à clef du salon, où les femmes et les enfants s'étaient réfugiés vers cinq heures.

Le visage exprimant la peur et la tension, Cooper suivit son cousin dans la vaste entrée s'étendant de l'avant à l'arrière de la maison.

— Nous n'avons pas été prévenus, Charles. Qu'est-il arrivé aux hommes que tu avais postés en sentinelles ?

— Comment le savoir ? Ils ont été tués, ils se sont enfuis ou ont rejoint les rangs de Cuffey.

Comme tout bon commandant l'eût fait dans une situation semblable, l'éclaireur avait passé la majeure partie de la nuit dehors, passant d'un homme à l'autre, exhortant les sentinelles à la vigilance, remontant leur moral. Il était rentré une demi-heure plus tôt pour se reposer, réfléchir... Et personne n'avait donné l'alarme.

— Sur le côté, chuchota-t-il soudain, s'accroupissant à nouveau.

Une ombre passa devant un étroit panneau en verre situé à gauche de la porte de l'allée. Charles dégaina son colt. Une silhouette apparut, comme enluminée par le feu, sur le vitrail de droite. Charles tira, la forme s'écroula dans un tintement de verre.

— Un de moins, grogna-t-il.

Derrière lui, une serrure grinça ; des pleurs d'enfant s'échappèrent par la porte du salon, qu'on venait d'ouvrir.

— Cooper ? appela Judith. Combien sont-ils ?

— Beaucoup trop, répliqua Charles. Restez là-dedans, bon sang !

La porte claqua, la serrure grinça à nouveau. D'une voix morne, sans émotion, Cooper déclara :

— Je ne crois pas que nous survivrons.

— Pas de foutaises de ce genre.

Charles courut à la porte située de son côté : il avait vu un cavalier passer devant l'étroite fenêtre. Une voix lança d'un ton de défi :

— Hé, Charles Main, t'es là ? Un de tes négros est venu te chercher. Tu vas rôtir, Mist' Charles Main. Je vais te brûler vif et baiser tes femmes.

— Cuffey, salopard ! cria Charles. (Il passa le bras droit par la vitre cassée et fit feu.) Viens donc essayer.

Charles entendit un gémissement de douleur, les sabots de la mule résonnant dans la fumée et les lueurs de l'incendie. Puis la voix de Cuffey s'éleva à nouveau :

— Bientôt. Bientôt...

Quelqu'un d'autre avait reçu la balle que Charles lui destinait. C'était un coup que l'éclaireur n'aurait pas dû manquer.

— Par ici ! prévint Cooper.

Aussitôt après, la porte verrouillée donnant sur la rivière se fendit sous les coups de boutoir des pillards. Comme Charles attendait qu'elle cède tout à fait, une vive lumière le fit tourner la tête vers les fenêtres de la salle à manger. Dehors, au-delà des arbres, tout le ciel flamboyait.

La bande avait incendié les cases des esclaves, l'infirmerie et sans doute aussi la petite chapelle. Les gredins faisaient la guerre aux gens de leur race, la couleur de leurs victimes leur importait peu. C'étaient de vrais tueurs. Avant de succomber, Charles en enverrait quelques-uns de plus chez Belzébuth pour annoncer sa venue.

La porte donnant sur la rivière vola en éclats ; quatre hommes se ruèrent dans la maison. L'un d'eux portait une torche éclairant deux visages blancs et deux visages noirs. Cooper s'escrimait avec le Hawken sans parvenir à viser, Charles fit feu et ne toucha personne. Trois des assaillants bondirent de côté mais l'un des Blancs, un homme trapu armé d'une fourche, perdit l'équilibre et trébucha vers le centre de l'entrée. La torche, tombée sur le sol, révéla ses traits et le D marquant sa joue droite.

— Salem Jones ? fit Charles, stupéfait.

— Qui a longtemps attendu de te rendre cette petite visite, espèce de...

Sans achever sa phrase, Jones chargea. Cooper tira, Charles aussi tout en se jetant de côté pour éviter les dents pointues. Les deux hommes manquèrent leur cible et Jones, emporté par son élan, se retrouva de l'autre côté du hall. La fourche déchira le papier mural, s'enfonça de cinq centimètres dans le mur.

Charles se précipita vers l'ancien régisseur. Dans la salle à manger, des torches volèrent à travers les vitres brisées ; dans le salon, les femmes poussaient des cris aigus. Deux des hommes qui avaient pénétré dans la maison s'en prenaient maintenant aux portes de la pièce où elles étaient réfugiées. Charles prit confusément conscience de tout cela en fonçant sur Jones, qui tentait d'arracher sa fourche du mur.

L'éclaireur savait qu'il ferait mieux d'abattre Jones dans le dos mais ne put s'y résoudre. Les pillards réussirent à enfoncer l'une des portes du salon. Le Hawken de Cooper tonna, un des hommes de Cuffey s'écroula au moment précis où Charles, de sa main libre, saisissait Jones par l'épaule et lui faisait lâcher la fourche. Une petite silhouette apparut sur le seuil du salon.

— Mère ! pour l'amour du ciel, recule ! cria Cooper à Clarissa, qui souriait d'un air étonné.

Charles, qui continuait à tirer Jones en arrière, ne vit pas le poignard que l'homme dégaina mais sentit une vive douleur quand la lame s'enfonça dans sa cuisse. Aveuglé par les larmes, il poussa un faible cri, repoussa l'ancien régisseur vers la fourche. Cette fois, Jones parvint à la récupérer et se rua à nouveau sur Charles, qui avait fait passer son colt dans sa main gauche pour pouvoir se tenir la cuisse.

Les dents éclairées par les lueurs de l'incendie volèrent vers les yeux de Charles.

— Toi d'abord, rugit Jones. Ensuite ton tout-puissant cousin.

Un coup de tonnerre. Jones s'éleva, comme empoigné par des mains invisibles ; ses genoux touchèrent sa poitrine. Puis le V de son corps s'ouvrit et il retomba, mort mais saignant encore. La fourche, qui avait effleuré le crâne de Charles, tinta sur les dalles de l'entrée.

Tournant la tête, Charles vit Cooper qui braquait encore sur Jones le Hawken fumant avec lequel il l'avait abattu, après avoir trouvé le temps de recharger. A la porte du salon, Jane s'efforçait de faire rentrer Clarissa. Un des bandits gisait au sol, le visage ensanglanté, blessé sans doute par le couperet rougi que la jeune Noire tenait à la main. Le quatrième homme avait fui.

— Il faut faire sortir tout le monde avant que ça ne flambe complètement, haleta Cooper.

Charles se souvint qu'il avait laissé son sabre dans la salle à manger, courut dans la pièce et prit l'arme de sa main tachée de sang.

De retour dans l'entrée, il s'appuya contre un mur et se dit qu'il aurait dû s'attendre à ce qui arrivait. D'ailleurs, il n'avait jamais vraiment cru que tous les Noirs qu'il avait armés de gourdins ou d'outils et postés autour de la maison resteraient et combattraient pour Mont Royal. A leur place, il n'en aurait rien fait.

Quelque chose heurta la porte donnant sur l'allée. Une balle ? Non, le coup était trop puissant. Un poteau transformé en bélier ? En boitillant, il rejoignit son cousin, qui rechargeait son arme.

La porte céda. Charles se retourna trop vite et tomba — ce qui lui sauva la vie. Des balles criblèrent le mur devant lequel il s'était tenu l'instant d'avant. Se ressaisissant, il fit feu jusqu'à ce que son revolver soit vide. Les attaquants refluèrent.

Il se remit péniblement debout, remarqua les traces de sang que sa cuisse avait laissées sur le sol.

— Il faut faire sortir les femmes, dit Cooper.

— D'accord mais tu restes avec elles.

— Nous sommes fichus, n'est-ce pas ?

— Pas si...

Charles dut s'interrompre pour avaler sa salive. Ses doigts gourds laissèrent tomber la balle qu'il essayait de glisser dans le barillet du colt. Il s'agenouilla pour la ramasser et acheva sa phrase :

— Pas si j'arrive à trouver Cuffey.

— Tu l'as trouvé, homme blanc. Et lui aussi t'a trouvé.

Charles leva la tête vers le haut de l'escalier, découvrit Cuffey, énorme, boudiné dans une longue robe de satin jaune.

L'éclaireur se rappela avoir entendu dire que les pillards de Sherman et certains esclaves libérés revêtaient des habits de femme volés dans les armoires des maisons de Georgie. Cuffey aussi devait l'avoir entendu dire. Il semblait ivre. Sa tenue paraissait d'autant plus bizarre qu'il tenait à la main un coutelas à débroussailler long d'une soixantaine de centimètres.

Charles l'examina en cherchant sous l'homme l'adolescent avec qui il avait pêché, lutté, parlé de femmes, et fait tout ce que font ensemble des garçons de cet âge. Il ne retrouva pas l'ami perdu ; il ne vit qu'une apparition en robe jaune, avec une machette et des yeux fous.

— Tu l'as trouvé et il est forcé de te tuer, reprit Cuffey.

Il se mit à descendre sous le regard des deux Blancs qui braquaient sur lui des armes vides. Le premier étage avait aussi pris feu et des volutes de fumée entouraient la tête de Cuffey d'un halo sinistre.

— Fais sortir les femmes, murmura Charles à son cousin.

— Je ne peux pas te laisser...

— Va, Cooper.

— Ouais, va, répéta Cuffey d'une voix pâteuse. C'est Mist' Charles que je veux pour commencer.

Aux hommes massés sur la terrasse, il cria :

— Restez dehors, vous m'entendez ! Attendez que j'aie fini.

Lentement, Charles remit le colt dans sa gaine, essuya sa main rougie à sa chemise et prit le fourreau sur la petite table où il l'avait posé. Le sabre d'apparat était trop fragile pour lui être d'un grand secours mais il n'avait pas le temps d'aller prendre la fourche et Cooper, qui venait de disparaître dans le salon, avait besoin du Hawken.

Cuffey descendit les marches en se dandinant dans sa robe en satin. Avec un sourire, il se tapotait la cuisse du plat du long coutelas.

— On était copains, dans le temps, pas vrai ? marmonna-t-il.

Charles fixait le visage bouffi et luisant.

— C'est fini maintenant.

Deux hommes, dont un jeune blond ricanant vêtu d'une redingote de Cooper et d'un jupon, entrèrent par la porte de l'office, les bras chargés de piles d'assiettes surmontées d'argenterie. Cuffey, parvenu au bas de l'escalier, poussa un beuglement qui les fit aussitôt sortir en titubant, dans un tintement de couverts.

Un instant avant qu'ils franchissent la porte, Charles vit passer dans l'allée une silhouette familière, qui marchait lentement comme pour une promenade matinale.

— Tante Clarissa !

Elle avait déjà disparu.

Profitant que Charles avait la tête tournée, Cuffey se rua sur lui, brandissant la machette à deux mains. Il l'abattit avec force, d'un coup qui aurait fendu le crâne de Charles s'il ne s'était jeté sur le côté.

Charles voulut dégainer son sabre qui, pour une raison inconnue, resta coincé dans le fourreau. Cuffey frappa à l'horizontale, vers le cou de l'éclaireur, qui fit un pas en arrière pour se mettre hors de portée. La lame fracassa un miroir dont les fragments, reflétant un instant les lueurs de l'incendie, fusèrent comme une gerbe d'étincelles.

La jambe droite raidie par sa blessure à la cuisse, Charles réussit enfin à dégainer son sabre d'apparat. Cuffey leva de nouveau les bras, révélant de grandes taches de sueur assombrissant le jaune de la robe sous les aisselles. La machette fit tinter les cristaux du lustre de l'entrée.

Furieux, le Noir lui porta deux coups qui déclenchèrent une brève pluie de petits prismes. Charles avança, le bras tendu, en se rappelant qu'il n'avait jamais brillé aux cours d'escrime de West Point.

Il glissa sur une pendeloque et Cuffey en profita pour lui donner un coup de pied dans le bas-ventre. Charles grogna, se pencha en avant. Sa jambe droite fléchit, il tomba sur un genou. La machette s'abattit vers son cou.

Il releva son sabre, entailla l'intérieur du poignet de Cuffey. Du sang jaillit. Le Noir lâcha la machette, qui rasa l'oreille de Charles, si près qu'il sentit le métal effleurer le lobe.

Cuffey décocha une ruade dans le bras gauche de son ancien ami, qui s'affala sur le dos. Le chef de bande écrasa de sa lourde botte la main droite de Charles, dont les doigts se desserrèrent. Le sabre tomba par terre.

Grimaçant, Cuffey tomba à genoux sur la poitrine de l'éclaireur, qui le saisit à bras-le-corps. Les deux hommes roulèrent sur le sol jonché de débris. Cuffey lança ses ongles vers les yeux de Charles mais les deux mains blanches bloquèrent le poignet noir ensanglanté.

— Je... vais... te tuer, haleta l'ancien esclave.

Il parvint à se dégager, saisit son adversaire à la gorge.

— Tu es... foutu.

Charles sentit ses forces le quitter. Sa main droite retomba, chercha désespérément sur le sol de quoi frapper Cuffey au visage : un éclat de verre, un morceau de miroir...

Les mains de Cuffey serraient de plus en plus fort. Les doigts ensanglantés de Charles se refermèrent sur un objet strié qu'il ne reconnut pas immédiatement...

La poignée du sabre...

Cuffey vit le coup venir du coin de l'œil mais ne put empêcher le sabre de s'enfoncer dans son flanc gauche, sous son bras. Il lâcha la gorge de Charles, recula. La lame avait percé le satin, entaillé la peau, pénétré dans la chair de quelques centimètres.

Charles continua à pousser, sentit l'arme effleurer un os et s'enfoncer plus profondément.

Cuffey hurla, se tortilla sans parvenir à échapper au fer fiché en lui. Charles tint bon, le Noir eut une violente contorsion qui brisa la lame à quelques centimètres du satin jaune. Toujours embroché, Cuffey empoigna frénétiquement le morceau d'acier dépassant de sa poitrine, tituba vers la salle à manger. Le bas de la robe évasée prit feu ; des flammes coururent le long de l'ourlet, montèrent vers le corsage. Tournoyant, le Noir acheva cette valse de mort en tombant dans le brasier.

Ayant trouvé de quoi faire ripaille, le feu s'éleva plus haut encore, enveloppant totalement Cuffey.

Le plafond fumant craqua. Charles se releva lentement, gardant à la main droite le tronçon de sabre, qui ressemblait à une croix de métal. De l'inscription, il ne restait que le mot *aime* et la date, *1861*.

Le sang trempait sa jambe de pantalon et clapotait dans sa botte quand il marchait. Il repéra son colt, le ramassa, s'aperçut que le salon était encore presque totalement épargné par les flammes. Les fenêtres avaient été brisées, sans doute pour que Cooper et les autres puissent s'enfuir. Il devait les retrouver. La maison, elle, était perdue.

Il arracha un autre rideau, taillada le tissu avec son moignon de sabre jusqu'à obtenir une bande assez longue pour faire plusieurs fois le tour de sa cuisse. Puis il cassa un tabouret, prit un de ses pieds, le brisa en deux et se servit d'un des morceaux pour compléter le garrot.

La fumée ne cessait d'épaissir, il avait l'impression que sa poitrine était à vif. Par une fenêtre, il sortit sur la terrasse, le revolver déchargé dans la main gauche, le sabre brisé dans l'autre.

Le jour se levait. Les hommes de Cuffey avaient réussi à trouver tout ce que la maison recélait de précieux, comme en témoignaient les débris jonchant l'allée. Ils avaient vidé la cave, les armoires, les placards des cuisines. Charles vit des pillards noirs et blancs s'éloigner dans la fumée, les bras chargés de butin.

Tous n'avaient pas eu autant de chance : le jeune blond portant un jupon par-dessus la redingote de Cooper gisait face contre terre au milieu de couverts en argent et de vaisselle cassée. Une balle avait percé un trou entre ses omoplates.

Une petite fusillade éclata et Charles demeura prudemment derrière un des piliers blancs du porche pour crier :

— Cooper ?

Silence.

— Cooper ?

— Charles ?

Quoique distante, la voix donna à l'éclaireur le renseignement dont il avait besoin : son cousin et les autres se cachaient dans le jardin proche de la rivière. Il rampa le long de la maison en prenant soin de ne pas toucher le mur brûlant, parvint au coin du bâtiment, examina la pelouse.

Personne. Il s'apprêta à foncer puis jugea préférable d'annoncer d'abord :

— Cuffey est mort ! Je l'ai tué.

Il emplit d'air ses poumons douloureux, courut aussi vite que le permettait sa blessure le long de la pente menant à l'Ashley.

Quelqu'un tira, Charles entendit la balle s'enfoncer dans l'herbe à sa droite mais il n'y eut pas d'autre coup de feu. Dans le jardin, il découvrit des visages familiers et, sans prononcer un mot, s'évanouit.

Ils se cachèrent toute la journée dans une des rizières, adossés à la digue de terre retenant l'eau de la rivière jusqu'à ce qu'on relève les vannes en bois pour la laisser s'écouler. Le groupe de survivants comprenait Cooper, sa femme et sa fille, Clarissa, Jane, Andy, une jeune servante nommée Sue et ses deux garçonnets, ainsi que Cicero, l'esclave arthritique aux cheveux blancs. Le vieillard avait eu le temps d'emplir les deux grandes poches de sa veste de grains de riz, dont on fit la distribution quand midi approcha. C'était leur seule nourriture.

Certains, dont Cooper et Clarissa, proposèrent à plusieurs reprises de retourner à la maison pour estimer les dégâts mais Charles se montra inflexible :

Pas avant le crépuscule. J'irai d'abord seul : inutile de risquer d'autres vies.

Grâce au garrot, le sang s'était coagulé et la blessure de Charles ne saignait plus. Elle continuait cependant à le faire souffrir et il aurait aimé avoir un peu de bourbon pour soulager la douleur. Comme son cousin semblait vouloir discuter sa dernière remarque, Charles ajouta :

— Regarde le ciel. Il te dit ce qui s'est passé.

De la fumée noire s'élevait au-dessus de la levée de terre, des chênes et des palmiers nains bordant les rizières. Visiblement bouleversé par ce spectacle, Cicero demanda d'une voix tremblante :

— Et les gars qu'on avait postés en sentinelles ?

— Ils ne sont pas restés, dit Cooper.

C'était une simple constatation, pas une accusation, mais la réponse provoqua la colère du vieillard.

— Les lâches ! Ils ne se sont même pas battus pour défendre leur maison...

Andy, qui dessinait dans la terre avec un bâton, intervint :

— Ils n'avaient pas choisi d'y vivre, je te le rappelle.

— Des trouillards, oui ! explosa Cicero. De la racaille noire !

— Ne sois pas si dur avec eux, plaida Charles. Ils savent que le Sud est vaincu, qu'ils obtiendront leur liberté à la minute où cette défaite deviendra officielle. Alors pourquoi rester et mourir quand il leur suffisait de courir un kilomètre ou deux pour devenir tout de suite des hommes libres ? Je vais vous dire une chose : des milliers de jeunes Sudistes blancs ont déserté sans avoir une raison aussi valable.

Charles glissa dans sa bouche deux grains de riz qu'il entreprit de mâcher.

Clarissa n'appréciait pas du tout de devoir rester dans la rizière. Peu après midi, elle eut envie de se soulager et se mit à pleurer parce qu'elle ne pouvait être seule. Jane s'approcha d'elle, lui murmura quelque chose à l'oreille puis la guida doucement jusqu'à la digue voisine. La jeune Noire attendit ensuite près de la levée de terre le retour de la vieille femme.

Clarissa réapparut, le sourire aux lèvres.

— Comme l'air sent bon! s'exclama-t-elle. Le printemps arrive. N'est-ce pas charmant?

Dans l'après-midi, Charles sommeilla un peu. Les yeux mi-clos, il se revit enfant, près des cases, disputant à son ami Cuffey une canne à pêche. Dieu! comme la roue avait tourné!

A la tombée de la nuit, Cooper exprima à nouveau le désir d'aller inspecter la propriété. Cela faisait des heures qu'on n'avait entendu ni coups de feu ni bruits insolites. De la fumée continuait à flotter dans l'air, moins épaisse mais d'une odeur aussi âcre. Charles se demanda comment Clarissa pouvait ne plus la sentir. Peut-être parce qu'elle s'était à nouveau réfugiée dans le paysage plus doux et plus sûr de son esprit. A certains égards, elle avait de la chance.

— A mon avis, personne ne doit aller là-bas seul, déclara Andy. J'accompagnerai celui de vous deux qui s'y rendra.

— Je suggère que nous y allions tous les trois, proposa Cooper.

Trop las pour reprendre la discussion, Charles accepta d'un haussement d'épaules.

Sans armes, ils suivirent la rive de l'Ashley, dont les eaux prenaient des reflets rouge doré dans la lumière du crépuscule. Après la dernière rizière, ils avancèrent prudemment à travers la ceinture de grands arbres séparant les champs du jardin et de la pelouse. Les premiers dégâts visibles, lorsqu'on approchait de ce côté, étaient des planches brisées et des débris divers jonchant la berge: il n'y avait plus de débarcadère.

Pâle, Cooper sortit du jardin en s'essuyant les lèvres. Charles, qui le suivait, vit dans l'herbe des morceaux de vaisselle à filet doré, une robe déchirée surmontée d'un tas d'excréments. Humains, supposa-t-il.

— Mon Dieu! murmura Cooper, qui regardait la maison.

Mont Royal avait brûlé jusqu'aux fondations. Il ne restait debout que quelques poutres noires inclinées et la grande cheminée, dont la glycine devait être morte.

— Comment ont-ils pu? explosa Cooper, la voix chargée de colère. Comment ont-ils pu, ces maudits barbares ignorants...

Charles l'interrompit avec douceur:

— Tu répétais souvent que les Sud-Caroliniens étaient stupides de vouloir la guerre, de chercher à la provoquer. Nous récoltons simplement ce que tu nous avais prédit. La guerre nous a rendu visite.

Il toucha l'épaule tremblante de son cousin pour le réconforter puis se mit à gravir la pente herbeuse. Il se trouvait encore à bonne distance de la maison lorsqu'il sentit la chaleur de four que dégageaient les gravats. Çà et là, des charbons brillaient comme des yeux de lutin. Lentement, avec consternation, il fit le tour de la grande cheminée.

Cooper et Andy, qui s'approchaient pour le rejoindre, le virent soudain disparaître et échangèrent un regard inquiet. Puis ils l'entendirent rire comme un dément.

— Vite, dit Cooper, en se mettant à courir.

Les deux hommes firent eux aussi le tour de la cheminée, parvinrent à l'allée bordée d'arbres qui s'obscurcissait déjà. Près de la maison, quelques branches fumaient encore; d'autres avaient brûlé complètement.

Charles, debout près du cadavre du jeune blond, hurlait comme un malade mental en montrant quelque chose du doigt. L'objet de ses ricanements sinistres se tenait un peu plus loin dans l'allée : c'était une mule aux oreilles baissées, avec sa longe et sa bride.

— La monture de Cuffey, hoqueta l'éclaireur entre deux éclats de rire. Mont Royal a disparu de la surface de la terre mais j'ai trouvé une remonte. Loués soient Dieu et Jeff Davis ! La guerre peut continuer, encore et encore...

La voix aiguë se brisa. Charles tourna vers ses deux compagnons un regard empli de honte et marcha à pas lents vers le chêne le plus proche. Il appuya son avant-bras contre le tronc et y cacha son visage.

128

Le dimanche 2 avril, dans la matinée, Mr. Lonzo Perdue, sa femme et ses filles priaient à genoux dans l'église Saint-Paul quand un messager remonta d'un pas pressé l'allée centrale pour parler au président dans un murmure. Mr. Perdue vit le chef de l'Etat quitter l'édifice, la démarche mal assurée, et se pencha vers son épouse.

— Les défenses sont brisées. Tu as vu sa tête ! Ça ne peut être que cela. Il faut faire les bagages et prendre le train.

Après la messe, les Perdue ne s'attardèrent pas sur le parvis pour bavarder avec des amis. Ils rentrèrent droit chez eux, emplirent trois malles et se mirent en route pour la gare. Là, ils apprirent que tous les trains en partance étaient retenus, bien qu'aucun employé ne pût leur expliquer pourquoi. Dans l'après-midi, la foule s'épaissit et envahit les quais, la salle d'attente. Finalement, Mr. Perdue et sa famille se retrouvèrent juste devant l'entrée de la gare. Ils entendirent dans une rue voisine un bruit de verre brisé.

— Des pillards, fit Mr. Perdue en tremblant.

— Des nègres, sûrement, dit sa femme.

En fin de journée, tout le quartier de la gare devint noir de monde et les rumeurs commencèrent à circuler : Lee avait évacué les lignes de défense de Petersburg et Richmond, il battait en retraite vers l'ouest en pleine déroute.

Les gens s'énervaient, se poussaient, en venaient aux mains ; la troupe fonçait dans la foule et intervenait sans ménagement pour rétablir l'ordre. La première explosion retentit.

— Oh ! papa ! s'écria Clytemnestra, la fille de Mr. Perdue, en s'accrochant à son père, aussi terrifié qu'elle. Qu'est-ce que c'est ?

— On démolit des bâtiments. Je crois que c'était l'usine Tredegar.

Marcelline, l'autre fille, se mit à glapir et à pleurer. Sans hésiter, Mr. Perdue la gifla plusieurs fois, ce qui mit fin à la crise de nerfs.

Vers onze heures, la ville était devenue un asile éclairé par les lueurs des incendies, qui se propageaient rapidement. Davis arriva dans un attelage escorté de soldats lourdement armés. Dans la lumière enfumée d'un bec de gaz, Mr. Perdue le vit pénétrer dans la gare. « Un train à destination de Danville l'attend », assura quelqu'un.

Mr. Perdue commença à flairer la trahison lorsqu'il repéra d'autres dirigeants se faufilant dans la gare sous la protection de la troupe : Mallory, ce vaurien, qui avait dilapidé tant de précieux dollars pour ses plans insensés au ministère de la Marine ; Trenholm, qui avait remplacé Memminger aux Finances et qui arriva en ambulance ; ce fichu juif de Benjamin, l'air plus sournois que jamais. Les privilégiés se réfugiaient en lieu sûr, loin des barils de poudre, du brasier, des pillards...

— Les fourgons du train spécial vont être ouverts ! cria un employé du haut du perron de la gare. Je répète, les fourgons vont être ouverts, mais, attention ! défense d'emporter des bagages. Pas un seul bagage !

Criant, poussant, la foule se rua vers les portes, les gens se mirent à se battre. Mr. Perdue vit un enfant tomber, être piétiné. Il ne lui porta pas secours, trop occupé qu'il était à tirer sa femme vers le quai.

— Oh ! Lonzo, pas de bagage ! gémit Mrs. Perdue. Je ne peux pas laisser nos affaires...

— Alors reste avec elles. Sans moi. Les filles, donnez des coups de pied si on ne vous fait pas de la place.

C'est ainsi que la famille Perdue réussit à monter dans le train. Lorsqu'il s'ébranla, des gens restés sur le quai se bousculèrent pour essayer de se glisser dans les fourgons déjà bondés. Mr. Perdue et ses voisins, campés devant la porte ouverte de leur wagon, repoussèrent l'assaut en écrasant les mains des indésirables.

Marcelline, agrippée aux basques de son père, montra un groupe gesticulant sur le quai.

— Papa, c'est Mr. Salvarini et sa famille !

— Oui, c'est dommage.

Une main potelée portant deux alliances à l'annulaire émergea de la foule comme une créature marine et s'accrocha au pantalon de Mr. Perdue. Il saisit l'index, le plia en arrière, entendit l'os craquer. La main lâcha prise.

Le train prit de la vitesse, se dégagea des dernières grappes de corps agglutinés aux portes, s'engagea sur le pont. La veste et la cravate en lambeaux, Mr. Perdue était épuisé mais content, ravi, même, du comportement héroïque et peu dans son caractère qu'il avait eu face au danger.

En aval du fleuve, de grandes colonnes de lumière brillaient là où on avait mis le feu à d'autres ponts. « J'aurais peut-être dû m'engager dans l'armée, finalement », songea Mr. Perdue tandis que le train l'emportait dans la nuit.

Les soldats, pour la plupart des vétérans blessés, avaient formé une arrière-garde chargée de descendre les 13e et 14e Rues, de pénétrer dans les bâtiments officiels et de mettre le feu aux caisses et aux cartons d'archives officielles. Un homme grisonnant, qui avait vingt-cinq ans mais en paraissait quarante, ouvrit une caisse en bois et s'exclama :

— Tiens ! V'là autre chose. Du courrier non distribué.

— Brûle-le, ordonna son sergent.

Comme ses hommes, le sous-officier avait les bas de pantalon trempés de whisky à force de patauger dans les caniveaux qui en étaient pleins. Les pillards cassaient tout.

Le soldat craqua une allumette. Quand plusieurs lettres flambèrent, il en prit une dont il se servit pour mettre le feu à une seconde puis une troisième et une quatrième caisse. Lorsque le brasier ronfla, il jeta l'enveloppe aux deux-tiers consumée sur le plancher déjà chaud et sortit de la poste en courant.

129

Devant le siège du *Ledger-Union*, un grouillot accrochait presque toutes les heures un résumé des dernières dépêches télégraphiques. Chaque nouvelle du front Petersburg-Richmond était acclamée par une foule sans cesse plus nombreuse.

Le lundi 3 avril, à midi, l'excitation arrêta le travail aux forges Hazard et se propagea à Belvedere comme un feu de prairie. Seule Madeline ne participa pas à l'allégresse et se retira dans ses appartements.

Elle était cependant soulagée de savoir la fin proche. Les dépêches ne précisaient pas si le général Lee avait abandonné aussi ses positions intenables devant Petersburg et Richmond mais tout le monde le supposait — à Belvedere comme à l'usine et en ville. Chacun sentait que la capitale confédérée tomberait bientôt. Si cela signifiait la fin du bain de sang, Madeline en était contente.

Les nouvelles du front suscitèrent aussi en elle des considérations moins plaisantes. Après la capitulation du Sud, elle n'aurait aucune raison valable de ne pas retourner à Mont Royal.

Cette idée lui faisait horreur car la plantation lui rappellerait Orry. Pourtant, elle savait que son devoir lui commandait d'y retourner dès qu'il serait possible de se rendre en Caroline du Sud. A Washington, on parlait beaucoup de confisquer tous les biens des grands propriétaires d'esclaves. Madeline devait rentrer pour empêcher cela. Si l'amour qui l'avait unie à Orry avait un monument, c'était Mont Royal, quoique la grandeur en fût ternie par l'esclavage des Noirs.

Elle devait donc faire le voyage et, prenant la place d'Orry, protéger le domaine où ils avaient vécu ensemble un temps si court. A supposer, bien sûr, que la plantation existât encore. Les journalistes du Nord écrivaient sur l'avance de l'armée de Sherman de longs articles pleins d'une jubilation sinistre qui laissaient penser que la moitié de l'Etat de Caroline du Sud avait été incendiée, comme la ville de Columbia.

Mais Madeline ne connaîtrait le sort de Mont Royal qu'en s'y rendant, et elle ne pouvait y aller sans se préparer. Lasse d'imaginer des scènes de destruction, elle choisit pour antidote l'activité physique.

D'un placard, elle sortit la petite malle avec laquelle elle était venue de Richmond. Elle l'ouvrit, y plaça deux robes qu'elle portait rarement. Quand le bagage fut à moitié plein de vêtements que Madeline avait rarement mis depuis son arrivée, elle commença à y ranger les livres posés sur la table de chevet. Elle ouvrit l'un d'eux à la page marquée par le ruban, regarda le poème sans en distinguer un seul mot.

Ne lis pas, lui conseilla une voix silencieuse. Elle ferma le livre, le pressa contre sa poitrine. Des larmes coulèrent de ses yeux contemplant par la fenêtre les collines couvertes de lauriers.

— C'était il y a bien longtemps... dans un royaume... près de la mer... que vivait une jeune fille... du nom de...

Frissonnante, Madeline baissa la tête.

— Du nom de...

Elle fut incapable de poursuivre : le poème avait signifié trop de choses pour Orry et elle. Elle se pencha au-dessus de la malle, posa le livre de Poe sur les robes puis referma le couvercle. C'était tout ce qu'elle pouvait emporter pour le moment.

Ce jour-là, quand les conquérants entrèrent dans Richmond, Mrs. Burdetta Halloran était prête. Elle avait dépensé presque tout l'argent qu'il lui restait pour acheter un drapeau de l'Union : « tout le monde en veut », avait fait valoir le profiteur qui le lui avait vendu fort cher.

Le matin, les Yankees passèrent devant sa maison. Spectacle incroyable, c'étaient les Noirs du 5e de cavalerie du Massachusetts qui ouvraient le défilé. Cachant son mépris, elle les acclama et agita son mouchoir sous la bannière étoilée qui flottait devant son porche. Beaucoup de ses voisins pleuraient sans se cacher mais pas tous. Mrs. Halloran se fichait totalement de ce que les âmes éplorées pensaient de sa conduite.

Par centaines, les conquérants se pavanaient dans les rues, souriant, jouant du fifre et du tambour, célébrant leur victoire sous un ciel encore teinté de lueurs d'incendie. Sur le passage des soldats, les Noirs sautillaient et dansaient, injuriaient les Blancs regardant de leur porche ou de leur fenêtre.

Burdetta s'aperçut qu'un officier blanc l'avait remarquée et cria de plus belle. Il fallait bien survivre...

— Dieu soit loué ! Dieu soit loué ! s'exclamait-elle en agitant son mouchoir si fort qu'elle en avait mal au bras.

Un colonel au visage joufflu fit sortir son cheval de la colonne et s'approcha lentement de la clôture derrière laquelle se tenait Mrs. Halloran.

— Plus d'esclavage — et bientôt, plus de guerre, n'est-ce pas, capitaine ?

— Oui, tout semble indiquer que Lee est en déroute, répondit Billy.

Les petits yeux de Pinckney Herbert brillèrent de satisfaction tandis qu'il nouait un morceau de ficelle autour du cuir à repasser enroulé sur lui-même. Billy se laissait pousser la barbe depuis son retour mais continuait à se raser le cou et son ancien cuir était usé.

Il se remettait. Sa blessure lui causait fréquemment une douleur diffuse quoique forte qu'il réussissait cependant à oublier quand il était au lit avec Brett. Jamais, lui confia-t-elle, ravie, elle ne l'avait vu aussi fougueux. « J'ai dû trop longtemps me contenter des rations de l'armée, expliqua-t-il. Café, pain de maïs et abstinence. »

Il remercia le commerçant, prit le cuir et sa monnaie, sortit de la boutique sombre et poussiéreuse où flottaient de merveilleuses odeurs d'épices, de bonbons et d'oignons. Bien que sa poitrine recommençât à le faire souffrir, il éprouvait une joie profonde à sentir la vie reprendre son cours habituel. Pour reconnaître ce retour à la normale, il ne portait plus d'arme.

Herbert avait raison quand il disait que c'était un grand jour pour tout le pays, ce 3 avril. Le Treizième Amendement avait été soumis à la ratification de chaque Etat, et l'Illinois avait été le premier à l'approuver. Même le pathétique président de la Confédération avait reconnu la nécessité du changement — encore que Billy le soupçonnât d'avoir tenu ces propos en désespoir de cause et non par conviction. Davis, qui serait probablement pendu à la fin de la guerre (si on le capturait : à sa place, tout homme sensé aurait quitté le pays) avait signé en mars une loi admettant les Noirs dans l'armée confédérée. Billy trouvait cette décision à la fois triste et méprisable.

Faisant de son mieux pour oublier la douleur montant dans sa poitrine, il se dirigea à pas lents vers le siège du *Ledger-Union* pour voir s'il y avait d'autres nouvelles. En chemin, il passa devant un café bondé d'hommes qui grimperaient bientôt la colline pour relayer l'équipe du matin aux forges Hazard. Plus loin, une banderole tricolore décorait l'entrée du bureau de recrutement. Billy s'arrêta pour observer un trio d'hommes désœuvrés qui barraient le passage à un jeune Noir aux larges épaules. L'un des trois Blancs portait un uniforme de l'armée et Billy reconnut en lui Fessenden, l'ouvrier qui avait un jour importuné Brett.

— Tire.toi, négro, lança un des Blancs.

Il ramassa une pierre de bonne taille, la jeta en riant vers les vieilles chaussures du Noir. Le projectile tomba juste devant les pieds de l'homme de couleur.

— Ouais, retourne au boulot, enchaîna Fessenden, l'air également amusé. Bob Lee se débine, la guerre est presque finie. On veut pas que les Noirs se battent pour nous.

Billy se tenait devant le café, dans l'ombre du porche. Fessenden et ses compères accoudés à la barrière séparant le bureau de recrutement de la rue ne pouvaient pas le voir mais le jeune Noir, qui faisait face au mur, coula vers lui un regard plein d'appréhension. Dominant une peur évidente, il répondit :

— Je ne cherche pas d'ennuis. Je veux juste m'enrôler pendant qu'il est encore temps.

Il fit un pas en avant. Le jeune Blanc boutonneux qui se tenait à la gauche de Fessenden sortit vivement la main de la poche de son pantalon. Un déclic, un reflet métallique — le Noir se figea en voyant la longue lame du couteau.

— T'as entendu ce qu'a dit le soldat ? On veut pas de moricauds de cette ville dans l'armée des Etats-Unis. Maintenant, retourne à ta cabane, mon gars, ou on ramassera encore des morceaux de tes balloches dans la poussière d'ici trois semaines... T'entends ? Reste pas planté comme un poteau quand un Blanc te...

— Laissez-le passer.

La voix provenant de l'ombre bleue fit se retourner les trois hommes. Billy s'avança, s'arrêta devant la porte du bureau de recrutement dont les occupants, invisibles, n'avaient manifestement pas le courage d'intervenir.

— Cela ne vous regarde pas, Hazard, répliqua Fessenden.

— Il a le droit de s'enrôler s'il le désire.

— Le droit ? pouffa le possesseur du couteau. Depuis quand les moricauds ont des...

— Laissez-le passer.

— Dis-lui d'aller se faire foutre, Lute, suggéra le troisième larron.

Fessenden gratta son menton bleu de barbe en marmonnant :

— Je sais pas, les gars. C'est un ancien combattant, blessé comme moi.

— Blessé au derrière, paraît-il, dit Billy. Alors que tu t'enfuyais.

— Fumier ! beugla Fessenden.

Mais ce fut le boutonneux qui passa à l'action, le couteau en avant. Billy se recula vivement, cassa la ficelle de son paquet, déroula le cuir et en cingla le visage de son assaillant. L'homme lâcha son arme en couinant, la face marquée d'une barre violette du front au menton.

Sous la bande enserrant sa poitrine, la blessure de Billy palpitait. Il se sentit soudain pris de vertige. Le boutonneux se baissa sans le quitter des yeux, chercha à tâtons le couteau, que Billy expédia au milieu de la rue d'un coup de pied.

— Merde, alors ! explosa Fessenden. Et pourquoi pas leur donner aussi le droit de vote, aux nègres ?

— S'il a le droit de mourir pour le gouvernement, il doit aussi avoir celui de l'élire.

— C'est pas vrai! ricana Fessenden avec un hochement de tête incrédule. Qu'est-ce qu'on vous a fait à l'armée ? Vous parlez comme un de ces foutus extrémistes.

Surpris, Billy prit conscience que des convictions nouvelles s'étaient forgées en lui sans qu'il s'en rendît vraiment compte.

— Vraiment ? Eh bien, c'est comme ça.

Il se tourna vers le jeune vaurien affligé d'acné et, de sa plus belle voix d'officier de West Point, brailla :

— Fiche-moi le camp, crapule! C'est un ordre.

Le boutonneux déguerpit à toute allure, faillit renverser Pinckney Herbert qui observait la scène du seuil de son magasin.

— Tu peux entrer, dit Billy au Noir.

Celui-ci passa devant Fessenden, sans presser le pas mais sans s'attarder trop longtemps non plus quand il fut à portée du Blanc. Fessenden se contenta de le regarder en secouant la tête.

Avant de pénétrer dans le bureau de recrutement, le Noir sourit à Billy et dit :

— Merci, capitaine.

130

Assis sous un chêne le protégeant du crachin, Charles lisait un vieux journal de Baltimore parvenu Dieu sait comment à Summerville, le village où Andy et lui étaient allés chercher à manger.

L'éclaireur était resté à Mont Royal plus longtemps qu'il n'aurait dû et qu'il ne l'avait prévu. Mais on avait eu besoin des bras de tous pour construire une nouvelle maison — guère plus qu'une très grande cabane — à l'emplacement occupé autrefois par la gloriette de la plantation, qui avait été démolie mais non brûlée. Toutes les planches utilisées pour bâtir la nouvelle demeure étaient brisées ou en partie brûlées, ce qui donnait une construction bigarrée et biscornue. Mais du moins abritait-elle les survivants, Noirs et Blancs, dans différentes parties séparées par des rideaux.

La nourriture posait un problème grave. Markham Bull, le voisin, avait partagé avec eux de la farine et de la levure, avec lesquelles ils faisaient du pain. Ils avaient aussi le riz de la plantation mais c'était à peu près tout. D'après les voyageurs passant de temps à autre sur la route longeant la rivière, tout l'Etat mourait de faim.

L'expédition à Summerville le confirma. Même avec des sacs d'or, Charles n'aurait rien trouvé à acheter excepté le journal laissé par quelque réfugié en fuite. Il acheva de lire le long article consacré à la seconde inauguration d'Abe Lincoln : puisque l'homme gouvernerait bientôt un Sud conquis, autant savoir ce qu'il pensait.

Mr. Lincoln semblait prêt à pardonner et parlait beaucoup dans son discours de « charité pour tous ». Il voulait « panser les plaies de la nation », « prendre soin de ceux qui ont combattu, des veuves et des orphelins », assurer « une paix juste et durable ».

Très grand, très généreux, pensa Charles. Mais certains autres passages suggéraient que si Mr. Lincoln pardonnait aux Sudistes en tant qu'individus, il ne pouvait pardonner le péché d'esclavagisme et poursuivrait la guerre tant que l'institution demeurerait.

« ... si Dieu veut qu'elle continue jusqu'à ce que disparaissent toutes les richesses accumulées par le labeur non récompensé de l'esclave pendant deux cent cinquante ans, jusqu'à ce que chaque goutte de sang que le fouet fit couler soit vengée par le sang que fera couler l'épée... Il faut le dire : les jugements du Seigneur sont justes. »

Les jugements du Seigneur... Charles se répétait la phrase en regardant les quatre mots imprimés sur le papier jauni. Ils résumaient et confirmaient la conviction née en lui depuis l'incendie : la guerre s'achevait de la seule façon appropriée.

Adossé à l'arbre, il ferma les yeux en songeant toutefois qu'elle aurait pu avoir une autre fin si la chance n'avait pas trahi si souvent le Sud.

Si les Nordistes n'avaient pas trouvé avant Sharpsburg un ordre de Lee enveloppant des cigares.

Si Jackson n'avait pas été blessé par un soldat de Caroline du Nord.

Si Stuart, parti au galop laver sa réputation, n'avait pas disparu de la carte avant Gettysburg.

Si l'Intendance avait été dirigée par un homme compétent et non par un incapable.

Si Davis s'était plus soucié des petites gens et du pays, moins du maintien des grands principes philosophiques.

Si, si, si — à quoi bon ? Ils perdraient. Ils avaient perdu.

Pourtant, en Virginie, la guerre continuait. Et il avait une remonte. La guerre l'avait transformé, consumé comme du bois de chauffage, mais il devait retourner combattre. West Point enseignait avant tout le sens du devoir.

Charles jeta le journal, contempla la pluie et crut voir Gus lui sourire. Il porta une main devant ses yeux, l'y laissa un moment. Quand il l'abaissa, l'image de la jeune femme avait disparu.

Il se leva péniblement, comme s'il pesait une tonne et, boitillant encore à cause de sa blessure à la cuisse, alla chercher sa mule. Il prit son vieux colt de l'armée — pour lequel il n'avait plus de munitions — le sabre brisé en forme de croix, qui servirait de dague en cas de besoin, et son poncho fait de lambeaux. Puis il dit au revoir à tout le monde et partit vers le nord avant la tombée de la nuit.

131

Le dimanche des Rameaux, Brett et Billy allèrent se promener le soir sur la colline aux lauriers. Bien que l'usine fût fermée, ses cheminées lâchaient encore des traînées de fumée dans l'air tiède et parfumé du printemps. Au-delà, les rues étagées de la ville, la paisible rivière, le soleil se couchant sur les hauteurs composaient un paysage de gris et de mauves émaillé de petites taches orange pâle.

Toute la journée, Brett avait répété dans sa tête les deux choses qu'elle voulait dire à son mari. Souhaitant un cadre adéquat, elle avait proposé cette promenade mais se sentait à présent anxieuse et incapable de prononcer un mot. Elle se décida cependant à parler :

— Quand crois-tu que Madeline pourra retourner en Caroline du Sud ? finit-elle par demander.

Billy réfléchit avant de répondre :

— On dit qu'il ne reste presque plus rien de l'armée de Lee. Ni de celle de Johnston. Je ne pense pas que l'un ou l'autre puisse tenir encore plus de quelques semaines. A mon avis, elle pourrait partir en mai, si ce n'est plus tôt.

Brett prit l'autre main de son mari, se tourna pour lui faire face.

— J'aimerais l'accompagner.

— Je m'en doutais, dit Billy avec un sourire.

— Ce n'est pas seulement pour voir ce que Mont Royal est devenu. J'ai un autre motif... que tu n'approuveras peut-être pas. Je veux rester un moment là-bas. Les nègres seront libres, ils auront besoin d'aide pour se faire à ce changement.

— Excuse-moi, mais j'ai l'impression d'entendre parler la bonne maîtresse de la plantation.

Le sourire pincé de Billy provoqua en Brett une colère inattendue.

— C'est possible mais ne prends pas cet air condescendant.

Il l'enlaça en disant :

— Là, je ne voulais pas te froisser...

— Et je ne voulais pas hausser le ton. Je ne joue pas à la bonne maîtresse quand je dis que les Noirs de Mont Royal ont besoin d'aide, de protection. Ils risquent de tomber d'un esclavage dans un autre. C'est ton propre frère, Stanley, qui m'en a fait prendre conscience.

— Stanley ? Comment ?

Aussi fidèlement qu'elle le put, Brett répéta les propos que le frère de Billy avait tenus deux ans plus tôt concernant le projet républicain de secourir les Noirs affranchis pour mieux les manipuler en tant qu'électeurs.

— Il a avoué cela ?

— Il était soûl, sinon il n'aurait pas parlé aussi librement. Il a précisé que le parti, ou en tout cas une de ses tendances, avait déjà arrêté cette stratégie. Voilà pourquoi je veux retourner à Mont Royal. L'esclavage de l'ignorance est aussi affreux que toute autre forme d'esclavage ; c'est peut-être même le plus pernicieux car si l'on voit les fers que l'on a aux jambes, il est difficile de détecter des entraves invisibles.

Brett guetta la réaction de son mari, qui baissa légèrement la tête sans rien dire. Elle ne pouvait interpréter son silence que comme un désaveu. Pourtant, elle refusa de s'avouer vaincue et, cueillant une brindille de laurier, elle reprit :

— Tu m'as raconté un jour ce que ta mère t'avait appris : ce brin de laurier est comme l'amour, il résiste à tout. Eh bien, pendant ton absence, j'ai fait une découverte en regardant les yeux des orphelins de Mr. Brown. Si l'amour dont parlait ta mère n'englobe pas tout le monde, si on ne peut le donner librement à quiconque, il n'a pas de sens. Il n'existe pas.

— Et retourner là-bas aider les nègres, c'est une forme d'amour ?

— Pour moi, oui, répondit la jeune femme très doucement.

— Brett, commença Billy. (Il s'éclaircit la voix.) A l'armée, j'ai connu des centaines de types qui ont fini par accepter l'émancipation parce que c'était la politique du gouvernement mais qui suffoqueraient de colère en t'entendant. Ils seraient prêts à prendre un gourdin ou un fusil pour défendre leur droit à être supérieurs aux Noirs.

— Je le sais. Mais comment l'amour ou la liberté pourrait-ils être la propriété exclusive de quelques privilégiés ? Mon éducation m'a long-temps fait croire que c'était possible mais je suis venue ici et j'ai compris.

— Tu as changé, plutôt.

— Comme tu voudras. Je suppose que tu t'opposes à mon désir de...

— Je ne m'oppose à rien, déclara Billy en caressant la joue de sa femme. Je t'aime. Je suis fier de toi. Je crois à tout ce que tu viens de dire.

— C'est vrai ?

— Tu n'es pas la seule que cette guerre a changé. Je ne suis plus le même qu'il y a quatre ans. Je n'avais pas pris conscience de la profondeur de ce changement avant...

Billy renonça à raconter l'incident du bureau de recrutement afin de ne pas passer pour un fanfaron.

— Avant ces derniers temps, acheva-t-il. Je t'aime, Brett. Pour ce que tu es et pour ce en quoi tu crois. Tu as raison de vouloir rentrer : on a sûrement besoin de toi là-bas. Je serai fier et honoré de t'escorter jusqu'à Mont Royal avec Madeline. Et puisque je devrai bientôt reprendre du service, il n'y a aucune raison pour que tu n'y restes pas aussi longtemps que tu le voudras.

— Si, il y en a une, dit Brett en rougissant. Chéri, tu t'es montré si ardent malgré ta blessure que... Enfin, je n'en suis pas encore tout à fait sûre, je n'ai pas vu le docteur, mais je crois que nous allons avoir un enfant.

Abasourdi, Billy ne trouvait pas de mots pour exprimer ce qu'il ressentait. Une nouvelle vie après tant de morts, c'était miraculeux. Il prit le brin de laurier des mains de Brett et le fit tourner entre ses doigts.

— Tu comprends, poursuivit-elle, si je reste à Mont Royal, notre enfant naîtrait là-bas.

— Il peut naître n'importe où, c'est sans importance ! s'exclama Billy.

Il lâcha la brindille, serra Brett contre lui en poussant un long cri de joie que l'écho renvoya.

Ce même dimanche 9 avril, à Petersburg, George avait passé l'après-midi à assembler et à charger du matériel de construction sur deux wagons plate-forme. On réparait la ligne Petersburg & Lynchburg, qui courait à l'est de la ville, pour ravitailler l'armée lancée à la poursuite de Lee. George se lèverait le lendemain matin avant l'aube pour aller à Burkeville.

Fatigué, il se dirigea vers les tentes affectées aux officiers de passage. Dans l'obscurité, plusieurs cornets, deux fifres et un tambour jouaient *The Battle Cry of Freedom* *.

— Drôle d'heure pour faire de la musique, marmonna-t-il.

Il sursauta quand un cavalier passa au galop en criant :

— Reddition ! Reddition !

Un officier sortit en bâillant d'une tente voisine, torse nu, les bretelles pendant sur le pantalon.

— Reddition ? Je savais même pas qu'on nous avait attaqués.

Avec un grand sourire, George lui répondit :

— Je crois qu'il s'agit de la reddition de quelqu'un d'autre. Vous entendez la musique ? Venez, on va voir.

L'officier tendit ses bretelles sur ses épaules nues, prit le sillage de George, qui courait déjà. Bientôt ils rejoignirent une foule de soldats sortis des tentes et dont George eut peine à saisir les propos :

— ... aujourd'hui, oui...

— ... le vieux renard gris a demandé ses conditions à Ulysses...

— ... A Appomatox Court-House...

Une heure plus tard, Petersburg était en ébullition. Apparemment la nouvelle était vraie : l'armée du Nord de la Virginie avait déposé les armes pour arrêter l'effusion de sang d'une guerre que le Sud ne

---

* Le Cri de guerre de la liberté (n.d.t.).

pouvait plus gagner. George saisit son képi, le jeta en l'air, le rattrapa, se mit à boire de longues rasades de tord-boyaux aux bouteilles que lui tendaient des officiers et des soldats qu'il n'avait jamais vus et qu'il ne reverrait sans doute jamais, mais qui étaient ses amis, ses camarades dans ce moment de délire.

Pistolets et carabines tiraient dans la nuit ; des fanfares, grandes et petites, jouaient des airs patriotiques. Les mains sur les hanches, George dansait la gigue sans en connaître les pas.

Des hommes tournoyaient autour de lui, sautant, dansant, buvant, titubant, braillant. Il lança à nouveau son képi en l'air et se mit à chanter lui aussi :

« Rassemblez-vous autour du drapeau, les gars, et poussez ensemble le cri de guerre de la... »

Beuglant à tue-tête, se trémoussant comme un fou, il ne vit pas les feuillées se trouvant derrière lui — et en sentit l'odeur trop tard. Par bonheur, il ne s'y enfonça que jusqu'aux genoux, ce qui était déjà bien assez.

Lorsqu'il revint, après s'être nettoyé dans l'eau calme de l'Appomatox, il remarqua que ses compagnons ne l'approchaient plus d'aussi près. Il réussit néanmoins à saisir quelques bouteilles au passage et, ainsi réconforté, considéra sa mésaventure comme la note comique d'une nuit mémorable. Une nuit que des hommes raconteraient sans se lasser à leurs femmes, à leurs fiancées, à leurs enfants et petits-enfants, en expliquant où ils étaient et ce qu'ils faisaient quand ils avaient appris la nouvelle. George ne se voyait pas très bien disant :

« J'étais à Petersburg, tellement content que je me suis mis à danser et que je suis tombé dans un trou plein de merde. »

132

La paix aussi avait ses tensions, comme Stanley le découvrit à la fin de la semaine. Dans les rues de Washington envahies par la fête, la circulation était fortement ralentie — ou impossible. Isabel prétendait que les illuminations patriotiques brillant aux fenêtres de la plupart des maisons et édifices publics lui donnaient des maux de tête. Comment était-ce possible puisqu'elle restait à la maison et n'en voyait guère ? Stanley ne se l'expliquait pas.

Il était importuné par le vacarme des feux d'artifice tirés toute la nuit, par les cloches sonnant à la volée, les fanfares défilant sans fin, les réjouissances de bandes de Blancs et de Noirs rôdant librement jusque dans les meilleurs quartiers. Si l'on ajoutait à cela l'air préoccupé de Stanton, ses craintes d'un attentat contre Grant ou le président, cela faisait une semaine bien pénible pour Stanley.

Stanton désirait le voir à propos de son départ du ministère de la Guerre pour prendre le nouveau poste que Wade lui avait obtenu. Stanley se présenta avec ses dossiers le vendredi matin à neuf heures mais le ministre était occupé. A onze heures, il dut même se rendre en toute hâte à la résidence présidentielle pour une réunion de Cabinet qui dura plusieurs heures. Pendant ce temps, Stanley n'osa quitter le ministère. Il avait faim et était d'humeur exécrable quand, en fin de journée, il fut finalement convoqué dans le bureau de Stanton.

L'homme aux favoris parfumés et aux lunettes rondes exprima à nouveau sa crainte d'une tentative d'assassinat.

— Au moins, les Grant n'iront pas au Ford. C'est déjà un souci de moins.

— Au Ford ? répéta Stanley.

— Vous n'avez plus de mémoire ? marmonna le ministre, agacé. Ford, le théâtre de la 10ᵉ Rue !

— Ah ! le président va voir Miss Keene... ?

— Ce soir. Il considère que sa présence est une sorte d'obligation patriotique et n'a tenu aucun compte de mes avertissements. Grant, en revanche, m'a écouté.

Stanton approcha de la fenêtre, le pas lourd, les mains derrière le dos.

— J'ai passé une curieuse journée. A la réunion, nous avons consacré autant de temps au dernier rêve du président qu'aux mesures pressantes pour rétablir l'Union.

— C'était quoi, cette fois ? demanda Stanley.

Les rêves étranges de Lincoln, dont certains revenaient régulièrement, alimentaient les conversations de la capitale.

— La barque, répondit Stanton en regardant par la fenêtre. La barque dans laquelle il dérive. D'après lui, il fait toujours ce rêve avant un grand événement. C'était le cas pour l'Antietam et Gettysburg. C'est curieux, il peut décrire l'embarcation mais pas sa destination. Juste une côte sombre, imprécise, pour reprendre ses propres mots, ajouta le ministre en retournant à son bureau.

— Il me semble que l'avenir n'a rien de sombre, fit observer Stanley tandis que son supérieur s'asseyait. La guerre est finie...

Tout le monde s'accordait sur ce point, même si l'armée de Johnston demeurait en campagne, quelque part dans les Carolines.

— Nous avons devant nous une période de reconstruction, continuat-il. Et de châtiment pour les rebelles, je présume.

— De châtiment, absolument, approuva Stanton.

Les deux hommes parcoururent ensemble rapidement le plan que Stanley avait préparé : transfert de tels dossiers dans tel service, nouvelles responsabilités à tel autre. Le ministre étant débordé et impatient, l'entrevue se termina plus tôt que Stanley ne l'avait prévu. Au lieu de rentrer chez lui, il résolut, malgré la circulation difficile, de passer chez Jeannie Canary.

La décision se révéla mauvaise. Ce jour-là, les ébats étaient interdits et la danseuse d'humeur geignarde.

— Tu me sors ce soir, trésor ? On sera pas embêtés, ils sont tous bourrés. J'aimerais voir la pièce qu'on donne au Ford. Paraît que le président et sa femme seront dans la loge officielle. J'ai jamais vu Mrs. Lincoln, tu sais. C'est vrai qu'elle est grosse et qu'elle a les yeux en trou de vrille ?

— Elle est affreuse, bougonna Stanley, irrité de ne pouvoir faire l'amour.

— Tu pourrais pas avoir des billets ?

— Il est trop tard. Et même si je pouvais, nous passerions la moitié du temps bousculés par la foule, accablés de chaleur. En plus, la pièce de Tom Taylor est un vieux truc barbant. Non, ce serait une soirée mortelle.

C'était comme si la nature pervertie avait produit un printemps noir. Le crêpe fleurissait partout en ce jour de Pâques : sur les manches des vestes, le banc du président à l'église presbytérienne de York Avenue, les façades en marbre des édifices publics. Des boutiques demeurèrent ouvertes fort tard pour en vendre au mètre et à la pièce.

Booth * s'était enfui ; Stanton avait proclamé que c'était tout le Sud qu'il fallait poursuivre. Même Grant parlait de mesures de représailles « d'une extrême rigueur ». En prévision des funérailles nationales, qui auraient lieu le mercredi, des commerçants préparèrent rapidement des baguettes entourées de tissu noir, des brassards de même couleur. Des portraits du président assassiné apparurent dans les vitrines ; des Noirs frappés de stupeur et de chagrin se rassemblaient aux coins des rues. Des prisonniers confédérés libérés sur parole retournaient leur vareuse ou s'en débarrassaient de peur d'être lynchés.

Le mardi matin, munie d'un laissez-passer fourni par Sam Stout, Virgilia put se faufiler dans la pièce est de la résidence présidentielle, avec les diplomates et les membres du gouvernement, sans faire la queue comme les milliers de personnes qui attendaient dehors. Plus de quinze mille, selon un garde.

Des menuisiers avaient construit un catafalque recouvert de soie noire. Noir aussi le dais bordé de blanc tendu au-dessus du cercueil orné d'étoiles et de trèfles d'argent. Sur une plaque de même métal, cette inscription :

Abraham Lincoln
seizième président des Etats-Unis
Né le 12 fév. 1809
mort le 15 avr. 1865

Des rideaux, des draperies, des housses noirs cachaient presque toutes les touches de couleur normalement visibles dans la pièce. Un voile blanc dissimulait chaque miroir. Attendant son tour sur les marches peintes en noir menant au côté droit du cercueil, Virgilia ôta ses mitaines, lissa sa robe de deuil. Quand ce fut enfin à elle, elle passa devant l'officier se tenant au garde-à-vous à une extrémité de la bière — un second gradé gardait l'autre — et baissa les yeux vers Abraham Lincoln.

Ni l'art ni les fards du croque-mort n'avaient pu lui donner un aspect moins ravagé. Venue surtout par curiosité, Virgilia examina le cadavre en songeant que l'homme avait été trop clément, trop enclin à pardonner, et qu'il avait fait obstacle au grand objectif d'hommes comme Sam et Thad Stevens.

Andrew Johnson, le nouveau président, ne poserait pas un tel problème : Sam ne voyait en lui qu'un rustre à l'esprit lent. Avec Ben Wade et Dawes, autre membre du Congrès, Sam avait déjà rendu au nouveau chef de l'Etat une visite de courtoisie qu'il avait relatée à Virgilia. Par des allusions appuyées, Wade avait clairement fait comprendre à Johnson ce que les parlementaires de sa tendance attendaient de lui.

« Mr. Johnson, je remercie Dieu que vous soyez là, avait déclaré le sénateur. Lincoln était trop plein du lait de la tendresse humaine pour s'occuper de ces damnés rebelles. A présent, ils auront ce qu'ils méritent. »

Alors qu'on continuait à rechercher Wilkes Booth, même les hommes politiques et les journaux modérés du Nord rejetaient sur tout le Sud la

---

* Le meurtrier de Lincoln (n.d.t.).

responsabilité de l'assassinat, faisaient allusion à un complot inspiré par Davis et criaient vengeance. Sam s'en réjouissait : « En mourant, Virgilia, notre ennemi politique le plus dangereux a apporté une aide inestimable à notre cause. »

La thèse du complot intriguait Virgilia, dont la propre version différait légèrement. Pour elle, l'acte de Booth n'était pas isolé puisqu'un colosse nommé Payne ou Paine avait fait irruption chez Seward, le soir même où Lincoln avait été tué, et aurait poignardé le ministre sans l'intervention de son fils et d'un infirmier. Booth était-il le seul instigateur du groupe ? On pouvait supposer qu'un Républicain extrémiste l'avait inspiré dans l'espoir de susciter ce qu'on entendait précisément maintenant : de nouveaux appels à verser le sang sudiste.

Ce n'était certainement pas hors du domaine du possible mais Virgilia présumait qu'on ne connaîtrait jamais la vérité. Cette vérité avait d'ailleurs moins d'importance que ce qui se passait depuis deux jours : de simples citoyens exigeaient les mêmes mesures sévères que Sam réclamait de longue date.

— Madame ? Il faut avancer. Beaucoup d'autres personnes attendent.

L'huissier qui venait de tirer Virgilia de ses pensées se tenait en bas du catafalque, près d'une rangée de sièges peints en noir et réservés aux écrivaillons de la presse. L'intervention attira l'attention sur Virgilia, qui en fut gênée, et faillit répliquer. Mais le lieu était mal choisi pour une scène.

De plus, elle se sentait bien ; la vue de la dépouille de l'ancien chef de l'exécutif ne l'avait pas du tout déprimée. Dorénavant, Sam et ses amis rencontreraient moins d'obstacles dans la mise en œuvre de leur programme. Un programme auquel adhérait à présent la grande majorité de la population, convertie en une nuit par une simple balle. Virgilia lança à l'huissier un regard méprisant puis descendit majestueusement les marches. Une fois en bas, elle se retourna pour regarder une dernière fois la bière et réprima un sourire.

Son amant avait raison : dans la mort, le hideux avocat de l'Ouest servait bien mieux son pays qu'il ne l'avait fait de son vivant. Son assassinat était une bénédiction.

133

Huntoon voulait mourir. Au moins une fois par jour, il avait la certitude qu'il allait expirer dans l'heure : il avait perdu près de treize kilos et toute sa ferveur. Pourrait-il un jour dormir à nouveau dans un vrai lit ? manger des aliments cuits sur un réchaud ? avoir quelque intimité pour faire ses besoins ?

Chaque kilomètre de la longue route empruntée depuis Saint Louis avait apporté son lot de frayeurs et d'épreuves. La diligence avait été escortée plus de la moitié du chemin par un détachement de cavalerie de l'Union : les Indiens des plaines effectuaient des razzias, avait-on dit aux voyageurs.

La nouvelle avait fait trembler Huntoon et au contraire encouragé Powell à jouer son rôle de Kentuckien loyal et sans peur. James le haïssait de plus en plus.

Virginia City, avec ses montagnes aux contours flous, ses cheminées éructantes et ses chercheurs d'or brutaux, était aussi étrange et menaçante que la Chine ou les steppes. Powell et Huntoon durent charger l'or la nuit en disposant les lingots en rangées, selon un schéma dessiné par Powell. Chaque plate-forme de chariot pouvait recevoir quatre-vingt-dix lingots de douze centimètres sur sept, soit un poids total de deux cent vingt-cinq kilos. Au taux de vingt dollars et soixante-sept cents l'once, cela représentait un peu moins de cent cinquante mille dollars. Chiffre qu'il fallait naturellement doubler puisqu'il y avait deux chariots.

— Ce n'est que le premier chargement, rappela Powell à Huntoon. Il y en aura d'autres, mais pas tout de suite. Le filon a beau être riche, il faut des tonnes et des tonnes de minerai pour produire autant d'or. Il m'a fallu un an pour préparer ce premier envoi. Mais je travaillais en secret, par des intermédiaires lointains. Cela ira plus vite dorénavant.

Les plates-formes des chariots avaient été renforcées pour supporter cet excès de charge. Après avoir placé des coins en bois pour empêcher les lingots de bouger, les deux hommes clouèrent sur chaque véhicule un faux plancher qu'ils recouvrirent de couvertures sales. Par-dessus, ils chargèrent le lendemain des caisses de vivres et de carabines Spencer. Il fallut un attelage de six chevaux pour tirer chaque chariot.

Powell engagea alors des conducteurs : deux cochers plus un troisième pour les soulager. C'étaient tous de jeunes brutes illettrées qui parlaient peu et portaient à eux trois un arsenal de sept armes. Ils recevraient chacun cent dollars à la fin du voyage. Le guide, une brute plus épaisse encore, aurait droit au double de cette somme.

Ce voyage fut atroce : eau croupie, insectes, nuits glaciales lorsqu'ils grimpèrent jusqu'aux passes de la Sierra puis redescendirent vers des vallées vides et embrumées. Huntoon éternua et eut la fièvre pendant une semaine.

Lorsqu'ils prirent la direction du sud, à travers ce qui, d'après leur guide, était la Californie, ils furent bientôt cuits par le soleil et se querellèrent à propos de la nécessité d'économiser l'eau des tonneaux. Pendant la traversée d'une effrayante étendue de désert, Huntoon fut abruti de chaleur au point de ne pouvoir répondre de façon cohérente lorsqu'on s'adressait à lui.

Finalement, ils obliquèrent vers le sud-est et les hommes engagés par Powell se mirent alors à tourmenter Huntoon en parlant de signes indiens que lui, naturellement, ne pouvait pas voir. Powell écoutait ces récits en se retenant d'éclater de rire et Huntoon, jugeant à sa mine grave, en concluait qu'ils étaient vrais — ce qui le terrifiait encore plus.

Il perdit la notion du temps. Etait-on au début du mois de mai ou à la fin d'avril ? Existait-il une Confédération, une ville appelée Richmond, une femme nommée Ashton ? Il en doutait de plus en plus à mesure qu'ils s'enfonçaient plus profondément dans des montagnes sinistres, des vallées arides battues par le vent où poussait une étrange végétation épineuse.

Le guide n'avait pas tardé à deviner la faiblesse de Huntoon et à se joindre au trio pour dissiper l'ennui du voyage. Banquo Collins était un Ecossais bien bâti d'une quarantaine d'années avec de longues moustaches fines et tombantes comme celles des Chinois du Comstock. Il tenait son prénom * de son père, acteur itinérant né à Glasgow, formé à Londres, mort sans le sou et enterré à Los Angeles.

Il prenait plaisir à mettre au supplice le Kentuckien à lunettes.

* Banquo : un personnage de *Macbeth* (n.d.t.).

L'autre, le patron, c'était autre chose. Collins le croyait fou mais pas du genre à se laisser railler, alors que Huntoon était le type même de la tête de Turc.

Presque chaque jour, il demandait d'un ton pathétique :

— Où sommes-nous ?

Et le guide, après une bordée de jurons pour bien marquer son agacement, répondait :

— T'en as pas marre de poser cette question, mon gars ? Moi j'en ai marre de l'entendre. Parce qu'on est exactement là où on était hier et la semaine dernière et les deux semaines d'avant. Sur la piste de cette bonne ville de Santa Fe.

Sur ce, Collins partait au galop, laissant Huntoon, à pied, avaler la poussière.

Cette bonne ville ? Doux Jésus, il n'y avait rien de bon dans cette partie de l'Amérique. Pourquoi Powell l'avait-il choisie ? Pourquoi la Confédération avait-elle essayé de l'occuper ? Elle était aussi désolée que la lune, et pleine de menaces. Les conducteurs des chariots le mettaient en garde contre les serpents-corail et les *bull snakes** — sans préciser que ces derniers étaient inoffensifs —, les tarentules et autres araignées venimeuses.

Huntoon ne montrait aucun intérêt lorsqu'ils apercevaient de temps à autre un bison, une communauté de chiens de prairie, des loriots, des colibris et des faucons pèlerins en piqué. Il se fichait totalement que les graines de pin pignon rôties aient bon goût ou que la racine de yucca écrasée soit excellente pour la lessive.

— C'est pour ça que, par ici, on l'appelle l'herbe à savon, expliquait Collins.

Huntoon avait horreur de ces taquineries verbales mais il fut encore plus terrifié quand, un jour, elles s'arrêtèrent. Les conducteurs gardaient les yeux sur l'horizon déchiqueté. Collins continua à parler des Indiens mais davantage pour exorciser ses propres craintes que pour se moquer de Huntoon.

— On est en pays apache, maintenant. Les plus farouches guerriers que Dieu ait jamais créés — avec l'aide de Satan, disent certains. Respectent ni les hommes ni les animaux. Les « braves » mangent leurs chevaux quand ils ont trop faim. De toute façon, ils se battent toujours à pied. Ils préfèrent s'approcher en douce, c'est moins dangereux pour eux. Quand il le faut, ils courent aussi vite qu'un mustang.

— Vous... vous pensez qu'il y a des Apaches dans le coin, Collins ? demanda Huntoon.

— Oui. Une bande de la tribu jicarilla, si j'ai bien interprété les signes. Ils sont là-haut quelque part, à nous observer.

— Nous avons assez de fusils pour leur faire peur, non ?

— Rien ne fait peur aux Apaches, mon gars. Il y a un an ou deux, des soldats sudistes sont venus dans le pays. Les Apaches ont conclu un traité d'amitié à Fort Stanton puis l'ont ratifié en massacrant une troupe de seize hommes dans une embuscade. Mais ils ne prennent pas parti entre le Nord et le Sud, ils sont strictement neutres : ils ont tué quarante-six personnes, dont des adolescents, dans une colonie de l'Union.

— Arrêtez de me dire des horreurs pareilles, protesta Huntoon. A quoi ça sert ?

---

* Gros serpent noir non venimeux (n.d.t.).

— A te préparer à ce qui nous attend peut-être. Si les Jicarillas décident de faire autre chose que nous regarder, faudra que tu te battes comme les autres. J'ai pas l'impression que tu t'es déjà beaucoup battu. Mais tu apprendras vite, mon gars. Drôlement vite, même, si tu tiens à ta peau.

Narguant Huntoon d'un rire qui ressemblait à un aboiement, le guide éperonna sa monture pour rejoindre le premier attelage de six chevaux.

Ayant passé de nombreuses années dans le Sud-Ouest, Collins avait adopté nombre de coutumes indiennes. Il avait remplacé la selle par une peau de bison rembourrée avec de l'herbe et du poil. Il avait aussi vécu un temps avec une squaw mais n'en haïssait pas moins les Peaux-Rouges. Tous les Peaux-Rouges.

S'il regrettait de s'être embarqué avec les deux Sudistes, il se consolait en se disant qu'il y trouverait peut-être son compte. Banquo Collins savait que les deux chariots transportaient autre chose que des armes et des vivres. Il l'avait soupçonné en voyant les six puissants chevaux nécessaires pour tirer chacun d'eux et en avait eu confirmation en découvrant leurs plates-formes renforcées.

Quel poids de métal précieux Powell emportait-il ? Le guide l'ignorait. Une bonne quantité, probablement. En lingots. Ce chargement secret constituait une raison supplémentaire de se préparer à diverses éventualités, car ils étaient bel et bien suivis. Depuis trois jours. Par une bande de Jicarillas d'une dizaine ou d'une vingtaine de guerriers.

En cas d'attaque, Collins avait l'intention de se comporter comme un serpent de verre, animal étrange qui était en fait un lézard sans pattes et qui avait la capacité de se séparer de sa queue devant un danger. Cette queue continuait à se tortiller, retenant l'attention de l'agresseur tandis que la créature s'enfuyait.

Collins entendait s'en sortir non seulement avec son scalp mais avec une partie de l'or. Oui, il jouerait le serpent de verre. Après s'être assuré que ni Powell ni son compagnon ne seraient un jour en mesure de le dénoncer pour vol.

Ce soir-là, ils campèrent entre de gros rochers se dressant au bord d'un ravin où coulait un cours d'eau qu'ils devraient traverser à gué. Le guide expliqua à Powell qu'ils trouveraient à cinq kilomètres au sud un endroit où il serait facile de descendre, mais qu'il était préférable de passer la nuit entre les rochers à cause des fortifications naturelles qu'ils offraient.

— Vous pensez que les Apaches sont près de nous ? demanda Powell.

— J'en suis certain.

— A combien sommes-nous de Santa Fe ? trois jours ?

— Ou un peu plus.

Collins ne se risquait jamais à mentir à Powell : le regard et la tension contenue à grand-peine de cet homme dissuadaient le guide de lui conter des histoires.

— Je suggère de faire un feu, autour duquel tout le monde se serrera. Si vous voulez vous balader, n'allez pas trop loin, conseilla l'Ecossais.

— Entendu.

— Je vais manger, maintenant.

— Nous aussi.

Powell, Huntoon et les conducteurs se nourrissaient de biscuit et de viande boucanée, qu'il fallait longtemps mastiquer avant de l'avaler. Collins préférait son propre menu de mescal rôti, une friandise apache à laquelle Powell ne voulait pas toucher.

Le Sudiste passa une main fine dans ses cheveux, qu'il sentit secs et cassants, et se dit qu'il devait ressembler à un épouvantail. Huntoon s'éloigna avec un air gêné, disparut derrière un rocher. Deux des conducteurs ricanèrent en entendant un bruit d'eau.

Trois jours pour Santa Fe, des Apaches dans les parages... Powell résolut qu'il valait mieux ne plus attendre. Huntoon avait été utile, il avait accompli sa part des corvées du voyage.

La nuit tombait rapidement dans cette contrée désolée, au relief déchiqueté, qui ne ressemblait à rien de ce que Lamar Powell avait vu. Si on savait l'apprécier, elle avait une beauté magique. Un des conducteurs se leva, s'étira, se frotta les fesses. Powell s'éloigna du feu, se faufila entre les rochers jusqu'au bord du ravin, regarda en bas. Le fond disparaissait déjà dans une ombre noire.

Il tourna les yeux vers l'est, vers les nuages, captant les rayons obliques brûlants du soleil. Là-bas, Ashton l'attendait. Il était étonné qu'elle lui manquât à ce point. A sa façon, il l'aimait. Elle ferait une présidente idéale pour le nouvel Etat qu'il gouvernerait et dont il écarterait tout péril pendant le reste de sa vie.

Il y avait des mois que les premières mesures à prendre étaient arrêtées dans son esprit. D'abord, trouver un endroit adéquat, non loin de Santa Fe mais pas trop près. Embaucher de la main-d'œuvre pour construire un petit ranch. Envoyer au Texas des sympathisants de la cause afin de recruter des soldats démobilisés.

Dans un premier temps, ils se rendraient à Santa Fe seuls ou par deux. Mais avant la fin de l'année, ils arriveraient par compagnies entières, faisant trembler la terre sous leurs sabots. Il dessinerait un nouveau drapeau qu'ils brandiraient face à d'éventuels ennemis et rédigerait une proclamation établissant le nouveau gouvernement sur un pied d'égalité avec celui de Washington et de toutes les nations d'Europe.

Powell aurait souhaité faire de Huntoon son premier émissaire au Texas mais c'était impossible à cause d'Ashton. Il avait l'intention de vivre avec elle dès qu'il la retrouverait, et donc...

Il frissonna : l'air avait subitement fraîchi. Ashton pensait-elle à lui en ce moment ? Avait-elle reçu la lettre qu'il lui avait envoyée de Virginia City et dans laquelle il détaillait le chargement des chariots, leur itinéraire probable et leur date d'arrivée approximative ?

Quelques instants plus tard, quand la nuit fut tombée, Powell s'assura que son Sharps à quatre canons était chargé. Il cacha l'arme sous sa redingote jaunie par la poussière du voyage, alla retrouver Huntoon près du feu. Collins sommeillait contre un rocher ; deux des conducteurs, accroupis l'un près de l'autre, mâchaient encore leur viande ; le troisième avait pris le premier tour de garde.

— James, mon ami, voulez-vous faire quelques pas ? proposa Powell. Je voudrais vous parler.

— C'est important ? marmonna Huntoon avec humeur. Je suis complètement vanné.

— Cela ne prendra que cinq minutes. Ensuite vous pourrez vous reposer longuement.

— Bon, d'accord.

Les deux hommes s'éloignèrent du feu crépitant sous le ciel noir. Au loin s'éleva un cri animal, mi-jappement mi-grognement. Banquo Collins se redressa brusquement, releva le bord de son chapeau en peau de daim. L'un des conducteurs tourna la tête vers le guide.

— Un puma ?

— Non, mon gars. Ça, c'est un animal à deux pattes.

134

Charles chevauchait vers le nord à travers le paysage vallonné de la Caroline, où un vent tiède agitait des tonnelles d'azalées, où les glycines épanouissaient leur mauve éclatant. Mais il ne voyait que Gus.

Il retrouvait son image dans le visage d'une vieille fermière lui offrant à boire, dans une formation nuageuse, devant ses paupières closes quand il se reposait au bord de la route, après avoir attaché la mule à un arbre.

De la confusion et de la folie des quatre dernières années, il s'efforçait de sauver quelque chose qui en valût la peine, et il n'y avait que Gus. Charles gardait le souvenir de nombreuses petites scènes touchantes : Gus courant dans l'herbe à sa rencontre, préparant le repas dans la cuisine, lui frottant le dos dans le baquet en zinc, l'enlaçant dans le lit.

Il avait trouvé dans cette guerre une seule chose de valeur et par stupidité, par sens du devoir — ce même devoir qui le poussait sur ces routes inconnues — il l'avait rejetée. Cette prise de conscience lui causait une peine profonde. De sa blessure à la cuisse, il se remettait rapidement mais l'autre ne guérirait jamais.

En traversant son Etat natal, il était tombé par hasard sur une boutique de village où il restait encore quatre cigares desséchés dans un bocal. Il mâchonnait le mégot du premier, les trois autres dépassaient de la poche de sa chemise grise de cadet. Comme le soleil était chaud, il avait roulé son poncho et l'avait attaché derrière lui.

Soudain il vit un cavalier surgir en haut de la colline vers laquelle montait la route et descendre au petit trot dans sa direction. Alarmé, Charles se rassura en se rappelant qu'il se trouvait encore en Caroline du Nord — mais du diable s'il savait où ! De plus, le cavalier émacié soulevant de la poussière dans l'air de l'après-midi portait un uniforme gris.

L'éclaireur arrêta sa mule, attendit. Des oiseaux chantaient en tournoyant au-dessus des prairies voisines. L'homme — un officier — ralentit sa monture pour prendre le temps d'examiner Charles, continua à s'approcher, la main près de son arme.

Charles mâchait son cigare nerveusement, le regard fixe. L'officier arrêta son cheval squelettique et se présenta :

— Colonel Courtney Talcott, 1er régiment d'artillerie légère de Caroline du Nord. A en juger par votre chemise et votre revolver, vous êtes militaire, vous aussi ?

Comme à la réflexion, Charles répondit :

— Oui. Major Main, des éclaireurs de la cavalerie de Hampton. Où se trouve l'armée ?

— L'armée de Virginie ? Alors, vous n'êtes pas au courant ?

— Au courant de quoi ? J'étais descendu jusqu'à l'Ashley, chercher cette remonte.

— Le général Lee a demandé à Grant quelles étaient ses conditions, il y a plus de trois semaines, à Appomatox Court House.

— Je l'ignorais. J'ai pris mon temps pour remonter.

— En effet, acquiesça le colonel sans cacher sa désapprobation. Inutile de continuer, l'armée a été dissoute. Aux dernières nouvelles, le général Johnson et ses troupes combattaient encore mais lui aussi s'est peut-être rendu depuis. La guerre est finie.

Dans le silence, un cardinal s'agita dans un buisson quand un geai vola trop près de sa nichée. L'officier d'artillerie regardait avec méfiance l'inconnu qui ne montrait aucune émotion.

— Finie, répéta-t-il.

Charles cligna des yeux, hocha la tête.

— Merci de l'information.

— De rien, répliqua le colonel, glacial. A votre place, je rentrerais. Il n'y a plus rien à faire en Virginie.

« Si », pensa Charles.

L'artilleur repartit au galop. Il n'avait nullement l'intention de chevaucher, fût-ce quelques kilomètres, en compagnie de ce major apathique au regard un peu bizarre.

Quand la poussière soulevée par le cheval du colonel retomba, Charles se trouvait toujours sur sa mule, au milieu de la route. Ainsi, ils avaient perdu. Tant de sang, de souffrances, d'efforts et d'espoir — pour rien. Pendant quelques instants de rage aveugle, il oublia que la cause pour laquelle il avait combattu était absurde et fut plein de haine pour tous les Yankees de la création.

Ce sentiment disparut rapidement mais Charles s'aperçut à sa surprise que la défaite le faisait souffrir plus qu'il ne l'avait prévu, même s'il la jugeait depuis longtemps inéluctable. Depuis un an au moins, il le savait ; depuis plus longtemps encore, il en avait décelé les signes avant-coureurs : les chevaux affamés en Virginie ; les articles de journaux jaunis selon lesquels des gouverneurs sudistes défiaient Davis en s'appuyant sur sa propre doctrine du droit sacré des Etats ; la carabine yankee à répétition...

Submergé de désespoir et de soulagement, l'éclaireur tira de sa ceinture le sabre de cavalerie brisé et l'examina. Soudain, alors que la lumière jouait sur le tronçon de lame, les yeux de Charles étincelèrent de colère. D'un furieux mouvement du bras, il envoya la croix de métal tournoyer au-dessus d'une prairie. Le morceau de sabre retomba, disparut.

Charles savait à présent qu'il ne lui restait qu'une chose à faire s'il ne voulait pas sombrer dans la folie. Il devait poursuivre son chemin jusqu'en Virginie et tenter de réparer les dommages causés par sa propre stupidité. Mais d'abord, il avait un devoir à remplir — le devoir passait toujours avant tout. Il fallait s'assurer que les occupants de Mont Royal n'étaient pas menacés par des troupes d'occupation ou d'autres dangers dont il ne pouvait deviner la nature. Puis, dès qu'il aurait terminé là-bas, il reprendrait la route de la Virginie.

Il fit tourner sa mule et la lança au galop dans la direction d'où il venait.

135

Sous une pleine lune brillante, les deux hommes parvinrent au bord du ravin. Huntoon fut ravi de s'arrêter, il avait mal aux pieds ; Powell glissa la main droite sous sa veste. Le mari d'Ashton ôta ses lunettes et entreprit d'en essuyer les verres au devant de sa chemise.

— De quoi voulez-vous me parler ?

Powell répondit par un mystérieux :

— Regardez donc là en bas.

Huntoon se pencha en avant, Powell leva le Sharps à quatre canons et lui tira dans le dos.

L'avocat hoqueta, se retourna, agrippa le revers de la veste de son agresseur, qui le gifla de la main gauche. Les lunettes de Huntoon tombèrent par terre. Clignant des yeux, il essayait de distinguer l'homme qui l'avait percé d'une balle. Fouaillé par la douleur, il comprit que Powell avait prévu de le trahir depuis le début du voyage.

Comme il avait été naïf ! Bien sûr, il avait soupçonné la liaison des deux amants et avait pour cette raison envoyé la lettre à son associé de Charleston. Plus tard, reprenant espoir de regagner l'affection d'Ashton par une conduite courageuse, il avait regretté les instructions contenues dans le message. Mais il ne les avait pas annulées, convaincu qu'il aurait amplement le temps de le faire plus tard. Et ce qu'il avait vu à Saint Louis l'avait amené à écrire une deuxième lettre, celle qu'il avait remise à sa femme.

Comme s'il pouvait effacer la douleur présente et passée en montrant pour une fois de la volonté et du courage, il saisit Powell par la manche.

— Lâche-moi, lança celui-ci avec dégoût en tirant une deuxième fois.

La balle atteignit Huntoon au ventre, le fit reculer, basculer dans le vide. Un bref instant, Powell vit le pauvre imbécile agiter les lèvres avant de disparaître.

Il souffla dans les canons du Sharps, le remit sous sa veste. Par-dessus les hurlements stridents des coyotes, il entendit le corps de Huntoon heurter la paroi avec un bruit sourd.

Le silence retomba. Collins et les conducteurs se mirent à appeler. Avec un sourire, Powell contempla la lune haut perchée dans le ciel et s'attarda malgré les cris de ses compagnons. Il songea aux seins à la pointe sombre d'Ashton, à son épaisse toison, qui n'appartenaient qu'à lui désormais. Il se sentit satisfait, rajeuni.

Derrière lui, sur un rocher, un petit homme maigre aux cheveux raides, torse nu, apparut un instant dans la lumière de la lune. Il tenait dans la main droite un morceau de bois au bout duquel était fixée une pierre ronde.

Entendant du bruit, Powell se retourna, voulut saisir son Sharps mais l'arme s'accrocha à la doublure de sa veste. La pierre le frappa à la tempe d'un coup puissant qui le tua avant même qu'il ne tombe à genoux, la bouche ouverte. Du sang ruissela sur son visage lorsqu'il bascula en avant.

Le petit Apache sourit, agita son casse-tête ensanglanté. D'autres Indiens le rejoignirent, pieds nus eux aussi, silencieux et agiles. Ils se dirigèrent à pas de loup vers les lueurs du feu de camp.

Dès qu'il entendit les coups de feu et les cris des conducteurs, Banquo Collins entreprit discrètement et rapidement de rassembler ses affaires.

— Qui a tiré ? les Apaches ? demanda un des cochers.

— Ça m'étonnerait. Ils ont parfois des fusils volés mais, le plus souvent, ils se servent d'un casse-tête — ou d'un couteau avec lequel ils vous tranchent la gorge. D'ailleurs, ils aiment pas se battre et risquer de mourir la nuit. Ils croient que l'obscurité les suit dans le monde des esprits et ils préfèrent passer l'éternité à la lumière. Tu vois, rien à craindre.

En donnant ces explications, le guide avait fini de se préparer. Il rabattit son chapeau sur ses yeux, se retourna et s'éloigna du feu d'un pas pressé. Le conducteur était trop tendu et trop stupide pour objecter que la lune éclairait le paysage presque comme en plein jour. Mais la hâte du guide éveilla ses soupçons.

— Hé ! où tu vas ?.

Le guide continua, tête baissée. Quelques pas encore et il serait à l'abri entre les gros...

— Collins, reviens ici, sale coyote !

« Pas un coyote, un serpent de verre », songea l'Ecossais en sautant derrière un rocher. Il courut quelques mètres, se retourna, vit les Jicarillas surgir derrière le feu et entourer les trois conducteurs. Pris de panique, il s'enfuit, poursuivi par les jappements sauvages des Apaches et les cris des Blancs.

Il ne s'arrêta de courir que lorsqu'il fut hors d'haleine. Après un bref instant de récupération, il repartit jusqu'à ce qu'il eût trouvé un endroit où descendre sans trop de danger. Accroché à la paroi rocheuse, il se trouvait encore à cinq ou six mètres du sol quand il lâcha prise et tomba.

A demi inconscient, les mains et le visage écorchés, il se reposa à nouveau puis se traîna jusqu'à la rivière, entra dans l'eau en faisant le moins de bruit possible. Les Apaches, qui poussaient des cris pour célébrer leur victoire, ne l'entendaient certainement pas.

Collins savait qu'ils monteraient les chevaux quelques jours puis les dépèceraient. Ils ouvriraient aussi les caisses, prendraient les Spencer. Ce qui intéressait le guide, c'étaient les chariots eux-mêmes, et le chargement que Powell y avait caché. L'apparition des Apaches autour du feu signifiait que celui-ci était mort, ainsi que sa larve de compagnon. Le guide s'en moquait, comme il se moquait du sort des conducteurs : ils étaient la queue du serpent de verre.

Ce qui comptait, c'était sa propre peau et, en second lieu, les chariots. Parvenu à proximité de l'autre rive, il remonta le courant jusqu'à ce qu'il eût repéré un genévrier tordu qui ferait un bon poste d'observation. Il y grimpa, vit de hautes flammes dépassant parfois les rochers : les Indiens avaient sans doute ajouté du bois au feu.

Le guide ne tarda pas à découvrir qu'il se trompait. Les flammes montaient en fait d'un des chariots, qui apparut entre les rocs, poussé par une dizaine d'Apaches. Ils l'amenèrent au bord du ravin en hurlant, le firent basculer. Le véhicule resta un moment suspendu puis tomba, les deux roues avant tournant comme des disques de feu.

Le bois éclata, le brasier se sépara en plusieurs feux. Les Jicarillas revinrent avec le deuxième chariot, qu'ils précipitèrent aussi dans le ravin avec des cris de colère. Collins se dit qu'ils devaient être déçus de leur prise. Quand on ne sait pas où chercher... Lui avait vite compris que la partie la plus précieuse du chargement était dissimulée dans un double fond.

Il reviendrait plus tard, quand il n'y aurait plus de danger. Si c'était bien de l'or que contenaient les chariots, cela pouvait attendre. Quoique pas très instruit, Banquo Collins savait que l'or changeait de forme, se mélangeait à d'autres matières, mais ne pouvait être détruit. Tant que personne ne passerait par hasard sur cette route peu fréquentée et ne descendrait examiner les débris, l'or demeurerait à l'attendre au fond du ravin. Collins s'humecta les lèvres en s'imaginant dans la peau d'un riche rentier faisant sauter une putain de San Francisco sur chacun de ses genoux.

136

Des soldats rentrant chez eux s'arrêtaient de temps à autre à Mont Royal et décrivaient aux Main la désolation de l'Etat. En échange, ils buvaient l'eau du puits — Cooper n'avait rien à leur donner à manger.

Bien qu'elle ne soutînt pas le Sud et défendît encore moins les raisons pour lesquelles il avait fait la guerre, Judith pleura en apprenant que des forêts brûlées, des champs piétinés, des maisons pillées marquaient le passage de la machine de guerre de Sherman.

À Columbia, ville rasée, il ne restait de pâtés de maisons entiers qu'un pan de mur ou une cheminée se dressant au milieu d'un champ de ruines. Des bandes de Noirs ne sachant que faire de leur liberté toute nouvelle erraient par les routes, affamés. Il n'y avait à manger ni pour eux ni pour les Blancs et la plupart des boutiques de village étaient fermées, portes et fenêtres barrées par des planches.

Cooper décida de faire une récolte tardive dans trois rizières, comme son père avait coutume de le faire quand celle de printemps avait été détruite par les oiseaux ou une tempête. Pour l'aider à préparer la terre avec les quelques instruments non brisés qu'il restait, il n'avait qu'Andy, Cicero — trop âgé pour ce travail — Jane et sa fille. Judith s'occupait de la cuisine et de la petite cabane.

Peu habitué aux efforts physiques, Cooper rentrait le soir endolori des chevilles au cou, piqué par les insectes. Il avalait le peu qu'il y avait à manger, parlait peu et s'allongeait tout de suite sur sa paillasse. Souvent il grognait ou poussait des cris dans son sommeil.

Pendant la journée, des questions sans réponse l'assaillaient : récolteraient-ils assez de riz pour en vendre un peu et conserver le reste pour l'hiver ? Le Sud resterait-il occupé des années par des troupes hostiles pour expier l'assassinat de Lincoln ? Saurait-il un jour ce qu'était devenue la dépouille d'Orry maintenant que de nombreux dossiers de l'armée avaient brûlé dans l'incendie de Richmond ? Un soldat de passage avait raconté comment, à Petersburg, on avait creusé des fosses communes pour y ensevelir des centaines de cadavres sans se soucier de les identifier.

Ces questions lui martelaient la tête jusqu'à ce qu'elle lui fît aussi mal que le reste de son corps tandis qu'il retournait la terre de Caroline sous un soleil impitoyable. Un après-midi qu'il s'échinait à cette tâche, Andy l'appela. Il leva la tête, essuya son front, vit Judith courir le long des digues séparant les rizières.

— Cooper, c'est ta mère ! Je suis allée la voir pendant sa sieste, comme je le fais toujours et je l'ai trouvée... A en juger par son expression, elle est passée tranquillement. Peut-être sans souffrir. Je suis désolée, chéri...

Elle s'interrompit, intriguée et un peu effrayée par l'étrange demi-sourire de son mari. Cooper n'expliqua pas qu'il avait eu cette curieuse réaction en songeant à l'ironie du sort : Clarissa avait traversé la bataille sans une égratignure, et maintenant...

Le sourire disparut, chassé par des considérations d'ordre pratique.

— Tu crois que nous pouvons trouver de la glace quelque part pour le corps ?

— J'en doute, répondit Judith. Il vaudrait mieux l'enterrer tout de suite.

— Oui, tu as raison.

Les larmes aux yeux, Cooper s'appuya à l'épaule de sa femme et rentra avec elle à la cabane pour le reste de la journée. Le soir, il fabriquait un cercueil avec l'aide d'Andy quand Jane annonça :

— Nous avons de la visite.

— Encore des soldats ? Tu sais ce qu'il faut leur dire. Ils sont les bienvenus, ils peuvent boire l'eau du puits mais nous n'avons rien à leur donner à manger.

— Ces personnes-là, vous devrez les nourrir. C'est votre sœur, son mari et Miss Madeline.

Lorsqu'il jugea le voyage relativement sans danger, Jasper Dills se rendit dans la capitale sudiste occupée et fut consterné par les ravages qui avaient accompagné la chute et la fuite du gouvernement confédéré. Un officier de l'Union lui raconta que, dans l'incendie, des centaines de milliers de balles et d'obus avaient explosé pendant plusieurs heures. Quelques bâtiments restaient debout mais de nombreux pâtés de maisons avaient disparu. L'air printanier aurait dû embaumer ; à Richmond, il puait la fumée.

Les rues défoncées étaient transformées en dépotoirs où s'amoncelaient meubles brisés et abandonnés, vêtements, chiffons, bouteilles, livres, papiers personnels. Ce qui horrifiait plus encore le petit avocat, c'étaient les débris humains, les familles blanches errant dans la ville, les soldats confédérés, parfois âgés de quatorze ans, assis au soleil, l'air affamé et le regard vide. Les bandes de Noirs, dont certains se pavanaient outrageusement. Et partout — à pied, à cheval ou en chariot — les conquérants en uniforme bleu. « Ce sont les seuls Blancs de la ville à sourire », constata Dills.

Il arriva fort ébranlé devant les tentes des cantines plantées sur la pelouse de Capitol Square. Près de l'une d'elles, il rencontra son « contact », un ancien agent de Lafayette Baker que Dills avait engagé pour une forte somme et envoyé en Virginie afin de trouver une piste qui, peut-être, n'existait pas.

L'homme, un individu robuste aux yeux louches, fit asseoir l'avocat à une table installée dehors. Il engloutit une bière tandis que Dills buvait un breuvage insipide passant pour de la limonade.

— Alors, qu'avez-vous à m'apprendre ?

— Il y a six jours encore, je pensais pas avoir quoi que ce soit à vous donner. J'ai descendu et remonté le James pendant près de trois semaines avant de trouver quelque chose. Et encore, c'est maigre.

L'homme fit signe au garçon de lui apporter une autre bière et poursuivit :

— L'année dernière, au début du mois de juin, un paysan a vu un cadavre de civil flotter sur le James. Il était trop loin de la rive pour qu'on le repêche mais la description correspond à peu près à celle que vous m'avez donnée du capitaine Dayton : obèse, cheveux bruns...

— En juillet dernier ? murmura Dills. (Depuis, il avait continué à toucher l'allocation.) Où était-ce ?

— Le fermier se tenait sur la rive droite du fleuve, à un kilomètre environ du pont de bateaux de Broadway Landing que l'armée construisit plus tard, en automne. J'ai passé trois jours de plus dans le coin, à poser des questions mais je n'ai rien découvert d'autre. Alors, donnez-moi l'argent.

— Votre rapport ne contient rien de sûr. Je ne suis pas satisfait.

L'ancien agent de Baker saisit le frêle poignet de l'homme de loi en répliquant :

— J'ai fait le boulot, je veux être payé.

La tentative de Dills pour économiser de l'argent échoua. Il remit à son agent un chèque que celui-ci examina un moment d'un air soupçonneux avant de l'empocher, de vider le fond de son verre et de partir, laissant l'avocat entre deux tablées bruyantes de prostituées, non loin de la magnifique statue de George Washington.

Le fils de Starkwether était-il passé à l'ennemi après son renvoi des services de Baker ? se demanda Dills. Le cadavre flottant sur le James était-il vraiment celui de Bent ? Il devait le savoir : si ses rapports périodiques s'interrompaient, il en irait de même pour l'allocation.

— Que s'est-il passé ? s'écria-t-il en frappant le poing sur la table.

Deux des catins assises à sa droite se retournèrent et firent des remarques. Dills s'efforça au calme. La piste s'arrêtait. Le rejeton de son ancien client était mort, victime parmi tant d'autres d'une guerre longue, détestable et en fin de compte inutile.

A la réflexion, un rapport n'avançant aucune conclusion formelle valait mieux que rien. C'était même un atout précieux, si on l'interprétait correctement. Puisque rien ne prouvait la mort de Bent, Dills pouvait continuer à affirmer avec assurance, dans ses propres rapports périodiques, qu'il était encore en vie. Cela lui garantirait le maintien d'un revenu appréciable en échange de quelques feuilles de papier noircies — joli profit pour un investissement minime.

Moins contrarié, l'avocat se détendit au soleil, oublia les odeurs de fumée et de parfum bon marché et commanda une autre limonade.

137

On enterra Clarissa Gault Main dans le demi-arpent de terre clôturé qui accueillait les morts de Mont Royal, noirs et blancs, depuis trois générations. Du petit groupe de personnes assistant aux funérailles, c'était Jane qui pleurait le plus. Elle avait nourri une affection profonde pour la douce petite femme que son esprit avait depuis longtemps libérée des fardeaux humains ordinaires. La jeune Noire avait veillé sur Clarissa comme sur un enfant.

Andy, qui se tenait à ses côtés, pleurait avec elle ; Brett et Madeline maîtrisaient mieux leur chagrin. Cooper, enfin, considérait de son devoir de dissimuler son émotion et de montrer l'exemple dans un moment difficile. Il lut le passage de l'Evangile selon saint Jean où le Christ dialogue avec Nicodème sur la vie éternelle. Puis Billy et Andy mirent le cercueil dans la fosse et chacun jeta dessus une poignée de terre. Enfin, Cooper confia la dernière prière à Andy, qui fit l'éloge de Clarissa en la décrivant comme un être aimable et généreux et recommanda son âme à Dieu.

Un moment de silence succéda aux amen murmurés.

— Je finirai seul, dit Andy. Inutile que vous restiez tous.

Billy prit Brett par le bras et franchit avec elle la grille rouillée ; Cooper et les autres suivirent. Soudain la jeune femme s'arrêta, regarda à travers les chênes le tas de cendres noires s'élevant à l'ancien emplacement de la maison. Les larmes aux yeux, elle se tourna vers son mari.

— Maman qui nous quitte maintenant, c'est la fin d'un monde, n'est-ce pas ? De la maison, de la plantation. Mont Royal n'a jamais été aussi beau que nous le pensions mais, à présent, il a disparu à jamais.

Madeline acquiesça d'un hochement de tête mélancolique ; à voix basse mais avec une ferveur qui surprit sa jeune sœur, Cooper répondit :

— Nous avons laissé partir le pire, nous rebâtirons le meilleur.

« L'ancien Cooper n'aurait jamais dit une chose pareille, pensa Brett, étonnée. Je ne suis pas la seule que la guerre ait changée. »

Trois jours plus tard, après réception d'une lettre chiffonnée remise par erreur au voisin le plus proche, Charles apparut à nouveau sur sa mule dans l'allée. Brett courut l'embrasser, le trouva distant et renfermé, d'une aigreur alarmante. Quand elle l'interrogea sur ses missions pour la cavalerie de Hampton, il éluda les questions par des réponses laconiques et creuses.

Avant le repas du soir, Madeline saisit l'occasion de lui demander :

— Comment va Augusta Barclay ?

— Je ne sais. Je ne l'ai pas vue depuis longtemps.

— Est-elle toujours à Fredericksburg ?

— Je l'espère. Je m'y rendrai dans quelques jours pour le découvrir.

Après le coucher du soleil, Cooper et Charles se promenèrent le long de la rivière, près du débarcadère détruit. C'était l'éclaireur qui souhaitait avoir une conversation en privé mais, auparavant, son cousin lui donna une information.

— Nous avons reçu avec un long retard une lettre du général Pickett concernant Orry. Son corps n'a pas été jeté dans une fosse commune mais envoyé dans le Sud avec d'autres quand il fut possible d'avoir assez de chevaux de trait pour transporter les cercueils : la voie ferrée partant de Petersburg était inutilisable sur une portion de la ligne en question.

— La Weldon, précisa Charles.

— Malheureusement, il y eut un accident.

— Quel genre d'accident ?

Quand Cooper lui eut répondu, Charles secoua la tête en murmurant :

— Seigneur ! Seigneur Dieu !

Ils marchèrent en silence quelques minutes puis l'éclaireur se ressaisit et informa son cousin de son désir de partir pour la Virginie dès qu'il jugerait la plantation hors de danger.

— Oh ! nous ne risquons pas grand-chose, répondit Cooper avec un rire forcé. Sauf peut-être de mourir de faim. Puis-je te demander ce qui t'appelle là-bas ?

— Raison personnelle.

« Comme il est devenu sombre et fermé ! » songea Cooper.

— Tu reviendras ici ?

— J'espère que non. C'est une femme, ma raison personnelle.

— Charles, je ne me doutais absolument pas — c'est formidable ! Qui est-ce ?

— Si cela ne te fait rien, je préfère ne pas en parler.

Peiné par la rebuffade de l'étranger distant que Charles était devenu, Cooper acquiesça de la tête en silence.

C'était apparemment la saison des visites puisque, le lundi suivant, alors que Charles s'apprêtait à partir, Wade Hampton arriva sur son cheval. En route pour Charleston, il s'était arrêté parce qu'il avait entendu parler de l'incendie de Mont Royal et de la mort de Clarissa. Bien que pas très proches, les familles Main et Hampton se connaissaient depuis trois générations. La plupart des grands planteurs du piémont et du bas pays se connaissaient au moins de vue, et Charles avait contribué à établir des liens entre les deux maisons.

Outre s'incliner sur la tombe de Clarissa et exprimer sa sympathie à la famille, le général avait une troisième raison de passer à Mont Royal. Il espérait obtenir des nouvelles d'un de ses meilleurs éclaireurs et fut surpris de l'y trouver. Hampton fut visiblement consterné de voir Charles aussi hirsute et aussi amer.

Le général, aux cheveux plus gris que dans le souvenir de Charles, avait quitté l'uniforme et portait sous sa veste son arme préférée, un revolver à crosse d'ivoire. Du fait de son haut grade, il n'avait pas bénéficié de l'amnistie accordée à la majorité des soldats confédérés après la capitulation. Il en gardait une amertume qui devint particulièrement apparente lorsqu'il fit le tour des ruines de la grande maison.

— Comme Millwood, soupira-t-il. Nous devrions prendre une photographie et l'envoyer à Grant. Cela lui apprendrait peut-être le vrai sens de ce qu'il appelle « la guerre éclairée ».

Plus tard, les hommes s'assirent devant la cabane sur des caisses et des tonneaux, sous le chaud soleil couchant. Hampton sortit de sa sacoche de selle une bouteille d'alcool de pêche dont il emplit des tasses et des verres dépareillés.

Le général interrogea Charles sur ses derniers jours de guerre mais celui-ci avait peu à raconter. Hampton déclara qu'il avait voulu poursuivre le combat à l'ouest du Mississippi :

— Après ce que les Yankees avaient fait à mon fils, à mon frère, à ma maison, je ne me sentais pas moralement lié par la reddition.

Il avait donc pris le sillage du président en fuite.

— J'aurais escorté Mr. Davis jusqu'au Texas, ou même au Mexique. Je disposais d'une petite compagnie d'hommes loyaux — du moins, je le croyais. Mais ils m'ont lâché, ils ont renoncé, l'un après l'autre. Finalement, je me suis retrouvé seul. A Yorktown, je retrouvai par hasard ma femme Mary qui, avec l'aide du général Wheeler, me convainquit qu'il était vain de chercher à retrouver le président. J'étais las. Prêt à me laisser convaincre, je suppose. Et j'ai abandonné.

— Savez-vous où se trouve Davis, maintenant ? demanda Cooper.

— Non. Je présume qu'on l'a emprisonné, voire pendu. Quelle fin lamentable pour toute cette histoire !

Le général vida le fond de son verre, ce qui sembla le rasséréner quelque peu, et précisa qu'il vivait à présent dans la maison de son ancien régisseur.

— Ma fille Sally doit se marier en juin. J'ai pour m'aider à vivre la perspective de cet heureux événement ainsi que la tâche de reconstruire notre pauvre Etat dévasté. Je suis content que vous soyez de retour à Mont Royal, Cooper. Je me rappelle votre position à l'époque de la convention de sécession. Nous aurons besoin d'hommes comme vous. Il nous faudra de la patience, de la force car les Yankees nous infligeront de dures épreuves. Pour nous châtier. Booth nous a fait un mal incroyable.

— Sait-on ce qu'il est devenu ? demanda Billy.

— Oh! oui. On l'a rattrapé et abattu il y a deux semaines, dans une ferme proche du Rappahannock.

— Messieurs..., commença Charles en se levant. (Il posa le bocal dans lequel il avait bu sur le rondin qui lui avait servi de chaise.) Avec votre permission, je vais me coucher. Je voudrais partir pour la Virginie demain matin avant l'aube. Je vous laisse à vos grands idéaux et à la reconstruction de notre glorieux Etat.

Billy fut consterné par l'aigreur de son ami, qu'il se rappelait si gai, si prompt à rire. Ce squelette hirsute et dépenaillé n'était pas Bison Main mais quelqu'un de beaucoup plus vieux, beaucoup plus sombre.

— Il faut bien défendre le Sud, répondit Cooper. Nous devons le défendre avec tous les moyens pacifiques dont nous disposons, sinon nous ne laisserons aux générations futures qu'une terre brûlée et un immense désespoir.

— Ce n'est pas le discours que tu tenais autrefois, cousin, répliqua Charles.

— Mais il est juste, intervint Hampton avec un peu de son ancienne autorité dans la voix. L'Etat aura besoin de nombreux hommes de bonne volonté. Vous compris, Charles.

L'éclaireur s'inclina en souriant.

— Non, merci, général. J'ai fait mon travail. J'ai tué Dieu sait combien d'êtres humains — américains comme moi — au nom des nobles principes du noble Mr. Davis et de ses nobles collègues. Ne me demandez pas de faire autre chose pour le Sud ou sa cause insensée.

Hampton se dressa d'un bond.

— Le Sud est aussi votre pays, major. Sa cause est la vôtre.

— Correction, mon général. Elle l'était. J'ai obéi aux ordres jusqu'à la capitulation. Pas une seconde de plus. Bonsoir, messieurs.

Charles partit avant l'aurore, alors que Billy et Brett dormaient encore dans les bras l'un de l'autre, serrés sur la couchette branlante qu'on leur avait attribuée. Billy s'était couché attristé par l'attitude de son ami, qui ne lui avait guère parlé. Et qui s'était mis en route sans un mot d'adieu, comme Billy le découvrit peu après son réveil.

Sentant une odeur de faux café, il se leva, caressa le ventre de sa femme — elle était bien enceinte, ils en étaient sûrs maintenant — embrassa son cou tiède et s'éloigna de la couchette. Soulevant le rideau partageant la pièce, il découvrit Andy devant le réchaud. Le Noir confirma le départ de Charles.

— Drôle de type, dit-il. Il a toujours été aussi amer ?

— Non. Il lui est arrivé quelque chose en Virginie. Il connaissait une veuve, à laquelle il tenait beaucoup. Oh! il ne m'en a pas parlé. C'est Madeline qui me l'a appris.

— Alors, c'est peut-être ça, opina Andy. S'il croit l'avoir perdue... Les femmes vous détruisent un homme presque aussi vite que la guerre, je crois bien.

Le jeune Noir eut un sourire auquel Billy ne répondit pas.

Les jours suivants montrèrent à Brett à quel point les conditions de vie et les relations entre les gens avaient changé en quatre brèves années. Cooper s'épuisait à la tâche dans les rizières; Madeline, qui avait été un temps la maîtresse, relevait le bas de sa jupe, emprisonnait dans un foulard sa chevelure noire et peinait à ses côtés. Malgré les protestations de Billy, Brett l'imitait : selon elle, plusieurs mois s'écouleraient encore avant qu'elle soit incapable de faire sa part.

Malgré la joie que lui causait la vie qui croissait en elle, la jeune femme était déçue par Mont Royal parce qu'il n'y avait plus de Noirs ayant besoin de son aide ou la souhaitant. Elle se confia à Cooper, qui lui répondit :

— Tout un Etat a besoin de ton aide. Tu as vu ces malheureux qui campent dans les champs, au bord des routes...

Mais Brett ne fut pas convaincue. Tout était différent ; tout, à l'exception de sa vie conjugale, avait changé en mal.

George était lui aussi d'humeur maussade le samedi 13 mai. (Davis et sa petite escorte avaient été capturés dans les bois, près d'Irwinville, en Georgie, quelques jours plus tôt.) Il découvrait avec consternation les ruines de Charleston, où un vapeur côtier parti de Philadelphie l'avait amené avec Constance. Il fut peiné en voyant tant de maisons et d'édifices dévastés par le feu, et plus encore par le spectacle de très nombreux Noirs que leur liberté toute nouvelle semblait mettre mal à l'aise.

— Il est parfaitement juste qu'on la leur ait accordée, dit-il à sa femme en embarquant sur l'*Osprey*, vieux sloop à bord duquel ils remonteraient l'Ashley. Mais des problèmes pratiques se posent. Est-ce cette liberté qui va les nourrir ? les vêtir ? les éduquer ?

Et même si l'on trouvait des solutions, les Nordistes permettraient-ils leur application à présent que la guerre était gagnée ? Certains oui — comme sa sœur Virgilia, par exemple. Mais ils étaient une minorité. L'opinion de la majorité s'illustrait dans le télégramme qu'il gardait dans la poche de sa veste.

Ce message de Wotherspoon lui avait été remis à l'embarcadère de Philadelphie une heure avant que le vapeur ne levât l'ancre : « Six ouvriers démissionnent pour protester contre l'embauche de deux Noirs. »

George avait aussitôt répondu : « Qu'ils partent. » Mais il avait conscience que son attitude était exceptionnelle — une goutte d'eau singulière dans l'océan yankee.

En réponse aux questions de son mari, Constance fit observer :

— C'est bien pour cela qu'on a créé le Bureau des affranchis, non ? Le général Howard passe pour un homme honnête, capable...

— Mais regarde qui s'est faufilé au poste d'adjoint. Tu crois Stanley motivé par des considérations humanitaires ? Il poursuit quelque autre objectif secret — politique, probablement. Nous allons connaître une situation difficile pendant quelques années, j'en ai peur. Quelques années ou plus si les blessures ne guérissent pas. Si on ne les laisse pas guérir...

Le court voyage à bord de l'*Osprey* se déroula sans incident et leur rendit un peu d'optimisme — jusqu'à ce qu'ils découvrent Mont Royal. George étouffa une exclamation, Constance agrippa le bastingage.

— Mon Dieu, murmura-t-il. Même le débarcadère...

— C'est exact, monsieur, dit le capitaine du sloop.

La politesse exagérée avec laquelle il avait prononcé le dernier mot suggérait qu'il ne croyait pas son passager digne d'autant de considération.

— On mettra une planche pour vous faire descendre, ajouta l'homme.

Son regard laissait entendre qu'il n'aurait pas été mécontent de voir les deux Nordistes tomber dans l'eau boueuse.

Les Hazard, qui n'avaient pas annoncé leur visite, déposèrent leurs bagages sur la rive herbeuse, notamment une vieille serviette que George n'avait pas quittée des yeux depuis le départ de Lehig Station. Alors que le sloop repartait lentement en faisant mugir sa sirène, un Noir apparut devant les ruines de la grande maison. Constance demeura près des valises, George alla à la rencontre de l'inconnu.

— Hazard, se présenta-t-il.

Reconnaissant le nom qu'il avait souvent entendu, Andy fila avertir Cooper et les autres, qui travaillaient dans les rizières. Profondément ému, George contemplait les ruines et revoyait par la pensée le bal somptueux que les Main avaient un jour donné en l'honneur des Hazard venus leur rendre visite. Les lanternes, la musique, les rires des hommes, les épaules nues des femmes...

Et voilà qu'arrivait Cooper, torse nu, couvert de sueur, l'air épuisé. Il était suivi de Billy, Brett et Madeline, crottés comme des paysans et dégageant une odeur forte dans la chaleur de l'après-midi.

In petto, George se reprocha sa réaction négative. En définitive, les Main avaient toujours été des gens de la terre, même s'ils l'étaient avec raffinement et élégance. A présent, ils n'avaient apparemment plus que leurs mains pour s'occuper de la plantation. Celles de Billy étaient couvertes d'ampoules, nota George.

Il n'était pas surpris de trouver son frère à Mont Royal puisque Constance lui avait appris le départ du trio quand il était rentré en permission à la fin du mois d'avril. Aussitôt le voyage décidé, George avait sans scrupules télégraphié à Stanley pour lui demander de lui obtenir un prolongement de sa permission.

En revanche, Cooper et Judith semblaient stupéfaits par l'arrivée des visiteurs. Ils feignirent d'en être ravis mais ne purent cacher leur fatigue, ni leur réserve et leur tension. George était désespéré par la vue de cette misère. Il pensait pouvoir la soulager en partie avec le remède qu'il avait apporté et qui se trouvait dans l'herbe, parmi les bagages.

Madeline et Judith conduisirent les Hazard à ce qui faisait office de terrasse — rondins, caisses et barils disposés devant la cabane — et rentrèrent préparer des rafraîchissements. Après une demi-heure d'échange hésitant d'informations sur les deux familles, George exprima sa sympathie à Madeline puis demanda à Cooper :

— Où se trouve la tombe d'Orry ? J'aimerais m'incliner devant.

— Je vous montrerai le monument, mais la tombe elle-même est vide.

— On n'a pas renvoyé sa dépouille à sa famille ?

— Oh ! si. On a fini par mettre son cercueil dans un wagon, mais quelque part en Caroline du Nord, il y a eu un accident sur notre magnifique réseau de voies ferrées. Le train a déraillé, quarante cercueils en pin ont brûlé. Pickett nous a écrit qu'il ne restait rien du corps d'Orry.

George avait rarement eu aussi mal. Il entendit les cloches de l'incendie d'avril battre dans sa tête et murmura péniblement :

— Je... je voudrais quand même voir le monument et m'y recueillir.

— Quand ? demanda Cooper.

— Maintenant, si vous le voulez bien. Mais d'abord, je dois prendre quelque chose dans mes bagages.

Quand il eut trouvé le monument en suivant les indications données par Cooper, George tira de sa poche la lettre restée quatre ans dans la serviette, au fond d'un tiroir de son bureau. La lettre à Orry. Il s'agenouilla, creusa un trou dans le sol sableux à une vingtaine de centimètres de la pierre tombale, plia la lettre et l'enfouit. Puis, bien qu'il n'eût jamais eu de profondes convictions religieuses, il joignit les mains, courba la tête et demeura ainsi une trentaine de minutes pour dire adieu à son ami.

L'après-midi fut une épreuve. George se demandait si les Main étaient devenus des étrangers pour lui ou si les circonstances déformaient son jugement. Les changements causés par la guerre et la destruction de Mont Royal se manifestaient surtout chez Cooper, qui montrait une politesse sinistre nouvelle pour George. Le frère d'Orry se déclara content d'avoir une excuse pour abandonner les rizières une demi-journée mais son regard anxieux, exténué démentit ses propos.

Le dîner redonna à George un peu d'optimisme. Malgré la frugalité du repas, composé essentiellement de riz, la conversation devint plus vive, moins tendue. Seul Cooper fit exception et parla peu. Tous passèrent ensuite dehors pour goûter la fraîcheur du soir. Madeline interrogea George sur la situation à Charleston.

— Terrible, répondit-il. Je me sentais coupable de ne pouvoir donner une poignée de dollars à chacun des malheureux errant dans la rue.

— Des Noirs, fit Jane, et ce n'était pas une question.

— Des Blancs aussi. Tous semblaient avoir faim. Sur les quais, j'en ai vu des dizaines essayer d'attraper du poisson avec un morceau de ficelle. Ces gens vivent sur des terrains vagues, campent sous des couvertures. Ce qui leur est arrivé est horrible.

— L'esclavage l'était aussi, Mr. Hazard.

— Jane, intervint Andy, à qui la jeune Noire lança un regard de défi.

George vit avec étonnement une expression de colère fugitive passer sur le visage de Cooper. A nouveau anxieux, il résolut de déclarer maintenant ce qu'il avait à dire :

— Vous avez raison, Jane. Aucun homme de conscience ne soutiendra une opinion contraire. Mais il est également vrai que tout le monde a souffert. Je ne parle pas de biens matériels mais de sentiments. Au Nord comme au Sud, il ne reste que colère, confusion, affliction...

Il échangea un regard avec Madeline, se leva, fit quelques pas sur la pelouse, les mains derrière le dos, en s'efforçant de trouver les mots justes.

— Selon mon frère Stanley, la veille de son assassinat, Lincoln rêva qu'il était dans une barque et ramait vers une côte sombre, imprécise.

Il se retourna pour faire face au demi-cercle de ses auditeurs, noirs et blancs, assis devant la cabane. Au loin, la glycine de la grande cheminée éclaboussait de couleur le crépuscule.

— Une côte sombre, imprécise, répéta-t-il. La métaphore me paraît décrire parfaitement notre situation. La vôtre, et celle du pays. L'Amérique est à nouveau un seul pays. L'esclavage a disparu, Dieu merci ! C'était un mal, un gourdin longtemps brandi au-dessus des têtes nordistes.

— Mais quand le gourdin est finalement tombé, nous avons souffert autant que vous, objecta Brett.

George nota un nouveau regard noir de Cooper et songea que l'homme avait véritablement changé. La perte de son fils avait-elle totalement balayé ses convictions humanistes d'autrefois ? George espérait que cette attitude défensive, cette irritabilité qu'il avait remarquée chez d'autres sudistes mais jamais chez le frère d'Orry, n'était qu'un égarement passager.

Embarrassé, il toussota avant de poursuivre :

— Nous étions amis, vous et nous, bien avant ces terribles événements.

Voyant Brett appuyée contre Billy, qui se tenait derrière elle, George rectifia avec un sourire :

— Plus qu'amis, pour certains.

Encouragé par un regard plein d'amour de Constance, il continua d'une voix plus assurée :

— Nous devons le rester. Quatre ans plus tôt, j'étais convaincu que de dures épreuves nous attendaient. Orry et moi nous engageâmes à maintenir intacts, malgré la guerre, les liens unissant nos familles...

« Puis ce fut la tourmente et je craignis que nous n'y parviendrions pas », pensa George.

— Nous avons réussi à le faire, affirma-t-il en se tournant vers Cooper. Du moins, à mon avis.

Le frère d'Orry garda le silence et George reprit avec effort :

— Je crois que nous allons traverser maintenant une nouvelle période d'animosité et de lutte qui, à sa façon, pourrait se révéler pire que la guerre. Comment l'éviter alors que la peine est si grande, les deuils si nombreux dans chaque camp ? alors que tout un peuple nouvellement libéré demeure plein d'une légitime colère quand il songe au passé ? que des hommes vénaux — dont je pourrais donner les noms — n'attendent que l'occasion de profiter d'un faux pas, d'une démonstration de faiblesse ? Nous devons être prêts à affronter tout cela. Nous devons à nouveau...

Un geste de la main droite, le regard passant lentement de l'un à l'autre, puis, d'une voix calme :

— Resserrer nos liens.

Nul ne bougea, nul ne parla. Seigneur ! il avait échoué. Il n'avait pas tenu l'engagement qu'il s'était fait à lui-même et surtout à Orry. Si seulement il avait su faire de beaux discours, comme les politiciens...

Brett fut la première à réagir en tendant le bras pour presser la main de Billy. Ce fut ensuite Madeline qui, les larmes aux yeux, hocha la tête pour l'approuver. Ce fut enfin Cooper qui, d'une voix grave, parla en leur nom à tous :

— Oui.

Presque étourdi de soulagement, George vit les Main sourire, se lever, s'avancer vers lui.

— Supportez-moi encore un instant, plaida-t-il en levant les bras. En venant ici, je voulais aussi vous remettre un petit gage de mon attachement à ce que nous avons tous réaffirmé à l'instant.

George retourna à la caisse qui lui servait de siège, prit la serviette qui y était posée.

— Quelqu'un la reconnaît ?

Cooper se gratta le menton, l'air perplexe.

— N'appartenait-elle pas à mon frère ?

— Exactement. C'est dans cette serviette qu'Orry m'a rapporté l'argent que je lui avais prêté pour financer le *Star of Carolina*. Au printemps 61, il avait accompli le périlleux voyage jusqu'à Lehig Station, avec six cent mille dollars en liquide — tout ce qu'il avait pu réunir pour rembourser la somme que j'avais investie dans votre projet. Je ne l'ai pas oublié. Je... (George s'interrompit, s'éclaircit à nouveau la voix.) Je n'ai pas oublié non plus ce qu'Orry représentait pour moi. Je suis venu rembourser moi aussi une dette d'honneur et d'amitié, comme il l'avait fait. Mettre une petite partie de mes ressources dans vos mains, pour vous aider à reconstruire Mont Royal.

George tendit la serviette à Cooper.

— Avant de partir, je n'ai pu obtenir d'informations sûres sur la situation bancaire dans cet Etat. Je suppose qu'elle est encore chaotique...

Cooper acquiesça.

— Je suis principal actionnaire de la banque de Lehig Station, que j'ai créée au début de la guerre, continua le maître de Belvedere. Il y a dans cette serviette une lettre de crédit d'un montant initial de quarante mille dollars. Je mettrai d'autres fonds à votre disposition par la suite. Autant qu'il vous en faudra. Maintenant... (Il rougit) je prendrais bien un peu de ce délicieux punch aux baies que vous m'avez offert cet après-midi. J'ai la gorge desséchée tout à coup.

Pendant un moment, seul le bourdonnement des insectes troubla le silence du crépuscule. Soudain, dans une envolée de jupe, Madeline courut vers George, lui passa les bras autour du cou. Il sentit sur sa joue les larmes de la jeune femme qui le serrait contre elle.

Puis tous s'avancèrent, entourèrent les deux visiteurs. Judith les embrassa, Andy prononça quelques mots d'admiration et de gratitude, Jane les remercia d'une voix douce, Brett les étreignit. Enfin, Cooper, si ému qu'il pouvait à peine parler, serra la main de l'ami de son frère.

— Dieu vous bénisse, George.

A sa grande honte, George pensa qu'il aurait préféré serrer la main d'Orry et détourna la tête pour que personne ne puisse voir ses yeux.

138

Santa Fe était une ville infestée de mouches et d'une latinité répugnante. Ashton était sûre que les abîmes de l'enfer — s'ils existaient — ne pouvaient être plus brûlants.

Elle occupait une chambre propre mais exiguë au premier étage d'un hôtel situé dans une rue étroite, à quelques pas d'une *cantina* et de la place de la Cathédrale. Après trois semaines d'attente passées le plus souvent dans cette pièce, elle se sentait vieille, ratatinée. Elle avait l'impression que l'air étouffant lui avait donné de nouvelles rides, en particulier autour des yeux. Au moins dix fois par jour elle scrutait son visage marqué dans un triangle du miroir brisé accroché au mur d'*adobe*, près du lit dur. Lamar serait-il mécontent de cette peau desséchée et rougie par le soleil ? La question l'agitait toute la journée et troublait son repos la nuit.

Ashton se demandait encore comment une femme de sa condition avait pu endurer toutes les épreuves qu'elle avait traversées pour finir dans ce trou : l'interminable voyage en diligence, le manque de sommeil, la nourriture infecte dans des auberges sales, la grossièreté des gens de l'Ouest qu'elle avait eus pour compagnons de voyage, les rustauds yankees qui les avaient escortés pendant trois cents kilomètres à cause de la menace indienne.

En arrivant à Santa Fe, elle avait lu la lettre de Powell et s'était attendue à le retrouver six ou sept jours plus tard. Mais trois semaines s'étaient écoulées et l'optimisme de la jeune femme avait fondu avec son argent. Il ne restait dans son sac que quelques dollars — à peine de quoi payer pendant une autre semaine la chambre et la nourriture de barbare, outrageusement épicée, que la femme de l'hôtelier ramenait de la *cantina*.

Un matin, l'agitation régnant autour de la cathédrale l'attira sur la grande place ensoleillée où se massaient déjà plusieurs dizaines de personnes. Une patrouille de cavalerie venait d'arriver avec le cadavre d'un jeune homme poignardé trois fois.

— On l'a trouvé à l'ouest ici, près du comptoir de Winslow, expliqua un lieutenant yankee.

Il répondait à la question d'un personnage ventru et suffisant en qui Ashton devina un notable de la ville. « Bien arrogant pour un métèque », pensa-t-elle, tandis que l'officier poursuivait :

— Il s'est traîné sur cinq ou six kilomètres après que les Jicarillas eurent massacré ses compagnons. Winslow a eu beau nettoyer et panser les blessures, le gars n'a pas survécu plus de douze heures.

Affolée, Ashton aurait voulu poser des questions mais craignait que les soldats ne remarquent son accent. Ils avaient des mines patibulaires, plus effrayantes encore que celles des cavaliers qui avaient escorté la diligence. L'un d'eux portait un bandeau noir sur l'œil, un autre n'avait plus de pouce à la main droite, un troisième ressemblait à une caricature d'Irlandais et ses voisins bavardaient dans une langue inconnue — du hongrois peut-être. Dans la diligence, un voyageur avait raconté que le gouvernement de l'Union, ayant des difficultés à recruter pour son armée de l'Ouest, acceptait les handicapés, les immigrants parlant à peine anglais ou pas du tout — et même des Confédérés.

Incapable de rester plus longtemps sans savoir, Ashton s'approcha du moins sale de la troupe — un sergent — et lui posa une question extrêmement importante pour elle :

— Pouvez-vous me dire s'il y avait des chariots ?

Bien qu'originaire de l'Indiana, le sous-officier se montra courtois et serviable :

— Oui, m'dame. Le type du comptoir a dit que le jeune gars en avait parlé avant de mourir. Deux chariots, incendiés et poussés dans un ravin là où le massacre a eu lieu.

Prise de vertige, Ashton tituba. Le sergent fronça les sourcils mais sans se soucier d'éveiller sa méfiance, elle posa une seconde question tout aussi importante :

— Y avait-il un nommé Powell ?

— Oui. Un rebelle.

— Et il est... ?

Le sergent acquiesça d'un hochement de tête.

— Les autres aussi ?

— Tout le monde. Vous les connaissiez ?

— Seulement Mr. Powell. De nom, pas personnellement.

La réponse ne satisfit manifestement pas le sergent : si elle ne connaissait pas les victimes, pourquoi avait-elle parlé de chariots ? Consciente de sa gaffe, Ashton s'éloigna avant qu'il ne l'interroge et se rapprocha du lieutenant, qui poursuivait son récit :

— Après la mort du jeune gars, Winslow et ses deux fils se sont rendus sur les lieux. Les Apaches étaient partis depuis longtemps. Winslow a retrouvé des débris de roue de chariot et des cendres au fond du ravin mais c'est tout. Les charognards avaient emporté les autres cadavres.

Ashton fit demi-tour et se dirigea vers son hôtel, sous le regard du sergent qui trouvait étrange la conduite de cette belle jeune femme en robe grise. Une chose était certaine : elle n'était pas du coin.

Dans sa chambre, Ashton s'assit sur le lit en tremblant. Powell était mort. Elle avait tenu à lui plus qu'à tout autre homme à cause de ses prouesses sexuelles étonnantes mais aussi pour son ambition implacable, qui pouvait les mener tous deux...

Non, c'était fini. Elle se retrouvait seule, sans autre argent que les fonds déposés à Nassau et dont elle ne pourrait se servir avant deux ou trois mois. Il faudrait au moins ce délai pour fournir aux banquiers des Bahamas la preuve de la mort de James et disposer de l'argent. Pourrait-elle s'en faire envoyer une partie à Santa Fe ? Elle aurait alors de quoi subsister en attendant de localiser le ravin. Le gérant du comptoir et ses fils n'avaient probablement pas inspecté les débris parce qu'il ne serait venu à l'idée de personne que ces cendres pouvaient cacher de l'or.

Ashton se souvint de la lettre que son mari lui avait remise à Saint Louis. Supposant qu'elle ne contenait qu'un fatras sentimental, elle l'avait fourrée au fond de son sac et l'y avait oubliée. Elle la retrouva, l'ouvrit, la parcourut.

La lettre n'avait rien de sentimental. Après un préambule peu flatteur pour sa femme, Huntoon avait écrit :

Je me suis joint à l'entreprise de Mr. Powell non seulement par fidélité aux principes fondateurs de la première Confédération et dans l'espoir d'en créer une seconde mais aussi afin de reconquérir ton estime et tes faveurs.

Tu n'as cessé de me refuser cruellement mes droits d'époux. Tu m'as humilié à maintes occasions malgré mon amour pour toi ; tu m'as brisé sur le plan professionnel et personnel. J'admire la conception que Mr. Powell a des droits et des idéaux du Sud mais je dois avouer que j'en suis venu à le mépriser parce que je le soupçonne d'avoir une liaison avec toi. Bien que n'ayant pas de preuves formelles, je suis certain que vous êtes amants depuis longtemps.

Le moins que je puisse faire, c'est veiller à ce que tu sois récompensée de ta conduite de catin au cas où il m'arriverait quelque chose. Avant de quitter Richmond, j'ai envoyé une lettre dûment certifiée à mon vieil associé du cabinet juridique Thomas et Huntoon, à Charleston. A Detroit j'ai reçu une note m'informant que ma lettre pouvait effectivement remplacer le testament que j'avais auparavant rédigé en ta faveur. Si je meurs, l'argent que tu as malhonnêtement gagné avec le Water Witch — *et qui est devenu légalement mien* — *ira à des parents éloignés ou à des institutions charitables. Tu n'en toucheras pas un sou.*

C'est ma petite vengeance pour les nombreux torts que tu m'as faits.

James.

Ashton se leva, froissa la lettre entre ses mains moites.
— Pas vrai, murmura-t-elle.
Elle saisit son sac, le jeta contre les lattes des volets.
— Pas vrai !
Elle retourna le lit, lança la chaise contre un mur. L'hôtelière courut au premier étage, frappa à la porte fermée par un crochet.

— *Señora, qué pasa ahi adentro ?*

Ashton brisa la cuvette et le broc, fit tomber le miroir en hurlant :

— Pas vrai, pas vrai, pas vrai !

— *Señora, está enferma ? Conteste o tumbaré la puerta !*

Ashton eut l'impression d'entendre les derniers mots tournoyer dans le vide au moment où, les yeux révulsés, elle perdit conscience.

L'hôtelière poussa jusqu'à ce que le crochet cède, entra, secoua Ashton, la gifla pour la ranimer. Secouée de hoquets, la jeune femme expliqua sa conduite par une syncope vaguement décrite et promit de payer les dégâts si la tenancière l'aidait à se mettre au lit : elle était malade. La femme s'exécuta en marmonnant.

En chemise, Ashton demeura étendue sur le lit toute la journée et toute la nuit, le corps raide, l'esprit agité par la peur, l'anxiété, les spéculations. Au petit matin, quand l'air commença à fraîchir, elle s'endormit enfin et se réveilla peu avant midi. Les *mariachi*, qui semblaient ne jamais quitter la *cantina*, avaient recommencé à jouer de la guitare et du violon.

Elle s'assit dans le lit, prit sa tête entre ses mains. Elle n'aurait pas un dollar de l'argent de Nassau mais il y avait de l'or au fond du ravin. Ashton ne s'avouait pas vaincue, loin de là. Elle chercha dans ses bagages la boîte japonaise qu'elle n'avait pas ouverte depuis qu'elle y avait déposé le bouton prélevé sur la braguette de Powell. Elle souleva le couvercle lentement, contempla le couple en train de copuler puis examina sa collection. Après quatre années d'interruption, il était temps de recommencer à l'enrichir. Et pas seulement pour le plaisir. Elle referma la boîte, certaine d'avoir trouvé le moyen de subsister.

Vêtue de sa plus belle robe, serrée dans un corset faisant ressortir sa poitrine, elle quitta sa chambre, descendit d'une démarche de reine l'escalier branlant et se rendit à la *cantina*. On lui avait dit qu'elle appartenait à un Yankee, ancien trappeur ayant délaissé la compagnie de Kit Carson pour une existence rangée.

Quand elle franchit les portes de l'établissement et s'avança dans la pénombre fraîche et bleutée, les *mariachi* s'arrêtèrent de jouer. Quelques clients âgés d'origine mexicaine firent sentir qu'ils désapprouvaient sa présence mais elle s'en moquait. Comme s'en moquait apparemment aussi le solide gaillard en tablier debout derrière le comptoir.

Ashton lui sourit.

— Vous êtes américain, je crois ?

— Exact.

— Moi aussi, reprit-elle en tâchant de déguiser son accent. Egarée ici par des circonstances inattendues.

— Je vous avais remarquée dans la rue et je me demandais...

— Je peux vous poser une question ? de vous à moi ?

— Bien sûr.

Elle ne manqua pas de noter la façon dont il lorgna un instant ses seins.

— Je voudrais connaître les noms des deux ou trois hommes les plus riches du coin.

— Les deux ou trois hommes les plus... ?

— Riches.

— J'avais bien entendu, fit le patron de la *cantina*, amusé. Mariés ou célibataires ?

— Aucune importance, répondit Ashton avec un sourire éclatant.

139

A l'heure calme succédant au crépuscule, Andy et Jane se promenaient le long de l'Ashley. Parlant à voix basse, ils cherchaient leur réponse à une question que Madeline avait posée.

Pour l'avenir de Cicero, pas de doute : il était trop vieux, trop dénué de talents pour faire autre chose que rester. Il semblait même mécontent de l'issue de la guerre et disait ne pas vouloir d'une liberté qui bouleversait ses habitudes. Jane avait renoncé à discuter avec un homme de plus de soixante-dix ans pour qui — elle le comprenait — tout changement constituait une menace.

Ce n'était pas son cas ni celui d'Andy et ils parlaient de leur avenir, interrompant de temps à autre leur conversation pour un baiser ou une caresse tendre. Après une heure de promenade, ils revinrent la main dans la main à la cabane où les lampes brillaient encore.

Tout le monde était resté debout parce que George et Constance partaient le lendemain avec l'*Osprey*. En entrant dans la grande salle nue, les deux jeunes Noirs entendirent George exprimer son impatience de retourner à Belvedere auprès de ses enfants.

— Si le moment est mal choisi..., commença Jane.

— Pas du tout, répondit Madeline en souriant. Venez donc.

Andy s'éclaircit la voix.

— Nous voulons juste répondre à votre question sur nos projets.

Le silence se fit, toute l'attention se porta sur le jeune couple.

— Nous pensons rester en Caroline du Sud, déclara Jane.

— En personnes libres, ajouta Andy.

— C'est aussi notre Etat, maintenant, reprit Jane. C'est notre terre autant que celle des Blancs.

Peut-être fut-ce à cause de la légère nuance de défi de ses propos que Cooper hésita un moment avant de répondre :

— Bien sûr. Je suis content de votre décision. Je serais heureux de vous garder ici, a moins que vous n'ayez autre chose en tête.

Jane secoua la tête, se tourna vers l'homme puissant et fier qui se tenait à ses côtés et dit :

— Mont Royal m'a apporté plus que je n'espérais.

— Mais nous ne pouvons pas travailler sans gages, précisa Andy. Plus maintenant.

Cooper et Madeline échangèrent un regard exprimant leur accord.

— C'est entendu, répondit Cooper. Nous pouvons vous payer, à présent, grâce à George.

— Alors nous restons, déclara Andy. Si nous découvrons que nous avons fait le mauvais choix, nous vous le dirons et nous partirons.

Cooper eut un bref hochement de tête.

— J'espère que cela ne se produira pas. Nous avons grand besoin de vous deux.

Jane sourit ; des expressions soulagées apparurent sur le visage des autres occupants de la pièce.

— Une chose encore..., reprit Andy.

— Oui ? fit Judith.

— Nous voulons nous marier.

Il y eut un concert de félicitations que le Noir interrompit en ajoutant d'une voix calme :

— Mais pas comme avant, en sautant par-dessus des manches à balai. Et nous allons aussi changer de nom. Jane et Andy, ce sont des noms d'esclaves, donnés par un maître. Nous voulons choisir nos noms nous-mêmes.

Dans le silence tendu, Cooper leva la main.

— D'accord.

Madeline lissa sa jupe en se levant.

— N'y a-t-il rien à boire à la santé des fiancés ?

Andy prit Jane par la taille et répondit :

— Je suis si heureux que je me contenterais de l'eau du puits.

— Je crois me souvenir que nous avons quelque chose de meilleur, intervint Judith en soulevant le rideau cachant la cuisine. Oui, en effet, il en reste, dit-elle après avoir ouvert un placard rudimentaire. Dieu soit loué, messieurs, vous n'avez pas fini l'alcool de pêche du général Hampton.

Elle en versa une larme à chacun tandis que la conversation reprenait dans une atmosphère détendue. George, qui avait droit au bocal, porta un toast au jeune couple.

— Je vous souhaite beaucoup de bonheur. Ce ne sera pas facile pour vous, ici, du moins pas dans l'immédiat. Mais je ne suis pas sûr que ce serait beaucoup mieux dans le Nord.

— Je le sais, approuva Jane avec une pointe de tristesse. Les visages noirs sont pour les gens une sorte de menace. Ils leur font peur. Mais nous nous débrouillerons. Vous avez combattu pour nous libérer, major Hazard. A nous maintenant de poursuivre le combat. Je prévois qu'il y aura encore beaucoup de batailles avant que les Blancs commencent à nous accepter.

Dans le silence lourd qui suivit, Cooper plissa le front. Billy dut s'avouer que Jane avait raison : il n'avait qu'à se rappeler sa propre attitude deux ans plus tôt. Une guerre était finie, une autre commençait.

140

Opin Agin, annonçait l'enseigne accrochée de guingois devant une grande cabane en rondins située à la sortie de Goldsboro, en Caroline du Nord. Charles parvint à la localité avant la tombée de la nuit, par un temps étonnamment frais pour mai.

Au bas de la pancarte, cette précision : « Nous prenons l'argent confédéré et nous en sommes fiers ! » Charles avait neuf cents dollars de cette monnaie — des arriérés de solde — dans les poches de son pantalon et de sa chemise. Il plaignait l'aubergiste qui acceptait par fierté des billets sans valeur mais profiterait cette nuit de sa générosité extravagante. Il ne voulait pas dormir encore en plein air et voler sa nourriture.

Un jeune Noir emmena sa mule en promettant de bien la bouchonner et la nourrir. Charles pénétra dans la grande salle de la taverne, endroit lugubre où quelques clients à l'air accablé bavardaient ou faisaient paresseusement claquer des pions sur un damier. Un feu brillait dans l'âtre en pierre.

Il commanda un whisky, de l'agneau rôti et acheta un cigare au patron. L'homme avait aussi à vendre plusieurs fusils rouillés et de vieilles boîtes de munitions, dont une correspondant au colt de l'éclaireur Ravi, Charles acquit toute la boîte pour cinquante dollars confédérés

Alors qu'il mangeait, un homme d'une quarantaine d'années descendit des chambres situées sous les combles et vint se frotter les mains devant la cheminée. Bien que Charles évitât de le regarder, l'inconnu lui imposa sa conversation. Il avait le teint rose, des cheveux bouclés prématurément blanchis, une bouche plissée en une moue de perpétuelle souffrance. Il se présenta sous le nom de Mordecai Woodvine, marchand itinérant de Bibles et de brochures chrétiennes.

— J'espère que les affaires vont reprendre, soupira-t-il. Ç'a été terrible, ces deux dernières années. J'aime plus voyager, il y a trop de nègres en liberté partout. Mais je travaille pour Dieu, je devrais pas me plaindre, conclut-il, l'air toujours aussi malheureux.

Il s'assit sans y être invité, voulut à tout prix savoir comment s'appelait Charles et s'il avait été dans l'armée.

— Oui. J'étais éclaireur pour la cavalerie de Hampton.

— La cavalerie ! On parle beaucoup de chevaux dans l'Apocalypse de saint Jean. « Et je vis : c'était un cheval blême. Celui qui le montait, on le nomme *la mort* et l'Hadès le suivait. »

Charles fronça les sourcils derrière la fumée de son cigare. Pointant un doigt vers le ciel, Woodvine proclama :

— « Pouvoir leur fut donné sur le quart de la terre pour tuer par l'épée, la famine, la mort et les fauves de la terre... »

Charles l'interrompit avec une grossièreté délibérée :

— Cela décrit assez bien notre tâche.

Il avait envie d'étrangler cet homme qui avait éveillé en lui le souvenir de Joueur.

— Mon cousin Fletcher aussi était dans la cavalerie, avec Bedford Forrest, poursuivit l'imbécile. Voilà un rebelle bon teint qui n'accepterait pas la liberté des nègres ! Fletcher a été capturé et vous savez ce qui lui est arrivé ?

Charles se leva sans le moindre signe d'intérêt pour une réponse que l'autre lui donna quand même :

— On lui a donné le choix : la prison ou la cavalerie yankee. Oui, on l'a expédié dans un régiment, quelque part dans les plaines. Pour combattre les Indiens. Y a un tas de nos gars qui font ça, on m'a dit. Des Yankees galvanisés, on les appelle. Vous comprenez, hein ? Galvaniser du fer, c'est le recouvrir de zinc pour l'empêcher de rouiller. Un Yankee galvanisé, c'est un Confédéré qui porte l'uniforme bleu de...

— Je sais ce que signifie « galvanisé ».

— Ah ! bon. Je croyais que vous le saviez peut-être pas. En tout cas, si vous mourez d'envie de rester dans l'armée, dans une armée quelconque, pensez-y. Enfin, si vous êtes capable de supporter la compagnie de ceux qui nous ont apporté cette maudite émancipation. Moi je pourrais pas. Je vomirais tripes et boyaux, si vous me pardonnez l'expression.

— Naturellement, approuva Charles, une lueur malveillante dans le regard. Des Yankees galvanisés, vous pensez ! Dites-moi, Mr. Woodvine, dans quelle arme étiez-vous ?

— Moi ? Eh bien... euh... je n'ai pas combattu. Je suis trop âgé.

— Vous avez plus de quarante-cinq ans ? Vous ne les paraissez pas.

— Je suis de constitution très fragile...

— Et vous avez probablement passé la plus grande partie de la guerre dans les bois à vendre des Bibles aux arbres — là où on ne viendrait pas vous chercher. Je me trompe, Mr. Woodvine ?

— Quoi ? Qu'est-ce que... ?

— Bonsoir, Mr. Woodvine.

Charles se dirigea vers l'escalier. Comme il atteignait la dernière marche, il entendit la riposte :

— Des anciens combattants ivres — on ne voit plus que ça. L'armée leur a appris à boire en leur donnant régulièrement des rations de whisky. C'est une honte, si vous voulez mon avis.

Charles eut envie de faire demi-tour et de redescendre rosser le crétin mais entra dans sa chambre, referma la porte et s'y adossa. Il avait tort de se mettre en colère ; il ne s'intéressait ni au vendeur de Bibles ni à son cousin. Ni à la cavalerie. Rien ne l'intéressait hormis arriver le plus vite possible dans le comté de Spotsylvania.

Il s'étendit, tira la couverture sur lui, entendit la pluie tambouriner sur le toit. En bas, les clients tristes rendus tapageurs par l'alcool s'étaient mis à chanter. Charles connaissait cet air — *Je suis un rebelle bon teint* — qu'il avait entendu plusieurs fois depuis qu'il avait quitté la Caroline du Sud. On le chantait avec ferveur à présent que l'armée de Johnston s'était rendue à Sherman près de Durham Station.

> *Je hais des Yankees la nation*
> *Et tout ce qu'ils font.*
> *Je hais la Déclaration*
> *D'Indépendance, crénom !*
> *Je hais la glorieuse Union*
> *Couverte de notre sang...*

— Seigneur ! gémit Charles en se couvrant la tête du mince oreiller.

Il n'en continua pas moins à entendre les gobelets frappés en cadence sur le comptoir, les bottes battant la mesure et la belle voix de baryton de Mordecai Woodvine entonnant :

> *Je ne prendrai plus mon mousquet*
> *Pour les combattre*
> *Mais qu'on ne me demande pas d'aimer*
> *Ces idolâtres.*
> *Et je n' veux pas de pardon*
> *Pour ce que j'étais et reste*
> *Je ne veux pas plus de leur reconstruction*
> *Que de la peste !*

Des herbes folles montant jusqu'au jarret de sa mule se balançaient dans le vent tiède. Charles pénétra dans la cour, avec un sombre pressentiment. Les champs n'avaient pas été labourés, tous les volets étaient fermés. La porte ouverte de la grange révélait un rectangle d'obscurité.

— Washington ? Boz ?

Le vent souffla.

— Il y a quelqu'un ?

Des fleurs sauvages avaient envahi le jardin. Pourquoi attendait-il une réponse ? Ne l'avait-il pas déjà reçue en haut de la dernière colline de la route, lorsqu'il avait découvert la maison si tranquille, les champs déserts sous le soleil ?

Du coude, il brisa la vitre de la porte de la cuisine, passa le bras à l'intérieur, ouvrit. Tout semblait à sa place : les chaises rangées contre la table, les ustensiles accrochés au mur, les assiettes sur le vaisselier.

Il passa dans la chambre, regarda le lit soigneusement fait. Sur la table de chevet, un livre de Pope. Gus ne l'aurait sûrement pas laissé là si elle était partie pour longtemps. Elle avait dû s'absenter quelques jours, avec les affranchis.

Pour en avoir confirmation, il ouvrit l'armoire, qu'il s'attendait à trouver pleine de vêtements.

Vide.

Charles demeura immobile, saisi d'inquiétude. Comment expliquer cette contradiction ? Une rafale de vent fit claquer la porte de la cuisine avec un bruit sec qui le tira de son hébétude. D'un pas vif, il ressortit, alla à la grange où les affranchis rangeaient les outils. Là aussi tout était en place.

Il scia quelques planches, les cloua sur la vitre cassée et ferma la porte de la cuisine avec de la corde. Ce serait une des choses pour lesquelles il demanderait pardon à Gus quand il la verrait. Une des nombreuses choses. Il remonta sur sa mule et prit la direction de Fredericksburg.

Bien que la plupart des habitants de la ville fussent déjà revenus, Charles vit peu de signes indiquant qu'on avait commencé à réparer les dégâts de la guerre. Il posa la même question dans deux boutiques sans obtenir de réponse. Le propriétaire de la troisième, un boucher costaud, le renseigna :

— Elle a laissé partir ses deux négros. C'est Boz, le plus jeune, qui est passé par ici et qui me l'a dit. Quelques jours plus tard, elle a disparu sans prévenir personne. Ça me rappelle qu'elle était passée ici la veille pour régler son compte.

— C'était il y a combien de temps ?

— Plusieurs mois.

— Et vous ne l'avez pas vue depuis ?

— Non.

— Mais enfin, où est-elle allée ?

— A qui tu crois parler, soldat ? Je suis de l'Union, moi, dit le boucher en tendant la main vers un couteau à désosser. A ta place, je parlerais plus poliment à ceux qui t'ont mis une raclée si tu ne veux pas en prendre une autre.

Ecarlate, Charles contint sa colère.

— Excusez-moi. J'ai fait un long chemin pour la voir.

Le boucher ne manqua pas de répliquer :

— Peut-être qu'elle, elle a pas envie de te voir. Tu y as pensé ? Elle est partie sans dire à personne où elle allait. Demande à n'importe qui si tu ne me crois pas.

Charles sortit de la boucherie en laissant dans la sciure la trace de ses bottes. Il s'appuya au mur, bouleversé par la vérité contenue dans les sarcasmes du boucher.

Gus ne voulait pas le revoir, sinon elle l'aurait attendu ou aurait laissé des indications sur sa destination. Il retourna près de sa mule, posa la main sur la selle usée et murmura des mots indistincts. L'animal remua les oreilles pour chasser les mouches. La souffrance, l'incertitude serreraient le cœur de Charles plus cruellement à chaque seconde.

141

Le caporal chargé de diriger la corvée était originaire de l'Illinois. Il avait fait ses études à Indiana Asbury, petite université de l'Etat voisin puis était retourné à Danville — ville natale de Ward Lamon, le grand ami de Mr. Lincoln — où il avait fait la classe pendant deux ans avant de faire son balluchon pour partir à la guerre. Il avait vingt-quatre ans. Le deuxième classe qui l'accompagnait en avait quatre de moins. Leur tâche consistait à fouiller les ruines de Richmond, à la pelle ou à la main, pour récupérer des documents officiels épargnés par le feu.

Ils travaillaient dans les décombres squelettiques de ce qui avait été un entrepôt. Du bâtiment, il restait une partie du toit et deux murs. Les deux hommes commençaient tôt chaque jour et, ce matin-là, il y avait un léger brouillard qui ne s'était pas encore levé. Les rayons de soleil entourant le morceau de toit semblaient fumer.

— Tiens, v'là une caisse presque intacte, Sid, annonça le soldat.

Dans cette partie de l'entrepôt, ils avaient découvert la veille des quantités de lettres non remises, pour la plupart à moitié brûlées. Cette fois, la caisse contenait des sacs apparemment intacts.

Comme ils avaient pour mission de retrouver tout courrier pouvant être acheminé, ils crurent que leur travail, jusque-là infructueux, avait enfin porté ses fruits. Ils furent déçus. Le deuxième classe montra à Sid la première lettre d'un paquet qu'il tenait à la main.

— Il a dû drôlement flotter. La pluie a coulé à l'intérieur et effacé l'adresse.

Le caporal examina l'enveloppe, vit des pattes de mouche illisibles.

— Sur les autres aussi ? demanda-t-il.

— Toutes pareilles.

Sid eut l'air content.

— Alors il faudrait les ouvrir. On trouvera peut-être l'adresse à l'intérieur.

C'était un prétexte. Las de cette corvée, il avait envie de s'asseoir un moment. Ouvrir des lettres, c'était toujours mieux que plonger les mains dans des cendres humides qui collaient et sentaient mauvais. De plus, lire le courrier de gens inconnus séduisait son imagination. Sid aimait les œuvres de Dickens et rêvait d'écrire un jour un roman. Peut-être trouverait-il dans ces lettres des matériaux valant la peine d'être gardés en mémoire.

Les deux hommes s'assirent sur des poutres tombées du toit, entreprirent d'ouvrir les lettres une par une. Le soldat les parcourait machinalement, sans être ému par ce qu'il lisait. Sid fut rapidement déçu. Contrairement à son attente, il ne releva guère que des fautes d'orthographe et de syntaxe, des remarques sans intérêt sur les bons petits plats de maman ou les qualités incomparables des jeunes filles à qui les lettres étaient destinées. Une heure s'était écoulée quand il se redressa soudain en disant :

— En voici une d'intéressante. Signée J. B. Duncan, un de nos chefs.

Sid montra au soldat les abréviations suivant le nom de l'officier.

— *Général de brigade, Corps des volontaires des Etats-Unis...* C'est adressé à quelqu'un qu'il appelle *Cher major Main*. Tu crois que c'est un rebelle, Chauncey ?

— Y a des chances, puisque la lettre est ici.

Le caporal approuva d'un hochement de tête.

— Cela concerne une nommée Augusta, on dirait... Oh! Ecoute ça : *Elle est tombée enceinte de vous et, bien que connaissant son état à votre dernière visite, elle ne vous en a rien dit parce qu'elle ne voulait pas exercer de pression morale...* Dis donc, quelle histoire !

— Un vrai mélo, commenta Chauncey.

Sid continua à lire :

— *La grossesse fut aussi difficile — pour ne pas dire dangereuse — que celle qu'elle avait eue pendant son mariage avec Mr. Barclay. Vous savez probablement quelle en fut alors l'issue malheureuse. Craignant pour sa santé et sa sécurité dans cette ferme isolée où elle avait eu la folie de demeurer au plus fort des combats, je me suis arrangé pour faire passer ma nièce de l'autre côté du Potomac et la faire venir à ma résidence actuelle de Washington. C'est ici, le 23 décembre, qu'elle a donné le jour à votre fils, un beau bébé en parfaite santé à qui elle a donné le nom de Charles. Mais j'ai le regret d'ajouter que cette naissance...*

La voix du caporal tomba ; il leva un regard attristé vers le deuxième classe avant de poursuivre :

— *... que cette naissance n'a pas été sans drame. La pauvre Augusta a succombé une heure après l'accouchement. Elle est morte votre nom sur les lèvres. Je sais qu'elle vous aimait plus que la vie, elle me l'avait confié...*

Sid renifla.

— *Je vous ai écrit déjà deux lettres que j'ai confiées à des messagers privés,* reprit-il. *Je vous en envoie une troisième car je sais que le service postal fonctionne très mal... Là, il va à la ligne... L'holocauste que nous venons de vivre, ordonné peut-être par Dieu mais néanmoins tragique pour Ses enfants, montre tous les signes d'une conclusion imminente. Lorsqu'il sera fini, vous aurez le droit de réclamer votre fils. Je le garderai et m'occuperai de lui jusqu'à ce que vous veniez le chercher ou, si vous ne le faites pas, tant que ma condition de vieux célibataire attaché à sa carrière militaire me permettra de le faire. Je n'ai à votre égard aucune animosité. Je prie pour que cette lettre vous trouve en bonne santé et pour que vous vous réjouissiez de la part de bonnes nouvelles qu'elle contient. Veuillez croire..*

Le caporal posa le dernier feuillet sur son genou.

— C'est tout. A part la signature.

— Celle-là, il faut la remettre, c'est sûr, murmura le deuxième classe.

L'air abattu, il demeurait immobile dans un rayon de soleil embrumé.

— Oui, dit Sid.

Il tint l'enveloppe à contrejour, l'inclina, l'examina.

— Ah! Là, on voit mieux. Voilà le nom, Main. Et le mot major. Le prénom est parti avec l'adresse mais ce sera peut-être suffisant.

Il replia les deux feuilles de papier, les remit dans l'enveloppe, la glissa dans sa poche.

— Je vais personnellement attirer l'attention du lieutenant sur ce cas.

— Très bien, approuva Chauncey.

Les deux hommes se regardèrent, eurent l'impression qu'ils se posaient tous deux la même question : comment, alors que le gouvernement de ce fichu Davis avait délibérément brûlé une grande partie de ses archives, comment trouver un officier rebelle parmi les centaines de milliers de vaincus errant sur les routes du Sud, retournant chez eux —

ou gisant dans les fosses communes, les bosquets et les champs, de la Virginie aux falaises de Vicksburg, des montagnes de Pennsylvanie aux collines de l'Arkansas ?

Le caporal et le soldat connaissaient la réponse : c'était impossible. Sid essaierait quand même mais il savait que c'était sans espoir.

142

Après avoir quitté Fredericksburg, Charles erra pendant trois jours. Fut incapable de dormir. Perdit son calme sans avoir été provoqué et faillit se faire poignarder dans une autre taverne de bord de route. Essaya de pleurer mais n'y parvint pas.

Dans la région meurtrie située au-dessus du Rapidan, il arriva à un croisement et descendit de sa mule. Tandis que l'animal broutait l'herbe, il ôta son poncho et s'étendit sur le bas-côté. La bête pouvait bien brouter pendant des heures, Charles n'avait aucune raison de repartir.

Trois hommes à pied portant des lambeaux d'uniforme noix cendrée apparurent sur la route menant au nord. L'un d'eux, un jeunot aux cheveux filasses, boitillait en s'appuyant sur une béquille de fortune. Sa jambe droite se terminait par un moignon, à dix centimètres du sol.

Ce fut lui qui salua Charles d'un geste et d'un sourire.

— Bonjour. Vous êtes des nôtres, non ?

Charles enleva son cigare de sa bouche pour répliquer :

— Je n'appartiens plus à aucun camp.

Les soldats échangèrent des murmures en le lorgnant, traversèrent la route et continuèrent leur chemin. « Vers des foyers qui n'existent sans doute plus », pensa Charles.

Entendant un bruit annonçant l'approche d'un véhicule, il se retourna et, appuyé sur le coude gauche, vit les soldats croiser quatre personnes sans leur adresser la parole. Le groupe de nouveaux venus se composait d'un homme, d'une femme et de deux petites filles. Noirs.

Lorsqu'ils furent plus près, Charles remarqua qu'ils portaient des vêtements propres mais élimés. La charrette, qui transportait les enfants et quelques sacs en toile d'emballage, avait des roues solides mais paraissait branlante, construite par quelqu'un n'ayant pas une expérience de charron.

Faute de bête de trait, c'était le père qui tirait ; la mère marchait pieds nus à ses côtés.

Et, cependant, ils ne semblaient pas malheureux, ils chantaient avec leurs filles en souriant. Les yeux vides, Charles les regarda passer. L'homme remarqua la chemise grise et l'air bizarre du soldat étendu dans l'herbe et tira plus fort sur les brancards.

Charles se leva, attacha la mule à une branche d'arbre et s'adossa au tronc dans l'intention de se reposer encore quelques minutes. Rien ne l'attendait, Gus était partie pour de bon.

Lorsqu'il se réveilla, les rayons obliques du soleil indiquaient que l'après-midi s'achevait. Il sentit quelque chose lui chatouiller le visage : le bout de la bride, encore attachée à la branche. La mule l'avait rongée et s'était enfuie, avec selle et sacoche. Heureusement, il avait encore son colt de l'armée dans son étui.

Il alla au milieu du croisement, fit quelques centaines de mètres dans chacune des quatre directions. Vers l'ouest, la route disparaissait derrière un tournant ; le paysage se fondait dans l'arrière-plan du Blue Ridge. Charles contempla un moment les montagnes, repensa au Texas. Le vendeur de Bibles avait dit qu'on avait besoin de cavaliers, dans les plaines. Ce serait une façon de survivre, de recommencer, de retrouver peut-être un jour un lambeau d'espoir.

De l'espoir dans un monde pareil ? Foutaises ! Il valait mieux retourner s'allonger dans l'herbe pour ne plus jamais se relever. Pourtant, tandis qu'il revenait à pas lents vers le croisement, des images se bousculèrent dans sa tête. Il se rappela les hommes avec qui il avait servi : Ab Woolner, Calbraith Butler, Wade Hampton, Lee... Qu'avait-il ressenti, lui, le meilleur soldat du pays, ancien commandant de West Point, lorsqu'il avait été réduit à demander ses conditions à un autre officier sorti de l'école ? On disait qu'Old Marse Bob s'était conduit avec dignité, rejetant l'avis de quelques têtes brûlées prêtes à poursuivre une guerre de guérilla dans les collines et les bois.

Si ces hommes avaient combattu pour une mauvaise cause, ils s'étaient montrés courageux, ne renonçant qu'à la dernière extrémité. Gus non plus n'était pas du genre à renoncer... Il repensa un moment à la jeune femme, se rappela un détail, un nom qu'il avait oublié.

Général Duncan.

Charles s'essuya la bouche du dos de la main. Même si Gus, par sa disparition, lui avait fait comprendre que tout était fini entre eux, il pouvait néanmoins chercher à savoir comment elle allait. Duncan le lui apprendrait peut-être, s'il parvenait à le trouver.

Il n'y avait qu'un seul endroit où commencer les recherches. Un endroit plutôt dangereux mais Charles n'en avait cure. Se rappeler soudain l'existence de l'oncle de Gus lui avait redonné une énergie qu'il n'avait pas eue depuis longtemps. La nuit ne tomberait pas de sitôt, il pouvait encore couvrir du chemin. Il retourna sur le bas-côté prendre son poncho et se mit en route vers le nord.

Une demi-heure lui suffit pour rattraper la famille noire, arrêtée sous un arbre. Dès que les parents le reconnurent, ils eurent l'air alarmé. Charles s'approcha d'eux, ôta son chapeau en tentant de sourire.

— Bonsoir.

— Bonsoir, répondit le père.

Moins méfiante que son mari, la femme demanda :

— Vous allez vers le nord ?

— A Washington.

— Nous aussi. Voulez-vous vous asseoir et vous reposer ?

— Oui, merci, fit Charles en s'asseyant. (L'une des petites filles gloussa et lui sourit.) J'ai perdu ma mule, je suis plutôt fatigué.

Le père finit par sourire lui aussi.

— Je suis né fatigué, mais depuis qué'que temps, ça va mieux.

Charles aurait aimé pouvoir en dire autant.

— Si vous voulez, je peux vous aider à tirer la charrette.

— Vous êtes un soldat, objecta le père.

— Je l'étais, répondit Charles. Je l'étais.

143

Le général de brigade Jack Duncan, officier corpulent à la tignasse grise, au nez veiné de rose par l'alcool, entra à grands pas au ministère de la Guerre, les épaules en arrière, la main gauche sur la poignée de son sabre d'apparat. Il en ressortit une demi-heure plus tard, rayonnant.

Il avait eu un entretien bref mais hautement satisfaisant avec Mr. Stanton, qui avait loué son travail à Washington pendant toute la guerre, la compréhension avec laquelle il avait accueilli le rejet de ses nombreuses demandes de mutation au front. Le général Halleck s'était en effet toujours refusé à se passer de ses talents d'organisateur. A présent que la guerre était terminée, Duncan obtenait satisfaction.

Il était affecté dans les plaines, où l'on avait besoin d'hommes d'expérience pour faire face à la menace indienne. Devant partir immédiatement, Duncan n'assisterait même pas au grand défilé des troupes de Grant, qui aurait lieu quelques jours plus tard. On avait déjà installé dans la capitale des tribunes spéciales et accroché des kilomètres de banderoles patriotiques pour la circonstance.

Le général attendait de pouvoir traverser Pennsylvania Avenue en se demandant quelle impression cela lui ferait de monter à nouveau régulièrement à cheval. Il remarqua un homme maigre à l'expression revêche, portant une chemise grise de cadet et un colt de l'armée. Manifestement nerveux, l'inconnu mâchonnait un cigare en fixant le bâtiment que Duncan venait de quitter. Sa démarche suggérait qu'il avait appartenu à la cavalerie — celle des rebelles, à en juger par la couleur et l'usure de sa chemise.

Des centaines d'anciens soldats confédérés traînaient en ville, mais si ce type à l'air coriace avait effectivement combattu dans les rangs sudistes, il prenait de gros risques en portant une arme. Duncan descendit du trottoir, traversa en évitant une charrette puis un omnibus et oublia l'homme. Un seul rebelle l'intéressait vraiment : un major dénommé Charles Main.

Finirait-il par avoir de ses nouvelles ? Il commençait à en douter. Il lui avait écrit trois lettres, avait payé un prix exorbitant pour les faire passer clandestinement et n'avait reçu aucune réponse. Main était probablement mort.

Avec un sentiment de culpabilité, le général reconnaissait que ce silence l'arrangeait. Bien sûr, Main méritait de récupérer son fils mais Duncan aimait avoir la responsabilité du petit Charles. Sa gouvernante s'en occupait et il avait récemment engagé une excellente nourrice irlandaise, prête à le suivre là où il serait affecté. « Peut-être pas chez les Indiens, quand même », songea l'oncle d'Augusta.

Si elle refusait de l'accompagner, il trouverait quelqu'un d'autre : il était résolu à emmener l'enfant. Etre grand-oncle et responsable de fait d'un bébé avait donné une dimension d'une richesse inattendue à sa vie de vieux célibataire. La seule fille qu'il eût adorée dans sa jeunesse était morte de phtisie avant qu'ils ne puissent se marier ; et aucune femme depuis ne lui avait paru assez belle et assez tendre pour la remplacer.

Il arriva bientôt à la petite maison qu'il avait louée à quelques centaines de mètres de l'avenue. Joyeux comme un enfant, il monta deux par deux les marches du perron, se précipita dans le vestibule obscur en rugissant :

— Maureen ? Où est mon petit-neveu ? Amenez-le-moi. J'ai de grandes nouvelles. Nous partons ce soir.

De toute sa vie Charles avait rarement été intimidé ou effrayé. Il l'avait été à West Point, par la nouveauté des deux ou trois premiers jours, puis par la barbarie de Sharpsburg. A présent, il l'était par

Washington. Tant de maudits Yankees! Militaires ou civils, la plupart se montraient hostiles quand il leur posait une question avec son accent sudiste indéniable. Les drapeaux accrochés partout le déprimaient plus encore en lui rappelant la défaite. Il se sentait comme un animal sorti du bois et cerné par les chasseurs.

Feignant une assurance qu'il n'avait pas, il traversa President's Park, gravit le perron du ministère de la Guerre. Ayant laissé son poncho dans la chambre minable qu'il occupait dans un garni de l'île, il boutonna le col de sa chemise d'un gris délavé pour avoir l'air plus correct — sans penser que la barbe qui lui pendait sur la poitrine rendait l'opération vaine.

Tripotant fébrilement un cigare, il s'avança dans le couloir du rez-de-chaussée, franchit les premières portes ouvertes qu'il vit. Dans une vaste salle, il découvrit de nombreux sous-officiers et employés civils brassant de la paperasse derrière des guichets. Pour Charles, c'était pire que se préparer au combat.

Mais il fallait y aller : qu'importait une rebuffade, une humiliation s'il trouvait Duncan et obtenait des nouvelles de Gus?

L'un des hommes en uniforme bleu, chauve comme un pommeau de canne bien qu'il parût n'avoir qu'une trentaine d'années, s'approcha du comptoir après avoir fait attendre Charles trois minutes et lissa ses grosses moustaches gominées en détaillant l'importun. Il remarqua la chemise grise, le colt et le cigare tenu entre le pouce et l'index, presque comme une seconde arme. Il trouva l'homme vaguement menaçant et à peine digne d'un désinvolte :

— Oui?

— Je cherche un officier. Est-ce ici qu'il faut...

— Vous êtes sûr de ne pas vous tromper de ville? coupa le caporal. Le ministère de la Guerre des Etats-Unis n'a pas de dossiers sur les rebelles. Et au cas où personne ne vous l'aurait dit, vous n'avez pas le droit de porter une arme si vous avez été libéré sur parole.

Comme il s'éloignait, Charles reprit :

— Excusez-moi mais c'est un officier de votre armée.

Au moment même où il achevait sa phrase, il se rendit compte que le mot « votre » était une gaffe. Nerveux, il poursuivit :

— Il s'appelle...

— Nous ne sommes pas à la disposition des traîtres libérés qui n'ont rien de mieux à faire que venir nous importuner.

— Caporal, fit Charles en maîtrisant sa colère, je vous demande un renseignement le plus poliment possible. J'ai besoin d'aide, je dois voir cet homme de toute urgence. Si vous voulez bien m'indiquer simplement dans quel bureau...

— Personne ici ne peut vous aider, répliqua le sous-officier en haussant le ton. Pourquoi n'allez-vous pas trouver Jeff Davis? On l'a enfermé ce matin à Fort Monroe.

— Je ne m'intéresse pas à Jeff...

Le caporal allait s'éloigner à nouveau quand Charles, lâchant son cigare, l'agrippa par le col de sa veste.

— Vous allez m'écouter, bon sang?

Dans la salle, ce fut la consternation; on se mit à courir et à crier :

— Il a un revolver!

— Il faut le désarmer.

— Attention! il pourrait...

Des mains saisirent Charles par-derrière. Deux autres sous-officiers, dont un colosse, avaient fait le tour du comptoir pour l'empoigner.

— Tu ferais mieux de filer, mon gars, dit l'hercule.

Le caporal gonflait les joues, poussait des soupirs indignés et frottait son col comme s'il avait été souillé à jamais.

— Fais le malin et tu prendras ton déjeuner à la prison de l'ancien Capitole, ajouta le costaud. Ton repas de Noël aussi, peut-être.

La voix n'était pas hostile mais ferme. Charles se dégagea, eut envie de se jeter sur les deux hommes. Derrière lui, dans le couloir, un groupe de curieux s'était formé.

— Allez, reb, reprit le grand gaillard en lui prenant le bras. Décampe avant...

— Qu'est-ce qui se passe ?

Les sous-officiers se mirent au garde-à-vous. Charles, libéré, se retourna et découvrit un officier d'âge mûr, l'expression sévère, à qui il manquait trois doigts de la main droite.

— Mon colonel, commença le caporal, ce rebelle est venu présenter une requête insultante. Au lieu d'accepter un refus poli, il a essayé de...

Charles n'entendit pas la suite. Les yeux sur l'officier de l'Union, il vit une ferme du nord de la Virginie.

— Que voulait-il au juste ? demanda l'officier.

Il posa sur Charles un regard où l'irritation fit place à la stupeur. « Seigneur, pensa Charles, il n'a pas trente ans. Il paraît seulement vieux. » D'une voix rauque, il marmonna :

— Prevo ?

— Oui, c'est moi. Je vous reconnais : cavalerie de Hampton, et West Point auparavant.

Quelqu'un dans la foule grommela :

— C'est une réunion d'anciens de l'Académie ? Moi je...

Le regard du colonel réduisit le plaisantin au silence.

— Quel est le problème ? dit Prevo.

— J'étais venu demander de l'aide. Il faut absolument que je parle au général Duncan, de l'armée de l'Union.

— Ce n'est pas une requête si difficile à satisfaire, répondit le colonel. (Il jeta un coup d'œil au caporal, qui s'empourpra.) Toutefois, vous ne devriez pas vous promener avec ce revolver. En particulier ici. Donnez-le-moi et nous verrons ce que nous pouvons faire.

Calmé, Charles défit la ceinture de son colt, la tendit à l'officier sudiste.

— Votre nom, caporal, reprit Prevo. Pourquoi n'avez-vous pas conseillé à cet homme de s'adresser aux services de l'adjudant général ? (Il se tourna vers Charles.) Là, ils ont l'adresse actuelle du général Duncan. Moi, je ne le connais pas.

— Mon colonel, bredouilla le caporal. Je vous ai expliqué. Cet homme est un rebelle. Regardez-le : arrogant, sale...

— Taisez-vous. La guerre est finie. Il est temps d'arrêter de se battre. Grant et Lee l'ont compris, eux.

Le caporal, humilié, baissa les yeux. Au colosse, Prevo ordonna :

— Le nom de cet homme sur mon bureau dans une heure.

— Bien, mon colonel.

— Venez, Main. Vous voyez, moi aussi je me souviens de votre nom. Je vais vous conduire au service approprié.

Comme les deux officiers se dirigeaient vers la sortie, Prevo s'arrêta, tendit la main vers le comptoir.

— Je crois que vous avez laissé tomber votre cigare.

Les curieux se dispersèrent mais continuèrent à suivre Charles des yeux tandis qu'il descendait le couloir.

— Merci, Prevo, dit-il. Je vous ai reconnu immédiatement. Lieutenant Prevo, des Dragons de Georgetown...

— Et de plusieurs autres unités depuis. Toutes ont été décimées en Virginie et on a fini par m'affecter ici... Tournez à droite. Nous aurons bientôt les coordonnées de ce général Duncan.

— Je vous en suis très reconnaissant. Je dois le voir pour une affaire grave.

— Professionnelle ?

— Personnelle.

Prevo s'arrêta devant une porte close.

— C'est ici. Voyons ce que nous pouvons obtenir, dit-il. (Toutes les rides de son visage las bougèrent quand il s'efforça de sourire.) Même si je n'y ai passé qu'une année, j'ai gardé un excellent souvenir de l'Académie. Et les anciens de l'Académie se serrent les coudes, non ? A propos, êtes-vous pressé ?

— Non. Je dois absolument trouver Duncan mais ce n'est pas urgent.

— Parfait. Ensuite, je vous offrirai un verre... (Il baissa la voix.) ... et je vous rendrai votre arme.

144

Maureen, la jeune Irlandaise boulotte, sortit de la cuisine avec le petit Charles en réponse à l'appel de Duncan. Le bébé au visage rond et joyeux portait un ensemble en flanelle bleu marine que la jeune femme avait cousu elle-même.

— Ce soir ? fit-elle, étonnée. Où allons-nous ?

L'enfant reconnut son grand-oncle et se mit à gazouiller quand le vieil officier le posa habilement au creux de son bras gauche.

— Vers l'ouest, voir des Indiens. Vous venez quand même ?

— Certainement, général. J'ai lu des tas de choses sur l'Ouest. Làbas, il y a plus d'occasions de réussir et moins de monde que dans l'Est.

Pour achever de la convaincre, Duncan ajouta d'un air malicieux :

— Et des soldats célibataires qui épouseraient volontiers une honnête jeune femme bien mignonne.

Les yeux de Maureen étincelèrent.

— A ce qu'il paraît.

Mrs. Caldwell, la gouvernante quinquagénaire, descendit l'escalier en disant :

— Ah ! c'est vous, général. Il me semblait bien vous avoir entendu rentrer.

Duncan expliqua la situation à Mrs. Caldwell tout en jouant avec le petit Charles. Des taches blanches annonçant des dents étaient apparues sur les gencives du bébé, qui adorait mordiller le doigt de son grand-oncle.

— Alors c'est une promotion, général ?

— Oui, Mrs. Caldwell.

— Sincères félicitations, dit la gouvernante en se tamponnant le coin de l'œil. Je serai désolée de quitter votre service.

— Merci. A présent, parlons de l'avenir.

Duncan offrit à Mrs. Caldwell deux mois de gages pour la dédommager de la soudaineté de son départ. Cette générosité enchanta la vieille fille, qui trouva même un côté positif aux événements :

— Ma sœur d'Alexandria m'invite depuis longtemps à aller la voir. Je pourrais y passer une semaine ou deux...

— Je vous en prie. Je m'occuperai des meubles et de la maison.

— A quelle heure part votre train, général ?

— Six heures précises.

— Alors, je pars voir ma sœur ce soir. Je prendrai un fiacre.

— Prenez plutôt le buggy, je vous en fais cadeau. Je n'en aurai plus besoin.

— Comme c'est gentil à vous. Dans ce cas, c'est moi qui vous conduirai à la gare.

— Non, nous prendrons le fiacre. Ainsi vous arriverez chez votre sœur avant la nuit.

— Très bien. Avec votre permission, je vais maintenant faire vos bagages.

Même le petit Charles sembla approuver ce bouleversement brutal de leurs existences en mordillant de plus belle le doigt de son grand-oncle.

Dans le bar du *Willard*, Charles continuait à susciter des regards hostiles mais la présence de Prevo éloignait les ennuis — le colt posé sur la table aussi, peut-être.

Ils commencèrent par un whisky, en prirent trois autres en échangeant des souvenirs. Charles sentait une euphorie qu'il n'avait pas éprouvée depuis Sharpsburg. Non seulement il avait en poche l'adresse de Duncan, mais le général habitait tout près, à Washington.

Légèrement éméché, Prevo approcha sa montre de son visage.

— J'ai rendez-vous au ministère à cinq heures et quart. Cela nous laisse vingt minutes pour un dernier verre. D'accord ?

— Tout à fait. Ensuite, je me rendrai tranquillement chez Duncan... Je vais vous révéler quelque chose qui me tracasse depuis longtemps et que je ne vous avouerais peut-être pas si je n'étais pas un peu soûl.

Intrigué, le colonel sourit et attendit.

— Vous vous rappelez le jour où nous nous sommes rencontrés ? poursuivit Charles. Je vous ai donné ma parole que la contrebandière ne se trouvait pas dans la maison.

Prevo acquiesça :

— Votre parole d'officier et d'ancien de West Point. Je l'ai acceptée.

— C'était pourtant un subterfuge. Oh ! je disais la vérité : elle n'était pas dans la maison... elle se cachait dans les bois.

— Je le savais.

Charles sursauta, épancha un peu de son whisky.

— J'avais repéré le buggy, expliqua le colonel. Heureusement, aucun de mes hommes ne l'avait vu.

— Je ne comprends pas. Pourquoi... ?

— Je n'aime pas faire la guerre aux femmes.

— Dommage que certains de vos soldats ne pensent pas la même chose ! La conduite des foutus pillards de Sherman en Caroline du Sud passe les bornes de...

Charles s'interrompit en remarquant la dureté du regard de Prevo.

— Je m'excuse, dit-il. Les remontrances que vous avez faites au caporal s'appliquent aussi à moi. Parfois j'oublie que la guerre est finie.

Prevo baissa les yeux vers sa main droite mutilée.

— Moi aussi, Charles. Nous avons tous payé ; nous nous souviendrons tous pendant des années.

A cinq heures dix, les deux hommes se séparèrent dans la rue en échangeant une poignée de main d'amis.

A la gare de New Jersey Avenue, le général Duncan et Maureen, qui portait le bébé, montèrent dans le train en même temps qu'une foule de voyageurs. Duncan installa l'Irlandaise dans une voiture de seconde classe — lui avait un billet de première — puis redescendit sur le quai chercher son porteur et s'assurer que tous les bagages étaient là.

L'horloge de la gare indiquait cinq heures trente-cinq.

145

Charles avançait en regardant les numéros des maisons, la démarche quelque peu mal assurée à cause du whisky bu au *Willard*. « Ça devrait être dans le coin », se dit-il juste avant de découvrir la plaque métallique sur laquelle était peint le même numéro que sur son morceau de papier. Sa gorge se noua, il retrouva toute sa lucidité.

La maison avait l'air déserte : rideaux tirés, fenêtres obscures. Pris de panique, Charles gravit précipitamment le perron, frappa à la porte en criant :

— Il y a quelqu'un ?

Il frappa plus fort, s'attira un regard hostile d'un voisin se balançant dans son fauteuil à bascule de l'autre côté de la rue. Derrière la maison, un bruit s'éleva ; Charles courut, arriva au bout du porche au moment où passait un buggy conduit par une femme d'âge mûr, assise à côté d'une malle.

— Madame, je peux vous parler un instant ?

Elle tourna la tête, écarquilla les yeux en découvrant la silhouette menaçante penchée au-dessus de la balustrade. Apeurée, Mrs. Caldwell fouetta son cheval.

— Attendez ! J'ai quelque chose à vous...

Le buggy s'engagea dans la rue. Charles sauta par-dessus la balustrade, se lança à la poursuite de la voiture, qui prenait de la vitesse. Le voisin se leva de son fauteuil, regarda l'espèce de déséquilibré pourchassant Mrs. Caldwell.

Charles parvint à hauteur du buggy et s'écria, haletant :

— Arrêtez ! je vous en prie. Je dois absolument...

— Laissez-moi ! glapit la gouvernante en cinglant la joue de l'inconnu avec son fouet.

L'instinct de défense de Charles prit le dessus. Il saisit le poignet de la femme.

— Arrêtez ! Je ne vous veux aucun mal...

Mrs. Caldwell se débattit mais fut contrainte de stopper son cheval.

— La police ! hurla-t-elle. Appelez la police !

— Bon sang, vous allez m'écouter ? Je cherche le général Duncan...

Charles lâcha le poignet, recula d'un pas. Le fouet tremblait dans la main de la gouvernante, qui semblait cependant moins effrayée.

— Je ne voulais pas vous faire peur. Je m'excuse de vous avoir rudoyée mais il faut que je parle à tout prix au général. C'est sa maison, là-bas, n'est-ce pas ?

— Ça l'était, bougonna Mrs. Caldwell, sur ses gardes. Le général a reçu une nouvelle affectation.

— Quand ? demanda Charles, le cœur serré.

— Aujourd'hui. Il prend le train de six heures à la gare de New Jersey Avenue. Maintenant, vous pourriez vous présenter et m'expliquer pourquoi...

— Six heures, répéta Charles. On ne doit pas en être très loin...

— Votre nom, monsieur. Sinon je repars immédiatement.

— Charles Main.

Mrs. Caldwell réagit comme s'il l'avait frappée.

— Dernièrement officier dans l'armée confédérée ? Alors vous êtes...

— Poussez-vous, ordonna Charles en montant dans le buggy. Et agrippez-vous. J'ai l'intention de prendre le train de six heures moi aussi. Hue !

Mrs. Caldwell crut plusieurs fois mourir sur le chemin de la gare. Le barbu, l'homme que le général avait cherché avec tant d'obstination avant de le croire mort, lançait le buggy à toute allure entre les autres voitures, faisait s'enfuir les passants, jurer les cochers de fiacre et hennir les chevaux. En tournant dans New Jersey Avenue, Charles se retrouva face à un chariot occupant le milieu de la chaussée. Il tira sur les rênes, le buggy tourna brusquement, ses roues droites quittèrent un moment le sol. Mrs. Caldwell poussa un cri, la voiture passa à quelques centimètres de l'arrière du chariot.

Elle s'arrêta devant la gare, dont l'horloge extérieure indiquait six heures une. Charles descendit d'un bond, cria « merci ! » à la gouvernante ahurie et se précipita dans le hall.

— Le train pour Baltimore ? demanda-t-il à un employé fermant une grille.

— ' vient de partir, répondit l'homme, qui tendit la main vers un wagon de queue s'éloignant sous des volutes de fumée.

Charles se mit de côté pour se glisser par la grille encore entrouverte.

— Hé ! z'avez pas le droit de...

Il se lança sur le quai, aussitôt poursuivi par l'employé et deux de ses collègues. Courant à perdre haleine, il perdait du terrain sur le train, qui avait déjà quitté la verrière de la gare.

Charles aperçut devant lui l'extrémité du quai. Trop tard pour s'arrêter, il sauta sur la voie. Il se reçut mal, sa jambe blessée se déroba sous lui et il tomba sur les rails.

— Arrêtez-le ! Arrêtez-le ! s'égosillait un des poursuivants.

Meurtri, pantelant, Charles se releva, se remit à courir, plus vite qu'il ne l'avait fait de toute sa vie. La barbe flottant par-dessus son épaule, il pensa à son cheval. Joueur aurait réussi, lui ; il aurait eu la force...

Stimulé, Charles accrut encore son effort, parvint à une main du dernier wagon, essaya de saisir la rampe du marchepied, trébucha et faillit à nouveau tomber. Le train reprenait de l'avance. Charles songea à Gus, mit le reste de son énergie dans un dernier coup de reins.

Il agrippa la rampe à deux mains, se sentit tiré en avant, sauta pour ne pas avoir les jambes écrasées. Une de ses bottes glissa sur le métal et il faillit lâcher prise. Les poignets et les bras torturés par la traction, il tint bon et tira, tira...

A bout de forces, il se hissa sur la plate-forme arrière, se releva au moment où un contrôleur aux larges épaules sortait de la voiture.

L'homme vit ses collègues courant le long de la voie, comprit leurs cris et leurs gestes.

— S'il vous plaît, dit Charles. Laissez-moi passer.

— Descendez de ce train.

— Je vous en prie. C'est une urgence. L'un de vos voyageurs...

— Descends ou je te balance !

Le contrôleur poussa Charles, qui recula. La jambe gauche dans le vide, il agrippa à nouveau la rampe pour ne pas tomber.

— Descends !

Le contrôleur leva les bras pour pousser à nouveau le barbu, sentit un objet dur s'enfoncer dans sa poitrine. Il baissa les yeux, se figea en découvrant le colt de Charles.

— Vous avez dix secondes pour arrêter ce train.

— Mais je ne peux pas...

Charles arma son revolver.

— Dix secondes.

146

Sans l'intervention et l'influence du général de brigade, Charles eût été immédiatement arrêté et emprisonné. A dix heures et demie, ce soir-là, les deux hommes étaient assis dans le salon de la maison rouverte, avec des mines sombres d'adversaires encore en guerre. La nourrice irlandaise se trouvait au premier étage avec le bébé, que Charles avait regardé deux fois — la seconde, avec des sentiments mêlés, voire de l'aversion. Après qu'ils furent rentrés de la gare, Duncan lui avait raconté toute l'histoire — et Charles aurait préféré ne jamais la connaître.

Le soir devenait étouffant, le tonnerre grondant au nord-ouest se rapprochait. Le col toujours boutonné, Charles se tenait sur une chaise tendue de peluche, devant un verre de whisky auquel il n'avait pas touché. Ses yeux éclairés par la lampe semblaient morts. Il se sentait mort à l'intérieur de lui-même.

Soudain il se pencha en avant et demanda avec rage :

— Pourquoi ne m'a-t-elle rien dit ?

Avec une politesse glacée, le général répliqua :

— Major Main, c'est sans doute la quatrième fois que vous me posez la même question. Elle vous aimait passionnément — comme je vous l'ai écrit dans les lettres que vous n'avez pas reçues. Elle était affligée parce que la guerre vous avait... abîmé, pour reprendre ses termes. Abîmé au point que vous pensiez à tort ne pas pouvoir poursuivre votre relation avec elle. Mais ma nièce était une jeune femme honnête et honorable.

Le ton de Duncan suggérait clairement que Charles était dépourvu de ces deux qualités.

— Elle s'est refusée à suspendre son... son état comme une menace au-dessus de votre tête, poursuivit-il. Je ne vais pas tout vous expliquer à nouveau. Franchement, je commence à regretter que vous m'ayez trouvé. Je ne comprends pas votre froideur à l'égard de votre propre chair, de votre propre sang.

— C'est le bébé qui l'a tuée.

— Il y a réellement quelque chose qui ne va pas dans votre tête, Main. Ce sont les circonstances qui ont causé la mort d'Augusta. Sa fragilité. Elle désirait cet enfant, elle voulait porter votre fils — auquel elle a donné votre nom. Et vous viendriez me dire, sérieusement, que cet enfant ne signifie rien pour vous ?

— Je n'en sais rien, répondit Charles, angoissé.

— En tout cas, je n'ai pas l'intention de rester à Washington pendant que vous réfléchissez à la question. Je pensais que notre rencontre serait un moment de joie si je parvenais à vous trouver. Il n'en est rien.

— Accordez-moi un peu de temps...

— Cela n'en vaut pas la peine si j'en juge par les propos que vous avez tenus il y a un moment. Demain je prendrai l'express de six heures pour Baltimore et l'Ouest. Si vous ne voulez pas de votre fils, je le garde.

Charles cligna des yeux, hébété.

— L'Ouest ?

— Je suis affecté dans la cavalerie des plaines, si cela vous regarde. Maintenant, si vous voulez bien m'excuser, je ne tiens pas à prolonger cette odieuse conversation.

Le général s'approcha à grands pas de la porte du salon, où un dernier sursaut de courtoisie le fit s'arrêter et dire :

— Il y a une chambre d'amis en haut, au fond du couloir. Vous pouvez y passer la nuit si vous le souhaitez.

Ecrasant Charles d'un regard méprisant, il ajouta :

— Ne vous inquiétez pas si votre fils pleure. Maureen et moi nous en occuperons.

— Ne prenez pas ce ton avec moi ! explosa Charles en se levant. Je l'aimais ! Je n'ai jamais aimé personne plus qu'elle ! J'ai cru devoir rompre pour son bien, pour que je puisse continuer à faire mon devoir sans qu'elle se ronge. Si c'est un crime pour vous, allez au diable ! Quand j'ai fait arrêter le train, j'ignorais que j'avais un fils, je voulais juste savoir où était Gus...

— Elle est enterrée au cimetière privé de Georgetown. Il y a un monument. Major, je vous demanderai de me donner demain, avant mon départ, votre décision au sujet du jeune Charles.

— Je ne peux pas. Je ne le sais pas encore.

— Dieu ait pitié d'un homme réduit à dire de pareilles choses !

Le général monta l'escalier. En haut des marches, il entendit la porte d'entrée claquer puis un grondement de tonnerre. Une lumière blanche inonda la maison. Duncan leva la tête quand la pluie se mit à crépiter sur le toit. En bas, c'était à nouveau le silence.

Charles se rendit à pied à Georgetown sous l'orage, réveilla les occupants d'une petite maison pour demander la route du cimetière privé. Le couple mal réveillé qui ouvrit la porte eut trop peur pour refuser de répondre à cette apparition cauchemardesque aux yeux brûlants et à la barbe dégouttant de pluie.

Pressant le pas, il repartit dans la nuit noire, parvint au cimetière, glissa sur l'herbe mouillée, tomba en avant et faillit s'empaler sur les pointes d'une grille basse. Il sentit contre ses genoux la froideur du fer forgé.

« Une fabrication Hazard ? » songea-t-il avec un rire dément. Il perdait l'esprit, tout se brouillait dans sa tête. Il avait envie de hurler. De mourir.

D'un coup de pied, il poussa la grille, pénétra en titubant dans le cimetière, chercha à s'orienter à la lueur des éclairs. Des anges de pierre étendaient leurs bras et leurs ailes de granit, l'implorant de les rejoindre au Ciel. « Non merci, pensa-t-il, je suis déjà là où je dois être. »

Dans le noir, il trébucha à plusieurs reprises sur des pierres tombales, s'affala sur du marbre froid. Un éclair déchiqueta la nuit, révélant un imposant obélisque dont la base portait gravé le nom « Starkwether ».

Après avoir longtemps erré dans plusieurs directions, il trouva la tombe. La pierre en était petite, rectangulaire, avec pour seule inscription le nom d'Augusta, l'année de sa naissance et celle de sa mort.

Charles tomba à genoux, complètement trempé par la pluie. Il ne sentait ni les gouttes ni le froid. Uniquement sa souffrance, l'horrible peine qui le détruisait. Sans en avoir conscience, il crispa les poings et se martela les cuisses.

Il frappa plus fort. Pour se faire mal, pour se punir. Le tonnerre grondait comme les canons de Sharpsburg, les éclairs se succédaient. Charles continuait à frapper, plus vite.

Que devait-il faire, écrasé par son sentiment de culpabilité ? Que devait-il faire de cet enfant dont il était responsable — et qui faisait de lui le responsable de la mort de Gus ?

Une étrange plainte animale jaillit de sa gorge. Au fond de lui, une force naquit. Il ouvrit ses poings meurtris, leva la main vers son visage mouillé, toucha la peau sous l'œil. Ce n'était pas une goutte de pluie.

Il s'effondra sur la tombe et, pour la première fois depuis Sharpsburg, se mit à pleurer.

Charles demeura sur la tombe d'Augusta Barclay jusqu'à la fin de l'orage, bien après l'aube. Tremblant, claquant des dents, il parcourut le long chemin le ramenant au centre de la ville, arriva vers dix heures à la maison du général.

Epuisé par la tension de la veille, Duncan avait dormi tard et commençait seulement à prendre son petit déjeuner quand Charles Main, en pitoyable état, apparut sur le seuil de la salle à manger. On entendait au premier étage les vagissements du bébé et, en contrepoint, la voix de Maureen cherchant à le calmer.

La mâchoire crispée, Duncan luttait pour se contrôler. Ecarlate, il demanda :

— Seigneur ! Vous avez bu et vous vous êtes vautré toute la nuit dans un caniveau ?

C'était bien l'impression que donnait Charles. Le sang coulant de sa blessure rouverte maculait son pantalon ; de la boue collait à sa barbe et à sa chemise trempée.

— J'ai passé la nuit sur la tombe de Gus. A réfléchir. A tâcher de prendre une décision.

Lentement, Duncan se redressa sur sa chaise, posa sur Charles un regard plein d'hostilité et de défi.

— Eh bien ?

147

— Prochain arrêt Lehig Station... Lehig Station prochain arrêt, annonçait le contrôleur en descendant le couloir de la voiture.

Le train avait quitté Bethlehem à dix-huit heures trente, ce qui voulait dire que George et Constance franchiraient la porte de Belvedere dans moins d'une heure.

Assis près de la fenêtre, il regardait le crépuscule satiner la rivière et les pentes au manteau bleu. Le train ralentissait avant une courbe quand il vit un cimetière avec, au premier plan, trois rangées de cinq croix nettes et neuves. Deux vieux fossoyeurs jetaient des pelletées de terre sur un cercueil invisible au fond d'une tombe ouverte. Près d'eux, une femme en deuil et un homme d'âge mûr aux bras croisés, recouverts d'un drapeau replié.

Le cimetière disparut. George attira contre lui Constance, qui s'était assoupie. Il sentit monter en lui une bouffée d'amour pour cette femme boulotte appuyée sur son épaule. Pour elle et pour les enfants, sur qui il devait à nouveau veiller puisque, de soldat, il redevenait père. « L'amour est vraiment la seule chose qui m'ait soutenu pendant quatre ans », songeait-il. Son regard glissa à nouveau de l'autre côté de la rivière, se posa sur les hauteurs couvertes de laurier. « Et rien d'autre ne nous soutiendra pendant les années qui viennent. »

— ... trop vite. Avec trop de changements.

— Absolument. Je suis désolé de la mort de Lincoln mais on pouvait certainement lui reprocher sa politique.

George fronça les sourcils en entendant les voyageurs assis derrière lui. Celui qui avait parlé le premier avait une voix d'homme âgé, chargée du pessimisme chevrotant que la vieillesse produit trop souvent. La seconde voix, féminine et plus jeune, reprit :

— Je suppose que les moricauds méritent leur liberté, mais il y a des limites.

— A mon avis, nous les avons atteintes. Si un nègre essaie de franchir ma porte, je saurai l'en empêcher avec mon vieux pistolet d'arçon.

— Certains de nos politiciens ne sont pas aussi courageux que vous, soupira la femme. Ils en sont venus à demander le droit de vote pour les gens de couleur.

— Ridicule ! Comment peut-on être partisan d'un tel bouleversement de l'ordre des choses ? C'est de la folie.

Ayant mutuellement approuvé leurs points de vue, ils redevinrent silencieux, laissant George méditer. Les collines, plus hautes à présent, barraient parfois de leur sommet les rayons du soleil. L'ombre et la lumière dessinaient sur le visage pensif de George des formes aux contours changeants.

Le changement, là encore. Il songea au président assassiné dont ils avaient vu la photo, encadrée de noir, dans la vitrine d'une boutique de Philadelphie, juste après avoir débarqué. En 1860, Abraham Lincoln avait été désigné comme candidat par son parti parce qu'il était le moins connu, le moins offensif des hommes en lice. Un homme fort aux opinions tranchées aurait suscité des réactions tranchées elles aussi, ce qui est nuisible pour toute organisation à la recherche de votes.

Mais une fois élu et précipité dans le haut fourneau de la guerre, Lincoln s'était transformé en un homme totalement différent, comme l'acier sortant des forges. De l'homme politique provincial aux opinions inconnues et présumées sans problème avait surgi un président proposant une définition de la liberté si radicalement neuve qu'il faudrait des années au pays pour en déchiffrer toutes les significations.

Le triple fardeau de la conduite du parti, du gouvernement et de la guerre avait aussi profondément changé Lincoln sur le plan physique, creusé des ravines dans le paysage érodé de son visage et noyé ses yeux dans des lacs d'ombre perpétuelle. La photo vue dans la vitrine de Philadelphie ne ressemblait guère à celles des années précédentes.

Dans le cœur des Noirs, l'homme s'était changé en dieu d'un trait de plume. Mais, songeait George, un aspect au moins de sa personnalité était resté le même. Si le président avait souvent perdu patience, parfois son sens de l'humour et, en de rares occasions, sa compassion pour l'ennemi, il avait toujours gardé les yeux fixés sur sa propre étoile polaire. Il avait aimé les êtres humains, du Nord comme du Sud, mais plus encore l'Union.

Pour la préserver, il avait à regret conduit un peuple à la guerre. Il avait souffert de dépression nerveuse, d'insomnie ; il avait lutté contre les démons de l'incompétence, de l'inaptitude et de l'insinuation ; il avait pris un ton autoritaire ou plaisant, prêché et flatté, rêvé et pleuré. Enfin, il avait été la dernière victime immolée sur un autel où le sang n'avait cessé de couler.

Au moins sut-il avant de mourir que son étoile polaire brillait toujours, éclatante et pure, au-dessus des cendres encore tièdes. L'Union demeurait — profondément modifiée mais fondamentalement inchangée.

George constatait mais ne comprenait pas tout à fait ce paradoxe. Simplement, elle était là, puissante, majestueuse et mystérieuse, comme le président assassiné lui-même.

Fermant les yeux, George ramena ses pensées à un cercle plus restreint et médita sur les changements qui l'avaient affecté.

Orry mort — et sa veuve ne faisant pas mystère qu'elle était noire, du moins aux yeux des Sudistes les plus stricts. George l'avait appris par Billy mais Madeline elle-même en avait discuté franchement avant leur départ pour Mont Royal.

Charles... Tout le monde s'accordait à penser que la guerre l'avait brûlé, aigri. Brett, au contraire, attendait avec impatience de devenir mère et, chose étonnante, ressemblait souvent plus à Virgilia qu'à une Sudiste.

Cooper affichait de temps à autre des opinions presque réactionnaires, comme s'il avait fini par accepter l'héritage sudiste que son père avait toujours voulu lui léguer et qu'il avait si longtemps méprisé.

Billy avait changé d'opinion sur les Noirs, lui aussi. En disant au revoir à George en Caroline du Sud, il lui avait fait part de son intention de rester dans le Génie. A moins que quelque chose ne fît obstacle à son avancement, auquel cas il pourrait toujours se rabattre sur la construction ferroviaire dont il avait discuté avec son frère. Le train, c'était l'avenir, comme en témoignait le surnom qu'on lui avait trouvé : le cheval de fer.

Comme le processus de changement accéléré par la guerre les avait tous touchés ! Nul n'avait été épargné : ni ceux qui l'acceptaient ni ceux qui le niaient. A preuve la conversation des deux voyageurs assis derrière George. Le durcissement des opinions était en soi un changement, en réponse au changement.

Pourquoi tant de gens niaient-ils la constance universelle de ce processus ? se demandait George. Du fait de son caractère ou de son éducation, il l'avait compris très tôt, dans le cadre de l'entreprise familiale. Ouvert aux innovations, il avait combattu Stanley, qui ne l'était pas. Peu à peu, son champ de vision s'était élargi et il avait saisi l'avantage — ou tout au moins l'inéluctabilité — du changement au-delà des grilles des forges Hazard.

Pourquoi certains hommes ignoraient-ils les leçons de l'histoire et érigeaient-ils dans leur esprit des barrières contre une loi de la vie immuable comme les saisons ? Ils pleuraient la douceur de vivre d'un hier à demi imaginaire au lieu de contribuer à bâtir un lendemain plein de bonheur potentiel. De ce flot d'événements qu'ils ne parvenaient pas à endiguer, ils accusaient Dieu, leur femme, le gouvernement, les livres, les manœuvres extravagantes d'hommes que personne ne désignait. Ils vivaient des existences malheureuses et torturées, essayant de barrer le Niagara avec un fétu de paille.

George doutait qu'on pût changer ce genre de personnes, malédiction et fardeau d'une race gravissant péniblement une montagne dans la pénombre. « Aussi constants que le changement même qu'ils haïssent », pensa George avec un sourire las.

Ce qui lui rappela un changement petit mais important qu'il voulait faire à Belvedere. Depuis qu'il l'avait trouvé dans les collines dominant West Point, le fragment de météorite était resté sur la table de la bibliothèque, symbole de la puissance du métal auquel les Hazard devaient leur fortune. Pendant de nombreuses années, George avait été fasciné par le rôle du fer dans la fabrication des armes et donc par sa capacité à changer le destin des nations, de la planète elle-même.

Mais en Virginie, il avait commencé à penser qu'un certain ajustement ou équilibre était nécessaire. Pendant quatre ans, des Américains s'étaient jetés sur d'autres Américains comme des bêtes fauves. L'avenir révélerait toutes les conséquences de ce bain de sang — le choc ultime, quand toutes les pertes, visibles ou non, auraient été dénombrées. Ce choc ne se dissiperait pas de sitôt, George en était persuadé. Il fallait donc trouver, préparer un facteur d'équilibre.

En arrivant à Belvedere, il embrassa longuement ses enfants puis monta sur la colline et en ramena une branche de laurier qu'il posa à côté de la météorite, dans la bibliothèque.

— J'aimerais qu'il y ait toujours sur cette table une branche de laurier, dit-il. Là où nous pourrons tous la voir.

Ce même soir, dans le train de Baltimore, le général Duncan et Charles se faisaient face dans une voiture de première classe. Avec son poncho crasseux et ses cigares, l'ancien éclaireur n'y semblait pas à sa place et Duncan avait insisté pour qu'ils prennent le temps de lui acheter un costume décent pendant le voyage avant qu'on ne lui donne un nouvel uniforme.

A plusieurs reprises depuis le retour de Charles du cimetière, le général avait essayé de le faire parler sur ce qui l'avait amené à prendre sa décision. Mais Charles était incapable de décrire les pensées et les sentiments qui avaient tourbillonné dans son esprit pendant cette longue nuit de veille, d'incertitude, de culpabilité, de désespoir.

Il avait songé à partir pour l'Egypte et à s'enrôler dans l'armée du khédive, comme l'avaient fait certains officiers confédérés. A gagner les collines pour continuer la guérilla contre les Yankees. A rentrer chez lui, sombrer dans l'oisiveté et l'alcool.

A se suicider.

Il avait aussi pensé à l'Ouest où, selon Duncan, on avait besoin de cavaliers. Charles ne savait rien faire d'autre que le métier de soldat.

Mais toutes ces considérations passaient après ce qui avait été au centre de son esprit pendant sa veille : la mort de Gus et la vie de son fils. Deux pensées inextricablement mêlées.

C'était Gus qui lui avait montré la voie. Devant la tombe, il s'était rappelé leurs meilleurs moments ensemble. La force et la volonté de la jeune femme. Aucune transformation miraculeuse ne s'était produite tandis que la pluie tombait sur lui, se mêlant au flot de ses larmes. Il n'avait jamais ressenti une telle souffrance, il savait qu'elle durerait longtemps encore. Mais lorsque sa peine et son sentiment de culpabilité avaient enfin rompu les digues, il avait compris qu'il aimait toujours Augusta Barclay plus que la vie et qu'il devait donc aimer son fils. Il devait vivre pour elle et pour l'enfant, parce qu'ils ne faisaient qu'un.

Voyant l'expression sombre de Charles, qui regardait par la fenêtre les prairies baignées par la lumière du couchant, Duncan fronça les sourcils. Il ne se sentait pas encore à l'aise en présence de l'ancien officier confédéré et se demandait s'il le serait un jour. Il se demandait aussi si Charles saisissait toutes les implications de sa décision. Alors que le train passait devant un des nombreux hameaux jalonnant la voie ferrée dans le Maryland, le général s'éclaircit la voix et dit :

— Vous savez, mon garçon, servir à nouveau dans l'armée régulière comme vous le projetez, ce ne sera pas facile pour un homme tel que vous.

Charles serra les dents sur son mégot de cigare éteint.

— Je suis passé par l'Académie comme vous, répliqua-t-il. Je suis un militaire de carrière. J'ai changé d'uniforme une fois, je peux le faire à nouveau. Le pays est réunifié, non ?

— C'est vrai. Néanmoins, personne dans l'armée ne vous traitera comme nous le souhaiterions tous deux. Je m'efforce simplement de vous préparer à l'inévitable. Aux manques de courtoisie, aux insultes...

— Je m'y ferai, coupa Charles d'un ton dur.

Un rayon de soleil filtrant entre deux collines basses éclaira son visage ravagé, grave.

— Ah ! voici Maureen, dit Duncan, ravi de l'interruption.

La nourrice s'avança dans le couloir, le bébé au creux du bras.

— Il est réveillé, général. J'ai pensé que vous voudriez peut-être...

La jeune Irlandaise, qui avait quitté la place qu'elle occupait en seconde classe, sembla tout à coup ne plus savoir auquel des deux hommes elle devait s'adresser.

— Donnez-le-moi, ordonna Charles sèchement.

Il se reprit et ajouta avec plus de douceur :

— Merci, Maureen.

Avec un soin infini, il prit la forme emmaillotée dans ses bras tandis que le général se penchait pour relever le coin de couverture avec lequel Maureen avait protégé le visage du bébé pour passer d'une voiture à l'autre. Duncan eut un sourire rayonnant de grand-oncle fier de son petit-neveu.

L'enfant au visage rose regarda son père avec de grands yeux. Intimidé, craignant de lui faire mal, Charles eut un sourire hésitant. Le petit grimaça et se mit à brailler.

— Bercez-le, bon sang, grommela le général.

Ce fut efficace. Charles n'avait jamais bercé de bébé mais il acquit rapidement la technique. Le train longea un champ où un paysan, marchant derrière sa mule et sa charrue, retournait une terre nouvelle.

— Franchement, mon garçon, reprit le vieil officier, bien que je sois ravi de vous avoir près de moi, j'en suis encore sidéré. J'avais pensé que si vous preniez votre fils, vous retourneriez en Caroline du Sud, l'élever en Sudiste.

— Charles est un Américain, répondit le père. C'est ainsi que je l'éduquerai.

Duncan toussota pour indiquer qu'il admettait la réponse, à défaut de la comprendre.

— A propos, il a un deuxième prénom.

— Vous ne me l'aviez pas dit.

— Cela m'était sorti de l'esprit. Vous conviendrez que la journée a été passablement agitée... Il s'appelle Charles Augustus. Ma nièce lui a donné ces prénoms juste avant de...

Le général s'assombrit tout à coup. « Pour lui aussi, c'est dur de se souvenir », pensa Charles.

— Avant de nous quitter, acheva Duncan. Elle prétendait avoir toujours aimé le surnom de Gus.

Sentant des larmes lui monter aux yeux, Charles battit des cils. Il regarda son fils, dont le visage avait mystérieusement rougi et pris une expression de souffrance.

— Ah ! je crois que nous allons avoir besoin de l'aide de Maureen, annonça le général. Excusez-moi, je vais la chercher.

Tandis que Duncan s'éloignait dans le couloir, Charles toucha avec précaution le menton de son fils. Le bébé tendit la main, lui saisit l'index, le porta à sa bouche et le suçota.

Le général avait prévenu Charles sur la nécessité d'être propre et Charles s'était déjà lavé les mains trois fois dans la journée — un record pour lui. Il remua le doigt, Charles Augustus gazouilla. Accordant toute son attention à son fils, il ne vit pas la barrière qui était apparue soudain le long de la voie ni les buses en train de se repaître et qui, dérangées dans leur festin, s'envolèrent au-dessus de la charogne pourrissante d'un cheval noir.

La guerre a creusé un abîme entre ce qui s'est passé avant elle et ce qui s'est produit ensuite... Je n'ai pas l'impression de vivre dans le pays où je suis né.

George TICKNOR, de Harvard, 1869

POSTFACE

Tout a changé, changé totalement :
Une terrible beauté est née.

Ces dix mots que Yeats écrivit dans *Pâques 1916* servent de fondation à cet ouvrage.

Guerre et Passion ne vise pas à démontrer une fois de plus que la guerre est l'enfer — bien que ce soit le cas — ou à peindre une fois de plus l'esclavage comme notre plus horrible crime national — quoiqu'on puisse à bon droit le soutenir. Les deux idées figurent dans le livre et n'y occupent pas une petite place. Mais essentiellement, *Guerre et Passion* parle du changement comme d'une force, d'une constante universelle, à travers un groupe de personnages vivant le plus grand bouleversement que l'Amérique ait connu en un temps très court : la guerre de Sécession.

Dans son livre *Ordeal by Fire : the Civil War and Reconstruction*, le professeur James McPherson, de Princeton, définit parfaitement cette guerre comme l'événement central de la conscience historique américaine... (Elle) a préservé ce pays de la destruction et déterminé dans une grande mesure quelle sorte de nation il deviendrait. La guerre de Sécession a répondu à deux questions fondamentales : ... (les Etats-Unis) seraient-ils un pays doté d'un gouvernement national souverain ou une confédération dissoluble d'Etats souverains ? Et cette nation, née d'une déclaration proclamant le droit égal de tous les hommes à la liberté, devait-elle rester le plus grand pays esclavagiste du monde ? »

Hormis une ligne narrative forte, à mes yeux essentielle, j'ai pensé que le livre devait contenir trois éléments pour atteindre son objectif.

D'abord des détails. Et pas sur les événements les plus familiers au lecteur. Au-dessus de ma machine à écrire, j'avais mentalement accroché une deuxième pancarte disant : « Pas à nouveau Gettysburg. » (La première, très ancienne maintenant, me donne ce conseil permanent : « D'abord raconter une histoire. »)

Les détails que je souhaitais provinrent en grand nombre de ce que j'appelle les chemins détournés : les endroits fascinants où passent rarement les romans sur la guerre de Sécession. Au fond du port de Charleston, par exemple, où l'étonnant sous-marin *Hunley* aux dimensions étonnamment petites annonçait un bouleversement spectaculaire

711

de la guerre navale. Dans les bureaux et les camps de la cavalerie. Sur les chantiers d'un bataillon du Génie ou d'une équipe de construction ferroviaire. Au cœur de la prison Libby, à Liverpool, au service de l'Intendance, à Washington, avec son défilé incessant d'inventeurs. J'ai même voulu montrer le théâtre aux armées et la pièce à laquelle Charles assiste est authentique.

Espérant que ce qui m'avait intéressé intéresserait aussi le lecteur, j'ai choisi un certain nombre de ces chemins détournés moins connus et j'ai commencé mes recherches, qui me prirent un an. Il n'y a certes pas pénurie de matériau. Pour citer à nouveau McPherson, « C'est peut-être simplement parce que le conflit a été étonnamment riche et varié qu'il est une source inépuisable. » L'historien Burke Davis fait observer que « plus de cent mille ouvrages (sur la guerre de Sécession) ne donnent finalement pas un récit satisfaisant pour le lecteur ». Ni d'ailleurs pour l'écrivain. Je n'ai pas trouvé le moyen d'incorporer une découverte fascinante et relativement récente selon laquelle, pendant les derniers sursauts de la Confédération, des techniciens sudistes auraient mis au point en Angleterre une sorte de missile téléguidé primitif. L'appareil aurait été expédié en Virginie, expérimenté puis tiré sur Washington. En mettant le feu aux archives de Richmond, on a peut-être détruit un éventuel rapport sur la performance du missile. Nous n'avons aucune preuve qu'il ait atteint sa cible, qu'il l'ait manquée de peu ou de beaucoup — ou qu'il ait jamais existé. Pas de place donc pour cette histoire — ni pour de nombreuses autres.

J'espère toutefois que les détails sont suffisamment nombreux car ils offrent le seul moyen de tenter de suggérer ce que signifièrent combattre et vivre pendant ce conflit.

Richard H. Shryock, bibliothécaire érudit, plaida avec compétence la cause du détail il y a cinquante ans : « Les traditions politiques et militaires, ainsi que l'apparente nécessité de l'abstraction, privent les ouvrages historiques de ce réalisme qui seul peut faire sentir les souffrances éprouvées dans une grande guerre. La description par un historien de la bataille de Gettysburg montrera probablement ce qui est arrivé à l'aile droite de Lee ou au corps d'armée de Longstreet, mais rarement ce qu'il advint du corps du soldat John Jones ou de milliers d'autres inconnus comme lui... L'historien peut toutefois dépeindre la réalité et faire sentir ce que coûte une guerre si, en décrivant les campagnes militaires, il accorde moins de place à la tactique sur le champ de bataille et davantage... aux camps et aux hôpitaux. »

Certes. C'est la raison pour laquelle Charles découvre les premières mines terrestres utilisées lors des combats de la Péninsule et que Cooper met au point des « torpilles » (terme qui désignait alors des mines navales, ce qui introduit une certaine confusion). C'est une des raisons pour lesquelles Cooper participe à la plongée du *Hunley*, dont la copie grandeur réelle se trouve aujourd'hui à l'entrée du musée de la ville de Charleston. C'est pourquoi on voit moins dans cet ouvrage de généraux que de soldats s'occupant de leurs chevaux, tombant malades, ayant le mal du pays, lisant des brochures populaires et des livres pornographiques, cousant leurs vêtements, grattant leurs poux.

Certains détails posent un problème de vraisemblance parce que nous les considérons à travers un objectif faussé par notre propre réalité et le scepticisme de notre époque. Ainsi, on aura peut-être peine à accepter l'absence quasi totale de services de sécurité présidentiels, y compris dans la résidence du chef de l'Etat, ou le fait que Lincoln tînt les premières nouvelles sûres de la défaite de Fredericksburg d'un correspondant de presse furieux barré par la censure militaire, ou encore que le vacillant général Burnside consultât son cuisinier personnel sur les questions stratégiques. Le lecteur doit croire sur parole des détails de ce genre, qui ne sont pas inventés, aussi étranges puissent-ils paraître.

Certains des détails fictifs s'appuient sur une base solide de plausibilité. Par exemple, le complot de Powell, pas plus invraisemblable que le projet, authentique, d'établir « une troisième nation » en associant le Haut Sud — les *Border-States* — au Middle West. Cette idée traîna dans Richmond pendant l'hiver 1862-1863. Au début de la guerre, on parla aussi beaucoup d'une Confédération du Pacifique, également mentionnée dans le livre.

Le projet d'assassiner Davis est une invention mais lui aussi semble logique si l'on considère deux données. Premièrement, si on estime que Lincoln fut constamment menacé, pourquoi son homologue confédéré ne l'aurait-il pas été ? D'autant que Davis — et c'est le deuxièmement — fit l'objet d'une haine farouche, notamment parmi certains habitants de son propre Sud cotonnier. Je me demande parfois si les quelques Sudistes d'aujourd'hui qui roulent en camionnette aux plaques minéralogiques proclamant « *Crénom, j'oublie pas !* » ont entendu parler de messieurs Brown et Vance — respectivement de Georgie et de Caroline du Nord — sans doute deux des ennemis les plus venimeux qu'un chef d'Etat ait jamais comptés. Agitant furieusement la bannière du droit des Etats, ils maudirent et défièrent le gouvernement central, gardèrent les hommes, les uniformes et les chaussures dont l'armée avait désespérément besoin et, d'une manière générale, firent autant de mal sinon plus que maints commandants de l'Union.

Aucun gouverneur n'est accusé ici de sinistre complot. Mais un homme comme Powell, qui soigne ses rancœurs à coups de pistolet, n'est pas si éloigné de ceux qui, comme Brown et Vance, traitèrent continuellement Davis de « dictateur » et de « despote ».

Le second ingrédient dont j'avais besoin, également mentionné dans la postface de *Nord et Sud*, c'est l'exactitude.

Je ne dis pas l'infaillibilité. Dans un roman aussi long et complexe, impossible d'être parfait. Mais il faut absolument s'efforcer de l'être. J'en ai fait la constatation pendant le travail préparatoire sur ce livre.

Fan d'Errol Flynn depuis toujours, j'ai enregistré sur mon magnétoscope *Sur la piste de Santa Fe*, que je n'avais pas vu depuis des années. Sorti en 1940, produit par la Warner, il passe encore fréquemment à la télévision. On y présente comme membres de la promotion 1854 de West Point les officiers suivants : Jeb Stuart (joué par Flynn), ce qui est exact ; Longstreet (qui est de la promotion 42), Pickett (46), Hood (53) et le meilleur ami de Stuart, George Custer (61). Le jeune Custer est incarné par le jeune Ronald Reagan.

Pendant le déroulement de l'intrigue, fort confuse, nous voyons un acteur aux cheveux argentés jouer un stéréotype familier, l'homme d'affaires distingué. Ce personnage possède une compagnie de chemins de fer au Kansas et une fille, que Jeb Stuart épouse. En d'autres termes, Flynn fait tout autre chose que ce que fit le vrai Stuart : épouser la fille de Philip St George Cooke, l'officier de carrière qui devint son ennemi juré pendant la guerre, l'homme qu'il tenta d'humilier en contournant McClellan.

Le petit copain Custer, toujours souriant, est contraint de se rabattre sur une blonde insipide, la fille de Jeff Davis. Davis lui-même ressemble à un Lincoln en solde ; sa fille à une danseuse de comédie musicale.

Pis encore, le film est curieusement mou lorsqu'il traite de la question de l'esclavage. Les cavaliers combattent contre John Brown au Kansas mais Stuart et Custer déclarent que « d'autres » doivent « décider » de cette question. Eux ne font qu' « obéir aux ordres » et n'ont probablement pas d'opinion sur les problèmes du pays.

Comme les romans — et les scénarios — sont écrits par des hommes, non par des machines, la reconstruction de tout pan du passé se traduira plus que probablement par au moins quelques erreurs. (J'en ai commis une de taille sur les pièces de monnaie dans le premier tome de cette trilogie.) Mais une erreur involontaire, ce n'est pas la même chose qu'une transformation grossière de la réalité perpétrée pour Dieu sait quelle raison et manifestement tolérée dans nombre de romans mais plus encore au cinéma.

Pour être juste, il faut dire que les producteurs de films ne sont pas les seuls individus coupables de trafiquer le passé. Nous avons tous tendance à fabriquer des mythes. Ainsi, nous avons de Lincoln l'image d'un idéaliste toujours calme, plein d'humanité et omniscient plutôt que celle d'un homme dépressif, rongé par le doute, d'un politicien pragmatique haï de beaucoup, que sa propre conscience et les nécessités du moment firent accéder à la grandeur. Lee est pour nous le héros éternel juché sur son cheval, pas l'officier dont on mit en cause la compétence et les décisions, qui fut en butte au mépris de maints Confédérés le surnommant « Grand-maman » ou « Lee la Retraite ».

Nous édifions en mythe non seulement des hommes mais la guerre elle-même. Le désintérêt de la plupart des historiens sérieux pour les éléments personnels et notre propre tendance, tout à fait naturelle, à préférer le grandiose au sordide, se sont peut-être conjugués pour donner à la guerre de la patine, la rendre plus romanesque. Elle le fut — pendant environ trois mois. Ensuite vint l'horreur. Une horreur qui ne cessa de croître.

Pourtant les visions romanesques demeurent.

Si le film *Autant en emporte le vent* mérite l'admiration qu'il a suscitée et les honneurs qu'il a reçus, ce n'est pas parce qu'il présente une reconstitution fidèle de l'histoire. C'est du romanesque. On y voit, brièvement, des batailles aseptisées — en montage ou en toile de fond du titrage. L'incendie d'Atlanta est une grande scène d'action mais ne dit pas grand-chose sur les tragédies personnelles. La question de l'esclavage n'est jamais abordée ; les domestiques noirs de Tara sont heureux, bien proprets et apparemment satisfaits. Enfin, malgré quelques scènes d'hôpital, on ne montre jamais de vraie souffrance sauf dans la célèbre scène de la gare où la caméra s'élève pour révéler peu à peu, avec une puissance dévastatrice, des mutilés de plus en plus nombreux.

Il est peut-être injuste de juger un classique avec des critères autres que ceux de son époque. Mais la plupart des vues sociales de Charles Dickens sont encore valables aujourd'hui. Celles d'*Autant en emporte le vent*, non.

En 1939, les Américains blancs considéraient comme normal que Butterfly McQueen et Hattie McDaneil soient bien mignons quoique esclaves, tout comme leur paraissait normale la succession de porteurs et autres serviteurs stéréotypés joués par Mantan Moreland dans les films de Charlie Chan. L'acteur noir devait généralement montrer la lâcheté comique du nègre en tremblant et en roulant des yeux blancs.

A.E.E.L.V., œuvre magistrale que j'aime avec une profonde émotion malgré ses aspects négatifs évidents, me pose deux problèmes. D'abord, c'est la plus importante représentation de la guerre, donc une validation implicite de sa propre morale douteuse. Ensuite, un seul film récent dont je me souvienne — *Racines*, production de David L. Wolper faisant date — a eu un succès et un impact comparables. Toutefois, cela devrait nous rappeler la différence entre les idées des années 30 et celles d'une Amérique plus récente. La différence entre le mythe et la réalité.

De temps à autre, des œuvres de fiction — comme *la Conquête du courage*, de Stephen Crane — coupent jusqu'à l'os et disent la vérité sur la guerre. A savoir que le mythe d'une conduite chevaleresque et honorable, à tous les niveaux et du début à la fin de la guerre, est faux. En plus du détail exact, j'ai cherché à donner ce sentiment plus général de vérité dans tout le livre. Il ne m'appartient pas de juger si j'ai réussi.

Lancé sur la piste de l'exactitude, j'ai revisité tous les sites des batailles de l'Est. J'ai vu Brandy Station, par une belle journée de printemps en 1982. La même semaine, j'ai passé tout un samedi humide et brumeux à Antietam. Il y avait peu de personnes présentes, hormis celles dont les pierres tombales et les monuments évoquaient le souvenir. Ce fut une journée sombre et émouvante.

Les lecteurs auront peut-être remarqué que dans les passages décrivant les batailles et les campagnes, j'utilise peu les noms et les numéros des unités militaires. Le tableau d'organisation d'une armée est toujours complexe mais c'est doublement le cas pour la guerre de Sécession puisque les forces des deux camps furent restructurées plusieurs fois pour correspondre aux idées des généraux qui les commandèrent. Je crois que les appellations numériques des armées, corps d'armées, divisions et régiments présentent surtout un intérêt pour le spécialiste. Lorsqu'on en fait, comme c'est souvent le cas, l'axe du récit d'une bataille, cela m'irrite et me plonge dans la confusion. C'est pourquoi j'ai évité cette pratique. Je me suis toutefois efforcé de mettre au moment et à l'endroit adéquats des unités importantes pour mon récit.

Il convient de mentionner quelques autres points pour achever ces éclaircissements.

Wade Hampton eut effectivement des « éclaireurs de fer » mais ceux dont je décris les exploits sont fictifs.

Les propos des sénateurs participant au débat de 1863 sur l'allocation de crédits à West Point sont tirés du *Globe* parlementaire du 15 janvier de cette année-là. Bien que ma version du contenu et du ton général de la joute oratoire soit fidèle, le vrai débat fut bien plus verbeux. Transcrit, il s'étend sur dix pages de trois colonnes chacune, aux caractères minuscules. J'ai également choisi des phrases très distantes les unes des autres dans les longues déclarations de Ben Wade et autres orateurs puis je les ai rapprochées pour composer une intervention plus courte. La seule liberté que j'ai prise, c'est d'abréger le discours, pas d'en inventer un.

Je plaide cependant coupable de m'être une fois délibérément écarté d'un pas sur le chemin de la vérité. J'ai décidé de ne pas chercher à reproduire ce que Douglas Southall Freeman appela fort justement « le style chamarré de la conversation » de l'époque. Pour une raison simple : « Même les conversations familières... étaient, comparées à l'usage actuel, ampoulées et affectées. »

Troisième ingrédient dont j'avais besoin, l'aide de spécialistes connaissant les réponses à des questions spécifiques. L'aide de personnes qui m'assistèrent dans des domaines non directement liés aux recherches. Enfin, l'aide de ceux qui m'ont soutenu par leur simple présence. Je tiens à les remercier tous publiquement et à les laver de toute responsabilité si le matériau fourni a été mal utilisé. Ils ne sont pas davantage responsables de mes interprétations des faits ou de l'histoire, en tout ou en partie.

Je commence par Ruth Gaul, de la Hilton Head Island Library, qui s'est occupée patiemment de mes longues listes de demandes de prêt à diverses bibliothèques. Les livres constituant des sources secondaires, les journaux intimes, collections de lettres, monographies, manuels d'exercice militaire, cartes et autres références consultées s'élèvent à près de trois cents. On y trouve même un mince mais captivant recueil de recettes confédérées en temps de guerre, dont un bon nombre font appel à des ersatz. Sans Ruth et les employés tout aussi serviables des bibliothèques du comté de Beaufort et de l'Etat de Caroline du Sud, mon travail de recherche aurait été quasi impossible.

Je dois aussi beaucoup — comme toute personne étudiant la guerre de Sécession — à *The War of the Rebellion : A Compilation of the Official Records of the Union and Confederate Armies*, monument justement célèbre de 128 volumes — sans compter les atlas séparés — commencé en 1864 et achevé en 1927. J'ai un ami qui possède l'un des rares exemplaires complets de cet ouvrage appartenant à un particulier. Je le remercie pour son aide précieuse sans toutefois le nommer car il préfère demeurer anonyme.

A Liverpool, K. J. Williams, honorable secrétaire de la Société d'histoire navale confédérée, et Cliff Thornton, conservateur du musée Williamson de Birkenhead, sont devenus mes amis en se montrant d'excellents guides des divers lieux liés à la Confédération. A Jerry, mes remerciements quasi inexprimables. Et je n'oublierai jamais l'après-midi d'été où Cliff, ma femme et moi-même reçûmes l'autorisation de pénétrer sur une zone clôturée des bords de la Mersey d'où nous avons contemplé, à marée basse, des cales de construction que Cliff lui-même n'avait jamais vues auparavant — peut-être celles-là mêmes où l'*Alabama* fut construit. Personne ne sait exactement où il le fut mais, le terrain, abandonné, est celui où s'élevaient les chantiers navals Laird dans les années 1860.

Le sénateur Ernest Hollings, Mrs. Jan Buvinger et son équipe de la Bibliothèque publique de Charleston m'ont aidé à retrouver un exemplaire du fascinant débat parlementaire sur l'allocation de crédits à West Point.

Mon ami Jay Mundhenk, dont les connaissances sur la guerre de Sécession n'ont d'égales que ses talents culinaires et son hospitalité, a résolu plusieurs problèmes difficiles sur les opérations dans le nord de la Virginie alors que j'étais dans une impasse.

Robert E. Schnare, chef du département des collections spéciales de la bibliothèque de l'Académie militaire des Etats-Unis, m'a accordé une aide généreuse sur des questions aussi diverses que les coordonnées au jour le jour du bataillon du Génie de l'armée du Potomac pendant toute la guerre, ou le contenu du manuel de cavalerie en usage au début du conflit. Comme pour *Nord et Sud*, j'ai obtenu de la bibliothèque de West Point toute la collaboration qu'un auteur peut souhaiter.

Le Dr Arnold Graham Smith m'a apporté une aide précieuse sur certaines questions médicales. D'autres questions particulières ont trouvé réponse grâce à Belden Lee Daniels, Peggy Gilmer, au Dr Thomas L. Johnson, de la bibliothèque de Caroline du Sud ; à Bob Merritt, du *Richmond Times-Dispatch ;* Donna Payne, présidente de la table ronde de Rochester, New York, sur la guerre de Sécession ; John E. Stanchak, rédacteur en chef de *Civil War Times,* et Dan Starer. Deux de mes filles, le Dr Andrea Jakes-Schauer et Victoria Jakes Montgomery, m'ont apporté leur contribution dans des domaines spécifiques.

En plus de la gratitude que j'exprime à mon éditeur, je ne peux oublier un certain nombre d'autres personnes du monde de l'édition.

Joan Judge, l'assistante de Julian Miller, a manipulé des rames de feuilles de machine à traitement de textes avec son efficacité et sa bonne humeur coutumières. Rose Ann Ferrick nous donna sa rapidité et son acuité de jugement pour préparer le texte dactylographié final, qui bénéficia ensuite de la compétence de Roberta Leighton, correctrice sans pareille.

Mon vieil ami et camarade d'université Walter Meade, de Avon Books, m'a aidé d'une manière particulière qu'il comprendra sans que je précise.

Et mon éditeur, Bill Jovanovich, a continué à soutenir mon projet.

Mon avocat, conseiller et ami, Frank Curtis, m'accompagna à chaque pas de ce voyage de deux années.

Il en alla de même pour tous les membres de ma famille mais surtout de ma femme Rachel, à qui j'exprime à nouveau ma gratitude et mon amour.

John Jakes
Hilton Head Island
30 avril 1984

Achevé d'imprimer en mars 1987
sur presse CAMERON
dans les ateliers de la S.E.P.C.
à Saint-Amand-Montrond (Cher)
pour le compte de France Loisirs
123, boulevard de Grenelle, Paris

— N° d'édit. 12431. — N° d'imp. 464. —
Dépôt légal : mars 1987.

Imprimé en France